Kompendium der Psychiatrie und Psychotherapie

Harald J. Freyberger, Rolf-Dieter Stieglitz (Hrsg.)

Kompendium der Psychiatrie und Psychotherapie

Begründet von Th. Spoerri
10., vollständig neu bearbeitete und erweiterte Auflage

14 Abbildungen, 148 Tabellen, 1996

Basel · Freiburg · Paris · London · New York ·
New Delhi · Bangkok · Singapore · Tokyo · Sydney

Die Deutsche Bibliothek – CIP-Einheitsaufnahme
Kompendium der Psychiatrie und Psychotherapie : 147 Tabellen / Harald J. Freyberger; Rolf-Dieter Stieglitz (Hrsg.). Begr. von Th. Spoerri. – 10., vollst. neu bearb. und erw. Aufl. – Basel; Freiburg [Breisgau]; Paris; London; New York; New Delhi; Singapore; Tokyo; Sydney: Karger, 1996
Früher u.d.T.: Spoerri, Theodor: Kompendium der Psychiatrie
ISBN 3–8055–6173–3
NE: Freyberger, Harald J. [Hrsg.]; Spoerri, Theodor [Begr.]

Dosierungsangaben von Medikamenten
Autoren und Verlag haben alle Anstrengungen unternommen, um sicherzustellen, dass Auswahl und Dosierungsangaben von Medikamenten im vorliegenden Text mit den aktuellen Vorschriften und der Praxis übereinstimmen. Trotzdem muss der Leser im Hinblick auf den Stand der Forschung, Änderungen staatlicher Gesetzgebungen und den ununterbrochenen Fluss neuer Forschungsergebnisse bezüglich Medikamentenwirkung und -nebenwirkungen darauf aufmerksam gemacht werden, dass unbedingt bei jedem Medikament der Packungsprospekt konsultiert werden muss, um mögliche Änderungen im Hinblick auf Indikation und Dosis nicht zu übersehen. Gleiches gilt für spezielle Warnungen und Vorsichtsmassnahmen. Ganz besonders gilt dieser Hinweis für empfohlene neue und/oder nur selten gebrauchte Wirkstoffe.

Printed in Switzerland on acid-free paper by Thür AG Offsetdruck, Pratteln
ISBN 3–8055–6173–3

Inhalt

Störungsgruppen

Therapieverfahren

Anwendungsbereiche

Spezielle Aspekte

Vorwort

Das von Theodor Spoerri (1924–1973) 1961 in 1. Auflage verfaßte »Kompendium der Psychiatrie und Psychotherapie«, das von Harald Feldmann unter Mitwirkung von Johannes Brand-Jacobi und Mario Gmür 1983 revidiert wurde, erscheint jetzt in der 10. Auflage mit einem veränderten Konzept, neuen Herausgebern und Autoren. Entsprechend der immensen Weiterentwicklung der theoretischen, methodologischen und therapeutischen Grundlagen der Psychiatrie und Psychotherapie haben sich Verlag und Herausgeber entschlossen, die Beiträge des Bandes jetzt von verschiedenen Autoren bearbeiten zu lassen, um so der Spezialisierung und Differenzierung des Fachgebiets Rechnung zu tragen. Konzeptionell orientiert sich das Kompendium jetzt an der mit der ICD-10 auch im europäischen Raum veränderten Sichtweise psychischer Störungen, die deskriptiv-phänomenologische und ätiologisch-pathogenetische Betrachtungsebenen trennt.

Im Teil **Allgemeine Grundlagen** geht es um Prinzipien und Inhalte der psychiatrischen Untersuchung und Befunderhebung, um Fragen der psychiatrischen Klassifikation und der Besonderheiten des diagnostischen Prozesses in der Psychiatrie sowie um die psychiatrische Epidemiologie.

Der Teil **Störungsgruppen** folgt in seiner Gliederung dem Kapitel V (F) der ICD-10. Im Gegensatz zur bisherigen Nosologie trennt die ICD-10 konsequent die organischen und symptomatischen psychischen Störungen von den Störungen durch psychotrope Substanzen, die in jeweils getrennten Kapiteln behandelt werden. Wie auch für die anderen Störungsgruppen wird hier, sofern inhaltlich sinnvoll und möglich, eine erkrankungsbezogene einheitliche Gliederung in die Abschnitte »Definition und Deskription« (einschließlich Psychopathologie), »Ätiologie und Pathogenese«, »Therapie und Verlauf« und »Prognose« vorgenommen. Es folgen Kapitel zu den schizophrenen und wahnhaften Störungen, den affektiven Störungen, den neurotischen, Belastungs- und somatoformen Störungen, den psychosomatischen Störungen, den sexuellen Störungen, den Persönlichkeitsstörungen, der Intelligenzminderung sowie den psychischen Störungen des Kindes- und Jugendalters.

Um der weitreichenden Differenzierung der biologischen, psycho- und soziotherapeutischen Therapieverfahren Rechnung zu tragen, werden diese in einem gesonderten Teil **Therapieverfahren** zusammengefaßt. Dabei wurden Kapitel zur psychopharmakologischen Behandlung, zu anderen biologischen Verfahren (wie etwa Schlafentzugs- und Lichttherapie) von den verschiedenen psycho- und soziotherapeutischen Behandlungsmethoden getrennt. Ergänzend wurde ein Kapitel aufgenommen, das der wachsenden Bedeutung der Psychoedukation sowie von Patientenratgebern und Selbsthilfemanualen Rechnung trägt.

Daß die Psychiatrie und ihre Nachbardisziplin, die psychosomatische Medizin, sich in den vergangenen Jahrzehnten im Sinne immer weiter spezialisierter Subdisziplinen differenziert haben, zeigt der Teil **Anwendungsbereiche.** Hier werden die Sozialpsychiatrie, die forensische Psychiatrie, die Gerontopsychiatrie, die psychosomatische Medizin (einschließlich Neurosenlehre) und die Konsiliarpsychiatrie abgehandelt.

Speziellen Aspekten der Psychiatrie wird im letzten Teil Rechnung getragen. Hier finden sich Kapitel zu therapie- und verlaufsrelevanten Faktoren psychischer Störungen, zu Mortalität und Suizidalität und zu ethischen Fragen in der Psychiatrie.

Im **Anhang** findet sich ergänzend ein kommentiertes Verzeichnis zur weiterführenden Literatur.

Herrn Dr. Dr. h.c. *Thomas Karger* danken wir für das in uns gesetzte Vertrauen, eine Neubearbeitung des Kompendiums vorzunehmen und uns mit den inhaltlich relevanten Hintergründen verlegerischer Arbeit vertraut zu machen. Allen beteiligten Verlagsmitarbeitern und insbesondere Herrn *Rolf Steinebrunner*, Herrn *Berthold Moog* und Herrn *Robert Grünig* möchten wir für die umsichtige und freundschaftliche Zusammenarbeit bei der Vorbereitung des Kompendiums danken. Frau *Kristina Askerc* half bei der Endredaktion der einzelnen Beiträge, von Frau *Ina Schlafke* stammen Titelbild und Illustration des Bandes.

Lübeck und Freiburg,
im Oktober 1995

Harald J. Freyberger
Rolf-Dieter Stieglitz

Verzeichnis der Autoren

Dr. med. Bernd Ahrens, Psychiatrische Klinik und Poliklinik der Freien Universität Berlin, Eschenallee 3, D–14050 Berlin

Dr. phil. Dipl.-Psych. Jörg Angenendt, Abteilung Allgemeine Psychiatrie mit Poliklinik der Albert-Ludwigs-Universität, Hauptstraße 5, D–79104 Freiburg

PD Dr. med. Volker Dittmann, Psychiatrische Universitätsklinik Basel, Wilhelm-Klein-Straße 27, CH–4025 Basel

Dr. med. Gisbert Eikmeier, Psychiatrische Klinik des Zentralkrankenhauses Reinkenheide, Postbrookstraße, D–27574 Bremerhaven

Dr. med. Anneliese Ermer, Psychiatrische Universitätsklinik, Lenggstraße 32, CH–8008 Zürich

Dr. med. Harald J. Freyberger, Klinik für Psychiatrie und Psychotherapie der Medizinischen Universität, Ratzeburger Allee 160, D–23538 Lübeck

Ab 1.1. 1996: Psychiatrische Klinik und Poliklinik der Rheinischen Friedrich-Wilhelm-Universität Bonn, Siegmund-Freud-Straße 25, D–53105 Bonn

Prof. Dr. med. Hellmuth Freyberger, Wallmodenstraße 25, D–30625 Hannover

Prof. Dr. med. Wolfgang Gaebel, Psychiatrische Klinik der Heinrich-Heine-Universität Düsseldorf, Rheinische Landes- und Hochschulklinik, Bergische Landstraße 2, D–40629 Düsseldorf

Prof. Dr. med. Markus Gastpar, Klinik für Allgemeine Psychiatrie der Rheinischen Landes- und Hochschulklinik, Virchowstraße 174, D–45147 Essen

PD Dr. med. Hans Gutzmann, Wilhelm-Griesinger-Krankenhaus, Gerontopsychiatrie, Brebacher Weg 15, D–12683 Berlin

PD Dr. med. Hans-Joachim Haug, Psychiatrische Universitätsklinik Basel, Wilhelm-Klein-Straße 27, CH–4025 Basel

Prof. Dr. med. Hanfried Helmchen, Psychiatrische Klinik und Poliklinik der Freien Universität Berlin, Eschenallee 3, D–14050 Berlin

Prof. Dr. med. Ulrich Knölker, Poliklinik für Kinder- und Jugendpsychiatrie der Medizinischen Universität, Kahlhorststraße 31–35, D–23538 Lübeck

Prof. Dr. med. Michael Krausz, Psychiatrische und Nervenklinik, Universitätskrankenhaus Eppendorf, Martinistraße 52, D–20246 Hamburg

Dipl.-Psych. Roselind Lieb, Schulpsychologischer Dienst Marzahn, Blumberger Damm 14, D–12683 Berlin

Prof. Dr. med. Hans-Jürgen Luderer, Psychiatrische Klinik und Poliklinik, Schwabachanlage 6 und 10, D–91054 Erlangen

Prof. Dr. rer. soc. et rer. nat. habil. Jürgen Margraf, Technische Universität Dresden, Klinische Psychologie und Psychotherapie, Mommsenstraße 13, D–01062 Dresden

PD Dr. med. Dipl.-Psych. Stefan Priebe, Abteilung für Sozialpsychiatrie der Freien Universität Berlin, Platanenallee 19, D–14050 Berlin

Dr. med. Dr. phil. Dipl.-Psych. Rolf Saupe, Psychiatrische Abteilung des Krankenhauses Stade, Bremervörder Straße 111, D–21682 Stade

Prof. Dr. med. Dr. rer. nat. Wolfgang Schneider, Abteilung für Psychotherapeutische Medizin und Psychosomatik der Universität, Gehlsheimerstraße 20, D–18147 Rostock

Dr. med. Michael Schulte-Markwort, Poliklinik für Kinder- und Jugendpsychiatrie der Medizinischen Universität, Kahlhorststraße 31–35, D–23538 Lübeck

Prof. Dr. med. Gerhard Schüßler, Klinik für Medizinische Psychologie und Psychotherapie der Universität Innsbruck, Sonnenburgstraße 9, A–6020 Innsbruck

Dr. rer. nat. Dipl.-Psych. Rolf-Dieter Stieglitz, Abteilung Allgemeine Psychiatrie mit Poliklinik der Albert-Ludwigs-Universität, Hauptstraße 5, D–79104 Freiburg

PD Dr. phil. Bernhard Strauß, Klinik für Psychosomatik und Psychotherapie der Christian-Albrechts-Universität, Niemannsweg 147, D–24105 Kiel

Dr. med. Dipl.-Psych. Roland Vauth, Abteilung Allgemeine Psychiatrie mit Poliklinik der Albert-Ludwigs-Universität, Hauptstraße 5, D–70104 Freiburg

PD Dr. phil. Siegfried Weyerer, Zentralinstitut für Seelische Gesundheit, Postfach 12 21 20, D–68072 Mannheim

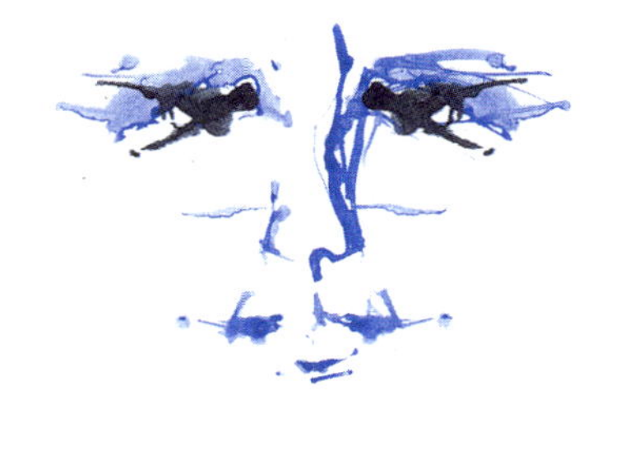

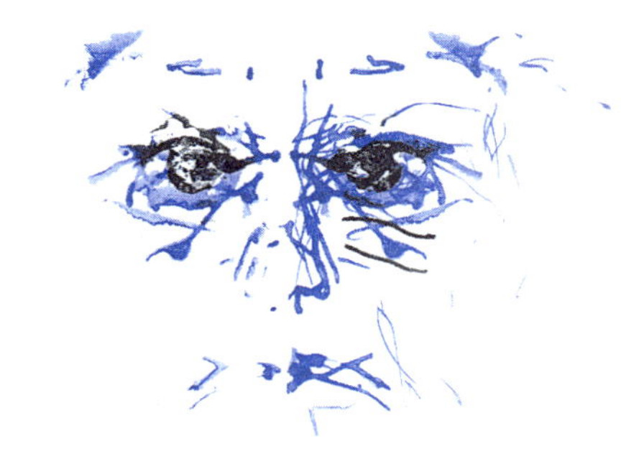

1. Psychiatrische Untersuchung und Befunderhebung

Harald J. Freyberger, Anneliese Ermer, Rolf-Dieter Stieglitz

1.1. Das psychiatrische Gespräch und die Beziehung zum Patienten

Psychiatrische Erstuntersuchung und Befunderhebung erfüllen mehrere Funktionen. Erstens geht es darum, zum Patienten eine **Beziehung** herzustellen, die es ihm ermöglicht, über seine Beschwerden, Probleme und Lebensumstände in einer möglichst offenen und vertrauensvollen Atmosphäre zu sprechen. In diesem Sinne hat die Erstuntersuchung auch eine psychotherapeutische Funktion, zumal sie in der Regel eine Behandlung einleitet. Zweitens geht es um eine **systematische Erhebung** der **Krankheitsanamnese,** der **Biographie,** relevanter **Persönlichkeitsaspekte,** der aktuellen **Lebenssituation** und der **psychopathologischen Merkmale.** Die Erstuntersuchung hat also primär eine diagnostische Funktion, auf deren Grundlage ein Konzept zur Störungsgenese entwickelt und erste Behandlungsmaßnahmen eingeleitet werden müssen.

Die **Techniken der Befunderhebung** reichen heute von standardisierten Interviews (vgl. Kapitel 2), in denen für jedes zu erhebende Merkmal vorformulierte Fragen gestellt werden, über das strukturierte klinische Interview bis zur weitgehend unstrukturierten Situation des psychodynamisch orientierten Erstinterviews, in dem es weitgehend dem Patienten vorbehalten bleibt, mit welchem Inhalt und wie er das Gespräch gestaltet. Das Ziel der Untersuchungsansätze ist dabei unterschiedlich. Während mit dem Strukturierungsgrad die Vollständigkeit und Zuverlässigkeit (Reliabilität) der erhaltenen Informationen ansteigen, gehen gleichzeitig subjektive Aspekte des Erlebens verloren, die für das Verständnis des Patienten und seiner Störung ebenso relevant sind. Die psychiatrische Erstuntersuchung muß daher beide Aspekte integrieren.

1.2. Anamnesenerhebung

1.2.1. Familienanamnese

Die Familienanamnese dient der Erfassung psychosozialer und krankheitsrelevanter Befunde aus der **Herkunftsfamilie** des Patienten. Im Rahmen eines **Mehrgenerationenansatzes** sollten dabei zumindest Großeltern, Eltern und Geschwister berücksichtigt werden. Bei der Erhebung der einzelnen Aspekte (vgl. Tabelle 1.1) sollte systematisch zwischen der mütterlichen und der väterli-

Tabelle 1.1. Familienanamnese

Psychosoziale Situation der Großeltern und Eltern Alter, Beruf, finanzielle Verhältnisse, Daten und Ursachen des möglichen Todes
Geschwister Anzahl, Alter, Geschlecht, Familienstand, Stellung des Patienten in der Geschwisterreihe
Familienatmosphäre Persönlichkeitsstrukturen und interaktionelle Besonderheiten von Eltern und weiteren primären Bezugspersonen, Einstellungen der Eltern zu Familie, Erziehung, Sexualität und anderen relevanten Bereichen
Familiäre Belastung mit psychiatrischen und somatischen Störungen Psychiatrische und somatische (Erb-)Krankheiten und Behandlungen in der Familie (Verwandte 1. und 2. Grades), Suizide, Suizidversuche, Störungen durch psychotrope Substanzen, delinquentes Verhalten und andere Auffälligkeiten

chen Linie unterschieden werden, wobei die Erstellung eines Familienstammbaums (vgl. Kapitel 23) hilfreich sein kann.

1.2.2. Biographie des Patienten

Der Biographie des Patienten kommt in der Psychiatrie besondere Bedeutung zu, da bei einer Vielzahl von Erkrankungen der lebensgeschichtliche Kontext, die Persönlichkeitsstruktur und die die Erkrankung auslösende biographische Situation in engem Zusammenhang stehen können. Bei der Erhebung der biographischen Daten und Umstände (vgl. Tabelle 1.2) ist es sinnvoll, zwischen **äußerer** und **innerer Biographie** zu unterscheiden. Während mit der äußeren Lebensgeschichte »objektive« Daten erhoben werden, geht es bei der inneren Lebensgeschichte um den subjektiven Aspekt, d.h. wie biographische Einzelheiten erlebt worden sind und wie sie in ein inneres Konzept von sich selbst integriert werden. Neben der Würdigung von inneren oder äußeren Konflikten in der Lebensgeschichte wird in den letzten Jahren die Bedeutung von »Realtraumatisierungen«, wie etwa sexueller Mißbrauch oder Kindesmißhandlung, stärker in den Vordergrund gerückt.

1.2.3. Krankheitsanamnese (psychiatrische und somatische Anamnese)

Mit der Krankheitsanamnese sollen **frühere psychiatrische und somatische Erkrankungen** sowie die **Vorgeschichte der jetzigen Störung** erfaßt werden (vgl. Tabelle 1.3). Dabei ist es nicht nur notwendig, die »objektiven« Daten der Krankheitsentwicklung, des Krankheitsverlaufs und der bisherigen Behandlungsversuche zu erheben, sondern darüber hinaus die Einstellungen zu der Erkrankung und den bisher durchgeführten Therapien. Dem Krankheitskonzept des Patienten, d.h. seinen eigenen Vorstellungen über die Ursachen und die

Tabelle 1.2. Biographie des Patienten

Schwangerschafts- und Geburtsumstände
Krankheiten oder psychosoziale Auffälligkeiten während der Schwangerschaft der Mutter, Alter der Mutter und des Vaters zum Zeitpunkt der Geburt, eheliches/uneheliches Kind, Geburtsort, Art der Geburt (Früh- oder Spätgeburt, Zangengeburt oder Kaiserschnitt)

Frühkindliche Entwicklung
Entwicklungsschritte des Laufens, Sprechens und der Reinlichkeitserziehung, frühkindliche Störungen (Bettnässen, Alpträume usw.), Erziehungsstil und Beziehung zu Eltern und Geschwistern, emotionale Besonderheiten

Vorschulische und schulische Entwicklung
Kindergarten, Schulentwicklung und Abschluß und damit verbundene Entwicklungsschritte (Schulwechsel, Sitzenbleiben, Stellung gegenüber bestimmten Fächern, Mitschülern und Lehrern; äußere Faktoren mit Einfluß auf die schulische Entwicklung, z.B. Wohnortwechsel der Eltern usw.)

Pubertät und frühes Erwachsenenalter
Ablösungskonflikte vom Elternhaus, sexuelle Entwicklung (Doktorspiele, Masturbation, hetero- und homosexuelle Kontakte, Perversionen, Schwangerschaften)

Berufliche Entwicklung
Militär-/Zivildienst, Gründe der Ausbildungs- und Berufswahl, Ausbildungsgang und -abschluß, Hintergründe für Berufs- und Stellenwechsel, subjektive Befriedigung durch den Beruf

Partnerschaften, Ehe, Familie und Kinder
Dauer der Partnerschaften, Alter, Persönlichkeit und sozioökonomischer Status der Partner, Umstände der Eheschließung, Zahl, Alter und Herkunft der Kinder, partnerschaftliche Einstellungen (Erziehungs- und Lebensstil, Sexualität)

Sozioökonomische Besonderheiten
Wohnverhältnisse, wirtschaftliche Situation, Zugehörigkeit zu Religionsgemeinschaften, Vereinen, politischen Organisationen, soziale Kontakte außerhalb der Familie

Entwicklung seiner Erkrankung, seiner sich daraus ableitenden Therapiemotivation und seinem Krankheitsverhalten (vgl. Kapitel 2) kommt für die Therapieplanung eine entscheidende Rolle zu. Ein besonders wichtiger Aspekt der Krankheitsanamnese ist die Herausarbeitung einer möglicherweise die Symptomatik auslösenden Situation, in der bestimmte intrapsychische oder interpersonelle Konflikte wirksam geworden sind.

1.3. Erhebung des psychopathologischen Befundes

Mit der Erhebung des psychopathologischen Befundes sollen die **psychischen Merkmale und Symptome** erfaßt werden, die für die **Kennzeichnung der aktuellen psychischen Störung** charakteristisch sind. Während die Psychopathologie den Querschnitt wie den Verlauf symptomatologisch bzw. syndromatologisch abbildet, sagt sie allein nichts Definitives über Ätiologie und Pathogenese der zugrundeliegenden Störung aus.

Tabelle 1.3. Krankheitsanamnese

Frühere psychiatrische und somatische Erkrankungen
Entwicklung und Art der Erkrankung, Diagnosen
Zeitpunkt, Dauer und Verlauf von Erkrankungen, ambulanten und stationären Therapien und psychosozialen Konsequenzen (Krankschreibungen, Arbeitslosigkeit, Berentung, Behinderungen usw.)

Jetzige Erkrankung
Chronologische Entwicklung der Beschwerden und Symptome
Subjektive Gewichtung von Symptomatik/Erleben der Erkrankung
Auslösesituation und dazugehörige Konfliktkonstellationen, die in Anlehnung an Dührssen [1981] folgende Problemfelder betreffen können:

- Persönliche Bindungen, Liebesbeziehungen und Familienleben
  - Partnerwahl und Bindungs- bzw. Beziehungsverhalten
  - Aufnahme einer neuen Beziehung
  - besondere sexuelle Konflikte in der Partnerschaft
  - Auftauchen von Rivalitätskonflikten, Macht- oder Geltungsansprüchen in einer Beziehung
  - Konflikte in bezug auf Besitz, Eigentum
  - Beziehung zu den eigenen Kindern
  - Verluste durch (reale oder phantasierte) Trennung
  - Verluste durch Tod
- Herkunftsfamilie (z.B. Ablösungskonflikte)
- Berufsprobleme, Arbeitsstörungen und Lernschwierigkeiten
- Besitzerleben und -verhalten
- umgebender soziokultureller Raum

Art und Erfolg der bisherigen Behandlungsversuche (psychotherapeutisch, pharmakologisch, Heilpraktiker u.a.)
Therapiemotivation, Erwartungen an die Behandlung
Komplikationen (Selbstbeschädigung, Suizidalität, delinquentes Verhalten, Mißbrauch psychotroper Substanzen)

Psychopathologische Merkmale werden auf unterschiedliche Weise erfaßt. Eine Reihe von ihnen, wie etwa das äußere Erscheinungsbild, kann nicht exploriert, sondern muß beobachtet oder aus dem Verhalten des Patienten erschlossen werden (**Fremdbeurteilung**). Andere Phänomene, wie etwa das Merkmal »grübeln«, sind allein vom Patienten wahrzunehmen und zu formulieren (**Selbstbeurteilung**). Zahlreiche Merkmale basieren auf Fremd- und Selbstbeurteilung (z.B. das Merkmal »Antriebsarmut«).

In der psychopathologischen Befunderhebung hat sich ein strukturiertes Vorgehen zunehmend durchgesetzt, wie es etwa im AMDP-System [AMDP, 1995] vorgeschlagen wird, wobei die psychopathologischen Symptome in Merkmalsbereiche unterteilt werden (vgl. Tabelle 1.4), die der nachfolgenden Darstellung zugrundegelegt wurden. Als Hilfsmittel der Befunderhebung kann beim AMDP-System ein Leitfaden herangezogen werden [Fähndrich und Stieglitz, 1989].

Tabelle 1.4. Psychopathologische Merkmalsbereiche (in Anlehnung an das AMDP-System)

1. Äußeres Erscheinungsbild	Kleidung, Körperpflege, Gestik, Mimik, Physiognomie
2. Verhalten in der Untersuchungssituation	Auskunftsbereitschaft, Kooperation, Simulation, Dissimulation, interaktionelles Verhalten
3. Sprechverhalten und Sprache	Klang, Modulation, Sprechstörungen (Stammeln, Stottern), Sprachverständnis und Ausdrucksvermögen
4. Bewußtsein	quantitativ (Bewußtseinsverminderung) qualitativ (Bewußtseinstrübung, -einengung, -verschiebung)
5. Orientierung	zeitlich, örtlich, situativ und zur Person
6. Aufmerksamkeits- und Gedächtnisstörungen	Auffassungsstörungen, Konzentrationsstörungen, Immediatgedächtnis, Kurz- und Langzeitgedächtnis
7. Formales Denken	Verlangsamung, Hemmung, umständliches Denken, eingeengtes Denken, Perseveration, Grübeln, Gedankendrängen, Ideenflucht, Vorbeireden, gesperrt, Gedankenabreißen, inkohärent/zerfahren, Neologismen
8. Inhaltliches Denken	nicht wahnhaft: Zwang, Hypochondrie, Phobien, überwertige Ideen formale und inhaltliche Wahnmerkmale
9. Sinnestäuschungen	Illusion, Halluzinationen
10. Ich-Störungen	Derealisation, Depersonalisation, Gedankenausbreitung, -entzug, -eingebung, andere Fremdbeeinflussungserlebnisse
11. Affektivität	Ratlosigkeit, Gefühl der Gefühllosigkeit, affektarm, Störung der Vitalgefühle, deprimiert/depressiv, hoffnungslos, ängstlich, euphorisch, dysphorisch, gereizt, innerlich unruhig, klagsam/jammerig, Insuffizienzgefühle, gesteigertes Selbstwertgefühl, Schuldgefühle, Verarmungsgefühle, ambivalent, Parathymie, affektlabil, Affektdurchlässigkeit (-inkontinenz), affektstarr
12. Antriebs- und psychomotorische Störungen	antriebsarm, -gehemmt, -gesteigert, motorisch unruhig, Parakinesen, Hyperkinesen, Akinese, Hypokinese, Stupor, Raptus, manieriert/bizarr, theatralisch, mutistisch, logorrhoisch
13. Zirkadiane Besonderheiten	morgens schlechter abends schlechter abends besser
14. Sonstige Merkmale	Aggressivität Selbstbeschädigung Suizidalität Krankheitseinsicht, Krankheitsgefühl sozialer Rückzug, soziale Umtriebigkeit

Im Verlauf jeden Gesprächs sind das **äußere Erscheinungsbild,** das **Verhalten in der Untersuchungssituation** und das **Sprechverhalten bzw. die Sprache** zu beurteilen. Diese Merkmale sind zwar nicht im engeren Sinne Teil des psychopathologischen Befunds, geben aber wichtige Hinweise zur psychosozialen Integration des Patienten, seiner interpersonellen Kompetenz und zum Krankheitsverhalten.

Bewußtseinsstörungen werden auf der Grundlage des Gesamteindrucks des Patienten im Untersuchungsgespräch beurteilt. Unterschieden werden **quantitative Bewußtseinsstörungen (Bewußtseinsverminderung),** die durch eine Störung der **Vigilanz (Wachheit)** bedingt sind, von **qualitativen Bewußtseinsstörungen.**

Vigilanzstörungen weisen nahezu immer auf eine organische Ätiologie hin und werden entsprechend des Wachheitsgrads weiter unterteilt:

Benommenheit. Patient ist schwer besinnlich und verlangsamt, Informationsaufnahme und -verarbeitung sind eingeschränkt.
Somnolenz. Patient ist schläfrig, aber aufweckbar.
Sopor. Patient schläft und ist nur durch starke Reize für kurze Zeit aufzuwecken.
Koma. Patient ist bewußtlos und nicht aufweckbar.

Die qualitativen Bewußtseinsstörungen stellen Veränderungen des Bewußtseins dar. Dabei ist die **Bewußtseinstrübung** durch unzureichende Klarheit bzw. Verwirrtheit des Denkens und Handelns gekennzeichnet, wie sie etwa bei deliranten Zustandsbildern (vgl. Kapitel 4 und 5) gefunden wird. Bei der **Bewußtseinseinengung,** wie sie für epileptische Dämmerzustände (vgl. Kapitel 4) charakteristisch sein kann, kommt es bei weitgehend erhaltener Handlungsfähigkeit zur Einengung von Denkinhalten und Erlebnissen bei gleichzeitig vorhandener verminderter Ansprechbarkeit auf Außenreize. Das Erleben ist insgesamt traumartig verändert. Bei der **Bewußtseinsverschiebung oder -erweiterung** handelt es sich um einen Zustand, der durch das Gefühl des gesteigerten Intensitäts- und Helligkeitserlebens, erhöhte Wachheit und Vergrößerung des Bewußtseinsraums gekennzeichnet ist. Derartige Zustände treten häufig im Zusammenhang mit der Einnahme von Halluzinogenen auf (vgl. Kapitel 5).

Orientierungsstörungen können teilweise aus dem Gesprächsverlauf geschlossen werden, teilweise sind sie zu explorieren. Sie erfassen die Fähigkeit, sich in der zeitlichen, räumlichen und gegenwärtigen persönlichen Situation zurechtzufinden. Die **zeitliche Orientierung** wird durch Abfragen des Datums, des Wochentags, des Jahrs oder der Jahreszeit überprüft, während sich die **örtliche Orientierung** stets auf die Kenntnis des Orts bezieht, an dem sich der Patient gegenwärtig befindet. Mit **situativer Orientierung** ist die Fähigkeit gemeint, die gegenwärtige Situation (z.B. die Untersuchungssituation) zu erkennen und zu überblicken, während die **Orientierung zur Person** das Wissen um Merkmale der eigenen Person und lebensgeschichtlicher Zusammenhänge widerspiegelt.

Aus dem Gesprächsverlauf ergeben sich zumeist erste Hinweise, ob der Patient in seiner Fähigkeit, seine Wahrnehmung, Vorstellungen und sein Denken in vollem Umfang den durch seine Sinne vermittelten Eindrücken zuzuwenden, beeinträchtigt ist. Der Verdacht auf derartige **Aufmerksamkeits- und Konzentrationsstörungen** kann überprüft werden, indem der Patient aufgefordert wird, fortlaufend von einer Zahl den gleichen Betrag abzuziehen (z.B. bei 81 beginnend jeweils 7 abzuziehen) oder etwa die Wochentage rückwärts aufzusagen. Hiervon sind die **Auffassungsstörungen** abzugrenzen, die sich auf eine Störung der Fähigkeit beziehen, Wahrnehmungserlebnisse in ihrer Bedeutung zu begreifen und mit früheren Erfahrungen zu verknüpfen. Prüfen läßt sich diese Funktion, indem der Patient gebeten wird, den Sinn eines Sprichworts oder einer kurzen Fabel zu erklären.

Hinweise auf Störungen im Bereich des **Gedächtnisses** ergeben sich in der Regel bereits aus dem Gesprächsverlauf. Die Gedächtnisleistung ist ein komplexer Prozeß, dessen verschiedene Teilkomponenten (Informationsaufnahme und -entschlüsselung, Behalten dieser Informationen sowie Abruf alter oder neuer Gedächtnisinhalte) gestört sein können. Meist wird eine Unterscheidung zwischen Ultrakurzzeit-, Kurzzeit- und Langzeitgedächtnis getroffen. Beim **Ultrakurzzeitgedächtnis** (Immediatgedächtnis) geht es um die unmittelbare Aufnahme und sofortige Reproduktion von Informationen, beim **Kurzzeitgedächtnis** um die Reproduktion dieser Informationen nach einem Zeitabstand von etwa 5–10 Minuten. Die Überprüfung des Ultrakurzzeit- und Kurzzeitgedächtnisses kann z.B. durch die Vorgabe von Begriffen (z.B. »Oslo, 34, Aschenbecher«) oder das Nacherzählen einer Fabel nach einem entsprechenden Zeitintervall erfolgen. Beim **Langzeitgedächtnis** geht es um die Reproduktion von Informationen oder Ereignissen, die Tage bis Jahre zurückliegen können.

Dem Erscheinungsbild nach werden zudem folgende Gedächtnisstörungen differenziert:

Amnesien. Totale oder lakunäre, d.h. zeitlich oder inhaltlich begrenzte Erinnerungslücken. Abhängig vom Zeitpunkt eines schädigenden Ereignisses (z.B. Hirntrauma oder Intoxikation) wird die **retrograde** (Störung für die vor dem Ereignis liegende Zeit) von der **anterograden** Amnesie (Störung für die Zeit nach dem Ereignis) unterschieden.
Hypermnesie. Steigerung der Erinnerungsfähigkeit (z.B. in Fieberzuständen).
Hypomnesie. Herabsetzung der Erinnerungsfähigkeit.

Paramnesie. Erinnerungstäuschungen, Gedächtnisillusionen oder Trugerinnerungen, die z.B. im Rahmen einer wahnhaften Veränderung der Erinnerung bei schizophrenen Patienten (vgl. Kapitel 6) auftreten oder als **Déjà-vu-Erlebnisse** (falsches Wiedererkennen bzw. vermeintliche Vertrautheit) oder **Jamais-vu-Erlebnisse** (vermeintliche Fremdheit) vorkommen.

Ekmnesie. Störung des Zeiterlebens und des Zeitgitters, bei der die Vergangenheit als Gegenwart erlebt wird.

Zeitgitterstörung. Störung des zeitlichen Rasters und der Chronologie des Erinnerten.

Konfabulation. Erinnerungslücken werden vom Patienten mit Einfällen gefüllt, die dieser tatsächlich für Erinnerungen hält.

Gedächtnisstörungen sind zumeist ein Kardinalsymptom unterschiedlich bedingter Hirnfunktionsstörungen (vgl. Kapitel 4 und 5), sie treten aber auch als »pseudodementielle Symptome«, als subjektive Beeinträchtigungen bei schwer depressiven Patienten auf (vgl. Kapitel 7), können sich jedoch prinzipiell bei fast allen psychiatrischen Störungen zeigen.

In der Psychopathologie wird zwischen formalen und inhaltlichen Denkstörungen unterschieden. Bei den **formalen Denkstörungen** handelt es sich um »objektive« oder subjektive Veränderungen in der Geschwindigkeit, Kohärenz und Stringenz des Gedankengangs oder -ablaufs, während unter **inhaltlichen Denkstörungen** in der Regel Wahnphänomene zusammengefaßt werden. Als wesentliches Kriterium für den Schweregrad von Denkstörungen kann die Erschwerung des Interviews angesehen werden, wobei sich im Gespräch die formalen Denkstörungen manchmal erst bei längerem Verlauf oder im Zusammenhang mit emotionaler Belastung zeigen.

Bei den **formalen Denkstörungen** werden nach dem AMDP-System folgende Merkmale unterschieden:

Denkverlangsamung. Vom Untersucher wahrgenommene Verlangsamung des Denkens mit schleppendem Ablauf.

Denkhemmung. Das Denken wird vom Patienten subjektiv als gebremst – wie gegen einen inneren Widerstand stoßend – empfunden.

Umständliches Denken. Bezogen auf den Gesprächsinhalt wird das Nebensächliche nicht vom Wesentlichen getrennt. Der inhaltliche Zusammenhang bleibt aber stets erhalten.

Eingeengtes Denken. Der inhaltliche Gedankenumfang ist eingeschränkt, der Patient ist einem Thema oder wenigen Themen verhaftet und auf wenige Zielvorstellungen fixiert.

Perseveration. Haftenbleiben an zuvor gebrauchten Wörtern oder Angaben, die im aktuellen Gesprächszusammenhang nicht mehr sinnvoll sind.

Grübeln. Unablässiges Beschäftigtsein mit – nicht nur, aber meist – unangenehmen Themen, die vom Patienten nicht als fremd erlebt werden.

Gedankendrängen. Der Patient ist dem Druck vieler Einfälle oder Gedanken ausgesetzt.

Ideenflucht. Vermehrung von Einfällen, die aber nicht mehr von einer Zielvorstellung straff geführt werden. Das Ziel des Denkens kann aufgrund dazwischenkommender Assoziationen ständig wechseln oder verlorengehen.

Vorbeireden. Der Patient geht nicht auf Fragen ein, bringt etwas inhaltlich anderes vor, obwohl aus Antwort und/oder Situation ersichtlich ist, daß er die Frage verstanden hat.

Gesperrt/Gedankenabreißen. Plötzlicher Abbruch eines sonst flüssigen Gedankengangs ohne erkennbaren Grund, was vom Patienten erlebt (Gedankenabreißen) und/oder vom Interviewer beobachtet wird (gesperrt).

Inkohärenz/Zerfahrenheit. Denken und Sprechen des Patienten verlieren für den Untersucher ihren verständlichen Zusammenhang, sind im Extremfall bis in einzelne, scheinbar zufällig durcheinandergewürfelte Sätze, Satzgruppen oder Gedankenbruchstücke zerrissen. Von einigen Autoren wird die Inkohärenz als zerfahrenes Denken bei gleichzeitiger Bewußtseinstrübung definiert (dazugehöriger Begriff: **Kontamination** = Verschmelzung heterogener Sachverhalte).

Neologismen. Wortneubildungen, die der sprachlichen Konvention nicht entsprechen und oft nicht unmittelbar verständlich sind.

Von den formalen Denkstörungen sind die **inhaltlichen Denkstörungen** abzugrenzen, bei denen der Inhalt des Denkens und die Realitätskontrolle beeinträchtigt sind.

Bei **Zwängen** handelt es sich um immer wieder gegen inneren Widerstand andrängende ichfremde Merkmale, die vom Patienten als unsinnig erlebt werden. Sie lassen sich nicht oder nur schwer unterbinden. Bei Unterdrückung dieser Phänomene tritt Angst auf.

Unterschieden werden hier:

Zwangsdenken. Zwanghafte Gedanken oder Vorstellungen, z.B. Zwangsgrübeln und Zwangsbefürchtungen.

Zwangsimpulse. Zwanghafte Impulse, bestimmte Handlungen auszuführen.

Zwangshandlungen. Auf der Grundlage von Zwangsimpulsen immer wieder ausgeführte Handlungen, z.B. Wasch- oder Kontrollzwang.

Bei den **nichtwahnhaften inhaltlichen Denkstörungen** sind zu finden:

Hypochondrie. Ängstlich getönte Beziehung zum eigenen Körper, an dem z.B. Mißempfindungen wahrgenommen werden mit der unbegründeten Befürchtung, körperlich krank zu sein oder zu werden; normale Körpervorgänge erhalten oft übermäßige Bedeutung.

Phobien. Angst vor bestimmten Objekten oder Situationen, die zumeist vermieden werden, z.B. soziale Phobien, Agoraphobie, Klaustrophobie, spezifische Phobien (vgl. Kapitel 8).

Überwertige Ideen. Emotional stark besetzte Erlebnisinhalte oder Gedanken, die die gesamte Person in unangemessener Weise beherrschen.

Als **Wahn** wird eine Fehlbeurteilung der Realität bezeichnet, die mit erfahrungsunabhängiger und damit unkorrigierbarer Gewißheit auftritt und an der apodiktisch festgehalten wird, auch wenn sie im Widerspruch zur Erfahrung der gesunden Mitmenschen sowie ihrem kollektiven Meinen und Glauben steht. Es besteht kein Bedürfnis nach Begründung dieser Fehlbeurteilung.

Bei den Wahnphänomenen lassen sich formale und inhaltliche Merkmale unterscheiden. Zu den **formalen Wahnmerkmalen** gehören:

Wahngedanken. Wahnhafte Meinungen und Überzeugungen.

Wahneinfälle. Meist plötzliches und unvermitteltes gedankliches Auftreten von wahnhaften Vorstellungen und Überzeugungen.

Wahnwahrnehmung. Reale Sinneswahrnehmungen erhalten eine abnorme Bedeutung (meist im Sinne der Eigenbeziehung). Die Wahnwahrnehmung ist eine wahnhafte Fehlinterpretation einer an sich richtigen Wahrnehmung.

Wahnstimmung. Die erlebte Atmosphäre des Betroffenseins, der Erwartungsspannung und des bedeutungsvollen Angemutetwerdens in einer verändert erlebten Welt. Diese Stimmung besteht in einem Bedeutungszumessen und Inbeziehungsetzen, Meinen, Vermuten und Erwarten, das vom Gesunden nicht nachvollzogen werden kann.

Systematisierter Wahn. Beschreibt den Grad der logischen oder paralogischen Verknüpfung einzelner Wahnsymptome mit anderen Wahnphänomenen, Sinnestäuschungen, Ich-Störungen oder auch nicht krankhaft veränderten Beobachtungen oder Erlebnissen. Zwischen diesen einzelnen Elementen werden Verbindungen hergestellt, die oft einen kausalen oder finalen Charakter besitzen und vom Patienten als Beweise oder Bestätigungen angesehen werden.

Wahndynamik. Emotionale Anteilnahme am Wahn; Kraft des Antriebs und Stärke der Affekte, die im Zusammenhang mit dem Wahn wirksam werden.

Zu den **inhaltlichen Wahnmerkmalen** werden gerechnet:

Beziehungswahn. Wahnhafte Eigenbeziehung; selbst belanglose Ereignisse werden ichbezogen gedeutet, der Patient ist davon überzeugt, daß etwas nur seinetwegen geschieht.

Beeinträchtigungs- und Verfolgungswahn. Der Patient erlebt sich selbst als Ziel von Feindseligkeiten. Er fühlt sich wahnhaft bedroht, beleidigt, verspottet, glaubt, die Umgebung trachte ihm nach seiner Gesundheit oder dem Leben.

Eifersuchtswahn. Wahnhafte Überzeugung, vom Lebenspartner betrogen und hintergangen zu werden.

Schuldwahn. Wahnhafte Überzeugung, Schuld auf sich geladen zu haben (z.B. gegenüber Gott, anderen sittlichen Instanzen, Gesetzen).

Verarmungswahn. Wahnhafte Überzeugung, nicht genügend finanzielle Mittel zum Lebensunterhalt zu haben.

Hypochondrischer Wahn. Wahnhafte Überzeugung, krank zu sein.

Größenwahn. Wahnhafte Selbstüberschätzung und Selbstüberhöhung, z.B. Wahn hoher Abstammung, Herrscher der Welt zu sein.

Phantastischer Wahn. Wahnhafte Überzeugung, sich phantastisch verwandelt oder verändert zu haben, z.B. ein Monster oder Werwolf zu sein.

Symbiotischer Wahn (»folie à deux«). Ein primär »Gesunder« wird vom primär »Kranken« induziert, so daß beide das Wahnerleben teilen.

Zum Merkmalsbereich der **Sinnestäuschungen** werden Illusionen, Halluzinationen und Pseudohalluzinationen gerechnet. Differenziert werden können die Sinnestäuschungen anhand des Vorhandenseins oder der Abwesenheit einer Reizquelle und/oder der Fähigkeit bzw. der Unfähigkeit zur Realitätskontrolle.

Unterscheiden lassen sich:

Illusionen. Verfälschte wirkliche Wahrnehmungen. Die tatsächlich vorhandene gegenständliche Reizquelle wird verkannt (im Gegensatz zur Wahnwahrnehmung).

Stimmenhören. Form der akustischen Halluzination, bei der menschliche Stimmen wahrgenommen werden, ohne daß tatsächlich jemand spricht. Die Stimmen können den Patienten direkt ansprechen, imperativ oder kommentierend seine Handlungen begleiten oder in Rede und Gegenrede über ihn sprechen. Vorkommen unter anderem bei schizophrenen Psychosen (vgl. Kapitel 6).

Andere akustische Halluzinationen. Akustische Halluzinationen, die nicht Stimmen beinhalten (halluzinierte Geräusche, Akoasmen).

Optische Halluzinationen. Wahrnehmen von Lichtblitzen, Mustern, Gegenständen, Personen oder ganzen Szenen ohne entsprechende Reizquelle. Vorkommen unter anderem beim Alkoholentzugsdelir (vgl. Kapitel 5).

Körperhalluzinationen. Taktile oder haptische Halluzinationen (Wahrnehmen von nicht vorhandenen Objekten auf Haut und Schleimhäuten) und Störungen des Leibempfindens (Koenästhesien, qualitativ abnorme Leibsensationen).

Geruchs-/Geschmackshalluzinationen. Geruchs- und Geschmackswahrnehmungen, ohne daß eine Reizquelle ausgemacht werden könnte.

Pseudohalluzinationen. Trugwahrnehmungen, bei denen die Unwirklichkeit der Trugwahrnehmung vom Patienten erkannt wird.

Hypnagoge Halluzinationen. Optische und/oder akustische Halluzinationen, die beim Einschlafen, Aufwachen oder im Halbschlaf auftreten.

Unter **Ich-Störungen** werden Störungen des Einheitserlebens, der Identität im Zeitverlauf, der Ich-Umwelt-Grenzen sowie der Ich-Haftigkeit aller Erlebnisse verstanden.

Die Ich-Störungen werden wie folgt unterteilt:

Derealisation. Personen, Gegenstände und Umgebung erscheinen unwirklich, fremdartig oder räumlich verändert. Dadurch wirkt die Umwelt z.B. unvertraut, sonderbar oder gespenstisch.

Depersonalisation. Störung des Einheitserlebens der Person im Augenblick oder der Identität in der Zeit des Lebenslaufs. Die Person kommt sich selbst fremd, unwirklich, unmittelbar verändert als oder wie ein anderer und/oder uneinheitlich vor.

Gedankenausbreitung. Die Gedanken gehören nicht mehr dem Patienten allein, andere haben Anteil und wissen, was er denkt (Gedankenlesen).

Gedankenentzug. Dem Patienten werden die Gedanken weggenommen oder »abgezogen«.

Gedankeneingebung. Gedanken und Vorstellungen werden als von außen her beeinflußt, gemacht, gelenkt, gesteuert, eingegeben oder aufgedrängt empfunden.

Andere Fremdbeeinflussungserlebnisse. Fühlen, Streben, Wollen oder Handeln werden als von außen gemacht erlebt.

Die **Störungen der Affektivität** werden teilweise aus dem Gesprächsverlauf erschlossen und teilweise gezielt exploriert.

Sie werden wie folgt unterteilt:

Ratlosigkeit. Der Patient findet sich stimmungsmäßig nicht mehr zurecht und begreift seine Situation, Umgebung oder Zukunft kaum oder gar nicht mehr. Er versteht nicht mehr, was mit ihm geschieht und wirkt auf den Beurteiler »staunig« (verwundert, hilflos).

Gefühl der Gefühllosigkeit. Reduktion oder Verlust affektiven Erlebens, subjektiv erlebte Gefühlsleere. Der Patient erlebt sich als gefühlsverarmt, leer, verödet, nicht nur für Freude, sondern auch für Trauer.

Affektarmut. Die Anzahl (das Spektrum) gezeigter Gefühle ist vermindert. Wenige oder nur sehr dürftige Affekte (z.B. gleichgültig, unbeteiligt, teilnahmslos) sind beobachtbar.

Störung der Vitalgefühle. Herabsetzung des Gefühls von Kraft und Lebendigkeit, der körperlichen und seelischen Frische und Ungestörtheit.

Deprimiertheit/Depressivität. Negativ getönte Befindlichkeit im Sinne einer niedergedrückten und niedergeschlagenen Stimmung.

Hoffnungslosigkeit. Pessimistische Grundstimmung, fehlende Zukunftsorientierung. Der Glaube an eine positive Zukunft ist vermindert oder abhandengekommen (»Schwarzsehen«).

Ängstlichkeit. Der Patient hat Angst, manchmal ohne angeben zu können, wovor. Die Angst kann sich frei flottierend, unbestimmt, in Angstanfällen und/oder durch körperliche Symptome (Schwitzen, Zittern) äußern.

Euphorie. Zustand übersteigerten Wohlbefindens, Behagens, der Heiterkeit, Zuversicht, des gesteigerten Vitalgefühls.

Dysphorie. Mißmutige Verstimmtheit. Der Patient ist schlecht gelaunt, mürrisch, moros, nörgelnd, mißgestimmt, unzufrieden, ärgerlich.

Gereiztheit. Der Patient ist in einem Zustand erhöhter Reizbarkeit bis hin zur Gespanntheit.

Innerliche Unruhe. Der Patient spürt innere Aufgeregtheit, Spannung oder Nervosität.

Klagsamkeit/Jammerigkeit. Schmerz, Kummer, Ängstlichkeit werden ausdrucksstark in Worten, Mimik und Gestik vorgetragen (»Wehklagen«).

Insuffizienzgefühle. Das Vertrauen in die eigene Leistungsfähigkeit oder den eigenen Wert ist vermindert oder verlorengegangen.

Gesteigertes Selbstwertgefühl. Ein positiv erlebtes Gefühl der Steigerung des eigenen Werts, der Kraft und/oder der Leistungsfähigkeit.

Schuldgefühle. Der Patient fühlt sich für eine Tat, für Gedanken oder Wünsche verantwortlich, die seiner Ansicht nach vor einer weltlichen oder religiösen Instanz, anderen Personen oder sich selbst gegenüber verwerflich sind.

Verarmungsgefühle. Der Patient fürchtet, daß ihm die Mittel zur Bestreitung seines Lebensunterhalts fehlen.

Ambivalenz. Koexistenz widersprüchlicher Gefühle, Vorstellungen, Wünsche, Intentionen und Impulse, die als gleichzeitig vorhanden und meist auch als quälend erlebt werden.

Parathymie. Gefühlsausdruck und berichteter Erlebnisinhalt stimmen nicht überein (paradoxe Affekte, inadäquate Gefühlsreaktion).

Affektlabilität. Schneller Stimmungswechsel, der auf einen Anstoß von außen erfolgt (Vergrößerung affektiver Ablenkbarkeit) oder auch scheinbar spontan auftritt.

Affektdurchlässigkeit (Affektinkontinenz). Affekte können bei geringem Anstoß überschießen, vom Patienten nicht beherrscht werden und manchmal eine übermäßige Stärke annehmen.

Affektstarrheit. Verminderung der affektiven Modulationsfähigkeit. Hier ist die Schwingungsfähigkeit (Amplitude) verringert.

Antriebs- und psychomotorische Störungen werden erkennbar am Aktivitätsniveau und der Psychomotorik. Antrieb ist dabei die vom Willen weitgehend unabhängig wirkende Kraft, die die Bewegung aller psychischen Funktionen bewirkt.

Dieser Merkmalsbereich wird wie folgt unterteilt:

Antriebsarmut. Mangel an Energie, Initiative und Anteilnahme.

Antriebshemmung. Energie, Initiative und Anteilnahme werden vom Patienten als gebremst/blockiert erlebt.

Antriebssteigerung. Zunahme an Energie, Initiative und Anteilnahme.

Motorische Unruhe. Gesteigerte und ungerichtete motorische Aktivität.

Parakinesen. Qualitativ abnorme, meist komplexe Bewegungen, die häufig Gestik, Mimik und auch Sprache betreffen. **Stereotypien** sind sprachliche oder motorische Äußerungen, die oft längere Zeit hindurch in immer gleicher Form wiederholt werden. Hierzu gehören **Verbigerationen** (Wortstereotypien), **Katalepsie** (Haltungsstereotypien) und die **wächserne Biegsamkeit** (Flexibilitas cerea). Beim **Befehlsautomatismus** führt der Patient automatisch Handlungen aus, die er selbst nicht als von sich intendiert erlebt. Beim **Negativismus** machen Patienten gerade das nicht, was man von ihnen erwartet, oder sie machen genau das Gegenteil.

Hyperkinese. Bewegungsunruhe von impulsivem Charakter.

Akinese/Hypokinese. Bewegungslosigkeit/Mangel an Bewegung.

Stupor. Relative Bewegungslosigkeit mit Einschränkung der Reizaufnahme und der Reaktionen.

Raptus. Ungeordneter, plötzlich auftretender Bewegungssturm aus einem Zustand der Ruhe heraus.

Manieriertheit/Bizarrheit. Alltägliche Bewegungen und Handlungen (auch Gestik, Mimik und Sprache) erscheinen dem Beobachter verstiegen, verschroben, posenhaft und verschnörkelt.

Theatralik. Die Patienten erwecken den Eindruck, als würden sie sich selber darstellen.

Mutismus. Wortkargheit bis zum Nichtsprechen (Verstummen).

Logorrhö. Verstärkter Redefluß.

Mit den **zirkadianen Besonderheiten** sollen Schwankungen der Befindlichkeit und des Verhaltens des Patienten während einer 24-Stunden-Periode wiedergegeben werden.

Unterschiede:

Morgens schlechter. Relativ regelhaftes morgendliches Schlechterfühlen im Vergleich zu anderen Tageszeiten.
Abends schlechter. Relativ regelhaftes abendliches Schlechterfühlen im Vergleich zu anderen Tageszeiten.
Abends besser. Relativ regelhaftes abendliches Besserfühlen im Vergleich zu anderen Tageszeiten.

Darüber hinaus sind **Sozial- und Krankheitsverhalten** zu beachten.

Hierzu gehören:

Sozialer Rückzug. Einschränkung der Kontakte zu anderen Menschen.
Soziale Umtriebigkeit. Vermehrung der Kontakte zu anderen Menschen.
Mangel an Krankheitsgefühl. Der Patient fühlt sich nicht krank, obwohl er krank ist.
Mangel an Krankheitseinsicht. Der Patient erkennt seine krankhaften Erlebnis- und Verhaltensweisen nicht als krankheitsbedingt an.
Ablehnung der Behandlung. Widerstreben gegen verschiedene therapeutische Maßnahmen und/oder gegen Krankenhausaufnahme und -aufenthalt.

Eine weitere bedeutsame Gruppe psychopathologischer Merkmale bezieht sich auf **aggressive Erlebens- und Verhaltensmuster** im weiteren Sinne:

Aggressivität. Aggressionstendenzen (verbale Aggression, erhöhte Bereitschaft zu Tätlichkeiten als Angriff oder als Verteidigung) und Aggressionshandlungen (Gewalthandlungen gegen Personen oder Gegenstände).
Suizidalität. Suizidgedanken oder -handlungen.
Selbstbeschädigung. Selbstverletzungen ohne damit verbundene Suizidabsichten.

1.4. »Primärpersönlichkeit« und Persönlichkeitsstruktur

Der **Beurteilung der Persönlichkeitsstruktur,** auf deren Grundlage sich psychopathologische Symptome entwickeln, ist in der Psychiatrie seit jeher besondere Beachtung geschenkt worden. Im Rahmen der psychiatrischen Untersuchung geht es zum einen darum, bestimmte strukturelle Dimensionen der Persönlichkeit zu erfassen, anderseits um die gezielte Exploration auffälliger Persönlichkeitszüge (vgl. Tabelle 1.5). Als **strukturelle Merkmale** können Aspekte der Selbstwahrnehmung (Wünsche, Bedürfnisse, Gefühle) und der Wahrnehmung von anderen, das Ausmaß der Selbststeuerung bzw. der Impulskontrolle, die Abwehr und die Kommunikations- und Beziehungsfähigkeit herangezogen werden (vgl. Kapitel 33). Die zu erfassenden Persönlichkeitszüge entsprechen den Typologien der Persönlichkeitsstörungen (vgl. Kapitel 11). In diesem Zu-

Tabelle 1.5. Persönlichkeitsstruktur

Strukturelle Dimensionen	Auffällige Persönlichkeitszüge	
Selbstwahrnehmung	abhängig (dependent)	hysterisch
Wahrnehmung von anderen	affektiv	narzißtisch
Selbststeuerung/Impulskontrolle	anankastisch	paranoid
Abwehr	asthenisch	schizoid
Beziehungsfähigkeit	dissozial (antisozial)	selbstunsicher
Kommunikationsfähigkeit		

sammenhang wird auch das Konzept der »prämorbiden Persönlichkeit« verständlich, das die mögliche Veränderung der Persönlichkeitsstruktur durch oder als Folge einer psychiatrischen Erkrankung impliziert. Hiermit ist also die Persönlichkeitsstruktur zum Zeitpunkt vor dem Auftreten der Störung gemeint.

1.5. Körperliche Untersuchung und apparative Verfahren

Zu jeder psychiatrischen Erstuntersuchung gehören körperliche und neurologische Untersuchungen, um eine mögliche organische Ursache einer psychischen Störung zu diagnostizieren bzw. auszuschließen. Ergänzt werden sollten diese Untersuchungen durch eine zumindest orientierende Labordiagnostik (Blutfette, -salze, Leberenzyme u.a.) und zusätzliche apparative Verfahren (EEG, CCT usw.).

1.6. Psychologische Diagnostik

In den letzten Jahren hat die psychologische Diagnostik zusehends mehr an Bedeutung im Gesamtkontext der psychiatrischen Diagnostik gewonnen [Stieglitz und Baumann, 1994]. Entsprechend ihrer unterschiedlichen Zielsetzungen und Funktionen kann die psychologische Diagnostik Beiträge zu verschiedenen Aufgaben psychiatrischer Diagnostik leisten, wie z.B. Deskription, Klassifikation, Prognose oder Evaluation von Therapiemaßnahmen.

Aufgrund der langen Tradition psychologischer Diagnostik ist eine Vielzahl kaum noch zu überblickender Verfahren entwickelt worden, die sich hinsichtlich unterschiedlicher Merkmale strukturieren und klassifizieren lassen. Im folgenden soll eine Unterscheidung hinsichtlich dreier Hauptgruppen getroffen werden: **Klinische Verfahren** im eigentlichen Sinn sowie **Verfahren zur Leistungs- und Persönlichkeitsdiagnostik.** Es werden Verfahren exemplarisch genannt, die hinsichtlich **psychometrischer Kriterien** hinreichend evaluiert worden sind: **Objektivität** (Grad der Unabhängigkeit der Durchführung, Auswertung und Interpretation durch den Untersucher), **Reliabilität** (Grad der Zuverlässigkeit) und **Validität** (Grad der Gültigkeit), für welche Normwerte bzw. zumindest Referenzwerte zur Einordnung individueller Werte in Relation zu

Vergleichsstichproben vorliegen. Weitere Selektionskriterien der aufgeführten Verfahren stellen insbesondere ihre Bewährung in der psychiatrischen Praxis wie Forschung dar, sowie das Vorliegen deutschsprachiger Versionen.

Die **Einbeziehung psychologischer Untersuchungsverfahren** stellt zwar einen wichtigen Teilaspekt innerhalb des diagnostischen Prozesses dar, kann jedoch nur als ein »Baustein« angesehen werden, der durch andere Aspekte, wie z.B. fremdanamnestische Angaben oder auch die Verhaltensbeobachtung während einer testpsychologischen Untersuchung ergänzt werden muß.

Psychologische Untersuchungsverfahren sollten immer dann **Anwendung** finden, wenn sich aus Anamnese (vgl. Abschnitt 1.2), klinischem Gespräch, klinischer Prüfung bestimmter Funktionen (z.B. Gedächtnis, Konzentration) bzw. subjektiven Berichten/Klagen des Patienten Hinweise auf Beeinträchtigungen, Störungen oder Defizite ergeben.

Aufgrund der Normierung der meisten Verfahren ergibt die **testpsychologische Untersuchung** in der Regel formal leicht zu klassifizierende Ergebnisse (z.B. IQ 98 = durchschnittliche Intelligenz). Es gilt jedoch, bei jedem Verfahren den spezifischen Meßfehler zu berücksichtigen (Reliabilität immer <1), der Aussagen erlaubt, in welchem »Vertrauensintervall« ein ermittelter Testwert liegt. Zudem sind bei der Interpretation eines Ergebnisses weitere Faktoren zu berücksichtigen, die sich zum einen aus der Untersuchungssituation ergeben können, wie situative Faktoren (z.B. Lärm, Hitze), oder auch mit der zu untersuchenden Person im Zusammenhang stehen (z.B. Motivation, Anstrengungsbereitschaft). Darüber hinaus ist bei der Interpretation von Persönlichkeits- und Leistungsdaten der prämorbide Zustand in Rechnung zu ziehen, da immer nur der aktuelle Querschnittsbefund erhoben werden kann (z.B. Leistung: unter anderem Schul- und Berufsabschluß).

Es liegen zwar heute für viele relevante Bereiche bzw. Teilbereiche psychiatrischer Störungen geeignete Instrumente vor. Dennoch lassen sich einige Störungen nicht oder nur schwer mittels psychologischer Untersuchungsansätze objektivieren (z.B. Halluzinationen). Hier stellen weiterhin die klinische Beobachtung und das klinische Gespräch die geeignetsten Untersuchungsmethoden dar.

Der **Einsatz psychologischer Verfahren,** die zumeist – die Durchführung betreffend – durch einen hohen Grad an Standardisierung gekennzeichnet sind, bedeutet jedoch nicht deren schematische Anwendung. Die Durchführung einer testpsychologischen Untersuchung setzt unter anderem die Auswahl geeigneter Verfahren entsprechend den jeweiligen Fragestellungen (wichtig: Absprache Arzt/Psychologe) sowie die Planung der Abfolge der einzusetzenden Verfahren voraus, ferner eine längere Phase der Kontaktaufnahme zum Patienten (»Warming-up-Phase«), unter anderem mit dem Ziel, ihn über Sinn und Zweck der Untersuchung zu informieren und zur Mitarbeit zu motivieren.

1.6.1. Klinische Verfahren

Unter klinischen Verfahren werden solche verstanden, die unter der Zielsetzung der **Erfassung spezifischer Aspekte psychischer Störungen** entwickelt wurden, wie z.B. Depressivität. Diese wurden bisher zumeist in der Forschung eingesetzt, finden jedoch immer mehr auch Anwendung in der klinischen Praxis, da sie besonders zur Schweregradbestimmung bestimmter klinisch relevanter Syndrome (**Statuserfassung**) als auch bei der Therapieevaluation (**Veränderungserfassung**) Anwendung finden und damit zur Objektivierung beitragen können. Die ermittelten **Syndromwerte** oder das Erreichen eines bestimmten »Cut-off«-Werts bedeuten nicht, daß eine bestimmte psychiatrische Diagnose vorliegt (z.B. Depression). Die Ergebnisse können jedoch im Kontext des gesamten diagnostischen Prozesses neben anderen Informationen mit zur Diagnosestellung herangezogen werden (vgl. Kapitel 3).

Klinische Verfahren lassen sich hauptsächlich hinsichtlich der einbezogenen **Datenquellen,** d.h. der Personen, von denen bestimmte Informationen eingeholt werden, unterteilen (meist Selbst- und Fremdbeurteilungen), sowie des Indikationsbereichs, d.h. des Anwendungsbereichs, unterscheiden. Gerade im Bereich klinischer Verfahren ist in den letzten 30 Jahren eine nicht mehr zu überblikkende Flut von Skalen zu unterschiedlichen Indikationsbereichen entwickelt worden. In Tabelle 1.6 finden sich daher nur Beispiele von Verfahren, die sich hinreichend bewährt haben.

Die **einzelnen Verfahren** erlauben, ein unterschiedlich breites Spektrum klinisch/psychopathologisch relevanter Syndrome abzubilden. So erlaubt z.B. das AMDP-System mit seinen 140 Merkmalen die Erfassung von 8 Syndromen (u.a. paranoid-halluzinatorisches Syndrom, depressives Syndrom, manisches Syndrom), während andere Verfahren nur spezifische Syndrombereiche abbilden (z.B. Hamilton-Depressionsskala, HAMD). Insbesondere für den Depressionsbereich ist eine Vielzahl von Selbst- und Fremdbeurteilungsverfahren entwickelt worden. Gleiche Skalenbezeichnungen bedeuten dabei jedoch nicht notwendigerweise gleiche Inhalte, da mit den einzelnen Skalen zum Teil sehr unterschiedliche Aspekte eines depressiven Syndroms erfaßt werden (z.B. HAMD: Fokus auf körperlichen Aspekten; BDI: Fokus auf kognitiven Aspekten).

Insbesondere aus Ökonomiegründen (zum Teil geringe Durchführungszeit, Durchführung durch Patienten), aber auch aufgrund guter psychometrischer Qualität (Reliabilität und Validität) finden besonders **Selbstbeurteilungsverfahren** sehr häufig Anwendung. Sie sind in der Regel auch bei psychiatrischen Patienten gut einsetzbar (Ausnahme: sehr schwer gestörte psychotische Patienten in der Akutphase), setzen jedoch ein bestimmtes intellektuelles Mindestniveau voraus (IQ >90).

Tabelle 1.6. Klinische Skalen: Beispiele

Bereiche	Verfahren	Abkürzung	Beurteilung	Autor(en)
Gesamtpsychopathologie	Symptom Check List	SCL-90R	S	Derogatis et al.
	AMDP-System	AMDP	F	AMDP
Befindlichkeit	Befindlichkeits-Skala	Bf-S/BF-S'	S	von Zerssen
Beschwerden	Beschwerden-Liste	B-L/B-L'	S	von Zerssen
	Freiburger Beschwerdenliste	FBL/FBL-K	S	Fahrenberg
Depressivität	Depressivitäts-Skala	D-S/D-S'	S	von Zerssen
	Beck-Depressions-Inventar	BDI	S	Beck et al.
	Hamilton-Depressionsskala	HAMD	F	Hamilton
Angst/Ängstlichkeit	Self-Rating Anxiety Scale	SAS	S	Zung
	State-Trait-Angstinventar	STAI	S	Spielberger et al.
	Hamilton-Angstskala	HAMA	F	Hamilton
Zwang	Hamburger Zwangsinventar	HZI	S	Zaworka et al.
	Yale-Brown Obsessive Compulsive Scale	YBOCS	F	Goodman et al.

S = Selbstbeurteilung. F = Fremdbeurteilung.
Nähere Angaben zu den Verfahren finden sich in Stieglitz und Baumann [1994], CIPS [1986], AMDP und CIPS [1990].

Daneben stellen insbesondere **Fremdbeurteilungsverfahren** eine in Routine wie Forschung sehr häufig eingesetzte Verfahrensgruppe dar. Die Anwendung setzt jedoch in der Regel klinische Erfahrung voraus, zusätzlich außerdem ein umfassendes Training am jeweiligen Instrument als notwendige Voraussetzung für eine adäquate Anwendung. Von da her stellt das Kriterium der Interrater-Reliabilität (Grad der Übereinstimmung zwischen verschiedenen Untersuchern) ein wichtiges Evaluationskriterium für diese Verfahrensgruppe dar.

Selbst- und Fremdbeurteilungsverfahren stimmen in der Regel nicht vollständig überein (Korrelationen meist im Bereich 0,5–0,6). Empirische Studien zeigen zudem, daß beide unterschiedliche Perspektiven abzubilden erlauben, die nicht austauschbar sind und sich gegenseitig ergänzen. In Studien zur Evaluation therapeutischer Interventionen wird jedoch den Fremdbeurteilungsverfahren eine etwas größere Bedeutung zugesprochen, da sie auch bei schwerer gestörten Patienten anwendbar sind und therapeutische Effekte differenzierter abzubilden erlauben.

1.6.2. Leistungsdiagnostik

Der **psychologischen Leistungsdiagnostik** kommt bei psychiatrischen Patienten unter verschiedenen Aspekten besondere Bedeutung zu, z.B. bei der **Quantifizierung von Leistungsstärken wie -defiziten** im Hinblick auf Therapie, Rehabilitation oder Prognose, aber auch im Hinblick auf **diagnostische Fragestellungen** (z.B. Demenzdiagnostik, Intelligenzminderung). Erfaßt bzw. überprüft werden in der Regel die Bereiche **Intelligenz, Aufmerksamkeit/Konzentration sowie Merkfähigkeit/Gedächtnis.**

Auch hier findet sich, wie bei den klinischen Verfahren, eine Reihe hinsichtlich psychometrischer Kriterien bewährter Verfahren, von denen an dieser Stelle ebenfalls nicht alle genannt werden können [vgl. hierzu Brickenkamp, 1978, 1985]. In Tabelle 1.7 findet sich nur eine Auswahl, die besonders im psychiatrischen Bereich als hinreichend bewährt anzusehen ist.

Unter dem Aspekt der Leistungsdiagnostik auch zu subsumieren sind Verfahren, die zur **neuropsychologischen Diagnostik** verwendet werden. Sie werden zum Teil auch mit ähnlicher Zielsetzung eingesetzt wie Verfahren zur allgemeinen Leistungsdiagnostik wie umgekehrt auch, zielen jedoch zusätzlich darauf ab, den Funktionszustand bestimmter Hirnfunktionen zu objektivieren bzw. Störungsmuster differenziert zu beschreiben. Auch hier gibt es eine Reihe klinisch bewährter Verfahren, von denen einige in Tabelle 1.8 aufgeführt sind.

Darüber hinaus findet sich eine Reihe von **Verfahren zur Überprüfung spezifischer Funktionen** [vgl. z.B. Poeck, 1989], wie Apraxie oder Händigkeit.

1.6.3. Persönlichkeitsdiagnostik

Die Persönlichkeitsdiagnostik stellt einen weiteren wichtigen Bereich psychologischer Maßnahmen dar, der für die Diagnostik psychischer Störungen von Bedeutung ist. Zwar werden Verfahren aus dieser Gruppe im Vergleich zu den anderen Gruppen weniger häufig eingesetzt, jedoch liefern sie wichtige Informationen zur Beschreibung der Persönlichkeit, die durch die anderen Verfahrensgruppen nicht zu erhalten sind.

Entsprechend den unterschiedlichen **Zielsetzungen** lassen sich zwei Hauptgruppen unterscheiden:

- Verfahren zur Erfassung der Persönlichkeit im eigentlichen Sinn.
- Verfahren zur Erfassung der prämorbiden Persönlichkeit.

Für diesen Bereich sind in Tabelle 1.9 die wichtigsten **psychometrischen Verfahren** aufgeführt. Nicht aufgenommen wurden die »projektiven Verfahren«, da sie hinsichtlich psychometrischer Kriterien in der Regel weniger gut abgesichert sind. Über Möglichkeiten und Grenzen projektiver Verfahren informieren Leichsenring und Hiller [1994].

Tabelle 1.7. Leistungsverfahren: Beispiele

Bereiche	Verfahren	Abkürzung	Autor(en)
Intelligenz	Hamburg-Wechsler-Intelligenztest	HAWIE-R	Wechsler
	Reduzierter Hamburg-Wechsler-Intelligenztest	WIP	Dahl
	Intelligenzstrukturtest	IST-70	Amthauer
	Leistungsprüfsystem	LPS	Horn
	Standard Progressive Matrices	SPM	Raven
Aufmerksamkeit/ Konzentration	Test d2	d2	Brickenkamp
Merkfähigkeit/ Gedächtnis	Wechsler Memory Scale, revised	WMS-R	Wechsler
	Lern-Gedächtnis-Test	LGT-3	Bäumler

Nähere Angaben zu den Verfahren finden sich in Stieglitz und Baumann [1994].

Tabelle 1.8. Neuropsychologische Verfahren: Beispiele

Bereiche	Verfahren	Abkürzung	Autor(en)
Aufmerksamkeit	Zahlenverbindungstest	ZVT	Oswald
	Continuous Performance Test	CPT	Rossvold et al.
Gedächtnis	Benton-Test	BT	Benton
	Diagnosticum für Cerebralschädigung	DCS	Weidlich und Lamberti
Denken	verschiedene Untertests des		
	– Leistungsprüfsystems	LPS	Horn
	– Intelligenzstrukturtests	IST-70	Amthauer
	Wisconsin Card Sorting Test	WCST	Nelson

Nähere Angaben zu den Verfahren finden sich in Stieglitz und Baumann [1994].

Tabelle 1.9. Persönlichkeitstests: Beispiele

Bereiche	Verfahren	Abkürzung	Autor(en)
Persönlichkeit			
– gesamt	Minnesota Multiphasic Personality Inventory	MMPI-Saarbrücken	Spreen
	Freiburger Persönlichkeitsinventar	FPI-R	Fahrenberg et al.
– Teilbereiche	State-Trait-Angstinventar	STAI	Spielberger et al.
	Eysenck-Persönlichkeitsinventar	EPI	Eysenck
Prämorbide Persönlichkeit	Münchner Persönlichkeitstest	MPT	von Zerssen
	Biographisches Persönlichkeitsinventar	BPI	von Zerssen

Nähere Angaben zu den Verfahren finden sich in Stieglitz und Baumann [1994], Jäger [1988].

Bei der **Beschreibung der Persönlichkeit** geht es um die Erfassung relativ **zeitstabiler,** für eine Person charakteristischer Merkmale (Persönlichkeitsmerkmale, Dispositionen, Traits), im Gegensatz zu **zeitveränderlichen** situations- oder zustandsabhängigen Merkmalen (States), wie sie z.B. mit den klinischen Verfahren erfaßt werden (z.B. Depressivität als ein unter Therapie veränderliches Syndrom). Die Persönlichkeitsdiagnostik hat neben der Leistungsdiagnostik die längste Tradition, so daß auch hier auf eine Reihe von Verfahren zurückgegriffen werden kann. International am bekanntesten ist das Minnesota Multiphasic Personality Inventory (MMPI), bestehend aus 566 Fragen zu unterschiedlichen Bereichen, wie Psychopathie oder Depression. Das Verfahren hat sich trotz einer Reihe methodischer Einwände besonders im klinischen Bereich bewährt, ist jedoch – vom Umfang her betrachtet – nur bedingt einsetzbar. Im deutschen Sprachbereich wird das Freiburger Persönlichkeitsinventar (FPI-R) mit seinen 212 Items, die sich auf 10 Primärskalen (z.B. Gehemmtheit, Aggressivität, Leistungsorientierung) und 2 übergeordnete Skalen (Extraversion, Emotionalität) verteilen, am häufigsten eingesetzt. Beide Verfahren sind mehrdimensional und erfassen unterschiedliche Facetten der Persönlichkeit. Zahlreiche empirische Studien belegen, daß für den Bereich »Persönlichkeit« besonders den Faktoren »Extraversion« und »Neurotizismus« Bedeutung zukommt, da sie sich in zahlreichen Studien unterschiedlicher Zielsetzung immer wieder haben replizieren lassen. Diese sind, wenngleich zum Teil mit unterschiedlicher Bezeichnung, Inhalt der meisten mehrdimensionalen Verfahren. Daneben gibt es eine Reihe von Verfahren, die spezifische Teilaspekte erfassen, z.B. das State-Trait-Angstinventar (STAI), das zeitvariante wie zeitstabile Aspekte von Ängstlichkeit erfaßt.

Problematisch bei Verfahren zur Persönlichkeitsdiagnostik, die fast alle als Selbstbeurteilungsverfahren konzipiert worden sind, ist die Gefahr von »Antworttendenzen« (z.B. Tendenz zu sozial erwünschten Antworten, Tendenz zur Mitte bei mehrstufigen Antwortmöglichkeiten), die eine Einschränkung der Interpretierbarkeit bedeuten. Um diese zu kontrollieren, wurde versucht, in die entsprechenden Verfahren Kontroll- oder Lügenskalen einzubauen (z.B. FPI-R: Offenheitsskala).

In den letzten Jahren erst stärker an Bedeutung gewonnen haben Verfahren zur Erfassung der **prämorbiden Persönlichkeit,** d.h. Verfahren, die darauf abzielen, das Erleben und Verhalten von Personen vor der Zeit des Ausbruchs einer psychiatrischen Erkrankung zu erfassen. Nach von Zerssen [1994], der sich wesentlich um diesen Bereich verdient gemacht hat, hat die Diagnostik der prämorbiden Persönlichkeit große praktische Bedeutung im Hinblick auf die psychiatrische Krankheitsdiagnostik wie für Indikation bzw. therapeutische und/oder rehabilitative Maßnahmen. Durch von Zerssen wurden sowohl Selbstals auch Fremdbeurteilungsverfahren entwickelt (vgl. Tabelle 1.9), die besonders im Bereich der affektiven Störungen evaluiert worden sind und in Beziehung zu klassischen psychopathologischen Konzepten, z.B. Typus melancholicus nach Tellenbach, stehen. Empirische Studien belegen den Zusammenhang zwischen bestimmten prämorbid manifesten Persönlichkeitsmerkmalen und bestimmten Erkrankungen.

Literatur

AMDP, CIPS (1990): Ratingscales for psychiatry. Beltz, Weinheim.

Arbeitsgemeinschaft für Methodik und Dokumentation in der Psychiatrie (AMDP, 1995): Das AMDP-System. Manual zur Dokumentation psychiatrischer Befunde. 5., überarbeitete Auflage. Hogrefe, Göttingen.

Argelander H (1989): Das Erstinterview in der Psychotherapie. 4. unveränderte Auflage. Wiss. Buchgesellschaft, Darmstadt.

Brickenkamp R (1978): Handbuch psychologischer und pädagogischer Tests. Hogrefe, Göttingen.

Brickenkamp R (1985): Erster Ergänzungsband zum Handbuch psychologischer und pädagogischer Tests. Hogrefe, Göttingen.

CIPS (1986): Internationale Skalen für Psychiatrie. Beltz, Weinheim.

Dührssen A (1981): Die biographische Anamnese unter tiefenpsychologischem Aspekt. Vandenhoeck & Ruprecht, Göttingen.

Fähndrich E, Stieglitz RD (1989): Leitfaden zur Erfassung des psychopathologischen Befundes. Halbstrukturiertes Interview anhand des AMDP-Systems. Springer, Berlin.

Jäger RS (1988): Psychologische Diagnostik. Psychologie Verlags Union, München.

Kind H (1988): Psychiatrische Untersuchung. Ein Leitfaden für Studierende und Ärzte in Praxis und Klinik. 4. erweiterte, teilweise umgearbeitete Auflage. Springer, Berlin.

Leichsenring F, Hiller W (1994): Projektive Verfahren. In: Stieglitz RD, Baumann U (Hrsg.): Psychodiagnostik psychischer Störungen. Enke, Stuttgart, 162–176.

Meerwein F (1986): Das ärztliche Gespräch. Grundlagen und Anwendungen. 3. Auflage. Huber, Bern.

Poeck K (Hrsg., 1989): Klinische Neuropsychologie. Thieme, Stuttgart.

Scharfetter C (1985): Allgemeine Psychopathologie. Eine Einführung. 2. Auflage. Thieme, Stuttgart.

Stieglitz RD, Baumann U (Hrsg., 1994): Psychodiagnostik psychischer Störungen. Enke, Stuttgart.

Zerssen D von (1994): Diagnostik der prämorbiden Persönlichkeit. In: Stieglitz RD, Baumann U (Hrsg.): Psychodiagnostik psychischer Störungen. Enke, Stuttgart, 216–229.

2. Klassifikation und diagnostischer Prozeß

Rolf-Dieter Stieglitz, Harald J. Freyberger

2.1. Einleitung

In den vergangenen Jahren hat die Klassifikation psychischer Störungen im klinischen wie im wissenschaftlichen Bereich wieder an Bedeutung gewonnen, nachdem sie bis in die 80er Jahre hinein erheblich kritisiert worden war. Die wichtigsten Vorbehalte bezogen sich einerseits auf die möglichen sozialen Konsequenzen psychiatrischer Diagnosen für die Patienten (Stichworte: Etikettierung, Stigmatisierung, soziale Kontrolle). Andererseits wurde die unzureichende Bedeutung der Klassifikation bei der Indikation und Durchführung von Therapien kritisiert. Darüber hinaus wurde vor allem für den Bereich der Neurosen und Persönlichkeitsstörungen in empirischen Studien nachgewiesen, daß die Übereinstimmung von Diagnostikern bei der Diagnosenstellung (Interrater-Reliabilität) in einem unbefriedigenden Bereich lag. Vor diesem Hintergrund wurden erhebliche Anstrengungen unternommen, die Klassifikationsansätze zu verbessern und dadurch zu einer höheren Akzeptanz der Klassifikationssysteme zu gelangen.

Bevor auf diese Entwicklungen näher eingegangen wird, hier vorab einige begriffliche Erläuterungen [vgl. Wittchen, 1994].

Unter **Klassifikation** wird die Einteilung oder Einordnung von Phänomenen (z.B. Symptomen), die durch gemeinsame Merkmale gekennzeichnet sind, in ein nach Klassen eingeteiltes System (Klassifikationssystem) verstanden. Unter **klassifikatorischer Diagnostik** läßt sich dann der gesamte Untersuchungs- und Entscheidungsprozeß (vgl. auch Abschnitt 2.4) verstehen, der zur Erhebung der (psychopathologischen) Befunde und zur Ableitung von einer Diagnose oder mehreren Diagnosen führt. Vom Begriff der Klassifikation sind drei weitere Begriffe abzugrenzen: Unter **Nomenklatur** wird eine Aufstellung von Krankheitsbezeichnungen verstanden. Das **Glossar** ist die Zusammenstellung von Beschreibungen und Definitionen von Begriffen, die eine Klassifikation ausmachen. Der Begriff **Nosologie** bedeutet Krankheitslehre, d.h. die Systematisierung psychischer Erkrankungen nach einheitlicher Ätiologie, Pathogenese, klinischem Bild, Verlauf und Therapieresponse.

2.2. Historische Entwicklung

Die Entwicklung psychiatrischer Diagnosensysteme hat eine langjährige Tradition. In Tabelle 2.1 sind wichtige Entwicklungsschritte chronologisch aufgeführt. Als erster wichtiger Meilenstein kann die Einführung der ICD-6 (International Classification of Diseases) der WHO (World Health Organisation) im Jahr 1948 angesehen werden. Zum ersten Mal wurde eine umfassende Nosologie für den Gesamtbereich der Krankheiten vorgelegt. Die ICD-6 fand jedoch nur geringe Akzeptanz durch die Anwender. Diese beruhte unter anderem auf den nicht von allen akzeptierten Annahmen hinsichtlich ätiologischer Konzepte einzelner Störungsgruppen sowie mangelhafter Definitionen und Beschreibungen einzelner Erkrankungen. Insbesondere auch aus dem amerikanischen Sprachbereich wurde bereits frühzeitig Kritik an der ICD-6 geübt, da wichtige Störungsgruppen fehlten (unter anderem Demenz, Persönlichkeitsstörungen, Anpassungsstörungen). Bereits 1952 wurde daher ein nationales Diagnosensystem vorgelegt (DSM-I; Diagnostic and Statistical Manual of Mental Disorders der American Psychiatric Association, APA). Dieses wurde 1968 durch eine verbesserte Version (DSM-II) ersetzt, die mit der damals gebräuchlichen ICD-8 noch weitgehend kompatibel war. Es folgten dann DSM-III (1980) und DSM-III-R (1987), mit denen einige grundlegende Neuerungen der Systeme verwirklicht wurden (vgl. Abschnitt 2.3.3). Die WHO griff einen Teil der Veränderungen auf und entwickelte in den folgenden Jahren verschiedene Versionen

Tabelle 2.1. Historische Entwicklung psychiatrischer Klassifikationssysteme

Jahr	Systembezeichnung	Anmerkungen
1948	ICD-6	erste offizielle Klassifikation der WHO
1952	DSM-I	Definition der Kategorien, Beschreibung der Syndrome
1955	ICD-7	
1965	ICD-8	Erweiterung um neue Krankheitsgruppen; internationale Kooperation bei der Entwicklung
1968	DSM-II	
1977	ICD-9	
1980	DSM-III	erste offizielle Operationalisierung psychiatrischer Störungen, multiaxiale Klassifikation; Feldstudien vor Einführung
1987	DSM-III-R	Einführung des Komorbiditätsprinzips
1992	ICD-10	klinisch-diagnostische Leitlinien
1994	ICD-10 DSM-IV	Forschungskriterien

ICD = International Classification of Diseases der Weltgesundheitsorganisation (WHO).
DSM = Diagnostic and Statistical Manual of Mental Disorders der American Psychiatric Association (APA).

der ICD-10 (klinisch-diagnostische Leitlinien, Forschungskriterien usw.) [WHO, 1992, 1993; Dilling et al., 1993, 1994], die zwischen 1992 und 1994 veröffentlicht wurden. Darauf abgestimmt erschien 1994 das DSM-IV.

2.3. Aktuelle Klassifikationssysteme

Die psychiatrische Forschung ist in den letzten 20 Jahren durch DSM-III und DSM-III-R wesentlich mitbestimmt worden. Auf internationaler Ebene finden sich heute kaum noch publizierte Studien, in denen die Patienten nicht nach DSM klassifiziert worden sind. In der klinischen Praxis wird demgegenüber in den meisten Mitgliedsländern der WHO bis zum heutigen Tag fast ausschließlich nach ICD-9 diagnostiziert. Im folgenden soll deshalb auf die Prinzipien des DSM eingegangen werden sowie auf die ICD-10, die in den nächsten Jahren an Bedeutung gewinnen wird.

2.3.1. Entwicklung des DSM-Systems

Die Entwicklung des DSM ist wesentlich durch seine Vorgänger, die »Feighner-Kriterien« und die »Research Diagnostic Criteria« (RDC) [Spitzer et al., 1975], geprägt worden. Beide ursprünglich nur für die Forschung konzipierten Ansätze zeichnen sich durch die erstmalige Operationalisierung (vgl. Abschnitt 2.3.3.1) der Diagnosen aus. Hierunter wird eine möglichst exakte Definition jeder einzelnen psychischen Erkrankung anhand spezifischer diagnostischer Kriterien verstanden, die erfüllt sein müssen, bevor die Erkrankung diagnostiziert werden darf.

Das DSM-III unterscheidet sich von seinen Vorläufern wie auch der ICD-9 unter anderem durch folgende wesentliche Neuerungen:

- Durch einen **deskriptiven Ansatz**, d.h. einen bis auf wenige Ausnahmen von theoretischen und ätiologischen Annahmen unabhängigen Ansatz, der der symptomorientierten Beschreibung besonderen Stellenwert einräumt.
- Durch die **Vorgabe diagnostischer Kriterien** für jede einzelne Störung.
- Durch die **Einführung eines multiaxialen Ansatzes,** mit dem neben der Symptomatologie weitere wichtige Aspekte des Patienten, z.B. das psychosoziale Funktionsniveau, erfaßt werden können (vgl. Abschnitt 2.3.3.3).
- Durch die **einheitliche und systematische Struktur** bei der Beschreibung jeder Störung (unter anderem Haupt- und Nebenmerkmale, Prävalenz, Differentialdiagnosen).
- Durch **diagnostische Entscheidungsbäume,** d.h. die graphische Darstellung der diagnostischen Entscheidungsregeln (-algorithmen).
- Durch ein **Kurzglossar** mit den wichtigsten Fachbegriffen.

Bei der revidierten Fassung (DSM-III-R) wurden diese Grundgedanken weiterverfolgt und zum Teil noch präzisiert. Als Neuerungen und Erweiterungen zu nennen sind insbesondere die weitgehende Aufgabe diagnostischer Hierarchieregeln (vgl. Abschnitt 2.3.3.2), die Erweiterung der Klassifikation durch Schweregradbeurteilungen und Remissionskriterien, eine Reihe diagnosenspezifischer Veränderungen (unter anderem Differenzierung einzelner Störungsgruppen, Veränderung diagnostischer Kriterien) sowie die Aufnahme neuer Störungen. Gerade der letzte Aspekt ist besonders beim Vergleich der verschiedenen Versionen des DSM von Interesse. So läßt sich eine zunehmende Ausweitung des Spektrums diagnostizierbarer Störungen feststellen.

2.3.2. Kapitel V (F) der ICD-10

Die Notwendigkeit einer Revision der ICD-9 ergab sich aus verschiedenen Gründen:

- Die ICD liegt nicht nur für den Bereich psychischer Störungen vor, sondern umfaßt den Gesamtbereich der Erkrankungen, für die generell ein Revisionsbedarf bestand.
- Seit der Ausarbeitung der ICD-9 ergab sich eine Vielzahl neuer Forschungsergebnisse hinsichtlich einzelner Störungsgruppen, die gleichfalls eine Revision nahelegten.
- Seit der Veränderung diagnostischer Ansätze (vgl. Abschnitt 2.3.1) und der Einführung von DSM-III und DSM-III-R war die ICD-9 nicht mehr zeitgemäß.

Die Einführung der ICD-10 brachte wesentliche Veränderungen mit sich. Diese lassen sich in formale und konzeptuelle Veränderungen unterteilen.

Zu den **formalen Änderungen** lassen sich unter anderem zählen:

- Die **Einführung einer operationalisierten Diagnostik** (vgl. Abschnitt 2.3.3.1) mit der Einführung von Kriterien (Symptom-, Zeit- und Verlaufskriterien) und Diagnosealgorithmen.
- Die **Neustrukturierung des Gesamtsystems in 10 Hauptgruppen** (vgl. Tabelle 2.2);
- Die **Vorteile eines offenen Systems** mit der Möglichkeit der Ergänzung durch weitere Störungsgruppen in den kommenden Jahren ohne grundlegende Veränderung der Klassifikation.
- Die **Entwicklung verschiedener Versionen für unterschiedliche Anwendungsbereiche** (vgl. Tabelle 2.3). Besonders die Unterscheidung von **diagnostischen Leitlinien** und **Forschungskriterien** ist hervorzuheben. Während die diagnostischen Leitlinien für die klinische Praxis gedacht sind und hier die ICD-9 in den kommenden Jahren ablösen werden, sind die Forschungskriterien entsprechend ihrem Namen für Forschungszwecke konzipiert worden. Unterschiede zwischen beiden bestehen lediglich im Grad der Präzisierung der Dia-

Tabelle 2.2. Diagnostische Hauptgruppen des Kapitels V (F) der ICD-10

F0	Organische, einschließlich symptomatischer psychischer Störungen
F1	Psychische und Verhaltensstörungen durch psychotrope Substanzen
F2	Schizophrenie, schizoptype und wahnhafte Störungen
F3	Affektive Störungen
F4	Neurotische, Belastungs- und somatoforme Störungen
F5	Verhaltensauffälligkeiten mit körperlichen Störungen oder Faktoren
F6	Persönlichkeits- und Verhaltensstörungen
F7	Intelligenzminderung
F8	Entwicklungsstörungen
F9	Verhaltens- und emotionale Störungen mit Beginn in der Kindheit und Jugend
F99	Nicht näher bezeichnete psychische Störungen

Tabelle 2.3. Versionen des Kapitels V (F) der ICD-10

Klinisch-diagnostische Leitlinien [WHO, 1992; Dilling et al., 1993]
Forschungskriterien [WHO, 1993; Dilling et al., 1994]
Kurzfassung im Rahmen der Gesamt-ICD-10 [DIMDI, 1994]
Primary Health Care Classification [PHC; WHO, 1994a]
Multiaxiales System [WHO, 1994b]
Lexikon psychopathologischer Grundbegriffe [WHO, 1994c]
Cross-walk zwischen diagnostischen Systemen [WHO, 1993; Freyberger et al., 1993a,b]

gnosenstellung (Anzahl notwendiger Symptome, Zeitdauer der Symptomatik), nicht jedoch hinsichtlich der Bezeichnung und Kodierung der Störungsgruppen. In der Entwicklung befindet sich eine Version für die primäre Gesundheitsversorgung (PHC), ein multaxiales System (MAS) und ein Lexikon psychopathologischer Grundbegriffe. Bereits veröffentlicht wurden Referenztabellen zwischen ICD-9 und ICD-10.

- Entwicklung **diagnostischer Instrumente** (vgl. Abschnitt 2.3.3.4).

Zu den **konzeptuellen Veränderungen** sind unter anderem zu rechnen:

- Eine **veränderte Begrifflichkeit,** z.B. Aufgabe der Begriffe »Neurose«/»Psychose« bzw. »psychogen«/»psychosomatisch« als Einteilungskriterien, Verwendung des Begriffs »Störung« statt »Krankheit« mit der damit verbundenen Aufgabe des Neurosenmodells und des Endogenitätsprinzips bei der Einteilung psychischer Störungen.
- **Neugruppierung von Störungsgruppen** (z.B. Zusammenfassung von Störungen mit gleichem Erscheinungsbild, wie der depressiven Störungen, im Abschnitt F3) (vgl. Tabelle 2.2).

Tabelle 2.4. ICD-10: Kodierungsebenen am Beispiel der Schizophrenie

Ebene	Kodierung	Bezeichnung
2stellig	F2	Schizophrenie, schizotype und wahnhafte Störungen
3stellig	F20	Schizophrenie
4stellig	F20.0	paranoide Schizophrenie
5stellig	F20.00	paranoide Schizophrenie, kontinuierlicher Verlauf

- Versuch einer möglichst **umfassenden Kennzeichnung einzelner Störungsgruppen** durch differenzierte Kodierung (je nach Störungsgruppe hinsichtlich Schweregrad oder Verlauf).
- **Einführung des Komorbiditätsprinzips** (vgl. Abschnitt 2.3.3.2).
- **Einführung eines multiaxialen Ansatzes** (vgl. Abschnitt 2.3.3.3).

Die ICD-10 beansprucht, wie auch das DSM, weitgehend deskriptiv zu sein, d.h. **ohne theoretische Implikationen**. Daher werden auch Begriffe wie z.B. »Neurose« als Einteilungskriterien aufgegeben. Die ICD-10 beansprucht nicht, den aktuellen Kenntnisstand über Störungen darzustellen. Vielmehr stellt die ICD-10 eine Zusammenstellung von Symptomen und Kommentaren in Übereinstimmung mit Experten verschiedener Länder dar.

Eine wesentliche Neuerung gegenüber der ICD-9 ist das **offene alphanumerische System**. Die psychischen Störungen sind durch den Buchstaben F gekennzeichnet. Die einzelnen Hauptstörungsgruppen finden sich in hierarchischer Reihenfolge in arabischen Ziffern. Der theoretisch mögliche Bereich zur Unterscheidung von Störungen liegt zwischen F00.00 und F99.99, d.h. er ermöglicht etwa 1000 Unterscheidungen.

Zur **Kodierung von Störungen** werden unterschiedliche Ebenen unterschieden. In Tabelle 2.4 ist dies am Beispiel der schizophrenen Störungen dargestellt. Je mehrstelliger die Kodierung erfolgt, um so präziser ist die Charakterisierung eines Patienten möglich.

Bezogen auf das Beispiel aus Tabelle 2.4 bedeutet dies: Auf der 2stelligen Ebene läßt sich lediglich eine prinzipielle Einordnung vornehmen (hier F2: Schizophrenie, schizotype und wahnhafte Störungen). Auf der 3stelligen Ebene findet sich die eigentliche Störungsgruppe, hier die Schizophrenie (F20). Auf der 4stelligen Ebene wird der Subtyp präzisiert (hier: paranoider Subtyp, F20.0). Auf der 5stelligen Ebene findet dann eine zusätzliche Subklassifizierung statt, bei der Schizophrenie anhand des Verlaufs (hier F20.00: kontinuierlich). Die Subklassifizierungen mit der 4. und 5. Stelle variieren bei den einzelnen Störungsgruppen abhängig von den jeweils relevanten Merkmalen. So wird z.B.

im Bereich F1 »Psychische und Verhaltensstörungen durch psychotrope Substanzen« mit der 4. Stelle das psychopathologische Zustandsbild kodiert (z.B. akute Intoxikation), mit der 5. Stelle Komplikationen (z.B. unkompliziert).

2.3.3. Prinzipien aktueller Klassifikationssysteme

2.3.3.1. Operationalisierte Diagnostik

Der Begriff der operationalen Definition geht zurück auf den Engländer Bridgeman, der ihn bereits in den 20er Jahren einführte. Heute versteht man darunter innerhalb der Psychiatrie eine Vorgehensweise, bei der eine Störung definiert wird durch

- die explizite Vorgabe von Kriterien (Ein- und Ausschlußkriterien), d.h. Symptomkriterien ergänzt durch Zeit- und/oder Verlaufsangaben;
- diagnostische Entscheidungs- und Verknüpfungsregeln für diese Kriterien.

Bei den Symptomkriterien handelt es sich in der Regel um die klassischen psychopathologischen Symptome (vgl. Kapitel 1), während die Zeit- und Verlaufskriterien sehr heterogen sind. Sie reichen z.B. von unbestimmten Dauerangaben (z.B. einige Tage) bis hin zu exakten Zeitvorgaben (z.B. 2 Wochen bei der depressiven Episode). Am Beispiel der Schizophrenie ist dies in Tabelle 2.5 dargestellt.

Empirische Studien belegen, daß durch eine Operationalisierung psychiatrischer Störungen besonders im Hinblick auf die Interrater-Reliabilität deutliche Verbesserungen zu erreichen sind [vgl. Freyberger et al., 1990, 1992; Wittchen, 1993, 1994].

2.3.3.2. Komorbidität

Eine weitere wesentliche Neuerung stellt die Einführung des Komorbiditätsprinzips dar.

Komorbidität bedeutet dabei das gleichzeitige gemeinsame Auftreten verschiedener psychischer Erkrankungen bei einer Person. Nach ICD-10 sind so viele Diagnosen zu verschlüsseln, wie für die Beschreibung des klinischen Bilds notwendig sind (vgl. Beispiel in Tabelle 2.8). Abgrenzend davon wird von **Multimorbidität** gesprochen, wenn neben einer oder mehreren psychischen Erkrankungen auch noch zusätzlich körperliche Erkrankungen vorliegen.

Dies ist besonders bei einigen Störungsgruppen häufig, etwa bei dementiellen Störungen (vgl. Kapitel 4) und der Intelligenzminderung (vgl. Kapitel 12).

Das Komorbiditätsprinzip ist insofern von Bedeutung, als es eine Abkehr vom **Jasperschen Hierarchiekonzept** darstellt, wie es z.B. noch in der ICD-9 gilt. Danach sind die psychischen Erkrankungen in Schichten angeordnet (von orga-

Tabelle 2.5. ICD-10: Operationalisierte Diagnostik der Schizophrenie

A. Symptomgruppen
1. Gedankenlautwerden, Gedankeneingebung oder Gedankenentzug, Gedankenausbreitung
2. Kontrollwahn, Beeinflussungswahn, Gefühl des Gemachten, Wahnwahrnehmung
3. Kommentierende oder dialogische Stimmen
4. Anhaltender, kulturell unangemessener bizarrer Wahn
5. Anhaltende Halluzinationen jeder Sinnesmodalität
6. Neologismen, Gedankenabreißen oder Einschiebungen in den Gedankenfluß, Zerfahrenheit, Danebenreden
7. Katatone Symptome
8. »Negative« Symptome

B. Zeitkriterium
Fast ständig während eines Monats oder länger deutlich vorhanden

C. Diagnosenalgorithmus
Mindestens ein eindeutiges Symptom (zwei oder mehr, wenn weniger eindeutig) der Symptomgruppen 1–4 oder mindestens zwei Symptome der Symptomgruppen 5–8

D. Verlaufskriterium
0 Kontinuierlich
1 Episodisch, mit zunehmendem Residuum
2 Episodisch, mit stabilem Residuum
3 Episodisch, remittierend
4 Unvollständige Remission
5 Vollständige Remission
8 Sonstige
9 Beobachtungszeitraum weniger als 1 Jahr

nischen über affektive Störungen bis hin zu Neurosen). Jede »tieferliegende Erkrankung« kann das Erscheinungsbild der »darüberliegenden« annehmen. Die eigentliche Diagnose muß anhand der tieferliegenden Erkrankung erfolgen.

Die Einführung des Komorbiditätsprinzips hat **therapeutische wie theoretische Implikationen**. Aus klinischer Sicht kann der Behandlungserfolg schwerer zu erreichen sein, wenn ein Patient mehrere Diagnosen bekommt. Aus wissenschaftlicher Sicht kann das gemeinsame Auftreten bestimmter Störungen Hinweise auf eine gemeinsame Ätiologie geben.

Verschiedene Studien, z.B. die ICD-10-Merkmalslistenstudie [Stieglitz et al., 1992a], weisen darauf hin, daß bestimmte Störungen häufig gemeinsam mit anderen auftreten (vgl. Tabelle 2.6). Dabei zeigt sich nicht nur eine Komorbidität zwischen verschiedenen Störungsgruppen (z.B. Angst- und Persönlichkeitsstörungen), sondern auch innerhalb einer einzigen Störungsgruppe (z.B. Patienten mit zwei Persönlichkeitsstörungen).

Tabelle 2.6. Komorbidität psychiatrischer Störungen in der ICD-10-Merkmalslistenstudie

Hauptdiagnose	Zusatzdiagnosen am häufigsten aus folgenden Bereichen
Psychische und Verhaltensstörungen durch psychotrope Substanzen (F1)	F1, F6
Schizophrenie, schizoptype und wahnhafte Störungen (F2)	F1
Affektive Störungen (F3)	F1, F4, F6
Neurotische, Belastungs- und somatoforme Störungen (F4)	F1, F4, F6
Persönlichkeits- und Verhaltensstörungen (F6)	F1, F6

2.3.3.3. Multiaxiale Diagnostik

Ein weiterer wichtiger Meilenstein in der Entwicklung operationalisierter Diagnosensysteme stellt die Einführung des multiaxialen Ansatzes (Synonyme: multiaxiale Klassifikation, multiaxiale Diagnostik) dar. Der Ansatz hat in der Psychiatrie eine lange Tradition [vgl. Dittmann et al., 1990]; er wurde von Kretschmer bereits ansatzweise mit dem Begriff »mehrdimensionale Diagnostik« umschrieben, von Essen-Möller und Wohlfahrt 1947 erstmalig konzeptualisiert und 1969 durch die Arbeitsgruppe um Rutter konsequent auf den Bereich der kinder- und jugendpsychiatrischen Erkankungen (vgl. Kapitel 13) angewandt. In der Erwachsenenpsychiatrie wurde er erst mit Einführung des DSM-III weiter verbreitet.

Allgemeiner **Grundgedanke** der meisten zwischenzeitlich publizierten Ansätze ist der Versuch, der Komplexität der klinischen Bedingungen eines Patienten dadurch gerecht zu werden, diesen anhand von klinisch als bedeutsam angesehenen Merkmalen, die auch als Achsen bezeichnet werden, umfassend zu beschreiben.

Hinsichtlich der Frage, welche Achsen zur Beschreibung herangezogen werden, herrscht bisher kein Konsens. DSM-III-R, DSM-IV und ICD-10 schlagen die in Tabelle 2.7 enthaltenen Achsen vor. Allen drei Systemen gemeinsam ist eine skalenbezogene Einschätzung der psychosozialen Funktionsfähigkeit, die im DSM-III bzw. DSM-III-R mit der »Global Assessment of Functioning Scale« (GAF) und in der ICD-10 mit der »WHO Disablement Diagnostic Scale« (WHO-DS) gewährleistet wird. ICD-10 (mit der Achse III) und DSM-IV (mit der Achse V) kodieren ebenfalls in weitgehender Übereinstimmung Ereignisse oder Lebensprobleme, die mit den Störungen auf Achse I im Zusammenhang stehen. Der wichtigste Unterschied zwischen der ICD-10 einerseits und

Tabelle 2.7. Multiaxiale Ansätze in DSM-III-R, ICD-10 und DSM-IV

Achse	System	Inhalt
Achse I	DSM-III-R	Klinische Syndrome und V-Kodierungen
	ICD-10	Klinische Diagnosen Ia Psychische Störungen Ib Somatische Störungen
	DSM-IV	Klinische Störungen und andere klinische Zustandsbilder
Achse II	DSM-III-R	Entwicklungs- und Persönlichkeitsstörungen
	ICD-10	Psychosoziale Funktionseinschränkungen (WHO Disablement Diagnostic Scale, WHO-DS)
	DSM-IV	Persönlichkeitsstörungen, Intelligenzstörungen
Achse III	DSM-III-R	Körperliche Störungen und Zustände
	ICD-10	Umgebungs- und situationsabhängige Ereignisse/Probleme der Lebensführung und Lebensbewältigung
	DSM-IV	Allgemeine medizinische Zustandsbilder
Achse IV	DSM-III-R	Schweregrad psychosozialer Belastungsfaktoren – überwiegend akute Ereignisse (Dauer weniger als 6 Monate) – überwiegend länger andauernde Umstände bzw. Lebensbedingungen (Dauer mehr als 6 Monate)
	ICD-10	Keine Achse IV
	DSM-IV	Psychosoziale und Umgebungsfaktoren
Achse V	DSM-III-R	Globale Beurteilung des psychosozialen Funktionsniveaus (Global Assessment of Functioning Scale, GAF) – derzeit – höchster Funktionszustand im letzten Jahr
	ICD-10	Keine Achse V
	DSM-IV	Globalbeurteilung des psychosozialen Funktionsniveaus (GAF-Skala)

dem DSM-III-R/DSM-IV anderseits besteht darin, daß die ICD-10 auf die Abbildung von Persönlichkeitsstörungen auf einer eigenen Achse verzichtet.

Der prinzipielle **Vorteil multiaxialer Ansätze** liegt in der ausführlichen Betrachtung der Umstände des Einzelfalls im Rahmen eines biopsychosozialen Ansatzes, in der systematischen Erfassung und Dokumentation klinisch bedeutsamer Merkmale sowie der systematischen Erfassung von Informationen für Behandlungsplanung und -prognose. Multiaxiale Ansätze dienen weiterhin als didaktisches Hilfsmittel sowie als wichtiges Instrument einer klinisch und epidemiologisch orientierten Forschung. In Tabelle 2.8 findet sich ein Fallbeispiel für einen mittels der Achsen des ICD-10 diagnostizierten Patienten.

2.3.3.4. Instrumente

Als **Fehlerquellen des diagnostischen Prozesses** (vgl. Abschnitt 2.4) werden in der Literatur immer sog. Varianzquellen genannt. Dabei wird angenommen, daß zwei unabhängige Untersucher oder Rater bei der Einschätzung desselben

Tabelle 2.8. Multiaxiale Diagnostik nach ICD-10: Fallbeispiel

Achse	Bezeichnungen	
I	**Klinische Diagnosen**	Ia Psychische Störungen Ib Somatische Störungen
	Beispiel	
	Hauptdiagnose	F40.01 Agoraphobie mit Panikstörung
	Zusatzdiagnosen	F10.1 Alkohol, schädlicher Gebrauch F60.31 Emotional instabile Persönlichkeitsstörung, Borderline-Typus
II	**Psychosoziale Funktionseinschränkungen** (WHO Disablement Scale, WHO-DS). Erfasst werden hier neben der globalen Funktionseinschränkung auf einer Skala von 0 (keine) bis 5 (schwerste Einschränkung) Funktionseinschränkungen in speziellen Bereichen: Selbstfürsorge und Alltagsbewältigung, Beruf, Familie und Haushalt, weiterer sozialer Kontext **Beispiel** Globaleinschätzung der sozialen Funktionseinschränkung = 4 (schwere Funktionseinschränkung) Selbstfürsorge und Alltagsbewältigung = 4 (schwere Funktionseinschränkung) Berufliche Funktionsfähigkeit = 4 (schwere Funktionseinschränkung) Familiäre Funktionsfähigkeit = 1 (minimale Funktionseinschränkung) Funktionsfähigkeit in anderen sozialen Rollen und Aktivitäten = 1 (minimale Funktionseinschränkung)	
III	**Umgebungs- und situationsabhängige Ereignisse/Probleme der Lebensführung und Lebensbewältigung** (Kodierungen aus dem Kapitel Z »Faktoren, die den Gesundheitszustand beeinflussen und zur Inanspruchnahme von Gesundheitsdiensten führen«) **Beispiel** Z61.0 Verlust eines nahen Angehörigen	

Patienten zu unterschiedlichen Urteilen kommen. Für den Bereich der Erfassung psychopathologischer Phänomene kommt Wittchen [1993] zu dem Schluß, daß durch Auswahl und unterschiedliche Formulierung von Fragen des Untersuchers gegenüber dem Patienten ein erheblich höherer Varianzanteil zustandekommt als durch Inkonsistenzen im Antwortverhalten des Patienten. Diese Ergebnisse lassen es als unabdingbar notwendig erscheinen, den diagnostischen Prozeß zu präzisieren.

In klassischer Weise wird die Diagnosenstellung im Anschluß an ein klinisches Interview oder Gespräch vorgenommen. Studien haben jedoch gezeigt, daß die Interrater-Reliabilität klinischer Interviews erfahrungsgemäß eher gering ist. Die neuen Klassifikationssysteme haben zudem die Anforderungen an den Diagnostiker durch die Einführung expliziter diagnostischer Kriterien und des Komorbiditätsprinzips deutlich erhöht.

Aus diesen Gründen wurde bereits kurz nach Einführung des DSM-III damit begonnen, diagnostische Interviews zu entwickeln.

Interviews sind zielgerichtete menschliche Interaktionen zwischen zwei Personen (Befrager und Befragtem) mit dem Ziel der Informationssammlung über die verschiedenen Aspekte des Erlebens und Verhaltens des Befragten.

Im Hinblick auf die Klassifikationssysteme bedeutet dies die Bereitstellung von Befragungsstrategien zur Informationssammlung der in den Diagnosensystemen enthaltenen Kriterien (Symptom-, Zeit- und Verlaufskriterien). Hinsichtlich des Grades der Steuerung des Prozesses der Informationserhebung wird zwischen strukturierten und standardisierten Interviews unterschieden.

Strukturierte Interviews geben eine systematische Gliederung des Prozesses der Informationssammlung vor. Die Exploration wird erleichtert durch die Vorgabe vorformulierter Fragen (Einstiegsfragen, Zusatzfragen). Die Bewertung und Gewichtung der Antworten des Patienten bleibt in der Regel dem Untersucher überlassen (klinisches Urteil), wenngleich zum Teil Rating-Kriterien mit angegeben werden, um dieses Urteil zu erleichtern. Bei den **standardisierten Interviews** sind alle Ebenen des diagnostischen Prozesses sowie Elemente der Informationserhebung genau festgelegt, d.h. Ablauf der Untersuchung, Art und Reihenfolge der Fragen, Kodierung der Antworten bis zu der (zumeist) computerisierten Diagnosestellung.

Eine Sondergruppe stellen die **Check- oder Merkmalslisten** dar. Diese unterscheiden sich zwar untereinander hinsichtlich der Struktur, gemeinsam ist ihnen jedoch, daß sie lediglich die zur Diagnosestellung notwendigen Kriterien in der Regel stichwortartig zusammenfassen. Dem Untersucher bleibt es jedoch selbst überlassen, die Fragen zu stellen und die Anworten entsprechend zu kodieren. Der Ablauf der Informationserhebung liegt ebenfalls allein in Händen des Untersuchers.

In Tabelle 2.9 sind alle bisher entwickelten Instrumente zur Diagnostik von DSM-III-R sowie ICD-10 zusammengefaßt. Adaptationen an das DSM-IV werden in den nächsten Jahren folgen, ohne grundlegende Veränderungen der Gesamtkonzeption der einzelnen Instrumente.

Alle Vorgehensweisen sind mit bestimmten Vor- und Nachteilen verbunden. Die Checklisten zeichnen sich besonders durch benutzerfreundliche Gestaltung aus und sind vom Zeitaufwand her gesehen ökonomisch einsetzbar (zum Teil auch anwendbar auf die Auswertung von Krankengeschichten), erfordern vom Untersucher jedoch klinische Erfahrung und die Fähigkeit, Fragen selbst zu formulieren. Die Interviews zeichnen sich zum einen dadurch aus, daß eine deutliche Verbesserung der Interrater-Reliabilität erzielt werden kann. Darüber hinaus läßt sich mittels der meisten Verfahren **polydiagnostisch** diagnostizieren, d.h. Diagnosen nach mehreren Systemen stellen (hier: ICD und DSM). Auch

Tabelle 2.9. Untersuchungsinstrumente zur Diagnostik von ICD-10 und DSM-III-R/DSM-IV-Störungen

Bereich	Gruppe	Bezeichnung/Abkürzung	System
Gesamtbereich psychischer Störungen	StrI	Strukturiertes Klinisches Interview für DSM-III-R (SKID)	DSM-III-R
	StrI	Schedules for Clinical Assessment in Neuropsychiatry (SCAN)	DSM-III-R/ICD-10
	StaI	Composite International Diagnostic Interview (CIDI)	DSM-III-R/ICD-10
	CL	Internationale Diagnosen-Checklisten (IDCL)	DSM-III-R/ICD-10
	CL	ICD-10-Merkmalsliste (ICDML)	ICD-10
Persönlichkeits-störungen	StrI	International Personality Disorder Examination (IPDE)	DSM-III-R/ICD-10
	StrI	Standardized Assessment of Personality (SAP)	ICD-10
	CL	Internationale Diagnosen-Checklisten Persönlichkeitsstörungen (IDCL-P)	DSM-III-R/ICD-10
Demenz	StrI	Strukturiertes Interview für die Diagnose von Demenzen (SIDAM)	DSM-III-R/ICD-10

StrI = Strukturiertes Interview. StaI = Standardisiertes Interview. CL = Checkliste.
Nähere Literaturangaben zu den Verfahren in Stieglitz et al. [1992b], Wittchen et al. [1994].

das Komorbiditätsprinzip läßt sich mittels Interview besser umsetzen, da weniger Störungen »übersehen« werden. Zudem erreichen Interviews wider Erwarten bei Patienten eine gute Akzeptanz.

Dem steht jedoch eine Reihe von Nachteilen gegenüber. Das psychotherapeutische Element des diagnostischen Gesprächs kann verlorengehen, subjektiv oder emotional bedeutsamen Informationen wird ein geringer Stellenwert eingeräumt. Der Zeitaufwand ist in der Regel für Untersucher wie Patient erheblich (z.T. mehrere Stunden), verbunden mit den relativ hohen Materialkosten der Instrumente. Darüber hinaus erfordern Interviews meist ein (zeit-)aufwendiges Training. Aufgrund der Vielzahl erhobener Informationen ist eine computerisierte Auswertung unerläßlich. Bei den vorliegenden Instrumenten stellt sich zudem das Problem, daß nicht alle Störungsbilder mit einem Instrument erhoben werden können. So ist z.B. die Diagnostik von Persönlichkeitsstörungen immer getrennt durchzuführen. Auch für die Diagnostik der Demenz empfiehlt sich gesonderte Erhebung (vgl. Tabelle 2.9).

Zusammenfassend ist festzuhalten, daß bereits jetzt eine Reihe als zuverlässig anzusehender Instrumente für ICD-10 und DSM-III-R/DSM-IV vorhanden ist. Bei entsprechender Ausbildung der Anwender stellen sie wichtige Hilfsmittel dar. Aufgrund des in der Regel hohen Zeitaufwands sind sie eher für Forschungszwecke geeignet als für die klinische Routinediagnostik. Im Einzelfall, z.B. bei differentialdiagnostischen Problemen oder auch bei Begutachtungsfragen, sind sie jedoch auch hier wichtige Hilfsmittel.

2.4. Diagnostischer Prozeß

Der Diagnostik kommt in der Psychiatrie aufgrund unterschiedlicher Funktionen (vgl. Kapitel 1) eine zentrale Bedeutung zu. In den vorausgegangenen Abschnitten wurden die wesentlichen Grundlagen für diagnostische Entscheidungen dargestellt. Nachfolgend soll versucht werden, diese in den diagnostischen Prozeß zu integrieren.

2.4.1. Grundlagen

In den diagnostischen Prozeß werden sehr unterschiedliche Arten von Informationen einbezogen. So lassen sich zum einen große Unterschiede in Art und Umfang von Informationen konstatieren, die verschiedene Diagnostiker erfassen wollen. Zum anderen läßt sich eine erhebliche Variationsbreite in der diagnostischen Relevanz der verschiedenen Informationselemente feststellen. Dabei müssen unterschiedliche Datenebenen und Datenquellen auseinandergehalten werden [vgl. Stieglitz und Baumann, 1994]. Als bedeutsame **Datenebenen** lassen sich psychische, soziale, ökologische und biologische unterscheiden. Die **psychische (oder psychologische) Datenebene** beinhaltet die Erfassung individuellen Erlebens und Verhaltens (z.B. Stimmungen, Befindlichkeiten, aber auch Leistungsmerkmale). Die **soziale Datenebene** beinhaltet die Erfassung interindividueller Systeme (z.B. das soziale Netzwerk eines Patienten, das Ausmaß seiner sozialen Unterstützung), die **ökologische Ebene** die Erfassung materieller Rahmenbedingungen (z.B. finanzielle Situation). Gerade für die Diagnostik einiger psychischer Erkrankungen ist die **biologische Datenebene** zu berücksichtigen mit den biochemischen, neuroradiologischen, psychophysiologischen und neurophysiologischen Teilebenen (z.B. Demenzen). Für die Diagnostik der meisten psychischen Störungen stellen jedoch weiterhin der psychische Befund und die Anamnese die zentralen Bausteine dar (vgl. Kapitel 1).

Neben den unterschiedlichen Datenebenen sind verschiedene **Datenquellen** zu unterscheiden, die Informationen liefern können. Dies trifft besonders auf die psychische Datenebene zu, auf der Angaben von Angehörigen, nahen Bezugspersonen und Partnern neben den Angaben des Patienten von Bedeutung sind.

Tabelle 2.10. Beschreibungsebenen im diagnostischen Prozeß

Ebene	Beispiele	
	Depression	Angst
Symptom	depressiv	ängstlich
Syndrom	depressives Syndrom	Angstsyndrom
Diagnose	depressive Episode	Panikstörung

2.4.2. Diagnostische Ebenen: Symptom, Syndrom, Diagnose

Psychiatrische Diagnostik kann auf unterschiedlichen Ebenen stattfinden, wobei untergeordnete Ebenen die Grundlagen für Entscheidungen auf höheren Ebenen bilden. In Tabelle 2.10 sind diese Ebenen aufgeführt.

Die elementarste Ebene stellt die **Symptomebene** dar, bei der es sich um die kleinste Beschreibungseinheit psychopathologischer Phänomene handelt. Symptome lassen sich in beobachtbare Verhaltensweisen (engl. »signs;« z.B. Zwangshandlungen) oder aber vom Patienten berichtete Störungen (engl. »symptoms«; z.B. gehemmtes Denken) unterscheiden. Auf einer nächsthöheren Ebene der Hierarchie finden sich die psychopathologischen **Syndrome,** d.h. Symptome, die überzufällig häufig bei Patienten in einer bestimmten Kombination festzustellen sind (z.B. depressives Syndrom, paranoides Syndrom). Auf der höchsten Ebene ist die psychiatrische **Diagnose** anzusiedeln, die eine Integration von Symptomen und/oder Syndromen sowie zusätzlicher Merkmale beinhaltet (vgl. auch Kapitel 1).

Wie aus Tabelle 2.10 zu ersehen ist, finden sich oft ähnliche Begriffe auf den unterschiedlichen Ebenen diagnostischer Entscheidungen. So spricht man auf Symptomebene z.B. von einem Patienten, der depressiv sei, auf Syndromebene von einem depressiven Syndrom bei diesem Patienten und auf Diagnosenebene von einer depressiven Episode.

2.4.3. Fehlerquellen im diagnostischen Prozeß

Die Informationssammlung und/oder die diagnostischen Entscheidungen selbst werden in der Regel von einem Diagnostiker getroffen, dessen Urteilsvermögen, wie bei allen anderen Menschen auch, von bestimmten Urteilsfehlern beeinflußt werden kann. Hierbei kann es sich z.B. um Fehler aufgrund falscher Schlußfolgerungen handeln, z.B. logische Fehler (Annahme, daß bestimmte psychopathologische Phänomene immer zusammen auftreten) oder den Halo-Effekt (ein besonders markantes Merkmal beeinflußt die Wahrnehmung ande-

Tabelle 2.11. Varianzquellen im diagnostischen Prozeß [nach Spitzer und Fleiss, 1974]

Die **Subjektvarianz,** d.h. ein Patient wird zu zwei Zeitpunkten untersucht, in denen er sich in verschiedenen Krankheitszuständen befindet.

Die **Situationsvarianz,** d.h. ein Patient wird zu zwei Zeitpunkten untersucht, in denen er sich in verschiedenen Phasen oder Stadien einer Störung befindet.

Die **Informationsvarianz,** d.h. verschiedenen Untersuchern stehen unterschiedliche Informationen zum Patienten und zu seiner Erkrankung zur Verfügung.

Die **Beobachtungsvarianz,** d.h. verschiedene Untersucher kommen zu unterschiedlichen Urteilen und Bewertungen über Vorhandensein und Relevanz der vorliegenden Symptome.

Die **Kriterienvarianz,** d.h. verschiedene Untersucher verwenden unterschiedliche diagnostische Kriterien für die Diagnose derselben Störung.

---

rer Merkmale). Aber nicht nur auf der Seite des Diagnostikers sind Fehlerquellen zu kontrollieren, sondern auch auf der Seite des Patienten müssen diese beachtet werden. Zu nennen sind hier z.B. [vgl. im Überblick Stieglitz und Ahrens, 1994]

- unwissentliche Fehler, bedingt durch Erinnerungsfehler, Selbstbeurteilungs- und Beobachtungsfehler;
- absichtliche Verfälschungen, z.B. Simulation (Vortäuschung eines Symptoms), Dissimulation (Negierung eines Symptoms), Bagatellisierung (Herunterspielen eines Symptoms), Aggravation (Herausstellen eines Symptoms).

Neben diesen eher allgemeinen Aspekten sind seitens des Diagnostikers weitere Fehlerquellen zu unterscheiden, wie sie von Spitzer und Fleiß [1974] im Hinblick auf psychiatrische Diagnosen zusammengestellt wurden (vgl. Tabelle 2.11), die sich jedoch zum Teil auch auf die Symptom- und Syndromebene übertragen lassen.

Während **Subjekt- und Situationsvarianz** sowie **Beobachtungsvarianz** auf allen drei diagnostischen Ebenen zu berücksichtigen sind (vgl. Tabelle 2.12), kommt der Frage der **Informations- und Kriterienvarianz** besonders auf Diagnosenebene große Bedeutung zu. Die Relevanz dieser Fehlerquellen konnte in einer Reihe empirischer Untersuchungen belegt werden. So fand z.B. die Arbeitsgruppe um Beck bereits Anfang der 60er Jahre, daß bei etwa 30% Unterschiede in der Befragungstechnik (= Informationsvarianz) und Bewertung der Symptome (= Beobachtungsvarianz) für mangelnde diagnostische Übereinstimmungen zu identifizieren waren, bei 62,5% Unstimmigkeiten in der Nomenklatur. Wittchen [1993] kam zu Ergebnissen in ähnlicher Richtung. So sind besonders Unterschiede in Auswahl und Formulierung von Symptomfragen bei 60% für

Tabelle 2.12. Mögliche Fehlerquellen im diagnostischen Prozeß

Fehlerquellen	Untersuchungsebenen		
	Symptom	Syndrom	Diagnose
Subjektvarianz	×	×	×
Situationsvarianz	×	×	×
Informationsvarianz	(×)	(×)	×
Beobachtungsvarianz	×	×	×
Kriterienvarianz	–	×	×

× = Zutreffend. (×) = Zum Teil zutreffend. – = Nicht zutreffend.

Tabelle 2.13. In der Praxis häufig auftretende Fehlerquellen im diagnostischen Prozeß auf Diagnosenebene (operationalisierte Diagnostik nach ICD-10 oder DSM-IV)

Nichtbeachtung der Symptom- und Zeitkriterien
Nichtberücksichtigung der Ausschlußkriterien
Nichtberücksichtigung des Komorbiditätsprinzips
Beeinflussung durch theoretische Konzepte, die nichts mit der Diagnose zu tun haben
(z.B. verschiedenen Borderline-Konzepte)
Einfluß eigener diagnostischer Unsicherheit bei der Entscheidung für eine Diagnose
(z.B. Borderline-Störung, schizoaffektive Störung)
Rückschluß auf eine Diagnose aufgrund eines singulären Phänomens
(z.B. hysterisch = hysterische Persönlichkeitsstörung)
Falsche Schlußfolgerungen (z.B. Halo-Effekt)

Inkonsistenzen verantwortlich zu machen, jedoch nur bei 9% Inkonsistenzen im Antwortverhalten der Patienten. In anderen Studien konnte darüber hinaus gezeigt werden, daß auch einfach nur mangelnde Kenntnisse des verwendeten diagnostischen Systems als Fehlerfaktoren oder elementare Faktoren, z.B. Aufmerksamkeitsbeeinträchtigungen seitens des Diagnostikers, zu berücksichtigen sind.

In Tabelle 2.13 sind über die genannten Fehlerquellen hinaus in der Praxis bei der Diagnostik psychischer Störungen häufig auftretende Fehlerquellen aufgeführt. Diese beinhalten zum einen die Nichtbeachtung formaler diagnostischer Prinzipien der aktuellen Klassifikationssysteme, zum anderen z.B. den Einfluß eigener theoretischer Konzepte von Störungen oder auch nur falscher Schlußfolgerungen.

Zur **Kontrolle und Ausschaltung** der genannten Fehlerquellen sind verschiedene Hilfsmittel einsetzbar. Zur zuverlässigen Erfassung auf Symptomebene bietet sich z.B. die Verwendung eines Glossars mit der Auflistung und Definition psychopathologischer Merkmale an, wie es z.B. im AMDP-System vorliegt [AMDP, 1995] (vgl. auch Kapitel 1). Bei der Beurteilung unterschiedlicher Ausprägungen von Symptomen haben sich zudem »Skalenverankerungen« bewährt (Definition unterschiedlicher Skalenstufen, z.B. AMDP-Merkmal 61 »affektarm«: leicht = der Patient zeigt zwar verschiedene Affekte, diese zeigen aber in die gleiche Richtung, z.B. depressive Tönung).

Schwierigkeiten bei der Symptomerfassung können jedoch nicht nur in einer fehlenden oder unpräzisen Definition liegen, sondern auch in unterschiedlichen Fragetechniken des Diagnostikers (Informationsvarianz). Hier bieten sich als Hilfsmitttel **Interviewleitfäden** bzw. **strukturierte Interviews** an, wie sie zwischenzeitlich für viele Untersuchungsinstrumente vorliegen (z.B. AMDP, HAMD) [vgl. Stieglitz und Ahrens, 1994]. Auf Diagnosenebene haben sich in den letzten Jahren die strukturierten und standardisierten Interviews bewährt (vgl. Abschnitt 2.3.3.4), die eine zuverlässige Diagnosenstellung unter Einbeziehung computerisierter Auswertungsprogramme erlauben. Durch die Einführung operationalisierter Diagnosensysteme konnte besonders die Kriterienvarianz reduziert werden.

Die Anwendung diagnostischer Hilfsmittel auf Symptom-, Syndrom- wie Diagnosenebene setzt in der Regel genaue Kenntnisse des jeweiligen Instruments sowie Training damit voraus. Auf Diagnosenebene ist bei einem Verzicht auf Interviewverfahren die umfassende Kenntnis des verwendeten Diagnosensystems (z.B. ICD-10) unabdingbar.

2.4.4. Integration diagnostischer Befunde

Bereits in einem frühen Stadium des diagnostischen Prozesses findet nicht nur eine reine Informationssammlung statt, sondern oft bereits eine Hypothesenprüfung. Daher wird auch von der Bedeutung der ersten Minuten im diagnostischen Gespräch ausgegangen. Verschiedene Untersuchungen haben zeigen können, daß endgültige Diagnosen schon frühzeitig formuliert wurden, oft in den ersten Minuten. Daß hierbei eine Vielzahl der genannten Fehlerquellen zum Tragen kommen können, ist offensichtlich. Die ersten Eindrücke und Informationen sollten daher lediglich der Hypothesenbildung dienen. Will man in der klinischen Routine zu einer Diagnose kommen, so bietet sich die in Abbildung 2.1 vereinfacht dargestellte Strategie an. Die Verwendung strukturierter und standardisierter Interviews, die eine zuverlässige Diagnosenstellung erlauben, wird aufgrund des hohen Zeitaufwands vermutlich auch in Zukunft eher Forschungsprojekten vorbehalten bleiben. Eine Erhöhung der diagnostischen Sicherheit auch in der klinischen Routine bietet der von Spitzer zunächst zur Evaluation diagnostischer Instrumente vorgeschlagene **LEAD-Ansatz**

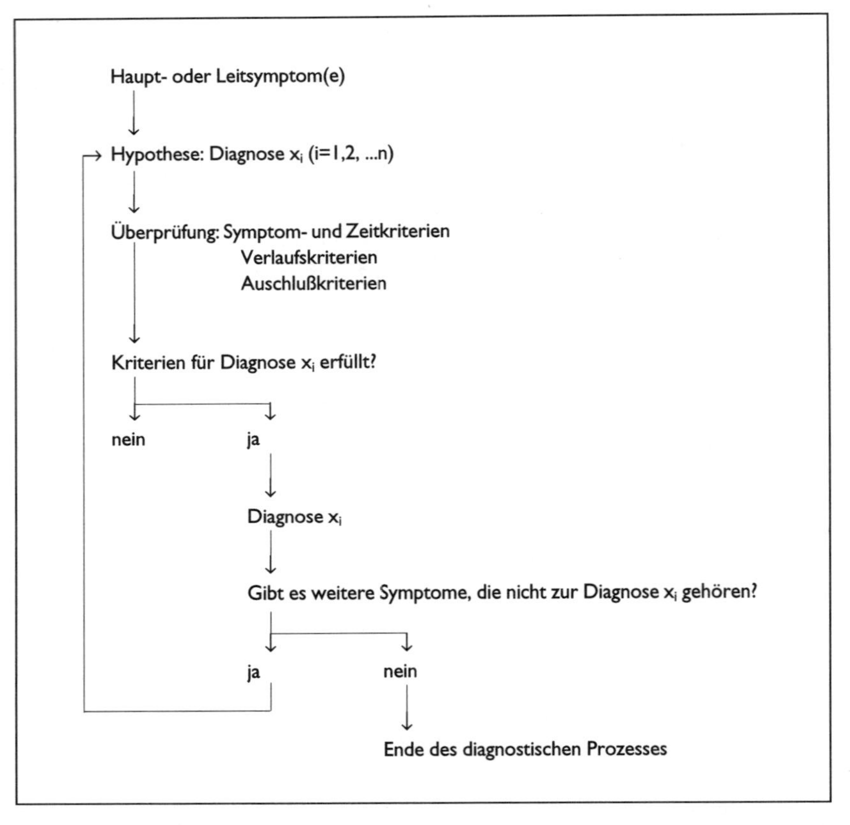

Abb. 2.1. Diagnostischer Prozeß am Beispiel operationalisierter Diagnosensysteme, wie ICD-10 und DSM-IV.

(»**L**ongitudinal **E**valuation, done by experts, employing **A**ll **D**ata«); hierbei wird versucht, alle vorliegenden Informationen zu einem diagnostischen Urteil zu integrieren.

Die Zuordnung eines Patienten zu einer diagnostischen Kategorie basiert nach Wittchen [1993, 1994] mit wenigen Ausnahmen auf subjektiv-verbalen Methoden (Befragung) sowie zum Teil auf beobachtbaren oder erschließbaren Aspekten des Patientenverhaltens. Anderen Zugangsweisen, wie z.B. labortechnischen Untersuchungen oder auch psychologischen Tests, kommt eher für die

Ausschlußdiagostik Bedeutung zu (Ausnahme z.B. Demenzdiagnostik; vgl. Kapitel 4).

Wie in Kapitel 1 betont wurde, kommt auch bei der Diagnose psychiatrischer Erkrankungen der körperlichen Untersuchung zentrale Bedeutung zu. Alle Hinweise auf körperliche Erkrankungen bzw. körperlich bedingte psychische Störungen haben hohe Relevanz, da sie wichtige Implikationen für die Behandlung haben (unter anderem Behandlung der Grunderkrankung).

Das Ergebnis des diagnostischen Prozesses stellt in der Regel die Diagnose dar. Zur Kennzeichnung dieser Diagnose werden oft unterschiedliche Begriffe eingesetzt. Zum einen wird zwischen einer Haupt- und Neben- (oder Zusatz-)Diagnose unterschieden. Die **Hauptdiagnose** ist meist diejenige, die zur aktuellen Behandlung geführt hat. **Neben- oder Zusatzdiagnosen** sind zwar klinisch von Relevanz, haben jedoch für die aktuelle Behandlung eher sekundäre Bedeutung.

Unter **Lebenszeitdiagnosen** werden Diagnosen verstanden, bei denen die gesamte Vorgeschichte des Patienten mitberücksichtigt wird. Die aktuelle Diagnose wird in Abgrenzung dazu oft auch als **Querschnittsdiagnose** bezeichnet.

Als **Differential- oder Ausschlußdiagnosen** werden diejenigen Diagnosen bezeichnet, zu denen eine Abgrenzung zu erfolgen hat bzw. zu denen leicht eine falsche Zuordnung getroffen werden kann (z.B. Schizophrenie gegenüber Depersonalisations-/Derealisationssyndrom).

Mit **komorbiden oder multiplen Diagnosen** (vgl. auch Abschnitt 2.3.3.2) werden Diagnosen bezeichnet, die gleichzeitig bei einem Patienten vorliegen (z.B. Angststörung plus Persönlichkeitsstörung).

Eine weitere Unterscheidung wird bei stationärer Behandlung zwischen **Aufnahme- und Entlassungsdiagnosen** getroffen. Hier ergeben sich oft notwendigerweise Abweichungen. Gründe hierfür liegen darin, daß z.B. zu Beginn einer stationären Behandlung noch nicht alle Informationen vorliegen können (z.B. anamnestische Informationen) oder sich das psychopathologische Bild noch weiter entwickelt. Aufnahmediagnosen sind daher oft nur vorläufig und haben eher den Status von Syndromdiagnosen. Besonders bei bestimmten Störungen lassen sich bei der Aufnahme nur schwer zuverlässige Diagnosen stellen. Dies trifft z.B. auf die Diagnose von Persönlichkeitsstörungen (vgl. Kapitel 11) zu, bei denen insbesondere anamnestische Daten berücksichtigt werden müssen und bestimmte Probleme erst in der Interaktion mit anderen Menschen deutlich werden.

2.4.5. Zielsetzungen des diagnostischen Prozesses

Dem diagnostischen Prozeß kommt auf den einzelnen Ebenen eine unterschiedliche Funktion zu. Auf der Symptomebene geht es zunächst primär um die umfassende Deskription des Krankheitsbilds des Patienten und um die Erfassung von Informationen als Grundlage für die Diagnosenstellung. Auf der Syndromebene werden besonders zu Beginn einer Behandlung erste Entscheidungen im Hinblick auf therapeutische Interventionen getroffen, was auch für die Diagnose im engeren Sinn gilt. Symptom-, Syndrom- und Diagnosenerfassung kommt zudem zur Charakterisierung des (Langzeit-)Verlaufs große Bedeutung zu, der Symptom- und Syndromerfassung weiterhin zur Evaluation der durchgeführten therapeutischen Interventionen.

Literatur

American Psychiatric Association (APA, 1980): Diagnostic and statistical manual of mental disorders (3rd ed.). DSM-III. APA, Washington DC. Deutsche Bearbeitung und Einführung von Koehler K, Saß H. Beltz, Weinheim 1984.

American Psychiatric Association (APA, 1987): Diagnostic and statistical manual of mental disorders (3rd ed. rev.). DSM-III-R. APA, Washington DC. Deutsche Bearbeitung und Einführung von Wittchen HU, Saß H, Zaudig M, Koehler K. Beltz, Weinheim 1989.

American Psychiatric Association (APA, 1994): Diagnostic and statistical manual of mental disorders (4th ed.). DSM-IV. APA, Washington DC.

Deutsches Institut für medizinische Dokumentation und Information (DIMDI) (Hrsg., 1994): Internationale statistische Klassifikation der Krankheiten und verwandter Gesundheitsprobleme. 10. Revision (ICD-10). Amtliche deutschsprachige Ausgabe. Band 1: Systematisches Verzeichnis. Huber, Bern.

Dilling H, Mombour W, Schmidt MH (Hrsg., 1993): Internationale Klassifikation psychischer Störungen, ICD-10, Kapitel V (F). Klinische Beschreibungen und diagnostische Leitlinien. 2. Auflage. Huber, Bern.

Dilling H, Mombour W, Schmidt MH, Schulte-Markwort E (Hrsg., 1994): Internationale Klassifikation psychischer Störungen, ICD-10, Kapitel V (F). Forschungskriterien. Huber, Bern.

Dittmann V, Freyberger HJ, Stieglitz RD (1990): Multiaxiale psychiatrische Klassifikationssysteme. TW Neurologie Psychiatrie Schweiz *1*:89–94.

Freyberger HJ, Dittmann V, Stieglitz RD, Dilling H (1990): ICD-10 in der Erprobung: Ergebnisse einer multizentrischen Feldstudie in den deutschsprachigen Ländern. Nervenarzt *61*:271–275.

Freyberger HJ, Stieglitz RD, Dilling H (1992): Ergebnisse multizentrischer Diagnosenstudien zur Einführung des Kapitel V (F) der ICD-10. Fundamenta Psychiatrica *6*:121–127.

Freyberger HJ, Schulte-Markwort E, Dilling H (1993a): Referenztabellen der WHO zum Kapitel V (F) der 10. Revision der Internationalen Klassifikation der Krankheiten (ICD-10): ICD-9 vs. ICD-10. Fortschritte der Neurologie und Psychiatrie *61*:109–127.

Freyberger HJ, Schulte-Markwort E, Dilling H (1993b): Referenztabellen der WHO zum Kapitel V (F) der 10. Revision der Internationalen Klassifikation der Krankheiten (ICD-10): ICD-10 vs. ICD-9. Fortschritte der Neurologie und Psychiatrie *61*:128–143.

Spitzer RL, Fleiss JL (1974): A re-analysis of the reliability of psychiatric diagnosis. British Journal of Psychiatry 125:341–347.

Spitzer RL, Endicott J, Robins E (1975): Research diagnostic criteria. Psychopharmacology Bulletin *11*: 22–25.

Stieglitz RD, Schulte-Markwort E, Zaudig M (1992a): Die Komorbidität psychiatrischer Störungen in der ICD-10-Merkmalslistenstudie. In: Dittmann V, Dilling H, Freyberger HJ (Hrsg.): Psychiatrische Diagnostik nach ICD-10 – klinische Erfahrungen bei der Anwendung. Ergebnisse der ICD-10-Merkmalslistenstudie. Huber, Bern, 111–120.

Stieglitz RD, Dittmann V, Mombour W (1992b): Erfassungsmethoden und Instrumente zur ICD-10. Fundamenta Psychiatrica *6*:128–136.
Stieglitz RD, Ahrens B (1994): Fremdbeurteilungsverfahren. In: Stieglitz RD, Baumann U (Hrsg.): Psychodiagnostik psychischer Störungen. Enke, Stuttgart, 79–94.
Stieglitz RD, Baumann U (Hrsg., 1994): Psychodiagnostik psychischer Störungen. Enke, Stuttgart.
Wittchen HU (1993): Diagnostik psychischer Störungen: Über die Optimierung der Reliabilität zur Verbesserung der Validität. In: Möller HJ, Berger M, Wittchen HU (Hrsg.): Psychiatrie als empirische Wissenschaft. Zuckschwerdt, München, 17–39.
Wittchen HU (1994): Klassifikation. In: Stieglitz RD, Baumann U (Hrsg.): Psychodiagnostik psychischer Störungen. Enke, Stuttgart, 49–63
Wittchen HU, Unland H, Knäuper B (1994): Interview. In: Stieglitz RD, Baumann U (Hrsg.): Psychodiagnostik psychischer Störungen. Enke, Stuttgart, 107–125.
World Health Organization (1992): Tenth revision of the international classification of diseases, chapter V (F): Mental and behavioural disorders. Clinical descriptions and diagnostic guidelines. WHO, Geneva.
World Health Organization (1993): Tenth revision of the international classification of diseases, chapter V (F): Mental and behavioural disorders. Diagnostic criteria for research. WHO, Geneva.
World Health Organization (1994a): Tenth revision of the international classification of diseases, chapter V (F): Mental and Behavioural Disorders. Primary health care classification (PHC). WHO, Geneva.
World Health Organization (1994b): Tenth revision of the international classification of diseases, chapter V (F): Mental and behavioural disorders. Multiaxial schema (MAS). WHO, Geneva.
World Health Organization (1994c): Tenth revision of the international classification of diseases, chapter V (F): Mental and behavioural disorders. Lexicon of mental health terms. WHO, Geneva.

3. Psychiatrische Epidemiologie

Siegfried Weyerer

3.1. Ziele und Aufgaben der Epidemiologie

Das traditionelle Wissen der Medizin, großenteils auch die Ergebnisse klinischer Studien über Krankheiten und deren Behandlung stützen sich auf Beobachtungen in Behandlungseinrichtungen, vornehmlich in Kliniken. Diese einseitige Auswahl ergibt jedoch vielfach falsche oder verzerrte Aussagen. Deshalb wird in der **Epidemiologie** die vollständige Erfassung aller Fälle angestrebt, um unverzerrte Aussagen über Ursachen, Verteilung und Verlauf von Krankheiten machen zu können.

Die Psychiatrische Epidemiologie beschäftigt sich mit der **räumlichen und zeitlichen Verteilung psychischer Erkrankungen in der Bevölkerung** und der **unterschiedlichen Häufigkeit ihres Auftretens** im Zusammenhang mit demographischen, genetischen, Verhaltens- und Umweltfaktoren (deskriptive Epidemiologie). Sie untersucht außerdem die **Bedingungen des Auftretens und des Verlaufs** psychischer Störungen mit dem Ziel, das Wissen über Ursachen, Risiko- und Auslösefaktoren von Krankheitsepisoden und Krankheitsfolgen zu vertiefen. Der Hauptbeitrag der epidemiologischen Forschung sollte in der Entwicklung und Überprüfung von Hypothesen liegen, die sich auf spezifische Faktoren beziehen, die die Verteilung einer bestimmten Erkrankung in einer definierten Bevölkerungsgruppe beeinflussen. Die **Ermittlung von individuellen Krankheitsrisiken** ist vor allem dann von großer Bedeutung, wenn diese mit Hilfe präventiver Maßnahmen gemindert oder ausgeschaltet werden können. Eine weitere zentrale Aufgabe der Epidemiologie besteht darin, festzustellen, in welchem Umfang psychiatrische und psychotherapeutische Versorgungsbedürfnisse vorhanden und durch bestehende Einrichtungen abgedeckt sind [Häfner und Weyerer, 1990].

3.2. Epidemiologische Meßvariablen

Epidemiologische Meßziffern enthalten im wesentlichen drei Elemente: Die **Häufigkeit ei**ner Krankheit, die **Zahl der Personen**, auf die sich die Häufigkeitsziffer sinnvollerweise bezieht, und den **Zeitfaktor,** d.h. den Zeitpunkt der Messung, die Zeitperiode des Auftretens und die Dauer der Krankheit.

3.2.1. Prävalenz

Die **Prävalenz** ist das am häufigsten benutzte Krankheitsmaß. Man versteht darunter die Gesamtzahl aller Krankheitsfälle, die in einer definierten Population zu einem bestimmten Zeitpunkt (**Punktprävalenz**) oder während einer Zeitperiode (**Periodenprävalenz**) auftritt, wobei häufig ein Jahr gewählt wird.

Bei chronischen psychischen Erkrankungen mit ungünstigem Verlauf, wie etwa der Alzheimer-Demenz, ist die Differenz zwischen Punktprävalenz und Jahresprävalenz relativ gering; dagegen können die Unterschiede zwischen Stichtags- und Periodenprävalenz bei kurzfristig auftretenden psychiatrischen Erkrankungen, z.B. akuten Verwirrtheitszuständen, beträchtlich sein.

Die **lebenslange Prävalenz** (»lifetime prevalence«) umfaßt den Anteil der an einem bestimmten Stichtag lebenden Bevölkerung, die irgendwann in ihrem Leben eine bestimmte Krankheit hatte.

Bei der Bestimmung dieses Krankheitsmaßes ergibt sich jedoch eine Reihe von Problemen: Die größte Schwierigkeit besteht darin, frühere Krankheitsepisoden über einen sehr langen Zeitraum zu erinnern. Die lebenslange Prävalenz basiert auf der überlebenden Bevölkerung und kann dadurch verzerrt sein, daß die untersuchte Erkrankung mit dem Mortalitätsrisiko assoziiert ist. Weiter ist zu bedenken, daß die lebenslange Prävalenz altersabhängig ist: Bei älteren Menschen ist die Risikoperiode länger als bei jüngeren.

3.2.2. Inzidenz

Unter **Inzidenz** versteht man die Häufigkeit der neu aufgetretenen Krankheiten innerhalb eines bestimmten Zeitraums (z.B. eines Jahres), unabhängig davon, ob die Erkrankung zu Ende der Zeitperiode noch besteht oder nicht.

Die Bestimmung erfolgt in der Regel mit Hilfe einer Longitudinalstudie, die mindestens zwei Querschnitte umfaßt. Die **Inzidenzrate** wird berechnet als der Quotient der im Intervall Neuerkrankten, dividiert durch die Anzahl der Personen, die – definiert nach operationalisierten Diagnosenkriterien (vgl. Kapitel 2 – vor und während des ersten Querschnitts nicht an der betreffenden Krankheit litten. Eine Schwierigkeit bei der Berechnung von Inzidenzraten tritt dann auf, wenn der Krankheitsbeginn nur schwer bestimmbar ist. Psychische Erkrankungen, wie etwa Depressionen, Persönlichkeitsstörungen, Alkoholismus und Schizophrenie, beginnen häufig schleichend. Der Zeitpunkt des ersten Kontakts mit einer Behandlungseinrichtung oder der erstmaligen ärztlichen Diagnose deckt sich häufig nicht mit dem Zeitpunkt des Krankheitsbeginns. Abhängig von Art und Schwere der Erkrankung, dem Krankheitsverhalten und dem medizinischen Versorgungsgrad können hier beträchtliche Diskrepanzen bestehen.

3.2.3. Zusammenhang zwischen Prävalenz und Inzidenz

Die Prävalenz ist eine Funktion der Inzidenz einer Krankheit und ihrer Dauer. Die Dauer einer Erkrankung hängt in erster Linie ab von deren Letalität und der spontan oder aufgrund therapeutischer Interventionen erfolgten Remissionsrate. Eine Erkrankung mit hoher Inzidenz kann deshalb eine niedrige Prävalenz aufweisen, wenn es sich um Erkrankungen von kurzer Dauer, wie etwa Panikstörungen, handelt.

Umgekehrt kann bei nicht tödlich verlaufenden Krankheiten oder Behinderungen, für die keine Heilung möglich ist, die Inzidenz niedrig, die Prävalenz jedoch hoch sein. In Populationen, bei denen Inzidenz und durchschnittliche Erkrankungsdauer über die Zeit konstant bleiben, entspricht die Prävalenz dem Produkt aus Inzidenz und Krankheitsdauer.

3.2.4. Administrative Prävalenz und Inzidenz

Werden Krankheitsraten nicht für die Allgemeinbevölkerung (wahre Prävalenz und Inzidenz), sondern für Probanden einer definierten Region berechnet, die sich in Behandlung befinden, spricht man von **administrativer Prävalenz** oder **Inzidenz.**

In kumulativen psychiatrischen Fallregistern werden fortlaufend die Kontakte mit allen ambulanten und stationären psychiatrischen Einrichtungen innerhalb und außerhalb eines Untersuchungsgebiets registriert, die eine geographisch definierte Bevölkerung versorgen. Solche Fallregister liefern die Voraussetzung, administrative Inzidenz-, Wiederbehandlungs- und Prävalenzraten zu berechnen. Bei bestimmten schweren psychischen Erkrankungen, z.B. der Schizophrenie, die nahezu ausschließlich psychiatrisch behandelt werden, kommt die im Rahmen von Fallregistern bestimmte Behandlungsprävalenz der wahren Prävalenz sehr nahe. Prävalenzdaten liefern wichtige Informationen für die Planung und Evaluation von Gesundheitseinrichtungen, sie sind jedoch im allgemeinen nicht für die Überprüfung ätiologischer Fragestellungen geeignet, da sie keine Aussage zur zeitlichen Ordnung von Variablen und damit keine Konstruktion eines Nacheinanders von Ursache und Wirkung zulassen. Wenn es gelingt, den Beginn einer psychischen Erkrankung einigermaßen genau zu eruieren, dann lassen Inzidenzstudien Rückschlüsse auf ätiologische Faktoren zu.

3.3. Psychische Erkrankungen auf verschiedenen Versorgungsebenen

Eine **vollständige Erfassung** psychiatrisch behandelter und unbehandelter psychischer Erkrankungen ist sehr aufwendig: Zur Ermittlung der wahren Prävalenz muß von geschulten Interviewern eine relativ große Zufallsstichprobe aus der Allgemeinbevölkerung untersucht werden. Wenn darüber hinaus re-

Tabelle 3.1. Prozentuale Jahresprävalenz psychischer Erkrankungen auf verschiedenen Versorgungsebenen

Ebene	Manchester Goldberg und Huxley [1980]	Oberbayern Dilling und Weyerer [1978, 1984]	Groningen Giel et al. [1989]
Feldstudie	25,0	24,1	30,3
Hausarztpraxen	23,0	21,4	22,4
Vom Hausarzt erkannt	14,0	13,2	9,4
Psychiatrische Institutionen (ambulant und stationär)	1,7	1,9	3,4
Psychiatrische Institutionen (stationär)	0,6	0,5	1,0

präsentative Ergebnisse über den Anteil der von Hausärzten entdeckten psychischen Erkrankungen gewonnen werden sollen, ist eine enge Zusammenarbeit mit diesen Ärzten unerläßlich. Schließlich ist für eine zuverlässige Erfassung psychiatrisch behandelter Erkrankungen die Kooperation mit einer Vielzahl ambulanter und stationärer psychiatrischer Einrichtungen erforderlich, die für die Versorgung einer bestimmten Region in Frage kommen [Weyerer, 1992].

Aufgrund des beträchtlichen Erhebungsaufwands liegen bislang nur drei einigermaßen vergleichbare Prävalenzstudien auf verschiedenen Versorgungsebenen (vgl. Tabelle 3.1) vor. Den englischen und deutschen Untersuchungen zufolge leiden etwa 25% der Erwachsenenbevölkerung im Laufe eines Jahres an einer behandlungsbedürftigen psychischen Erkrankung; in der niederländischen Studie ist die wahre Prävalenz sogar noch höher. In diesen Ländern ist der allgemeinärztliche Versorgungsgrad sehr hoch, die Behandlungskosten sind weitgehend gedeckt. Aus diesem Grund kommt die Prävalenz psychischer Erkrankungen bei Patienten von Hausärzten der wahren Prävalenz sehr nahe. Die Studien zeigen auch, daß ein beträchtlicher Anteil der mit Hilfe standardisierter Interviews (vgl. Kapitel 2) identifizierten psychisch Kranken von den Hausärzten nicht entdeckt wird und nur ein geringer Bevölkerungsanteil im Laufe eines Jahres psychiatrische Einrichtungen in Anspruch nimmt, wobei die ambulante psychiatrische Behandlung im Vordergrund steht. Die diagnostische Verteilung psychisch Kranker in Hausarztpraxen und in der Allgemeinbevölkerung, wo über die Hälfte der psychischen Störungen auf neurotische und psychosomatische Erkrankungen entfallen, unterscheidet sich nur geringfügig. Dagegen stehen im ambulanten und – in noch stärkerem Maße – im stationär psychiatrischen Bereich Psychosen im Vordergrund [Dilling und Weyerer, 1984].

3.4. Häufigkeit und Verlauf psychischer Erkrankungen

3.4.1. Kinder und Jugendliche

In einer von Dohrenwend et al. [1980] erstellten Übersicht nordamerikanischer und europäischer Studien zeigte sich, daß die Prävalenz in den 28 Studien, in denen die Beurteilung psychischer Störungen ausschließlich von Lehrern durchgeführt wurde, am niedrigsten war (Median 10, 8%). Erfolgte die Fallidentifikation nur über die Eltern (9 Studien; Median 16, 0%) bzw. über mehrere Informationsquellen (Eltern, Lehrer, Kinder; 4 Studien; Median 16,5%), dann lagen die Prävalenzraten wesentlich höher. Sie stimmen etwa mit der von Esser und Schmidt [1990] publizierten Übersicht überein, in der auf der Basis von 9 Studien in verschiedenen europäischen Ländern ein Median von 18% gefunden wurde. In einer ähnlichen Größenordnung liegen die Ergebnisse aus kinderpsychiatrischen Feldstudien in Oberbayern und Mannheim, wo bei der Fallidentifikation sowohl Angaben der Eltern als auch Testbefunde der Kinder eingingen. In der Mannheimer Studie konnte darüber hinaus gezeigt werden, daß Remissionsraten von der Länge des Follow-up-Zeitraums abhängen. 5 Jahre nach der Erstuntersuchung waren 50%, 10 Jahre später nur noch 25% der im Alter von 8 Jahren psychisch gestörten Kinder auffällig.

3.4.2. Erwachsene

Aus der Übersicht von Dohrenwend et al. [1980], basierend auf 27 psychiatrisch-epidemiologischen Feldstudien, die seit dem Zweiten Weltkrieg in Nordamerika und Europa durchgeführt wurden, geht hervor, daß etwa 20% (Median 20,7%) der Erwachsenenbevölkerung von einer psychischen Erkrankung betroffen sind. Der Wert liegt niedriger als der in Tabelle 3.1 angegebene Wert für die Jahresprävalenz. Dies ist insofern plausibel, als hier eine Reihe von Prävalenzdaten eingehen, die sich auf kürzere Zeiträume beziehen, was eine niedrigere Krankheitsrate zur Folge hat. In den Feldstudien vor 1950 war der Median mit 3,0% um ein Vielfaches niedriger. Die Häufigkeitsraten psychischer Störungen in den früheren Untersuchungen waren zum Teil sogar noch niedriger als die Jahresprävalenz psychiatrisch behandelter Patienten, die bei etwa 2% lag. Die im Vergleich zu früher heute viel höheren Morbiditätsziffern geben sicherlich nicht die tatsächlichen Unterschiede in der Erkrankungshäufigkeit wieder. Sie sind vielmehr im Zusammenhang mit der unterschiedlichen Wahrnehmung, Identifikation und Definition psychischer Störungen, dem inzwischen höheren Wissensstand und den verbesserten diagnostischen und therapeutischen Möglichkeiten zu sehen.

Aus Tabelle 3.2 geht hervor, daß die in Oberbayern ermittelte Prävalenzrate von 18,6% (bezogen auf 1 Woche) sowie die Raten für Schizophrenie und Neurosen in einer ähnlichen Größenordnung liegen wie der von Dohrenwend et al.

Tabelle 3.2. Prävalenz psychischer Erkrankungen bei Erwachsenen in Nordamerika und Europa [Dohrenwend et al., 1980] sowie in Oberbayern [Dilling und Weyerer, 1984]

Diagnose	Anzahl der Studien	Schwankungsbreite	Median	Oberbayern (in Klammern: ICD-8-Schlüssel)
Psychosen	24	0,0–8,3	1,6	3,3 (290–299)
Schizophrenien	14	0,0–2,7	0,6	0,4 (295)
Affektive Psychosen	13	0,0–1,9	0,3	1,2 (296)
Neurosen	24	0,3–53,5	9,4	9,4 (300)
Persönlichkeitsstörungen	20	0,1–36,0	4,8	0,7 (301)
Alkoholismus	14	0,6–31,0	2,4	1,6 (303)
Gesamt	27	0,6–69,0	20,9	18,6 (290–315)

[1980] berichtete Median. Es zeigt sich, daß die Schwankungsbreite in den einzelnen Studien bei den Neurosen, Persönlichkeitsstörungen und beim Alkoholismus wesentlich größer ist als bei den Psychosen.

In neuerer Zeit verdient die in den Vereinigten Staaten durchgeführte **»Epidemiologic Catchment Area« (ECA)-Studie** besondere Aufmerksamkeit, in der in fünf Zentren 18 572 Personen (18 Jahre und älter) mit dem »Diagnostic Interview Schedule« (DIS) untersucht wurden [Robins und Regier, 1991]. Das DIS ist ein hochstrukturiertes Interview, das mit Hilfe bestimmter Algorithmen unter anderem eine diagnostische Zuordnung nach DSM-III ermöglicht. Kritisch ist allerdings anzumerken, daß das Instrument für Laieninterviewer konzipiert wurde, was möglicherweise eine Verminderung der Datenqualität mit sich bringt.

Die Jahresprävalenz in der ECA-Studie lag bei 20%. 32% der Erwachsenen litten irgendwann im Laufe ihres Lebens an einer psychiatrischen Erkrankung. Allerdings wurden die Angaben zur lebenslangen Prävalenz wegen der Schwierigkeiten, die mit einer retrospektiven Erfassung verknüpft sind, stark kritisiert. Hinsichtlich einzelner Diagnosen zeigt sich, daß für beide Bezugszeiträume Phobien und Alkoholabhängigkeit/mißbrauch am häufigsten auftreten (vgl. Tabelle 3.3). Die übrigen Diagnosen liegen bezüglich der Lifetime-Prävalenz unter 10% und bezüglich der Einjahresprävalenz unter 5%.

Trotz der großen Anzahl psychiatrisch-epidemiologischer Feldstudien gibt es bislang nur wenige Hinweise, in welchem Umfang es sich dabei um **chronische Erkrankungen** handelt. Da jedoch die im Rahmen einer Stichtagsuntersuchung ermittelte Prävalenz sehr stark von der Erkrankungsdauer abhängt, ist ein hoher Anteil chronisch Kranker zu erwarten. Dies wird deutlich, wenn wir die in Oberbayern bestimmte Jahresprävalenz von 24,1% aufschlüsseln. Allein 18,6%

Tabelle 3.3. Prävalenz psychischer Erkrankungen bei Erwachsenen (18 Jahre und älter) in den Vereinigten Staaten: Ergebnisse der »Epidemiological-Catchment-Area«-Studie [Robins und Regier, 1991]

Psychiatrische Diagnose	Lebenslange Prävalenz, %	Einjahresprävalenz nach DSM-III, %
Phobien	14,3	8,8
Alkoholmißbrauch/-abhängigkeit	13,8	6,3
Generalisierte Angst	8,5	3,8
Typische depressive Episode	6,4	3,7
Drogenmißbrauch/-abhängigkeit	6,2	2,5
Kognitive Beeinträchtigung (leicht und schwer)	nicht erhoben	5,0
Dysthymie	3,3	nicht erhoben
Antisoziale Persönlichkeit	2,6	1,2
Zwangssyndrome	2,6	1,7
Panikattacken	1,6	0,9
Schizophrenie oder schizophreniforme Erkrankungen	1,5	1,0
Manische Episoden	0,8	0,6
Kognitive Beeinträchtigung (schwer)	nicht erhoben	0,9
Somatoforme Störungen	0,1	0,1

der Bevölkerung litt im Querschnitt (bezogen auf 1 Woche) an einer psychiatrischen Erkrankung, und nur eine Restgruppe von 5,5% war im Laufe eines Jahres von einer behandlungsbedürftigen Krankheitsepisode betroffen, die spätestens zum Zeitpunkt der Querschnitterfassung abgeklungen war [Weyerer, 1992]. In der ECA-Studie fand sich eine ähnliche Relation: 15% der Erwachsenenbevölkerung hatte im Querschnitt (bezogen auf 1 Monat) eine psychiatrische Diagnose und die Jahresprävalenz (20%) war nur um 5% höher.

In der oberbayerischen Feldstudie dauerte nach Einschätzung der Interviewer bei etwa 60% der psychisch Kranken die Erkrankung bereits länger als 5 Jahre. Überdurchschnittlich hoch – mit über 80% – war der Anteil chronisch Kranker bei den Diagnosen »Alkoholismus/Drogenabhängigkeit«, »Schizophrenie« und »Oligophrenie«.

3.4.3. Ältere Menschen

In verschiedenen Ländern nach dem Zweiten Weltkrieg durchgeführte Feldstudien ergaben, daß etwa 25% der über 65jährigen Bevölkerung an irgendeiner Form psychischer Krankheit litt. Es zeigte sich eine sehr hohe Übereinstimmung bei den schweren psychischen Erkrankungen: Die Schwankungsbreite bei den Demenzen (3,4–6,0%) und funktionellen Psychosen (1,4–3,7%) war wesentlich geringer als bei den leichteren organischen Syndromen (4,9–15,4%) sowie den Neurosen und Persönlichkeitsstörungen (4,6–24,6%).

Sowohl insgesamt (Mannheim 23,1%; Oberbayern 24,1%) als auch für diagnostische Untergruppen fanden sich nur geringe Unterschiede in der Prävalenz psychischer Erkrankungen bei über 65jährigen in Mannheim und in Oberbayern, bei denen die Fallidentifikation jeweils mit dem gleichen Erhebungsinstrument erfolgte. In beiden Untersuchungsgebieten waren psychische Erkrankungen bei den über 75jährigen deutlich höher im Vergleich zu den 65 bis 74jährigen [Cooper und Sosna, 1983; Weyerer, 1983]. Die Erkrankungshäufigkeit für funktionelle psychische Störungen, vor allem Depressionen und Angstkrankheiten, scheint dabei im Alter nicht anzusteigen. Dafür können nach Häfner [1986] verschiedene Gründe verantwortlich sein, beispielsweise, daß depressive Verstimmungen mit dem Fortschreiten einer Demenz häufig nicht erkannt werden oder daß selektive Mortalität zu einer Verminderung des Anteils Depressiver im hohen Alter geführt hat.

Altersdepressionen sind häufig mit schweren körperlichen Erkrankungen und erhöhtem Selbstmordrisiko verknüpft und vermutlich deshalb ein Prädiktor verminderter Überlebenszeit. Dagegen verdoppelt sich die Prävalenz für Demenzen vom 60. bis zum 65. Lebensjahr an etwa alle 5 Jahre und übersteigt jenseits des 90. Lebensjahrs 30%. Der exponentielle Anstieg der Häufigkeit von Demenzen geht nicht nur auf die Akkumulation der durchschnittlich 8 Jahre verlaufenden Fälle, sondern auf eine echte Zunahme zurück. Die Inzidenzraten verdreifachen sich von der Dekade 60–69 Jahre an alle 10 Lebensjahre.

Da mit zunehmendem Alter der Anteil alter Menschen, die in Alten- und Pflegeheimen aufgenommen werden, sehr stark ansteigt, ist es wichtig, in epidemiologischen Studien auch Heimbewohner zu berücksichtigen. Verschiedene Untersuchungen haben gezeigt, daß nicht nur Demenzen, die häufig ein Grund für eine Heimaufnahme sind, sondern auch depressive Erkrankungen bei Heimbewohnern signifikant häufiger auftreten als bei alten Menschen in Privathaushalten.

3.5. Behandlung psychischer Erkrankungen in der Allgemeinbevölkerung

Ein wesentliches Ziel epidemiologischer Forschung besteht darin, festzustellen, in welchem Umfang die mit Hilfe klinischer Interviews identifizierten psychisch Kranken psychiatrisch vorbehandelt wurden. Im internationalen Vergleich zeigt sich, daß nur in wenigen Feldstudien der Anteil früher psychiatrisch behandelter Probanden bestimmt wurde. Anhand von 11 Gemeindestudien konnten Dohrenwend et al. [1980] zeigen, daß etwa 25% der psychisch Kranken (Median 26,7%) in der Allgemeinbevölkerung früher psychiatrisch behandelt wurden, ein Wert, der mit dem in der oberbayerischen Feldstudie gefundenen Anteil von 26,4% sehr gut übereinstimmt. In den älteren Feldstudien waren aufgrund der sehr engen Diagnosenkriterien die wahre Prävalenz deutlich niedriger und der Anteil der psychiatrisch Vorbehandelten wesentlich höher (Median 51,6%, Schwankungsbreite 40,0–60,5%) als in den neueren Untersuchungen. In den nach 1950 durchgeführten Feldstudien lagen der Median bei 22,5% und die Schwankungsbreite zwischen 7,8 und 40,0%. Psychosen, vor allem Schizophrenien, waren zu einem sehr hohen Anteil psychiatrisch vorbehandelt.

Die überwiegende Mehrzahl der psychisch Kranken, vor allem diejenigen mit neurotischen und psychosomatischen Erkrankungen, wird nicht in psychiatrische Einrichtungen überwiesen, sondern der Hausarzt übernimmt selbst die Behandlung. Aufgrund dieser Ausgangssituation ist es nicht überraschend, daß einer repräsentativen Untersuchung in den USA zufolge zwei Drittel der Psychopharmaka von Primärärzten, d.h. Allgemeinpraktikern und Internisten verschrieben wurden, und jeweils nur etwa 17% von Psychiatern und anderen Fachärzten. Auch bezogen auf einzelne Stoffgruppen war der Anteil der von Hausärzten verschriebenen Psychopharmaka – mit Ausnahme von Lithium, das überwiegend von Psychiatern verschrieben wurde – am höchsten. In der Bundesrepublik ist die Situation nicht sehr viel anders: 1989 wurden 72% der Psychopharmaka von Hausärzten, 17% von Nervenärzten und 11% von sonstigen Fachärzten verschrieben [Weyerer, 1992].

Es gibt zahlreiche Untersuchungen zur **Prävalenz des Psychopharmakagebrauchs** in der Bevölkerung. Wegen der uneinheitlichen Definition der Psychopharmaka, der sehr heterogenen Untersuchungspopulationen und vor allem wegen der sehr unterschiedlichen Bezugszeiträume, die von 1 Tag bis lebenslang reichen, ist die Interpretation der Ergebnisse schwierig. Schränkt man diese Fehlerquellen ein, indem nur solche Studien berücksichtigt werden, die möglichst die gesamte Erwachsenenbevölkerung umfassen und die Psychopharmakaeinnahme auf einen Zeitraum von maximal 2 Wochen begrenzen, so zeigt sich, daß zwischen 6 und 12% der Bevölkerung Psychopharmaka einnehmen [Weyerer, 1992]. Sämtliche bislang durchgeführten epidemiologischen Studien haben gezeigt, daß der Psychopharmakagebrauch bei den Frauen am höchsten ist und mit zunehmendem Alter ansteigt. Eine besondere Risikogruppe hinsichtlich des Psychopharmakagebrauchs sind die Bewohner von Alten- und Altenpflegeheimen, wo die Einnahmeraten um ein Vielfaches höher sind im Vergleich zu alten Menschen in Privathaushalten.

Dringend erforderlich sind prospektive epidemiologische Untersuchungen, in denen der zeitliche Zusammenhang zwischen dem Auftreten psychiatrischer Symptome und der Einnahme von Medikamenten festgestellt wird, um die Wirksamkeit und die Indikation von Psychopharmaka besser abschätzen zu können.

3.6. Ausblick

Im Vergleich zu anderen westlichen Ländern war die psychiatrisch-epidemiologische Forschung in Deutschland über mehrere Jahrzehnte unterentwickelt. Erst mit Hilfe des zu Beginn der 70er Jahre am Zentralinstitut für seelische Gesundheit in Mannheim eingerichteten Sonderforschungsbereichs »Psychiatrische Epidemiologie« konnte – vor allem auf dem Gebiet der deskriptiven Epidemiologie – das hierzulande lange Zeit bestehende Forschungsdefizit abgebaut werden [Häfner, 1978]. In einem weiteren Sonderforschungsbereich über »Indikatoren und Risikomodelle für Entstehung und Verlauf psychischer Störungen« war es seit Mitte der 80er Jahre möglich, auch auf dem Gebiet der analytischen Epidemiologie Anschluß an den internationalen Forschungsstand zu gewinnen [Schmidt, 1990].

Allerdings ist in Deutschland die Forschungsförderung auf dem Gebiet der Epidemiologie psychischer Störungen im Vergleich zu anderen volksgesundheitlich relevanten Erkrankungen, wie Herz-Kreislauf-Erkrankungen und Krebserkrankungen, eher bescheiden. Die Notwendigkeit einer vermehrten psychiatrisch-epidemiologischen Forschung ergibt sich beispielsweise nach Würdigung der versorgungspolitischen Relevanz: So verlaufen viele psychische Erkrankungen chronisch, mit einem beträchtlichen Behandlungsbedarf. Durch den demographischen Wandel muß zudem mit einem stetigen Anstieg des Anteils älterer Menschen und damit auch mit einer wachsenden Zahl psychischer Alterserkrankungen gerechnet werden. Trotz ihrer Bedeutung ist die psychiatrische Epidemiologie noch an keiner deutschen Forschungseinrichtung institutionalisiert. Während es beispielsweise in den Vereinigten Staaten seit Jahrzehnten entsprechende Postgraduiertenprogramme für Mediziner und Sozialwissenschaftler gibt, fehlt diese Ausbildungsmöglichkeit hierzulande gänzlich. Eine Änderung dieser Situation ist dringend geboten.

Literatur

Cooper B, Sosna U (1983): Psychische Erkrankung in der Altenbevölkerung. Eine epidemiologische Feldstudie in Mannheim. Nervenarzt *54*:239–249.

Dilling H, Weyerer S (1978): Epidemiologie psychischer Störungen und psychiatrische Versorgung. Urban & Schwarzenberg, München.

Dilling H, Weyerer S (1984): Psychische Erkrankungen in der Bevölkerung bei Erwachsenen und Jugendlichen. In: Dilling H, Weyerer S, Castell R (Hrsg.): Psychische Erkrankungen in der Bevölkerung. Enke, Stuttgart, 1–121.

Dohrenwend BP, Dohrenwend BS, Schwartz Gould M, Link B, Neugebauer R, Wunsch-Hitzig R (eds., 1980): Mental illness in the United States. Epidemiological estimates. Praeger, New York.

Esser G, Schmidt MH (1990): Der Verlauf psychiatrischer Störungen und Minimaler Cerebraler Dysfunktion im Längsschnitt bei Kindern von acht bis dreizehn Jahren. In: Schmidt MH (Hrsg.): Fortschritte in der Psychiatrischen Epidemiologie. VCH Gesellschaft, Weinheim, 35–73.

Giel R, Ormel J, Koeter MW, van den Willige G (1989): Social factors determining permeability of filters in the Goldberg-Huxley model. In: Goldberg D, Tantam D (eds.): Social psychiatry and public health. Hogrefe & Huber, Göttingen.

Goldberg DP, Huxley P (1980): Mental illness in the community. Tavistock, London.

Häfner H (1978): Psychiatrische Epidemiologie. Geschichte, Einführung und ausgewählte Forschungsergebnisse. Springer, Berlin.

Häfner H (1986): Psychische Gesundheit im Alter. Gustav Fischer, Stuttgart.

Häfner H, Weyerer S (1990): Epidemiologie. In: Baumann U, Perrez M (Hrsg.): Klinische Psychologie. Band 1: Grundlagen, Diagnostik, Ätiologie. Huber, Bern, 38–49.

Robins LN, Regier DA (1991): Psychiatric disorders in America: The epidemiologic catchment area study. Free Press, New York.

Schmidt MH (1990): Fortschritte in der Psychiatrischen Epidemiologie. VCH Gesellschaft, Weinheim.

Weyerer S (1983): Mental disorders among the elderly. True prevalence and use of medical services. Arch Geront Ger *2:*11–22.

Weyerer S (1992): Epidemiologie der chronischen psychischen Krankheiten und der Langzeitbetreuungen. In: Helmchen H, Linden M (Hrsg.): Die jahrelange Behandlung mit Psychopharmaka. De Gruyter, Berlin, 19–35.

Störungsgruppen

4. Organische (und symptomatische) psychische Störungen

Hans Gutzmann

4.1. Einleitung

Die in diesem Kapitel behandelten psychischen Erkrankungen gründen ätiologisch entweder unmittelbar in einer Schädigung des Gehirns **(primäre Funktionsstörung)** oder mittelbar in einer durch Krankheiten anderer Organe bzw. allgemeine Systemerkrankungen hervorgerufenen Funktionseinbuße des Gehirns **(sekundäre Funktionsstörung).** Die so charakterisierten Erkrankungen, auch **organische Psychosyndrome** genannt, werden in der ICD-10 im Abschnitt F0 zusammengefaßt. Die eigentlich an dieser Stelle ebenfalls zu diskutierenden, durch Alkohol oder psychotrope Substanzen hervorgerufenen Störungen werden in der ICD-10 unter F1 (psychische und Verhaltensstörungen durch psychotrope Substanzen; vgl. Kapitel 5) klassifiziert. Die in der Kapitelüberschrift benutzte Qualifizierung **organisch** bedeutet, daß das entsprechend eingeschätzte Syndrom einer unabhängig davon diagnostizierbaren zerebralen oder extrazerebralen Erkrankung zugeordnet werden kann. **Symptomatisch** wird eine organische psychische Störung dann genannt, wenn sie als Indikator einer zerebralen Mitbeteiligung nur mittelbar auf eine somatische Grunderkrankung zu beziehen ist. Eine klare Differenzierung zwischen diesen beiden Gruppen wird allerdings nicht in jedem Fall befriedigend möglich sein. Die für vergleichbare Diagnosensituationen bisher gebräuchlichen Kategorien »organische« bzw. »symptomatische Psychose« können zugunsten des weitergefaßten Begriffs der »organischen psychischen Störungen«, wie sie in der ICD-10 formuliert sind, aufgegeben werden, da der Terminus »Psychose« sich durch erhebliche Unschärfe auszeichnet und zudem einem Teil der hirnorganisch verursachten psychopathologischen Erscheinungsbilder nicht gerecht wird [Lauter, 1988].

Die angesprochene **somatopsychische Parallelität** macht in den meisten Fällen eine doppelte diagnostische Kodierung, des psychopathologischen Syndroms einerseits und der somatischen Grundkrankheit andererseits, notwendig. Auf keinen Fall erlaubt allerdings die Klassifizierung einer psychischen Störung als »organisch« den Umkehrschluß, daß die nicht entsprechend qualifizierten psychischen Erkrankungen oder Syndrome »nichtorganisch« seien. Die frühere Antinomie zwischen »organischen« und »funktionellen« psychischen Störungen hat mit dem Fortschritt der Forschung an Schärfe eingebüßt. Auch bei früher als im wesentlichen funktionell eingeschätzten Erkrankungen, wie Schizophrenien, Depressionen, Alkoholismus und Zwangserkrankungen, wurden genetische, neurochemische und neurophysiologische Befunde erhoben, die auf eine organische Ätiopathogenese deuten. Andererseits konnten bei unzweifelbar organischen Erkrankungen, wie Temporallappenepilepsien und Demenzen vom Alzheimer-Typ, psychosoziale Einflußgrößen identifiziert werden, die Manifestationszeitpunkt, Verlauf und Konsequenzen der Erkrankungen so nachhaltig zu modifizieren in der Lage sind, daß sie als Ansatzpunkte von therapeutischen Strategien genutzt werden können. Integrative Konzepte spielen deshalb, als **biopsychosoziales** Modell apostrophiert, auch in der Psychiatrie eine zunehmend größere Rolle. Eine befriedigende Synthese der verschiedenen Ansätze ist jedoch noch nicht erzielt, so daß eine Kategorisierung bestimmter psychopathologisch-somatischer Konstellationen als »organisch« weiterhin methodisch vorteilhaft und klinisch plausibel ist.

Trotz ihrer phänomenologischen Vielfalt weisen die Störungen dieser Gruppe meist eine andersartige Psychopathologie auf als jene, bei denen hirnorganische Ursachen nicht vorhanden oder beim gegenwärtigen Stand unseres Wissens nicht ausreichend bekannt sind [Lauter, 1988]. Solche organischen Psychosyndrome können im Rahmen einer großen Fülle verschiedener körperlicher Erkrankungen auftreten, wobei das psychopathologische Erscheinungsbild nur selten einen unzweideutigen Rückschluß auf die Grundkrankheit erlaubt. Viel eher ist es so, daß die Schwere der Schädigung, das Tempo ihrer Entwicklung und die betroffene Persönlichkeit die unterschiedlichen klinischen Prägnanzformen bestimmen. In Anlehnung an E. Bleuler [1972] kann man die hier zu diskutierenden Störungen auch als »organische Grundformen psychischen Krankseins« auffassen und sie zunächst deskriptiv-phänomenologisch charakterisieren.

Im wesentlichen werden in der ICD-10 **zwei Hauptgruppen** dieser Störungen unterschieden. Auf der einen Seite finden sich Syndrome, bei denen die auffallendsten Störungen im Bereich der kognitiven Funktionen, des Gedächtnisses, des Lernens und des Intellekts angesiedelt sind oder die als Insuffizienzen des Sensoriums im Sinne von Bewußtseins- und Aufmerksamkeitsstörungen imponieren. Andererseits gibt es Syndrome, deren Schwerpunkte im Bereich der Wahrnehmung (als Halluzination), der Denkinhalte (als Wahn), der Stimmung und der Gefühle (als Depression, gehobene Stimmung oder Angst) liegen oder die sich im gesamten Persönlichkeits- und Verhaltensmuster deutlichmachen und kaum kognitive oder sensorische Funktionsstörungen zeigen. Die letztgenannte Gruppe ähnelt in ihrer Psychopathologie häufig den Zustandsbildern anderer Abschnitte der ICD-10 (F2, F3, F4, F6).

4.2. Epidemiologie

Werden auch vorübergehende Auffälligkeiten mitberücksichtigt, wie sie im Verlauf »banaler« Erkrankungen, wie einem Schnupfen, unter einer medikamentösen Therapie (z.B. mit Antihistaminika oder Kortikoiden) oder bei kollektiven – »feuchtfröhlichen« – Intoxikationsritualen häufig zu beobachten sind, so sind organische psychische Syndrome mit Abstand die häufigsten psychiatrischen Störungen und dürfen zum kollektiven Erlebnisschatz gerechnet werden. Jenseits dieser pauschalierenden Aussage beginnen allerdings die **epidemiologischen Probleme.** Aus zwei Gründen sind präzise Angaben über Prävalenz und Inzidenz organischer psychischer Störungen schwer zu machen: Zum einen wurden häufig hochselektierte Risikopopulationen, wie Altenheimbewohner, stationär (besonders auf Intensivstationen) behandelte oder unter einer entsprechenden Fragestellung dem Psychiater vorgestellte Patienten untersucht, die nur bedingt einen Rückschluß auf die Gesamtpopulation zulassen. Zum anderen entziehen sich diese Störungen oft dem geläufigen epidemiologischen Instrumentarium. Es ist leicht vorstellbar, daß ein Instrument wie die »Mini-Mental Status Examination« [Folstein et al., 1975], das schwerere Demenzen befriedigend verläßlich erfaßt, für leichtere Störungen zu unsensibel ist. Darüber hinaus können sich organische Störungen, die vorwiegend im Affekt- oder Persönlichkeitsbereich deutlich werden, der Identifizierung durch ein kognitionsorientiertes Instrument völlig entziehen.

Trotz dieser methodischen Einwände kann man sagen, daß die Prävalenz, d.h. die aktuelle Häufigkeit organisch bedingter psychischer Störungen in der Gesamtbevölkerung, deutlich ansteigt. Andere Krankheiten dagegen werden dank der Verbesserung auf den Gebieten der Hygiene, der Vorsorge und schließlich auch der Behandlung seltener.

Ein wesentlicher Grund dafür ist sicherlich die zunehmende Überalterung der Bevölkerung, die aus einem Anstieg der mittleren Lebenserwartung bei gleichzeitigem Rückgang der Fertilitätsrate resultiert. Am deutlichsten wird dieser Zusammenhang bei den Demenzen. Der Anteil der Dementen an der Bevölkerung liegt bei den 60- bis 64jährigen knapp unter 1% und verdoppelt sich nach jeweils etwa 5 Altersjahren. Jenseits des 90. Lebensjahres muß schon mit einem Anteil von fast 40% Dementer gerechnet werden. Insgesamt beträgt die Prävalenz dementieller Erkrankungen bei der über 65jährigen Bevölkerung etwa 6% [Bickel, 1992].

An dieser Stelle sei angemerkt, daß eine klassische organische Psychose, die Lues, die noch zur Jahrhundertwende fast ein Drittel des stationären psychiatrischen Behandlungsbedarfs begründete, inzwischen dank der Einführung der Antibiotika zu einer Rarität, jedenfalls in unseren Breiten, geworden ist. Eine andere infektionsbedingte psychische Störung nimmt allerdings derzeit stark zu: das HIV-korrelierte Psychosyndrom. Da diese Erkrankung vornehmlich jüngere Patienten betrifft, hat sich durch ihr Ansteigen die enge Korrelation zwischen steigendem Lebensalter und Prävalenzzunahme der organischen psychischen Erkrankungen etwas gelockert.

Mindestens 5–15% aller stationär behandelten internistischen und chirurgischen Patienten leiden unter einer organischen psychischen Störung, ältere Patienten sogar zu 30–50% [Lipowski, 1980]. Zwischen 17 und 40% aller Patienten in einem Allgemeinkrankenhaus weisen eine organische psychische Störung auf, die mittelbar oder unmittelbar auf die Einweisungsdiagnose zu beziehen ist. Dabei sind delirante Syndrome doppelt so häufig wie Demenzen [Perry und Markowitz, 1988]. Mit einem besonderen Risiko behaftet sind neben Schädel-Hirn-Traumen dabei Krankheiten des Herzens und Kreislaufs und chirurgische Eingriffe, wie Staroperationen, Hysterektomien sowie Operationen am offenen Herzen und Organtransplantationen. Mit Lauter [1988] muß man in diesem Zusammenhang die Warnung aussprechen, daß die modernen Möglichkeiten intensivmedizinischer Betreuung wohl mit einem zunehmenden Anteil psychoorganischer Störungen erkauft werden.

Diese epidemiologischen Befunde legen zum einen den Schluß nahe, daß die Häufigkeit organischer psychischer Störungen von jedem Arzt, nicht nur vom Psychiater, Grundkenntnisse in Diagnostik und Therapie dieser Krankheitsbilder fordert, zum anderen machen sie deutlich, daß eine hirnorganische Symptomatik in keinem Lebensalter als »normal« gelten darf (vgl. Kapitel 30).

4.3. Psychopathologische Differenzierung organischer Psychosyndrome

Die ICD-10 kennt drei organische Psychosyndrome 1. Ranges [vgl. Lauter, 1988]: Die **Demenz** (F00, F01, F02, F03), das **organische amnestische Syndrom** (F04) und das nicht durch Alkohol oder psychotrope Substanzen bedingte **Delir** (F05). Zusätzlich kennt es eine Gruppe **anderer psychischer Störungen, die auf einer Schädigung oder Funktionsstörung des Gehirns oder einer körperlichen Erkrankung basieren** (F06) und **Persönlichkeits- und Verhaltensstörungen aufgrund einer Erkrankung, Schädigung oder Funktionsstörung des Gehirns** (F07) (vgl. Tabelle 4.1).

Die letztgenannten beiden Syndromkomplexe zählt Lauter zu den organischen Syndromen 2. Ranges. Bei den Syndromen 1. Ranges stehen also Störungen des Bewußtseins oder Beeinträchtigungen kognitiver Leistungen, wie Gedächtnis und Intelligenz, im Vordergrund, die in vergleichbarer Form in der Regel bei funktionellen psychischen Krankheiten nicht auftreten. Zerebrale Strukturveränderungen oder Funktionsstörungen sind notwendig, um derartige psychopathologische Veränderungen hervorzurufen und zu unterhalten. Bei der 2. Untergruppe ist zwar auch die Ätiologie eine organische, sie bezieht sich aber

Tabelle 4.1. Organische Psychosyndrome in der ICD-10 [modifiziert nach Lauter, 1988]

Syndrome 1. Ranges	Syndrome 2. Ranges
Delir (F05) Demenz (F00, F01, F02, F03) Amnesie (F04)	Organische Persönlichkeits- und Verhaltensstörung (F07) Organische Halluzinose (F06.0) Organische wahnhafte Störung (F06.2) Organische affektive Störung (F06.3) Organische Angststörung (F06.4) Organische katatone Störung (F06.1) Organische Konversionsstörung (F06.5) Organische emotional labile (asthenische) Störung (F06.6) Leichte kognitive Störung (F06.7) Andere organische psychische Störung (F06.8)

symptomatologisch eher auf die Gebiete der Wahrnehmung, der Denkinhalte, der Emotionalität, der Persönlichkeit und des Sozialverhaltens. Störungen des Bewußtseins oder kognitive Beeinträchtigungen sind geringer ausgeprägt oder gelegentlich nicht einmal nachweisbar. Das klinische Erscheinungsbild nähert sich stark dem derjenigen Störungen, die als »nichtorganisch« im hier umrissenen Sinne angesehen werden. Es können sogar völlig gleichartige psychopathologische Symptomkonstellationen auftreten. Bei solchen klinischen Bildern sind also organische Ursachen für das ätiopathogenetische Modell nicht hinreichend und nur in bestimmten Fällen, den im Abschnitt F0 der ICD-10 zusammengefaßten, notwendig.

4.4. Delirien

4.4.1. Definition und Deskription

Hierunter werden alle **organischen Psychosyndrome** subsummiert, die bei **akuten körperlichen Erkrankungen** auftreten und mit einer **Bewußtseinstrübung** einhergehen. Zu unterscheiden sind bei den Bewußtseinsstörungen Somnolenz (Benommenheit mit allgemeiner Verlangsamung bei jedoch noch herstellbarem Rapport zur Umwelt) als leichteste Form der Bewußtseinstrübung, Sopor (deutliche Schläfrigkeit mit nur noch ungezielten Abwehrreaktionen) und als letzte Stufe das Koma, eine tiefe Bewußtlosigkeit ohne Aufweckbarkeit mit Erlöschen der Reflextätigkeit sowie Regulationsstörungen der Vitalfunktionen. Die beim Delir vorhandenen qualitativen Bewußtseinsstörungen sind in aller Regel von der Qualität der Somnolenz, sehr selten von der des Sopors. Vigilanzsteigerungen, wie sie etwa bei Intoxikationen mit Halluzinogenen zu beobachten sind, werden hier nicht subsummiert. Qualitative Bewußtseinsstörungen, wie eine –

Tabelle 4.2. ICD-10-Kriterien für die Diagnose »Delir«

- Störung des Bewußtseins und der Aufmerksamkeit
- Globale Störung der Kognition, Wahrnehmungsstörungen (Verzerrungen der Wahrnehmung, Illusionen und meist optische Halluzinationen), Beeinträchtigungen des abstrakten Denkens und der Auffassung mit oder ohne flüchtige Wahnideen, aber typischerweise mit einem gewissen Grad an Inkohärenz, Beeinträchtigung des Kurzzeitgedächtnisses mit relativ intaktem Langzeitgedächtnis, zeitliche Desorientiertheit, in schweren Fällen auch Desorientierung zu Ort und Person
- Psychomotorische Störungen
- Störungen des Schlaf-Wach-Rhythmus
- Affektive Störungen, wie Depression, Angst oder Furcht

Der Beginn wird gewöhnlich als akut beschrieben, die Symptomatik kann im Tagesverlauf stark wechseln, die Gesamtdauer der Störung sollte weniger als 6 Monate betragen.

besonders optische – Halluzinose, sind häufig, jedoch ebensowenig obligat wie vegetative Störungen oder gar epileptiforme Anfälle.

Während nach der klassischen psychiatrischen Begrifflichkeit die Bezeichnung »Delir« nur für solche Erscheinungsbilder reserviert war, die durch Situationsverkennung, optische Sinnestäuschung und Veränderung des Realitätsbezugs gekennzeichnet sind, wird im Rahmen neuer Klassifikationssysteme, wie der ICD-10, der Begriff weiter gefaßt. Es zählen jetzt auch die im Vergleich zum »klassischen« Delir viel häufigeren Verwirrtheits- und Dämmerzustände dazu. Die ICD-10 definiert das Delir als eine gewöhnlich akut auftretende Störung des Bewußtseins, der Aufmerksamkeit, der Wahrnehmung, des Denkens, des Gedächtnisses, der Psychomotorik, der Emotionalität und des Schlaf-Wach-Rhythmus, deren Gesamtdauer weniger als 6 Monate betragen soll. Für eine endgültige Diagnose müssen die in Tabelle 4.2 aufgeführten Kriterien vorliegen.

Als wichtige **Differentialdiagnosen** sind insbesondere Demenzen, vorübergehende akute psychotische Störungen sowie akute schizophrene Zustandsbilder (vgl. Kapitel 6) oder akute affektive Störungen (vgl. Kapitel 7), bei denen ebenfalls Züge von Verwirrtheit vorhanden sein können, zu bedenken.

4.4.2. Ätiologie und Pathogenese

Beim Delir handelt es sich um eine unspezifische Funktionsstörung des Gehirns, die sich in Auffälligkeiten der Psychopathologie und des Verhaltens ausdrückt. Als Auslöser kommen Erkrankungen in Frage, die das Gehirn primär oder (als Systemkrankheit) sekundär betreffen, darüber hinaus ist auch an exogene Intoxikationen und Entzugszustände zu denken. Als mögliche pathogenetische Mechanismen werden Regulationsstörungen verschiedenster Bereiche des zerebralen Metabolismus angenommen. Als Beispiele seien neben globalen Störungen, wie Hypoxie, Hypothermie oder Irregularitäten im Säure/Base-Haushalt, unterschiedliche Reduktionen einzelner Neurotransmitter, besonders des Azetylcholins, genannt. Aber auch an eine Ablenkung des Neurotransmittergleichgewichts in Richtung einer Überstimulation etwa im mesokortikalen dopaminergen System oder auch in gabaergen Strukturen wird gedacht. Diese Verschiedenartigkeit der Mechanismen unterstreicht die pathogenetische Heterogenität deliranter Bilder. Trotz dieser Heterogenität der Ätiologien einzelner deliranter Ereignisse wird gewöhnlich eine Aufgliederung in zwei recht gut klinisch differenzierbare **Unterformen** vorgenommen [Lipowsky, 1980]: **hypoaktives** und **hyperaktives** Delir. Während bei der ersten Form, die z.B. durch Intoxikationen (Sedativa) oder schwere metabolische Entgleisungen ausgelöst wird, die Patienten vorwiegend als sediert und im Verwirrtheitszustand antriebsgemindert imponieren, stehen bei der hyperaktiven Form, als deren Hauptvertreter Entzugs- und Anticholinergikadelirien gelten können, Antriebssteigerung und floride Halluzinationen im Vordergrund.

Die bei älteren Patienten häufigen Verwirrtheits- und Dämmerzustände werden besonders im Rahmen von Fieberattacken, transienten und persistierenden Ischämien, Hypoglykämien, bei Neoplasmen und in der postoperativen Phase nach größeren Eingriffen beobachtet. Sie werden aber auch nicht selten durch Medikamente (vgl. Tabelle 4.3) ausgelöst und müssen durchaus nicht immer dramatisch aussehen. Im Gegenteil können sie auch nur sehr mild ausgeprägt sein oder allein durch die Kürze ihres zeitlichen Verlaufs der Entdeckung entgehen. Auch bei Delirien können als Kofaktoren psychosoziale Bedingungen, aktuelle Umgebung und psychodynamische Aspekte von erheblicher Bedeutung sein. Ein leichter pharmakogen bedingter Verwirrtheitszustand, der bei der Morgenvisite unentdeckt blieb, kann in den Abendstunden unter den Bedingungen der zunehmenden visuellen und akustischen Reizarmut des Stationsmilieus exazerbieren. Der Streß körperlicher Untersuchungsverfahren oder ein belastender Besucher können das Gleiche bewirken. Gelegentlich richtet eine individuelle Ausgestaltung des deliranten Syndroms, besonders sein halluzinanter Anteil, sogar den Blick auf biographische oder persönlichkeitsstrukturelle Besonderheiten.

4.4.3. Therapie

Die Behandlung muß beim Delir stets in zwei Richtungen zielen. Primäre Aufgabe des Arztes ist es, die Noxe zu identifizieren und zu eliminieren (z.B. anticholinerge Medikation), oder, wenn das nicht möglich ist, sie einer Therapie zuzuführen (z.B. somatische Grunderkrankung). Als sekundäre Interventionen sind unterstützende und stabilisierende Maßnahmen, wie eine konsequente Flüssigkeits- und Elektrolytbilanzierung und der Ausgleich möglicher anderer

Tabelle 4.3. Auswahl von Medikamenten, die Delirien verursachen können [modifiziert nach Francis, 1992]

Gruppe	Beispiele	Kommentar
Opiatanalgetika	Morphin-HCl Buprenorphin Pentazocin	Problematische Abwägung: Schmerzkontrolle versus Delirrisiko!
Andere Analgetika	ASS	Cave: Selbstmedikation!
Tranquilizer	Triazolam	Delir häufiger als bei länger wirksamen Tranquilizern
H2-Antagonisten	Cimetidin Ranitidin Famotidin	Delirrisiko bei allen Substanzen dieser Gruppe
Parkinson-Mittel	Amantadin Levodopa, Carbidopa Dopaminagonisten Anticholinergika	Delir häufig bei Demenz, häufiger Halluzinationen ohne Delir, Delir häufig intermittierend; Demente besonders anfällig
Anticholinergika	Amitriptylin Thioridazin Atropin	Serumkonzentration läßt ZNS-Effekt kaum abschätzen, vegetative Symptomatik fehlt häufig im Alter
Herzglykoside	Digitoxin	Vorteil der Lebereliminiation gegen Halbwertszeit abwägen: alle tragen Delirrisiko
Antibiotika	Tobramycin Oxoflacin Chloramphenicol	Differenzierung Krankheitssymptom versus Nebenwirkung problematisch
Antiepileptika	Barbiturate Benzodiazepine Primidon Valproat	Im Alter problematisch; cave: Absetzdelir! Auch psychotische Symptome ohne Delir
Antihypertonika	Clonidin ACE-Hemmer	Cave: vaskuläre Demenz! Auch ohne Demenz

Defizite (z.B. Vitamine), anzusehen. Die Schaffung eines orientierungsfördernden Milieus (Eindeutigkeit der Informationen, Übersichtlichkeit und adäquate sensorische Stimuli) und besonders eine fachlich kompetente Krankenpflege sind für den Delirpatienten unverzichtbar. Parallel zu diesen Maßnahmen kann eine psychopharmakologische Beeinflussung des deliranten Bildes erfolgen. Sofern eine Sedierung erforderlich ist, kommen Neuroleptika (z.B. Haloperidol) oder Clomethiazol in Frage (vgl. Kapitel 15 und 27). Gelegentlich reichen aber auch kleine, das Milieu oder auch eine Beziehungskonstellation restrukturierende Manöver aus, den Verwirrtheitszustand abklingen zu lassen.

Wie wichtig es ist, ein Delir zu erkennen und entsprechend zu behandeln, mag der Befund beleuchten, daß etwa ein Viertel aller stationären Delirpatienten innerhalb von 3 bis 4 Monaten nach Diagnosenstellung sterben [Black et al.,

1985]. Nur ein Teil dieser Übersterblichkeit wird durch die Grundkrankheit erklärt. Sowohl das epileptogene Potential des Delirs als auch die oft mit ihm einhergehenden vegetativen Störungen dürften darüber hinaus erheblich zur Erhöhung des Mortalitätsrisikos beitragen.

4.5. Demenzen

4.5.1. Definition und Deskription

Im Gegensatz zum Delir ist das Demenzsyndrom durch das **Fehlen einer Bewußtseinstrübung** gekennzeichnet. Die globale Desintegration psychologischer Mechanismen, die eine Demenz charakterisiert, berührt neben primär kognitiven Mechanismen auch solche Systeme wie Wahrnehmung, Affektivität, Willen und Persönlichkeitskonstituenten. Die wesentliche Voraussetzung zur Diagnosenstellung ist eine **Abnahme des Gedächtnisses und des Denkvermögens** mit einer einschneidenden **Beeinträchtigung der Aktivitäten des täglichen Lebens.**

Häufig macht sich dem Patienten, besonders aber den Angehörigen, zuerst die Beeinträchtigung der Merkfähigkeit bemerkbar. Es sind also anfangs vorwiegend Gedächtnisinhalte betroffen, die nach dem Krankheitseintritt erworben wurden. Im weiteren Verlauf werden dann auch das Kurz- und zuletzt das Langzeitgedächtnis miterfaßt. Bei allen hier genannten Störungen handelt es sich um zusammengesetzte Funktionen, die auch mit einem differenzierten testpsychologischen Instrumentarium nur bedingt getrennt erfaßt werden können.

Darüber hinaus besteht eine Beeinträchtigung des Denkvermögens, der Fähigkeit zu vernünftigem Urteilen und eine Verminderung des Ideenflusses. Zu den **Denkstörungen,** die im Rahmen der Erkrankung auftreten können, zählen neben Verlangsamung, Umständlichkeit und Zähflüssigkeit des Gedankenablaufs auch eine zunehmende inhaltliche Einengung, ein Verlust der Abstraktionsfähigkeit und eine Beeinträchtigung des Urteilsvermögens. Die **Orientierung** kann in vielfältiger Weise gestört sein, wobei in aller Regel zuerst Probleme mit der kalendarischen Ordnung auftreten. Örtliche, autopsychische und situative Orientierungsstörungen zeigen das Fortschreiten der Erkrankung an. Schon früh beklagt der Patient Konzentrationsstörungen. Verminderte Genauigkeit und Ausdauer bei vertrauten Aufgaben zeigen eine Beeinträchtigung der Vigilanz an. Den Angehörigen werden Auffassungsstörungen des Patienten deutlich, die zum einen als Wahrnehmungsstörungen, zum anderen aber nicht zum geringen Teil auch als Folge der Denkstörungen und der geminderten Konzentrationsfähigkeit angesehen werden müssen.

In manchen Fällen sind auch **andere kognitive Leistungen** auf den Gebieten der Sprache, der motorischen Handlungsentwürfe und der gestalteten Wahrnehmung in Mitleidenschaft gezogen (Hirnwerkzeugstörungen: Aphasie, Apraxie, Agnosie). Die kognitiven Beeinträchtigungen sind meist begleitet von Verschlechterungen der emotionalen Kontrolle, des Sozialverhaltens und der Motivation. Gelegentlich gehen diese Symptome auch voran. Generell ist eine Verlangsamung des psychischen Tempos zu beobachten. Dem Patienten fällt die Umstellung auf neue Denkinhalte ebenso schwer wie die auf neue Situationen. Der Antrieb ist meist herabgesetzt, kann aber, besonders in frühen Phasen der Erkrankung, auch gelegentlich sprunghaft gesteigert sein. Auffällig sind ferner **affektive Störungen.** Neben einer Veränderung der Grundstimmung im Sinne einer Dysphorie oder Euphorie fällt dabei besonders die zunehmende Unfähigkeit des Patienten ins Auge, seine affektiven Reaktionen zu kontrollieren. Geringfügige Reize lassen die Affekte inadäquat anspringen (Affektlabilität). Der Patient ist nicht mehr in der Lage, Affektäußerungen zu begrenzen, er fühlt sich ihnen ausgeliefert (Affektinkontinenz).

Produktiv-psychotische Symptome sind seltener zu beobachten, jedoch können taktile Halluzinationen im Sinne eines Dermatozoenwahns gelegentlich auch bei sonst gering ausgeprägter hirnorganischer Symptomatik beobachtet werden. Die meisten Wahnstörungen bei dementen Patienten sind relativ einfach strukturiert und vom paranoiden Typ. Im Einzelfall helfen sie, das Erleben der Gedächtnislücken abzuwehren (wenn z.B. verlegte Gegenstände als gestohlen angesehen werden). Differenzierte systematisierte Wahnsysteme sind allerdings ebenso möglich. Sie mögen z.B. dazu dienen, Agnosien zu kompensieren (die Unfähigkeit, sich selbst im Spiegel zu erkennen, kann dazu führen, daß fremde Verfolger im Haus gewähnt werden).

Alle genannten Symptome beeinflussen zunehmend das **Sozialverhalten** des Patienten, seine Selbständigkeit wird in Frage gestellt. Die hier angesprochene Alltagskompetenz ist aber nicht allein eine Funktion der Hirnschädigung bzw. der aus ihr resultierenden Funktionseinbußen, sondern wird mindestens in gleichem Umfang durch die Reaktion der Umwelt auf Hirnleistungsschwäche und Persönlichkeitsveränderung determiniert.

Bis in späte Krankheitsphasen hinein bleibt die **individuelle Prägung der Symptomatik** erhalten, das »einheitliche Demenzsyndrom« findet sich, wenn es überhaupt eine konzeptuelle Existenzberechtigung hat, erst in den Terminalstadien. Bis dahin dominiert die pathoplastische Potenz des Individuums und seiner je individuellen Krankheit. Dies überrascht auch nicht, wenn man sich vor Augen hält, welche Konsequenzen für die syndromatische Ausprägung die Primärpersönlichkeit einerseits und Orts- sowie Zeitcharakteristika des organischen Geschehens anderseits haben können.

In diesem Zusammenhang erscheint auch die Definition der **Demenz als Schwellenkrankheit** [Lauter, 1983] wichtig, wobei die Schwelle sowohl hirnstrukturell wie funktionell angenommen werden kann. Wenn man das Hirn als

Tabelle 4.4. Demenzursachen

Ätiologische Gruppe	Beispiel
Primär degenerativ	Demenz vom Alzheimer-Typ, Morbus Pick
Vaskulär	Multiinfarktdemenz
Systematrophien	Lewy-Körperchen-Demenz (Morbus Parkinson), Chorea Huntington
Hirntraumen	Kontusionen (Boxen), subdurales Hämatom
Infektionen	progressive Paralyse, Creutzfeldt-Jakob-Krankheit, HIV
Intoxikationen	Alkohol, Schwermetalle, organische Lösungsmittel, Tranquilizer
Liquorzirkulationsstörung	Normaldruckhydrozephalus
Neoplasmen	intrakraniell, Meningitis carcinomatosa, paraneoplastische Syndrome bei extrakraniellen Neoplasmen
Vitaminmangelzustände	Vitamin B_{12}, Nikotinsäure, Folsäure, Vitamin B_1
Metabolische Enzephalopathien	Schilddrüsenunterfunktion, Hypoparathyreoidismus, Hypoglykämien, Niereninsuffizienzen

ein ultrastabiles System ansieht, das zur Konstanterhaltung der Funktion außerordentliche kompensatorische Reserven aufweist, so markiert der Beginn der dementiellen Symptomatik den Augenblick, in dem die Reservekapazitäten erschöpft sind. Strukturell können diese Kompensationsmöglichkeiten z.B. durch frühere Schädel-Hirn-Traumen ohne längerdauernden Funktionsausfall, aber auch durch eine zu geringe neuronale »Grundausstattung«, funktionell durch mangelnde Ausbildung oder Übung von vornherein reduziert sein, ohne daß dies klinisch in irgendeiner Weise aufgefallen wäre. Eine solchermaßen geminderte Funktionsreserve prädisponiert dann bei interner wie externer Risikokonstellation zum Auftreten dementieller Symptome.

Ist in jüngeren Lebensjahren das ätiologische Spektrum der allerdings insgesamt in dieser Altersgruppe seltenen dementiellen Erkrankungen recht breit und vielfältig (vgl. Tabelle 4.4), engt es sich im Alter im wesentlich auf die Demenz vom Alzheimer-Typ und vaskuläre Demenzen ein. Erstere ist dann für etwa 50–60%, letztere für etwa 20% und eine Kombination von beiden für weitere 15% der Gesamtmorbidität verantwortlich.

Da Demenzsyndrome also eine Vielzahl von Ursachen haben können, bedarf es zur Formulierung einer Verdachtsdiagnose eines erheblichen Aufwands. In Tabelle 4.5 findet sich eine Gegenüberstellung von vergleichsweise einfachen diagnostischen Maßnahmen und jeweils korrespondierenden klinischen Fragestellungen. Zusätzlich wird der Grad der Dringlichkeit der Untersuchung charakterisiert.

Tabelle 4.5. Diagnostische Maßnahmen zur Abklärung eines dementiellen Syndroms

Diagnostische Maßnahme	Fragestellung	Dringlichkeit
Internistische Untersuchung	internistische Grund-/Begleiterkrankung	muß
Neurologische Untersuchung	neurologische Grund-/Begleiterkrankung	muß
Psychiatrische Untersuchung einschließlich Fremdanamnese	Beginn, Verlauf, aktuelle Symptomatik	muß
Psychologische Untersuchung (Testung)	verbliebene Kompetenzen, Ansätze zur Rehabilitation, gegebenenfalls Therapiekontrolle	muß
Labor BB/BSG Gesamteiweiß luesspezifische Reaktion Transaminasen Kreatinin Elektrolyte Blutzucker Cholesterin Triglyzeride Schilddrüse	Anämie, Infektion, Tumorverdacht, progressive Paralyse, Nieren-, Leber-, Schilddrüsenfunktionsstörung, kardiale Risikofaktoren, Diabetes	muß
Toxikologisches Screening (z.B. Tranquilizer)	akute/chronische Vergiftung	wenn Verdacht
Vitamin B_{12}, Folsäure	Vitaminmangel (Ernährungsfehler, Resorption)	sollte
EKG	z.B. Rhythmusstörung, Infarktzeichen	sollte
EEG	Anfallszeichen, Herdstörungen, Allgemeinveränderungen	sollte
Thoraxröntgen	Infektion, Tumor, chronische Lungenerkrankung	kann
Computertomographie	Atrophie, Infarkt, Tumor	muß

Neben dem in jedem Einzelfall zunächst abzuklärenden Ausschluß anderer Erkrankungen, die ein Demenzsyndrom begründen könnten, ist für eine Diagnose nach international akzeptierten Konventionen auch eine Reihe symptomatischer Kriterien positiv zu erfüllen, wie im nächsten Abschnitt am Beispiel der ICD-10 erläutert wird.

4.5.2. Spezielle Demenzformen

4.5.2.1. Die Demenz vom Alzheimer-Typ

4.5.2.1.1. Definition und Deskription

Die Diagnose einer Demenz vom Alzheimer-Typ (DAT) ist eine Ausschlußdiagnose (vgl. Tabelle 4.6). Mit klinischen Methoden kann sie höchstens wahrscheinlich gemacht werden, eine definitive Diagnose ist dem Neuropathologen vorbehalten.

Tabelle 4.6. ICD-10-Kriterien für die Diagnose einer Demenz vom Alzheimer-Typ (DAT)

Es handelt sich um eine Ausschlußdiagnose. Folgende Kriterien sind von Bedeutung:

- Vorliegen eines Demenzsyndroms (fortschreitende Störungen des Kurz- und Langzeitgedächtnisses, der – räumlichen! – Orientierung, des abstrakten Denkens, der Urteilsfähigkeit, häufig begleitet von Hirnwerkzeugstörungen und Veränderungen der Persönlichkeit)
- Langsamer Beginn und fortschreitender Verlauf
- Befunde und Vorgeschichte weisen nicht auf eine positiv diagnostizierbare Demenzursache

---

Depressive Störungen sind häufig und müssen ernstgenommen werden; sie sind zudem einer Therapie eher zugänglich als das hirnorganische Kernsyndrom

Im Vordergrund der körperlichen Befunde bei der DAT stehen unterschiedlichste neurologische Störungen; die größte praktische Bedeutung kommt dabei der Inkontinenz zu

---

In der ICD-10 wird neben dem Fehlen von Hinweisen für eine spezifische Krankheitsursache die Erfüllung einer Reihe von Einschlußkriterien verlangt. Dazu zählen neben einem dementiellen Bild auch ein **schleichendes Einsetzen der Symptomatik** und das **Fehlen eines plötzlichen apoplektischen Beginns.**

Es wird zudem gefordert, daß die Störungen so schwer sind, daß sie den Patienten bei der Bewältigung der Aufgaben des täglichen Lebens nachhaltig behindern. Die in den letzten Jahren mit diesen oder vergleichbaren Instrumenten erzielten diagnostischen Trefferquoten lagen etwa zwischen 75 und 90%. Da bisher keine spezifische klinische Untersuchung oder kein Labortest existieren, die die Erkrankung sicher anzeigen könnten, sind die unmittelbare Untersuchung des Patienten und das Gespräch mit den Angehörigen oder anderen Bezugspersonen immer noch die wesentlichen Informationsquellen für den Arzt.

Im Vordergrund der **körperlichen Begleitsymptome** der Alzheimer-Erkrankung stehen neurologische Störungen unterschiedlichster Lokalisierung, Spezifität und praktischer Bedeutung [Gutzmann, 1988]. Die meisten von ihnen können allerdings auch bei »normalen« alten Menschen auftreten und sind deshalb nicht ohne weiteres als Krankheitszeichen zu werten. Zu ihnen zählen neben den »Primitivreflexen« (z.B. Schnauz-, Saug,- Greif- und Palmomentalreflex) vor allem extrapyramidalmotorische Störungen (Rigor, Bradykinesie, Hypokinesie und Tremor). Die Dermolexie bereitet den Patienten Probleme, Geruchs- und Geschmacksstörungen sind relativ häufig. Ebenfalls von praktischer Bedeutung können Blickstörungen nach oben und besonders Gesichtsfeldausfälle sein. Von vitaler Relevanz sind die meist späten Stadien der Erkrankung zuzuordnenden Probleme bei der Blasen- und Mastdarmkontrolle (Inkontinenz). Oft besteht hierin der limitierende Faktor im Falle der Frage, ob der Patient noch zu Hause gepflegt werden kann. Andere späte neurologische Auffälligkeiten, wie epileptische Anfälle oder, noch häufiger, Myoklonien, spielen kaum je bei pflegerelevanten Entscheidungen eine Rolle. In den letzten Stadien der Erkrankung, gelegentlich auch schon früher, entwickelt sich trotz ausreichender oder gar vermehrter Nahrungsaufnahme eine Kachexie. Etwa zur gleichen Zeit entwickeln sich beim meist bettlägerigen Patienten Beugekontrakturen an Armen und Beinen, die den pflegerischen Umgang erheblich erschweren.

Die klinische Erfahrung legt einen mehr oder weniger regelhaften Ablauf der DAT nahe. Allerdings sollte allein die Tatsache, daß in verläßlich untersuchten Einzelfällen Krankheitsdauern von mehr als 20 Jahren beschrieben wurden, während die sich aus vielen Studien ergebende mittlere Krankheitsdauer weniger als 8 Jahre beträgt, Zurückhaltung lehren.

4.5.2.1.2. Neuropathologie und Neurotransmitter

Die Gehirne von DAT-Patienten sind im Durchschnitt gegenüber Kontrollgruppen um etwa 10% leichter und stellen sich bereits makroskopisch in der Regel als erheblich verändert dar. Sie zeigen eine Verschmälerung der Gyri und entsprechende Verbreiterungen der Sulci. Die Ventrikel sind aufgeweitet, die Rinde verschmälert und die subkortikale graue Substanz des Striatums und Thalamusgebiets reduziert.

Die **histologische Untersuchung** [vgl. Gertz, 1992] zeigt meist diffuse Ganglienzellausfälle. Die überlebenden Neuronen sind häufig größenreduziert und weisen die charakteristischen Alzheimer-Fibrillenveränderungen und senile Plaques auf. Auch granulovakuoläre Veränderungen sind häufig. Darüber hinaus wurde eine Abnahme apikaler Dendritenverzweigungen beschrieben. Über die Relevanz der ebenfalls regelmäßig zu beobachtenden kongophilen Angiopathie für die Erkrankung ist derzeit jedoch noch keine verläßliche Aussage zu treffen.

Der **atrophisierende Prozeß** beim Morbus Alzheimer wird in der Regel als diffus beschrieben, wobei regional akzentuierte Degenerationen, etwa im Mediotemporalbereich, mit Blick auf die mögliche klinische Relevanz herdförmiger Substratdefekte von großer Bedeutung sind. Einige Regionen finden sich von diesem Prozeß konstant ausgespart oder weniger betroffen, vor allem die Kalkarina und zentrale Teile des sensomotorischen Kortex. Die Krankheitssymptome korrelieren recht gut mit diesem Degenerationsmuster. Die vorwiegend limbischen Läsionen stehen in enger Beziehung zu Gedächtnisstörungen, emotionalen und Persönlichkeitsveränderungen und Teilsymptomen eines Klüver-Bucy-Syndroms. Die Läsionen im temporoparietookzipitalen Assoziationskortex sind mit Agnosie, Aphasie und Apraxie verknüpft. Bemerkenswert erscheint, daß die Fokalisierungstendenz mit zunehmendem Alter der Erkrankten abnimmt.

Nachdem als erste biochemische Auffälligkeit beim Morbus Alzheimer ein Defekt von Nervenverbindungen beschrieben worden war, die sich des **Neurotransmitters Azetylcholin** bedienen (cholinerge Systeme), hat sich in der Zwischenzeit die Forschung mit dieser Frage eingehender befaßt. Dem Azetylcholin wurde eine spezifische Rolle bei Lernprozessen zugeordnet: Durch die Gabe des Anticholinergikums Skopolamin wurden bei gesunden Versuchspersonen die Leistungen des Kurzzeitgedächtnisses kurzfristig negativ beeinflußt; danach gelang es, diese Störung durch die Gabe von Physostigmin wieder aufzuheben. Über diese biochemischen Befunde bot sich auch eine Verknüpfung mit den Leitsymptomen der Alzheimer-Erkrankung, den Gedächtnisstörungen. Die Verminderung der Cholinazetyltransferase, des Enzyms, das die Synthetisierung des Azetylcholins katalysiert, unterscheidet Hirngesunde von Alzheimer-Patienten deutlich. Neben dem Azetylcholin sind noch andere Neurotransmitter im Krankheitsprozeß vermindert (z.B. Noradrenalin und Serotonin). Ihre Verknüpfung mit dem klinischen Geschehen ist jedoch weniger deutlich. Eine weitere Beobachtung bezieht sich auf die auch als Neurotransmitter fungierende Aminosäure **Glutamat,** die durch eine Erhöhung der intrazellulären Kalziumkonzentration schädigend auf das Neuron wirken und schließlich so zu seinem Untergang führen soll. Allerdings sind auch andere Mechanismen für eine solche schädigende Kalziumüberflutung der Zellen denkbar. Ferner könnte auch ein Mangel an Nervenwachstumsfaktor eine wesentliche Rolle beim Krankheitsprozeß spielen. Schließlich ist auch noch die Radikalenhypothese zu nennen. Nach ihr schädigen aggressive Sauerstoff-Stoffwechselprodukte (»freie Hydroxylradikale«) die Zellmembranen und beeinträchtigen auf diesem Weg die Neurotransmitterfunktion. Diese freien Radikale werden mit zunehmendem Alter ohnehin immer schlechter abgefangen, ein Befund, der eine Brücke zur zunehmenden Auftretenshäufigkeit der senilen Demenz vom Alzheimer-Typ (SDAT) im höheren Lebensalter schlägt.

Faßt man das bisher Dargestellte zusammen, so erscheinen die cholinerge Hypothese, die klassischen und schon von Alzheimer [1907] beschriebenen strukturellen Veränderungen (senile Plaques und Fibrillenveränderungen) und die mit der Amyloidentstehung zusammenhängenden Befunde als meistversprechende Ausgangspunkte bei der Entschlüsselung der Entstehung und Entwicklung des Krankheitsgeschehens der Alzheimer-Demenz. Über seine eigentliche Ursache ist damit jedoch noch nichts – oder mindestens sehr wenig – gesagt. Glutamat-, Kalzium- und Radikalenhypothesen beleuchten zusätzlich weitere interessante Aspekte eines außerordentlich komplexen Geschehens. Einzig gültige Antworten sind auch sie sicher nicht. Auf sie wird aber noch einmal im Zusammenhang mit therapeutischen Bemühungen zurückzukommen sein.

4.5.2.1.3. Ätiologie

Die Ätiologie der DAT ist nicht bekannt. Die Vielzahl der derzeit diskutierten Hypothesen illustriert dieses Faktum. Da das Erkrankungsrisiko mit dem **Alter** steil ansteigt, kann seine Rolle als Hauptrisikofaktor als gesichert gelten. Nachdem für einige dementielle Erkrankungen (z.B. Morbus Jakob-Creutzfeldt, Kuru) eine infektiöse Genese gesichert werden konnte, wurden ähnliche Überlegungen auch für das viel häufigere Krankheitsbild der SDAT angestellt. Bisher sind allerdings alle Versuche, sie experimentell auf Tiere zu übertragen, fehlgeschlagen. Eine überzeugende ätiologische Verknüpfung mit Immunprozessen gelang bisher nicht. Auch für eine zeitweise heftig diskutierte ätiologische Relevanz des prinzipiell neurotoxischen Aluminiums wurden keine befriedigenden Belege beigebracht.

Eine aktuelle Gruppe von ätiologischen Hypothesen versucht, einige der auf verschiedenen Ebenen erhobenen Befunde zu bündeln. Als Beispiel für einen solchen Ansatz sei die **Hypothese des zellulären Glukosestoffwechsels** genannt. Sie stützt sich auf die Beobachtung einer drastischen Verminderung des Glukoseverbrauchs im Gehirn des Alzheimer-Kranken und vermutet eine unzureichende Glucoseregulation auf dem Weg einer vorangegangenen Schädigung des Insulinrezeptors im Gehirn. Eine Verknüpfung mit dem Azetylcholin ergibt sich in diesem Modell über die Tatsache, daß ein Abbauprodukt der Glukose, das Azetylkoenzym A, Muttersubstanz des Azetylcholins ist. Ein Mangel des letzteren würde also zwangsläufig zu einer Verminderung des ersteren führen. Darüber hinaus würde der Energielieferant Glukose besonders den stoffwechselaktiven – also allen neurotransmitterproduzierenden – Zellen fehlen. Dort würden die durch den Brennstoffmangel bedingten Schäden am deutlichsten in Erscheinung treten.

Zum Abschluß der Diskussion ätiologisch relevanter Faktoren soll noch auf die Frage eingegangen werden, ob und in welchem Umfang **genetische Einflüsse** die Manifestation einer Alzheimer-Demenz beeinflussen oder gar determinieren. Für die Möglichkeit einer genetischen Komponente bei der Alzheimer-Krankheit spricht ein bei mehr als 80 Familien beobachteter dominanter Erbgang (familiäre Demenz vom Alzheimer-Typ = FAD). Für diese familiäre Form ist auch bereits ein Gen ausgemacht worden (FAD-Gen). Bei der überwiegenden Mehrzahl der DAT-Patienten ist die genetische Komponente ganz wesentlich geringer ausgeprägt. Das aus mehreren Studien errechnete **Erkrankungsrisiko** eines Angehörigen 1. Grades eines solchen hinsichtlich der Erblichkeit unausgelesenen Alzheimer-Patienten beträgt bis zum 90. Lebensjahr 25%, während das Erkrankungsrisiko in der übrigen Bevölkerung bei 14–16% liegt, also etwa 10% niedriger ist [vgl. Zimmer, 1992]. Je früher sich die Erkrankung manifestiert, desto höher scheint die erbliche Belastung zu sein. Bei einem Beginn jenseits des 70. Lebensjahrs entspricht es wieder etwa dem Risiko der Normalbevölkerung. Bei der überwiegenden Mehrzahl aller Späterkrankten findet sich kein zweiter Krankheitsfall in der Familie. Auch aus der **Zwillingsforschung** ergeben sich Hinweise auf die Erblichkeit der Alzheimer-Erkrankung. Bei knapp 50% der eineiigen Zwillinge erkranken beide Geschwister, allerdings in einem Abstand von bis zu 10 Jahren! Das spricht auch in diesen Fällen für eine nichtgenetische (Mit-)Verursachung, oder etwa dafür, daß Umwelteinflüsse die Erkrankungswahrscheinlichkeit mitbeeinflussen. Bei einer Erkrankung mit primärer Erblichkeit, wie der Chorea Huntington, sind dagegen alle eineiigen Zwillingspaare konkordant, auch was das Manifestationsalter anbelangt. Nach den zur Zeit vorliegenden Befunden liegt bei der DAT kein einheitlicher genetischer Defekt wie bei der Chorea Huntington vor. Es ist vielmehr von der Beteiligung mehrerer Gene auf unterschiedlichen Chromosomen unter zusätzlicher Berücksichtigung von Umweltfaktoren auszugehen. Ein weiteres starkes Argument für eine genetische Hypothese der DAT ist das Auftreten der typischen neuropathologischen Veränderungen bei fast allen Patienten über 40 Jahren mit Trisomie 21 (Down-Syndrom). In jüngster Zeit ist mit dem Apolipoprotein E ein weiterer genetischer Risikofaktor für die Alzheimer-Erkrankung ausgemacht worden.

Als am plausibelsten muß wohl derzeit ein Modell der DAT gelten, bei dem **externe wie interne Faktoren** gleichermaßen zur Manifestation des Krankheitsbilds beitragen. Der interne Faktor (genetisch) mag dabei die Empfindlichkeit des Neurons gegenüber einer externen Schädigung festlegen. Da das Erkrankungsrisiko mit dem Alter steil ansteigt, kann dessen Rolle als Hauptrisikofaktor als gesichert gelten. Eine frühere Manifestation der DAT würde also dann auf eine höhere, genetisch festgelegte Empfindlichkeit des Neurons deuten. Ein späterer Beginn dagegen spräche für einen ausgeprägteren Einfluß des Lebensalters in dem Sinn, daß sich im Laufe vieler Lebensjahre die Folgen verschiedener Schädigungsprinzipien summieren und schließlich zur Erkrankung führen [vgl. Zimmer, 1992].

4.5.2.2. Vaskuläre Demenz

Die vaskuläre Demenz ist bei Patienten unter 65 Jahren in ähnlicher Häufigkeit zu finden wie der Morbus Alzheimer. Bei älteren Patienten dagegen nimmt ihre diagnostische Wertigkeit wohl ab. Es besteht eine recht enge Beziehung zwischen dem Zustand der extra- und intrazerebralen Arterien, im Einzelfall ist jedoch ein Analogieschluß ohne Stützung durch andere klinische Befunde nicht zulässig. Während eine gesicherte Arteriosklerose peripherer Gefäße nur bedingt Auskunft über die intrazerebralen Gefäße geben kann, muß ein arterieller Hypertonus – neben dem Alter – als ein primärer Risikofaktor für eine vaskuläre Demenz gelten. In den letzten 15 Jahren wurden als strukturelles Korrelat der vaskulären Demenz in aller Regel mehrere zerebrale Insulte jeweils meist nur geringen Umfangs angesehen. Die hiervon abgeleitete Bezeichnung Multiinfarktdemenz (MID) galt als Synonym vaskulärer Demenzen überhaupt. In der ICD-10 wird als MID nur noch eine Subkategorie der vaskulären Demenzen mit vorwiegend kortikalem Schädigungsschwerpunkt bezeichnet. Damit wird der zunehmenden internationalen Kritik an dem Begriff MID Rechnung getragen, nach der eine solche Symptomatik zum Beispiel auch nach nur einem »strategischen« Territorialinfarkt (z.B. im Bereich des Gyrus angularis der dominanten Hemisphäre) oder bei einer diffusen Schädigung der subkortikalen weißen Substanz auftreten kann. Bei der Encephalopathia subcorticalis chronica progressiva (Binswanger-Erkrankung) liegt eine zerebrale Mikroangiopathie mit Ausbildung lakunärer Infarkte und gleichzeitig Demyelinisierung und Neuronenuntergang, besonders im periventrikulären Marklager, vor.

Einen wesentlichen Beitrag zur klinischen Diagnose dieser Erkrankungen können **neuroradiologische Untersuchungsverfahren,** wie die kraniale Computertomographie (CCT) oder die kraniale Magnetresonanztomographie (MRT), leisten. Während sich in der CCT besonders fokale Läsionen gut darstellen, bewährt sich die MRT beim Nachweis periventrikulärer Dichteminderungen [Kloß et al., 1994]. Diagnostische Sicherheit kann aber bei vaskulären ebenso wie bei primär degenerativen Demenzen nur die entsprechende Histopathologie durch Absicherung der klinischen Untersuchungsbefunde bringen.

Eine vaskuläre Demenz kann, etwa nach einer einzelnen ischämischen Episode, abrupt auftreten (selten) oder sich allmählich entwickeln. Vor Eintreten der eigentlichen Demenzsymptomatik sind in der Regel einige **Prodromalsymptome** zu beobachten, wie Kopfschmerzen, Schwindel und zuweilen auch transiente ischämische Attacken. Häufig wird über eine quälende Müdigkeit tagsüber und nächtliche Unruhezustände (bis hin zur Schlafumkehr) berichtet. Die nach diesen Prodromi auftretende **psychopathologische Symptomatik** ist gekennzeichnet durch mnestische Störungen, die besonders das Kurzzeitgedächtnis betreffen, sowie affektive Störungen im Sinne einer Affektlabilität und -inkontinenz. Die Persönlichkeit des Erkrankten bleibt wohl zunächst besser erhalten als bei der DAT. Depressive Verstimmungen, die durch die lange erhalten bleibende Einsichtsfähigkeit in die Natur der Erkrankung begründet sein mögen, sind häufig. Besonders charakteristisch für diese Erkrankung sind neben zuweilen schon recht früh auftretenden neurologischen Symptomen – charakteristisch sind etwa für die Binswanger-Erkrankung Störungen des Gangbilds und eine Urininkontinenz, der plötzliche Beginn und der fluktuierende Verlauf der Symptomatik. Für die klinische Unterscheidung zwischen primär degenerativer und vaskulärer Demenz bietet sich also eine Reihe recht gut abgrenzbarer Anhaltspunkte an. Auf der Basis dieser Beobachtungen wurde mit dem »Ischemic

Tabelle 4.7. »Ischemic Score« zur Abgrenzung von degenerativ und vaskulär bedingten Demenzzuständen [nach Hachinski et al., 1975]

Anamnestisches Merkmal/ Symptom	Punktwert	Anamnestisches Merkmal/ Symptom	Punktwert
Plötzlicher Beginn	2	Affektinkontinenz	1
Schrittweise Verschlechterung	1	Hochdruckanamnese	1
Fluktuierender Verlauf	2	Anamnese von Schlaganfällen	1
Nächtliche Verwirrtheit	1	Arteriosklerose in anderen Gefäßbereichen	1
Erhaltenbleiben der Persönlichkeit	1		
Depression	1	Hirnwerkzeugstörungen	2
Somatische Beschwerden	1	Neurologische Symptome	2

Ein niedriger Punktwert (unter 4) spricht für eine primär degenerative, ein hoher (über 6) für eine vaskuläre Demenz.

Score« (IS) [Hachinski et al., 1975] ein Instrument vorgeschlagen, das sich trotz Kritik an der fehlenden Operationalisierung seiner Items und der damit verbundenen Gefahr des Überdiagnostizierens vaskulärer Demenzen immer noch hoher klinischer Beliebtheit erfreut (vgl. Tabelle 4.7). Dies wohl besonders, weil er den Blick des Untersuchers auf wesentliche klinische Merkmale dieser Erkrankungen lenkt.

4.5.2.3. Andere Demenzen

Die Erkrankungen in diesem Abschnitt sind seltener als die DAT oder vaskuläre Demenzen, besonders im höheren Lebensalter.

4.5.2.3.1. Demenz bei Pick-Erkrankung

Das Zahlenverhältnis von Alzheimer- zu Pick-Erkrankung wird in der Literatur sehr unterschiedlich zwischen 3:1 und 50:1 angegeben [vgl. Lishman, 1987]. Sicher scheint allein, daß erstere wesentlich häufiger ist. Die Ätiologie ist, abgesehen von einem ausgeprägten genetischen Einfluß bei einer kleinen Zahl von Familien, ungeklärt. In typischen Fällen ist die Pathologie makroskopisch durch markante Atrophien der Frontal- und Temporallappen sowie histologisch durch Neuronenverlust und »Pick-Zellen« (deformierte Neuronen mit argentophilen Einschlüssen) charakterisiert. Klinisch finden sich anfangs ein Verlust von Initiative und Interesse, auch situativ nicht ableitbare euphorische Episoden, später eine Abnahme der sozialen Kompetenz bis hin zu unkontrolliert »triebhaften« Verhaltensweisen. Gelegentlich tauchen extrapyramidalmotorische Symptome auf. Auch Gedächtnis und Sprachfunktionen erweisen sich im Verlauf als gestört, dominieren jedoch nicht wie bei der DAT das Bild.

4.5.2.3.2. Demenz bei Creutzfeldt-Jakob-Erkrankung

Die sehr seltene Creutzfeldt-Jakob-Erkrankung (1 Fall auf 1 Million Einwohner) tritt bevorzugt im mittleren Lebensalter auf und endet nach subakutem 2- bis 3jährigem Verlauf tödlich. Anfangs finden sich neben geringgradigen kognitiven und affektiven Störungen, die von einer rasch fortschreitenden Demenz abgelöst werden, besonders vielfältige pyramidale und extrapyramidale neurologische Symptome (Extremitätenlähmungen, Hyperkinesien, Ataxien, Tremor, Rigor, Myoklonien sowie choreatische und athetotische Bewegungsstörungen). Der neuropathologische Befund ist mit einem ausgedehnten Neuronenuntergang unspezifisch. Neurophysiologisch ist ein EEG mit triphasischen Wellen charakteristisch. Ätiologisch ist ein unkonventionelles oder »langsames« Virus wahrscheinlich gemacht, die Übertragbarkeit beim Menschen durch versehentliche intrathekale Inokulation durch nicht hinreichend sterilisierte Instrumente gesichert.

4.5.2.3.3. Demenz bei Huntington-Erkrankung

Im Vordergrund der Symptomatik stehen choreatiforme Bewegungsstörungen und eine progressive Demenz mit weitgehender Abwesenheit fokaler Symptome. Die autosomal dominant erbliche Erkrankung setzt zwischen dem 30. und 50. Lebensjahr, mit einer Häufung im 5. Dezennium, ein. Es wurde allerdings auch schon über wesentlich jüngere und ältere Patienten berichtet. Im Mittel führt die Krankheit nach 13–16 Jahren zum Tod wobei eine große interindividuelle Varianz beobachtet werden kann. Ein früheres Manifestationsalter scheint häufiger mit psychotischen Störungen im Sinne uni- oder auch bipolarer depressiver sowie paranoider Syndrome als Prodromi und anschließend mit einer deutlicheren Progredienz einherzugehen. Das Maximum der in ihrer Qualität unspezifischen neuropathologischen Veränderungen findet sich in Form massiver Neuronenuntergänge oft in den Frontallappen. Eine enge klinikopathologische Korrelation findet sich meist nicht. Da die Krankheit neuerdings beim genetischen Merkmalsträger weit vor Ausbruch der Symptomatik prinzipiell genetisch diagnostizierbar ist, stellt die Beratung der Familie eines Patienten den behandelnden Arzt vor gravierende ethische Probleme.

4.5.2.3.4. Demenz bei Parkinson-Erkrankung

Während sich der früh manifestierende Morbus Parkinson in aller Regel auf Störungen der Motorik beschränkt, treten bei der spätmanifestierenden Form häufig Symptome einer schweren Hirnleistungsstörung hinzu. Insgesamt finden sich bei 15–20% aller Parkinson-Patienten solche kognitiven Einbußen. Neuropathologisch unterscheiden sich die beiden Formen durch die Verteilung der

Lewy-Körperchen. Während sie bei der rein motorischen Form auf den Hirnstamm beschränkt sind, finden sie sich bei Fällen mit Parkinson-Demenz auch diffus in der Hirnrinde verteilt. Dieses Verteilungsmuster hat auch zur Bezeichnung »diffuse Lewy body disease« (DLB) geführt. Wenn auch über ein spezifisches psychopathologisches Störungsbild noch sehr kontrovers diskutiert wird, kann ein fluktuierender Verlauf mit Episoden von akuten Verwirrtheitszuständen als recht typisch gelten. Entsprechend können die kognitiven Symptome eher der Alzheimer-Erkrankung, die Verlaufscharakteristika eher der der vaskulären Demenz ähneln. Allerdings ist auch eine Komorbidität mit diesen beiden Demenzformen denkbar.

4.5.2.3.5. Demenz bei HIV-Erkrankung
(»Human immunodeficiency virus«)

Das dementielle Syndrom bei der HIV-Erkrankung kann aus drei pathologischen Konstellationen resultieren. Zum einen kann es Folge einer direkten Infektion des Nervengewebes sein, weiter können intrakranielle Tumoren oder Infektionen, die ihrerseits Konsequenz der Immunschwäche sind, zu progredienten kognitiven Einbußen führen, die schließlich drittens auch im Verlauf einer systemischen Störung (z.B. Infektion) auftreten können. Entsprechend findet sich nicht nur eine charakteristische klinische Symptomatik. Vielmehr kann sich das Krankheitsgeschehen in einer Vielzahl klinischer Bilder ausdrücken. Allein die Konstellation einer progredienten kognitiven Einbuße bei Vorliegen einer HIV-Infektion und gleichzeitigem Fehlen einer anderen plausiblen ätiologischen Erklärung legt die Verdachtsdiagnose nahe.

4.5.2.4. Therapeutische Ansätze bei Demenzen

4.5.2.4.1. Kognitive Störungen als Zielsyndrom

Im folgenden sollen einige therapeutische Konzepte kurz erwähnt werden, die auf das kognitive Kernsyndrom von Demenzen zielen. Sie beziehen sich nicht ausschließlich auf die DAT. Ihre hypothetischen Wirkmechanismen sind aber häufig auf spezifische biochemische Defizite – besonders im cholinergen System – dieser Erkrankung gerichtet. Einige der trotz des prinzipiellen Problems, daß ätiopathogenetische Zusammenhänge bisher nur unzureichend erhellt sind, zur Therapie eingesetzten Substanzen werden in Tabelle 4.8, eingeteilt nach den den jeweiligen Therapien zugrundeliegenden hypothetischen Krankheitsmechanismen, vorgestellt.

In der ersten Gruppe finden sich **Vitamine** als »Radikalenfänger«. Sie sollen Stoffwechselprodukte des Sauerstoffs entgiften, die die Zellwände schädigen. Trotz ihres theoretisch plausiblen Wirkmechanismus ist ihre therapeutische Wirkung bisher nicht überzeugend belegt. Die Gruppe der **Nootropika** umfaßt

Tabelle 4.8. Medikamente, deren Wirkprinzipien auf mögliche Demenzursachen zielen sollen [nach Bauer et al., 1992]

Substanzgruppe	Beispiel	Mögliches Wirkprinzip
Antioxidantien	Vitamin E und C	Schutz gegen Sauerstoffradikale
Nootropika	Piracetam	Glukosebereitstellung
Kalziumantagonisten	Nimodipin	Schutz gegen Kalziumüberflutung
Glutamatantagonisten	Memantin	Schutz gegen Übererregung des Neurons
Mutterkornalkaloide	Co-dergocrinmesilat	Cholinazetattransferaseaktivität erhöht
Cholinesteraseinhibitoren	Tetrahydroacridin	Verbesserung der cholinergen Erregungsüberleitung

wesentlich mehr als nur diese eine Substanz, das Piracetam, die aber immerhin zu den bestuntersuchten zählt. Der durch Kalziumantagonisten wie das Nifedipin gewährte Schutz richtet sich gegen den schädigenden Einstrom von Kalziumionen in den Zellkörper. Mutterkornalkaloide – als erprobtestes sei hier das Co-dergocrinmesilat genannt – sollen neben anderen Effekten auch die Wirkung haben, die Cholinazetyltransferaseaktivität zu erhöhen, also die vermehrte Produktion des Azetylcholins anzuregen. Cholinesteraseinhibitoren – hier ist das Tetrahydroacridin aufgeführt – sollen ihrerseits den Abbau dieses Neurotransmitters verhindern und so ebenfalls dazu führen, daß mehr von ihm zur Erregungsüberleitung zur Verfügung steht. Das Memantin als Glutamatantagonist soll die Exzitationstoxizität im Bereich glutamaterger Neuronenverbände vermindern.

Beim derzeitigen Wissensstand scheint es gerechtfertigt, solche Substanzen gezielt einzusetzen, wenn eine sorgfältige Therapiekontrolle gewährleistet ist und wenn beim Ausbleiben eines therapeutischen Effekts nach hinreichend langer Behandlungsdauer (mindestens 3 Monate) tatsächlich auch die Behandlung beendigt wird. Eine Behandlung erscheint um so aussichtsreicher, je früher sie beginnt, d.h. je geringer die hirnorganische Symptomatik ausgeprägt ist.

4.5.2.4.2. Affektive Störungen als Zielsyndrom

Ob medikamentös behandelt werden muß oder nicht, wird nicht durch die Grundkrankheit bestimmt, sondern durch das Ausmaß der Beschwerden des Patienten. Depressive Störungen im Rahmen von Demenzen werden medikamentös nach den gleichen Richtlinien behandelt wie vergleichbare Krankheitsbilder anderer Ursache. Zu beachten ist besonders, daß durch eine solche Therapie Verwirrtheitszustände ausgelöst werden können, und zwar vor allem bei bestimmten Substanzgruppen, die auf das bei der DAT bereits ohnehin geschädigte cholinerge Transmittersystem einwirken (z.B. Imipramin, Amitryptilin).

Günstiger sind oft Substanzen mit einem völlig davon abweichenden Wirkprinzip (z.B. Moclobemid, Fluoxetin, Fluvoxamin). Probleme sind auch zu erwarten, wenn die Dosis zu schnell gesteigert wird. Bei einer geeigneten Medikamentenauswahl und behutsamer Dosierung können Antidepressiva jedoch auch dem depressiven Demenzpatienten denselben Dienst erweisen wie dem »nur« Depressiven.

4.5.2.4.3. Paranoid-halluzinatorische Störungen als Zielsyndrom

Auch die Behandlungsnotwendigkeit dieser Störungen richtet sich in erster Linie nach ihrem subjektiven Stellenwert für den Patienten. Berücksichtigt werden muß zusätzlich, ob und gegebenenfalls welche Probleme diese Beschwerden für die zwischenmenschlichen Beziehungen des Kranken aufwerfen. Diese sehr einschränkende Indikationsstellung erscheint angesichts der zum Teil erheblichen Nebenwirkungen der hier anzuwendenden Neuroleptika geboten. Günstige Wirkungen sind von Neuroleptika besonders bei motorischer Unruhe, Angst oder Erregung, bei psychotischen Phänomenen, wie Halluzinationen oder paranoiden Wahnbildern, und bei durch erhöhte Reizbarkeit charakterisierten Mißstimmungen zu erwarten. Eher geringe Wirkungen sind zu erwarten bei verbaler Aggressivität und »störenden« Aktivitäten einschließlich sexueller Äußerungen in Wort oder Tat.

Bei paranoid-halluzinatorischen Symptomen im Rahmen der Lewy-Körperchen-Demenz ist beim Einsatz von Neuroleptika wegen des Risikos schwerer unerwünschter Nebenwirkungen bis hin zum malignen neuroleptischen Syndrom höchste Zurückhaltung geboten.

4.5.2.4.4. Weitere Störungen als Zielsyndrome

Bei **Schlafstörungen** ebenso wie zur Behandlung von akuten Verwirrtheitszuständen ist Clomethiazol Mittel der ersten Wahl. **Verwirrtheitszustände,** die bei dieser Substanz theoretisch gut erklärbar wären, sind bei diesem Indikationsbereich ebenso selten zu beobachten wie Abhängigkeitsentwicklungen (dies gilt ausschließlich für den alten und dementen Patienten!). Gegenüber anderen Substanzen hat es den Vorzug fehlender paradoxer Reaktionen; seine blutdrucksenkende Wirkung ist bei den zu verwendenden niedrigen Dosierungen kaum ein die Therapie in Frage stellender Faktor. Die häufig in solchen Situationen eingesetzten hochpotenten Neuroleptika haben eine deutlich geringere beruhigende Wirkung. Auch ist bei ihnen, wie angemerkt, eher mit einer unerwünschten Wirkung auf die Motorik zu rechnen. Auch Tranquilizer werden bei Schlafstörungen mit Erfolg eingesetzt. Wegen der Gefahr der Kumulation und der damit einhergehenden Probleme (Blutdrucksenkung, Gangstörungen) sollten nur Substanzen gewählt werden, die nicht zu lange im Körper verweilen. Die von jüngeren Patienten bekannte Möglichkeit der Gewöhnung bei diesen Substanzen ist auch bei älteren Patienten gegeben.

Bei einer **Angstsymptomatik** von einer Schwere und Dauer, die eine medikamentöse Therapie rechtfertigt, ist sowohl an Neuroleptika wie an Tranquilizer zu denken; wegen des sehr viel günstigeren Nebenwirkungsspektrums beim alten Patienten kann auch an den Extrakt der Kava-Wurzel gedacht werden. **Aggressionen** von dementen Patienten können mit unterschiedlichsten pharmakologischen Prinzipien beeinflußt werden. Sie reichen von den bereits mehrfach genannten Neuroleptika, hier besonders Melperon und Tiaprid, über Antiepileptika (Carbamazepin) und Tranquilizer bis hin zu Betablockern, die allerdings eine vorgeschaltete kardiologische Abklärung voraussetzen.

Bei den pflegerisch häufig sehr problematischen **Eßstörungen** dementer Patienten scheint sich Memantin auch bei schwerkranken Patienten gelegentlich recht gut zu bewähren; eine gesicherte Indikation ist darin jedoch noch nicht zu sehen.

4.6. Organisches amnestisches Syndrom

Hierbei handelt es sich um ein Syndrom mit auffallender Beeinträchtigung des Kurzzeit-, weniger des Langzeitgedächtnisses. Das kurzfristige Behalten ist nicht gestört. Die Fähigkeit, neues Material zu lernen, ist dagegen erheblich reduziert.

Dies führt dazu, daß die Patienten bei kurzzeitigen Merkaufgaben (z.B. Zahlennachsprechen) unauffällig abschneiden. Sie sind aufmerksam und in ihrem Orientierungsvermögen (häufige Ausnahme: zeitliche Orientierung) nicht grob gestört. Auch die Wahrnehmung und andere kognitive Funktionen einschließlich des Intellekts sind im allgemeinen intakt. Gelegentlich sind allerdings Apathie, Antriebslosigkeit und fehlende Krankheitseinsicht zu beobachten. Über Ereignisse der letzten Minuten kann man sich mit diesen Patienten gut, über die der letzten Stunden dagegen kaum strukturiert unterhalten. Die Richtung der Gedächtnisstörung ist die der gelebten Zeit, zielt also nach vorne (anterograde Amnesie). Eine ebenfalls vorhandene retrograde Amnesie wechselnder Ausprägung kann im Laufe der Zeit, wenn sich die zugrundeliegende Läsion oder der pathologische Prozeß zurückbildet, zurückgehen. Konfabulationen können passager oder längerzeitig vorhanden sein. Bei der Amnesie wie bei der Demenz fehlt im Gegensatz zum Delir die Bewußtseinstrübung.

Ursachen dieser Störung können intrakranielle Prozesse, wie Tumoren, Traumen, Infektionen, Intoxikationen, Insulte und Anfallsleiden, sein. Verlauf und Prognose richten sich nach der Grunderkrankung.

Die organischen amnestischen Syndrome sind **differentialdiagnostisch** abzugrenzen gegen andere organische Syndrome mit auffälligen Gedächtnisstörungen. In erster Linie handelt es sich dabei um durch Alkohol oder andere psychotrope Substanzen bedingte Amnesien (ICD-10: F1x.6) und Demenzen sowie delirante Episoden. Aber auch nichtorganische Amnesien, z.B. die dissoziative Amnesie (ICD-10: F44.0), können differentialdiagnostisch Probleme bereiten, ebenso wie beeinträchtigte Gedächtnisfunktionen bei depressiven Störungen, gelegentlich sogar auch Simulationen.

4.7. Andere psychische Störungen aufgrund einer Schädigung oder Funktionsstörung des Gehirns oder einer körperlichen Erkrankung

Psychische Störungen, die dieser Gruppe zugeordnet werden sollen (vgl. Tabelle 4.1), sind, obwohl primär zerebrale oder sekundär zerebral manifestierende systemische Erkrankungen für sie mindestens einen prädisponierenden ätiopathogenetischen Faktor darstellen (die Identifikation einer einfachen Ursache-Wirkungs-Beziehung wird die Ausnahme darstellen), oft phänomenologisch nicht zu unterscheiden von »nichtorganischen« Störungen, wie sie in der Einleitung dieses Kapitels skizziert wurden.

Die Kriterien für Demenz oder Delir werden in keinem Fall erfüllt. Als Diagnosenkriterien gelten zunächst das Vorhandensein einer zerebralen Erkrankung oder einer systemischen Störung mit bekanntem zerebralem Manifestationsrisiko, ferner ein zeitlicher Zusammenhang zwischen Grunderkrankung und psychischen Symptomen sowohl im Auftreten wie – gegebenenfalls – im Abklingen. Schließlich sollte keine andere Ursache der psychischen Symptomatik plausibel gemacht werden können.

4.7.1. Organische Halluzinose

Dieses Syndrom ist gekennzeichnet durch eine zirkumskripte halluzinante Symptomatik im optischen oder akustischen Bereich bei Fehlen von Bewußtseinsstörungen und deutlicheren kognitiven Einbußen. Eine wahnhafte Verarbeitung kann vorhanden sein, sollte das Bild jedoch nicht dominieren. Eine Ausnahme von dieser Regel stellt der Dermatozoenwahn dar, die wahnhafte Überzeugung, von in die Haut eingedrungenen tierischen Erregern besiedelt zu sein.

Häufige Ätiologien von organischen Halluzinationen sind zerebrale Tumoren, Traumen, Enzephalomeningitiden und Temporallappenepilepsien. Auch in den Frühphasen dementieller Erkrankungen (bei noch nicht erfüllten Demenzkriterien) können umschriebene Halluzinationen beobachtet werden.

4.7.2. Organische wahnhafte Störung

Organische wahnhafte Störungen treten bei klarem Bewußtsein und nicht nennenswert beeinträchtigter intellektueller Leistungsfähigkeit auf. Halluzinationen können begleitend vorhanden sein, dominieren aber nicht das Bild und müssen nicht den Rahmen für den Wahn abstecken. Auch formale Denkstörungen sowie einzelne katatone Symptome können vorhanden sein. Beim Dominieren katatoner Symptome und gleichzeitigen Hinweisen auf eine organische Ätiologie ist an eine organische katatone Störung zu denken (ICD-10: F06.1).

Thematisch handelt es sich meist um paranoide Wahnideen, jedoch treten auch hypochondrische Wahninhalte sowie Größen- und Verarmungswahn auf. Die Themenwahl ist besonders beim älteren Patienten oft persönlichkeitssynton, wodurch sich die differentialdiagnostische Abgrenzung gegen eine funktionelle Störung problematisch gestalten kann. Ätiologisch ist besonders an eine Temporallappenepilepsie zu denken, bei der der Beginn der psychotischen Symptomatik 15 oder mehr Jahre gegenüber dem Beginn der Anfälle verschoben sein kann. Iktales und psychotisches Geschehen können einander auch in kürzeren Zyklen im Sinne einer Alternativpsychose abwechseln.

4.7.3. Organische affektive Störung

Vom Delir als wesentlichster Differentialdiagnose unterscheiden sich Störungen dieser Gruppe durch Stimmungsauffälligkeiten und häufig auch Veränderungen im Antriebsniveau bei gleichzeitigem Fehlen von Bewußtseinsstörungen, von der Demenz durch das Fehlen gravierender kognitiver Einbußen. Gemeint ist vielmehr die durch eine organische Erkrankung selbst (z.B. bei Infektionskrankheiten oder Morbus Parkinson) oder durch eine verordnete Medikation (z.B. reserpinhaltige Antihypertensiva) begründete und nicht die als Reaktion auf das Erleben einer Erkrankung hervorgerufene Affektstörung (z.B. Depression bei beginnender Demenz). Es kann sich dabei sowohl um depressive (F06.32) als auch um manische (F06.30) Syndrome handeln, auch alternierende (F06.31) oder gemischte (F06.33) Zustandsbilder werden beobachtet. In der ICD-10 kann also die fünfte Stelle zur näheren Beschreibung des klinischen Bildes benutzt werden.

4.7.4. Organische Angststörung

Die klinische Erfahrung zeigt, daß eine Reihe somatischer Störungen ebenso wie viele verordnete Medikamente Angst- oder Panikstörungen oder wenigstens Teilsymptome, wie Herzklopfen, Enge- oder Entfremdungsgefühl, Schwindel und Schwächegefühle, auslösen können. Da die organisch begründeten Angststörungen ebenso wie die vergleichbaren funktionellen Syndrome mit massiven psychosozialen Auffälligkeiten einhergehen können, werden diese leicht als

Ursache und nicht als Folgeerscheinung interpretiert. Die Therapie der körperlichen Ursache (z.B. Thyreotoxikose, Phäochromozytom, Temporallappenepilepsie) droht dabei vernachlässigt zu werden.

4.7.5. Organische asthenische Störung

Bei diesem auch als **pseudoneurasthenisches Syndrom** bezeichneten klinischen Bild finden sich mehr oder weniger diskrete, im Verlauf gelegentlich stark schwankende Störungen der affektiven Reaktivität und Kontrolle, Absenkungen des energetischen Potentials mit erhöhter Ermüdbarkeit und dem subjektiven Erleben kognitiver Einbußen (z.B. Gedächtnis). In der Ausgestaltung dieses unspezifischen und vieldeutigen psychovegetativen Erschöpfungssyndroms können im Einzelfall zudem eine Vielzahl körperlicher Beschwerden (z.B. Schwindelgefühle) eine Rolle spielen. Ätiologisch sind zerebrovaskuläre Erkrankungen ebenso zu diskutieren wie Traumen oder para- wie postinfektiöse Enzephalitiden.

4.8. Persönlichkeits- und Verhaltensstörungen aufgrund einer Erkrankung, Schädigung oder Funktionsstörung des Gehirns

Der Übergang von den geschilderten asthenischen Syndromen zu organisch begründeten Persönlichkeits- und Verhaltensstörungen ist fließend. Die Veränderungen gegenüber dem prämorbiden Verhalten bei diesen Störungen betreffen wesentlich die Äußerungen von Bedürfnissen und Impulsen hoher affektiver Ladung. In der Mehrzahl der Fälle erfährt die ursprüngliche Persönlichkeit des Patienten eine Dedifferenzierung und Nivellierung. Früher erworbene Sozialtechniken stehen nicht mehr verläßlich zur Verfügung, soziale Konventionen werden weniger beachtet.

Gelegentlich kann auch eine Überzeichnung, ja sogar Karikierung der Grundpersönlichkeit beobachtet werden. Bei ausgeprägter Einbeziehung des Frontallappens ins Krankheitsgeschehen kann die Persönlichkeit im Sinne der organischen Wesensänderung eine Veränderung erfahren. Die Antriebslage ist wechselnd und manchmal schlecht vorhersehbar. Kognitive Störungen finden sich in dem Sinne, daß zielgerichtete Aktivitäten oder das längerfristige Verfolgen von Planungen reduziert sind. Umständlichkeit und Rigidität prägen die Äußerungen des Patienten, auch die Fähigkeit, sich auf neue Situationen und Anforderungen einzustellen, ist beeinträchtigt. Haltungen und weltanschauliche Positionen können zunehmend erstarren und im Sinne überwertiger Ideen Wahnähnlichkeit gewinnen. Auch das Sexualverhalten ist von diesem Geschehen nicht ausgespart, Triebreduktionen sind ebenso zu beobachten wie enthemmtes und sozial intolerables »pseudopsychopathisches« Verhalten. Ätiologisch ist neben Hirntraumen und Temporallappenepilepsien, die wegen des eher abrupten Einsetzens der psychiatrischen Symptomatik dem Diagnostiker weniger Probleme bereiten, im Prinzip an alle Erkrankungen zu denken, die mittelbar oder unmittelbar das Hirn betreffen.

Literatur

Alzheimer A (1907): Über eine eigenartige Erkrankung der Hirnrinde. Allgemeine Zeitschrift für Psychiatrie *64*:146–148.

Bauer J, Stadtmüller G, Sallach K (1992): Neuere Aspekte der Alzheimer Demenz: Psychobiologie und therapeutische Ansätze (Teil 2). Extracta Psychiatrica *3*:30–35.

Bickel H (1992): Epidemiologie. In: Gutzmann H (Hrsg.): Der dementielle Patient – das Alzheimer Problem. Huber, Bern, 31–50.

Black DW, Warrack G, Winokur G (1985): The Iowa record-linkage study. II. Excess mortality among patients with organic mental disorders. Archives of General Psychiatry *42*:78–81.

Bleuler E (1972): Lehrbuch der Psychiatrie. 12. Auflage. Springer, Berlin.

Folstein MF, Folstein SW, McHugh PR (1975): Mini-mental state: a practical method of grading the cognitive state of patients for the clinician. Journal of Psychiatry Research *12*:189–198.

Francis J (1992): Delirium in older patients. Journal of the American Geriatriatric Society *40*: 829–838.

Gertz HJ (1992): Neuropathologie der Demenz vom Alzheimer-Typ. In: Gutzmann H (Hrsg.): Der dementielle Patient – das Alzheimer Problem. Huber, Bern, 69–76.

Gutzmann H (1988): Senile Demenz vom Alzheimer Typ – klinische, computertomographische und elektroenzephalographische Befunde. Enke, Stuttgart.

Hachinski VC, Iliff LD, Zilkha E, du Boulay GA, Marshall J, Ross Russell RW, Symon L (1975): Cerebral blood flow in dementia. Archives of Neurology *32*:632–637.

Kloß TM, Maleßa R, Weiller C, Diener HC (1994): Vaskuläre Demenz im Wandel – eine Übersicht zur vaskulären Demenz von zurückliegenden zu neuen Konzepten. Fortschritte der Neurologie und Psychiatrie *62*:197–219.

Lauter H (1983): Demenzen. In: Peters UH (Hrsg.): Kindlers »Psychologie des 20. Jahrhunderts«. Psychiatrie, Band 2. Beltz, Weinheim, 67–93.

Lauter H (1988): Die organischen Psychosyndrome. In: Kisker KP, Lauter H, Meyer JE, Müller C, Strömgren E (Hrsg.): Organische Psychosen; Psychiatrie der Gegenwart, Band 6. Springer, Berlin, 3–56.

Lipowski ZJ (1980): Delirium. Thomas, Springfield.

Lishman A (1987): Organic psychiatry; 2nd edition. Blackwell, Oxford.

Perry SW, Markowitz J (1988): Organic mental disorders. In: Talbott JA, Hales RE, Yudofsky SC (eds.): Textbook of psychiatry. American Psychiatric Press, Washington, 279–311.

Tomlinson BE (1982): Plaques, tangles, and Alzheimer's disease. Psychological Medicine *12*:449–459.

Zimmer R (1992): Ätiologie und Pathogenese der Alzheimerschen Krankheit. In: Gutzmann H (Hrsg.): Der dementielle Patient – das Alzheimer Problem. Huber, Bern, 51–67.

5. Störungen durch psychotrope Substanzen

Michael Krausz, Volker Dittmann

5.1. Einordnung süchtigen Verhaltens

Die Störungen durch psychotrope Substanzen haben aus verschiedenen Gründen eine besondere Bedeutung in der Psychiatrie und Psychotherapie. Die Patienten waren und sind die »ungeliebten Kinder« der Psychiatrie und Gegenstand der Auseinandersetzung unterschiedlicher Behandlungsphilosophien. Die **Besonderheiten der Störungen durch psychotrope Substanzen** bestehen darin, daß

- die klinische und soziale Bedeutung weit über die Psychiatrie hinausreicht;
- die kulturellen und gesellschaftlichen Bezüge besonders ausgeprägt sind;
- eine hohe Koinzidenz mit anderen psychiatrischen Syndromen besteht;
- der therapeutische Umgang mit diesen Patienten kontrovers diskutiert wird.

Die **Operationalisierungen** der Störungen durch psychotrope Substanzen sind in der einschlägigen Forschung und Klinik nach wie vor Gegenstand von Diskussionen. Die vielfach modifizierten Modelle der Weltgesundheitsorganisation (WHO) geben einen guten Einblick in diese Entwicklung. Wissenschaftlich war es insbesondere der Biometriker Jellinek, der als Direktor eines interdisziplinären Forschungsinstituts für Alkoholismusforschung die Grundlagen auch der heutigen Auffassungen und Forschungsrichtungen gelegt hat. Im Rahmen einer Expertenkommission schlug die WHO 1952 vor, exzessives Trinken und Alkoholismus voneinander zu trennen und nur letzterem Krankheitswert zuzubilligen. Nach dem Vorschlag von Jellinek sollte nur das Auftreten eines **Kontrollverlusts** den Gebrauch des Begriffs »Krankheit« rechtfertigen.

Dieser Versuch, Sucht als einheitliche und eigenständige Entität zu fassen, wurde aufgrund mangelnder Handhabbarkeit und erheblicher Unterschiede bei einzelnen psychotropen Substanzen einerseits und in den verschiedenen Kulturen andererseits aufgegeben und zugunsten einer allgemeinen, noch heute gültigen Version verlassen. In dieser wird von Jellinek der Begriff **Alkoholismus** definiert als **jedes Trinken, das zu irgendeiner Schädigung des Individuums oder der Gesellschaft führt**. Ferner wurden zwei Formen des Alkoholismus gesondert diskutiert: der Gamma-Alkoholiker mit Kontrollverlust und der Delta-Alkoholiker mit der Unfähigkeit zur Abstinenz. Hier besteht auf der wissenschaftlichen Ebene der Versuch, die Reichweite des Suchtbegriffs zu begrenzen und nicht alle diejenigen als Alkoholiker zu bezeichnen, denen irgendein Schaden durch den Konsum alkoholischer Getränke widerfährt.

Nachdem es in der weiteren Arbeit der WHO-Expertenkommission mit den beiden Grundbegriffen »Sucht« und »Gewöhnung« nicht gelang, der Heterogenität des Konsums psychotroper Substanzen gerecht zu werden, entschloß sie sich 1964 dazu, stattdessen **Drogenabhängigkeit** als Rahmenbegriff zu empfehlen. Dieser wurde definiert als »**ein Zustand, der sich aus der wiederholten Einnahme einer Droge ergibt, wobei die Einnahme periodisch oder kontinuierlich erfolgen kann. Ihre Charakteristika variieren in Abhängigkeit von der benutzten Droge**« [WHO, 1964]. Dieses Konzept der Drogenabhängigkeit ist nicht operationalisiert und reicht daher sehr weit. Mit dieser allgemeinen Definition für verschiedenste Stoffe wurde einerseits dem politischen Bestreben, mehr Substanzen einzubeziehen, Rechnung getragen, und andererseits ermöglicht, einen mehr deskriptiven Ansatz mit differenzierteren Prozeßbeschreibungen zur Verfügung zu stellen. 1969 wurde von der WHO versucht, das **Mißbrauchskonzept** zu präzisieren als »**andauernden oder gelegentlich übermäßigen Drogengebrauch, der mit einer akzeptablen ärztlichen Anwendung nicht übereinstimmt bzw. mit dieser nicht in Beziehung steht**« [WHO, 1969]. Dieses Konzept erwies sich in der Folge als zu allgemein, und die Kategorien »nichtmedizinischer Gebrauch« (»abuse«) und »fehlerhafte ärztliche Anwendung« (»misuse«) wurden durch vier neue Konzepte ersetzt:

- **Unerlaubter Gebrauch** (»unsanctioned use«), d.h. ein Gebrauch, der von der Gesellschaft oder einer sozialen Gruppe nicht gebilligt wird.
- **Gefährlicher Gebrauch** (»hazardous use«), d.h. ein Gebrauch, der wahrscheinlich für den Konsumenten schädliche Folgen haben wird.
- **Dysfunktionaler Gebrauch** (»dysfunctional use«), d.h. ein Gebrauch, der die Erfüllung psychischer oder sozialer Anforderungen beeinträchtigt (z.B. das Interesse an Mitmenschen und Umwelt, was zu Beziehungsproblemen und Verlust des Arbeitsplatzes führen kann).
- **Schädlicher Gebrauch** (»harmful use«), d.h. ein Gebrauch, von dem man weiß, daß er beim Konsumenten bereits manifeste Schäden (Zellschäden, psychische Krankheit) hervorgerufen hat.

Dies geht in die Richtung, verschiedene Konsumformen inhaltlich zu beschreiben. Aus einer erweiterten Perspektive, die den Konsum von Drogen und auch die Herausbildung unkontrollierter Konsummuster ausgehend vom kulturellen Hintergrund betrachtet, sind Begriffe wie »Rauschmittel« oder »Rauschgift« wissenschaftlich unzweckmäßig.

5.2. Diagnostik und Klassifikation der Störungen

Trotz der großen klinischen Bedeutung in allen Bereichen der medizinischen Versorgung und der Fortschritte in der Klassifikation und Diagnostik durch die ICD-10 und das DSM-IV stellt die genaue Quantifizierung und Qualifizierung einer Störung durch psychotrope Substanzen nach wie vor ein Problem dar. Oft werden bei entsprechenden Bildern sowohl in der somatischen Medizin als auch in der Psychiatrie nicht die notwendigen Anstrengungen unternommen, um eine genaue Diagnose zu stellen oder einen Verdacht genauer einzugrenzen. In vielen Bereichen der inneren Medizin oder Chirurgie ist es bis heute noch die Regel, daß trotz offensichtlicher Zusammenhänge mit langwierigen chronischen Störungen durch psychotrope Substanzen nur die somatischen Folgeschädigungen beschrieben und diagnostiziert werden. Spezialisten werden viel zu selten konsultiert.

Bereits durch einfache **Screening-Verfahren** ist es möglich, Verdachtsmomente zu objektivieren, um nach deren Auswertung eventuell zu weiteren ausführlicheren diagnostischen Verfahren zu greifen. Diese können unterteilt werden in psychometrische und biochemische Screening-Verfahren:

- **Psychometrische Screening-Verfahren** existieren im deutschsprachigen Raum in reliabler Form nur für die Alkoholabhängigkeit. Das wichtigste dieser Instrumente ist der »Münchener Alkoholismustest« (MALT), der, unterteilt in ein Selbst- und Fremd-Rating, eine schnelle Beurteilung des Ausmaßes des Alkoholmißbrauchs bzw. der Alkoholabhängigkeit ermöglicht. Ein vergleichbares Instrument aus den USA ist der »Minnesota Alcoholism Screening Test« (MAST); als allgemeines Rating in Ergänzung einer Suchtanamnese ist noch der CAGE verfügbar, der zumindestens vergleichbare Fremdbeurteilung auch im Verlauf erleichtert.
- **Biochemische Screening-Verfahren** sind solche, mit denen sowohl anamnestischer als auch aktueller Konsum psychotroper Substanzen nachgewiesen werden kann. Die entsprechenden Untersuchungen beziehen sich entweder auf den direkten Nachweis der Substanzen oder ihrer Metaboliten oder das Screening spezifischer körperlicher Schädigungen, z.B. im Kontext von Alkoholabhängigkeit. Zur Qualifizierung und Quantifizierung von Alkoholabusus hat sich die direkte Meßung der Äthanolkonzentration im Blut, z.B. im Rahmen forensischer Fragestellungen, etabliert und zur Überprüfung des längerfristigen Konsums die Bestimmung von CD-Transferrin. Als valide Parameter des chronischen Mißbrauchs im klinischen Alltag werden die Erhöhung des Mittleren Korpuskulären Volumens (MCV) sowie bestimmter Transaminasen (vor allem γ-GT, GOT, GPT) beigezogen.

Der Nachweis der anderen Substanzen oder ihrer Metaboliten erfolgt insbesondere durch die Bestimmung im Urin. Eine Methode zur Objektivierung des längerfristigen Drogenkonsums ist die Bestimmung der Substanz bzw. ihrer Metabolite aus dem menschlichen Haar, mit der teilweise eine mehrmonatige Konsumanamnese objektiviert werden kann.

Die insbesondere an den Kriterien der ICD-10 orientierte **operationale Diagnostik** im Bereich der Störungen durch psychotrope Substanzen ist bis heute relativ wenig entwickelt. Als Hilfsmittel kann hier der aus den USA stammende »Addiction Severity Index« (ASI) beigezogen werden. Er erfaßt die verschiedenen Dimensionen schädlichen Gebrauchs psychotroper Substanzen am umfassendsten und ist weitgehend standardisiert.

5.3. Substanzspezifische Besonderheiten der Störungen

Die Besonderheiten der einzelnen Stoffgruppen werden auf der Grundlage der allgemeinen Definition und Kategorisierung der ICD-10 zugeordnet (vgl. Tabellen 5.1 und 5.2). Exemplarisch sollen im folgenden wichtige Besonderheiten dargelegt werden.

Tabelle 5.1. Übersicht der diagnostischen Kategorien des Abschnitts F1 der ICD-10

F1	Psychische und Verhaltensstörungen durch psychotrope Substanzen
*Mit der 3. Stelle wird die **Substanz** klassifiziert:*	
F10	Psychische und Verhaltensstörungen durch Alkohol
F11	Psychische und Verhaltensstörungen durch Opioide
F12	Psychische und Verhaltensstörungen durch Cannabinoide
F13	Psychische und Verhaltensstörungen durch Sedativa oder Hypnotika
F14	Psychische und Verhaltensstörungen durch Kokain
F15	Psychische und Verhaltensstörungen durch sonstige Stimulanzien einschließlich Koffein
F16	Psychische und Verhaltensstörungen durch Halluzinogene
F17	Psychische und Verhaltensstörungen durch Tabak
F18	Psychische und Verhaltensstörungen durch flüchtige Lösungsmittel
F19	Psychische und Verhaltensstörungen durch multiplen Substanzgebrauch und Konsum sonstiger psychotroper Substanzen
*Mit der 4. Stelle können die **klinischen Zustandsbilder** näher bezeichnet werden:*	
F1x.0	Akute Intoxikation
F1x.1	Schädlicher Gebrauch
F1x.2	Abhängigkeitssyndrom
F1x.3	Entzugssyndrom
F1x.4	Entzugssyndrom mit Delir
F1x.5	Psychotische Störung
F1x.6	Amnestisches Syndrom
F1x.7	Restzustand und verzögert auftretende psychotische Störung
F1x.8	Sonstige psychische oder Verhaltensstörungen
F1x.9	Nicht näher bezeichnete psychische oder Verhaltensstörungen

Tabelle 5.2. Diagnostische Kriterien der Störungen durch psychotrope Substanzen in Anlehnung an die ICD-10

F1x.0 Akute Intoxikation
Vorübergehende, nach Aufnahme einer psychotropen Substanz auftretende Störungen des Bewußtseins, kognitiver Funktionen, der Wahrnehmung, des Affekts, des Verhaltens oder anderer psychophysiologischer Funktionen und Reaktionen. Hauptdiagnose nur, wenn zum Zeitpunkt der Intoxikation keine längerdauernden Probleme mit psychotropen Substanzen bestehen. Psychopathologie von der Pharmakodynamik der Substanz, der Dosis und der persönlichen Disposition abhängig. Mögliche Komplikationen: Verletzung, körperliche Schädigung, medizinische Komplikationen, wie Bluterbrechen oder Aspiration, Koma, Delir, Krampfanfälle. »Pathologischer Rausch« bei Alkohol: Kurz nach dem Trinken einer Menge, die bei den meisten Menschen keine Intoxikation hervorrufen würde, plötzlicher Ausbruch von aggressivem gewalttätigem Verhalten, das für den Betroffenen in nüchternem Zustand untypisch ist, meist anschließend tiefer Schlaf und nachfolgende Amnesie.

F1x.1 Schädlicher Gebrauch
Tatsächliche Schädigung der psychischen oder physischen Gesundheit durch Konsum einer psychotropen Substanz. Soziale Mißbilligung des Konsums reicht allein für diese Diagnose nicht aus.

F1x.2 Abhängigkeitssyndrom
Mindestens drei der nachfolgenden Kriterien müssen während des letzten Jahres **gemeinsam** vorhanden gewesen sein:
- Zwanghafter Wunsch nach Substanzkonsum.
- Verminderte Kontrollfähigkeit bezüglich Menge, Beginn, Beendigung.
- Körperliches Entzugssyndrom.
- Nachgewiesene Toleranz.
- Zunehmende Vernachlässigung anderer Interessen, erhöhter Zeitaufwand für Beschaffung, Konsum, Erholung von den Folgen.
- Anhaltender Substanzgebrauch trotz eindeutig schädlicher, dem Konsumenten bewußter Folgen.

F1x.3 Entzugssyndrom
Substanzspezifisch unterschiedlich zusammengesetzter Symptomkomplex, der nach Absetzen oder Reduktion einer Substanz zumeist nach langanhaltendem Konsum in hoher Dosierung auftritt. Häufige Merkmale: Angst, Depressivität, Schlafstörungen, Unruhe, Reizbarkeit, Übelkeit, Schmerzen, vegetative Übererregbarkeit, Tremor, starkes Verlangen nach der Substanz (»craving«). Mögliche Komplikation (besonders bei Alkohol, Benzodiazepinen, Barbituraten): Krampfanfälle.

F1x.4 Entzugssyndrom mit Delir
Entzugssyndrom wird durch Delir kompliziert (Psychopathologie s. Kapitel 4). Wesentliche Symptome: Störung von Bewußtsein, Wahrnehmung (optische Halluzinationen), Orientierung, Psychomotorik, Schlaf-Wach-Rhythmus und Affekt.

F1x.5 Psychotische Störung
Psychotischer Zustand, der während oder unmittelbar nach der Einnahme einer Substanz (innerhalb von 48 Stunden) auftritt. Unterschiedliche Symptomatik: schizophreniform, wahnhaft (z.B. alkoholischer Eifersuchtswahn), halluzinatorisch (z.B. Alkoholhalluzinose), polymorph, depressiv, manisch.

F1x.6 Anamnestisches (Korsakow-)Syndrom
Durch Alkohol und andere psychotrope Substanzen bedingte amnestische Störung (s. Kapitel 4). Wesentliche Charakteristika: Störung des Kurzzeitgedächtnisses, des Zeitgefühls und der Orientierung, häufig mit Konfabulationen. Immediatgedächtnis und kognitive Funktionen im allgemeinen gut erhalten.

F1x.7 Restzustand und verzögert auftretende psychotische Störungen
Störungen der kognitiven Fähigkeiten, des Affekts, der Persönlichkeit oder des Verhaltens, die über den Zeitraum hinaus weiterbestehen, in welchem eine direkte Substanzwirkung angenommen werden kann. Häufige Formen: Nachhallzustände (»flash backs«) als Wiederholungen früherer Erlebnisse unter Substanzeinfluß, anhaltende Persönlichkeits- und Verhaltensstörungen mit Symptomatik wie bei organischer Persönlichkeitsstörung (vgl. Kapitel 4), affektive Zustandsbilder, Demenzen durch psychotrope Substanzen (vgl. Kapitel 4).

5.3.1. Störungen durch Alkohol

5.3.1.1. Prävalenz und demographische Faktoren

Die Bedeutung des Alkoholkonsums, sein Ausmaß und seine Entwicklung wurden am gründlichsten in den USA untersucht, wo regelmäßig epidemiologische Felduntersuchungen durchgeführt werden. In einer großen Studie wurden 1988 47485 Haushalte unter anderem bezüglich ihres Alkoholkonsums untersucht. 52% der Befragten wurden als Alkoholkonsumenten (»current drinkers«) eingestuft, etwa 9% erfüllten die Kriterien für Alkoholmißbrauch oder -abhängigkeit. Dies entspricht hochgerechnet etwa 15 Millionen Amerikanern mit Alkoholproblemen. Als wichtige Risikofaktoren für die Entwicklung einer Alkoholabhängigkeit zeigten sich dabei Geschlecht und Rasse. Die 1-Jahres-Prävalenz für Alkoholmißbrauch und -abhängigkeit war in jeder Altersstufe größer für Männer (13,3%) als für Frauen (4,3%) und größer für Weiße als für Nichtweiße (5,5%) [Regier et al., 1990].

Die europäischen Länder, besonders Deutschland, Frankreich, Spanien, Portugal, Ungarn, Dänemark und die Schweiz, lagen weltweit bezüglich des Alkoholkonsums in der Spitzengruppe mit umgerechnet über 10 Litern reinen Alkohols pro Kopf und Jahr. Die größten Anstiege zwischen 1980 und 1990 fanden sich in Südafrika, Finnland, Japan, Dänemark, Bulgarien, Uruguay und Großbritannien. Leichte Rückgänge des Alkoholkonsums fanden sich z.B. in Italien, Polen, Spanien, Frankreich und Portugal. Deutschland war 1992 das Land mit dem höchsten Pro-Kopf-Alkoholkonsum in Litern reinen Alkohols mit 12, knapp gefolgt von Frankreich mit 11,8 und Spanien mit 10,9. Bezüglich der Geschlechts- und Altersunterschiede zeigten sich insgesamt große Parallelen zu der Situation in anderen Industrieländern. In Deutschland sind etwa 1–3% der Erwachsenen alkoholabhängig; berücksichtigt man auch die Bezugspersonen, so sind rund 5 Millionen Menschen direkt oder mittelbar betroffen. Hinzu kommt die kriminogene Bedeutung des Alkohols, vor allem bei Aggressions- und Verkehrsdelikten. Jährlich sterben in Deutschland etwa 50 000 Menschen an den Folgen der Alkoholsucht.

5.3.1.2. Klinik

Eine nach wie vor für die klinische Einordnung nützliche Beschreibung stammt von Jellinek [1960], der fünf unterschiedliche Typen von Alkoholikern differenzierte:

- **Alpha-Typ (Konflikttrinker)** mit einer nur psychischen Abhängigkeit ohne Kontrollverlust, aber mit undiszipliniertem Trinken.
- **Beta-Typ (Gelegenheitstrinker)**, ebenfalls ohne Abhängigkeit, außer den sozio- und subkulturellen Einbindungen, Trinken ohne Kontrollverlust.

- **Gamma-Typ (süchtiger Trinker)** mit einer sich entwickelnden psychischen und physischen Abhängigkeit und Kontrollverlust bei erhaltener befristeter Fähigkeit zur Abstinenz. Unter Kontrollverlust wird dabei die verlorengegangene Fähigkeit verstanden, mit dem Trinken aufzuhören, bevor eine vollständige Alkoholintoxikation bzw. ein Vollrausch erreicht ist.
- **Delta-Typ (Spiegeltrinker)** mit ausgeprägtem körperlichem Abhängigkeitssyndrom, Unfähigkeit zur Abstinenz und Trinken ohne Kontrollverlust, selbst bei hohen Alkoholmengen.
- **Epsilon-Typ (episodischer Trinker, »Quartalssäufer«)** mit psychischer Abhängigkeit und Kontrollverlust, aber noch erhaltener Fähigkeit zur Abstinenz, oft übergehend in den Gamma-Typ.

Konstituierend für die Diagnose sind unter anderem die **klassischen Entzugssymptome** (vgl. Tabelle 5.2), zu deren Bekämpfung der Alkoholabhängige erneut Alkohol, z.B. während der Nacht oder am frühen Morgen, einsetzen muß. Sie umfassen besonders die **vegetativen Symptome** mit Tremor, Hyperhidrosis, Tachykardie, verbunden mit Hypersensitivität bzw. Schreckhaftigkeit, Dysphorie, ängstlicher Reizbarkeit sowie Störungen des Magen-Darm-Trakts, Übelkeit, Erbrechen u.a. Die **ängstlich-dysphorische** Stimmung kann in manchen Fällen auch in eine übersteigerte Sensitivität bis zur paranoiden Symptomatik übergehen, die sich aber in der Regel im Entgiftungsverlauf wieder normalisiert.

5.3.1.3. Biologie des Alkoholkonsums

Die **biologische Suchtforschung** konzentriert sich im wesentlichen auf die Erforschung biochemischer und Stoffwechselprozesse bei der Entstehung der Alkoholabhängigkeit und deren Zusammenspiel mit psychischen Prozessen. Dabei werden sowohl reaktive Vorgänge des Aminstoffwechsels wie aversive Effekte der Entzugssyndrome als wesentliche verlaufsbeeinflussende Faktoren angesehen. Die neurochemische Basis für die »Belohnungseffekte« von Alkohol liegen wahrscheinlich in der Verstärkung von GABA- zu GABA/A-Rezeptoren (Entspannungswirkung) unter Freisetzung von Dopamin aus mesolimbischen Neuronen (Euphorie). Die neuroadaptiven Mechanismen, die das Alkoholentzugssyndrom wesentlich mitbeeinflussen, sind bisher nur unzureichend aufgeklärt, aber Wirkungen an den GABA/A-Rezeptoren und den NNDA-Rezeptoren sowie Kalziumkanälen werden diskutiert.

Es ist jedoch bisher nicht möglich, die Wirkung von Äthanol auf einen klar definierten biochemischen Prozeß zu reduzieren. Es gibt kein spezifisches Transmitter- oder Rezeptorsystem, an dem Äthanol wirkt, und folglich sind auch Einflüsse auf verschiedene neuronale Systeme zu beobachten. Vereinfacht kann die Wirkung als angstlösend, stimulierend und schmerzdämpfend beschrieben werden.

5.3.1.4. Klinische Komplikationen des Alkoholismus

Übermässiger Alkoholkonsum kann schon in den Anfangsphasen zu verschiedenen somatischen Schädigungen, psychiatrischen Störungen und vor allem zu gravierenden sozialen Komplikationen (Führerscheinverlust, Arbeitsplatzverlust u.a.) führen.

Eine unter Umständen lebensbedrohliche Komplikation der Alkoholabhängigkeit ist das **Delirium tremens** (vgl. Tabelle 5.2), an dem etwa 15% der Alkoholiker erkranken. Es tritt nach oft jahrzehntelangem schädlichem Alkoholkonsum auf. In der Regel geht eine Dosisminderung oder ein Absetzen (Entzugsdelir) voraus, es kann aber auch bei fortgesetztem Trinken (Kontinuitätsdelir) z.B. bei somatischen Erkrankungen, wie Operationen, Infektionserkrankungen oder Unfällen, auftreten. Unbehandelt führt es bei 15–20% der Fälle zum Tod. Die Pathogenese ist bisher unzureichend geklärt. Meist geht dem Delir ein schweres Alkoholentzugssyndrom mit ausgeprägter vegetativer Symptomatik, vermehrter Unruhe, Reizbarkeit und flüchtigen optischen Halluzinationen voraus. Psychopathologisch ist das Delir (s. auch Kapitel 4) gekennzeichnet durch Bewußtseinsstörungen, kognitive und Wahrnehmungsstörungen, psychomotorische Störungen, Störungen des Schlaf-Wach-Rhythmus und affektive Störungen. In der Regel sind die optischen Halluzinationen zu ganzen Handlungsabläufen im Sinne szenischer Halluzinationen verdichtet. Häufig werden kleine bewegliche Objekte, wie Insekten, auch stark verkleinerte, andere Tiere oder Fäden gesehen. Typisch ist die Suggestibilität, wobei der Patient z.B. bereit ist, von einem leeren Blatt Papier Texte vorzutragen. Die Grundstimmung ist meist ängstlich-gespannt, ratlos, flüchtige Wahnideen kommen vor. Die psychiatrische Symptomatik geht mit einer ausgeprägten vegetativen Symptomatik einher. In der Regel dauert das Delirium 2–5 Tage. Die vitale Gefährdung geht vor allem von begleitenden Herz-Kreislauf-Komplikationen, Elektrolytstörungen (Hypokaliämie) und Infektionen aus.

Eine andere Komplikation verläuft weniger dramatisch: die **Alkoholhalluzinose.** Sie bricht häufig akut aus und äußert sich vor allem in Form akustischer Halluzinationen. Die Stimmung ist ängstlich und wahnhaft. Die Symptome gehen unter Abstinenz nach Stunden bis Monaten zurück. Die Differentialdiagnose »schizophrene Psychose« (vgl. Kapitel 6) bei Alkoholabhängigkeit erfolgt vor allem durch die Unterschiede im Verlauf. In der Regel ist der Alkoholkonsum bei Patienten mit einer Alkoholhalluzinose auch höher, ihre Vorgeschichte bezüglich des Konsums ist wesentlich länger, und sie sind im Vergleich zu ersterkrankten Schizophrenen älter.

Das **amnestische** oder **Korsakow-Syndrom** infolge Alkoholabhängigkeit ist charakterisiert durch eine chronische Schädigung des Kurzzeitgedächtnisses, das Langzeitgedächtnis ist manchmal beeinträchtigt, während das Immediatgedächtnis erhalten ist. Störungen des Zeitgefühls und des Zeitgitters sind meist deutlich, ebenso wie die Beeinträchtigung der Fähigkeit, neues Lernmaterial aufzunehmen. Andere kognitive Funktionen können meist gut erhalten sein und ermöglichen es einigen Betroffenen, eine funktionierende »Fassade« aufrechtzuerhalten. Auch **Persönlichkeitsveränderungen,** einhergehend mit Apathie und Initiativverlust sowie der Tendenz zur Verwahrlosung können auftreten, gelten aber nicht als notwendige Bedingung für die Diagnose.

Eine weitere wichtige psychiatrische Komplikation ist die hohe **Suizidalität** der Alkoholiker. Etwa 15% der Alkoholabhängigen sterben durch Suizid, weit mehr versuchen sich im Verlauf ihrer Abhängigkeitserkrankung das Leben zu nehmen.

Die **somatischen Akutkomplikationen** sind ohne Zweifel Hauptursache für die »ungewollte« Aufnahme in stationäre Krankenhausbehandlung. An der Spitze stehen dabei die **generalisierte epileptische Reaktion im Entzug, Blutungen, akute Dekompensation der Leberfunktion, Herz-Kreislauf-Komplikationen, akute Pankreatitis** und **Gastritis** sowie **Unfälle** im Rahmen einer Alkoholintoxikation.

5.3.1.5. Besonderheiten der Behandlung von Alkoholabhängigen

Strukturbedingt und weniger inhaltlich begründet finden wichtige Teile der Versorgung Alkoholabhängiger in eigenständigen »Entwöhnungskliniken« oder »Fachkliniken« statt. Alkoholismus ist allerdings nach wie vor häufigste Einweisungsdiagnose in psychiatrische Kliniken (etwa 30% aller stationären Aufnahmen); bei männlichen Patienten im erwerbsfähigen Alter ist Alkoholismus die häufigste Erst- oder Zweitdiagnose, d.h. daß Alkoholabhängige in nahezu allen Bereichen der ambulanten und stationären Gesundheitsversorgung in Erscheinung treten und dort mehr oder weniger adäquat behandelt werden, die Mehrheit im Bereich der allgemeinmedizinischen Fürsorge bei Allgemein- und Hausärzten einerseits und im Rahmen somatischer Kliniken zum Zweck der Entgiftung oder der Behandlung von Folgeerkrankungen andererseits. Eine suchtspezifische Therapie während dieser Behandlungsmaßnahmen ist nach wie vor die Ausnahme. In den meisten europäischen Ländern steht auch – gemessen an den Prävalenzraten – nur ein Bruchteil der benötigten geeigneten Behandlungsangebote zur Verfügung.

Im Gesamtverlauf der Abhängigkeit durchlaufen die meisten Patienten alle verschiedenen Behandlungs-Settings und lernen die Vielzahl der unterschiedlichen und nach wie vor nebeneinander praktizierten Interventionsformen kennen. Dabei kommen fast alle Formen psychiatrischer Behandlungen zum Einsatz.

Bezüglich der einzelnen **Etappen der Behandlung** können folgende alkoholspezifische Erfahrungen und Aspekte als belegt gelten:

- In der Phase der **Entgiftung,** die nach wie vor überwiegend in internistischen oder anderen somatischen Kliniken durchgeführt wird, ist die alleinige somatische Versorgung unzureichend. Trotz der gravierenden somatischen Aspekte ist es gerade in der Phase der Detoxifikation notwendig, mittels z.B. verhaltenstherapeutischer Motivations- und Behandlungsprogramme im Sinne einer »qualifizierten Entgiftung« weitere Behandlungsmöglichkeiten für die Patienten zu erschließen. Diese können sowohl als ambulante Suchtbehandlung, als tagesklinische oder als stationäre Entwöhnungsbehandlung erfolgen. Bei der medikamentösen Entgiftung hat sich im deutschsprachigen Raum die Behandlung mit Clomethiazol (Distraneurin) etabliert, daneben wird aber auch zunehmend Carbamazepin eingesetzt (vgl. Kapitel 15). Schwere Entzugssymptome und Entzugsdelire erfordern eine umfassende somatische Diagnostik und Therapie, auszugleichen sind besonders Hypokaliämie, Dehydratation, Vitamin-B_1- und Magnesiummangel. Zwischen dem Ausmaß sozio- und psychotherapeutischer Hilfen einerseits und der Medikation sowie dem Ausprägungsgrad der somatischen Symptomatik anderseits besteht ein enger Zusammenhang.
- Die **Entwöhnungsbehandlungen** erfolgen überwiegend in Form mehrwöchiger psychotherapeutischer, meist verhaltenstherapeutisch orientierter Behandlungsprogramme in spezialisierten Suchtkliniken. Diese sind in der Regel außerhalb der Gemeinden und in abgelegenen Gegenden lokalisiert.

5.3.2. Störungen durch Benzodiazepine und andere Sedativa

5.3.2.1. Epidemiologische Rahmendaten und Konsummuster

Langzeit-Benzodiazepin-Konsumenten können in vier Gruppen eingeteilt werden:
- Konsum aus medizinischer Indikation, besonders im Rahmen der Behandlung einer somatischen Erkrankung, wie neurologischer und neuromuskulärer Störungen.
- Konsumenten, die Benzodiazepine und Beruhigungsmittel zur Bekämpfung psychiatrischer Symptome tagsüber benutzen, wie Patienten mit chronischen Angstzuständen.
- Konsumenten, die unter chronischen Schlafstörungen leiden und Benzodiazepine zur Nacht nehmen.
- Patienten mit polyvalentem Drogenkonsum, insbesondere auch Konsumenten illegaler Drogen, die Benzodiazepine z.B. zusammen mit Heroin injizieren.

Über die Frage der genauen Einordnung des Benzodiazepinmißbrauchs und der Abgrenzung von Mißbrauch und Abhängigkeit gibt es gerade bei diesen vielverordneten Präparaten kontroverse Diskussionen. Im deutschsprachigen Raum gehören benzodiazepinhaltige Arzneimittel nach wie vor zu den am meisten verordneten. Nach Schätzungen sind in Deutschland 1–1,4 Millionen Menschen von diesen Präparaten abhängig. Statistisch gesehen entfallen rund 16 einzelne Dosierungen benzodiazepinhaltiger Schlaf- und Beruhigungsmittel pro Jahr auf jeden Einwohner der alten Bundesländer. Von manchen Autoren werden Benzodiazepinmißbrauch und -abhängigkeit bereits als zweitgrößtes Suchtproblem nach dem Alkoholismus angesehen.

Eine besondere Problematik verbindet sich mit dem Hypnotikum Flunitrazepam (Rohypnol), das vor allem von Drogenabhängigen zur Wirkungsverstärkung in Form von »Beikonsum« eingenommen wird. Man geht davon aus, daß etwa 60% der Substanz an solche »Mißbraucher« gelangen. Die mittlere Einnahmedosis dieser Gruppe liegt bei etwa 10 mg/Tag und damit fünffach höher als therapeutisch empfohlen. Insgesamt ist der Stand der empirischen und epidemiologischen Forschung zu den Benzodiazepinen, besonders bezüglich internationaler Vergleichs- und Evaluationsstudien, unbefriedigend. Es gibt aber viele Hinweise, daß trotz einer leicht sinkenden Verschreibungstendenz, auch im Zusammenhang mit kostenreduzierenden Maßnahmen der Krankenkassen, die Benzodiazepine immer noch zu einem hohen Anteil zu schädlichem Konsum eingesetzt werden.

5.3.2.2. Klinische Phänomene und Benzodiazepinentzug

Abhängige konsumieren Benzodiazepine sowohl wegen ihrer dämpfenden und angstlösenden Wirkung als auch – in höheren Dosierungen – wegen der euphorisierenden Wirkung und zur Verstärkung der Effekte anderer Substanzen, wie Alkohol oder Opiate. In höheren Dosierungen sind alle Benzodiazepine in der Lage, eine körperliches Abhängigkeitssyndrom zu erzeugen.

Das Benzodiazepinentzugssyndrom bietet klinisch ein weites Spektrum an Symptomen; kennzeichnend sind insbesondere schwere Schlafstörungen, Reizbarkeit, starke psychische Anspannung und Angstzustände bis hin zu Panikattacken, Denkstörungen, vegetative Symptome, wie Zittern, Schwitzen, Übelkeit u.a.; Kopfschmerzen, Muskelschmerzen bis hin zu den auch von anderen Entzugssyndromen bekannten Komplikationen, wie psychotischen Störungen und besonders auch generalisierten epileptischen Reaktionen. Viele Entzugssymptome überschneiden sich mit denen des Indikationsgebiets, d.h. die Differenzierung zwischen Entzugssyndrom und Wiederauftreten der Symptome der zugrundeliegenden psychiatrischen Störung kann nur im Verlauf erfolgen.

5.3.2.3. Biologische Aspekte der Benzodiazepinabhängigkeit

Die Indikationen zur Behandlung mit Benzodiazepinen umfassen Angsterkrankungen, Schlaflosigkeit, Muskelspasmen und Anfallserkrankungen, wodurch schon das breite Spektrum der beteiligten Transmittersysteme und neurophysiologischen Funktionsbereiche deutlich wird. Limbische Strukturen und die Neurotransmitter Noradrenalin, 5-Hydroxytryptamin (5-HT) und GABA sind involviert. Die Benzodiazepine binden an einen »allosterischen« Rezeptor und verstärken die Wirkung von GABA. Diese Effekte können durch den Benzodiazepinantagonisten Flumazenil vollständig blockiert werden. Die Untersuchungen an Tiermodellen lassen vermuten, daß das Abhängigkeitssyndrom eher ein funktionelles Rezeptorgeschehen darstellt und nicht mit der Veränderung der Rezeptorcharakteristika selber zusammenhängt.

5.3.2.4. Prävention und Behandlung

Für die **Prävention** schädlichen Benzodiazepingebrauchs spielt besonders die Aufklärung der behandelnden und verschreibenden Ärzte – hier besonders der Nichtpsychiater – eine entscheidende Rolle. Öffentliche Diskussionen und Forschungsergebnisse der letzten Jahre haben bereits zu einer Trendwende im Sinne einer schärferen Indikationsstellung und Abnahme der Benzodiazepinverschreibung zumindest in Deutschland beigetragen. Für die Behandlung des **Entzugssyndroms** werden verschiedene Vorgehensweisen diskutiert. Ein schrittweiser und langsamer **homologer Entzug** über rund 3 Wochen, abhängig von Dosierung und Beikonsum, verbunden mit psychotherapeutischen Interventionen im Sinne einer »qualifizierten Entgiftung« hat sich sowohl bezüglich der somatischen wie der psychischen Symptomatik als angemessen und wirksam erwiesen. Ähnlich wie im Alkoholentzugssyndrom sind mögliche medikamentöse Alternativen Carbamazepin oder niedrigdosierte Neuroleptika. Die psychotherapeutische Behandlung erfolgt ebenfalls auf unterschiedliche Art und Weise; entweder gemeinsam mit Alkoholabhängigen oder in homogenen Gruppen von Medikamentenabhängigen. Im Prinzip gelten für die Durchführung dieser Behandlungsprogramme ähnliche Paradigmen wie für Alkoholabhängige.

5.3.3. Störungen durch Opiate

5.3.3.1. Prävalenz und demographische Faktoren des Opiatkonsums

In den Vereinigten Staaten und Europa gibt es seit den 80er Jahren eine **Lebenszeitprävalenz** illegalen Opiatkonsums von etwa 1%. Während die Prävalenzraten in den USA in umfangreichen epidemiologischen Felduntersuchungen immer wieder überprüft werden, ist man in Europa nach wie vor auf mehr oder weniger qualifizierte Schätzungen angewiesen. Bei einer genaueren Analyse fallen besonders in Korrelation zu den **Altersgruppen** erhebliche Schwankungen auf. So ist die Lebenszeitprävalenz der 18- bis 25jährigen von Anfang der 70er Jahre in den USA von 4,6 auf 1,2% 1982 und 0,6% 1990 gesunken. Entgegengesetzt stieg die entsprechende Lebenszeitprävalenz älterer Gruppen an. Die Abnahme der Erstkonsumenten in den 80er Jahren ließ sich auch durch Haushaltsuntersuchungen bestätigen. 1985 wurden 500 000 intravenös Heroinabhängige in den USA geschätzt sowie 250 000 nichtabhängige Heroinkonsumenten und 150 000 Heroin- und intravenös Kokainkonsumierende, was eine Gesamtsumme von 900 000 intravenös Heroinkonsumierenden in den USA ergibt. Neben den genannten Altersfaktoren sind auch **demographische Faktoren** wesentlich für die Prävalenzraten. Sie liegen für das gesamte Land bei 300–600 pro 100 000 Einwohner, während in New York City auf 100 000 Einwohner 2500 bis 3000, also sechsmal mehr Heroinkonsumenten kommen. Das Geschlechtsverhältnis ist relativ konstant bei zwei Dritteln Männer zu einem Drittel Frauen, mit international leichten Veränderungstendenzen in Richtung eines höheren Konsumanteils bei Frauen.

Insgesamt nimmt auch die Zahl der nicht-intravenös Konsumierenden von Heroin aufgrund fallender Preise und besserer Heroinqualität in den USA wie in Europa zu. Auch in Europa liegen die **Prävalenzraten** bei jungen Erwachsenen um die 2% (3% Männer, 1% Frauen). In einigen europäischen Städten liegt die Rate allerdings deutlich höher (Madrid: 4–5% bei den 20- bis 29jährigen, 1989; Lissabon: 5–6% der 17- bis 18jährigen, 1988). In den westeuropäischen Ländern kann insgesamt von etwa 1 500 000 abhängigen und/oder problematischen Opiatkonsumenten Anfang der 90er Jahre ausgegangen werden. Das würde eine Größenordnung von 150 bis 300 pro 100 000 Einwohner bedeuten, d.h. etwa halb so viel wie in den Vereinigten Staaten. Die höchsten Raten finden sich in Italien, Spanien und der Schweiz, gefolgt von Frankreich und Deutschland sowie Großbritannien. In Deutschland läßt sich seit 1986 ein erhebliches Anwachsen der Erstkonsumenten von Heroin von 3921 1986 auf 10 346 1992, registriert durch die Polizei, beobachten. Seitdem deutet einiges auf eine Stabilisierung auf hohem Niveau hin. Ähnliches läßt sich für die Entwicklung der Rauschgifttodesfälle sagen, die ihren Gipfel 1991 mit 2125 in Deutschland erreichten und seitdem leicht abfallen.

5.3.3.2. Klinik und Opiatentzugssyndrom

Bei der Beurteilung der Opiatwirkung sowie des Entzugssyndroms muß heute davon ausgegangen werden, daß nur noch eine Minderheit der Konsumenten ausschließlich Heroin gebraucht, vielmehr ist ein Beikonsum von Stimulanzien und vor allem Benzodiazepinen sowie Cannabis und Alkohol die Regel, was auch die Entzüge kompliziert und verlängert. Ferner wird das klinische Bild stark vom allgemeinen körperlichen Gesundheitszustand der Abhängigen beeinflußt, der bei einer großen Gruppe der Heroinkonsumenten stark beeinträchtigt ist. So leidet eine wachsende Gruppe – bis zu 40% der Heroinabhängigen – an Hepatitiden oder direkten Folgen unsauberer Injektionstechniken, zudem sind etwa 15–30% der intravenös Konsumierenden HIV-infiziert.

Die **Hauptwirkung** der Opiate besteht in Analgesie, Atemdepression, Engstellung der Pupillen, verminderter Darmaktivität und vor allem psychischem Wohlbefinden bis zur Euphorie. Anfangs kann dazu noch Übelkeit und Erbrechen auftreten. Die Schwere des Entzugssyndroms hängt direkt mit der Menge und der Dauer des Konsums, also dem Grad der Abhängigkeit, zusammen. Sie wird darüber hinaus von vielen subjektiven Faktoren beeinflußt, woraus sich auch unterschiedliche Entgiftungsstrategien erklären lassen.

Das **Entzugssyndrom** beginnt in der Regel mit subjektivem Unwohlsein nach 8–12 Stunden. Dies ist verbunden mit wachsender Angst und Agitiertheit sowie Schwitzen. In den folgenden 12–24 Stunden treten Muskelschmerzen, starke Schweißausbrüche, Rhinorrhö und Tränenfluß, Magen-Darm-Beschwerden bis zu Durchfall und Übelkeit auf, die sich in den folgenden 36–48 Stunden noch verschlimmern können. Nach 72 Stunden ist die ausgeprägte Symptomatik meist überstanden. Während des Verlaufs treten normalerweise keine Bewußtseinsstörungen auf. Die parallel ablaufenden Entzugssymptome der zusätzlich konsumierten Substanzen können teilweise noch sehr viel heftigere Erscheinungen produzieren und erhöhen besonders die somatische Komplikationsrate.

5.3.3.3. Biochemische Grundlage der Opiatabhängigkeit

Opiatwirkung sowie Opiatabhängigkeit und umgekehrt das Entzugssyndrom sind relativ klar einzelnen pharmakologischen und Rezeptorwirkungen zuzuordnen. Die Entstehung der Abhängigkeit verläuft nach den Regeln der operanten Konditionierung (vgl. Kapitel 19). Die positive Konditionierung ergibt sich aus den beschriebenen Wirkungen der Opiate an den Rezeptoren, die negative Konditionierung durch die unangenehmen Wirkungen des Entzugssyndroms. Beteiligt ist neben den eigentlichen Opiatrezeptoren vor allem das dopaminerge System, es gibt darüber hinaus aber mindestens drei weitere Verstärkungsmechanismen. Der initiale Verstärkungseffekt der Opiate liegt in einer Aktivierung des ventralen tegmentalen Dopaminsystems.

5.3.3.4. Besonderheiten in der Prävention und Behandlung Heroinabhängiger

Über Behandlungs-Settings und Behandlungsansätze von Konsumenten illegaler Drogen, besonders von Heroinabhängigen, wird gegenwärtig intensiv diskutiert. Im Zusammenhang mit den Bemühungen um »harm reduction« (Begrenzung schädlicher psychosozialer und körperlicher Folgen) sind neben Entgiftungsbehandlungen und traditionell abstinenzorientierten Behandlungen Substitutionsprogramme und Therapiekonzepte getreten, die den Betroffenen helfen sollen, in einem möglichst guten Gesundheitszustand zu überleben und der wachsenden Gefahr von Infektionserkrankungen, z.B. Hepatitiden und Aids, zu begegnen. Im Rahmen dieser unterschiedlichen Settings

- der »Harm-reduction«-Programme,
- der Substitutionsprogramme,
- der ambulanten Beratungs- und Therapieangebote,
- der Entgiftungsbehandlungen und
- der stationären Therapieangebote

werden – wie auch bei anderen Suchtbehandlungen – unterschiedliche therapeutische Ansätze realisiert.

Der wesentliche **Trend in der Prävention und Behandlung** besteht entgegen früheren Paradigmen darin, die Betroffenen mit möglichst niedrigschwelligen Angeboten, ohne die Voraussetzung eines Therapieplatzes in einer Entwöhnungstherapie, im Rahmen »akzeptierender Drogenarbeit« in Motivationsprozessen zu begleiten und sie schrittweise wenn möglich erst zu einem risikoärmeren Umgang mit Drogen und dann zu einem Verzicht auf Drogen zu motivieren.

5.3.4. Störungen durch Nikotin

5.3.4.1. Epidemiologie des Nikotinkonsums

Das Zigarettenrauchen wurde erst Anfang des Jahrhunderts unter Männern populär und erreichte seinen Höhepunkt während des Zweiten Weltkriegs. Während der späten 40er und 50er Jahre rauchten z.B. 80% der Männer in Großbritannien Tabak. Danach begannen die **Prävalenzraten** zu sinken. Frauen begannen mit einer zeitlichen Verschiebung von etwa 30 Jahren zu rauchen. Die Prävalenzraten bei ihnen erreichten aber nie einen vergleichbar hohen Stand wie bei den Männern. 1991 war die Prävalenzrate in den USA auf 26% gefallen (28,1% Männer und 23,5% Frauen). In Großbritannien rauchten 31% der Männer und 29% der Frauen, in Deutschland rauchten 28,8% der Bevölkerung über 15 Jahre (36,8% Männer und 21,5% Frauen). Der Nikotinkonsum ist mit einer ganzen Reihe **soziokultureller Merkmale** verbunden. So gibt es eine enge Korrelation mit Alkohol- und Koffeinkonsum sowie mit weiteren sozioökonomischen Variablen, so besteht ein fast linearer Zusammenhang zwischen Rauchen und Beschäftigungsstatus. Unter ungelernten Arbeitern ist z.B. die Anzahl der Raucher zwei- bis dreimal höher als unter anderen Berufstätigen.

5.3.4.2. Klinische Phänomene und Entzugssyndrom des Nikotins

Die Symptome des Nikotinentzugs sind ähnlich denen anderer Drogenentzugssyndrome, sie bestehen aus Angst, Schlaflosigkeit, depressiver Gestimmtheit, Konzentrationsstörungen, Reizbarkeit und Ruhelosigkeit. Hinzu kommen die bekannten körperlichen Folgen mit Verlangsamung der Herzfrequenz und im weiteren Verlauf Gewichtszunahme. Das Entzugssyndrom dauert oft mehrere Wochen und kann für einige Raucher sehr unangenehm werden, wenn es auch keine behandlungsbedürftigen Zustände induziert. Die Rückfallrate ist beträchtlich.

5.3.4.3. Biologische Grundlagen der Nikotinabhängigkeit

Es gibt keinen Zweifel, daß regelmäßige Nikotinkonsumenten vom Rauchen abhängig werden. Die verstärkenden Effekte des Nikotins setzen vor allem am mesolimbischen Dopaminsystem an. Ihre Wirkung erfolgt über nikotinspezifische Rezeptoren, die durch die Nikotinzufuhr die Dopaminausschüttung stimulieren. Durch den chronischen Konsum werden außerdem verschiedene Nikotinrezeptorpopulationen desensitiviert.

5.3.5. Störungen durch Stimulanzien und Kokain

5.3.5.1. Prävalenz und demographische Faktoren des Stimulanzienkonsums

Der Stimulanzienkonsum zur Erhöhung der Leistungsfähigkeit ist während des 20. Jahrhunderts stetig angewachsen. **Kokain** fiel als potentielle Mißbrauchssubstanz erstmals während des Ersten Weltkriegs auf und war Anfang des Jahrhunderts vor allem in bürgerlichen Kreisen recht verbreitet. Ein ernsthaftes Problem entstand durch seinen massenhaften Konsum mit schweren sozialen und ökonomischen Folgen vor allem in den Großstädten der Vereinigten Staaten in den 80er Jahren.

Amphetamine wurden vor allem von bestimmten sozialen Gruppen, z.B. Studenten, in den 50er Jahren konsumiert. Die erste dokumentierte Stimulanzienepidemie gab es unmittelbar nach Kriegsende in Japan, wo damals Amphetamine noch rezeptfrei in Drogerien als »pep pills« zu erstehen waren. 1946 wurden die ersten Stimulanzienabhängigen in Krankenhäuser in Tokio eingeliefert, und nach kurzer Zeit gab es Berichte über entsprechende Fälle in ganz Japan. 1951 waren alle japanischen Bezirke betroffen, und 1954 ging man davon aus, daß 2 Millionen Menschen in Japan Amphetamine konsumierten, 55 000 wurden im Zusammenhang mit Amphetaminmißbrauch von der Polizei arretiert. Nach dem Verbot Mitte der 50er Jahre kam es zum schnellen Abfallen entsprechender Behandlungsfälle und zur Normalisierung der Situation. Auch fast epidemischen Charakter hat der **Crack-Konsum** in den Slums der amerikanischen Großstädte seit Ende der 70er Jahre. Crack wird durch das Erhitzen von Kokainhydrochlorid mit einer Alkalilösung hergestellt. Die Kristalle zerspringen beim Rauchen mit einem knackenden Geräusch (»crack«). Auch im deutschsprachigen Raum ist eine deutliche Zunahme der Kokainabhängigkeit zu verzeichnen. So waren 1993 immerhin 23,1% der Erstkonsumenten harter Drogen Kokainkonsumenten, und die Delikte im Zusammenhang mit Kokain stiegen in Deutschland 1994 im Vergleich zu 1993 um 21,2% auf insgesamt 11 079 Straftaten an.

5.3.5.2. Klinik und Entzugssyndrome

In **niedriger Dosierung** bewirken die psychomotorischen Stimulanzien (Amphetamine und Kokain) bei Nichtabhängigen eine Reduzierung von Müdigkeit, die Erhöhung von Konzentration und Selbstbewußtsein sowie die Stimulierung motorischer Aktivitäten. Mit einer **höheren Dosierung** kann dann ein Umschlagen in eine psychotische Symptomatik mit Halluzinationen und Wahnvorstellungen erfolgen. Nach zumindest einigen Tagen starken Konsums entsteht nach Absetzen ein typisches Entzugssyndrom mit dysphorischer Stimmungslage bis zur depressiven Verstimmung, Reizbarkeit, Angst und Appetitsteigerung, dann übergehend in Müdigkeit oder Schlaflosigkeit – Schläfrigkeit mit unangenehmen bizarren Träumen – und psychomotorischer Agitiertheit. Das Kokainentzugssyndrom erreicht seinen Höhepunkt nach 2–4 Tagen, kann aber mehrere Wochen andauern.

5.3.5.3. Biologische Wirkmechanismen der Stimulanzien

Stimulanzien, wie Amphetamine und Kokain, wirken über verschiedene biologische Mechanismen im zentralen Nervensystem. Die Pharmakologie von Kokain und Amphetaminen ist relativ gut aufgeklärt. Über verschiedene Mechanismen induzieren beide Drogen einen Anstieg der Katecholamin- und 5-HT-Aktivitäten im zentralen Nervensystem. Viele Faktoren deuten darauf hin, daß die Aktivität des Dopaminsystems im Nucleus accumbens entscheidend für die Effekte der Stimulanzien ist.

Die Halbwertszeit von Kokain beträgt 1 Stunde, der Wirkungsbeginn je nach Applikation wenige Sekunden bis Minuten, die Halbwertszeit von Amphetaminen zwischen 10 und 15 Stunden.

Die **Behandlung** der Abhängigkeit folgt den allgemeinen Prinzipien der Behandlung Suchtkranker. Während der Entzüge bedürfen vor allem auftretende depressive Verstimmungen und Suizidgedanken ausreichender Beachtung.

5.3.6. Störungen durch Cannabis

Cannabis, überwiegend in den Konsumformen Haschisch oder Marihuana auf dem Markt, ist nach Alkohol in den meisten westlichen Industrieländern das am häufigsten konsumierte Rauschmittel. Der Konsum ist in Deutschland, der Schweiz und Österreich nach wie vor strafbar, wenngleich die Strafverfolgung bei reinen Konsumenten nicht besonders intensiv betrieben wird. Hauptwirkstoffe des Cannabis sind das Tetrahydrocannabinol (THC) und weitere

Cannabinoide. Das Suchtpotential von Cannabis ist nicht so ausgeprägt wie bei den Opiaten, nur für einen wahrscheinlich geringen Teil der Konsumenten wirkt Cannabis als »Einstiegsdroge«, anderseits kann es bei entsprechend disponierten Personen, besonders bei Patienten mit einer Schizophrenie in der Anamnese, **akute Psychosen** auslösen.

Bei der **akuten Intoxikation** beobachtet man vor allem Verhaltens- und Wahrnehmungsstörungen wie Euphorie, Enthemmung, Angst oder Unruhe, Mißtrauen bis hin zu paranoiden Vorstellungen, verändertes Zeiterleben, Einschränkung der Urteilsfähigkeit, Beeinträchtigung der Reaktionszeit, in höheren Dosierungen auch Halluzinationen sowie oft ausgeprägte Depersonalisations- und Derealisationsphänomene. Im vegetativen Bereich kommt es zu Appetitsteigerung, Mundtrockenheit, oft sehr ausgeprägter konjunktivaler Injektion und Tachykardie.

Die akuten Wirkungen können zu einer erheblichen Gefährdung im Straßenverkehr führen und komplexe Handlungen stark beeinträchtigen. Beim **Dauerkonsum** entsteht eine psychische Abhängigkeit mit Tendenz zur Dosissteigerung. Neben die Euphorie treten dann häufig eine Antriebsverminderung, oft mit eigentlicher Wesensänderung, Leistungsabfall, Kritikschwäche und sozialem Rückzug. Die **Cannabisentzugssymptome** sind unspezifisch und bestehen vor allem in Angst, Reizbarkeit, Schwitzen und Muskelschmerzen.

Die isolierte **Cannabisabhängigkeit** ist relativ selten, Langzeittherapien wegen reiner Cannabisabhängigkeit sind kaum indiziert. Gelegentlich kommt es zu akuten psychotischen Reaktionen, die mit Neuroleptika behandelt werden. Ein eher kurzfristiger stationärer Aufenthalt kann bei Dauerkonsum zu einer Distanzierung und Umorientierung beitragen.

5.3.7. Weitere psychotrope Substanzen mit Mißbrauchs- und Abhängigkeitspotential

Die Hauptwirkung der **Halluzinogene** besteht in der Auslösung von Sinnestäuschungen, bei chronischem Konsum kann auch eine psychische Abhängigkeit entstehen, Toleranz kommt vor. Wichtigste Halluzinogene sind LSD (Lysergsäurediäthylamid), Psilocybin, Mescalin und in letzter Zeit vor allem synthetisch hergestellte Halluzinogene, unter ihnen das Phencyclidin (PCP) sowie modifizierte Amphetamine, wie das MDMA (»Ecstasy«).

Halluzinogene wurden gelegentlich auch als Therapeutika eingesetzt. Wegen schwer vorhersehbarer Wirkungen und unter Umständen gefährlicher, teils letaler Nebenwirkungen sind diese Behandlungen heute obsolet.

Die Symptomatik der **Halluzinogenintoxikation** ist gekennzeichnet durch Verhaltens- und Wahrnehmungsstörungen. Neben Halluzinationen und illusionären Verkennungen auf allen Sinnesgebieten, in der Regel bei voll erhaltener Vigilanz und erhöhter Aufmerksamkeit, kommen Ängste, Depersonalisation und Derealisation, paranoide Vorstellungen bis hin zum Wahn, Affektlabilität, Hyperaktivität und impulsive Handlungen vor. Die vegetativen Symptome bestehen überwiegend in Tachykardie, Schweißausbrüchen, Tremor und Pupillenerweiterung, auch Koordinationsstörungen werden häufig beobachtet. Wichtigste Komplikation, besonders bei LSD, ist der »**Horrortrip**«, gekennzeichnet durch intensive Angst, Panik, Erregung, psychotische Symptome und Realitätsverlust, dabei besteht oft eine akute Fremd- und Selbstgefährdung.

Ein eigenes **Halluzinogenentzugssyndrom** läßt sich nicht abgrenzen. Die **Behandlung** der Halluzinogenabhängigkeit erfolgt nach den gleichen Prinzipien wie bei der Cannabisabhängigkeit. Bei der akuten Intoxikation mit intensiven Angstzuständen sind Benzodiazepine, z.B. Diazepam, oder dämpfende Neuroleptika Mittel der Wahl, außerdem Reizabschirmung und ein beruhigendes Gespräch (»talking down«). Bei LSD-Psychosen, die über längere Zeit anhalten, werden hochpotente Neuroleptika eingesetzt.

Flüchtige organische Lösungsmittel (»Schnüffelstoffe«): Der Mißbrauch dieser Substanzen findet sich vor allem bei sozial entwurzelten Kindern und Jugendlichen. In Ländern der Dritten Welt werden sie besonders in den Slums massenhaft konsumiert. Bei akuter Intoxikation kommt es vor allem zu Verhaltensstörungen mit Apathie und Lethargie auf der einen und Aggressivität und Affektlabilität auf der anderen Seite. Auch euphorische Zustände, Bewußtseinstrübungen bis hin zum Koma und ausgeprägte neurologische Zeichen, wie Ataxie, verwaschene Sprache und Nystagmus, treten auf.

Die **toxischen Begleiterscheinungen** des Konsums organischer Lösungsmittel sind erheblich, beobachtet werden vor allem ausgeprägte periphere Polyneuropathien mit Lähmungen und Muskelatrophien, daneben auch bleibende hirnorganische Schäden sowie Lungen- und vor allem Leberschädigungen.

Therapeutisch kommt es neben der symptomorientierten Behandlung der akuten Erscheinungen vor allem auf soziotherapeutische Maßnahmen an. Ein spezifisches Entzugssymptom läßt sich nicht abgrenzen.

5.4. Mißbrauch von nicht abhängigkeitserzeugenden Substanzen

In der ICD-10 werden zusätzlich mit der Kategorie F55 Substanzen erfaßt, die keine Abhängigkeit erzeugen. Im Hinblick auf schädliche Konsummuster werden dabei insbesondere Antidepressiva und Laxantien sowie nicht morphinhaltige Analgetika hervorgehoben, die ohne ärztliche Verordnung erworben werden können, z.B. Aspirin und Paracetamol. Die Medikamente werden möglicherweise zunächst ärztlich verordnet oder empfohlen. Es entwickelt sich dann aber eine unnötige und verlängerte Einnahme mit oft exzessiver Dosie-

Tabelle 5.3. Nicht abhängigkeitserzeugende Substanzen nach ICD-10 (Kategorie F55)

F55.0	Antidepressiva, wie etwa trizyklische, tetrazyklische und Monoaminooxidasehemmer
F55.1	Laxantien
F55.2	Analgetika, die nicht unter den psychotropen Substanzen (F1) näher bezeichnet sind, wie etwa Aspirin, Paracetamol und Phenazetin
F55.3	Antazida
F55.4	Vitamine
F55.5	Steroide oder Hormone
F55.6	Bestimmte pflanzliche oder Naturheilmittel
F55.8	Sonstige nicht abhängigkeitserzeugende Substanzen, wie etwa Diuretika
F55.9	Nicht näher bezeichnete nicht abhängigkeitserzeugende Substanzen

rung. Diese wird dadurch erleichtert, daß die Substanzen leicht, ohne ärztliches Rezept, erhältlich sind.

Der anhaltende ungerechtfertigte Gebrauch dieser Substanzen ist gewöhnlich mit unnötigen Ausgaben sowie überflüssigen Arztbesuchen und Kontakten zu Hilfseinrichtungen verbunden. Durch die betreffenden Substanzen kommt es häufig zu schädlichen körperlichen Auswirkungen. Der Versuch, dem Patienten den Gebrauch der Substanz auszureden oder zu verbieten, stößt oft auf Widerstand. Bei Laxantien und Analgetika geschieht dies trotz der Warnungen vor körperlichen Schäden, wie Nierenfunktions- oder Elektrolytstörungen, und sogar trotz der Entwicklung derselben. Auch bei starkem Verlangen nach der Substanz entwickeln sich keine Abhängigkeits- (Flx.2) bzw. Entzugssymptome (Flx.3) wie bei den unter F10–F19 klassifizierten psychotropen Substanzen (vgl. Tabelle 5.3).

5.5. Komorbidität mit psychiatrischen Störungen

Es liegt eigentlich nahe, daß in einer sozialen Umgebung, in der »pharmakogene Konfliktlösungen« einen so großen Stellenwert haben, das Risiko einer Destabilisierung für Menschen mit einer schweren psychiatrischen Störung, fast unabhängig von deren Spezifität, durch schädlichen Konsum psychotroper Substanzen groß ist. Die Psychiatrie in den USA beschäftigt sich schon sehr lange mit diesen Fragestellungen und dem Aufbau eines entsprechenden Versorgungssystems. Im deutschsprachigen Raum befindet sich die Forschung und Versorgungsentwicklung dagegen erst in den Anfängen.

5.5.1. Schizophrenie und stofflicher Mißbrauch

In epidemiologischen Studien wurde das Ausmaß von Komorbidität zwischen Abhängigkeitserkrankungen und einer großen Zahl psychiatrischer Erkrankungen belegt. Danach haben Patienten mit einer schizophrenen Psychose ein etwa zehnmal höheres Risiko zur Entwicklung von Alkoholabusus und ein achtmal höheres Risiko zur Entwicklung von Drogenabusus als Nichtschizophrene (vgl. Kapitel 6). Bei etwa 50% der Patienten mit der Diagnose einer schizophrenen oder schizophreniformen Psychose waren in der Anamnese zumindest die Kriterien für eine Form von stofflichem Mißbrauch erfüllt. Insbesondere in den Einrichtungen psychiatrischer Akutbehandlung wurden bei über 50% der Patienten sowohl eine schwere psychiatrische Erkrankung als auch stofflicher Mißbrauch festgestellt.

Eines der wichtigsten Ergebnisse über den Verlauf schizophrener Psychosen und die Bedeutung von Ko- und Multimorbidität ist die erhöhte Chronifizierungstendenz, eine Entwicklung, die bei dem Aufeinandertreffen zweier in der Regel chronischer Prozesse naheliegt, aber in ihrem Ausmaß und hinsichtlich ihrer Wechselwirkungseffekte bisher kaum untersucht wurde.

Zusammenfassend bilden Patienten, die an einer Schizophrenie leiden und stofflichen Mißbrauch betreiben, eine psychopathologisch schwerer gestörte Untergruppe der schizophrenen Psychosen, die sich von den organischen Psychosen und den Schizophrenen, die keinen stofflichen Mißbrauch betreiben, deutlich unterscheiden läßt.

5.5.2. Affektive Störungen und stofflicher Mißbrauch

Der Zusammenhang zwischen affektiven Erkrankungen (vgl. Kapitel 7) und stofflichem Mißbrauch gehört zu den bestuntersuchten dieses Forschungsbereichs. In Felduntersuchungen fand man bei etwa 70% der Alkoholabhängigen verschiedenste Formen depressiver Symptomatik in der Anamnese, ein sehr viel höheres Ausmaß als bei einer Vergleichsgruppe aus der Normalbevölkerung mit einer 5%igen Prävalenz. Dies bestätigte sich ebenso in Untersuchungen an stationär behandelten Alkoholikern. Gemeinsam ist beiden Erkrankungen die hohe Suizidalität. Patienten mit einer bipolaren Affektpsychose unternehmen z.B. doppelt so häufig Suizidversuche, wenn sie stofflichen Mißbrauch betreiben. Aus verschiedenen Verlaufsuntersuchungen ergab sich auch ein enger Zusammenhang zwischen Depressivität und der Fähigkeit zur Abstinenz: So waren 72% der untersuchten Patienten mit eindeutig depressiven Symptomen wieder rückfällig, während 75% der nichtdepressiven Patienten abstinent blieben. Als mögliche Basis des Zusammentreffens von affektiver Störung und Suchtmittelkonsum wird von verschiedenen Autoren ein gestörter Neurotransmitterhaushalt diskutiert.

5.5.3. Sucht und Suizidalität

Affektive und Suchterkrankungen sind am häufigsten von allen psychiatrischen Erkrankungen mit Suizid verbunden. Die Lebenszeitprävalenz bei Suchtkranken beträgt etwa 15%. 70% aller Suizide bei Jugendlichen und Heranwachsenden stehen in direktem Zusammenhang mit akutem stofflichem Mißbrauch. Die Autoaggressivität vieler Abhängiger führte in der psychodynamischen Theorienbildung zu der Hypothese des »protrahierten Suizids« als dem der Sucht zugrundliegendem Mechanismus.

Sowohl Abhängigkeit als auch die verschiedenen Formen suizidalen Verhaltens werden anderseits als »Bewältigungsverhalten«, also bezogen auf ein gegebenes, als Lebenskonstellation subjektiv funktionales Reaktionsmuster interpretiert. Sie erscheinen teilweise als Versuch eines Individuums, mit den Bedürfnissen und Konflikten, Beziehungen und Anforderungen der Umwelt fertig zu werden, teilweise als Ausdruck von bilanzierender Resignation, der Unfähigkeit, noch etwas zu verändern. Bei beiden Verhaltensmustern dominieren in der Regel zunächst die funktionalen gegenüber autoaggressiven und selbstdestruktiven Seiten. Ein Verhältnis, das sich über einen längeren Zeitraum umkehren kann.

Als **Risikofaktoren** zur Ausprägung suizidalen Verhaltens als Problembewältigungsstrategie werden in der Literatur verschiedene Hypothesen vorgelegt:
- Mißerfolge Jugendlicher bezogen auf verschiedene Anforderungen.
- Mangelhafte Funktionen eines schwachen bzw. unreifen Ichs und besonderen Narzißmus.
- Das Versagen anderer verfügbarer Techniken zur Bewältigung neuer oder wachsender Probleme.

Entweder sind die Fähigkeiten unzureichend ausgebildet, Probleme adäquat zu sehen und zu lösen, oder es ergeben sich Situationen, die entweder nur eingeschränkte Möglichkeiten des Lösungsverhaltens zulassen oder gar keine Alternativen erlauben.

5.5.4. Angststörungen und stofflicher Mißbrauch

In Feldstichproben bei Alkoholikern fanden sich etwa 10% Patienten mit einer generalisierten Angststörung und 3% mit der Diagnose einer Phobie in der Anamnese (vgl. Kapitel 8). Bei klinischen Stichproben zeigen sich hingegen viel höhere Prävalenzen an Angststörungen, mit etwa 20% Panikstörungen, 23% generalisierten Angststörungen und 30% Phobien. In welchem pathogenetischen Zusammenhang Angst und stofflicher Mißbrauch stehen, ist nur unzureichend untersucht und geklärt. Dies ist ein Fragenkomplex, der mit Sicherheit aus Prävalenzstudien nur schwer zu beantworten ist, zumal mit verschiedenen Entzugssyndromen massive Angstzustände direkt verbunden sind und anderseits das Suchtmittel häufig im Sinne von Angstbewältigung und Angstdämpfung eingesetzt wird.

5.5.5. Persönlichkeitsstörungen und stofflicher Mißbrauch

Der Zusammenhang zwischen Persönlichkeitsstörungen (vgl. Kapitel 11) und süchtigem Verhalten, wie er besonders in der amerikanischen Psychiatrie verstanden und diskutiert wird, ist ein gutes Beispiel für die großen Schwierigkeiten und Veränderungen in der Nosologie psychiatrischer Erkrankungen im Zusammenhang mit Abhängigkeitsphänomenen. Während anfangs der Zusammenhang zwischen Persönlichkeitsstörungen und Sucht als pathognomonisch unterstellt wurde, ist die heutige Lehrmeinung davon eindeutig abgerückt.

Von den Persönlichkeitsstörungen ist die antisoziale Persönlichkeitsstörung am häufigsten mit Suchtmittelmißbrauch assoziiert. Zur Frage, ob Persönlichkeitsstörungen primär oder sekundär im Verhältnis zur Suchterkrankung stehen, wiesen prospektive Studien nach, daß unter primär **antisozialen Persönlichkeitsstörungen** Alkoholismus extrem verbreitet ist und diese in aller Regel dem Abusus vorangingen. Diese Patienten entwickeln im Vergleich zu »primären Alkoholikern« die Sucht in einem deutlich früheren Lebensalter und zeigen in signifikantem Ausmaß mehr andere psychiatrische Störungen, wie Depression, Angsterkrankung und Polytoxikomanie.

Zusammenfassend ergibt sich aus dem bisherigen Forschungsstand, daß die Mehrzahl der Alkoholiker während keines Zeitpunkts im Verlauf eine antisoziale Persönlichkeitsstörung aufwies und daß jene, die Symptome dieser Art hatten, sie häufig erst in der Folge des Suchtmittelmißbrauchs entwickelten. Anderseits ist eine bestehende Persönlichkeitsstörung dieser Art ein Risikofaktor für Suchtmittelmißbrauch und andere psychiatrische Erkrankungen. Die andere große Gruppe der Persönlichkeitsstörungen im Zusammenhang mit Suchtmittelmißbrauch sind die **Borderline-Persönlichkeitsstörungen.** Diese Patienten konsumierten zu einem erheblich höheren Anteil andere Drogen und begingen deutlich mehr Suizidversuche, hatten mehr Unfälle oder andere autoaggressive Verhaltensweisen in der Vorgeschichte. Den engen Zusammenhang zwischen den regressionsfördernden Effekten von Alkoholabhängigkeit und vorbestehenden Persönlichkeitsstörungen kann man unter Berücksichtigung klinischer Erfahrungen und Verlaufsuntersuchungen zusammenfassen: Jede Form von Persönlichkeitsstörung erhöht die individuelle Vulnerabilität für eine Suchtentwicklung.

5.6. Trends in Prävention und Behandlung

Unabhängig vom theoretischen und Ausbildungshintergrund haben sich in den Einrichtungen zur Behandlung Suchtkranker bestimmte Paradigmen durchgesetzt, die allerdings seit Beginn der 90er Jahre besonders bezüglich der Behandlung Abhängiger von illegalen Drogen stark diskutiert werden. Einige Kernfragen dieser Debatte über die Weiterentwicklung der Behandlung Abhängiger sollen hier kurz umrissen werden:

- Der **strukturelle Rahmen der Behandlung** mit der erwähnten Trennung der Versorgungssysteme hat eine Reihe therapeutisch nicht sinnvoller Besonderheiten geschaffen, die vor allem mit den Rahmenbedingungen, z.B. dem Finanzierungssystem und der Stellung der Suchtpatienten im medizinischen System, verbunden sind. So wird aufgrund der zu befürchtenden somatischen Komplikationen z.B. die Entgiftungsbehandlung in der Regel in allgemeinärztlicher oder internistischer Regie durchgeführt, ohne daß entsprechende psychiatrische und psychotherapeutische Interventionen integriert wären. Die therapeutischen Möglichkeiten gerade dieses Behandlungsabschnitts werden also aus verschiedenen Gründen unzureichend genutzt. Zur sogenannten Entwöhnung werden die Patienten dann oft in abgelegene Fachkliniken eingewiesen, die von den Rentenversicherungsträgern finanziert werden. Therapeutische Angebote vor Ort, z.B. mit ambulanten und teilstationären wie auch anderen gemeindenahen Angeboten, sind unzureichend verfügbar.
- Aus dieser Situation resultiert der **Trend zur Diversifikation der Behandlungsangebote,** analog den Forderungen der Psychiatrie-Enquete in Deutschland. Statt der Beschränkung auf die Entgiftung und Entwöhnung findet eine Differenzierung der therapeutischen Angebote im Sinne vermehrt niedrigschwelliger, wohnortnaher und klientenspezifischer Angebote statt. Unter dem **Konzept der qualifizierten Entgiftung** bemühen sich vermehrt die psychiatrischen Akutkliniken um die Integration von somatischer und psychiatrischer Behandlung während dieser Phase, in der Verantwortung der Psychiatrie. Im Mittelpunkt steht dabei die Motivation zu weiteren Behandlungsschritten und die Auseinandersetzung mit der Abhängigkeit.
- Die **Behandlung der Komorbidität von psychiatrischen Störungen und Abhängigkeit** hat darüber hinaus sowohl im System der Suchtkrankenhilfe als auch im psychiatrischen Setting zur Entwicklung neuer Behandlungskonzepte auf der Basis der Erfahrungen beider Behandlungsphilosophien geführt.
- Eines der zentralen therapeutischen Paradigmen, die Forderung nach Abstinenz schon am Beginn des Prozesses verbunden mit hohen motivationalen Hürden für die Patienten, wird zur Zeit zugunsten des **Prinzips der »risk and harm reduction«** mehr und mehr aufgegeben. Immer mehr Therapeuten sehen die andauernde Abstinenz als **mögliches** Ergebnis des Behandlungskonzepts und weniger als Voraussetzung für eine längerfristige Behandlung. Die Hilfe zum Überleben, die Minimierung von Gesundheitsschäden im Zeitalter von Aids sind in diesem Rahmen zu eigenständigen Therapiezielen geworden. Die Ausdehnung von **Substitutionsprogrammen** mit Drogenersatzstoffen in fast ganz Europa bis hin zur ärztlich kontrollierten Heroinabgabe, z.B. in der Schweiz, sind Ausdruck dieser Entwicklung.

5.7. Verlauf und Prognose

Zum Langzeitverlauf der Störungen durch psychotrope Substanzen z.B. des Alkoholismus gibt es bis heute nur relativ wenige methodisch ausreichende Arbeiten, die den Verlauf über längere Katamnesezeiträume dokumentieren. Andere **methodische Schwierigkeiten,** wie die unterschiedliche Diagnosenstellung, die Reliabilität und Validität der Datenerhebungsverfahren und Untersuchungsinstrumente, die unterschiedliche Patientenselektion und fehlende Kontrollgruppenuntersuchungen werden immer wieder kritisch angemerkt.

Die bisher umfangreichste und methodisch aufwendigste Untersuchung im deutschsprachigen Raum ist die »Münchener Evaluation der Alkoholismustherapie« (MEAT), in deren Rahmen 1410 Patienten in 21 Behandlungseinrichtungen für **Alkoholabhängige** in der Bundesrepublik Deutschland in der Zeit zwischen 1980 und 1984 untersucht wurden [Küfner et al., 1986]: Nach 4 Jahren waren bereits 6,5% der Patienten verstorben. Bei einer Ausschöpfungsquote von 81% über den gesamten Katamnesezeitraum von 4 Jahren waren insgesamt 46% der Patienten abstinent, 3% im Trinkverhalten gebessert, 51% ungebessert.

Es ergaben sich z.B. Zusammenhänge zwischen Therapieabbruch und Prognose als signifikantes Negativmerkmal. Für die **Prognose** insgesamt erwiesen sich folgende Merkmale bei Männern als günstig: Mit dem Ehepartner zusammenleben, Wohnort kleiner als 200000 Einwohner, nicht arbeitslos, nur eine Arbeitsstelle in den letzten 2 Jahren, Besitz von Wohneigentum, nicht im Wohnheim lebend oder obdachlos, kein Arbeitsplatzverlust wegen Alkoholmißbrauchs, kein Suizidversuch, nicht schon früher in einer Suchtfachklinik behandelt. Abweichend davon waren für Frauen prognostisch günstige Merkmale: Höchstens ein Suizidversuch, reine Alkoholmenge pro Tag weniger als 62 g, niedrige Werte auf der Skala »fordern können« und hohe Werte auf der Skala »Anständigkeit« im Untersuchungsfragebogen, nicht schon früher in der Suchtfachklinik behandelt [Küfner et al., 1986].

Verlaufsstudien an Opiatabhängigen sind meistens als »Follow-up«-Studien konzipiert. Ihr Ziel ist in der Regel die Evaluation bestimmter therapeutischer Angebote und Institutionen. Eine Sonderstellung nimmt die Katamnese von Uchtenhagen und Mitarbeitern ein, die als Kontrollgruppenstudie mit einer altersgleichen repräsentativen »normalen« Population durchgeführt wurde [Uchtenhagen, 1986]. Zur familiären Situation belegt die Katamnese nach 2 Jahren eine nach wie vor deutlich belastetere Familiensituation, obwohl sich gerade die familiären Beziehungen im Katamnesezeitraum am deutlichsten subjektiv verändert haben. Gegenüber 70% der Kontrollgruppe gaben 40% der Opiatabhängigen an, daß die aktuellen Partnerschaftsverhältnisse der Eltern gut seien. 40% der Opiatabhängigen sahen die Beziehung der Eltern als schlecht oder sehr schlecht an, gegenüber nur knapp 10% der Kontrollgruppenangehörigen. Die Unterschiede in der eigenen Partnerschaft waren nicht ganz so ausgeprägt, die Angehörigen der Kontrollgruppe hatten um 13% häufiger einen festen Partner und lebten etwas häufiger mit diesem zusammen. Für eine enge Einbindung in eine Subkultur sprach die Tatsache, daß die Drogenabhängigen zu etwa 90% Freunde hatten, die selber Drogen konsumierten, gegenüber 15% der Kontrollgruppenangehörigen. Außerdem waren ihre Freunde häufiger älter als die der Kontrollgruppe.

In Langzeitstudien nahm das Suchtverhalten bei **Heroinabhängigen** im Verlauf der Zeit stetig ab. Sichere Prädiktoren eines positiven Verlaufs konnten dabei nicht identifiziert werden, überzufällig häufig stand die stabile Abstinenz aber in Zusammenhang mit kontinuierlicher Beschäftigung und Partnerschaft. Als wichtig erwiesen sich äußere Eingriffe, die eine gewisse Ordnung in das Leben eines Patienten außerhalb der Klinik brachten, wie Bewährungsauflagen, Methadonprogramme und Anonyme Alkoholiker.

Zum Verständnis trägt eine Analogie zwischen der Behandlung von Abhängigkeit und jener von Diabetes mellitus bei. Bei Diabetes kann eine Krankenhausaufnahme manchmal das Leben retten, aber der langfristige Krankheitsverlauf wird dadurch nicht beeinflußt. Nachdem durch die Krisenintervention im Krankenhaus das Überleben gesichert wurde, muß der Patient außerhalb der Klinik durch dauerhafte Medikamenteneinnahme, veränderte Lebensgewohnheiten und das ständige Bewußtsein eines drohenden Rückfalls die Kontrolle über seine Erkrankung übernehmen.

Literatur

Bedi AR, Halikas JA (1985): Alcoholism and affective disorders. Alcoholism *9:*133–134.

Bowen RC, Cipywnyk D, D'Arcy C, Keegan DL (1984): Types of depression in alcoholic patients. Canadian Medical Association Journal *130:*869–874.

Boyd JH, Burke JD Jr, Gruenberg E (1984): Exclusion criteria of DSM-III: a study of co-occurrence of hierarchy-free symptoms. Archives of General Psychiatry *41:*983–989.

Hodgson R (1994): The treatment of alcohol problems. Addiction *89:*1529–1534.

Jellinek EM (1960): The disease concept of alcoholism. College University Press, New Haven.

Königsberg HW, Kaplan RD, Gilmore MM, Cooper AM (1985): The relationship between syndrome and personality disorder in DSM-III: experience with 2462 patients. American Journal of Psychiatry *142:* 207–212.

Krausz M, Müller-Thomsen T (Hrsg., 1994): Komorbidität – Therapie von psychischen Störungen und Sucht, Konzepte für Diagnostik, Behandlung und Rehabilitation. Lambertus, Freiburg.

Küfner H, Feuerlein W, Flohrschütz T (1986): Die stationäre Behandlung von Alkoholabhängigen: Merkmale von Patienten und Behandlungseinrichtungen, katamnestische Ergebnisse. Suchtgefahren *32:* 1–86.

Mulhaney JA, Trippet CJ (1979): Alcohol dependence and phobias: clinical description and relevance. British Journal of Psychiatry *135:*565–573.

Regier DA, Farmer M, Rae DS, Locke BZ, Keith SJ, Judd LL (1990): Comorbidity of mental disorders with alcohol and drug abuse – results from the Epidemiologic Catchment Area (ECA) Study. Journal of the American Medical Association *264:*2511–2518.

Weissman MM, Myers JK, Harding PS (1980): Prevalence and psychiatric heterogeneity of alcoholism in a United States urban community. Journal of Studies on Alcohol *41:*672–681.

6. Schizophrenien und wahnhafte Störungen

Wolfgang Gaebel

Die hier zusammengefaßte Gruppe von Erkrankungen (ICD-10: Kategorien F20–F29; vgl. Tabelle 6.1) ist durch typische, wenngleich nicht pathognomonische psychopathologische Symptome und Symptomkombinationen sowie Verlaufsbesonderheiten charakterisiert.

Ätiopathogenetisch ist ihre Zusammengehörigkeit unbewiesen, am wahrscheinlichsten ist eine ätiologische Heterogenität mit gemeinsamer pathogenetischer Endstrecke anzunehmen. Mit den heute verfügbaren mehrdimensionalen Therapiemöglichkeiten ist der Verlauf – abhängig von der Primärprognose – in der Mehrzahl der Fälle günstig beeinflußbar.

6.1. Schizophrene Störungen

6.1.1. Definition und Deskription

Schizophrene Störungen kommen in allen Kulturen vor. Das durchschnittliche **Erkrankungsrisiko** (Lebenszeitrisiko) der Bevölkerung liegt ohne Geschlechtsbevorzugung bei etwa 1%. Ein klarer Trend zur Zu- oder Abnahme der Erkrankungshäufigkeit ist nicht zu erkennen.

Der **Krankheitsbegriff** »Schizophrenie« geht auf E. Bleuler [1911] zurück. Er kennzeichnete die psychopathologische Besonderheit der Erkrankung als eine »Spaltung der verschiedensten psychischen Funktionen«.

Im Gegensatz zur Konzeption einer »Gruppe der Schizophrenien«, mit der Bleuler die ätiologische und prognostische Heterogenität des Krankheitsbilds andeuten wollte, hat Kraepelin [1896] das Krankheitsbild der »Dementia praecox« als eigenständige nosologische Einheit mit überwiegend ungünstigem Verlaufsausgang aufgefaßt und den manisch-depressiven (affektiven) Erkrankungen (vgl. Kapitel 7) gegenübergestellt. Tatsächlich ist die Grenzlinie zwischen diesen beiden Hauptgruppen »endogener« oder »funktioneller« Psychosen fließend: Ob es zwischen schizophrenen und affektiven Psychosen eine Übergangsreihe gibt, ist bis heute nicht schlüssig entschieden. Das Fehlen einer bimodalen Verteilung im Symptombild sowie überlappende Familienbefunde (trotz deutlicher Homotypie gemeinsames familiäres Vorkommen von schizophrenen und affektiven Psychosen) legen eine »Kontinuumshypothese« nahe, wobei die schi-

Tabelle 6.1. Schizophrenie, schizotype und wahnhafte Störungen (ICD-10)

F20	**Schizophrenie**
F20.0	Paranoide Schizophrenie
F20.1	Hebephrene Schizophrenie
F20.2	Katatone Schizophrenie
F20.3	Undifferenzierte Schizophrenie
F20.4	Postschizophrene Depression
F20.5	Schizophrenes Residuum
F20.6	Schizophrenia simplex
F20.8	Andere
F20.9	Nicht näher bezeichnete
F21	**Schizotype Störung**
F22	**Anhaltende wahnhafte Störungen**
F23	**Vorübergehende akute psychotische Störungen**
F24	**Induzierte wahnhafte Störungen**
F25	**Schizoaffektive Störungen**
F28	**Andere nichtorganische psychotische Störungen**
F29	**Nicht näher bezeichnete nichtorganische Psychose**

zoaffektiven Psychosen (vgl. Abschnitt 6.4) ein mögliches Bindeglied darstellen. In gleicher Weise stellt sich die Frage nach den Grenzen zwischen schizophrener Psychose und psychischer Normalität. Familienuntersuchungen zeigen, daß Angehörige Schizophrener, die selbst (noch) keine akute psychiatrische Störung zeigen, gehäuft schizotype Persönlichkeitsstörungen aufweisen. Diese Befunde legen die Vermutung nahe, daß die manifeste schizophrene Erkrankung die Extremvariante einer kontinuierlich ausgeprägten psychopathologischen Dimension darstellt, die bereits bei den Angehörigen angelegt ist.

6.1.1.1. Psychopathologisches Bild

Fast alle psychischen Funktionen können – bei verfeinerter experimentalpsychologischer Untersuchungstechnik – als mitbetroffen gelten; in der Regel sind aber Bewußtsein, Intelligenz, Orientierung und Gedächtnis klinisch nicht beeinträchtigt.

Bei voller Symptomausprägung stehen Störungen der folgenden Funktionen im Vordergrund des psychopathologischen Bildes:
1. Konzentration und Aufmerksamkeit.
2. Inhaltliches und formales Denken.
3. Ich-Funktionen.
4. Wahrnehmung.
5. Intentionalität.
6. Affektivität und Psychomotorik.

Störungen der Funktionen 2–4 werden zusammenfassend auch als Produktiv-, Plus- oder **Positivsymptomatik**, der Funktionen 5 und 6 als Defizit-, Minus- oder **Negativsymptomatik** bezeichnet, während Funktionsstörungen der Gruppe 1 in der Zuordnung uneinheitlich gehandhabt werden.

Die – anhand psychopathologischer Rating-Skalen auch quantifizierend mögliche – Beschreibung schizophrener Störungen ist mit diesen beiden Symptomgruppen allerdings nicht ausgeschöpft. Strauss et al. [1974] haben eine Symptomtriade aus Positiv-, Negativ- und sozialer Symptomatik herausgestellt. Neuere multivariate Symptomanalysen zeigen, daß die Symptomatik nur anhand von mindestens drei Dimensionen adäquat zu erfassen ist [Liddle, 1987], die im Verlauf in verschiedener Weise prävalieren und sich kombinieren können.

Bleuler unterscheidet zwischen für die Schizophrenie charakteristischen und dauerhaft vorhandenen **Grundsymptomen** einerseits sowie **akzessorischen,** d.h. zeitweilig auftretenden Symptomen anderseits. Zu ersteren zählen Assoziations- und Affektivitätsstörungen sowie Ambivalenz und Autismus (»4 A«). Letztere sind vor allem produktive Symptome, wie Sinnestäuschungen, Wahnideen, Ich-Störungen, Veränderungen von Sprache und Schrift, vegetative und katatone Symptome (Katalepsie, Stupor, Hyperkinesien, Stereotypien, Manierismen, Negativismus, Befehlsautomatie, Echopraxie und Automatismen).

Erfahrene Kliniker haben immer das eigentümliche bizarre Ausdrucksverhalten Schizophrener betont, das ein diagnostisch wegleitendes »Praecoxgefühl« auslösen kann. Auch wenn dies zur klinischen Diagnosenstellung nicht ausreicht, haben neuere Untersuchungen Besonderheiten Schizophrener hinsichtlich Blickverhalten, Mimik, Gestik, Körperhaltung und Sprechverhalten objektivieren können, die für deren sozialkommunikative Defizite mitverantwortlich sind.

Von besonderer Bedeutung für die Diagnosenstellung ist das Vorhandensein der **Symptome 1. Ranges** (weniger der 2. Ranges) nach K. Schneider [1971]. Sie haben – wenngleich prognostisch unspezifisch – aufgrund ihrer begrifflichen Klarheit und reliablen Erfaßbarkeit Eingang in die meisten internationalen Diagnosensysteme gefunden. Ihr Auftreten wird als schizophrenietypisch betrachtet, sofern eine andersartige organische Krankheitsursache ausgeschlossen werden kann (vgl. Tabelle 6.2).

Allerdings ist auch diese Symptomatik für das Vorliegen eines – seiner Art nach unbekannten – schizophrenen Krankheitsprozesses nicht beweisend. Bleulers Unterscheidung von primären – auf den hypothetischen Krankheitsprozeß zurückgehenden – und sekundären – durch Krankheitsverarbeitung entstandenen – Symptomen hat sich nicht durchsetzen können. Andererseits ist die Suche

Tabelle 6.2. Schizophrenie-Symptome 1. und 2. Ranges [nach K. Schneider, 1971]

Symptome 1. Ranges	Symptome 2. Ranges
Dialogische Stimmen	Sonstige akustische Halluzinationen
Kommentierende Stimmen	Halluzinationen auf anderen Sinnesgebieten
Gedankenlautwerden	Wahneinfälle
Leibliche Beeinflussungserlebnisse	Ratlosigkeit
Gedankeneingebung	Verstimmungen
Gedankenentzug	Erlebte Gefühlsverarmung
Gedankenausbreitung	
Gefühl des Gemachten	
Wahnwahrnehmungen	

nach einer in allen Krankheitsstadien nachweisbaren **Basisstörung** weiterhin forschungsbestimmend.

Unter der genannten psychopathologischen Symptomkonstellation leidet die Einheit und Individualität der Person, ihre intelligente Planungs- und Handlungsfähigkeit, ihre Entscheidungsfreiheit sowie ihre Kommunikations- und Kontaktfähigkeit. Oft ist – zumindest in akuten Krankheitsstadien und bei chronisch-produktiven Verläufen – die Krankheitseinsicht aufgehoben. Im Krankheitsverlauf kann es zur zunehmenden Einschränkung von sozialer Kompetenz und kognitiver Leistungsfähigkeit kommen, die aber weder nach Art noch Ausmaß der Definition einer Demenz entspricht. Nicht selten sind diese Defizite als »Negativsymptomatik« bereits jahrelang vor der Erstmanifestation der Erkrankung – schwer abgrenzbar gegen Besonderheiten der prämorbiden Persönlichkeit – als »vorauslaufender Defekt« nachweisbar. Die voll ausgeprägte akute Wahnsymptomatik mit Wahneinfällen und Wahngedanken entwickelt sich häufig relativ rasch aus einer diffusen Wahnstimmung über eine Phase mit abnormem Bedeutungsbewußtsein und Wahnwahrnehmungen. Diese **Phasen der Symptomentwicklung** – von Conrad [1958] mit den Begriffen »Trema«, »Apophänie« und »Apokalypse« belegt – finden sich vor allem bei foudroyant verlaufenden Ersterkrankungen. Oft gehen unspezifische **Prodromalsymptome** (z.B. Konzentrationsstörungen, Schlaflosigkeit, Nervosität) einer Symptomexazerbation unmittelbar voraus und führen den (nach Mehrfacherkrankung erfahrenen) Patienten rechtzeitig einer Behandlung zu.

6.1.1.2. Diagnose

Die Diagnose »Schizophrenie« ist phänomenologisch. Sie beruht auf einer definitorischen Konvention zur psychopathologischen Befundkonstellation – ein wie auch immer gearteter »Test«, mit dem die Diagnose objektiv zu

Tabelle 6.3. Diagnostische Leitlinien der ICD-10

Erforderlich für die Diagnose »Schizophrenie« ist mindestens ein eindeutiges Symptom (zwei oder mehr, wenn weniger eindeutig) der Gruppen 1–4 oder mindestens zwei Symptome der Gruppen 5–8. Diese Symptome müssen fast ständig während eines Monats oder länger deutlich vorhanden gewesen sein. Bei eindeutiger Gehirnerkrankung, während einer Intoxikation oder während des Entzugs soll keine Schizophrenie diagnostiziert werden.

1. Gedankenlautwerden, Gedankeneingebung oder Gedankenentzug, Gedankenausbreitung.
2. Kontrollwahn, Beeinflussungswahn, Gefühl des Gemachten bezüglich Körperbewegungen, Gedanken, Tätigkeiten oder Empfindungen; Wahnwahrnehmungen.
3. Kommentierende oder dialogische Stimmen, die über den Patienten und sein Verhalten sprechen, oder andere Stimmen, die aus einem Körperteil kommen.
4. Anhaltender, kulturell unangemessener und völlig unrealistischer Wahn, wie der, eine religiöse oder politische Persönlichkeit zu sein, übermenschliche Kräfte und Möglichkeiten zu besitzen (z.B. das Wetter kontrollieren zu können oder im Kontakt mit Außerirdischen zu sein).
5. Anhaltende Halluzinationen jeder Sinnesmodalität, begleitet entweder von flüchtigen oder undeutlich ausgebildeten Wahngedanken ohne deutliche affektive Beteiligung, oder begleitet von anhaltenden überwertigen Ideen, oder täglich für Wochen oder Monate auftretend.
6. Gedankenabreißen oder Einschiebungen in den Gedankenfluß, was zu Zerfahrenheit, Danebenreden oder Neologismen führt.
7. Katatone Symptome, wie Erregung, Haltungsstereotypien oder wächserne Biegsamkeit (Flexibilitas cerea), Negativismus, Mutismus und Stupor.
8. »Negative« Symptome, wie auffällige Apathie, Sprachverarmung, verflachte oder inadäquate Affekte (dies hat zumeist sozialen Rückzug und ein Nachlassen der sozialen Leistungsfähigkeit zur Folge). Es muß sichergestellt sein, daß diese Symptome nicht durch eine Depression oder eine neuroleptische Medikation verursacht werden.

Retrospektiv kann möglicherweise eine Prodromalphase identifiziert werden, in der Symptome und Verhaltensweisen, wie Interesseverlust an der Arbeit, an sozialen Aktivitäten, am persönlichen Erscheinungsbild und an der Körperhygiene, zusammen mit generalisierter Angst, leichter Depression und Selbstversunkenheit dem Auftreten psychotischer Symptome Wochen oder sogar Monate vorausgehen können. Wegen der Schwierigkeit, den Beginn festzulegen, bezieht sich das Zeitkriterium von 1 Monat nur auf die aufgelisteten spezifischen Symptome und nicht auf die nichtpsychotische Prodromalphase.

sichern wäre, existiert bisher nicht. Die heute verwendeten operationalen Diagnosensysteme (z.B. RDC, DSM-IV, ICD-10), die weitgehend atheoretisch und deskriptiv orientiert sind, behalten die alte nosologische Einteilung in schizophrene und affektive Psychosen bei. Tabelle 6.3 zeigt die **psychopathologischen Kriterien und Regeln** für die Diagnostik der Schizophrenie nach ICD-10.

Schizophrenieähnliche Zustandsbilder werden auch bei (Temporallappen-)Epilepsien, anderen primären oder sekundären Hirnkrankheiten (z.B. Hirntumoren, infektiösen, vaskulären oder degenerativen Erkrankungen) sowie bei Drogenintoxikationen (z.B. Kokain, PCP) beobachtet und müssen daher ebenso wie die im folgenden dargestellten anderen wahnhaften Störungen (Abschnitt 6.2ff.) **differentialdiagnostisch** ausgeschlossen werden. Die **Diagnostik vor allem bei Erstmanifestationen** umfaßt daher einen ausführlichen psychopathologischen und neurologischen Befund sowie (Fremd-)Anamnese Routinelabor, Drogen-Screening, Liquor, neuropsychologische Testung, EEG, CCT, eventuell evozierte Potentiale, Magnetresonanztomographie sowie Hirndurchblutungsmessung.

6.1.1.3. Diagnostische Untergruppen

Bleuler [1911] hat mit der »**Gruppe**« **der Schizophrenien** deren phänomenologische und prognostische Heterogenität kennzeichnen wollen. Seither wurde versucht, die verschiedensten Unterformen abzugrenzen. Die **klassischen Unterformen** der paranoiden, hebephrenen und katatonen Schizophrenie sowie der Schizophrenia simplex, die auch in der ICD-10 vertreten sind (vgl. Tabelle 6.1), finden sich im klinischen Krankengut in unterschiedlicher Häufigkeit; die paranoide Form überwiegt bei weitem mit etwa zwei Dritteln der Fälle. Sie stellen klinische Prägnanztypen dar, die sich am psychopathologischen Querschnittbefund und an Verlaufsbesonderheiten orientieren, ohne daß ihnen eine sichere ätiologische Eigenständigkeit oder Verlaufsspezifität zuzuschreiben wäre. Allerdings finden sich Hinweise auf eine intrafamiliäre Homotypie des jeweiligen Prägnanztyps.

Die **paranoide** (paraphrene) Schizophrenie ist durch Wahnvorstellungen verschiedenster Art und vorwiegend akustische Halluzinationen (Phoneme, Akoasmen) gekennzeichnet, während Störungen des formalen Denkens, der Stimmung, des Antriebs, der Sprache sowie katatone Phänomene nicht im Vordergrund stehen. Es werden alle Verlaufsformen beobachtet.

Bei der **hebephrenen** Schizophrenie stehen Affekt-, Antriebs- und formale Denkstörungen im Vordergrund, der Krankheitsbeginn liegt zwischen dem 15. und 25. Lebensjahr, die Verlaufsprognose ist ungünstig.

Charakteristisch für **katatone** Schizophrenien sind psychomotorische Störungen, die zwischen Erregung und Stupor wechseln können. Die Diagnose ist nur zu stellen, wenn die allgemeinen diagnostischen Kriterien der Schizophrenie erfüllt (vgl. Tabelle 6.3) und entsprechende katatone Symptome nachweisbar sind (vgl. 6.1.1.1). Eine »perniziöse« oder »letale« Form der Katatonie liegt vor, wenn ein extremer Stupor mit Hyperthermie und vegetativer Dysregulation einhergeht. Differentialdiagnostisch müssen bei allen katatonen Formen primäre Gehirnerkrankungen, Stoffwechselstörungen oder Intoxikationen ausgeschlossen werden. Die Verlaufsprognose ist eher günstig.

Die **Schizophrenia simplex** ist durch einen blanden Verlauf mit progredienter Negativsymptomatik, zunehmenden Verhaltensauffälligkeiten und sozialer Desintegration bis zur Nichtseßhaftigkeit gekennzeichnet. Die Diagnosenstellung ist schwer und daher nur sehr zurückhaltend zu stellen.

Darüber hinaus können nach ICD-10 weitere Untergruppen abgegrenzt werden. Die **undifferenzierte** (atypische) Form der Schizophrenie wird diagnostiziert, wenn keine der beschriebenen Unterformen zutrifft oder Merkmale verschiedener Unterformen vorliegen. Eine **postschizophrene Depression** liegt vor, wenn sich im Anschluß an eine akute schizophrene Erkrankung eine depressive Episode entwickelt, in der die schizophrene Symptomatik zurücktritt, aber noch vorhanden ist. An der Entstehung dieser postremissiven »Erschöpfungsdepression« können morbogene, psychogene und pharmakogene Faktoren beteiligt sein. Häufig ist allerdings in diesem Krankheitsstadium die Abgrenzung von depressiver Symptomatik, schizophrener Negativsymptomatik und medikamentös induzierter Hypokinesie schwierig. Es muß mit erhöhtem Suizidrisiko gerechnet werden. Ein **schizophrenes Residuum** wird diagnostiziert, wenn sich nach mindestens einer früheren akuten Episode ein chronisches Bild mit ausgeprägter Negativsymptomatik entwickelt.

Die differenzierteste Form einer Aufteilung der endogenen Psychosen und ihrer Subtypisierung stammt von Leonhard [1986]. Er unterscheidet anhand von Psychopathologie, Verlaufsprognose und Familienbild phasische und zykloide Psychosen sowie unsystematische und systematische Schizophrenien. Letztere – als Schizophrenien im engeren Sinne mit zugrundeliegender »Systemkrankheit« aufgefaßt – werden weiter in einfach systematische und kombiniert systematische Formen gegliedert. Besonders differenziert in Anlehnung an die Schule von Wernicke und Kleist ist seine Aufteilung der Katatonien in parakinetische, manierierte, proskinetische, negativistische, sprechbereite und sprachträge Formen. Reliabilität und Validität dieser Aufteilung sind allerdings empirisch unzureichend belegt.

Daneben findet sich eine Reihe weiterer Subtypologien – meistens Dichotomien –, die im Hinblick auf eine unterschiedliche Symptomatik, Verlaufsprognose und Primärpersönlichkeit (z.B. »process vs. reactive«, »paranoid vs. nonparanoid«, »good vs. poor prognosis«, »good vs. poor premorbid«) beschrieben wurden. Das Bemühen, Unterformen abzugrenzen, wird aber nicht nur durch die psychopathologische, sondern auch durch die auf anderen Untersuchungsebenen (z.B. Neuropsychologie, Neurobiochemie, Morphologie, Genetik) nachweisbare Heterogenität des Krankheitsbilds gestützt. Eine neuere Subtypologie, wonach eine **Typ-I-** von einer **Typ-II-Form der Schizophrenie** unterschieden wird [Crow, 1985], geht von einer unterschiedlichen Prävalenz von Positiv- und Negativsymptomatik (Affektverflachung, Sprechverarmung) im klinischen Bild aus und versucht diese durch korrespondierende Befunde (Verlauf, Therapieansprechen, Biochemie, Morphologie) zu untermauern (Tabelle 6.4).

Patienten mit prognostisch eher ungünstiger Negativsymptomatik zeigen häufiger hirnmorphologische Abweichungen, anamnestisch finden sich öfter

Tabelle 6.4. Modifiziertes Typ-I- und Typ-II-Konzept [Crow, 1985]

Kriterien	Typ I	Typ II
Charakteristische Symptomatik	positiv	negativ
Neuroleptika-Response	gut	schlecht
Verlaufsausgang	potentiell reversibel	irreversibel
Intellektuelle Beeinträchtigung	fehlend	manchmal vorhanden
Unwillkürliche Bewegungsstörungen	fehlend	manchmal vorhanden
Postulierter pathologischer Prozeß	erhöhte D2-Rezeptor-Dichte	Zellverlust in Temporallappenstrukturen

Perinatalkomplikationen. Übergänge im psychopathologischen Quer- und Längsschnitt lassen allerdings an der Validität dieser Subtypologie Zweifel aufkommen.

6.1.2. Ätiologie und Pathogenese

Wie bei den meisten anderen psychiatrischen Erkrankungen auch, wird heute von einer **multifaktoriellen Genese** schizophrener Störungen ausgegangen. Dies bedeutet, daß hinsichtlich dispositioneller, auslösender, unterhaltender und chronifizierender Bedingungen neurobiologische, psychologische und soziale Teilfaktoren berücksichtigt werden müssen [Engel, 1980].

Auf der Ebene prädisponierender biologischer Krankheitsfaktoren werden z.B. traumatisch oder infektiös bedingte **Prä- oder Perinatalschäden** sowie vor allem **genetische Faktoren** diskutiert, die in einer frühen Phase mit der Hirnentwicklung interferieren und zu einem »neurointegrativen Defizit« führen können; erworben oder vererbt wird nicht die Krankheit selbst, sondern die Krankheitsdisposition oder **Vulnerabilität**. In der Anamnese von Schizophrenen findet sich eine höhere Rate von Schwangerschafts- und Geburtskomplikationen. Auf eine mögliche **infektiöse Genese** weisen Befunde eines höheren Erkrankungsrisikos bei Kindern von Müttern, die in der Schwangerschaft einer Influenzaepidemie ausgesetzt waren; indirekte Hinweise ergeben sich aus dem Befund, daß Schizophrene im Vergleich zur Normalbevölkerung häufiger in den kalten (und zu viralen Infekten disponierenden) Wintermonaten geboren wurden. Für eine **genetische Disposition** ergeben sich klare Hinweise aus den Familienbefunden, vor allem aber aus Zwillings- und Adoptionsstudien. Das Erkrankungsrisiko ist in betroffenen Familien deutlich höher als in der Allgemeinbevölkerung; bei einem erkrankten Elternteil liegt das Erkrankungsrisiko des Kindes bei 10–12%, bei beiden erkrankten Eltern bei 40%. Die Konkordanzraten zweieiiger Zwillinge liegen bei 12–15%, die (auch getrennt aufgewachsener) eineiiger Zwillinge bei 45–50%; die fehlende 100%ige Penetranz ist als Hinweis auf die Wirksamkeit von Umweltfaktoren zu werten. Wie Adoptionsstudien zeigen, weisen adoptierte Kinder mit einem schizophrenen biologischen Elternteil ein vergleichbares Erkrankungsrisiko (10–12%) auf wie nichtadoptierte Kinder, während sich bei Kindern nichtaffizierter Eltern, die bei einem nichtbiologischen schizophrenen Elternteil aufwachsen, kein erhöhtes Risiko findet. Am wahrscheinlichsten ist ein polygener Vererbungsmodus. Daneben kommen bei einem kleineren Anteil monogene Vererbung, aber auch rein exogen verursachte Krankheitsfälle (Phänokopien) vor. Das Krankheitsbild »Schizophrenie« ist am ehesten als Ergebnis einer gemeinsamen pathogenetischen Endstrecke aufzufassen, in die verschiedene Krankheitsursachen einmünden [Propping, 1989].

Zu einer früh erworbenen Disposition müssen allerdings weitere Faktoren hinzutreten, um – auf dem Boden einer abnormen psychobiologischen Entwicklung – die spätere Krankheitsmanifestation in Gang zu setzen. Wie retrospektive Untersuchungen und prospektive »High-risk«-Studien (an Kindern mit einem schizophrenen Elternteil) zeigen, ist bereits in frühester Kindheit das **motorische und sozialkommunikative Verhalten** späterer Schizophrener auffällig gestört, was offensichtlich zur Entwicklung einer gestörten prämorbiden Persönlichkeit mit unter anderem abnormem Interaktionsstil beiträgt. Die aus psychoanalytischer, informations- und kommunikationstheoretischer sowie rollentheoretischer Perspektive beschriebenen **familiären Interaktionsstörungen** finden hier zum Teil ihre Erklärung, müssen anderseits aber auch vor dem Hintergrund betrachtet werden, daß sich unter den Angehörigen Schizophrener selbst gehäuft sogenannte Spektrumfälle mit abnormen Verhaltensweisen finden. Das schuldzuweisende Konzept der »schizophrenogenen Mutter« gilt allerdings als überholt. Empirisch besser belegt sind Befunde, wonach Schizophrene aus Familien mit »high expressed emotions«, d.h. emotionalem Überengagement und erhöhtem Kritikverhalten, ein höheres Rückfallrisiko als solche aus Familien mit »low expressed emotions« haben. Auch hier spielen aber offensichtlich Schwere der Erkrankung und früher Beginn eine das Familienklima mitkonstellierende Rolle. Für den Zeitpunkt der psychotischen Erstmanifestation – meist im frühen Erwachsenenalter – wird neben **altersspezifischen Individuations- und Rollenkonflikten** als potentiellen Stressoren (z.B. Ablösung vom Elternhaus, Kontakt zum anderen Geschlecht) die zum Abschluß kommende **Ausreifung psychoserelevanter Hirnsysteme** (vor allem dopaminerges System) verantwortlich gemacht. Das schließliche Auftreten psychotischer Symptomatik kann psychophysiologisch als Ausdruck einer **sensorischen Filterstörung** mit Reizüberflutung, Überlastung und Zusammenbruch informationsverarbeitender Prozesse auf dem Boden einer (partiell) reversiblen Desintegration neuronaler Funktionssysteme verstanden werden.

Tabelle 6.5. Disziplinen der Schizophrenieforschung [NIMH, 1988]

Klinische Phänomenologie	Immunologie, Virologie
Experimentelle Verhaltensforschung	Genetik
Neurochemie, Neuropharmakologie	Behandlung, Versorgung, Umgebungsfaktoren
Neuroimaging, Neuropathologie	

Eine **biologisch orientierte psychiatrische Forschung** zielt im gegenwärtigen Stadium darauf ab, die klinisch-psychopathologische Beschreibungsebene schizophrener Störungen – den »Phänotyp« – um die Ebenen neurobiologischer Indikatoren und Determinanten – den »Biotyp« – zu erweitern und mit den als ätiologisch relevant postulierten (z.B. genetischen) Determinanten in Beziehung zu setzen. Derartige biologische »Marker«, besonders wenn sie als »trait-marker« zu allen Stadien des Krankheitsverlaufs – und nicht als »state-marker« nur in akuten Krankheitsepisoden – sowie bei klinisch gesunden Blutsverwandten nachweisbar sind, gelten als mögliche Indikatoren der Krankheitsvulnerabilität. Einer künftig denkbaren Einbeziehung derartiger Merkmale in die diagnostische Klassifikation stehen derzeit noch Fragen wie die nach der nosologischen Spezifität entgegen.

Bezüglich der mit verschiedenen Forschungsdisziplinen (Tabelle 6.5) und angemessenen Forschungsstrategien [Gaebel und Maier, 1993] untersuchten pathogenetisch relevanten Merkmale, von denen einige Kandidaten für »trait-marker« sind, hat sich der Wissensstand in den letzten Jahren erheblich erweitert [Kovelmann und Scheibel, 1986; Szymanski et al., 1991].

- Auf der Ebene des **objektivierbaren Verhaltens** und der **psychologischen Leistung** unter standardisierten Stimulusbedingungen zeigt ein Teil der schizophrenen Patienten z.B. Störungen der langsamen Augenfolgebewegungen (»smooth pursuit eye movements«) und der kontinuierlichen Aufmerksamkeit (»Continuous Performance Test«, CPT). In neuropsychologischen Tests, die frontale Hirnfunktionen erfassen (z.B. »Wisconsin Card Sorting Test«, WCST), weisen sie charakteristische Fehler auf.
- **Elektrophysiologische Auffälligkeiten** finden sich z.B. in der elektrodermalen Aktivität als Indikator einer gestörten autonomen Orientierungsreaktion (z.B. Hyporesponsivität auf Stimuli), aber auch im EEG (z.B. erhöhte frontale Theta-/Delta-Aktivität) und in den evozierten Potentialen (z.B. flachere P300-Welle) als Indikatoren gestörter Aufmerksamkeits- und Informationsverarbeitungsprozesse.
- Verschiedenste **neurobiochemische, neuroendokrinologische und immunologische Abweichungen** sind berichtet worden. Das Vorkommen durch Psychotomimetika (Halluzinogene) induzierbarer »Modellpsychosen« stützt die bio-

chemische Hypothese einer gestörten Transmitterfunktion. Am bekanntesten ist die Dopaminhypothese der Schizophrenie, die im wesentlichen durch die (antidopaminerge) Wirkweise der Neuroleptika, eine erhöhte Plasmakonzentration der Homovanillinmandelsäure (des Dopaminhauptmetaboliten) und eine veränderte zerebrale Dopaminrezeptordichte post mortem gestützt wird. Eine in ihren Ursachen (genetisch?) unbekannte Störung mesokortikaler dopaminerger Bahnsysteme wird für die Hypofunktion des Präfrontalkortexes (klinisches Korrelat: Negativsymptomatik?) verantwortlich gemacht, die wiederum (durch Enthemmung oder Exzitation) zu einer Überaktivität mesolimbischer Bahnen (klinisches Korrelat: Positivsymptomatik?) führen soll [Weinberger, 1987].

- **Hirnfunktionale Veränderungen** sind mit bildgebenden Verfahren in vivo beschrieben worden (Positronenemissionstomograpie, PET). Dazu gehören z.B. Hinweise auf eine Minderdurchblutung bzw. einen Hypometabolismus im Bereich des dorsolateralen Präfrontalkortexes, unter anderem bei neuropsychologischer Testbelastung. Ein Hypometabolismus im Bereich der Basalganglien wird durch Neuroleptika normalisiert. PET-Befunde zur Dichte dopaminerger Rezeptoren sind kontrovers.
- **Morphometrische Hirnveränderungen** sind sowohl in vivo mit bildgebenden Verfahren wie CT und MRT sowie post mortem mit neuropathologischen Methoden beschrieben worden (z.B. vergrößerte Seitenventrikel, erweiterte Sulci und Fissuren, reduziertes Volumen limbischer und paralimbischer Temporallappenstrukturen, aufgehobene physiologische Hemisphärenasymmetrien usw). Die In-vivo-Befunde zeigen offensichtlich keine Verlaufsprogredienz. Daneben sind verschiedene histoarchitektonische Auffälligkeiten beschrieben worden, die auf eine neuronale Anlage- und Entwicklungsstörung hindeuten.

Eine die verschiedenen Einzelbefunde zufriedenstellend integrierende Theorie zur Pathophysiologie, -biochemie und -morphologie schizophrener Störungen liegt bisher nicht vor.

Das **Vulnerabilitäts-Streß-Modell** [Nuechterlein, 1987] stellt eine heuristische Rahmenhypothese dar, die auch bei der Konzeption therapeutischer Ansätze gute Dienste leistet. Sie geht davon aus, daß eine früh erworbene und individuell unterschiedlich ausgeprägte Krankheitsvulnerabilität, für die sich auf den verschiedenen Untersuchungsebenen »Marker« finden lassen, unter dem Einfluß bestimmter Stressoren über verschiedene Zwischenstadien zur akuten Krankheitsmanifestation führt. Über das Auftreten einer derartigen Dekompensation entscheidet auch das Vorliegen psychosozialer protektiver und therapeutischer Faktoren.

Im Rahmen der skizzierten Entwicklung wird sich die künftige diagnostische Eingruppierung schizophrener Störungen als »endogene« oder »funktionelle« Psychosen wandeln. Ihre Gegenüberstellung zu den »organischen«, hirnfunktionell und -strukturell begründbaren Störungen – derzeit unter anderem aus didaktischen Gründen beibehalten – kennzeichnet eine wissenschaftlich überholte Antithese. Struktur und Funktion sind komplementäre Aspekte einer neurobiologischen Perspektive [Reynolds, 1990]. »Funktionelle« Psychosen sind dementsprechend nicht etwa nichtorganische, nur am psychischen »Apparat« zu konstatierende mentale Phänomene, sondern selbstverständlich auch mit hirnfunktionalen und teilweise hirnstrukturellen Störungen einhergehende Erkrankungen. Dementsprechend sind schizophrene Störungen sowohl von ihren Grundstörungen als ihren biologischen Bedingungskonstellationen her konsequent als »Somatosen« konzipiert worden [Huber, 1976].

6.1.3. Therapie

Die Therapie schizophrener Psychosen ist **mehrdimensional** orientiert. Dies bedeutet, daß in allen Versorgungsangeboten biologisch-somatische, psychologisch-psychotherapeutische und soziotherapeutische Aspekte gleichermaßen – wenngleich mit unterschiedlichem Akzent – berücksichtigt werden müssen.

Als Ziel der **Akutbehandlung** steht die Remission oder Suppression von Positivsymptomatik (weniger von Negativsymptomatik) im Vordergrund. Unter optimalen Bedingungen wird eine Wahnkorrektur erreicht. Bei allen psychopathologischen Subtypen ist hier – in der Regel unter stationären Bedingungen – der Einsatz von Neuroleptika indiziert [Kane, 1987], die nach 4- bis 6wöchiger Behandlung bei 60–70% der Fälle zu einer deutlichen Symptomreduktion führen (vgl. Kapitel 15).

Speziell bei der perniziösen lebensbedrohlichen Form des katatonen Stupors ist der Einsatz der Elektrokrampftherapie indiziert, die auch bei anderen therapieresistenten Unterformen – vor allem bei affektiver Begleitsymptomatik – wirksam sein kann (vgl. Kapitel 16).

Die rechtzeitige (somatische) Behandlung einer Erstmanifestation hat einen günstigen Einfluß auf die Langzeitprognose und wirkt Chronifizierungstendenzen entgegen. Auch in der sich an die Akutbehandlung unmittelbar anschließenden (ambulanten) **Langzeitbehandlung** – deren Therapieziele vor allem Rezidivprophylaxe oder anhaltende Symptomsuppression sind – stellen Neuroleptika das therapeutische Basisprinzip dar. Während im Zeitraum von 2 Jahren ohne Neuroleptika bei 80% mit einem Rückfall gerechnet werden muß, kommt es unter Neuroleptika nur bei 40–50% zu einem Rezidiv. Nach klinischen Richtlinien wird nach einer Erstmanifestation eine niedrigdosierte Dauerbehandlung für 1–2 Jahre, nach zwei oder mehr Manifestationen für 3–5 Jahre, unter Umständen lebenslang empfohlen. Die rezidivprophylaktische Neuroleptikawirkung nach einer akuten Exazerbation ist unter kontrollierten Bedingungen bis zu 5 Jahre, kasuistisch über Jahrzehnte gesichert.

Individuelle Reaktionsmuster und unerwünschte Begleitwirkungen der Neuroleptika erfordern ein hinsichtlich Substanzwahl, Kombination, Begleitmedikation und Dosierung differenziertes Vorgehen. Grundsätzlich können Neuroleptika aller verfügbaren Substanzklassen eingesetzt werden (Phenothiazine, Butyrophenone, Thioxanthene, atypische Substanzen).

Allen Neuroleptika ist unter anderem eine Blockade postsynaptischer dopaminerger (D2-)Rezeptoren in verschiedenen Hirnregionen gemeinsam; therapeutisch relevant sind mesolimbische Regionen, während z.B. die Blockade nigrostriataler Bahnsysteme für das Auftreten extrapyramidalmotorischer Nebenwirkungen verantwortlich ist. Noch nicht hinreichend bekannt ist, welche Rolle das substanzspezifische Wirkprofil gegenüber anderen (z.B. serotonergen) Transmittersystemen spielt. Für die klinische Wirksamkeit sind wahrscheinlich nachgeordnete subzelluläre Anpassungsprozesse entscheidend.

Hinsichtlich ihrer **antipsychotischen Potenz** können hoch-, mittel- und niedrigpotente Neuroleptika unterschieden werden (vgl. Kapitel 15); vergleichbare (in Chlorpromazinäquivalente konvertierte) Dosierung vorausgesetzt, sind alle Neuroleptika antipsychotisch gleich wirksam, unterscheiden sich aber im **Nebenwirkungsprofil**: Hochpotente Neuroleptika induzieren häufiger extrapyramidalmotorische Nebenwirkungen (Frühdyskinesien, Parkinsonoid, Akathisie), niedrigpotente Neuroleptika wirken z.B. stark sedierend (und können daher nur bedingt höher dosiert werden). Bei der Wahl einer Substanz sind das jeweilige Wirkungs- und Nebenwirkungsprofil mit dem klinischen Zielsyndrom abzustimmen. Da interindividuell mit erheblichen Reaktionsunterschieden zu rechnen ist, muß unter Einhaltung üblicher Kontrollmaßnahmen (Herz-Kreislauf-Funktion, Blutbild, Leberwerte) bis zum klinischen Wirkungseintritt oral einschleichend aufdosiert werden. Monotherapie ist zu bevorzugen; bei Auftreten früher extrapyramidaler Nebenwirkungen kann mit einem Anticholinergikum (z.B. Biperiden) kombiniert werden. Bei ausbleibendem Therapieerfolg trotz ausreichender Dosierung und gesicherter Compliance sollte frühestens nach 4 Wochen auf ein Neuroleptikum einer anderen Substanzklasse umgesetzt werden. Bei anhaltender Therapieresistenz empfiehlt sich der Einsatz eines atypischen Neuroleptikums (z.B. Clozapin). Nach Symptomremission kann die Dosis vorsichtig reduziert und auf eine niedrige Erhaltungsdosis eingestellt werden, mit der die remissionsstabilisierende oder prophylaktische Langzeitbehandlung weitergeführt wird. In Anbetracht des möglichen Auftretens tardiver Dyskinesien ist mit der vertretbar niedrigsten Dosis zu behandeln.

An **komplementärer nichtpharmakologischer Behandlung** stehen supportive und verhaltensmodifizierende Psychotherapieverfahren in Einzel- oder Gruppenbehandlung im Vordergrund. Der therapeutische Schwerpunkt liegt auf Information (z.B. über Krankheitsmodelle), Edukation (z.B. über Rückfallerkennung und Behandlungsmöglichkeiten, vgl. Kapitel 26), Training (z.B. kognitiver und sozialer Fertigkeiten, vgl. Kapitel 22) und Beratung (z.B. über rehabilitative Möglichkeiten). Aufdeckende Therapieverfahren (analytische Psychotherapie) können zur Symptomprovokation führen und sind nur in Einzelfällen mit modifizierter Technik indiziert. In der Regel empfiehlt sich der Einbezug des familiären Umfelds in Informations-, Edukations- und Beratungsangebote; familientherapeutische Ansätze im eigentlichen Sinn sind zur Modifikation problematischer Interaktionsmuster indiziert (vgl. Kapitel 23). Durch Kombination mit soziotherapeutischen Verfahren können die soziale Integration verbessert und die Rückfallgefahr weiter gesenkt werden. Ein limitierender Faktor ist die oft eingeschränkte **Medikamentencompliance** der Patienten, die unter ambulanten Bedingungen bis zu 50% beträgt. Oft geht sie auf dysfunktionale Krankheits- und Behandlungskonzepte zurück, die therapeutisch zu beeinflussen sind. Daneben kann die Medikamentenapplikation aber auch mit (intramuskulär verabreichten) Depotneuroleptika sichergestellt werden.

Der Einsatz der jeweiligen Therapieverfahren spielt sich im Rahmen eines bestimmten **therapeutischen Settings** ab. Das gegliederte psychiatrische Versorgungssystem Deutschlands ist wesentlich auf die Verlaufsbesonderheiten schizophrener Psychosen abgestellt. Der Einsatz stationärer (psychiatrische Abteilungen und Fachkrankenhäuser, Universitätskliniken), teilstationärer (Tag- und Nachtkliniken), ambulanter (niedergelassene Allgemein- und Nervenärzte) und komplementärer Versorgungsangebote (Übergangswohnheime und beschützende Wohngruppen) ist je nach Krankheitsphase, Verlaufsstadium und Prognose unterschiedlich indiziert (vgl. Kapitel 30). Bei fehlender Krankheitseinsicht und Selbst- oder Fremdgefährdung muß gegebenenfalls vom Instrument der Zwangseinweisung mit Hilfe länderspezifischer Unterbringungsgesetze oder von der Einrichtung einer Betreuung Gebrauch gemacht werden (vgl. Kapitel 31).

Primäre Präventionsmöglichkeiten schizophrener Psychosen sind bisher nicht verfügbar. Im Vordergrund stehen daher sekundäre (Rückfallprophylaxe) und tertiäre **Präventions- und Rehabilitationsmaßnahmen** (soziale Wiedereingliederung und Vermeidung von Chronifizierung). Strukturierung des Tagesablaufs, Ergotherapie (Beschäftigungs- und Arbeitstherapie), Vermittlung lebenspraktischer Fertigkeiten, beschützende Arbeitsplätze oder gestufte berufliche (Wieder-)Eingliederung gehören in diesen Kontext. Bei allen rehabilitativen Ansätzen ist eine individuell angemessene Balance zwischen Über- und Unterstimulation einzuhalten, da andernfalls mit einer Provokation von Positiv- oder Negativsymptomatik gerechnet werden muß [Wing, 1987].

Trotz verbesserter Therapiemöglichkeiten mit Häufigkeitsabnahme und Verkürzung stationärer Aufenthalte sowie verbesserter sozialer Integration sind direkte und indirekte Kosten der Erkrankung erheblich, sie werden in den USA auf jährlich 10–12 Milliarden Dollar geschätzt.

6.1.4. Verlauf und Prognose

Im Verlauf können verschiedene **Krankheitsphasen und -stadien** unterschieden werden. Wochen bis Monate anhaltende Episoden akuter Exazerbationen wechseln mit nicht oder weniger akuten Phasen ab; im Verlauf kann ein akutes in ein chronisches Stadium übergehen. Akute Exazerbationen werden bei remittierendem Verlauf als »Episode«, bei residualem Verlauf als »Schub« bezeichnet. Entsprechend können episodischer und schubförmiger Verlauf unterschieden werden (Abbildung 6.1).

Das **Verlaufsbild** kann nach ICD-10 mit Hilfe der 5. Stelle folgendermaßen klassifiziert werden:

F20.x0 Kontinuierlich
F20.x1 Episodisch, mit zunehmendem Residuum
F20.x2 Episodisch, mit stabilem Residuum
F20.x3 Episodisch remittierend
F20.x4 Unvollständige Remission
F20.x5 Vollständige Remission
F20.x8 Andere
F20.x9 Beobachtungszeitraum weniger als 1 Jahr

Der **Erstmanifestation** können jahrelange unspezifische »pseudoneurotische« Verhaltensauffälligkeiten vorausgehen, die schwer von prämorbiden Persönlichkeitsstörungen abzugrenzen sind und nicht selten zu Fehldiagnosen Anlaß geben. In anderen Fällen kommt es bei bis dahin relativ unauffälligem Verlauf zu einem »Knick in der Lebenslinie«, z.B. mit schulischem Leistungsversagen. Häufig findet sich im Vorfeld Drogenmißbrauch, zum Teil als »Selbstheilungsversuch«, der seinerseits psychoseauslösend sein kann. Dem Krankheitsbeginn können generationsspezifische Konflikte und Krisen als Auslöser vorangehen. Der **Gipfel des Manifestationsalters** liegt im 2.–3. Lebensjahrzehnt (50% vor dem 25. Lebensjahr), es werden aber auch typisch schizophrene Spätmanifestationen im Involutionsalter beobachtet. Männer erkranken durchschnittlich 4 Jahre früher als Frauen [Häfner et al., 1991].

Im günstigen Fall klingt eine akute schizophrene Episode unter der Behandlung völlig ab **(Vollremission)**. Weniger günstige Verläufe sind verschiedene

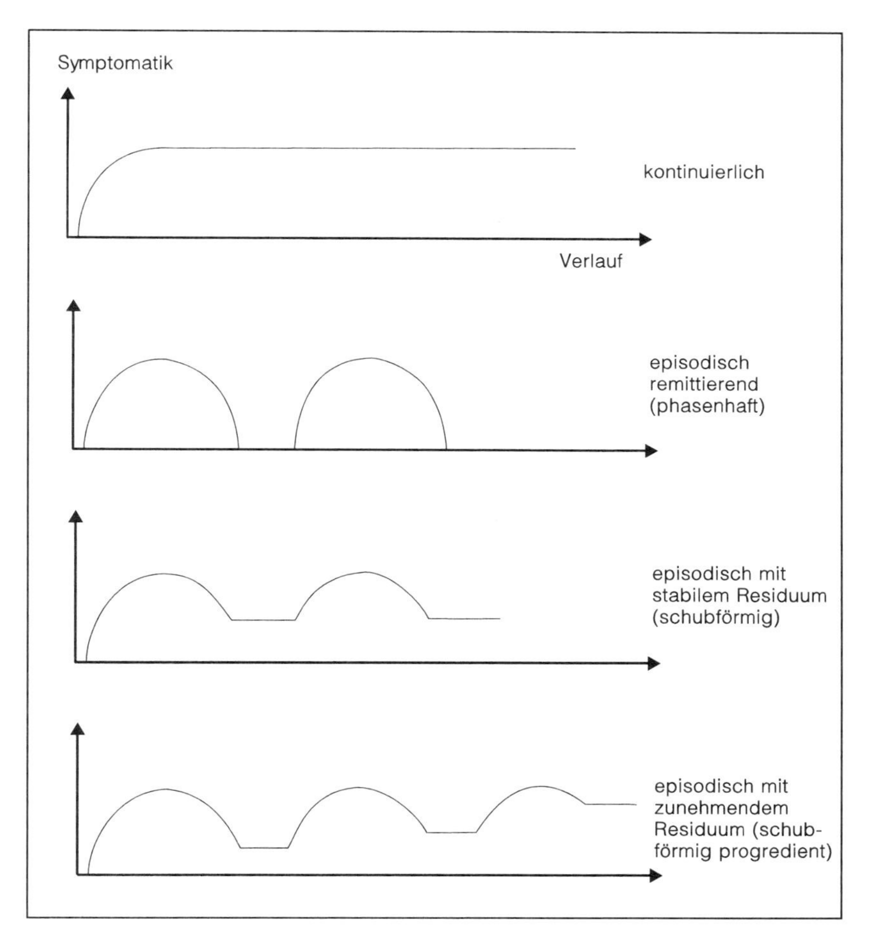

Abb. 6.1. Verlaufstypen schizophrener Psychosen.

Grade von Teilremission, d.h. relative oder absolute Therapieresistenz. In einigen Fällen unterdrücken Neuroleptika auch nur die produktive Symptomatik (**Symptomsuppression**). Die im weiteren Verlauf zu erwartende spontane oder nach Absetzen von Neuroleptika – mit einer Latenz von 3 bis 6 Monaten – beobachtete Rezidivhäufigkeit im ersten Jahr nach einer Akutmanifestation beträgt etwa 60%. Abhängig von der prämorbiden Persönlichkeit, der Remissionsqualität und der längerfristigen Verlaufsprognose ist der Patient im freien Intervall psychopathologisch mehr oder weniger ungestört und sozial integriert.

Während Psychopathologie – vorwiegend Positivsymptomatik – im Vordergrund der Verlaufsbeurteilung des Akutverlaufs steht, spielen im **Langzeitverlauf** vor allem Negativsymptomatik und soziale Kriterien – neuerdings auch die »Lebensqualität« – eine besondere Rolle. Wie sich zeigt, stehen einzelne Beurteilungsdimensionen, wie Symptomatik, Rehospitalisierungen, soziale Kontaktfrequenz und Arbeitsfähigkeit, im Querschnitt nur in mäßigem, im Längsschnitt dagegen in engerem Zusammenhang (»open-linked systems«), so daß ihre unabhängige Beurteilung sinnvoll ist: Ein chronisch halluzinierender Patient kann z.B. arbeitsfähig sein, während ein klinisch asymptomatischer Patient dauerhospitalisiert ist. Global beurteilte Verlaufsausgänge anhand von **Langzeitstudien** (ohne Berücksichtigung therapeutischer Einflüsse) zeigen nach einer durchschnittlichen Verlaufsdauer von 22,4 Jahren folgende Ergebnisse [Huber et al., 1979]: 22% Vollremissionen, 43% uncharakteristische Residuen, 35% charakteristische Residuen, 39% voll erwerbstätig, 22% phasische Verläufe.

Dem entspricht eine **prognostische Daumenregel:** Ein Drittel lebt relativ ungestört, ein Drittel zeigt deutliche Symptome, bleibt aber sozial integriert, ein Drittel ist schwer beeinträchtigt und wird häufig rehospitalisiert, davon sind etwa 10% dauerhospitalisiert. Zur Abschätzung der Verlaufsprognose können verschiedene Prädiktormerkmale herangezogen werden; hierzu zählen auch die jeweiligen diagnostischen Merkmale, die ein Patient erfüllt und die zwischen verschiedenen Diagnosensystemen differieren. Die meisten dieser Merkmale gelten auch als Prädiktoren des Therapieansprechens. Zu den günstigen **Verlaufsprädiktoren** zählen beispielsweise gute prämorbide Persönlichkeit, adäquate soziale Integration und heterosexuelle Anpassung, weibliches Geschlecht, situative Auslösung, akuter Krankheitsbeginn und affektive Begleitsymptomatik. Wie vergleichende epidemiologische Studien ferner zeigen, ist der Verlauf in Entwicklungsländern günstiger als in westlichen Industrienationen sowie in ländlichen besser verglichen mit städtischen Regionen. Hierbei spielen wahrscheinlich kulturspezifische Bewertungsprozesse und sozialökologische Faktoren eine Rolle. Schichtspezifische Manifestations- und Verlaufsbesonderheiten finden sich nicht, allerdings kann es bei ungünstigem Verlauf zum sozialen Abstieg kommen, was die höhere Prävalenz in niedrigeren sozialen Schichten erklärt (Drift-Hypothese). Verlaufsbeeinflussend ist auch die Fähigkeit zur adäquaten Krankheitsverarbeitung sowie zur Krankheits- und Konfliktbewältigung (»coping«). Hierzu gehört auch, daß im Vorfeld einer (Re-)Manifestation vermehrt zu beobachtende kritische Lebensereignisse (»life events«)

angemessen bewältigt werden. Hier spielt – neben psychotherapeutischen Einflußmöglichkeiten – eine verständnisvolle Umgebung ohne größere Konfliktspannung eine Rolle, die diesen Prozeß einschließlich vorgeschlagener therapeutischer Maßnahmen unterstützt (vgl. Kapitel 35).

6.2. Anhaltende wahnhafte Störungen einschließlich »Folie à deux«

Das Gemeinsame der hier zusammengefaßten wahnhaften Störungen (F22 und F24) ist ihre chronische Verlaufstendenz.

6.2.1. Definition und Deskription

Die anhaltenden wahnhaften Störungen sind durch eine langandauernde (mindestens 3 Monate) Wahnbildung charakterisiert, die im Vordergrund des klinischen Bildes steht.

Bei der **wahnhaften Störung** (F22.0), die auch unter Bezeichnungen wie »späte Paraphrenie« oder »Paranoia« bekannt ist, finden sich verschiedene systematisierte Wahnthemen (z.B. Verfolgungswahn, hypochondrischer Wahn, Größenwahn, Querulantenwahn, Eifersuchtswahn oder auch bizarrere Wahnthemen) bei sonst weitgehend unauffälligem psychopathologischem Befund und erhaltener Persönlichkeit. In der Regel liegt der Beginn im mittleren Lebensalter. Auch bei der **induzierten wahnhaften Störung** (F24) handelt es sich um eine chronisch-systematisierte Wahnbildung (zumeist Verfolgungs- oder Größenwahn), die bei zwei – »Folie à deux« – oder mehr Personen mit enger emotionaler Bindung auftritt, wobei eine Person an einer primären Psychose leidet, deren Wahnthematik bei der/den anderen Person(en) induziert ist.

6.2.2. Ätiologie und Pathogenese

Die hier zusammengefaßten Störungen sind ätiopathogenetisch uneinheitlich, ein Bezug zu den schizophrenen Störungen ist nicht gesichert. Lebenssituative (Bedrohung, Trennung, gesundheitliche Einschränkungen, z.B. Schwerhörigkeit), soziale (Kontaktmangel, Minderheitenproblematik) und persönlichkeitsspezifische Determinanten (»sensitiver« Beziehungswahn) spielen vermutlich bei der Wahnentwicklung eine Rolle. Genetisch gibt es Hinweise auf eine erhöhte familiäre Belastung mit schizophrenen Psychosen auch bei der induzierten Person. Charakteristisch für die induzierten wahnhaften Störungen ist der symbiotische Charakter der Beziehung (symbiontische Psychose), in der die wahninduzierte Person meist eine abhängige Position einnimmt. Diese pathogene Konstellation wird durch isolative Tendenzen unterstützt, bei Trennung können Wahnvorstellungen vom induzierten Partner aufgegeben werden.

6.2.3. Therapie

Die Behandlungsmöglichkeiten sind gering, da eine Krankheitseinsicht in der Regel fehlt und die Behandlungsnotwendigkeit vom Patienten nicht anerkannt wird. Gegenüber Neuroleptika sind chronische Wahnformen zudem häufig resistent. Dennoch ist ein (zuweilen hochdosierter) Behandlungsversuch gerechtfertigt, der zumindest eine gewisse Wahnentaktualisierung mit sich bringen kann. Die Einrichtung einer Betreuung mit dem Ziel eines Behandlungsversuchs kann erforderlich werden – hier sind aber Vorteile (Therapieansprechen) und Nachteile (Vertrauensverlust, Wahnverstärkung) abzuwägen. Wesentlich scheint, daß der therapeutische Kontakt zum Patienten auch bei dessen ablehnender Haltung erhalten bleibt, der Behandler sich aber nicht in das Wahnsystem einbeziehen läßt. Im Fall der »Folie à deux« ist die Behandlung des primär erkrankten Partners vordringlich.

6.2.4. Verlauf und Prognose

Der Verlauf ist in der Regel chronisch. Abhängig von der sozialen Konstellation kann sich die Wahnthematik entaktualisieren oder verstärkt hervortreten (Querulantenwahn, Kampfparanoia) und bisweilen zu tragischen Verläufen führen.

6.3. Vorübergehende akute psychotische Störungen

Das verbindende Kriterium dieser Störungsgruppe (F23) ist der auffällig steile zeitliche Gradient, mit dem sich die typische psychopathologische Symptomatik entwickelt und in der Regel auch wieder zurückbildet. Ob darüber hinaus die Annahme einer nosologisch eigenständigen Gruppe gerechtfertigt ist, ist nicht bekannt.

6.3.1. Definition und Deskription

Als **psychotische Störung** wird zunächst deskriptiv das Vorkommen von Halluzinationen, wahnhaften Störungen oder Verhaltensanomalien bezeichnet, zu denen schwere Erregungszustände und Überaktivität, schwerer und anhaltender sozialer Rückzug (nicht infolge von Depression oder Angst) sowie ausgeprägte psychomotorische Hemmungen und katatone Störungen zählen. Alle hier zusammengefaßten psychotischen Störungen entwickeln sich innerhalb von 2 Wochen, zum Teil innerhalb von 48 Stunden.

Die **akute polymorphe psychotische Störung ohne Symptome einer Schizophrenie** (F23.0) ist darüber hinaus durch einen rasch fluktuierenden Verlauf psychotischer und affektiver Symptomatik (z.B. ekstatische Glücksgefühle, Angst, Reizbarkeit), zum Teil von oneiroider (traumähnlicher) Qualität, gekennzeichnet, ohne daß die Kriterien einer Schizophrenie oder einer affektiven Störung erfüllt wären. Bei länger als 3 Monate anhaltender Symptomatik wechselt die Diagnose nach F22 oder F28 (vgl. Abschnitt 6.2 und 6.5). Kombiniert sich dieses Bild mit typisch schizophrener Symptomatik, ändert sich die Diagnose in **akute polymorphe psychotische Störung mit Symptomen einer Schizophrenie** (F23.1); bei über 1 Monat persistierender schizophrener Symptomatik wechselt die Diagnose nach F20 (vgl. Abschnitt 6.1). Eine **akute schizophreniforme psychotische Störung** (F23.2) liegt demgegenüber vor, wenn keines der beiden genannten Diagnosekriterien erfüllt ist, aber während weniger als 1 Monat ständig schizophrene Symptome vorgelegen haben – bei mehr als 1 Monat wird eine Schizophrenie diagnostiziert. Schließlich hält ICD-10 neben der **anderen akuten vorwiegend wahnhaften psychotischen Störung** (F23.3) – als akutes Pendant zur anhaltenden wahnhaften Störung (F22; vgl. Abschnitt 6.2) bzw. zur anderen nichtorganischen psychotischen Störung (F28; vgl. Abschnitt 6.5) – noch zwei weitere Restkategorien vor.

Die von Leonhard [1986] beschriebenen **zykloiden Psychosen** (Angst-Glücks-Psychose, erregt-gehemmte Verwirrtheitspsychose, hyperkinetisch-akinetische Motilitätspsychose) gehören ebenso in diesen Kontext wie die **reaktiven Psychosen** der skandinavischen und das **bouffé delirante** der französischen Psychiatrie.

6.3.2. Ätiologie und Pathogenese

Auch wenn der komplizierte Diagnosenalgorithmus der genannten Störungen eine Gruppe kategorial unterschiedlicher Krankheitsbilder nahezulegen scheint, ist doch eher von einer **Dimensionalität dieser Störungen** auf der Symptom- und Zeitachse auszugehen. Eine erkennbare organische Grundlage liegt nicht vor, differentialdiagnostisch sind vor allem drogeninduzierte Psychosen auszuschließen. Eine akute emotionale Belastung (negativ valent: z.B. Trauerfall, unerwarteter Partnerverlust, Verlust des Arbeitsplatzes, psychische Traumen durch Kriegshandlungen, Terrorismus und Folter, iatrogen nach analytischer Psychotherapie; positiv valent: z.B. Heirat) kann dem Auftreten der Symptomatik im Zeitraum von etwa 2 Wochen vorausgehen; dies findet seinen Niederschlag in Synonyma, wie »paranoide Reaktion«, »reaktive Psychose« oder »schizophrene Reaktion«. Im Hinblick auf das bereits beschriebene Vulnerabilitäts-Streß-Modell könnte diese Gruppe von »reaktiven« Störungen als durch eine höhere Vulnerabilitätsschwelle gekennzeichnet angesehen werden: Atypische psychotische oder typische schizophrene Symptomatik treten erst bei Überschreiten einer gewissen Belastungsschwelle auf, brechen foudroyant in eine bis dato eher unauffällige Persönlichkeit ein und bilden sich ebenso rasch und vollständig wieder zurück. Dieses Modell trifft aber nicht auf die nichtreaktiven Formen zu. Das Vorkommen einer familiären Belastung mit schizophrenen Psychosen auch bei dieser Gruppe von Störungen stellt ihre nosologische Sonderstellung in Frage.

6.3.3. Therapie

Auch wenn spontane Symptomrückbildungen vorkommen, ist eine kurzfristige neuroleptische Behandlung unter stationären Bedingungen indiziert, nicht zuletzt weil das Potential zu Fehlhandlungen aufgrund der Symptomfluktuation schwer abschätzbar und der subjektive Leidenszustand wechselnd ausgeprägt ist. Eine anschließende Langzeitbehandlung ist nicht erforderlich, sofern keine Rezidive auftreten. Bei eindeutiger reaktiver Symptomauslösung sind konfliktzentrierte psychotherapeutische Maßnahmen sowie gegebenenfalls Modifikationen der Lebensführung angezeigt.

6.3.4. Verlauf und Prognose

Verlauf und Prognose dieser Gruppe von Störungen sind definitionsgemäß günstig. Schizophreniforme Psychosen werden als »Randpsychosen« den schizophrenen »Kernpsychosen« gegenübergestellt. Allerdings sind Übergänge in typische Schizophrenien möglich.

6.4. Schizoaffektive Störungen

Kennzeichen der Gruppe episodisch verlaufender schizoaffektiver Störungen (F25) ist das gleichzeitige Vorkommen schizophrener und affektiver Symptomatik. Diese »Mischpsychosen« nehmen demnach eine Zwischenstellung zwischen schizophrenen und affektiven Psychosen ein, ohne daß ihre nosologische Zuordnung eindeutig wäre [Marneros, 1989]. Sie werden daher klassifikatorisch in einer eigenen Gruppe geführt.

6.4.1. Definition und Deskription

Die Konzeption der Mischpsychosen geht auf Kahlbaum [1863] zurück, die Bezeichnung stammt von Kasanin [1933]. Je nach Art der affektiven Begleitsymptomatik werden in der ICD-10 eine **schizoaffektive Störung, gegenwärtig manisch** (F25.0) und eine **schizoaffektive Störung, gegenwärtig depressiv** (F25.1) unterschieden. In beiden Fällen müssen wenigstens ein Symptom, besser zwei typisch schizophrene Symptome eindeutig vorhanden sein (vgl. Tabelle 6.3), die sich gleichzeitig mit manischen (z.B. gehobene Stimmung, Größenideen, Antriebssteigerung) oder depressiven Symptomen (z.B. Interessenverlust, Schuldgefühle, pessimistische Zukunftsperspektive) kombinieren. Bei gleichzeitigem Vorliegen manischer und depressiver Symptomatik oder deren raschem Wechsel wird eine **gemischte schizoaffektive Störung** (F25.2) diagnostiziert.

6.4.2. Ätiologie und Pathogenese

Eine spezifische Ätiopathogenese dieser »Mischpsychosen« ist nicht bekannt. Die Beziehung zu den typischen affektiven und schizophrenen Störungen ist unklar. Genetisch nehmen die schizoaffektiven Psychosen eine gewisse Sonderstellung ein. Unter den Verwandten schizoaffektiver Indexfälle treten sowohl schizoaffektive Psychosen als auch Schizophrenien und affektive Psychosen häufiger auf. Das Morbiditätsrisiko für Psychosen bei Verwandten 1. Grades liegt zwischen 12 und 42%. Möglicherweise handelt es sich um Varianten der Schizophrenien und affektiven Psychosen, die durch genetische oder nichtgenetische Faktoren atypisch geprägt sind. Wahrscheinlich liegt eine heterogene Ätiologie zugrunde.

6.4.3. Therapie

In der Akutphase steht eine neuroleptische Behandlung im Vordergrund. Bei manischer Form ist diese Behandlung ausreichend, bei unzureichender Wirksamkeit gegebenenfalls mit Lithium oder Carbamazepin zu kombinieren; bei depressiver Form kann der zusätzliche Einsatz von Antidepressiva indiziert sein (Zweizügeltherapie). In der Langzeitbehandlung ist bei rezidivierendem Verlauf eine prophylaktische neuroleptische Langzeitmedikation oft ausreichend. Bei Überwiegen von affektiver Symptomatik ist die alleinige Behandlung oder Kombination mit Lithium, Carbamazepin oder Valproat indiziert.

6.4.4. Verlauf und Prognose

Entsprechend der alten Prognoseregel, daß die Beimengung affektiver Symptomatik eine bessere Verlaufsprognose schizophrener Störungen erwarten läßt, weisen schizoaffektive Störungen günstigere Verläufe als rein schizophrene Störungen auf. Ihr Verlaufsausgang liegt zwischen dem schizophrener und affektiver Störungen. Innerhalb der Gruppe schizoaffektiver Störungen zeigen Patienten mit überwiegend manischer im Vergleich zu depressiver Begleitsymptomatik eher einen phasenhaften Verlauf mit vollständiger Remission und seltenerer Entwicklung residualer Verläufe.

6.5. Andere psychotische Störungen

Diese Restkategorien (F28 und F29) fassen anderweitig nicht klassifizierbare Störungen zusammen.

6.5.1. Definition und Deskription

Die **anderen nichtorganischen psychotischen Störungen** (F28) sowie die **nicht näher bezeichnete nichtorganische Psychose** (F29) sind im wesentlichen Ausschlußdiagnosen für Fälle, die die vorgenannten Kriterien für Schizophrenie, anhaltende wahnhafte Störungen oder psychotische Formen affektiver Störungen (F3) nicht erfüllen.

6.5.2. Ätiologie und Pathogenese

Eine spezifische Ätiopathogenese kommt diesen Störungen nicht zu. Wie bei anderen Störungen auch kommt das ganze diagnostische Arsenal zum Einsatz. Differentialdiagnostisch sind vor allem organische oder symptomatische Psychosen abzugrenzen.

6.5.3. Therapie

Spezifische Therapiemöglichkeiten bestehen nicht. Auch hier kommt im Einzelfall das ganze Therapiespektrum zum Einsatz, wobei psychopharmakotherapeutische Behandlungsmethoden je nach Zielsyndrom im Vordergrund stehen.

6.5.4. Verlauf und Prognose

Verlauf und Prognose hängen im Einzelfall vom Vorliegen günstiger Prädiktorenkonstellationen und therapeutischer Einflußmöglichkeiten ab.

Literatur

Bleuler E (1911): Dementia praecox oder Gruppe der Schizophrenien. In: Aschaffenburg G (Hrsg.): Handbuch der Psychiatrie. Deuticke, Leipzig.

Conrad K (1958): Die beginnende Schizophrenie. Thieme, Stuttgart.

Crow TJ (1985): The two-syndrome concept: origins and current status. Schizophrenia Bulletin *11:* 471–485.

Engel GL (1980): The clinical application of the biopsychosocial model. American Journal of Psychiatry *137:* 535–544.

Gaebel W, Maier W (1993): Neurobiologische Determinanten schizophrener Erkrankungen. Konzept, Strategie und Methodik eines Forschungsprogramms. Nervenarzt *64:*415–426.

Häfner H, Maurer K, Löffler W, Riecher-Rössler A (1991): Schizophrenie und Lebensalter. Nervenarzt *62:*536–548.

Huber G (1976): Indizien für die Somatosehypothese bei den Schizophrenien. Fortschritte der Neurologie und Psychiatrie *44:*77–94.

Huber G, Goss G, Schüttler R (1979): Schizophrenie: Eine Verlaufs- und sozialpsychiatrische Langzeitstudie. Springer, Berlin.

Kane JM (1987): Neuroleptic treatment in schizophrenia. In: Henn FA, DeLisi LE (eds.): Handbook of schizophrenia, vol. 2: Neurochemistry and neuropharmacology of schizophrenia. Elsevier Science Publishers, Amsterdam, 179–201.

Kovelmann JA, Scheibel AB (1986): Biological substrates of schizophrenia. Acta Neurologica Scandinavica *73:*1–32.

Kraepelin E (1896): Lehrbuch der Psychiatrie. Barth, Leipzig.

Leonhard K (1986): Aufteilung der endogenen Psychosen und ihre differenzierte Ätiologie. Akademie, Berlin.

Liddle PF (1987): Schizophrenic syndromes, cognitive performance and neurological dysfunction. Psychological Medicine *17:*49–57.

Marneros A (Hrsg.; 1989): Schizoaffektive Psychosen – Diagnose, Therapie und Prophylaxe. Springer, Berlin.

NIMH (1988): A national plan for schizophrenia research. Panel recommendations. Schizophrenia Bullettin *14*:1–121.

Nuechterlein KH (1987): Vulnerability models for schizophrenia: state of the art. In: Häfner H, Gattaz WF, Janzarik W (eds.): Search for the causes of schizophrenia. Springer, Berlin, 297–316.

Propping P (1989): Psychiatrische Genetik – Befunde und Konzepte. Springer, Berlin.

Reynolds G (1990): Structure and function in neurology and psychiatry. British Journal of Psychiatry *157*:481–490.

Schneider K (1971): Klinische Psychopathologie; 9. Aufl. Thieme, Stuttgart.

Strauss JS, Carpenter WT Jr, Bartko JJ (1974): The diagnosis and understanding of schizophrenia. Part III: Speculations on the processes that underlie schizophrenic symptoms and signs. Schizophrenia Bulletin *1*:61–69.

Szymanski S, Kane JM, Lieberman JA (1991): A selective review of biological markers in schizophrenia. Schizophrenia Bulletin *17*:99–111.

Weinberger DR (1987): Implications of normal brain development for the pathogenesis of schizophrenia. Archives of General Psychiatry *44*:660–669.

Wing JK (1987): Rehabilitation, Soziotherapie und Prävention. In: Kisker KP, Lauter H, Meyer JE, Müller C, Strömgren E (Hrsg.): Psychiatrie der Gegenwart. 4. Schizophrenien. Springer, Berlin, 325–355.

7. Affektive Störungen

Hans-Joachim Haug

7.1. Übersicht

7.1.1. Einleitung

Das klinische Bild affektiver Störungen ist vielgestaltig und die Abgrenzung vom gesunden Erleben oft schwierig. Bezeichnungen wie Trauer, Kummer, Gram stehen für Gefühle, die üblicherweise dem gesunden Erleben zugerechnet werden. Je nach Ausprägung der mit diesen Begriffen beschriebenen Gefühle überschneiden sich die Wortbedeutungen aber mit dem bei affektiven Störungen benutzten Begriff »Depression«. Dies spiegelt die Schwierigkeit der Abgrenzung normalpsychologischer und pathologischer Erlebnisweisen in diesem Bereich wider. Die grundsätzliche Frage, ob zwischen gesundem und krankem Erleben ein Kontinuum bestehe (Kontinuitätshypothese), oder ob sich nosologisch und ätiologisch unterschiedliche Gruppen affektiver Störungen voneinander abgrenzen lassen, bleibt bis heute offen. Der vorläufigen Festlegung der modernen Klassifikationssysteme ICD-10 und DSM-IV folgend, wird in diesem Kapitel zunächst von der **Kontinuitätshypothese** ausgegangen.

Abbildung 7.1 zeigt graphisch dieses Konzept des kontinuierlichen Übergangs zwischen gesundem Erleben und Depressionszuständen auf der einen Seite und dem manischen Syndrom auf der anderen Seite.

Die Übergänge von physiologischem und pathologischem Erleben sind dabei fließend, es kann weder ein interindividueller Normwert gegeben noch auch intraindividuell eine feste Grenze gezogen werden.

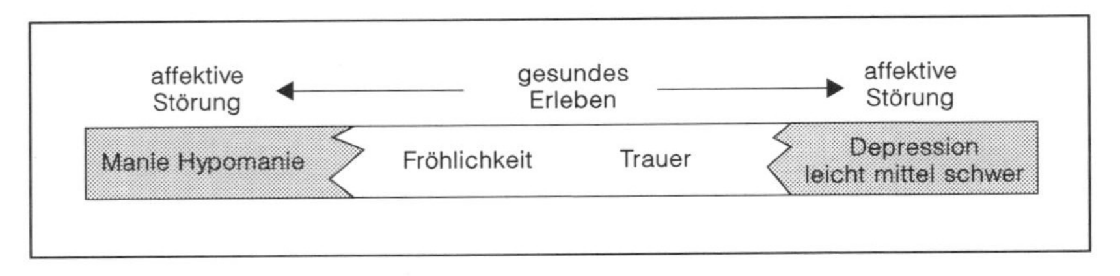

Abb. 7.1. Modell des kontinuierlichen Übergangs von gesundem Erleben zu affektiven Störungen.

Tabelle 7.1. Kernsymptome und häufige Zusatzsymptome des depressiven Syndroms nach ICD-10

Kernsymptome	Zusatzsymptome
Depressive Stimmung	Verminderte Konzentration und Aufmerksamkeit
Verlust von Interesse und Freude	Vermindertes Selbstwertgefühl und Selbstvertrauen
Erhöhte Ermüdbarkeit	Gefühle von Schuld und Wertlosigkeit
	Negative und pessimistische Zukunftsperspektiven
	Suizidgedanken, -pläne, und/oder -handlungen
	Schlafstörungen
	Verminderter Appetit

7.1.2. Depressives Syndrom

Beim depressiven Syndrom liegen üblicherweise in unterschiedlicher Mischung Störungen der Stimmung, des Antriebs und des Vegetativums vor.

In Tabelle 7.1 sind die wesentlichen Kernsymptome und häufige Zusatzsymptome des depressiven Syndroms zusammengefaßt.

Die **Stimmung** der Patienten ist traurig, gedrückt, sie bringen keine positive Zukunftsperspektive auf. Häufig beschreiben die Patienten ihre Stimmung auch als deprimiert. Die gedrückte Stimmung unterliegt bei einigen Patienten und besonders bei schwereren Depressionsformen markanten Tagesschwankungen. Am häufigsten ist dabei die Stimmung am Morgen besonders schlecht und wird am Nachmittag besser. Andererseits geht bei schwersten Depressionszuständen gelegentlich jede Reagibilität verloren und das Wiederauftreten der Tagesschwankungen im Verlauf ist dann ein frühes Zeichen der beginnenden Genesung. Die gedrückte Stimmung ist häufig verbunden mit Interessenverlust. Gelegentlich ist die Fähigkeit, überhaupt emotional zu reagieren, insbesondere auf günstige Ereignisse oder eine freundliche Umgebung, vermindert oder ganz aufgehoben. Die Patienten beschreiben das »Gefühl der Gefühllosigkeit«; ihr Zustand gehe über das Gefühl der Traurigkeit hinaus, sie könnten noch nicht einmal mehr richtig traurig sein, empfänden gar keine Gefühle mehr. Viele Patienten haben während der Depression ein vermindertes Selbstwertgefühl, mangelndes Selbstvertrauen, auch häufig Schuldgefühle und Gefühle von Wertlosigkeit. Diese können bei schweren Depressionen bis hin zur wahnhaften Gewißheit von großer persönlicher Schuld, Wertlosigkeit oder auch der wahnhaften Überzeugung von schwerer, zum Tode führender Krankheit (hypochondrischer Wahn) reichen. Häufig treten in diesen Stimmungen Gedanken an den eigenen Tod auf, gelegentlich auch konkrete Suizidideen, und nicht selten unternehmen die Patienten auch Suizidversuche. Nicht immer berichten die Patienten selbst über diese Stimmungsveränderungen. Dann können die Beobachtungen von Angehörigen häufig weiterführen. Sie äußern, daß sich der Patient nicht mehr so wie früher um seine Angelegenheiten kümmere, daß er sich zurückziehe, mit nichts mehr zu erfreuen sei und sich vom Freundes- und Familienkreis isoliere.

Neben der gedrückten Stimmung und den daraus abgeleiteten Symptomen tritt als zweites Kernsymptom in der Depression eine **Antriebsminderung** auf. Eine allgemeine Verminderung der Energie mit Einschränkung der Aktivität und Müdigkeit schon nach geringer Anstrengung wird von den Patienten geklagt. Die Spontanität ist verlorengegangen, sie benötigen zur Anregung größere Reize als früher. Es leidet auch häufig die Fähigkeit, sich aufmerksam einer Angelegenheit zuwenden und bei ihr konzentriert bleiben zu können. Die Entschlußfähigkeit ist gestört. Von außen wirken die Patienten still, in sich zurückgezogen, gelegentlich gleichgültig und bei schwerer Depression ganz stumm und reglos (depressiver Stupor). Meistens geht diese Antriebsstörung auch mit einer psychomotorischen Hemmung einher, die sich zum Beispiel in eingeschränkter Gestik, Mimik und verminderter Sprache äußern kann. Gelegentlich ist aber auch eine unproduktive (deshalb nicht mit Antriebssteigerung zu verwechselnde) motorische Unruhe vorhanden, die Patienten sind psychomotorisch agitiert.

Unter den **Störungen des Vegetativums** sind vor allem Störungen des Schlafs, des Appetits und der Libido häufig. Der Schlaf ist unruhig, die gesamte Schlafdauer verkürzt. Die Patienten empfinden keinen Erholungseffekt mehr. Das Einschlafen ist mühsamer geworden, das Durchschlafen gestört, der Schlaf ist häufig unterbrochen, am frühen Morgen gelingt es den Patienten dann auch häufig nicht mehr, wieder einzuschlafen (Früherwachen). Bei speziellen Formen (siehe Saisonal Abhängige Depression) ist die Gesamtschlafzeit verlängert, aber auch hier wird der Schlaf meist nicht als erholsam empfunden. Der Appetit ist bei vielen Patienten vermindert. Dies kann zu großen klinischen Problemen führen, wenn die Patienten durch Mangelernährung und vor allem zu geringe Trinkmengen vital gefährdet sind. Längerdauernde Appetitstörung führt schließlich bei vielen Depressiven zu deutlicher Gewichtsabnahme. Andererseits liegt bei wenigen Depressiven während der depressiven Phase auch gesteigerter Appetit mit entsprechend zunehmendem Gewicht vor. Fast immer ist bei depressiven Menschen die Libido vermindert.

Bei einigen Patienten stehen Symptome im Vordergrund, die ein bestimmtes klinisches Bild ergeben. Diese Symptome sind in Tabelle 7.2 zusammengefaßt. Diese »endogene« Depression (Synonyme: »somatisch«, »endogenomorph«, »vital«, »biologisch«, »Melancholie«) hat historisch und auch heute noch nach Meinung Vieler große Bedeutung. Ob die Abgrenzung in der Zukunft Bestand haben wird, ist unklar.

Tabelle 7.2. »Somatische Symptome« nach ICD-10: Symptome, die am ehesten mit dem Bild der »endogenen Depression« vereinbar sind

Verlust von Freude an üblichen Aktivitäten	Schwere Schlafstörung während der zweiten Nachthälfte
Interessenverlust	Früherwachen
Verminderte Reagibilität	Appetitverlust
Morgentief	Gewichtsverlust über 5% in wenigen Wochen
Agitiertheit	Verlust sexuellen Verlangens
Motorische Hemmung	

7.1.3. Manisches Syndrom

Das manische Syndrom kann in mancher Hinsicht und vor allem aus didaktischen Gründen als das **Gegenteil des depressiven Syndroms** vorgestellt werden. Auch hier liegen in unterschiedlicher Mischung Störungen der Stimmung, des Antriebs und des Vegetativums vor, allerdings im Vergleich zum depressiven Syndrom in umgekehrter Richtung. Leichte Ausprägungen des Syndroms werden als Hypomanie, schwerere als Manie bezeichnet.

Wie bei der Unterscheidung von leichter, mittelschwerer und schwerer Depression ist die Grenze fließend. Deshalb werden hier Hypomanie und Manie gemeinsam beschrieben. Eine Übersicht über kennnzeichnende Symptome des manischen Syndroms gibt Tabelle 7.3.

Die **Stimmung** der Patienten ist gehoben. Dies kann von noch situationsgerechter anhaltender Fröhlichkeit bis zu situationsinadäquater Euphorie, getriebener Unruhe und unkontrollierbarer Erregung gehen. In vielen Fällen treten anstelle des häufigen auffallenden Gefühls von Wohlbefinden auch Reizbarkeit und eine dysphorisch-aggressive Stimmung. In der Manie zeigen die Patienten oft maßlosen Optimismus der Zukunft, aber auch den eigenen Fähigkeiten gegenüber. Überhöhte Selbsteinschätzung kann bis zu Größenideen und schließlich zum Größenwahn führen.

Der **Antrieb** ist gesteigert, es findet sich ein erhöhtes Aktivitätsniveau. Obwohl damit in der Hypomanie oft auch eine größere Schaffensmenge und gelegentlich auch erstaunliche Kreativität verbunden sind, führt die meist wenig strukturierte, mit Selbstüberschätzung verbundene Aktivitätssteigerung häufig dazu, daß Arbeitsvorgänge nicht zu Ende geführt werden und letztlich eine verminderte Leistungskraft resultiert. Kommen dazu die mangelnde Konzentrationsfähigkeit und die von einem Reiz zum nächsten springende Aufmerksamkeit, kann dies schon in der Hypomanie zur Beeinträchtigung der Berufstätigkeit führen. Eine euphorische Geselligkeit mit distanzlosem Verhalten, übermäßiger Vertraulichkeit, Gesprächigkeit und dabei erhöhter Reizbar-

Tabelle 7.3. Häufige Symptome des manischen Syndroms

Gehobene Stimmung	Reizbarkeit, Erregung, Aggression
Gesteigerter Antrieb und Aktivität	Vermindertes Schlafbedürfnis
Gesteigerte Geselligkeit	Größenideen
Auffallendes Wohlbefinden	Ideenflucht und Rededrang
Verminderung sozialer Hemmungen	

keit führt häufig zu sozialer Ablehnung. In der Manie gehen dann die üblichen sozialen Hemmungen wie auch die realistische Einschätzung der eigenen Möglichkeiten und Grenzen verloren. Nur selten kann die Berufstätigkeit noch ausgeführt werden. Die Patienten geben oft leichtsinnig viel Geld aus, machen Schulden, beginnen undurchführbare Projekte. Nicht selten kommen Patienten dadurch in den finanziellen Ruin, auch weil es oft nach Abklingen der Störung nicht leicht nachzuweisen ist, daß Verträge in krankheitsbedingter Urteilsunfähigkeit abgeschlossen wurden. Die Hyperaktivität verbunden mit sozialer Distanzlosigkeit und Reizbarkeit führt zu schnellen Beziehungsaufnahmen und genauso schnellen Beziehungsabbrüchen. Davon werden auch lange gewachsene und außerhalb der Manie stabile Beziehungen nicht verschont. Auch Störungen des Schlafs sind bei Manien häufig. Die Gesamtschlafdauer ist verkürzt, ohne daß die Patienten einen Mangel empfinden. Der Appetit ist meist verringert, auch hier können wie bei depressiven Patienten vital bedrohliche Zustände durch mangelnde Nahrungs- und vor allem Flüssigkeitsaufnahme auftreten. Die Libido ist häufig gesteigert und in Zusammenhang mit dem Wegfall der üblichen sozialen Hemmungen kann dies zu sexueller Distanzlosigkeit führen, die die Patienten sozial weiter isoliert.

Weitere Störungen beziehen sich auf eine erhöhte Aufnahmefähigkeit, gelegentlich auch Reizbarkeit der Sinne. Die Wahrnehmung von Farben, Geräuschen oder sonstigen Sinneseindrücken kann ganz besonders intensiv sein. Auch das Denken geht zumindest subjektiv schneller, Rededrang und Ideenflucht führen aber oft dazu, daß die Maniker von ihrer Umgebung nicht mehr verstanden werden. Wenn zusätzlich Halluzinationen und Wahnerleben auftreten, ist im Zusammenhang mit der Reizbarkeit, der Unruhe und den formalen Denkstörungen die Abgrenzung zur Schizophrenie schwierig.

7.1.4. Verlaufsformen affektiver Störungen

Depressives und manisches Syndrom kommen bei verschiedenen Diagnosen vor. Sie können bei den eigentlichen affektiven Störungen, aber auch z.B. bei organischen Störungen (vgl. Kapitel 4), bei Schizophrenien (vgl. Kapitel 6) oder Suchterkrankungen (vgl. Kapitel 5) auftreten. Auch wenn eine eigentliche affek-

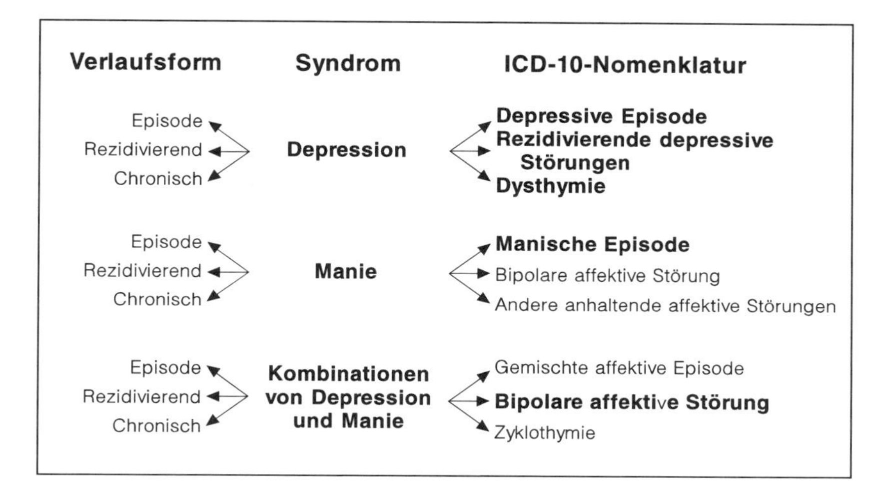

Abb. 7.2. Übersicht über die Verlaufsformen affektiver Störungen. **Fettgedruckt** = Häufige und damit klinisch bedeutsame Erkrankungen; normal gedruckt = seltene Erkrankungen.

tive Störung vorliegt, gibt es viele Patienten, die gleichzeitig an einer zweiten oder dritten Erkrankung leiden (**Komorbidität;** vgl. auch Kapitel 2). Häufig treten in Kombination mit affektiven Erkrankungen Störungen durch psychotrope Substanzen und Angststörungen auf. Auch eine Kombination von affektiven Störungen mit körperlichen Erkrankungen (**Multimorbidität**) kommt häufig vor.

Die Verläufe affektiver Störungen sind extrem vielfältig. Grundsätzlich können depressive Syndrome und manische Syndrome allein auftreten. Sie können dann phasenhaft (mit einer oder mehreren Episoden) oder auch chronisch vorkommen. Schließlich gibt es auch affektive Störungen, bei denen depressive und manische Syndrome gemischt sind. Dabei kann entweder innerhalb einer Krankheitsepisode im Wechsel depressive und manische Symptomatik vorhanden sein, bei anderen Störungen wechseln sich manische Episoden, depressive Krankheitsepisoden und gesunde Intervalle ab. Schließlich kann auch eine anhaltende Stimmungslabilität auftreten, bei der über lange Zeit Perioden gedrückter und gehobener Stimmung wechseln. Eine Einteilung affektiver Störungen nach diesen Verlaufscharakteristika ist in Abbildung 7.2 angegeben.

Bei der beschriebenen Einteilung affektiver Störungen nach ihrer möglichen Kombinations- und/oder Verlaufsform muß zusätzlich berücksichtigt werden, daß die einzelnen Störungen in sehr unterschiedlicher Häufigkeit auftreten und deshalb klinisch ein ganz unterschiedliches Gewicht haben.

In den folgenden Abschnitten werden die klinisch bedeutsamen Formen von Depression, Manie und bipolarer affektiver Störung in Erscheinungsbild, Ätiologie und Pathogenese, Therapie, Verlauf und Prognose beschrieben. Im Abschnitt »Andere affektive Störungen« finden sich dann noch Anmerkungen zu den selteneren affektiven Störungen.

7.2. Depression

7.2.1. Depressive Episode und rezidivierende depressive Störungen

7.2.1.1. Definition und Deskription

In der depressiven Episode liegt für mindestens 2 Wochen ein durchgehendes **depressives Syndrom** vor (s. Tabellen 7.1 und 7.2). Durchgehend bedeutet dabei, daß die wichtigsten Symptome die meiste Zeit des Tages und in dieser Episode an fast jedem Tag auftreten. Die Betroffenen stehen zumindest die allermeiste Zeit unter dem Eindruck des depressiven Erlebens. Die depressiven Symptome unterbrechen die vorher vorhandene Leistungsfähigkeit, die depressive Episode stellt für die Patienten eine Veränderung des vorherigen Erlebens dar. Nach Abklingen der depressiven Episode erreichen die Patienten in der Regel ihre volle frühere Leistungskraft und Erlebnisfähigkeit wieder.

Die depressiven Episoden können nach dem **Schweregrad** des vorliegenden depressiven Syndroms in leicht, mittel und schwer eingeteilt werden. Eine andere Unterscheidung nach dem klinischen Bild kann zwischen depressiven Episoden mit bzw. ohne **Wahnsymptomatik** vorgenommen werden. Auch hier gibt es zwar Hinweise darauf, daß die »wahnhafte Depression« ein eigenständiges Krankheitsbild darstellen könnte [Schatzberg und Rothschild, 1992] (vgl. Abschnitt 7.5.4), aber auch diese Frage ist nicht endgültig entschieden. Tabelle 7.4 gibt eine Übersicht über die diagnostischen Kriterien zur Schweregradeinteilung der Depression nach ICD-10.

Bei vielen Patienten treten die beschriebenen depressiven Episoden **rezidivierend** auf. Die Symptomatik innerhalb der einzelnen Episoden entspricht den schon beschriebenen. Zwischen den Episoden liegen individuell sehr unterschiedlich lange Intervalle, in denen die Patienten meist voll remittiert sind. Gelegentlich tritt bei einigen Patienten aber auch ein Übergang in chronisch-depressive Symptomatik auf, die dann jeweils episodenhaft akzentuiert sein kann.

Die episodenhaft verlaufende depressive Störung ist auch als **unipolare affektive Störung** bezeichnet worden, was heißen soll, daß während des ganzen Verlaufs nur depressive, aber keine manische Symptomatik auftritt. Angaben über die Häufigkeit unipolarer depressiver Störungen sind sehr unterschiedlich. Die

Tabelle 7.4. Schweregradeinteilung der Depression, Kriterien nach ICD-10 (Kernsymptome und Zusatzsymptome s. Tabelle 7.1)

Leichte depressive Episode	Mittelgradige depressive Episode	Schwere depressive Episode
2 Kernsymptome 2 Zusatzsymptome	Mindestens 2 Kernsymptome Mindestens 3 Zusatzsymptome	Ohne psychotische Symptome: – alle Kernsymptome – mindestens 4 Zusatzsymptome – ohne Wahn, Halluzinationen, Stupor Mit psychotischen Symptomen: – alle Kernsymptome – mindestens 4 Zusatzsymptome – mit Wahn, Halluzinationen und/oder Stupor

Inzidenz depressiver Störungen wird zwischen 0,1% und 0,3% für schwerere Depressionen und bis zu 1,3% unter Einbeziehung leichterer Formen angegeben. Die **Prävalenz** wird auf 1–3%, unter Einbeziehung leichterer Depressionsformen bis auf 7% geschätzt. Das **Morbiditätsrisiko** gibt an, welche Wahrscheinlichkeit für eine Person besteht, im Laufe des Lebens an einer bestimmten Störung zu erkranken. In älteren, besonders skandinavischen Studien, in denen mit dem Konzept der »endogenen Depression« untersucht wurde, und in neueren Studien mit operationalisierter Diagnostik liegen die Zahlen unter 10%. Unter Einschluß aller depressiven Störungen, auch der nichtbehandelten, werden Zahlen bis zu 26% angegeben. Vermutlich liegt die tatsächliche Zahl der Erkrankungen sogar noch darüber. Werden nur Behandlungen berücksichtigt, wird für Männer dieses Risiko bezüglich aller depressiven Störungen mit um 10% und für Frauen um 20% angegeben (vgl. auch Kapitel 3). Durchweg findet sich in Studien die Angabe, daß Frauen häufiger an depressiven Störungen erkranken als Männer. Depressive Störungen können in jedem **Lebensalter,** auch in der Kindheit, beginnen. Ein Häufigkeitsgipfel der Ersterkrankungen liegt etwa im 30. Lebensjahr. In verschiedenen Untersuchungen wird ein zweiter Gipfel nach dem 60. Lebensjahr angegeben. Altersspezifische Unterschiede im klinischen Bild sind beschrieben worden. So liegen bei Kindern mit depressiven Episoden häufig zusätzlich Angsterkrankungen, in der Adoleszenz zusätzlich Alkohol- und/oder Drogenmißbrauch vor. Bei älteren Menschen ist bei Betonung gestörter kognitiver Fähigkeiten (Denken, Orientierung, Gedächtnis) die Abgrenzung zu dementiellen Störungen oft schwierig, der Begriff »depressive Pseudodemenz« im Rahmen depressiver Störungen drückt diesen Sachverhalt aus (vgl. Kapitel 4).

Tabelle 7.5. Humangenetische Befunde bei Patienten mit unipolarer, bipolarer affektiver Störung und Dysthymie

Angehörige (alle affektiven Störungen)	Art der Störung des Indexpatienten		
	unipolar, %	bipolar, %	Dysthymie, %
Konkordanzrate für eineiige Zwillinge	50	80	40
Konkordanzrate für zweieiige Zwillinge	20	20	20
Morbiditätsrisiko von Verwandten 1. Grades	20	24	10
Risiko von Kindern mit zwei kranken Eltern	55	55	
Rate anderer psychischer Störungen bei Verwandten	erhöht	erhöht	

7.2.1.2. Ätiologie und Pathogenese

Die Ursache depressiver Störungen ist bis heute unbekannt. Ziemlich unwahrscheinlich ist, daß es überhaupt eine einzige Ursache gibt. Sinnvollerweise ist vielmehr von einem multikausalen Geschehen auszugehen, bei dem biologische, psychologische und soziale Faktoren eine Rolle spielen und sich gegenseitig beeinflussen.

7.2.1.2.1. Biologische Befunde

Ein **genetischer Faktor** in der Ätiologie zumindest einiger depressiver Störungen wurde durch Familien-, Zwillings- und Koppelungsuntersuchungen nachgewiesen. Verwandte 1. Grades von Patienten mit affektiven Störungen haben ein gegenüber der Gesamtbevölkerung erhöhtes Risiko, selbst im Laufe ihres Lebens an einer affektiven Störung zu erkranken. Das gleiche gilt für Zwillinge, wobei bei eineiigen Zwillingen das höchste Konkordanzrisiko vorliegt. Die humangenetischen Befunde bei unipolar Depressiven sind in der Tabelle 7.5 zusammengefaßt und denen bei bipolar affektiver Störung und Dysthymie gegenübergestellt [nach Propping, 1989].

Nach diesen Befunden spricht vieles dafür, daß bei einigen Depressiven ein **multifaktorieller Erbgang** vorliegt, der aber auch hier nicht alleinige Ursache der affektiven Störung sein kann. Vielmehr liegt wohl bei vielen Depressiven eine genetische Bereitschaft vor, zu erkranken. Zu dieser Bereitschaft müssen aber im Einzelfall andere Faktoren kommen, damit eine Störung wirklich auftritt. Anderseits ist auch davon auszugehen, daß es protektive Faktoren gibt, die trotz vorliegender genetischer Disposition das Auftreten der Störung verhindern. Es gibt nur Vermutungen darüber, welche verstärkenden oder schützenden Faktoren das im einzelnen sind und wie sie mit der genetischen Disposition interagieren.

Weitere Erklärungsansätze beziehen sich auf eine **Dysfunktion des Neurotransmittersystems.** Insbesondere die Neurotransmitter Serotonin, Noradrenalin, GABA und besonders bei wahnhaften Depressionen auch Dopamin spielen in diesen Hypothesen eine Rolle. Prinzipiell könnte eine Störung auf der Ebene der Neurotransmitter selbst oder auf der Ebene der von Neurotransmittern beeinflussten Strukturen, besonders der post- und präsynaptischen Rezeptoren, liegen. Von der ursprünglichen Neurotransmitterdefizit-Hypothese, die von einem Mangel einzelner Überträgerstoffe im synaptischen Spalt ausging, ist man heute zugunsten einer Dysbalance-Hypothese abgekommen. Diese Hypothese berücksicht die Tatsache, daß es im Gehirn vielfältige Interaktionen zwischen den einzelnen Neurotransmittern gibt und auch die Rezeptorensensibilität verschiedenen Einflüssen unterliegt. Es ist davon auszugehen, daß die Wirkung der einzelnen Transmitter wie auch die Wechselwirkungen untereinander komplexen Feinregulationen unterliegen. Es ist schwierig, diese im Gehirn in vivo zu untersuchen. Zukunftshoffnungen bestehen dafür vor allem bezüglich neuer bildgebender Verfahren, wie PET oder SPECT (»single photon emission computed tomography«). Andererseits unterliegen Modelle der Vorgänge im Gehirn, z.B. Untersuchungen an menschlichen Thrombozyten oder auch im Tiermodell, methodischen Einschränkungen. So bleibt das Hauptindiz für eine Beteiligung der Neurotransmitterstörung in der Pathogenese depressiver Erkrankungen die Tatsache, daß sowohl depressionsauslösende Substanzen, z.B. Reserpin, als auch wirksame Antidepressiva ihre Hauptwirkung über einen Eingriff in dieses komplexe Neurotransmittergeschehen entfalten.

Es gab schon früh Hinweise auf eine **Beteiligung neuroendokrinologischer Vorgänge** an der Entstehung der Depression. Eine Häufung depressiver Störungen im Wochenbett mit den vielfältigen hormonellen Veränderungen und die bei fast allen Depressiven vorkommenden vegetativen Symptome, die zum großen Teil hormonell gesteuert werden, sind zwei augenfällige Beispiele hierfür. In Abbildung 7.3 sind schematisch die am besten untersuchten Systeme mit den jeweils relevanten Hormonen gezeigt.

Am besten belegt ist der Befund, daß bei depressiven Patienten eine gestörte Aktivität der Hypothalamus-Hypophysen-Nebennieren-Achse vorliegt. Der Dexamethasonsuppressionstest (DST) fällt bei vielen Patienten während der Depression pathologisch aus. Eine pathologische Reaktion beim DST gibt es aber bei vielen psychischen Störungen und zumindest in die klinische Praxis hat der DST keinen Eingang gefunden.

Es ist nicht erstaunlich, daß mit einer psychischen Störung wie der Depression, die in so vielfältige Lebensvorgänge eingreift und eine Reihe von somatischen Symptomen auslöst, auch vielgestaltige Veränderungen biologischer Hirnvorgänge einhergehen. Untersucht wurden neben den beschriebenen gene-

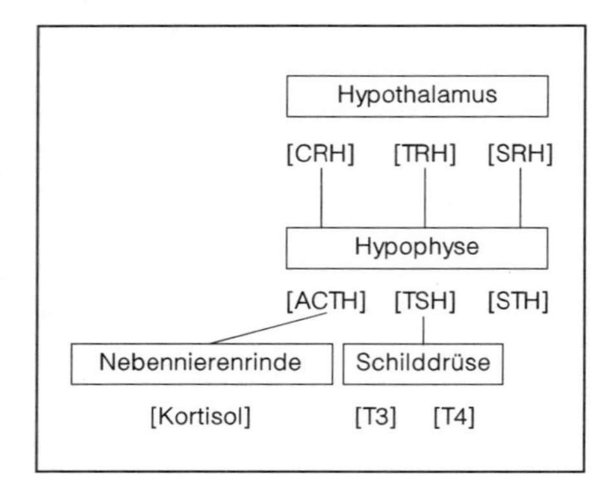

Abb. 7.3. Die am besten bezüglich Veränderungen in der Depression untersuchten endokrinen Achsen mit den jeweils relevanten Peptiden und Hormonen. CRH = Corticotropin releasing hormone. TRH = Thyreotropin releasing hormone. GRF = Growth hormone releasing factor. ACTH = Adrenokortikotropes Hormon. TSH = Thyreotropinstimulierendes Hormon. STH = Wachstumshormon. T3 = Trijodthyronin. T4 = Thyroxin.

tischen und endokrinologischen Systemen auch das Immunsystem, prä- und postsynaptische Rezeptoren, verschiedene andere als die erwähnten Peptide und z.B. auch »second-messenger«-Mechanismen. Auch Neurophysiologen haben mit verschiedenem Instrumentarium (z.B. evozierten Potentialen, EEG, Polysomnographie) depressive Patienten untersucht. Hier sind die Befunde des deutlich gestörten Ablaufs der Schlafphasen und die verkürzte REM-Latenz am bekanntesten. Von den neuroradiologischen Untersuchungen sind die Befunde bei wahnhaft Depressiven zu nennen, bei denen ein vergrößerter Anteil der Ventrikel im Verhältnis zum Hirngewebe (»ventricular-brain ratio«) gefunden wurden. Die Untersuchungen von funktionellen dynamischen Vorgängen mit neuen bildgebenden Verfahren (z.B. PET, SPECT) sind noch in ihren Anfängen, geben aber Hoffnung auf neue Erkenntnisse in der Zukunft [Steffens et al., 1993].

Erklärungsmodelle zur Depressionsentstehung gibt es auch von seiten der **Chronobiologie,** die sich mit der Erforschung rhythmischer Vorgänge im Körper und deren Zusammenhang mit psychischen Störungen beschäftigt. Fast alle Körpervorgänge unterliegen einer zirkadianen (ungefähr 24-Stunden-)Rhythmik. Dies betrifft biologische Faktoren, z.B. die Ausschüttung verschiedener Hormone, die Sensibilität von Rezeptoren, die Nervenleitgeschwindigkeit, aber auch psychologische Merkmale, z.B. die Konzentrationsfähigkeit oder auch die Stimmung. Diese Rhythmen werden von Zellverbänden im Nucleus suprachiasmaticus (»endogener Schrittmacher«) gesteuert und unter natürlichen Bedingungen von äußeren Lebensrhythmen beeinflußt (»externe Zeitgeber«). Besonders bei depressiven Menschen liegen Symptome vor, die an einen Zusammenhang der Störung mit Störungen des zirkadianen Systems denken lassen (Tagesschwankungen der Stimmung, Früherwachen, Schlafstörungen). Auch die therapeutischen Effekte von Schlafentzug (der in das zirkadian organisierte Schlaf-Wach-System eingreift) und hellem Licht (das über retinale Rezeptoren direkten Einfluß auf Zellen des Nucleus suprachiasmaticus nimmt) sind Hinweise auf Störungen des zirkadianen Systems als mögliche Mitursache depressiver Störungen (vgl. Kapitel 16).

Alle intensiven Bemühungen, eine spezifische mit der Depression einhergehende oder gar kausale Hirnveränderung zu finden, sei sie auf anatomisch/strukturaler oder biochemisch- bzw. neurophysiologisch/funktionaler Ebene, sind bisher jedoch gescheitert.

7.2.1.2.2. Psychologische und soziologische Befunde

Fragt man Depressive oder auch deren Angehörige, ob es besondere **äußere Ereignisse** vor dem Auftreten der Depression gegeben habe, erhält man oft eine positive Antwort. Nicht selten wird ein solches Ereignis sogar als Ursache für die aufgetretene Erkrankung gesehen. Bei systematischen Untersuchungen ist es aber nicht gelungen, eine spezielle lebensgeschichtliche Veränderung als charakteristischerweise depressionsauslösend zu finden. Einige schwere depressive Störungen treten auf, ohne daß irgend etwas besonderes an der Person der Betroffenen, oder eine Änderung der Umgebung, in der sie leben, festzustellen ist. Auch die »life-events« (vgl. auch Kapitel 35), die manchmal einer depressiven Episode vorausgehen (z.B. ein Todesfall in der Familie, plötzliche Arbeitslosigkeit, schwere körperliche Krankheit), führen keineswegs bei jedem Menschen zu depressiver Symptomatik. Untersuchungen in Kriegszeiten zeigen, daß zumindest die schweren (somatischen) Depressionen während solcher Krisen nicht gehäuft auftreten. Wenn also auch immer wieder Auslösesituationen (besonders der Verlust zentraler Personen) vorhanden sind, sind diese wohl nicht ausschließlich in einem ursächlichen Zusammenhang zur Depression zu sehen. Es ist auch bezüglich der nichtbiologischen pathogenetischen Faktoren ein multikausales Denken erforderlich. Neben den möglichen depressiogenen Einflußfaktoren muß zudem berücksichtigt werden, daß die Strategien, mit solchen belastenden Geschehnissen umzugehen (»**coping**«) individuell sehr verschieden sind. Es werden im folgenden Abschnitt Befunde von Variablen referiert, von denen angenommen werden kann, daß sie zwar allein keine Depression auslösen können, bei bestehender Bereitschaft und Zusammenwirken mit anderen Faktoren aber in der Pathogenese depressiver Störungen mitwirken.

Eine einheitliche **Persönlichkeitsstruktur**, die zur Depression prädisponiert, gibt es nicht. Von einigen Autoren wurde postuliert, daß introvertierte, emotional labile Menschen besonders gefährdet seien, eine depressive Störung zu entwickeln. Von Tellenbach ist ein Persönlichkeitstyp beschrieben worden, der häufig bei Menschen vorliegt, die an einer Depression erkranken. Die Menschen sind bestimmt von zwanghafter Ordentlichkeit und einem Bedürfnis nach rigiden Strukturen. Sie haben meist hohe Leistungsansprüche, sind aber häufig wehrlos gegenüber sich anbahnender Überforderung. Da diese Persönlichkeitsstruktur nicht nur bei Depressiven vorkommt, andererseits dort auch andere Persönlichkeitsstrukturen zu finden sind, hat das Konzept des »Typus melancholicus« heute nur noch geringe Bedeutung. Eine Auseinandersetzung damit kann aber zum Verständnis einzelner Patienten beitragen [Tellenbach, 1961]. Klassische **lerntheoretische Überlegungen** zur Genese depressiver Symptomatik (»learned helplessness«, rollentheoretische Gesichtspunkte) sind heute fast vollständig von neueren **kognitiven Theorien** abgelöst. Grundlage dieser kognitiven Theorien ist die Hypothese, daß bei Depressiven eine negative Grundeinstellung zur eigenen Person, zur Umwelt und der Zukunft gegenüber besteht. Diese »kognitive Triade« führt zu einer Filterung negativer Reize und damit Verfestigung depressiver Wahrnehmung. Diese von Beck ausgehenden Theorien haben zu dem Behandlungsansatz der »kognitiven Therapie« geführt.

Zusammenfassend muß man zu den möglichen psychologischen und soziologischen Variablen bezüglich der Ätiologie ähnliches bemerken wie bei den biologischen Variablen. Es gibt keinen nachgewiesenen Faktor, der für sich allein depressionsauslösend wäre. Vielmehr wirken viele Einflüsse ineinander, potentiell depressiogenen stehen protektive Merkmale gegenüber. Der einzelne lebensgeschichtliche Einfluß kann letztlich nur über eine besondere, individuell vorliegende Vulnerabilität eine Depression auslösen. Es spricht vieles dafür, daß diese Vulnerabilität bei depressiven Episoden und rezidivierenden depressiven Störungen biologisch begründet ist.

7.2.1.3. Therapie

Grundlage jeder erfolgreichen Therapie depressiver Patienten ist der mitfühlende verstehende emotionale **Umgang mit den Kranken**. Geduld und positive Zukunftserwartung sind wichtige Elemente, die den Betroffenen vermittelt werden sollten. Für das Behandlungsteam ist es nicht immer leicht, den Weg zwischen Mitfühlen und hoffnungsvermittelnder Distanz zu finden. Dies bedarf besonderer Schulung und bei stationären Behandlungen auch eines besonderen therapeutischen Milieus auf der Station sowie regelmäßiger Supervision. Essentielle Grundlage jeder Depressionsbehandlung ist die psychotherapeutische

Tabelle 7.6. Leitlinien zur therapeutischen Haltung gegenüber depressiven Patienten

Wir nehmen Ihre Berichte über das depressive Erleben ernst, respektieren das Leiden,
auch wenn wir einzelne Symptome nicht nachvollziehen können.
Wir erkennen, daß Sie jetzt eine schwere Krankheit und tiefe Hoffnungslosigkeit haben.
Es gibt erfolgreiche antidepressive Behandlungen.
Ihre Depression wird abklingen.
Wann die Symptome gelindert sind oder die Depression zuende ist, wissen wir nicht,
aber es wird geschehen.
Wir kennen uns in der Behandlung depressiver Menschen aus, wir haben damit professionelle Erfahrung.
Sie sind kein Einzelfall.
Sie können sich auf uns verlassen.
Wir wollen und können Ihnen nichts wegnehmen, auch nicht die letzte Möglichkeit des Suizids.
Wir wollen aber vorher alle anderen Möglichkeiten mit Ihnen gemeinsam durchführen,
z.B. die jetzt anstehende Therapie.
Bezüglich des Suizids wollen wir ein Bündnis (einen Vertrag) schließen:
Sie berichten uns von aufkommenden Suizidgedanken/-plänen und geben uns damit die Chance,
mit Ihnen an einem anderen Ausweg zu arbeiten.
Wir, vor allem aber Sie brauchen viel Geduld, es wird Fortschritte und Rückschläge geben,
entscheidend ist aber, daß die Depression heilbar ist.

Haltung den Patienten gegenüber, unabhängig von der schließlich angewendeten Technik (Schule).

Psychodynamische Vorgehensweisen sind meist mit zunächst regressionsfördernden abwehrschwächenden Mechanismen verbunden. Zumindest in der akuten depressiven Phase ist eine weitere Regression der Patienten nicht erwünscht, gelegentlich gefährlich. Sich neben dem aktuell bestehenden Leiden, das meist mit einer Verringerung der Ich-Stärke verbunden ist, zusätzlich mit psychodynamischen Mechanismen lebensgeschichtlich früherer Zeiten auseinanderzusetzen, überfordert die meisten Patienten mit einer depressiven Episode oder einer rezidivierenden depressiven Störung. Um so wichtiger ist die stützende Psychotherapie, bei der unter anderem die in Tabelle 7.6 aufgelisteten Haltungen des Arztes und des übrigen Behandlungsteams besonders wichtig sind.

Selbstverständlich sollen diese Aspekte nur als grobe Anhaltspunkte dienen. Das individuelle Eingehen auf die von der Krankheit betroffene Person ist nicht durch eine Stichwortliste zu ersetzen. Gemeint sind die Sätze als Beispiele einer bestimmten empfohlenen Haltung der Betreuer. Es ist entscheidend, daß ein besonderes Vertrauensverhältnis zwischen Patient und Betreuer entsteht. Es nützt dabei wenig, wenn der Satz »Sie können sich auf uns verlassen« fällt, der Patient aber die Erfahrung macht, daß immer wieder Gesprächstermine verschoben werden, nicht über mögliche Nebenwirkungen der Medikation gesprochen wird usw.

Wie schon erwähnt, haben Theorien über eine Mitbeteiligung negativer Kognitionen an der Depressionsentstehung zu einer verhaltenstherapeutisch orientierten **kognitiven Therapie** bei Depressiven geführt. Das Einüben positiver Einstellungen sich selbst, der Umwelt und Zukunft gegenüber kann auch bei Patienten mit depressiven Episoden oder rezidivierenden depressiven Störungen gute Erfolge zeigen.

Eine relativ neue Psychotherapieform, die **Interpersonelle Psychotherapie** (IPT), wurde von Klerman und Weissman zunächst speziell für die Behandlung depressiver Patienten entwickelt. Grundgedanke ist hierbei, daß bei depressiven Menschen besonders eine Störung des sozialen Kontextes und der zwischenmenschlichen Beziehungen vorliegt. Besonders die Konzentration auf die Analyse und Bearbeitung der aktuellen (nicht früheren, lebensgeschichtlichen) zwischenmenschlichen Konflikte ermöglicht nach bisherigen Ergebnissen häufig eine erfolgreiche antidepressive Therapie in relativ kurzer Zeit (bis zu 20 Sitzungen, einmal pro Woche). Die Elemente der technischen Durchführung sind dabei überwiegend anderen Therapieformen entlehnt. Ein Vorteil der interpersonellen Psychotherapie ist ihre relativ starke Standardisierung. In einer ersten Therapiephase (1.–3. Sitzung) erhalten die Patienten nach gründlicher Diagnostik ausführliche Informationen über ihre Erkrankung. Im Anschluß an diese Auseinandersetzung mit stark psychoedukativem Charakter einigen sich Patient und Therapeut dann in einem Behandlungsvertrag auf einen im Vordergrund stehenden Problembereich, der in der folgenden Zeit gemeinsam bearbeitet wird (4.–13. Sitzung). Hier geht es dann um das Erlernen angemessener Bewältigungsstrategien, alternativer Verhaltensmöglichkeiten und der zunehmenden Übernahme von Verantwortung für den Therapieverlauf durch den Patienten. Die Beendigungsphase (14.–16. Sitzung) dient überwiegend der Ablösung von der Therapie. Hierbei sollte eine Bilanzierung des bisher Erreichten und des noch nicht Erreichten erfolgen. Zukunftsplanungen werden vorgenommen und es muß die Frage entschieden werden, ob und welche Art Weiterbehandlung durchgeführt wird. Durch die Zusammenstellung der einzelnen Elemente und die Konzentration auf einen Problemfokus im interpersonellen Bereich wird eine spezifische pragmatische und wegen der kurzen Dauer auch ökonomische Vorgehensweise angeboten, die sich auch im deutschsprachigen Raum weiter durchsetzen wird, wenn sich die ersten Erfolgsberichte bestätigen.

Meist wird bei Patienten mit depressiven Episoden oder rezidivierenden depressiven Störungen die Indikation für eine **medikamentöse antidepressive Therapie** gegeben sein. Wie bei jeder Medikation ist die Indikationsstellung im Einzelfall von einer sorgfältigen Nutzen-Risiko-Abwägung abhängig. Hier gehen neben Bedürfnissen der Patienten und Ergebnissen aus der psychischen und körperlichen Befunderhebung auch Kenntnisse über Wirkungen, Nebenwirkungen und pharmakologisches Profil der Medikamente in die Entscheidung ein. Es ist sehr wichtig, durch Besprechung dieser Überlegungen mit den Patienten die Compliance zu erhöhen. Etwa gleichzeitig – 1957 – entdeckten der Schweizer Psychiater Kuhn die antidepressive Wirkung des Imipramins und die Amerikaner Loomer, Saunders und Kline die antidepressive Wirkung des Monoaminooxydasehemmers (MAO-Hemmer) Iproniazid. Ausgehend von diesen Wirkstoffen gibt es heute eine Vielzahl von Medikamenten, die in der Behandlung depressiver Syndrome eingesetzt werden können. Es sind dies vor allem Trizyklika, Tetrazyklika, MAO-Hemmer und neue selektive Serotonin-Wiederaufnahmehemmer (SSRI). Zunächst wird die Therapie bei depressiven Episoden mit der Auswahl eines trizyklischen bzw. tetrazyklischen Medikaments, eines SSRI oder eines neuen reversiblen MAO-Hemmers beginnen. Eine gruppenstatistische Überlegenheit bestimmter Substanzen gegenüber anderen konnte bisher nicht nachgewiesen werden, wenn auch das individuelle Ansprechen auf unterschiedliche Medikamente sehr verschieden sein kann. Deshalb kann für die **Auswahl eines Präparats** die frühere positive Erfahrung eines Patienten mit einem bestimmten Medikament einen nützlichen Hinweis geben. Die Antidepressiva werden sonst nach zu behandelnder **Zielsymptomatik** ausgewählt. Hier ist z.B. die Entscheidung zwischen eher sedierenden oder eher antriebssteigernden Medikamenten zu treffen. Ein weiteres Kriterium besteht darin, daß der Arzt sich einige wenige Antidepressiva auswählen sollte, die er bei verschiedenen Patienten immer wieder einsetzt und so besonders viel Erfahrung mit ihnen sammeln kann. Die Behandlung mit Antidepressiva sollte mit einer kleinen Dosis beginnen und einschleichend über mehrere Tage die Zieldosis erreichen. Sie sollte während der ganzen depressiven Phase andauern. Da die Rückfallgefahr nach frühem Absetzen hoch ist, wird zusätzlich eine Fortführung der Medikamentenabgabe über mehrere Wochen oder sogar Monate nach Abklingen der Depression empfohlen. Die Medikamente werden dann ausschleichend abgesetzt. Bei Depressionen mit wahnhafter Symptomatik empfiehlt sich eine Zweizügeltherapie mit einem Neuroleptikum und einem Antidepressivum, wobei die meisten Empfehlungen für einen Beginn der Behandlung mit dem Neuroleptikum plädieren. Wenn **Therapieresistenz** auftritt, obwohl die antidepressive Therapie ausreichend lang (mindestens 3 Wochen) und ausreichend hoch dosiert (z.B. mindestens 200 mg Imipramin pro Tag) durchgeführt wurde, kommen verschiedene alternative oder zusätzliche Medikationen in Frage. Zunächst wird man einen Wechsel zu einem Präparat aus einer anderen Stoffgruppe vornehmen (z.B. SSRI zu trizyklischer Substanz). Lithium kann als zusätzliches Medikament in Einzelfällen Erfolg bringen (unabhängig von seiner später zu besprechenden phasenprophylaktischen Wirkung). Genauere Angaben über

Pharmakologie und Anwendung von Antidepressiva sind im Kapitel 15 nachzulesen.

Nicht nur bei Therapieresistenz, sondern auch als von Anfang an begleitende Behandlung können therapeutische **Schlafentzüge** durchgeführt werden. Es handelt sich um einen freiwilligen Verzicht des Patienten auf den ganzen oder Teile seines Nachtschlafs. Der antidepressive Effekt tritt bei mehr als der Hälfte aller Patienten auf und hält in der Regel einen Tag an. Nach zwischengeschalteten Erholungsnächten kann der Schlafentzug wiederholt werden (vgl. Kapitel 16).

Bei schwer depressiven Patienten, besonders solchen mit Wahnerleben, die auf mehrere medikamentöse Therapieschemata nicht ansprechen, kann zum Teil mit sehr positivem Erfolg eine **Elektrokrampftherapie** durchgeführt werden (vgl. Kapitel 16).

Bei Patienten mit meist leichteren rezidivierenden depressiven Störungen, bei denen gesunde und depressive Zeiten mit strenger Bindung an die Jahreszeiten vorkommen (»Saisonal Abhängige Depressionen«, »Winterdepression«), ist **Lichttherapie** eine häufig gut wirksame und nebenwirkungsarme Behandlungsform (vgl. Kapitel 16).

Auch früher durchgeführte **Cardiazol-Schock- und Insulintherapien** haben gute Behandlungserfolge erbracht. Wegen der schlechten Steuerbarkeit der Behandlungen, höherem Nebenwirkungsrisiko und vorliegenden Alternativen (z.B. Elektrokrampftherapie) sollen sie heute nicht mehr durchgeführt werden. Bei psychochirurgischen Maßnahmen ist dagegen auch schon der früher gelegentlich berichtete antidepressive Effekt zu bezweifeln. Heute sind diese Eingriffe obsolet.

7.2.1.4. Verlauf und Prognose

Ungefähr ein Viertel aller Patienten mit einer unipolaren depressiven Störung erfährt nur eine einzige depressive Episode in ihrem Leben, drei Viertel leiden unter einer rezidivierenden depressiven Störung. Im Durchschnitt werden von den Patienten mit rezidivierenden depressiven Störungen fünf Episoden durchgemacht, deutlich weniger als bei bipolaren affektiven Störungen. Die Varianz bezüglich der **Anzahl erlebter Episoden** ist allerdings groß. Auch die durchschnittliche **Länge einer Episode** ist interindividuell sehr verschieden, wenn auch intraindividuell erstaunlich stabil. Sie liegt im Mittel bei 5 Monaten, unabhängig davon, ob eine psychopharmakologische Behandlung durchgeführt wird oder nicht. Diese hat zwar symptommindernde Wirkung und bringt vielen Patienten dadurch entscheidende Hilfe, sie verkürzt die depressive Phase jedoch wohl nicht. Im Gegensatz dazu gibt es Hinweise darauf, daß durch Elektrokrampftherapie auch die Länge einer depressiven Phase verkürzt werden kann. Als **Faustregel** kann man sich merken, daß etwa 50% der Patienten weniger als 3 Monate krank sind, jeweils 25% bis zu 1 Jahr bzw. länger als 1 Jahr. Es gibt Hinweise darauf, daß im Laufe einer rezidivierenden depressiven Störung die Intervalle zwischen den depressiven Episoden immer kürzer werden, im Gesamtdurchschnitt liegt die Länge der gesunden Intervalle bei etwa 5 Jahren. Alle angegebenen Durchschnittswerte haben vor allem didaktische Funktion. Sie sollen dem Anfänger eine orientierende Vorstellung von den Krankheitsbildern geben. Es kann nicht oft genug darauf hingewiesen werden, daß im Einzelfall erhebliche Abweichungen von diesen Mittelwerten vorliegen können, so daß die Zahlen z.B. auch nicht für die Beratung von Patienten bezüglich ihres individuellen Rückfallrisikos taugen. Zudem muß berücksichtigt werden, daß die Zahlen überwiegend aus Untersuchungen hospitalisierter Patienten stammen. Unter Einbeziehung leichterer depressiver Störungen, die ambulant oder gar nicht behandelt werden, könnten sich die angegebenen Durchschnittswerte ändern.

Zusammenfassend handelt es sich bei den depressiven Episoden und rezidivierenden depressiven Störungen um **Krankheiten mit guter Prognose.** Sie heilen meist völlig aus (25% schon nach einer Episode, die meisten anderen doch zumindest in den langen Intervallen zwischen den Krankheitsphasen). In seltenen Fällen bleiben nach einigen Phasen Restsymptome, sehr selten ist ein Übergang in chronische Depressivität. Eine weitere Einschränkung der sonst guten Prognose besteht in dem hohen Risiko von Patienten mit depressiven Episoden oder rezidivierenden depressiven Störungen, an einem Suizid zu sterben (vgl. Kapitel 36). Dies ist bei über 10% aller Patienten der Fall. Die Gefährdung ist am größten nach dem Beginn einer stationären Behandlung und nach Entlassung aus dem Krankenhaus. Das unterstreicht die Wichtigkeit einer Beachtung (das heißt auch aktiven Exploration) von Suizidalität bei der Aufnahme und die Wichtigkeit einer Einbeziehung des sozialen Netzes nach Entlassung.

7.2.2. Anhaltende depressive Störung (Dysthymie)

7.2.2.1. Definition und Deskription

Es handelt sich hier um eine affektive Störung, bei der über lange Zeit, meist viele Jahre, gelegentlich das ganze Leben lang, depressive Symptomatik vorliegt. Diese ist meist nicht so schwer wie bei den depressiven Episoden oder rezidivierenden depressiven Störungen. Häufig können die Betroffenen ihrer Berufstätigkeit weiterhin nachgehen. Es können krisenhafte Zuspitzungen auftreten, genauso aber auch zusammenhängende Tage bis Wochen, in denen die Patienten sich wohl fühlen.

Außer daß sie meist nicht so ausgeprägt sind, unterscheiden sich die einzelnen Symptome des beschriebenen depressiven Syndroms in der Dysthymie nicht von denen, die in der depressiven Episode oder bei der rezidivierenden depressiven Störung vorkommen. Eine Ausnahme davon bilden Wahn und Halluzinationen, die hier nicht vorkommen. Das Konzept der Dysthymie entspricht weitgehend den früher (noch in der ICD-9) benutzten Begriffen **depressive Neurose** oder **neurotische Depression**. Diese Erkrankungen beginnen meist im frühen Erwachsenenalter, gelegentlich auch später. Ein auslösendes Ereignis ist fast immer nachzuweisen. In die Kategorie »Dysthymie« gehören aber auch depressive Persönlichkeitsstörungen, bei denen tiefverwurzelte anhaltende Verhaltensmuster vorliegen.

7.2.2.2. Ätiologie und Pathogenese

Die diagnostische Unterscheidung von depressiven Episoden und rezidivierenden depressiven Störungen auf der einen und Dysthymie auf der anderen Seite beruht auf den geschilderten Charakteristiken des psychopathologischen Bildes (hier können die Unterschiede gering sein, meist ist bei der Dysthymie lediglich das depressive Syndrom geringer ausgeprägt) und vor allem Merkmalen des Verlaufs (langanhaltend bei der Dysthymie). Es ist wichtig zu betonen, daß diese diagnostischen Einteilungen sich nicht auf eine nachgewiesene unterschiedliche Ätiologie gründen.

Das **Konzept der neurotischen Depression** beruht vor allem auf psychoanalytischen Vorstellungen von der Entwicklung einer reifen Persönlichkeit von der Geburt bis ins Erwachsenenalter und den Störungen dieser Entwicklung. Depressives Erleben wird nach der klassischen Theorie der oralen Phase zugeordnet. Hier besteht beim Kleinkind ähnlich wie später in der Depression eine eher passive, auf Versorgung angewiesene Grundsituation. Die Kinder sind wenig mobil, erhalten in der Nähe zur primären Bezugsperson (meist der Mutter) Sicherheit und Vertrauen. Bei gesunder Entwicklung lassen Kinder diese Phase hinter sich, wenden sich mehr dem Geschehen in der weiteren Umwelt zu, werden aktiver und gewinnen zunehmend Vertrauen in die eigene Stärke und Selbstständigkeit. Kommt es in der Phase dieser ersten Loslösung zu schwerwiegenden Störungen, kann es sein, daß die Betroffenen auch im späteren Leben immer wieder dazu neigen, in eine depressive Haltung zu regredieren, die mit der früheren Situation, der oralen Phase, gewisse Ähnlichkeiten hat. Neuere psychoanalytische Konzepte gehen eher von einer früh (noch vor der oralen Phase) entstandenen Störung aus. Kennzeichnend ist nach diesen Überlegungen eine Selbstwertproblematik beim depressiven Menschen. Die Störung in der Kindheit beruht meist auf länger anhaltenden versagenden oder seltener auch verwöhnenden Haltungen der Erziehenden. Beide Haltungen behindern den Schritt zur Loslösung des Kindes und zur gesunden Selbstwertentwicklung. Akute Traumata werden dagegen in ihrer Bedeutung meist überschätzt. Im Erwachsenenalter sind diese Menschen häufig in bestimmten Schwellensituationen überfordert, in denen weitere Reifungsschritte, meist mit Übernahme größerer Verantwortung oder Selbständigkeit, von ihnen verlangt werden. Sie machen im Sinne eines unbewußten Bewältigungsmechanismus eine Regression durch, die bewirkt, daß sie sich Anforderungen nicht mehr gewachsen fühlen, sich müde und antriebslos fühlen, nichts mehr genießen können und andere Symptome des depressiven Syndroms zeigen. Verhaltenstherapeutische Theorien gehen davon aus, daß depressives Verhalten gelernt und im späteren Leben immer mehr verstärkt wird. Kognitionspsychologische Ansätze wurden schon im Abschnitt 7.2.1.2 skizziert, sie spielen auch bei der Erklärung der Entstehung der Dysthymie eine Rolle.

Es soll noch einmal darauf hingewiesen werden, daß die psychoanalytischen Überlegungen nicht ausschließlich für die Dysthymie gelten, sie bieten ein mögliches Konzept auch für die depressiven Episoden und rezidivierenden depressiven Störungen. Genauso gibt es Anhaltspunkte dafür, daß die dort beschriebenen biologischen Mechanismen zur Ätiologie auch bei der Dysthymie eine Rolle spielen. So gibt es Hinweise darauf, daß sich auch in der Familie von Patienten mit Dysthymie mehr depressiv Kranke finden als in der Familie gesunder Vergleichspersonen, was auch hier für eine Beteiligung genetischer Mechanismen an der Pathogenese der Störung spricht. Natürlich wäre es wünschenswert, die Einteilung der verschiedenen depressiven Störungen aufgrund einer unterschiedlichen Ätiologie zu treffen. Dies ist aber bisher nicht gelungen. So sind alle im Abschnitt 7.2.1.2 gemachten Anmerkungen zu Ätiologie und Pathogenese im Prinzip auch hier gültig.

7.2.2.3. Therapie

Die **psychodynamische Therapie** baut auf den skizzierten Überlegungen zur Pathogenese depressiver Störungen auf. Letzten Endes ist das Ziel der Therapie, die in der Kindheit problematisch abgelaufene Entwicklung von der abhängigen (oralen) Phase zu größerer Selbständigkeit und Verantwortungsübernahme zu bearbeiten und so weit wie möglich nachzuholen. Dies ist ein schwieriger und langwieriger Prozess, der Gefahren birgt und keineswegs immer zum Erfolg führt. Auch die depressive Symptomatik in der Dysthymie, wenn auch pathologisch und langfristig nicht selten lebenszerstörend, ist als unbewußter Schutzmechanismus des Ichs gegen eine bevorstehende Überforderung zu begreifen. Dies ist deshalb besonders wichtig, weil im Laufe der Therapie immer mehr bewußt werden sollte, daß es sich eben nicht um einen tauglichen Mechanismus handelt, ohne daß vielleicht schon neue Bewältigungsmöglichkeiten vorliegen.

Dies kann zu krisenhaften Phasen innerhalb der Therapie führen, in denen nicht selten auch verstärkte Suizidalität vorkommt. Die einzelnen Vorgehensweisen, Indikationen und Kontraindikationen für eine tiefenpsychologische Therapieform werden in Kapitel 18 beschrieben. Auch diese Therapieform kann und soll bei vorliegenden Indikationen mit **Psychopharmakotherapie** (vgl. Kapitel 15) kombiniert werden. Nutzt der Patient im Sinne der Abwehr die Gabe des Medikaments als Mittel gegen eine psychodynamische Auseinandersetzung mit seiner Problematik, soll dies in der Therapie besprochen werden. Es ist dies aber kein Grund, ihm eine möglicherweise zusätzlich gut wirksame Behandlung vorzuenthalten. Es wird allerdings oft sinnvoll sein, die Psychotherapie und die medikamentöse Therapie (Verordnung und Überwachung) von zwei verschiedenen Therapeuten durchführen zu lassen. Ähnliches gilt auch für die körperliche Befunderhebung bei somatischen Beschwerden.

Auch **kognitive Therapien** können zur Behandlung der Dysthymie erfolgreich angewendet werden. Sie sind hier allerdings meist weniger erfolgreich als bei anderen Neurosen und z.B. Angsterkrankungen. Die schon beschriebene **Interpersonelle Psychotherapie** hat im Gegensatz zur tiefenpsychologischen Vorgehensweise das Ziel, die aktuellen Konflikte, vor allem im zwischenmenschlichen Bereich, auszuwerten und zu bearbeiten. Das niederfrequente und etwa auf 20 Sitzungen beschränkte Vorgehen ist auch bei Patienten mit Dysthymie indiziert und hat nach bisher vorliegenden Ergebnissen gute Erfolge aufzuweisen.

7.2.2.4. Verlauf und Prognose

Die Prognose der Dysthymie ist nicht global anzugeben. Sie wird im Einzelfall davon abhängen, wie schwer die Störung ist, wie das soziale Umfeld der Patienten stützend eingreifen kann, wie intensiv und kundig die Therapie durchgeführt wird und inwieweit die Patienten bereit und in der Lage sind, sich auf einen langfristigen, oft anstrengenden und in manchen Phasen vorübergehend destabilisierenden Therapieprozess einzulassen. Heilung kann unter günstigen Umständen erreicht werden, in der Regel wird die Therapie dazu führen, daß Symptome gemildert sind, die Patienten besser mit äußeren Belastungen fertig werden, selbstbewußter sind und mehr Genuß empfinden können. Auch ein chronifizierter Verlauf ohne Erfolg der Therapien kommt vor. Zu erwähnen ist auch, daß die Suizidrate unter Patienten mit Dysthymie hoch ist. Im Vergleich mit anderen Neurosen und Persönlichkeitsstörungen soll die Prognose der depressiven Neurose günstiger sein.

7.3. Manie (manische Episode)

7.3.1. Definition und Deskription

In der manischen Episode liegen Symptome des in Tabelle 7.3 geschilderten manischen Syndroms vor. Auch die Manie wird wie die Depression in **drei Schweregrade** unterteilt, die aber hier nicht leicht, mittel und schwer genannt werden, sondern gleichbedeutend »Hypomanie«, »Manie ohne psychotische Symptome« und »Manie mit psychotischen Symptomen«.

Wie schon in der Einleitung betont, ist der Übergang von gesundem Wohlgefühl und Schaffensdrang zur Hypomanie fließend und im Einzelfall schwer zu bestimmen. Erschwerend kommt hier noch dazu, daß die Kranken selbst den Zustand der Hypomanie meist als sehr angenehm empfinden und selten den Arzt aufsuchen, und falls sie dies einmal tun, dann die Krankheitskonzepte des Arztes in der Regel nicht übernehmen können. Zur **Diagnose** gehört, daß einige der im manischen Syndrom beschriebenen Symptome gehobener oder geänderter Stimmung und gesteigerter Aktivität zumindest einige Tage deutlich und durchgehend vorhanden sind. Berufstätigkeit und Sozialverhalten können auch schon in der Hypomanie beeinträchtigt sein. Für die Diagnose einer Manie wird gefordert, daß die deutlicher ausgeprägten Symptome mindestens 1 Woche lang vorliegen und so schwer sind, daß in der Regel die berufliche und soziale Funktionsfähigkeit mehr oder weniger vollständig unterbrochen sind. Bei der Manie mit psychotischen Symptomen liegen zusätzlich zu der deutlich ausgeprägten Antriebssteigerung und Stimmungsveränderung (gehoben oder gereizt) Wahn und/oder Halluzinationen vor. Wahninhalte beziehen sich üblicherweise auf die eigene Größe und/oder religiöse Themen, es kann auch ein Verfolgungswahn vorliegen. Die Abgrenzung von Manien mit psychotischen Symptomen zur Schizophrenie ist im Einzelfall sehr schwierig.

Insgesamt sind rein manische (unipolare) Verlaufsformen selten, es wird geschätzt, daß sie höchstens 5–10% aller affektiven Störungen ausmachen. Davon sind wiederum die meisten Verlaufsformen wiederholte manische Episoden, so daß die **einzelne manische Episode** sehr selten ist und meist nur beim ersten Auftreten einer später rezidivierend unipolar oder bipolar verlaufenden Störung diagnostiziert wird. Im Gegensatz zur Depression gehört in die Diagnosenkategorie der Manie nur die einzelne manische Episode. Überblickt man den ganzen Krankheitsverlauf bei einem Patienten, ist es extrem selten, daß manische Phasen rezidivierend vorkommen, ohne daß je auch depressive Symptomatik vorgekommen wäre. Aufgrund dieser Tatsache und Ähnlichkeiten bei pathogenetischen Befunden wird die rezidivierend verlaufende manische Störung den bipolaren affektiven Störungen zugeordnet.

7.3.2. Ätiologie und Pathogenese

Entsprechend der Seltenheit »reiner« Manien gibt es hierzu kaum Untersuchungen. Hinzu kommt noch, daß manische Patienten schwierig zu untersuchen sind, häufig ihre Einwilligung zu Studien nicht geben; wenn sie es tun, ist der Studienablauf genau zu überwachen, weil mit der kontinuierlichen Mitarbeit der Patienten kaum zu rechnen ist. Fast alle Aussagen zur Pathogenese manischer Störungen beziehen sich auf manische Phasen innerhalb bipolarer affektiver Störungen und sollen auch dort besprochen werden.

7.3.3. Therapie

Manische Symptomatik ist schwer zu behandeln. Im Gegensatz zum depressiven Patienten besteht in der Manie häufig kein Leidensdruck und noch viel weniger Krankheitseinsicht. Anderseits kommt es auch nicht selten vor, daß die betroffenen Patienten in einer Art doppelter Buchführung zwar Wohlbefinden äußern und häufig auch expressiv demonstrieren, auf der anderen Seite aber doch merken, daß ihr momentaner Zustand etwas besonderes an sich hat und nicht dem ausgeglichenen Wohlbefinden gesunder Zeiten vergleichbar ist. Viele Patienten registrieren auch die zunehmenden sozialen Schwierigkeiten. Es ist auch gegenüber manischen Patienten sehr wichtig zu versuchen, eine tragfähige **Arzt-Patient-Beziehung** herzustellen. Feste Gesprächstermine sollten vereinbart werden, dabei empfiehlt es sich, häufiger, aber kürzer mit den Patienten zu reden. Die vorher vereinbarte Länge der Gespräche sollte nicht überschritten werden, Gespräche zwischen Tür und Angel unterbindet man möglichst mit Hinweis auf den nächsten vereinbarten Gesprächstermin. Dies sollte wie auch das Stationsmilieu dazu dienen, dem Ungeordneten in der Manie eine relativ feste Struktur gegenüberzustellen, an der sich der Patient zunehmend orientieren kann. Auf der anderen Seite kann ein flexibles Eingehen auf die spontanen Bedürfnisse der Kranken Konflikte (Gereiztheit, Aggression) relativ früh lösen oder ihnen die Spitze nehmen. Den Mittelweg zwischen rigide strukturgebendem Verhalten auf der einen und flexiblem Eingehen auf der anderen Seite zu finden, erfordert viel Erfahrung. Psychoanalytische Therapie mit Manikern wurde versucht, einzelne Erfolge wurden berichtet. Sie bleibt aber dem speziell Erfahrenen vorbehalten und kann als Regelbehandlung nicht empfohlen werden.

Die **medikamentöse Therapie** der Manie ist meist indiziert. Nicht immer ist dafür das Einverständnis des Patienten zu erreichen. Bei gereizten Syndromen mit Fremdgefährlichkeit stellt sich dann gelegentlich die Frage einer Zwangsmedikation. In einer eigenen Untersuchung wurde gefunden, daß manische Patienten vergleichsweise am häufigsten von allen Diagnosegruppen zwangsmediziert werden. Auch die Frage einer Zwangsunterbringung auf einer geschlossenen Station muß gelegentlich beantwortet werden. Man sollte sich ein möglichst genaues Bild über krankheitsbedingtes sozial selbstdestruktives Verhalten machen (unvernünftige Geschäftsabschlüsse, ruinöse Firmengründungen usw.). Die medikamentöse Therapie wird üblicherweise zunächst mit Neuroleptika durchgeführt. Dabei ist meist ein hochpotentes Mittel erforderlich. Bezüglich der Nebenwirkungen bestehen die gleichen Vorsichts- und Gegenmaßnahmen wie bei der Behandlung der Schizophrenie. Meist müssen Medikamente während der Manie relativ hoch dosiert werden. Ist mit der Neuroleptikatherapie kein ausreichender Behandlungserfolg erreicht worden, kann die Manie auch gut mit Lithium behandelt werden. Hierbei handelt es sich nicht um die im Abschnitt 7.4.3 besprochene phasenprophylaktische Indikation, die ja definitionsgemäß bei einer einzelnen manischen Episode nicht besteht. Vielmehr ist Lithium auch ein gutes Antimanikum (vgl. Kapitel 15).

7.3.4. Verlauf und Prognose

Eine manische Episode dauert nach neueren Untersuchungen im Mittel zwischen 4 und 6 Monaten. Dies deckt sich mit Angaben aus Untersuchungen vor Einführung der Psychopharmaka. Auch hier hat die Psychopharmakotherapie also vermutlich keine phasenverkürzende Wirkung, sondern mildert die Symptomatik während der Episode. Da einzelne manische Episoden extrem selten sind, ist bei Vorliegen einer manischen Phase damit zu rechnen, daß es sich um den Beginn einer bipolaren affektiven Störung handelt. Nach Abklingen der akuten Symptomatik sollte dies mit den Patienten mit dem Ziel besprochen werden, daß sie bei Auftreten depressiver Symptome möglichst früh Kontakt zum Arzt aufnehmen. Gelegentlich schließt sich auch direkt an die manische Phase eine depressive an, die dann nach den Prinzipien der depressiven Episode zu behandeln ist. Sehr häufig sind depressive Nachschwankungen, also leichte depressive Symptome direkt im Anschluß an eine Manie, die aber nicht die diagnostischen Kriterien für eine depressive Episode erfüllen. Diese Phasen sind manchmal schwer von einer adäquat gedrückten Stimmung zu unterscheiden, der die Patienten in Rückblick auf die manische Phase und die meist übriggebliebenen sozialen Probleme unterliegen.

7.4. Bipolare affektive Störungen

7.4.1. Definition und Deskription

Bei der bipolaren affektiven Störung handelt es sich um eine **rezidivierende affektive Störung,** bei der depressive und manische Episoden auftreten. Die einzelnen Episoden gleichen in ihrem psychopathologischen Bild dem in den Abschnitten über die depressive bzw. manische Episode beschriebenen. Laut Definition kann die bipolare affektive Störung frühestens nach Auftreten der zweiten Episode diagnostiziert werden. In mindestens einer der Episoden muß eine manische Symptomatik vorgelegen haben (sonst wäre die Diagnose einer rezidivierenden depressiven Störung zu stellen).

Ein Spezialfall ergibt sich dadurch, daß eine rezidivierende manische Störung, ohne daß der Patient je depressive Symptomatik gehabt hätte oder irgendwann bekommen wird, zumindest sehr selten ist und die Patienten mit diesem Verlauf denen mit kombinierten manischen und depressiven Phasen in vielem sehr ähnlich sind. Die rezidivierende manische Störung wird deshalb den bipolaren affektiven Störungen zugeordnet. Wie bei der rezidivierenden depressiven Störung liegt auch bei der bipolaren affektiven Störung im Intervall zwischen den einzelnen Episoden in der Regel eine Vollremission vor. Im Gegensatz zu den Angaben bei den rein depressiven Erkrankungen kommt die bipolare affektive Störung bei Männern und Frauen gleich häufig vor. Das **Morbiditätsrisiko** für bipolare affektive Störungen liegt bei 1% und damit wesentlich niedriger als das der rezidivierenden depressiven Störung. Die **Inzidenz** beträgt etwa 0,02% und die **Einmonatsprävalenz** liegt etwa bei 0,9%. Die Zahlen gelten für die bipolaren Störungen, bei denen mindestens eine Episode einer ausgeprägten Manie vorkommt. Bezieht man auch Verläufe mit Hypomanie und zyklothymen Persönlichkeitsstörungen mit ein (für diese umfassende Gruppe ist im angloamerikanischen Raum der Begriff »bipolar spectrum disorders« gebräuchlich), erhöht sich z.B. das Lebenszeitrisiko auf 6–8%. Es handelt sich also zumindest bei den bipolaren affektiven Störungen mit ausgeprägt manischen und depressiven Phasen um eher seltene Erkrankungen. Die Störung ist dennoch von erheblicher Bedeutung, besonders weil sie für den einzelnen Patienten und dessen Angehörige meist großes Leiden mit sich bringt. Der unberechenbare Wechsel von zwei sehr gegensätzlichen klinischen Bildern scheint besonders belastend zu sein. Sonderformen, z.B. ein seltener sehr rascher Wechsel depressiver und manischer Phasen (»rapid cycler«), im Extremfall im 24-Stunden-Rhythmus, werfen zusätzlich interessante rhythmologische Fragen innerhalb der Genese affektiver Störungen auf.

7.4.2. Ätiologie und Pathogenese

7.4.2.1. Biologische Befunde

Für die **humangenetischen Befunde** bei Patienten mit bipolaren affektiven Störungen gelten die gleichen Grundsätze wie die im Abschnitt 7.2.1.2 für die depressiven Störungen beschriebenen. Auch bei bipolar Erkrankten sind familiäre Häufungen und erhöhte Konkordanzraten bei eineiigen Zwillingen nachgewiesen. Sie übertreffen sogar noch die Zahlen der depressiven Patienten (Übersicht siehe Tabelle 7.5). Dabei ist erstaunlich, daß zwar auch kranke

Angehörige von Patienten mit bipolaren affektiven Störungen am häufigsten unipolare depressive Erkrankungen haben (da diese ja insgesamt sehr viel häufiger sind als bipolare affektive Störungen), daß sich aber bei ihnen zusätzlich viel mehr Angehörige mit bipolaren affektiven Störungen finden als bei Angehörigen von Patienten mit unipolarer Depression. Dies weist mit anderen Worten darauf hin, daß auch die Bereitschaft, an einem bestimmten Typ der affektiven Störung zu erkranken, genetischen Einflüssen unterliegt. Auch bei den bipolaren affektiven Störungen kann aber nur von einer gewissen genetisch bedingten Vulnerabilität gesprochen werden, es bedarf zusätzlicher Faktoren, damit die Erkrankung beim dazu Veranlagten auch wirklich auftritt. Ebenso ist auch hier die Existenz protektiver Faktoren zu vermuten. Einige Forscher hoffen durch moderne »Linkage«-Untersuchungen und die weitere Aufklärung (»mapping«) des Genmaterials auf zukünftige Erkenntnisse über die Ätiologie der bipolaren affektiven Störung.

Im **Neurotransmitterstoffwechsel** wurden einige auffällige Befunde bei depressiven Patienten beschrieben (s. Abschnitt 7.2.1.1). Dabei sind keine wesentlichen Unterschiede zwischen bipolaren affektiven Störungen und rezidivierenden depressiven Störungen berichtet worden. Einzelne Hinweise auf verminderte noradrenerge Aktivität bei Patienten mit bipolaren affektiven Störungen bedürfen der Bestätigung in weiteren Studien.

Bezüglich **endokrinologischer Untersuchungen** werden die gleichen Systeme (Achsen) wie bei unipolar Depressiven untersucht (s. Abbildung 7.3). Auch die Befunde sind ähnlich. Zusammengefasst findet man bei bipolar affektiven Störungen in der depressiven Phase einen pathologischen DST-Test im Sinne einer gesteigerten Hypohysen-Nebennierenrinden-Aktivität, ferner Hinweise auf eine verminderte Schilddrüsenaktivität (besonders bei Patienten mit »rapid cycling«) und dementsprechend einen pathologischen TRH-Test (verminderte TSH-Response auf Gabe von TRH). Andere Autoren berichten demgegenüber über eine speziell bei bipolar affektiv Erkrankten vorliegende vergrößerte TSH-Response auf TRH. Im Gegensatz zu Befunden bei unipolar depressiven Patienten finden die meisten Studien eine normale oder gar gesteigerte Wachstumshormonausschüttung nach Stimulation durch Clonidingabe.

Zusammenfassend liegen auch bei den bipolaren affektiven Störungen keine einheitlichen Befunde zur biologischen Genese vor. Hinweise legen nahe, daß es sich bei der Störung um die stärker durch biologische Faktoren beeinflusste (vielleicht auch verursachte) Erkrankung handelt. Am ehesten dürfte auch hier ein Modell genetischer Vulnerabilität plus hinzukommender biochemischer Einflüsse die Krankheitsentstehung beschreiben. Es ist aber noch ein weiter Schritt zur Erklärung des genauen Mechanismus und der multikausalen Interaktionen.

7.4.2.2. Psychologische Befunde

Es gibt einige Untersuchungen von **Persönlichkeitsmerkmalen** der Patienten mit bipolaren affektiven Störungen auch im Vergleich zu jenen mit unipolaren depressiven Störungen. Dabei wird die Bedeutung der Befunde dadurch limitiert, daß es kaum möglich ist, die Persönlichkeit eines Menschen unabhängig von einer bei ihm zusätzlich vorliegenden Krankheit zu untersuchen und diese nicht unabhängig von der Persönlichkeit. Es gibt gewisse Hinweise darauf, daß Patienten mit bipolaren affektiven Störungen in gesunden Zeiten und in depressiven Phasen extravertierter und impulsiver sind als die Patienten mit unipolarem Verlauf. Die Patienten mit bipolaren affektiven Störungen unterscheiden sich bezüglich ihrer Persönlichkeitsmerkmale in den meisten Studien nicht von gesunden Vergleichspersonen, entsprechend finden sich auch nicht häufiger Persönlichkeitsstörungen.

7.4.3. Therapie

Solange noch keine klaren Befunde über die Krankheitsursachen affektiver Störungen vorliegen, müssen alle Therapieformen syndromatisch ausgerichtet sein. Dies bedeutet, daß die Patienten grundsätzlich bei depressiven Phasen innerhalb bipolarer affektiver Störungen genauso behandelt werden wie Patienten mit einer depressiven Episode (vgl. Abschnitt 7.2.1.3) und solche mit manischer Symptomatik wie Patienten mit einer manischen Episode (vgl. Abschnitt 7.3.3). Es ergeben sich nur wenige Besonderheiten, die im folgenden besprochen werden.

Der **psychotherapeutische Umgang** mit den Patienten unterscheidet sich nicht von den empfohlenen Vorgehensweisen. Allerdings erfordert ein Wechsel von manischer zu depressiver Symptomatik oder umgekehrt auch einen flexiblen Wechsel der therapeutischen Haltungen des Behandlungsteams. Ist die akute Symptomatik einer Episode abgeklungen, ist es in der Regel unter Einbeziehung von Bezugspersonen (Familie, betreuende Freunde) erforderlich, mit dem Patienten über das Wesen der bipolaren affektiven Störung zu sprechen. Hierbei kommt es darauf an, daß Patient und therapeutisches Umfeld früh erste Zeichen einer Exazerbation erkennen und den Arzt aufsuchen oder benachrichtigen. Die größten Gefahren für den Patienten liegen in suizidalen Krisen zu Beginn der depressiven und in destruktivem Verhalten am Anfang der manischen Episoden. Den Belastungen des Patienten und auch der Angehörigen, mit einer unberechenbaren Abfolge sehr verschiedener Krankheitszustände zu tun zu haben, steht gegenüber, daß mit den heutigen phasenprophylaktischen Möglichkeiten in der Regel sehr gute Behandlungsmöglichkeiten gegeben sind.

Bei der **medikamentösen Therapie** ist zu beachten, daß mitunter depressive und manische Phasen direkt aufeinander folgen können. Beginnt eine manische nach einer depressiven Phase, sollte das Antidepressivum rasch ausgeschlichen und die Indikation für ein Neuroleptikum überprüft werden. Nicht selten handelt es sich um eine hypomanische Nachschwankung, die keiner Psychopharmakatherapie bedarf. Folgt eine depressive auf eine manische Phase im direkten Übergang, kann das vorher gegebene Neuroleptikum (zumindest bei niederpotenten Mitteln) beibehalten werden, eventuell in reduzierter Dosis. Ein Antidepressivum sollte dann zusätzlich gegeben werden, bis sich der Zustand des Patienten wieder stabilisiert hat (vgl. Kapitel 15).

Die Gabe von Lithium als Antidepressivum bzw. Antimanikum wurde schon erwähnt. Die Möglichkeit einer Behandlung mit Lithium zur **Phasenprophylaxe** ist einer der wesentlichsten Fortschritte der Psychopharmakologie seit Einführung der Antidepressiva und Neuroleptika. Sie ist indiziert, wenn zwei Krankheitsepisoden innerhalb eines Jahres oder insgesamt drei Episoden aufgetreten sind. Dies sind Richtwerte, natürlich ist die Indikationsstellung auch hier nach einer individuellen Nutzen/Risiko-Abwägung zu stellen. In diese gehen neben der Häufigkeit die Schwere der einzelnen Episoden, die Compliance des Patienten, die individuelle Verträglichkeit des Medikaments und das Vorliegen körperlicher Begleiterkrankungen ein.

Neben Lithium hat auch Carbamazepin phasenprophylaktische Eigenschaften. Es kann anstelle des Lithiums oder auch kombiniert gegeben werden. Entschließt man sich einmal zu einer phasenprophylaktischen Behandlung, sollte diese jahrelang durchgeführt werden. Die Rückfallgefahr nach Absetzen auch nach mehrjähriger Therapie ist groß. In letzter Zeit gibt es Hinweise, daß dann möglicherweise bei Wiederansetzen der Medikation die phasenprophylaktische Potenz zumindest bei Lithium verloren ist. Eine relativ neue Entwicklung stellt die Gabe von Valproinsäure als Phasenprophylaktikum dar. Zu einer besseren Beurteilung der Indikation müssen aber noch mehr Erfahrungen mit diesem Therapieprinzip in den nächsten Jahren gesammelt werden.

7.4.4. Verlauf und Prognose

Bipolare affektive Störungen beginnen oft im jungen Erwachsenenalter, meist wird eine zweigipfelige Häufigkeitsverteilung, mit einem zweiten Häufigkeitsgipfel im 5. Lebensjahrzehnt, angegeben. Die mittlere Phasenzahl im Lauf des Lebens liegt bei etwa 10 und ist damit doppelt so hoch wie die bei unipolaren depressiven Störungen. Die depressiven Phasen im Rahmen bipolar affektiver Störungen dauern im Mittel 4 Monate und damit kürzer als diejenigen bei unipolaren Verläufen. Auch die Länge eines Zyklus ist mit etwa 2–3 Jahren bei bipolar affektiven Störungen kürzer. Auch bei bipolaren affektiven Störungen kommt ein Übergang in chronifizierte, meist depressive Zustände vor, die Häufigkeit dieser Verlaufsform wird auf etwa 10–20% geschätzt, allerdings kann es auch nach jahrelanger Chronifizierung zu einer wiedereintretenden Remission kommen.

7.5. Andere affektive Störungen

7.5.1. Zyklothymie

Der Begriff »Zyklothymie« wird nicht immer mit gleicher Bedeutung verwendet. Einige Autoren benutzen ihn synonym mit dem früher üblichen Begriff »manisch-depressive Psychose«, also der bipolaren affektiven Störung im heutigen Sinn. Das ICD-10 grenzt den Begriff »Zyklothymie« aber von der bipolaren affektiven Störung ab und das Krankheitsbild soll in dieser Bedeutung beschrieben werden.

Es handelt sich um die **chronische Verlaufsform einer affektiven Störung** mit zahlreichen Perioden leicht ausgeprägter depressiver oder manischer Symptomatik. Auch wenn die Stimmung gelegentlich normal sein kann, liegt doch über die meiste Zeit eine anhaltende Instabilität der Stimmung vor. Keine der depressiven oder manischen Perioden ist so stark ausgeprägt wie bei der bipolaren affektiven Störung.

Die Zyklothymie beginnt meist im frühen Erwachsenenalter und hält in der Regel über Jahre bis lebenslang an. Sie hat somit die Eigenschaften einer Persönlichkeitsstörung, und die Begriffe »affektive«, »zykloide« oder »zyklothyme Persönlichkeitsstörung« sind unter dem Begriff »Zyklothymie« subsummiert. Es gibt aber auch Personen, bei denen die Störung in höherem Lebensalter auftritt. Bei Patienten mit depressiven Episoden, rezidivierender depressiver Störung oder bipolarer affektiver Störung ist gelegentlich anamnestisch zu erfassen, daß dem Auftreten einer dieser Erkrankungen eine jahrelange Stimmungsinstabilität im Sinne der Zyklothymie vorausgegangen ist. Umgekehrt kann auch eine rezidivierende depressive Störung oder eine bipolare affektive Störung in einen chronischen Verlauf übergehen, bei dem keine ausgeprägten Phasen depressiver oder manischer Symptomatik mehr vorkommen, sondern die Kennzeichen der Zyklothymie vorliegen. Auch in der Verwandtschaft von Patienten mit den besprochenen affektiven Störungen kommen gehäuft Patienten mit Zyklothymie vor.

Nur relativ selten suchen Menschen mit Zyklothymie den Arzt auf. Besonders die Zeiten mit sehr leichter manischer Symptomatik werden von den Patienten üblicherweise als sehr wohltuend, produktiv und nicht behandlungsbedürftig erlebt. Auch in den Zeiten mit leichter depressiver Symptomatik haben sich die Betroffenen meist selbst Strategien zurechtgelegt, mit der gedrückten Stimmung und dem geminderten Antrieb fertig zu werden. Die meisten Menschen mit Zyklothymie rechnen die Symptomatik der Eigenart ihrer Person und nicht äußeren Ereignissen zu. Wenn im Einzelfall die depressiven Symptome für den Patienten quälend sind, kann eine Behandlung mit Antidepressiva wie bei der depressiven Episode vorgenommen werden. Im Vordergrund steht bei Patienten, die mit Zyklothymie den Arzt aufsuchen, die psychotherapeutische Behandlung. Lebensbewältigung trotz Störung (»coping«), mit einer Steigerung der Lebensqualität, ist hier das vordringliche Therapieziel.

7.5.2. Saisonal Abhängige Depression (SAD)

Es gibt Menschen, deren Stimmung sich in den verschiedenen Jahreszeiten regelmäßig deutlich ändert. Rosenthal und Mitarbeiter haben 1984 eine Patientengruppe beschrieben, die regelmäßig in den Herbst-Winter-Monaten eine depressive Episode erlebt. Es gibt auch Menschen, die in den Sommermonaten depressiv gestimmt sind und sich regelmäßig im Winter wohl fühlen (**Sommerdepression**), viel häufiger ist aber das umgekehrte Muster, und von mehreren Autoren wird der Begriff »**Winterdepression**« synonym für »Saisonal Abhängige Depression« verwendet. Winterdepressive haben häufig eine besondere Symptomkonstellation mit »atypischen« Depressionssymptomen. Dieser Begriff ist aber nicht präzise, weil die Symptome auch bei anderen (»typischen«) Depressionen vorkommen können, dort allerdings seltener sind. Die Patienten klagen neben gedrückter Stimmung und Antriebsminderung oft über verstärkten Hunger, besonders auf kohlenhydratreiche Kost, Gewichtszunahme und verlängerten, wenn auch wenig erholsamen Schlaf während der depressiven Episode. Neben diesem besonderen Syndrom ist aber der Verlauf das eigentliche Charakteristikum dieser Depressionsform. Depressive Episoden fangen meist im Spätherbst in einem intraindividuell häufig erstaunlich engen zeitlichen Fenster an und hören im Frühjahr wieder über viele Jahre zu sehr ähnlichen Terminen auf. Im Sommer geht es den Patienten gut (Vollremission), seltener kommen in den Hochsommermonaten submanische oder manische Episoden vor. Systematisch sind die Saisonal Abhängigen Depressionen also als Untergruppe der rezidivierenden depressiven oder der bipolaren affektiven Störungen aufzufassen. Die **Prävalenz** der Erkrankung wird (abhängig vom Breitengrad des Wohnorts) mit etwa 5% angegeben; nimmt man Patienten mit einer sehr leichten Störung (»subsyndromale Saisonal Abhängige Depression«) dazu, vergrößert sich der Anteil auf etwa 15%. Unabhängig von diesen Patienten, die dem Stimmungswechsel in Abhängigkeit von den Jahreszeiten Krankheitswert beimessen, ist die Zahl der Menschen, die angeben, der Jahreszeitenwechsel wirke sich auf ihre Stimmung aus, ohne daß sich dies wesentlich auf Arbeitskraft oder Wohlbefinden auswirke, viel größer: Schätzungen gehen bis zu 75%. Wegen dieser großen

Zahl muß man annehmen, daß Saisonalität ein Grundmuster menschlicher Befindensänderung darstellt. Eine Subgruppe scheint auf den Jahreszeitenwechsel aber besonders empfindlich zu reagieren. Hypothesen zur Ätiologie der Störung beziehen sich auf **rhythmologische Konzepte** in Zusammenhang mit der Wirkung von Licht auf Stoffwechselvorgänge im Gehirn (z.B. Einflüsse von Licht auf den Nucleus suprachiasmaticus und das Hormon Melatonin). Aus diesen Überlegungen wurde eine Therapieform abgeleitet, die aus der Anwendung hellen weißen Lichts bei Winterdepressiven besteht. Die **Lichttherapie** (vgl. Kapitel 16) hat sich als gut wirksame und relativ nebenwirkungsarme Behandlung bei Patienten mit Saisonal Abhängiger Depression erwiesen. Bei schweren Ausprägungen des depressiven Syndroms kann zusätzlich eine Therapie mit Antidepressiva und bei häufigen Rezidiven eine phasenprophylaktische Behandlung mit Lithium indiziert sein (vgl. Kapitel 15). Die Prognose ist gut, da sich die meisten Patienten aufgrund der Vorhersehbarkeit risikoreicher Zeiten auf die depressiven Perioden einstellen können und zudem mit Lichttherapie eine leicht anwendbare Behandlungsmethode existiert [Blehar und Lewy, 1990].

7.5.3. Affektive Störungen in Zusammenhang mit Menstruation, Schwangerschaft, Wochenbett und Klimakterium

Im Abschnitt über die ätiologischen Befunde der verschiedenen affektiven Störungen wurde darauf hingewiesen, daß anzunehmen ist, daß Depressionen multifaktoriell entstehen und wohl meist biologische und psychologische Faktoren zusammenwirken. Besonders Schwangerschaft, Wochenbett und Klimakterium sind Zeiten, in denen bei der Frau neben der psychologischen Schwellensituation erhebliche hormonelle Veränderungen vor sich gehen. Tatsächlich ist das Auftreten schwerer depressiver Erkrankungen im Wochenbett etwa zehn mal häufiger als zu anderen Zeiten. Wochenbettpsychosen (dieser Begriff wird sowohl für schizophrene als auch für affektive Störungen im Wochenbett verwendet und ist insofern ungenau) gehen in der Symptomatik weit über die allgemeine Sorge gegenüber der (neuartigen und fast immer mit mehr Verantwortung, Arbeit und wirtschaftlichen Problemen verbundenen) Zukunft hinaus. Es handelt sich um schwere depressive Episoden, die meist lange andauern und relativ therapieresistent sind. Die Versorgung des Babys, somatische Umstellungsprozesse und Probleme von Medikamenteneinnahme in der Stillzeit komplizieren die Behandlung regelmäßig. Neben der psychologisch-psychotherapeutischen Führung müssen meist Antidepressiva gegeben werden. Auf Suizidalität der Patientinnen ist besonders zu achten. Die Ätiologie ist abgesehen von den beschriebenen Vorstellungen zu somatischen und psychischen Umstellungsprozessen unklar. Bei etwa einem Drittel der Patientinnen treten in späteren Wochenbettzeiten wieder Störungen auf. Die Depression im Wochenbett kann eine einzelne depressive Episode oder der Beginn einer rezidivierenden depressiven Störung sein. Auch im Klimakterium können depressive Störungen auftreten, eine statistische Häufung ist aber nicht nachgewiesen. Während der Schwangerschaft sind depressive Episoden eher seltener als zu anderen Zeiten. Parallell zum Menstruationszyklus erleben einige Frauen regelmäßige Schwankungen des Befindens mit zum Teil stark beeinträchtigender depressiv-gereizter Stimmung vor Beginn der Menstruation (**Prämenstruelles Syndrom**). Meist gehen diese Stimmungsveränderungen dem Beginn der Menstruation etwa 1 Woche voraus. Selten ist eine psychopharmakologische Behandlung erforderlich. Erste Befunde zur Anwendung von Lichttherapie oder Schlafentzugstherapie sind ermutigend, müssen aber noch gesichert werden.

7.5.4. Wahnhafte Depression

Im Abschnitt 7.2.1.1 wurde schon erwähnt, daß in der depressiven Episode auch Wahnsymptomatik vorkommen kann. Nach der ICD-10-Nomenklatur handelt es sich nicht um eine eigenständige Störung. Vielmehr kann bei Vorliegen einer schweren depressiven Episode eine weitere Einteilung in »... mit psychotischen Symptomen« vorgenommen werden (s. Tabelle 7.4). Es gibt aber wegen einiger Besonderheiten des Syndroms, Befunden zur Ätiologie und vor allem spezieller Behandlungsempfehlungen die Anregung, in zukünftigen Revisionen der Diagnosensysteme die Störung als eigenständige Diagnose darzustellen [Schatzberg und Rothschild, 1992]. Wahnhaft Depressive haben eine schwer ausgeprägte depressive Symptomatik, bei der meist Auffälligkeiten der Psychomotorik vorliegen. Die Patienten sind gehemmt, seltener agitiert. Auch die Suizidgefährdung ist höher als bei anderen depressiven Störungen. Der Wahn ist meist bezogen auf das depressive Erleben (»**synthym**«). Inhaltlich sind die Patienten wahnhaft überzeugt, schwere persönliche Schuld auf sich geladen zu haben (Schuldwahn), unter völliger Verarmung (Verarmungswahn) oder an einer schweren körperlichen Krankheit zu leiden (hypochondrischer Wahn). Gelegentlich kommen aber auch **dysthyme** Wahninhalte, z.B. Verfolgungs- und Beeinträchtigungswahn, vor. Auch bei der wahnhaften Depression ist die Ätiologie nicht geklärt, es gibt die gleichen Überlegungen wie bei der depressiven Episode. Besonderheiten sind die Befunde über eine stärkere Beteiligung dopaminerger Einflüsse und Hinweise auf eine häufiger vorliegende Vergrößerung der Ventrikel im Vergleich mit dem Hirngewebe (»ventricular-brain ratio«). In der Familie von Patienten mit wahnhafter Depression treten wie bei vielen Depressionsformen gehäuft Angehörige mit Depressionen auf. Daß diese überdurchschnittlich häufig ebenfalls eine wahnhafte Symptomatik erleben, deutet auf die ausgeprägte **Beteiligung genetischer Faktoren** bei der Genese der wahnhaften Depression hin. Ebenfalls aus Familienuntersuchungen stammt der Hinweis, daß unter der Verwandtschaft von Patienten mit wahnhafter Depression gehäuft bipolare affektive Störungen vorkommen. Im Gespräch mit wahnhaft Depressiven sind die gleichen Grundsätze wie bei allen Wahnkranken zu berücksichtigen. Dem evidenten Erleben der Kranken ist die eigene Realität gegenüberzustellen, an der sich der Patient zunehmend wieder orientieren kann. Weder zu starkes Eingehen auf den Wahn mit kommentarloser Akzeptanz noch Streit über die »Unsinnigkeit« des Wahns bringen dem Patienten Hilfe. Wahnhaft Depressive sprechen schlecht auf eine Monotherapie mit Antidepressiva an. Es ist sinnvoll, bei vorliegender wahnhafter Symptomatik die Patienten mit einer Kombination von Neuroleptika und Antidepressiva zu behandeln, meist wird mit dem Neuroleptikum begonnen. Bei längerer Therapieresistenz sind die Behandlungserfolge mit Elektrokrampftherapie bei vielen Patienten sehr überzeugend (vgl. Kapitel 16).

Literatur

Angst J (1987): Begriff der affektiven Erkrankungen. In: Angst J (Hrsg.): Affektive Psychosen; 3. Aufl. Psychiatrie der Gegenwart, Vol. 5. Springer, Berlin, 1–50.

Benkert O, Hippius H (1992): Psychiatrische Pharmakotherapie. Springer, Berlin.

Blehar MC, Lewy AJ (1990): Seasonal mood disorders: consensus and controversy. Psychopharmacology Bulletin *26:* 527–530.

Goodwin FK, Jamison KR (1990): Manic-depressive illness, creativity, and leadership. In: Goodwin FK, Jamison KR (eds): Manic-depressive illness. Oxford University Press, New York, 332–367.

Hoff P, Oefele K von, Zaudig M (1992): Affektive Störungen. In: Dittmann V, Dilling H, Freyberger HJ (Hrsg.): Psychiatrische Diagnostik nach ICD-10 – klinische Erfahrungen bei der Anwendung. Huber, Bern, 69–81.

Propping P (1989): Psychiatrische Genetik. Springer, Berlin.

Schatzberg A, Rothschild A (1992): Psychotic (delusional) major depression: should it be included as a distinct syndrome in DSM-IV? American Journal of Psychiatry *149:* 733–745.

Steffens DC, Tupler LA, Krishnan KRR (1993): The neurostructural/neurofunctional basis of depression/mania. Current Opinion in Psychiatry *6:* 22–26.

Tellenbach H (1961): Melancholie. Springer, Berlin.

8. Neurotische, somatoforme und Belastungsstörungen

Harald J. Freyberger, Rolf-Dieter Stieglitz

8.1. Einleitung

Unter dem Begriff »**neurotische Störungen**« werden im weitesten Sinne Störungen der Erlebnis- und Konfliktverarbeitung zusammengefaßt, die sich im wesentlichen vor dem Hintergrund pathogen wirksamer Umwelteinflüsse entwickeln.

Nach psychoanalytischer Auffassung sind Neurosen ohne unbewußte Konflikte nicht denkbar, die in der Kindheit und Adoleszenz entstanden sind und im Erwachsenenalter durch bestimmte auslösende Ereignisse reaktualisiert werden (vgl. Kapitel 13). Nach lerntheoretischer Auffassung entstehen Neurosen demgegenüber durch klassische und/oder operante Konditionierung (vgl. Kapitel 19). Von den neurotischen Störungen sind die **Anpassungs- und Belastungsstörungen** abzugrenzen, die als zeitlich begrenztere Reaktionen auf bestimmte belastende Ereignisse zu verstehen sind.

8.2. Angststörungen: Angstneurose und Phobien

8.2.1. Definition und Deskription

Das Gemeinsame der in der klassischen Terminologie unter den Begriffen **Angstneurose** und **Phobie** zusammengefaßten Angststörungen besteht darin, daß unterschiedliche Manifestationsformen der Angst (vgl. Tabelle 8.1) den Betroffenen in einem nicht mehr angemessenen Ausmaß beeinträchtigen. Symptome von Angststörungen können sich dabei auf subjektiven, behavioral-motorischen und/oder physiologischen Ebenen manifestieren.

Die **phobischen Störungen** (vgl. Tabelle 8.2) sind durch Angstsymptome gekennzeichnet, die ausschließlich oder überwiegend durch eindeutig definierte Situationen oder Objekte hervorgerufen und vor diesem Hintergrund von den Betroffenen systematisch vermieden werden. Bei der **Agoraphobie** (Platzangst) bezieht sich die Angst darauf, auf die Straße oder einen freien Platz zu gehen, das Haus zu verlassen, allein zu reisen oder sich Menschenansammlungen auszusetzen. Bei der **sozialen Phobie** treten die Ängste in sozialen Situationen auf, wie etwa Sprechen und das Treffen von Bekannten in der Öffentlichkeit. Bei den Betroffenen kann eine erhebliche Furcht davor bestehen, sich in der Öffent-

Tabelle 8.1. Wichtigste Angstsymptome in der ICD-10

Vegetative Symptome	Herzklopfen oder erhöhte Herzfrequenz Schweißausbrüche Fein- oder grobschlägiger Tremor Mundtrockenheit
Andere körperliche Symptome	Atembeschwerden Beklemmungsgefühl Thoraxschmerzen oder -mißempfindungen Übelkeit, Erbrechen, abdominelle Mißempfindungen
Psychische Symptome	Schwindel, Unsicherheit, Schwäche, Benommenheit Derealisation, Depersonalisation Angst vor Kontrollverlust, Angst, verrückt zu werden Angst zu sterben
Andere Symptome	Hitzewallungen, Kälteschauer Gefühllosigkeit oder Kribbelgefühle Erröten oder Zittern Ruhelosigkeit, Unfähigkeit, sich zu entspannen

Tabelle 8.2. Angststörungen in der ICD-10

Kategorien		Synonyme und dazugehörige Begriffe
F40	**Phobische Störungen**	
F40.0	Agoraphobie	
F40.00	Ohne Panikstörung	
F40.01	Mit Panikstörung	
F40.1	Soziale Phobien	
F40.2	Spezifische (isolierte) Phobien	Tierphobien, Klaustrophobie (Angst, sich in engen Räumen aufzuhalten), Akrophobie (Angst vor Höhen), Examensangst, einfache Phobie
F40.8	Sonstige phobische Störungen	
F41	**Sonstige Angststörungen**	
F41.0	Panikstörung (episodisch-paroxysmale Angst)	
F41.1	Generalisierte Angststörung	
F41.2	Angst und depressive Störung, gemischt	
F41.3	Sonstige gemischte Angststörungen	Kombinationen mit Zwangs- (F42), dissoziativen (F44) und somatoformen (F45) Störungen
F41.8	Sonstige näher bezeichnete Angststörungen	

lichkeit peinlich oder erniedrigend zu verhalten oder einfach im Zentrum der Aufmerksamkeit zu stehen. Bei den **spezifischen oder isolierten Phobien** beziehen sich die Angst und das Vermeidungsverhalten allein auf umschriebene Objekte oder Situationen, z.B. Schlangen oder Arztbesuche.

Von den Phobien sind die sonstigen Angststörungen abzugrenzen. Zu differenzieren sind hier vor allem die **generalisierte Angststörung und die Panikstörung**.

Bei der generalisierten Angststörung tritt, wie der Name bereits sagt, eine pathologische Angst generalisiert, d.h. frei flottierend und größtenteils nicht objekt- oder situationsgebunden, auf. Bei der Panikstörung hat die Angst ausschließlich anfallsweisen Charakter mit nahezu vollständig symptomfreien Intervallen. In der ICD-10 wurden zusätzlich noch die **gemischten Angststörungen** berücksichtigt, Kategorien, bei denen Angstsymptome gemischt mit anderen Symptomen oder Syndromen auftreten, die bei allen anderen Angststörungen in dieser Kombination nicht zu erwarten wären.

Entsprechend den unterschiedlichen Manifestationsebenen von Angststörungen basiert die diagnostische Informationsgewinnung auf Schilderungen des Patienten, Aussagen unabhängiger Beobachter oder einer standardisierten Informationserhebung [vgl. Hautzinger, 1994]. Da Angstsymptome störungsgruppenübergreifend, d.h. zunächst nosologisch unspezifisch sind, erweisen sich differentialdiagnostische Überlegungen als von großer Wichtigkeit. **Differentialdiagnostisch** sind Angststörungen zunächst von Angst- und Panikzuständen bei körperlichen Erkrankungen abzugrenzen, z.B. bei Hyperthyreose, Phäochromozytom, Hypoglykämie, koronaren Herzerkrankungen und Herzrhythmusstörungen. Eine Komorbidität mit diesen Erkrankungen ist möglich. Auszuschließen sind zudem Intoxikationen (z.B. durch Koffein und Amphetamine) und Entzugssyndrome (z.B. durch Benzodiazepine, vgl. Kapitel 5). Angststörungen kommen häufig im Zusammenhang mit anderen psychischen Störungen, wie depressiven Erkrankungen oder Zwangsstörungen, vor.

8.2.2. Ätiologie und Pathogenese

Angststörungen werden nicht durch spezifische Konflikte ausgelöst, wenngleich sich vor allem bei Patienten mit generalisierten Angststörungen, Panikattacken und Agoraphobien gemeinsame Strukturmerkmale finden. Unter **psychodynamischen Aspekten** kann der Angstanfall das Äquivalent eines wütenden oder sexuellen Affekts sein, er kann aber auch als Ausdruck von Trennungsangst verstanden werden. Bei angstneurotischen Patienten findet sich überzufällig häufig eine Abhängigkeitsproblematik von inneren oder äußeren Schutzfiguren (z.B. Eltern, Ehepartner), die kompensatorisch wirksam werden. Angstneurotischen Patienten wurde in ihrer frühen Entwicklung häufig keine realitätsgerechte Einschätzung innerer oder äußerer Gefahren vermittelt, sondern eine diffuse Lebensangst, die ihre spätere Angst- und Trennungsempfindlichkeit sowie ihr Abhängigkeitsverhalten erklärt. Bei den phobischen Störungen wird nach psychoanalytischer Auffassung die Angst vor einem bedrohlichen inneren Stimulus oder Konflikt auf eine äußere Situation verschoben.

Unter **lerntheoretischem Blickwinkel** handelt es sich bei Panik- und phobischen Störungen um gelernte (konditionierte) Reaktionen auf furchterregende Situationen (z.B. plötzliches Herzklopfen mit Angstgefühlen in einem vollen Kaufhaus). Die wiederholte Erfahrung der Angstminderung durch Vermeidung gefürchteter Situationen führt zur Stabilisierung des Vermeidungsverhaltens nach lerntheoretischen Prinzipien (vgl. Kapitel 19). Es handelt sich somit um ein erlerntes fehlangepaßtes Verhalten.

8.2.3. Therapie

Bei der Mehrzahl der Angststörungen, besonders bei den Phobien und den Panikstörungen, besteht eine **verhaltenstherapeutische Behandlungsindikation** (vgl. Kapitel 19), wobei sich insbesondere Reizkonfrontationsverfahren in Verbindung mit kognitiven Verfahren, basierend auf einer differenzierten Verhaltensanalyse, bewährt haben. Für psychodynamische Therapieformen gelten die allgemeinen Indikationskriterien (vgl. Kapitel 18). Die Prognose ist hier besonders dann ungünstig, wenn der Leidensdruck fast ausschließlich am Symptom besteht und die Patienten einen hohen sekundären Krankheitsgewinn haben. Ergänzend zur Psychotherapie können bei Angststörungen Antidepressiva und niedrigpotente Neuroleptika eingesetzt werden (vgl. Kapitel 15). Benzodiazepine sollten äußerst zurückhaltend und – wenn überhaupt – nur zeitlich limitiert verabreicht werden, da Patienten mit Angststörungen ein erhöhtes Abhängigkeitsrisiko aufweisen.

8.2.4. Verlauf und Prognose

Angststörungen gehören neben den depressiven Störungen zu den häufigsten in der Allgemeinbevölkerung. Für die generalisierte Angststörung werden **Prävalenzraten** zwischen 3,9 und 7,4% angegeben, für Panikstörungen etwa 2%. An leichten Phobien leiden bis zu 7% der Bevölkerung, während die Inzidenz schwerer Phobien bei etwa 0,2% liegt. Die Erstmanifestation generalisierter Angststörungen erfolgt zumeist im 2. oder 3. Lebensjahrzehnt, das Chronifizierungsrisiko ist hoch. Komplikationen im Verlauf stellen eine sekundär-depressive Verstimmung, Alkoholmißbrauch (»Selbstmedikation«) sowie das häufig iatrogen vermittelte Risiko einer Benzodiazepinabhängigkeit dar. Bei den Phobien erkranken Frauen häufiger als Männer, es liegt kein spezifisches Erkran-

Tabelle 8.3. Zwangsstörungen (F42) in der ICD-10

F42.0	Vorwiegend Zwangsgedanken und Grübelzwang
F42.1	Vorwiegend Zwangshandlungen (Zwangsrituale)
F42.2	Zwangsgedanken und -handlungen, gemischt
F42.8	Sonstige Zwangsstörungen
F42.9	Nicht näher bezeichnete Zwangsstörung

kungsalter vor. Bei Panikstörungen und phobischer Angst kommt es häufig zur Generalisierung der Angstreaktion auf vergleichbare Stimuli, zur Ausweitung der Symptomatik in Richtung auf eine generalisierte Angststörung und zur zunehmenden Erwartungsangst. Vor allem Agoraphobien, aber auch die anderen Angststörungen beginnen häufig mit einer oder mehreren Panikattacken, die sich dann im Sinne einer »Angst vor der Angst« ausweiten. Bei rechtzeitiger Einleitung psychotherapeutischer Maßnahmen (insbesondere verhaltenstherapeutischer Methoden) haben Panik- und phobische Störungen eine gute Erfolgsprognose.

8.3. Zwangsstörungen: Zwangsneurose

8.3.1. Definition und Deskription

Die früher unter dem Begriff »Zwangsneurose« zusammengefaßten Zwangsstörungen (vgl. Tabelle 8.3) sind durch die Leitsymptome Zwangsgedanken und -handlungen gekennzeichnet (vgl. Kapitel 1). Die Diagnose einer Zwangsstörung setzt voraus, daß zwanghaft sich aufdrängende Gedanken/Handlungen als eigene angesehen und nicht etwa als von anderen Personen oder Einflüssen eingegeben erlebt werden. Die Gedanken/Handlungen wiederholen sich zudem dauernd, werden als unangenehm und häufig quälend empfunden. Mindestens ein Gedanke oder eine Handlung wird als unsinnig oder übertrieben erlebt. Gegen mindestens einen Gedanken/eine Handlung wird von den Betroffenen erfolglos Widerstand geleistet.

Zwangsgedanken beziehen sich am häufigsten auf die Themen Aggressivität (z.B. jemandem etwas antun zu müssen) und Verschmutzung (z.B. Krankheitserreger), Zwangshandlungen auf Waschen, Kontrollieren und Zählen.

Differentialdiagnostisch ist vor allem eine hohe Komorbidität mit depressiven Störungen von Bedeutung. Es sollte der Diagnose Vorrang eingeräumt werden, die zuerst gestellt worden ist und die das klinische Bild bestimmt. Zwangssymptome, die im Rahmen organischer und schizophrener Störungen bzw. beim Gilles-de-la-Tourette-Syndrom (vgl. Kapitel 4, 6, 13) auftreten, sollten als Symptome dieser Störungen betrachtet werden. Beachtet werden muß, daß Zwangssymptome häufig im Vorfeld und Verlauf schizophrener Psychosen entstehen (vgl. Kapitel 6).

8.3.2. Ätiologie und Pathogenese

Nach **psychoanalytischer Auffassung** haben Zwangssymptome eine angstbindende Funktion. Mit ihnen werden bedrohliche aggressive oder sexuelle Triebimpulse abgewehrt, die in der Art der Symptomatik meist sichtbar werden und häufig antisoziale Bedürfnisse beinhalten. Bei Zwangsneurotikern findet sich in der frühen Entwicklung eine Betonung strenger, rigider und sachbezogener Erziehungsmethoden, während Spontaneität, lebendige Motorik und Aggressivität eher unterdrückt werden müssen. Über die Abwehr damit verbundener Angst- und Schuldgefühle wird der äußere Zwang sozusagen zu einem inneren, statt eines Autonomiegefühls entstehen als dominierende Gefühlsqualitäten Scham und Zweifel. Wie bei kaum einer anderen Neurose ist bei der Zwangsstörung die Symptomatik mit einer Persönlichkeitsakzentuierung assoziiert, die durch zwanghafte Persönlichkeitszüge (z.B. Pedanterie), Rigidität und ausgeprägte Moralvorstellungen gekennzeichnet ist.

Lerntheoretische Modelle gehen von klassischen und operanten Konditionierungsprozessen (vgl. Kapitel 19) aus. Während bei der Entstehung eher eine klassische Konditionierung stattfindet (z.B. anfängliche Angst vor bestimmten Dingen wie Schmutz), entsteht in der Folgezeit der Versuch, durch bestimmte Handlungen (spätere Zwangsrituale, z.B. verstärktes Händewaschen) eine Angstreduktion zu erreichen. Bei erfolgreicher Angstreduktion kann es dann im weiteren Verlauf zu gehäuft zwanghaftem Verhalten kommen (Prinzip der operanten Konditionierung). Neuere Untersuchungen weisen jedoch darauf hin, daß die alleinige Fokussierung auf lerntheoretische Prinzipien der Komplexität der Symptomatik nicht gerecht wird und auch die neurobiologische Ebene zu berücksichtigen ist [vgl. Hand et al., 1992].

8.3.3. Therapie

Auch die Zwangsstörung sollte heute in erster Linie verhaltenstherapeutisch behandelt werden mittels Reizkonfrontations-, Reaktionsverhinderungs- und kognitiven Methoden (vgl. Kapitel 19), besonders wenn es um einzelne Zwangsphänomene oder symptombedingte massive psychosoziale Einschränkungen geht. Die Indikation zu einer aufdeckenden Psychotherapie (vgl. Kapitel 18) ist vor dem Hintergrund der vergleichsweise unstrukturierten Behandlungsbedingungen zurückhaltend zu stellen. Begleitend zur Psychotherapie hat sich die Gabe einiger Antidepressiva (vgl. Kapitel 15) bewährt.

Tabelle 8.4. Dissoziative Störungen (Konversionsstörungen) in der ICD-10

F44.0	Dissoziative Amnesie
F44.1	Dissoziative Fugue
F44.2	Dissoziativer Stupor
F44.3	Trance und Besessenheitszustände
F44.4	Dissoziative Bewegungsstörungen
F44.5	Dissoziative Krampfanfälle
F44.6	Dissoziative Sensibilitäts- und Empfindungsstörungen
F44.7	Dissoziative Konversionsstörungen, gemischt
F44.8	Sonstige Störungen
F44.80	Ganser-Syndrom
F44.81	Multiple Persönlichkeit
F44.82	Vorübergehende dissoziative Störungen in Kindheit und Jugend
F44.88	Sonstige nicht näher bezeichnete Störungen
F44.9	Nicht näher bezeichnete Störungen

8.3.4. Verlauf und Prognose

Die Häufigkeit von Zwangsstörungen in der Allgemeinbevölkerung liegt unter 1%, Männer und Frauen sind etwa gleich häufig betroffen. Die Zwangsstörung beginnt häufig bereits in der Kindheit und ist mit einem hohen Chronifizierungsrisiko behaftet. Die Prognose ist um so schlechter, je mehr sich die Zwangsdynamik auf die Gesamtpersönlichkeit erstreckt und je mehr psychosoziale Funktionen betroffen sind. Zwangssymptome können generalisieren und so zum hauptsächlichen Lebensinhalt werden.

8.4. Dissoziative Störungen: Hysterische Neurose und Konversionsstörungen

8.4.1. Definition und Deskription

Das traditionelle Konzept der hysterischen Neurose ist in der ICD-10 im wesentlichen durch die Gruppe der dissoziativen Störungen ersetzt worden.

Diese sind durch einen teilweisen oder vollständigen Verlust der Integration zwischen Erinnerungen an die Vergangenheit, Identitätsbewußtsein und unmittelbare Wahrnehmungen sowie der Kontrolle von Körperbewegungen gekennzeichnet. Die Fähigkeit zu bewußter und selektiver Kontrolle dieser Funktionen ist bei den dissoziativen Störungen in unterschiedlichem Ausmaß beeinträchtigt.

Symptomatologisch äußern sich die dissoziativen Störungen einerseits durch psychogene (motorische und sensible) Körperstörungen, ohne daß ein organischer Befund vorliegt, der diese Phänomene ausreichend erklären könnte. Anderseits kann die Desintegration bestimmte psychische Funktionen betreffen (vgl. Tabelle 8.4).

Zu der Gruppe der psychogenen Körperstörungen gehört die **dissoziative Bewegungsstörung**, bei der alle Funktionen der Willkürmotorik betroffen sein können. Am häufigsten sind dissoziative Lähmungen, es kommen aber auch Aphonien, Dysphonien, Dysarthrien, Akinesien, Dyskinesien und Ataxien vor. Wie bei den dissoziativen Sensibilitäts- und Empfindungsstörungen folgen die Symptomausgestaltungen häufig den subjektiven Vorstellungen der Patienten, die von physiologischen oder anatomischen Gegebenheiten abweichen können. Die **dissoziativen Krampfanfälle** können manchmal von epileptischen Anfällen nicht differenziert werden. Häufig fehlen jedoch Zungenbiß, Urininkontinenz und Verletzungen infolge eines Sturzes. Bei den **dissoziativen Sensibilitäts- und Empfindungsstörungen** können verschiedene sensorische Modalitäten betroffen sein, es kommen auch visuelle Störungen, Visuseinschränkungen, dissoziative Taubheit und Anosmie vor.

Bei den folgenden dissoziativen Störungen bleibt die Dissoziation auf psychische Funktionen beschränkt. So ist das wichtigste Kennzeichen der **dissoziativen Amnesie** ein Erinnerungsverlust (Amnesie) für zumeist aktuelle traumatisierende oder belastende Ereignisse, die unter Umständen nur fremdanamnestisch aufgeklärt werden können. Bei der **dissoziativen Fugue** kommt es unter Aufrechterhaltung der sonstigen psychosozialen Kompetenzen zur zielgerichteten Ortsveränderung über den täglichen Aktionsradius hinaus, ohne daß den Betroffenen dies bewußt ist. Zusätzlich liegt also eine dissoziative Amnesie vor. Beim **dissoziativen Stupor** zeigt sich der Patient überwiegend völlig bewegungslos, ohne daß körperliche oder andere psychische Störungen, die das Zustandsbild erklären, vorliegen. **Dissoziative Trance- und Besessenheitszustände**, die vor allem in den Ländern der Dritten Welt beobachtet werden, gehen mit einem zeitweiligen Verlust der persönlichen Identität und Umgebungswahrnehmung einher, bei denen der Betroffene sich zumeist so verhält, als würde er von einer Gottheit, einem Geist oder einer unheimlichen Kraft beherrscht. Kennzeichen der **multiplen Persönlichkeitsstörung** ist das Vorhandensein von zwei oder mehreren verschiedenen Persönlichkeiten in einem Individuum, von denen jeweils nur eine nachweisbar ist und keine den Zugang zu der Existenz oder den Erinnerungen der anderen hat. Beim **Ganser-Syndrom** handelt es sich um eine Störung, die durch das dissoziative Vorbeireden und Vorbeiantworten des Betroffenen im Gespräch charakterisiert ist.

Differentialdiagnostisch sind bei den dissoziativen Störungen in erster Linie somatische Störungen auszuschließen, die die Beschwerden hinreichend erklären könnten. Gleichzeitig müssen die Patienten vor übermäßiger Organdiagnostik bewahrt werden. Bei den dissoziativen Phänomenen auf psychischem Niveau kann die Differentialdiagnose gegenüber anderen psychischen Erkrankungen häufig erst im Verlauf gestellt werden, da dissoziative Störungen so vielgestaltig sind, daß keine sicheren phänomenologischen Unterscheidungskriterien existieren.

8.4.2. Ätiologie und Pathogenese

Grundlage aller dissoziativen Störungen bildet der **Abwehrmechanismus** der Dissoziation. Danach werden konflikthafte Impulse oder Ereignisse aus einem vorgegebenen situativen Kontext herausgelöst und die integrativen Funktionen des Ichs vorübergehend ausgeschaltet. Dissoziative Symptome sind keineswegs konfliktspezifisch und nicht allein an hysterische Strukturen (vgl. Kapitel 33) gebunden. Sie kommen vielmehr bei zahlreichen psychischen Störungen vor. Zu unterscheiden sind dissoziative Störungen im Rahmen von Konfliktreaktionen, von hysterischen Neurosen und als Begleitsymptomatik schwererer Persönlichkeitsstörungen (vgl. Kapitel 11). Zahlreiche Untersuchungen belegen zudem, daß dissoziative Phänomene mit posttraumatischen Belastungsstörungen (vgl. Abschnitt 8.6) und frühen Realtraumatisierungen, wie etwa sexuellem Mißbrauch, assoziiert sind.

8.4.3. Therapie

Besonders bei dissoziativen Störungen hängt die Einleitung einer Psychotherapie von der diagnostischen Einschätzung ab. Bei komplex gestörten Patienten mit Persönlichkeitsstörungen kann die Indikation für eine stationäre Psychotherapie bestehen, dissoziative Störungen auf Neurosenniveau sollten ambulant psychotherapeutisch behandelt werden. Ein besonderes Problem stellen die Patienten mit vorwiegend somatischem Krankheitskonzept dar, die zunächst supportiv psychotherapeutisch behandelt werden müssen, um eine therapeutische Beziehung überhaupt erst herzustellen. Bei Erfüllung der allgemeinen Indikationskriterien ist eine aufdeckende Psychotherapie der Verhaltenstherapie vorzuziehen, von der vor allem Patienten mit monosymptomatischen pseudoneurologischen Störungen profitieren können. Hinweise auf eine erfolgversprechende psychopharmakologische Begleitbehandlung liegen bisher nicht vor.

8.4.4. Verlauf und Prognose

Dissoziative Störungen werden bei Frauen sehr viel häufiger als bei Männern diagnostiziert und im stationären neurologischen Bereich bei etwa 8–9% aller Patienten gesehen, im psychiatrischen Bereich bei etwa 6–8%. Für die »pseudoneurologischen« Störungen ist damit bereits eine Komplikation angedeutet: die Verkennung als neurologisches Krankheitsbild, die nicht selten zu einer iatrogen mitbedingten Chronifizierung führt. Ein besonderes Problem stellen zudem Patienten dar, die sowohl eine neurologische Organerkrankung als auch

Tabelle 8.5. Somatoforme Störungen in der ICD-10

F45.0	Somatisierungsstörung
F45.1	Undifferenzierte Somatisierungsstörung
F45.2	Hypochondrische Störung
F45.3	Somatoforme autonome Funktionsstörung
F45.30	Kardiovaskuläres System (Herzneurose, neurozirkulatorische Asthenie, Da-Costa-Syndrom)
F45.31	Oberer Gastrointestinaltrakt (psychogene Aerophagie, Aufstoßen, Dyspepsie, Magenneurose)
F45.32	Unterer Gastrointestinaltrakt (psychogene Flatulenz, Colon irritabile, psychogene Diarrhö)
F45.33	Respiratorisches System (Hyperventilation)
F45.34	Urogenitalsystem (psychogener Anstieg der Miktionshäufigkeit, Dysurie)
F45.4	Anhaltende somatoforme Schmerzstörung
F45.8	Sonstige Störungen
F45.9	Nicht näher bezeichnete Störungen

dissoziative Störungen haben (z.B. »Hysteroepilepsie«), da sie interdisziplinär behandelt werden müssen. Dissoziative Störungen treten zumeist plötzlich in Zusammenhang mit charakteristischen Lebensereignissen auf, die von den Patienten selbst häufig verleugnet werden. Unbehandelt neigen sie zu einem fluktuierenden, häufig chronifizierenden Verlauf, wobei polysymptomatische dissoziative Störungen und eine vorliegende Komorbidität mit anderen psychischen Störungen prognostisch ungünstiger einzuschätzen sind.

8.5. Somatoforme Störungen: Hypochondrische Neurose und funktionelle Störungen

8.5.1. Definition und Deskription

Das gemeinsame Merkmal der somatoformen Störungen (vgl. Kapitel 9) ist das Vorliegen körperlicher Symptome in Verbindung mit hartnäckigen Forderungen nach medizinischer Abklärung trotz wiederholter negativer Ergebnisse und der Versicherung von Ärzten, daß die Symptome nicht körperlich begründbar sind (vgl. im Überblick Tabelle 8.5).

Bei der **Somatisierungsstörung** liegen multiple, wiederholt auftretende und häufig wechselnde körperliche Symptome vor, die bereits mindestens 2 Jahre bestehen und für die keine ausreichende medizinische Grundlage vorliegt. Die Beschwerden werden dramatisch geschildert, der mit ihnen verbundene Leidensdruck ist beträchtlich. Bei der **undifferenzierten Somatisierungsstörung** handelt es sich um eine atypische Form, bei der nicht alle diagnostischen Kriterien erfüllt sind. Die **hypochondrische Störung** (hypochondrische Neurose) ist durch eine anhaltende Überzeugung vom Vorhandensein einer oder mehrerer schwerer und manchmal fortschreitender körperlicher Erkrankungen (z.B. Karzinom, Geschlechtskrankheit) gekennzeichnet, die dem Betroffenen als Erklärung für vorhandene Symptome dient. Normale körperliche Empfindungen werden von den Patienten häufig überinterpretiert und beanspruchen die gesamte Aufmerksamkeit. Mit den **somatoformen autonomen Funktionsstörungen** (funktionellen Störungen) werden zum größeren Teil Syndrome erfaßt, die auf psychisch bedingten Beschwerden beruhen, die in vegetativ kontrollierten Organen oder Organsystemen lokalisiert werden. Am häufigsten in dieser Gruppe ist die **Herzneurose**, die sich symptomatologisch zumeist im Sinn einer Herztodphobie und den entsprechenden kardiovaskulären Beschwerden (Tachykardien, Extrasystolen, andere Mißempfindungen) zeigt. Die **anhaltende somatoforme Schmerzstörung** ist durch einen länger anhaltenden schweren und belastenden Schmerz in einer Körperregion gekennzeichnet, ohne daß eine angemessene körperliche Störung gesichert werden kann.

Differentialdiagnostisch ist bei allen Störungen dieser Gruppe eine somatische Ursache, die die Beschwerden angemessen erklärt, auszuschließen. Gleichzeitig sind die Patienten vor einer übermäßigen Organdiagnostik zu schützen. Die differentialdiagnostische Abgrenzung gegenüber hypochondrischem Wahn – vor allem bei affektiven Störungen (vgl. Kapitel 5) – kann schwierig sein.

8.5.2. Ätiologie und Pathogenese

Somatoforme Symptome stellen entsprechend dem Konversionsmechanismus (vgl. Kapitel 33) entweder symbolisch einen unbewußten Konflikt dar oder sie sind als (unter Umständen gelerntes) Äquivalent eines psychischen Konflikts aufzufassen, mit dem eine angemessene Auseinandersetzung nicht ausreichend gelingt. Ähnlich wie bei Angststörungen können die Symptome primär oder sekundär die partnerschaftlichen Beziehungen der Betroffenen stabilisieren und so ein sonst vielleicht gefährdetes soziales System schützen. In der Pathogenese spielen ärztliche Interventionen eine wichtige Rolle. Arztpraxis oder Krankenhaus werden häufig zu Austragungsorten psychischer Konflikte auf körperlichem Niveau, an denen wiederholt aufwendige, manchmal langfristig invalidisierende diagnostische Techniken eingesetzt werden.

8.5.3. Therapie

Psychotherapeutisch geht es in erster Linie um den Aufbau einer supportiv-psychotherapeutischen Arbeitsbeziehung, in der die Symptome des Patienten als psychisch verursacht und schwer anerkannt und auf dieser Grundlage behandelt werden (vgl. Kapitel 18). Manchmal ist eine jahrelange Begleitung der Patienten notwendig. Vor allem bei den somatoformen Schmerzstörungen sind verhaltenstherapeutische Interventionen indiziert (vgl. Kapitel 19). Aufdeckende Psychotherapieverfahren (vgl. Kapitel 18) sind nur dann zu erwägen, wenn der Patient bereit ist, eine Psychogenese seiner Körperbeschwerden in

Tabelle 8.6. Andere neurotische Störungen in der ICD-10

F48.0	Neurasthenie
F48.1	Derealisations-/Depersonalisationssyndrom (-störung)
F48.8	Sonstige Störungen
F48.9	Nicht näher bezeichnete Störungen

Erwägung zu ziehen. Eine begleitende psychopharmakologische Therapie mit Antidepressiva oder niederpotenten Neuroleptika hat sich bewährt (vgl. Kapitel 15).

8.5.4. Verlauf und Prognose

Für die Somatisierungsstörungen wird eine Prävalenz zwischen 0,2 und 2,0% angegeben, Frauen dominieren im Geschlechterverhältnis eindeutig. Nach allen vorliegenden Untersuchungen ist die Störung als chronisch-fluktuierend, mit seltenen Spontanremissionen, anzusehen. Komplizierend im Verlauf können sekundär depressive Verstimmungen, Angstsyndrome, Suizidversuche, zumeist iatrogene Abhängigkeit vorwiegend von Benzodiazepinen und die Konsequenzen unnötig erfolgter internistischer und chirurgischer Diagnostik hinzutreten. Nicht selten läßt sich in der Anamnese als auslösendes Ereignis eine tatsächliche Organerkrankung finden. Der sekundäre Krankheitsgewinn kann erheblich sein.

Während unspezifische Krankheitsbefürchtungen ein häufiges Phänomen darstellen, sind hypochondrische Neurosen eher selten (< 0,5% der Allgemeinbevölkerung). Sie verlaufen zumeist chronisch und können sich zu schwersten psychischen Behinderungen ausweiten.

Für die somatoformen autonomen Funktionsstörungen wird in der Allgemeinbevölkerung eine Häufigkeit zwischen 5 und 10% angegeben. Verlauf und Prognose hängen von den therapeutischen Interventionen ab, die möglich sind.

8.6. Andere neurotische Störungen

Die **Neurasthenie**, die häufig im Anschluß an somatische Erkrankungen auftritt, ist gekennzeichnet durch anhaltende Klagen über gesteigerte Ermüdbarkeit nach geistiger oder körperlicher Anstrengung (vgl. Tabelle 8.6). Die Patienten klagen über Schwindel, Schlafstörungen, die Unfähigkeit, sich zu entspannen und weitere unspezifische Symptome.

Depersonalisations-/Derealisationssyndrome (vgl. Kapitel 1), die nicht Symptom einer anderen psychischen Erkrankung sind, sind in den Ländern der

Tabelle 8.7. Reaktionen auf schwere Belastungen und Anpassungsstörungen in der ICD-10

F43.0	Akute Belastungsreaktion
F43.1	Posttraumatische Belastungsstörung
F43.2	Anpassungsstörungen
F43.20	Kurze depressive Reaktion
F43.21	Längere depressive Reaktion
F43.22	Angst und depressive Reaktion, gemischt
F43.23	Mit vorwiegender Beeinträchtigung von anderen Gefühlen
F43.24	Mit vorwiegender Störung des Sozialverhaltens
F43.25	Mit gemischter Störung von Gefühlen und Sozialverhalten
F43.28	Andere spezifische Anpassungsstörung
F43.8	Sonstige Störungen
F43.9	Nicht näher bezeichnete Störungen

westlichen Hemisphäre selten, sie kommen aber im Sinne von Übergangsphänomenen bei jungen Erwachsenen häufiger vor. Im Vordergrund steht die Behandlung der psychischen Grunderkrankung.

8.7. Reaktionen auf schwere Belastung und Anpassungsstörungen

8.7.1. Definition und Deskription

Belastende Lebensereignisse spielen bei fast allen psychischen Störungen als auslösende Faktoren eine wichtige Rolle. In der Regel greifen sie jedoch nur verlaufsmodifizierend oder -stabilisierend in einen längeren pathogenetischen Prozeß ein.

Das gemeinsame Merkmal dieser Gruppe von Störungen besteht darin, daß sie von einem außergewöhnlich belastenden Lebensereignis hervorgerufen werden, das Auftreten, Art und Ausmaß der Erkrankung erklärt. Häufig tritt die Symptomatologie nicht so ausgeprägt und spezifisch wie bei anderen psychischen Störungen in Erscheinung und die Störungen klingen nach einer begrenzten Zeitdauer wieder vollständig ab.

Eine Übersicht zu dieser Gruppe gibt Tabelle 8.7.

Bei der **akuten Belastungsreaktion** handelt es sich um eine Störung, die bei einem zuvor psychisch nicht manifest erkrankten Menschen als Reaktion auf eine außergewöhnliche physische und/oder psychische Belastung auftritt und innerhalb von Stunden oder Tagen abklingt. Zwischen dem auslösenden Ereignis (z.B. schwerer Unfall, Verbrechen) und dem Auftreten der Symptomatik muß eine unmittelbare zeitliche Korrelation bestehen. Die Betroffenen reagieren zunächst mit einer Art Betäubungszustand sowie depressiven, ängstlichen und dissoziativen Symptomen.

Das Konzept der **posttraumatischen Belastungsstörung** ist im Zusammenhang mit der Erforschung der Folgen der nationalsozialistischen Konzentrationslagerhaft entwickelt worden. Die Störung folgt einem schweren Trauma (z.B. Naturkatastrophe, Terrorismus, Folter) mit einer Latenzzeit von Wochen bis zu maximal 6 Monaten. Charakteristisch ist, daß die Betroffenen zumindest Aspekte des Traumas in sich aufdrängenden Erinnerungen, Träumen und dem Trauma ähnelnden Alltagssituationen fortgesetzt wiedererleben. Sie reagieren hierauf häufig mit entsprechendem Vermeidungsverhalten, emotionalem Rückzug, Gefühlsabstumpfung sowie verschiedenen ängstlichen, depressiven und dissoziativen Symptomen. Prämorbid vorhandene Auffälligkeiten können die Schwelle für die Ausbildung der posttraumatischen Belastungsstörung senken, sie erklären aber das Auftreten nicht ausreichend.

Unter dem Begriff der **Anpassungsstörungen** werden Zustandsbilder zusammengefaßt, die während des Anpassungs- und Bewältigungsprozesses nach entscheidenden Lebensveränderungen und/oder nach belastenden Lebensereignissen auftreten. Hierzu gehören Veränderungen des sozialen Netzwerks (z.B. Tod oder Trennung von Angehörigen), der sozialen Umgebung (z.B. bei Emigration oder Flucht) oder individueller Gegebenheiten (z.B. schwere körperliche Erkrankung). Symptomatologisch herrschen depressive Stimmung, Angst, Besorgnisse, Gefühle des Nicht-mehr-Zurechtkommens sowie eine Einschränkung der psychosozialen Funktionsfähigkeit vor. Vor allem bei Kindern und Jugendlichen können Störungen des Sozialverhaltens (vgl. Kapitel 13) auftreten. Außer bei der länger dauernden depressiven Reaktion (vgl. Tabelle 8.7), die bis zu 2 Jahre andauern kann, überschreiten diese Störungen selten eine 6-Monats-Grenze.

Klinisch am relevantesten sind die **kürzer und länger dauernden depressiven Reaktionen.** Hierbei handelt es sich um depressiv gefärbte Reaktionen auf Traumata verschiedener Art, wie etwa Trennung oder Verlust von wichtigen Beziehungssituationen oder im Rahmen beruflicher Kränkungserlebnisse. Suizidhandlungen können in diesem Zusammenhang vorkommen. Einen Sonderfall bildet hier die abnorme Trauerreaktion, bei der nach dem Verlust eines wichtigen Menschen die »Trauerarbeit« durch die besondere Bedeutung des Verstorbenen, unbewußte Wut oder eine ambivalente Einstellung eingeschränkt ist. Symptomatologisch stehen dabei häufig eine Versteinerung und Affektstarre neben hypochondrischen und psychosomatischen Beschwerden im Vordergrund, während Trauer und depressive Gefühlsqualitäten fehlen. Wie bei den Angststörungen findet sich auch hier eine Kategorie **Angst und depressive Reaktion gemischt**, mit der ängstlich-depressiv gefärbte Anpassungsstörungen diagnostisch erfaßt werden sollen (vgl. Kapitel 7). Die Kategorien **mit vorwiegender Beeinträchtigung von anderen Gefühlen, mit vorwiegender Störung des Sozialverhaltens** und der **gemischten Störung von Gefühlen und Sozialverhalten** dienen unter anderem dazu, regressive Reaktionen von Kindern und Jugendlichen mit Bettnässen, Daumenlutschen und aggressivem oder dissozialem Verhalten abzubilden.

8.7.2. Ätiologie und Pathogenese

Ätiologie und Pathogenese wurden bereits dargestellt.

8.7.3. Therapie

Je nach Intensität des zugrundeliegenden Traumas und der nachfolgenden Störung ergeben sich unterschiedliche Therapieindikationen. Bei unkomplizierten Reaktionen oder solchen, die noch einfühlbar im normalpsychologischen Bereich liegen, wie etwa die Trauer nach dem Tod eines Angehörigen, sollte eine stützende, konfliktzentrierte Psychotherapie im Sinne einer zeitlich limitierten Krisenintervention (vgl. Kapitel 28) erfolgen. Sofern ein Suizidversuch vorliegt, sollte eine teilstationäre oder stationäre Einweisung sorgfältig erwogen werden. Bei Erschöpfungsreaktionen sollten, wenn möglich, ambulant oder stationär Erholungsräume geschaffen werden. Bei abnormen Trauerreaktionen kann eine längerfristige, analytisch orientierte Psychotherapie indiziert sein, um die der Reaktion zugrundeliegende Beziehungsproblematik zum Verstorbenen zu bearbeiten. Bei posttraumatischen Belastungsstörungen ergibt sich die Indikation für eine Verhaltenstherapie oder stützende, gegebenenfalls längerdauernde konfliktzentrierte Psychotherapie in jedem Fall. Jedoch auch gruppentherapeutische Ansätze haben sich bewährt (z.B. bei Vietnamveteranen). Unterstützend sind vor allem in symptomatologisch sehr belastenden Krisensituationen niedrigpotente Neuroleptika oder Antidepressiva indiziert (vgl. Kapitel 15).

8.7.4. Verlauf und Prognose

Verlauf und Prognose aller Belastungsstörungen sind von verschiedenen Faktoren abhängig: vom Ausmaß der bei dem Betroffenen zuvor bestehenden psychischen Störungen, von der Verfügbarkeit emotional stabilisierender Hilfen im familiären und/oder professionellen Bereich und von der Dauer bzw. Intensität des Traumas. Sofern nicht andere psychische Störungen, die zuvor bestanden haben, den Verlauf komplizieren und psychotherapeutisch wirksame Soforthilfen verfügbar sind, ist die Prognose prinzipiell günstig einzuschätzen.

Literatur

Hand I, Goodman WK, Evers U (Hrsg., 1992): Zwangsstörungen: Neue Forschungsergebnisse. Springer, Berlin.

Hautzinger M (1994): Diagnostik in der Psychotherapie. In: Stieglitz RD, Baumann U (Hrsg.): Psychodiagnostik psychischer Störungen. Enke, Stuttgart, 284–295.

Hoffmann SO, Hochapfel G (1995): Einführung in die Neurosenlehre, Psychotherapeutische und Psychosomatische Medizin; 5. Aufl. Schattauer, Stuttgart.

Mentzos S (1980): Hysterie – zur Psychodynamik unbewußter Inszenierungen. Kindler, München.

Mentzos S (1984): Angstneurose. Psychodynamische und psychotherapeutische Aspekte. Fischer, Frankfurt.

Mentzos S (1989): Neurotische Konfliktverarbeitung. Kindler, München.

Rief W, Hiller W (1992): Somatoforme Störungen. Körperliche Symptome ohne organische Ursache. Huber, Bern.

Spitzer C, Freyberger HJ, Kessler Ch (im Druck): Hysterie, Dissoziation, Konversion – eine Übersicht zu Konzepten, Klassifikation und diagnostischen Erhebungsinstrumenten. Psychiatrische Praxis.

Spitzer C, Freyberger HJ, Kömpf D, Kessler Ch (1994): Psychiatrische Komorbidität dissoziativer Störungen in der Neurologie. Nervenarzt 65:680–688.

9. Psychosomatische und verwandte Störungen

Harald J. Freyberger, Hellmuth Freyberger

9.1. Einleitung

Unter dem Begriff der **psychosomatischen Störungen im engeren Sinne** werden jene somatischen Erkrankungen zusammengefaßt, bei deren Entstehung, Aufrechterhaltung und Verlauf psychische Faktoren zumindest teilursächlich wirksam sind. Von **somatopsychischen Prozessen** wird dann gesprochen, wenn somatische Störungen sekundär zu bestimmten psychischen Veränderungen führen. Darüber hinaus werden in einem weitergefaßten Kontext zu den psychosomatischen Störungen auch Erkrankungen gerechnet, bei denen Wechselwirkungsprozesse zwischen psychischem Erleben einerseits und körperlichen Phänomenen anderseits wirksam sind (vgl. Kapitel 33).

Die ICD-10 verzichtet auf den Begriff der psychosomatischen Störung und faßt zumindest einen Teil dieser Störungen im Abschnitt F5 »Verhaltensauffälligkeiten in Verbindung mit körperlichen Störungen oder Faktoren« zusammen (vgl. Tabelle 9.1). Entsprechend dem ICD-10-Konzept werden hierzu die Eßstörungen (F50), die Schlafstörungen (F51), die nicht andernorts klassifizierbaren psychischen und Verhaltensstörungen im Wochenbett (F53) und die psychischen Faktoren und Verhaltenseinflüsse bei andernorts klassifizierten Krankheiten gerechnet (F54). Die ebenfalls in diesem ICD-10-Abschnitt abgebildeten sexuellen Funktionsstörungen (F52) werden im Kapitel 10 und der Mißbrauch von nicht abhängigkeitserzeugenden Substanzen (F55) im Kapitel 5 dieses Kompendiums diskutiert. Die traditionellerweise ebenfalls diesem Bereich zuzuordnenden somatoformen Störungen wurden bereits im Kapitel 8 besprochen.

9.2. Eßstörungen

Zu den Eßstörungen werden die Anorexia nervosa (F50.0 und F50.1), die Bulimia nervosa (F50.2 und F50.3), die Adipositas (F54) sowie weitere Auffälligkeiten der Nahrungsaufnahme (Eßattacken und Erbrechen bei anderen psychischen Störungen, F50.4 und F50.5) gerechnet.

Tabelle 9.1. Diagnostische Hauptgruppen des Abschnitts F5 »Verhaltensauffälligkeiten in Verbindung mit körperlichen Störungen und Faktoren« der ICD-10

F50	**Eßstörungen**
F50.0	Anorexia nervosa
F50.1	Atypische Anorexia nervosa
F50.2	Bulimia nervosa
F50.3	Atypische Bulimia nervosa
F50.4	Eßattacken bei sonstigen psychischen Störungen
F50.5	Erbrechen bei psychischen Störungen
F50.8	Sonstige Eßstörungen
F50.9	Nicht näher bezeichnete Eßstörung
F51	**Nichtorganische Schlafstörungen**
F51.0	Nichtorganische Insomnie
F51.1	Nichtorganische Hypersomnie
F51.2	Nichtorganische Störung des Schlaf-Wach-Rhythmus
F51.3	Schlafwandeln (Somnambulismus)
F51.4	Pavor nocturnus
F51.5	Alpträume
F51.8	Sonstige nichtorganische Schlafstörungen
F51.9	Nicht näher bezeichnete nichtorganische Schlafstörung
F52	**Sexuelle Funktionsstörungen (vgl. Kapitel 10)**
F53	**Psychische und Verhaltensstörungen im Wochenbett, nicht andernorts klassifizierbar**
F53.0	Leichte psychische und Verhaltensstörungen im Wochenbett
F53.1	Schwere psychische und Verhaltensstörungen im Wochenbett
F53.8	Sonstige psychische und Verhaltensstörungen im Wochenbett
F53.9	Nicht näher bezeichnete psychische Störung im Wochenbett
F54	**Psychische Faktoren und Verhaltenseinflüsse bei andernorts klassifizierten Krankheiten**
F55	**Mißbrauch von nicht abhängigkeitserzeugenden Substanzen (vgl. Kapitel 5)**
F59	**Nicht näher bezeichnete Verhaltensauffälligkeiten mit körperlichen Störungen und Faktoren**

9.2.1. Definition und Deskription

Die Anorexia nervosa (Magersucht) ist charakterisiert durch einen selbst herbeigeführten Gewichtsverlust von mindestens 15% unterhalb des normalen Gewichts, durch ein subjektiv gestörtes Körperbild (unangemessene Selbstwahrnehmung, zu dick zu sein oder zu dick zu werden, Festlegung eines inadäquat niedrigen »Idealgewichts«) sowie durch eine umfassende endokrine Störung, die sich bei Frauen als Amenorrhöe bzw. ausbleibende Ausbildung der sekundären Geschlechtsmerkmale und bei Männern als sexueller Interessenverlust äußert.

Die Gewichtsreduktion wird durch Hungern, selbstinduziertes Erbrechen, Mißbrauch von Abführmitteln und Appetitzüglern, übermäßige körperliche Betätigung und andere Techniken erreicht.

Demgegenüber ist die **Bulimia nervosa** gekennzeichnet durch häufig auftretende Freßattacken, in denen in sehr kurzer Zeit unangemessen große Nahrungsmengen eingenommen werden, andauernde Beschäftigung mit dem Thema Essen, unwiderstehliche Gier oder Zwang zu essen sowie durch dieselben Strategien wie bei der Anorexia nervosa, einer befürchteten Gewichtszunahme entgegenzusteuern. Patientinnen mit Bulimia nervosa sind im Gegensatz zu solchen mit Anorexia nervosa in aller Regel norm- oder leicht übergewichtig.

Für **atypische Formen der Anorexie (F50.1) und Bulimie (F50.2)**, d.h. für Eßstörungen, die nicht alle geforderten diagnostischen Kriterien erfüllen, sieht die ICD-10 zwei gesonderte Kategorien vor (vgl. Tabelle 9.1).

Differentialdiagnostisch sind bei Anorexie und Bulimie vor allem depressive Störungen (vgl. Kapitel 7), Zwangsstörungen (vgl. Kapitel 8) und Persönlichkeitsstörungen (vgl. Kapitel 11) in Betracht zu ziehen, wobei vor allem letztere eine hohe Komorbidität mit diesen Eßstörungen aufweisen.

Zusätzlich zu den beiden genannten Eßstörungen sieht die ICD-10 noch die diagnostischen Kategorien **Eßattacken (F50.4) bzw. Erbrechen (F50.5) bei sonstigen psychischen Störungen** vor. Dabei wird die Kategorie F50.4 als eine durch übermäßiges Essen sich äußernde Reaktion auf belastende Ereignisse verstanden, die sich besonders bei zur Gewichtszunahme disponierten Personen zeigen kann. Die Kategorie F50.5 soll demgegenüber der Klassifikation von (selbstinduziertem) Erbrechen dienen, das im Rahmen dissoziativer Störungen, hypochondrischer (vgl. Kapitel 8) oder mit der Schwangerschaft verbundener Störungen auftritt.

Adipositas (Fettsucht) liegt dann vor, wenn der Anteil des Fettgewebes am Körpergewicht bei Männern 20% und bei Frauen 24% übersteigt. Die Adipositas entsteht stets durch eine Störung der Energiebilanz, und zwar infolge gesteigerter Eßbedürfnisse mit vermehrter Kalorienzufuhr. Das pathologische Eßverhalten ist gekennzeichnet durch Steigerung der Hungerempfindung oder/und Verminderung der Sättigungsempfindung.

9.2.2. Ätiologie und Pathogenese

Die »klassische« Verlaufsform der **Anorexia nervosa** betrifft vor allem Patientinnen mit Pubertätsmagersucht (**Erkrankungsgipfel zwischen 14. und 20. Lebensjahr**), die mit beginnender Geschlechtsreife in eine schwere **Identitätskrise** geraten, die den Ausbruch der Eßstörung entscheidend mitbedingt. Bei den Patientinnen wird – infolge einer häufig triebfeindlichen Erziehung in ihren Herkunftsfamilien – eine schwerer gestörte weibliche Identität faßbar, die sich durch Tendenzen zu sexueller Triebabwehr und den Kampf um Autonomie kennzeichen läßt. Die sexuelle Triebabwehr erfolgt durch Verschiebung sexueller Impulse auf den Bereich der Nahrungsaufnahmeregulation, der Kampf um Autonomie ist thematisch durch eine Verweigerung der durch mütterliche Beziehungsfiguren vermittelten weiblichen Rollenzuschreibungen geprägt.

Die Tatsache, daß sehr viel mehr weibliche als männliche Patienten an Anorexia nervosa und Bulimia nervosa erkranken, könnte sich folgendermaßen interpretieren lassen: In unserem Kulturkreis können sich Mädchen und junge Frauen schwerer von ihren Müttern abgrenzen als Jungen bzw. junge Männer, denen dieser Prozeß durch ihre gegengeschlechtliche Identität erleichtert wird. Möglicherweise ist aber auch von Bedeutung, daß in unserer Gesellschaft die Übernahme der weiblichen Geschlechtsrolle weniger attraktiv erscheint als jene der männlichen, so daß die Reife- und Ablösungsphase, besonders auch die Bewältigung der Pubertät, bei Frauen schwieriger wird.

Auch bei der **Bulimia nervosa** handelt es sich, psychodynamisch gesehen, um eine Störung der weiblichen Identität. Es kommt ebenfalls zur Verschiebung sexueller Impulse auf die Nahrungsaufnahme. Bei den Bulimiepatientinnen ist jedoch die sexuelle Triebabwehr etwas bewußtseinsnäher angesiedelt und der zugrundeliegende Autonomiekonflikt erscheint nicht so verfestigt wie bei den Patientinnen mit Pubertätsmagersucht. Insbesondere wirken die Symbiosen der Bulimiepatientinnen mit ihren Müttern, trotz hoher Ambivalenzanteile, weniger stark ausgeprägt. Hinzu kommt, daß für Bulimiepatientinnen deren Väter eine ungleich größere emotionale Rolle spielen als bei der Anorexia nervosa. Es wurde wiederholt darauf hingewiesen, daß bei Bulimiepatientinnen ein relativ hoher Anteil sexueller Mißbrauchserfahrungen nachweisbar sei.

Die Adipositasprävalenz beträgt in der Bundesrepublik etwa 35% (28 Millionen Menschen). Hinsichtlich der Industrienationen ist eine positive Korrelation zwischen Übergewicht und der Zugehörigkeit zur sozialen Unterschicht gesichert. Die **Adipositas** basiert wahrscheinlich auf Irritationen des Hunger-Sättigungs-Mechanismus, die ihrerseits – über die zentralhypothalamische Steuerung der Hunger- und Sättigungsempfindung – psychovegetativ mitbedingt sein können. Bei Adipösen finden sich häufig neurotische Entwicklungen mit psychodynamischem Schwerpunkt auf Abhängigkeits-/Unabhängigkeitskonflikten (vgl. Kapitel 33). Ausgehend vom pathologischen Eßverhalten dient der Mehrzahl der Adipösen das Essen zur Abwehr von Frustrationsgefühlen (insbesondere narzißtisches Gekränktsein und Depressivität), die vor allem nach unbewältigten Objektverlusten verstärkt zutage treten, mit der nachfolgenden Suche nach einem Ersatzobjekt, für das stellvertretend auch Essen fungieren kann, das dann gleichermaßen beruhigt und befriedigt.

9.2.3. Therapie

Jeder **psychotherapeutische Ansatz** bei der **Anorexia nervosa** hat davon auszugehen, daß für die Patientinnen hinsichtlich ihrer ausgeprägten Untergewichtigkeit ein kaum faßbares Krankheitsgefühl und eine hochgradig eingeschränkte Behandlungsbereitschaft charakteristisch sind. Deshalb ist bei diesen Patientinnen bei einer deutlichen Kachexie häufig zunächst die **Indikation einer interdisziplinär internistisch-psychosomatischen Behandlung zwecks Wiederauffütterung** gegeben, die bei Unterschreitung einer vital bedrohlichen Gewichtsschwelle stationär erfolgen sollte. Charakteristisch für diese Behandlungsphase ist häufig ein komplizierter Verlauf, da Annäherungen in Richtung des Normgewichts und damit erwachsenere weibliche Körperbaukonfigurationen sowie das damit verknüpfte (Wieder-)Auftreten der Menstruation oder sexueller Triebwünsche von den Patientinnen als außerordentlich bedrohlich erlebt wird. Dabei kann es bei den Patientinnen zu einem heimlichen Zurückweisen der Nahrung und/oder Erbrechen kommen. Der Therapieschritt der Wiederauffütterung sollte bei supportiv-psychotherapeutischem Vorgehen gleichzeitig erste Schritte in Richtung weiterführende Psychotherapie beinhalten, die abhängig von den entsprechenden Indikationskriterien psychoanalytisch orientiert oder verhaltenstherapeutisch durchgeführt werden kann.

Schon vor dem Hintergrund der bei Bulimiepatientinnen häufigen (relativen) Normgewichtigkeit, einer insgesamt konturierteren Krankheitseinsicht und einem akzentuierteren Leidensdruck gestaltet sich die psychotherapeutische Vorgehensweise – im Vergleich zu jener bei Pubertätsmagersucht – als weniger kompliziert. Für Bulimiepatientinnen ergeben sich im wesentlichen die gleichen Indikationen wie bei Anorexiepatientinnen nach geglückter Wiederauffütterung.

Wegen einer nur **geringen Krankheitseinsicht** und Behandlungsbereitschaft ist davon auszugehen, daß eine relativ große Zahl adipöser Patienten nicht in psychotherapeutische Behandlung kommt oder diese rasch wieder abbricht. Aber selbst diejenigen Adipösen, die in Therapie bleiben, scheinen häufig kaum Gewicht zu verlieren bzw. nach erfolgter Gewichtsabnahme wieder zuzunehmen. Diese schlechte Prognose ist verständlich, wenn wir berücksichtigen, daß unter der Gewichtsabnahme die vorher – durch vermehrte Nahrungszufuhr abgewehrten – Frustrationsgefühle wieder zutage treten (»**Diätdepression**«). Jetzt scheitern häufig Bemühungen der Gewichtsreduktion mit nachfolgend wieder einsetzender vermehrter Kalorienzufuhr, da die Mehrzahl der Patienten die Symptomatik der Diätdepression nicht ertragen kann. Aufgrund des derzeitigen Wissensstands scheinen bei – hierfür motivierten – Adipösen noch am ehesten stationäre Behandlungen in psychosomatischen Kliniken mit Schwerpunkt auf Verhaltenstherapie angezeigt. Ferner bieten sich auf ambulanter Basis die Selbsthilfegruppen wie die »Weight Watchers« an.

9.2.4. Verlauf und Prognose

Die **Prognose der Anorexia nervosa** bei Spontanverlauf ist vergleichsweise schlecht: Bei 20–30% finden sich Spontanheilungen, bei etwa 40% chronifizieren die Störungen, die Mortalität beträgt bis zu 12%. Die Prognose der somatischen und psychischen Symptomatik läßt sich durch den Einsatz psychodynamisch oder verhaltenstherapeutisch orientierter Therapieverfahren entscheidend bessern, in der Literatur werden katamnestisch abgesicherte Besserungs- und Heilungsraten zwischen 40 und über 90% angegeben.

Die **Prognose der Bulimia nervosa** ist insgesamt betrachtet schon vor dem Hintergrund der geringeren Malignität des Krankheitsbilds besser. Es werden Besserungs- und Heilungsraten zwischen etwa 30 und 80% angegeben, wobei zu beachten ist, daß zahlreiche Patientinnen mit Bulimie in ihrer Krankheitsgeschichte über anorektische Episoden berichten.

9.3. Schlafstörungen

Schlafstörungen kommen als Symptome bei zahlreichen psychischen Störungen vor. Sie sollten daher als eigenständige Diagnosen nur dann in Betracht gezogen werden, wenn sie unabhängig von anderen psychischen Störungen auftreten und/oder in ihren psychosozialen Auswirkungen für den Patienten so gravierend sind, daß sie eine eigenständige Behandlung erfordern. Diagnostisch auszuschließen sind bei allen nachfolgenden Störungen unter anderem verursachende organische Faktoren, z.B. neurologische oder andere internistische Krankheitsbilder, Einnahme psychotroper Substanzen (vgl. Kapitel 5) oder Medikation und depressive Störungen (vgl. Kapitel 7).

Die **Insomnie** ist gekennzeichnet durch Klagen über Ein- und Durchschlafstörungen oder schlechte Schlafqualität.

In der Behandlung von Insomnien haben sich besonders verhaltenstherapeutisch orientierte Gruppenprogramme (vgl. Kapitel 22) mit einem psychoedukativen Teil (vgl. Kapitel 26) bewährt.

Bei der **Hypersomnie** klagen die Patienten über eine übermäßige Schlafneigung während des Tags, über Schlafanfälle oder einen verlängerten Übergang zum vollen Wachzustand (Schlaftrunkenheit), der nicht durch inadäquate Schlafdauer erklärbar ist.

Dabei dürfen keine zusätzlichen Symptome einer **Narkolepsie** (Kataplexie, Wachanfälle, hypnagoge Halluzinationen) oder klinischen Hinweise für eine **Schlafapnoe** (nächtliche Atempausen, typische intermittierende Schnarchgeräusche usw.) vorhanden sein. Die Behandlung dieser Störungen setzt eine individuelle, oft sehr aufwendige Diagnostik unter anderem im Schlaflabor voraus [vgl. Riemann et al., 1994].

Störungen des Schlaf-Wach-Rhythmus sind dadurch charakterisiert, daß das Schlaf-Wach-Muster der Patienten nicht synchron mit dem gewünschten Schlaf-Wach-Rhythmus ist. Als Folge dieser Störung erleben die Patienten Schlaflosigkeit während der Hauptschlafperiode und Hypersomnie während der Wachperiode. Unbefriedigende Dauer, Qualität und Zeitpunkt des Schlafs verursachen einen deutlichen Leidensdruck.

Vorherrschendes Symptom beim **Schlafwandeln (Somnambulismus)** sind wiederholte Episoden, in denen der Patient das Bett während des Schlafs verlassen und für mehrere Minuten bis zu einer halben Stunde umhergehen muß. Während des Schlafwandelns haben die Patienten zumeist einen leeren, starren Gesichtsausdruck, sie reagieren verhältnismäßig wenig auf die Bemühungen anderer, das Geschehen zu beeinflussen oder mit ihnen in Kontakt zu treten und sind nur unter großen Schwierigkeiten aufzuwecken. Nach dem Erwachen (entweder nach dem Schlafwandeln oder am nächsten Morgen) haben die Patienten eine Amnesie für das Geschehen.

Beim **Pavor nocturnus** erwachen die Patienten regelmäßig mit einem Panikschrei, heftiger Angst, Körperbewegungen und vegetativer Übererregbarkeit mit Tachykardie, Herzklopfen, schneller Atmung und Schweißausbruch aus dem Schlaf.

Diese Episoden treten während des ersten Drittels des Nachtschlafs auf und dauern in der Regel weniger als 10 Minuten. Der Versuch, auf die Patienten beruhigend einzuwirken, hat keinen Erfolg; statt dessen zeigen die Patienten häufig Desorientiertheit und perseverierende Bewegungen.

Unter **Alpträumen** wird ein Aufwachen aus dem Nachtschlaf oder Nachmittagsschlaf mit detaillierter und lebhafter Erinnerung an heftige Angstträume verstanden, die meistens Bedrohungen des eigenen Lebens, der Sicherheit oder des Selbstwertgefühls beinhalten.

Das Aufwachen erfolgt zu jeder Zeit der Schlafperiode, obgleich die Alpträume typischerweise in der zweiten Nachthälfte auftreten. Nach dem Aufwachen aus erschreckenden Träumen sind die Betroffenen rasch orientiert und wach.

9.4. Psychische und Verhaltensstörungen im Wochenbett

In diesem ICD-10-Abschnitt (F53) sind psychische Störungen im Zusammenhang mit dem Wochenbett zu klassifizieren (vgl. auch Kapitel 7), die innerhalb eines 6-Wochen-Zeitraums nach der Geburt auftreten und nicht die Kriterien für andere im Kapitel V der ICD-10 abgebildete Störungen erfüllen. Da diese Kategorie vor dem Hintergrund der ausführlichen Klassifikation von Belastungsstörungen (vgl. Kapitel 8) empirisch wenig gesichert erscheint, wird auf eine ausführliche Diskussion an dieser Stelle verzichtet.

9.5. Psychosomatische Störungen im engeren Sinne: Psychische Faktoren oder Verhaltenseinflüsse bei andernorts klassifizierten Krankheiten

Das Kapitel V der ICD-10 erfaßt psychosomatische und somatopsychische Wechselwirkungsprozesse unter anderem mit der Kategorie F54, mit der psychische Beschwerden abgebildet werden sollen, die die Ätiologie oder den Verlauf körperlicher Erkrankungen beeinflussen, die in anderen (somatischen) Kapiteln klassifiziert werden. Nach dem ICD-10-Konzept sind die dabei auftretenden psychischen Störungen gewöhnlich leicht und langanhaltend (z.B. Sorgen, emotionale Konflikte, ängstliche Erwartungen) und rechtfertigen für sich allein nicht die Verwendung einer anderen diagnostischen Kategorie. Eine zusätzliche Kodierung ist zur Kennzeichnung der körperlichen Störung zu verwenden. In diese Gruppe gehören zahlreiche – vor allem internistische – Erkrankungen, für die im Hinblick auf ihre therapeutische und prognostische Relevanz psychologische Faktoren empirisch gesichert sind. Exemplarisch sollen hier Ulkus duodeni, Colitis ulcerosa und Morbus Crohn, Asthma bronchiale, essentielle Hypertonie, koronare Herzkrankheit, Fibromyalgie sowie die Gruppe der somatopsychischen Korrelationen besprochen werden.

9.5.1. Ulkus duodeni

Aus psychophysiologischer Perspektive ist die Möglichkeit einer Ulkus-duodeni-Manifestation gegeben, sofern der Gleichgewichtszustand zwischen aggressiven und defensiven Faktoren verschoben wird, die an der Magen-/Duodenalschleimhaut wirksam werden können. Hinsichtlich der aggressiven Faktoren »Salzsäure« und »Pepsin« wird eine zusätzliche psychische Beeinflussung als sicher angesehen, ebenso für die defensiven Faktoren »Schleim« und »Durchblutung«. Umfassendere psychophysiologische Untersuchungen zur Klärung der Frage, ob sich spezifische Korrelationen zwischen bestimmten emotionalen Zuständen des Patienten einerseits und einer Steigerung gastrischer Sekretionsaktivität anderseits konstatieren lassen, erlauben folgende Formulierung: Nicht nach außen hin zeigbare Angst und Aggressivität bedingen eher eine gesteigerte gastrische Sekretionsaktivität, während Depressivität eher verminderte Sekretionsaktivität nach sich zieht. Bei direkter Äußerung der Angst- und Aggressiongefühle zeigt sich ein Rückgang der gastrischen Sekretionsaktivität, weil die angst- und aggressionsbesetzten Emotionen gezielt verbal ausgedrückt werden können. Aus dieser Beobachtung läßt sich ableiten, daß in einer psychotherapeutisch orientierten Arzt-Patient-Beziehung die Thematisierung ängstlich-aggressiver Inhalte seitens des Patienten auch zur Regulierung der (gesteigerten) gastrischen Sekretionsaktivität sowie zur Hemmung von schleimhautaggressiven und Unterstützung von schleimhautprotektiven Faktoren beitragen kann.

Bei der Mehrzahl der psychosomatischen Ulkuspatienten zeigt sich eine eingeschränkte **Psychotherapiemotivation.** Die Einführung der H2-Blocker mit der Indikation zur Langzeitprophylaxe hat so große therapeutische Fortschritte erbracht, daß dadurch auf seiten der behandelnden Ärzte wie der Patienten ergänzende bzw. konkurrierende Psychotherapieüberlegungen in den Hintergrund getreten sind. Noch am ehesten begegnet der Psychiater oder Psychosomatiker dem Ulkuspatienten dann, wenn er konsiliarisch vom Gastroenterologen zu einem hospitalisierten, floride ulkuskranken Patienten wegen dessen psychologischer Probleme – nach unserer Erfahrung vor allem bei Vorliegen akuter Konfliktsituationen – gerufen wird. Generell sollte bei jedem Patienten mit akutem Ulkusschub an die Möglichkeit vorausgegangener auslösender, schließlich vom Patienten nicht mehr bewältigter Belastungssituationen gedacht und der Patient dementsprechend im Rahmen eines kurzpsychotherapeutischen Vorgehens (vgl. Kapitel 27) behandelt werden. Dabei kann sich eine Indikation für weiterführende psychodynamische (vgl. Kapitel 18) oder verhaltenstherapeutische (vgl. Kapitel 19) Therapieverfahren ergeben.

9.5.2. Colitis ulcerosa und Morbus Crohn

Bei Patienten mit chronisch-entzündlichen Darmerkrankungen, wie der Colitis ulcerosa und dem Morbus Crohn, lassen sich sehr häufig Objektverlusterlebnisse im Sinne einer auslösenden Situation für die Erstmanifestation und/oder ein Rezidiv nachweisen. Bei Colitis-ulcerosa-Patienten finden sich ferner gehäuft ausgeprägte aggressive Gehemmtheit, Abhängigkeits-Unabhängigkeits-Konflikte mit erheblicher narzißtischer Vulnerabilität sowie Depressivität und ausgeprägtes Sichanlehnenwollen an elternähnliche Bezugspersonen (»Schlüsselfiguren«). Demgegenüber dominiert bei Crohn-Patienten der Nähe-Distanz-Konflikt; es fehlt also häufig eine intensivere manifeste Abhängigkeitssuche, vielmehr werden – nach Art der Pseudounabhängigkeit – Abhängigkeitswünsche unterdrückt. Daher überwiegen bei Crohn-Patienten in direktem Kontakt eher ambivalente Beziehungsmuster nach Art des Oszillierens zwischen Nähe und Distanz (vgl. Kapitel 33).

Bei Colitis-ulcerosa- und Crohn-Patienten ist während des akuten Krankheitsschubs – vor allem anläßlich der Hospitalisierung ergänzend zur Somatotherapie – die **supportive Psychotherapie** die Methode der Wahl. Dieser supportive Ansatz kann während einer sich anschließenden ambulanten Nachversorgung – ebenfalls ergänzend zur internistischen Behandlung – fortgesetzt werden, und zwar besonders bei emotional fragilen und kaum introspektionsfähigen Patienten. Wenn familien- und partnerbezogene Probleme überwiegen, kann auch bei Colitis-ulcerosa- und Crohn-Patienten eine **systemische Therapie** angezeigt sein (vgl. Kapitel 23). Demgegenüber kann sich vor allem bei Patienten mit subtotaler Colitis ulcerosa und Proktosigmoiditis sowie bei Crohn-Patienten mit pathologisch-anatomisch umschriebenen Darmwandprozessen nach eingetretener somatischer Remission die Indikation zur **konfliktbearbeitenden Psychotherapie** (insbesondere auch auf stationärer Basis) stellen (vgl. Kapitel 18), sofern bei diesen Patienten eine entsprechende Motivierung gelingt. Darüber hinaus stellt sich auch hier regelhaft die Frage der Indikation für eine systemische Behandlung.

9.5.3. Asthma bronchiale

Für die Auslösung asthmatischer Anfälle konnten anamnestisch bei 47% der Fälle Allergene, bei 80% ein Infekt und bei 67% psychische Faktoren gesichert werden. Übereinstimmende Persönlichkeitszüge sind für Asthmapatienten nicht bekannt. Für Patienten mit häufigerem Anfallsasthma gilt, daß bei ihnen die Rezidivangst besonders ausgeprägt sein kann. Deshalb können diese Patienten dazu neigen, die Einnahme von Steroiden weniger von der ärztlichen Verordnung abhängig zu machen, sondern sie in erster Linie zwecks Bekämpfung ihrer Rezidivangst einsetzen. Bei Patienten mit Nähe-Distanz-Konflikt sollen ausgeprägtere Compliance-Probleme vorkommen, die insbesondere Meideverhalten angesichts von Pneumologen und defizitäre Medikamenteneinnahme betreffen. Auch nehmen diese Patienten Erhöhungen ihres endobronchialen Atemwegswiderstands weniger intensiv als compliante Patienten wahr. Hier scheint ein sekundärer Krankheitsgewinn für das Erleben des Patienten sehr wichtig zu sein.

Die Frage einer die pulmologische Behandlung ergänzenden Psychotherapie hängt bei dieser Patientengruppe von der Relevanz psychischer Faktoren und der zugrundeliegenden Konfliktkonstellation ab (z.B. Abhängigkeits-/Unabhängigkeits- oder Nähe-Distanz-Konflikt, vgl. Kapitel 33). Abhängig von der Motivation des Patienten kommen sowohl **supportiv-psychotherapeutische** als auch **konfliktbearbeitende Maßnahmen** in Frage (vgl. Kapitel 18). Bei der Indikation zur konfliktbearbeitenden Psychotherapie bei Patienten mit anamnestisch gesichertem Anfallsasthma sollte nachdrücklich berücksichtigt werden, daß unter dieser aufdeckenden Arbeit unter Umständen schwere asthmatische Anfälle auftreten können. Ein wichtiges verbindendes Prinzip zwischen Pulmologie und Psychosomatik sind die patientenorientierten **strukturierten Schulungs-**

programme (zumeist auf Gruppenbasis) für Asthmapatienten, die typische psychoedukative Verfahren darstellen (vgl. Kapitel 26). Dank dieser gezielten Schulung lassen sich – wie empirisch belegt werden konnte – nicht nur viel häufiger erwünschte medizinische, sondern gleichermaßen auch psychosoziale Ziele verwirklichen, nämlich die verbesserte Einsicht in die Krankheit als Voraussetzung für deren Bewältigung, die Schulung der Wahrnehmung, um auslösende Situationen von Atemnot zu erkennen, der Aufbau von Vertrauen in die eigene Kompetenz hinsichtlich der therapeutischen Mitarbeit sowie die Mobilisierung von sozialer Unterstützung.

9.5.4. Essentielle Hypertonie

Jede psychosomatische Sicht der essentiellen Hypertonie hat von der wichtigen teilursächlichen Bedeutung genotypischer Präformierungen auszugehen. Für die Relevanz auch von **Umweltfaktoren** spricht, daß in industrialisierten Ländern übereinstimmend ein höherer Anteil der Bevölkerung mit hypertonen Blutdruckwerten gefunden wird. Demgegenüber ist die Hypertonie in vielen Ländern der Dritten Welt eine ausgesprochene Seltenheit. Bei Wanderungsbewegungen von Bevölkerungsteilen kommt es in der Regel zu einem Blutdruckanstieg bei denjenigen, die sich den Lebensbedingungen industrialisierter Kulturen anpassen müssen. Psychophysiologisch entsprechen jene hämodynamischen Prozesse, die bei Nichthypertonikern unter körperlicher Arbeit oder unter emotionaler Belastung zutagetreten, genau denjenigen bei Hypertonikern unter absoluten Ruhebedingungen. Damit befindet sich der Hypertoniker selbst unter Ruhebedingungen in einer Art innerer Streßsituation, die sich individuell psychodynamisch vor allem durch eine ausgeprägtere aggressive Hemmung charakterisieren läßt. Diese Hemmung ist ihrerseits eng mit einem Nähe-Distanz-Konflikt verbunden. Bezogen auf diese **innere chronifizierte Streßsituation** müssen Hypertoniker nicht nur ständig ihre unbewußt und vorbewußt erheblich aufgestaute Feindseligkeit kontrollieren, um mittels der Vermeidung aggressiver Äußerungen stärker befürchteten Objektverlusten vorzubeugen, sondern sie erleben häufig auch wegen ihrer Nähe-Distanz-Problematik zwischenmenschliche Begegnungen als subjektive Strapazen. In diesen Zusammenhang dürfte auch ein Teil der situativen Blutdruckerhöhungen des Patienten während der ärztlichen Sprechstunde einzuordnen sein.

Die antihypertensive Therapie ergänzende psychotherapeutische Überlegungen haben davon auszugehen, daß bei Hypertonikern häufig ein nur gering ausgebildetes Problem- und Konfliktbewußtsein vorliegt. Als therapeutisch wirksam haben sich bei diesen Patienten vor allem **gruppenpsychotherapeutische Ansätze** (vgl. Kapitel 21 und 22) und eher **psychoedukativ angelegte Therapieprogramme** (vgl. Kapitel 26) bewährt.

9.5.5. Koronare Herzkrankheit

Wichtig sind **psychosoziale Risikofaktoren**, welche die Entwicklung der koronaren Herzkrankheit sowie die Entstehung und/oder das Rezidiv des Herzinfarkts mitbegünstigen können. Psychisch mitbegründete Risikofaktoren sind Nikotinmißbrauch, starkes Übergewicht, eingeschränkter Bewegungsdrang, Hypertonie, Hypercholesterinämie (alimentär und streßbedingt) sowie das »Typ-A«-Verhalten (neben den Variablen »Arbeitswut« und »Ungeduld« das aggressiv getönte Rivalitätsverhalten zusammen mit – potentiell jederzeit provozierbaren – Gefühlen der Feindseligkeit bei gleichzeitig ausgeprägter Tendenz zur Unterdrückung reaktiv mobilisierter Feindseligkeit).

Bei psychotherapeutischen Überlegungen geht es sowohl um die **primäre Prävention**, d.h. die prophylaktische Beeinflussung möglicher psychosozialer Risikofaktoren bei Gesunden, als auch um die **sekundäre** und die **tertiäre Prävention** zur Verhinderung von Angina-pectoris-Anfällen, Herzinfarkt und plötzlichem Herztod bzw. Reinfarkt. Die psychodynamisch orientierten Therapieansätze zielen insbesondere auf den Versuch einer Bearbeitung des »Typ-A«-Verhaltens ab, und zwar ausgehend von der psychosomatischen Grundversorgung bis hin zu weiterführenden ärztlichen Gesprächen und nachfolgend konfliktbearbeitender **Psychotherapie**, sofern beim Patienten hinreichende Motivation vorliegt. Erfolgversprechend sind auch systemische (Ehe-)Partner- und Familiengespräche, durch die dank der häufig besser motivierten Angehörigen auch das Problembewußtsein des Patienten gefördert werden kann. Darüber hinaus ermöglicht der Beitritt zu einer Koronarsportgruppe dem Patienten auf die Dauer eine dosierte sportliche Betätigung unter ärztlicher Kontrolle im Kreis von Patienten mit der gleichen Erkrankung. Psychoedukative Programme (vgl. Kapitel 26) und gruppenpsychotherapeutische Ansätze (vgl. Kapitel 21 und 22) haben sich bei dieser Patientengruppe ebenfalls bewährt.

9.5.6. Fibromyalgie

Somatisches Leitsymptom der Fibromyalgie ist der über mindestens 3 Monate andauernde intensive, spontan ohne somatisches Trauma auftretende Schmerz. Dieser Schmerz ist vor allem an den Muskelansatzpunkten mit Schwerpunkt auf Zervikal- und Lumbalbereich, ferner auch in der Schulter-Nacken-Gegend sowie im Hüftbereich lokalisiert.

Die Schmerzen können eine Intensivierung durch stärkere körperliche Aktivität, feuchtkalte Witterungseinflüsse und äußere psychische Belastungen erfahren. Schmerzlinderung kann sich in wärmerem Milieu zeigen, aber auch bei sehr leichter körperlicher Aktivität und nach tiefem erholsamem Schlaf. Bei der körperlichen Untersuchung zeigt sich eine starke Druckschmerzhaftigkeit an der

Haut sowie an ganz bestimmten Schmerzpunkten, die für Fibromyalgiepatienten sehr charakteristisch sind. Die Fibromyalgie erstreckt sich über Jahre, so daß etwa 30% der Patienten gezwungen sind, ihren Beruf zu wechseln, während 10% angeben, erwerbsunfähig zu sein mit der schließlichen Konsequenz einer Frühberentung bei 6% der Fälle. Die bei Fibromyalgiepatienten nachweisbaren, mikroskopisch kaum erfaßbaren Strukturveränderungen im Bereich von Sehnen, Muskulatur, Bändern oder Periost sollen die Folge von gesteigertem (streßbedingtem?) Muskeltonus darstellen.

Nach dem derzeitigen Kenntnisstand ist bei etwa zwei Dritteln der Fibromyalgiepatienten eine **psychosomatische Mitverursachung** der Symptomatik wahrscheinlich, zumal auslösende Situationen im Sinne unbewältigter Objektverluste nicht selten sind. Psychodynamisch dominiert bei den Patienten das Phänomen der aggressiven Hemmung. Eine weder verbal noch aktionistisch (z.B. anhand erhöhter muskulärer Aktivitäten) abführbare, unbewußt und vorbewußt aufgestaute Aggression kann sich gleichermaßen in Angst und Depression sowie in gesteigertem Muskeltonus niederschlagen. Die Triebhemmung betrifft aber bei Fibromyalgiepatienten auch libidinöse Wünsche. Deshalb wird bei den Patienten eine Kontaktstörung faßbar, die ihrerseits mit der Einschränkung von emotionaler Sprachfähigkeit und Problembewußtsein sowie körperbezogenen Selbstbeschäftigungen verknüpft sein kann.

Bei Fibromyalgiepatienten ist die Motivation hinsichtlich konfliktbearbeitender Psychotherapie eher gering, und es liegen noch keine entsprechenden Arbeitserfahrungen vor. Die **verhaltenstherapeutisch orientierte Schmerztherapie** verfolgt das Ziel, Behandlungsempfehlungen zu geben, die in der Akutphase des Schmerzes einer Chronifizierung vorbeugen können. Im einzelnen bietet sich das behaviorale Modell im Sinne der operanten Konditionierung (vgl. Kapitel 19) an, deren Ziel darin besteht, Schmerzverhalten zu schwächen und schmerzinkompatibles Verhalten zu stärken. **Psychophysiologische Schmerztherapiekonzepte** konzentrieren sich primär auf den Circulus vitiosus von Schmerz und Muskelanspannung. Der kognitive Ansatz schließlich, der im Regelfall auf Gruppenbasis durchgeführt wird, hebt die Bedeutung der Informationsverarbeitung für das Schmerzerleben hervor.

9.5.7. Somatopsychische Korrelation bei chronischen körperlichen Erkrankungen

Sekundär-psychische Veränderungen, die vor allem bei chronisch verlaufenden somatischen Erkrankungen nachweisbar sind, beinhalten sowohl **reaktive seelische Rückwirkungen** infolge Wahrnehmung der beeinträchtigenden Erkrankung als auch effektive **Bewältigungsmechanismen (»Coping«-Strategien),** die dem Patienten vor allem das Ertragen seines Krankheitstraumas und der daraus resultierenden Folgen ermöglichen sollen. Bei Patienten mit chronifizierten körperlichen Erkrankungen können der Krankheitsmanifestation ebenfalls **auslösende Situationen** psychischer Art (insbesondere unbewältige Objektverluste) vorausgehen. Ferner zeichnen sich die Patienten durch solche psychischen Adaptationsprozesse aus, die sie in die Lage versetzen sollen, ihre Krankheit so zu tolerieren und mit ihr zwischenmenschlich so umzugehen, daß keine seelische Dekompensation zutagetritt. Die subjektive Wahrnehmung einer chronifizierten körperlichen Erkrankung wird oft als ausgeprägter Objektverlust an den eigenen somatischen Funktionen erlebt. Die Folge ist häufig eine emotionale Fragilisierung, die sowohl eine Erschütterung des Selbstwertgefühls als auch Abhängigkeitswünsche nach sich zieht. Ferner treten starke (Trennungs-)-Angst (bis hin zur Todesangst) und/oder emotionale Ohnmacht (im Sinne ausgeprägter Erschöpfung) zutage. Sowohl die Angst als auch die emotionale Ohnmacht sollen – im Sinne eines adaptiven Appellverhaltens – dazu beitragen, möglichst umgehend medizinische und seelische Hilfe zu mobilisieren. Zahlreiche Patienten konzentrieren sich in ihrem Krankheitserleben und -verhalten jetzt im Sinne einer medizinisch orientierten Selbstbeschäftigung (**sekundäre Hypochondrie**) auf den Bereich ihrer krankhaft veränderten Organprovinz. Adaptiv gesehen beinhaltet diese sekundäre Hypochondrie eine Art angsthaft-depressiv getönte Selbstreflektion, die insbesondere Einzelheiten des traumatisch erlittenen Erkrankungsgeschehens betrifft. Hierzu gehören auch die häufig nicht endenwollenden »Krankheitsgespräche« der Patienten untereinander, ebenso auch die häufig geführten »Krankheitsgespräche« in der Beziehung zu Familienmitgliedern und Partnern. Dadurch sollen hilfegebende Objektbeziehungen zusätzlich mobilisiert werden. Diese andauernd phantasierte und nachfolgende verbale Abfuhr der sekundär-hypochondrischen Inhalte wird zumindest vorübergehend als große psychische Entlastung erlebt. Ferner zeigt sich bei chronisch Kranken eine außerordentlich charakteristische, sehr bedrängende Vorstellung: »Warum bin gerade ich so krank und nicht der andere?« Sie führt zu stärkeren, insbesondere vorbewußt und unbewußt angesiedelten frustrationsaggressiven Gedanken und Gefühlen. Weitere Quellen dieser Frustrationsaggression sind jene regelhaften Versagungen im medizinischen und/oder familienbezogenen Alltag, die sich bei chronisch Kranken einfach nicht vermeiden lassen. Zur eigenen Entlastung müssen diese frustrationsaggressiven Tendenzen zumindest partiell abgewehrt werden, da sie das subjektive Risikogefühl einer Verminderung von sozialer Unterstützung seitens der Ärzte und Pflegepersonen sowie der Partner bzw. Familienmitglieder beinhalten. Die Unterdrückung der frustrationsaggressiven Tendenzen bestimmt das jeweilige Ausmaß depressiver Gefühle und Ängste mit, die psychische Leitsymptome des chronisch Kranken darstellen.

Schließlich sind im Zusammenhang mit psychischen Adaptationsprozessen bei chronisch körperlich Kranken drei **Varianten der Verleugnungsarbeit** zu unterscheiden. Dabei geht es zunächst um die realitätsgerechte Verleugnungsarbeit, die dem Patienten noch so viel an selbstreflektorischem Spielraum läßt, daß er die Relevanz der Arzt-Patient- bzw. der Patient-Angehörigen-Beziehung sowie die Notwendigkeit von Behandlungsprogrammen genügend wahrnehmen kann. Demgegenüber hat die zu schwach ausgebildete Verleugnung für den Patienten die Überschätzung der Erkrankungsschwere und der Behandlungsstrapazen zur Folge. Es dominiert dann ein klagsam-anklagendes Agieren mit eingeschränkter Compliance. Die zu stark ausgebildete Verleugnung führt zu einer ausgeprägten Unterdrückung der wichtigen Wahrnehmungen zum Krankheitserleben und Behandlungsverständnis sowie damit ebenfalls zu einer möglicherweise problematischen Einschränkung der Compliance.

Psychotherapeutisch bietet sich bei chronisch körperlich Kranken zunächst der Aufbau einer supportiv-psychotherapeutischen Arbeitsbeziehung an. Diese Indikation ist vor allem dann gegeben, wenn die Verleugnungsarbeit nicht realitätsgerecht verläuft und die psychischen Adaptationsprozesse labilisiert sind. Dann erleben sich Ärzte, Schwestern und Pfleger sowie partner- und/oder familienbezogene Bezugspersonen im Umgang mit dem Patienten oftmals überfordert; sie können damit als supportiv wirksame Bezugsfiguren ausfallen. Die zu schwache oder zu starke Verleugnungsarbeit wird vor allem durch Objektverluste bedingt: Einesteils führen somatische Krisensituationen zur Verstärkung des Objektverlusterlebens an den eigenen somatischen Funktionen. Anderseits können die Objektverluste auch durch narzißtische Kränkungen bedingt werden, und zwar vor allem infolge subjektiv oder objektiv frustrierender Interventionen seitens der Ärzte-Schwestern-Pfleger-Gruppe und/oder der Partner bzw. der Familie.

Die **supportiv-psychotherapeutischen Schritte** bei chronisch körperlich Kranken betreffen zunächst den **Aufbau einer tragfähigen Arzt-Patient-Beziehung**. Ferner sind als weitere Interventionstechniken das Ansprechen der Frustrationsaggression und aktueller Konfliktsituationen sinnvoll. Das wiederholte **Ansprechen der Frustrationsaggression** verfolgt vor allem das Ziel, die zugehörigen subjektiv quälenden Inhalte bewußter zu machen. Jetzt wird gezielt die Vorstellung »warum bin gerade ich so krank und nicht der andere?« thematisiert, um dem Patienten wiederholt Gelegenheit zum ausführlichen entlastenden Sichaussprechenkönnen zu vermitteln, ohne daß eine weiterführende interpretative Bearbeitung dieses Themas erfolgen soll, da hierfür zumeist die emotionale Tragfähigkeit des Patienten (noch?) nicht ausreichend ist. Dieser nicht-interpretative Dialog wird für den Patienten nur dann erträglich sein, wenn eine emotional tragende Beziehung zum Arzt besteht, denn nur im Schutze des Sichgeborgen- und -gesichertfühlens werden stärker bedrängende Gedanken und Gefühle subjektiv reflektionsfähig und damit direkt ansprechbar. Das **Ansprechen von Konfliktsituationen** geht von der Erfahrung aus, daß akute und lang hingezogene Konflikte chronisch Kranke erheblich belasten, ohne daß sie imstande sind, dies spontan zu äußern. Vielmehr werden derartige Konflikte nur bei supportiv-psychotherapeutischer Präsenz und/oder angesichts von emotional engagierten Partnern und Familienmitgliedern thematisierbar. Die selektive Themenstrukturierung hat in diesem Zusammenhang eine besondere Funktion. Wenn dem Therapeuten die vom Patienten tolerierbare Themenauswahl optimal gelingt, kommt es zu einer gemeinsamen problemorientierten Fokussierung, ohne daß jedoch anschließend auch eine intensiver konfrontierende oder gar deutende Bearbeitung der Konflikte erfolgen muß; eben wegen der hierfür (noch) nicht gegebenen emotionalen Tragfähigkeit des Patienten. Vielmehr geht es um die ausschließliche oberflächliche Verdeutlichung von Konflikten. Sowohl das Ansprechen der Frustrationsaggression als auch der Konfliktsituation stellt nach unserer bisherigen Erfahrung für chronisch körperlich Kranke die effektivste supportive Interventionsmöglichkeit dar.

Den supportiv-psychotherapeutischen Ansatz kann der chronisch körperlich Kranke als angstlösend, depressionsmildernd und selbstwertstabilisierend erleben. Ferner wird die realitätsgerechte Verleugnungsarbeit begünstigt.

Literatur

Freyberger H, Freyberger HJ (1993): Internistische Psychosomatik. In: Gross R, Schölmerich P, Gerok W (Hrsg.): Die Innere Medizin; 8. Aufl. Schattauer, Stuttgart, 1277–1292.

Freyberger H, Freyberger HJ (1994): Supportive psychotherapy. Psychotherapy and Psychosomatics *61:* 132–142.

Riemann D, Schönbrunn E, Hohagen F, Berger M (1994): Beeinträchtigungen des Schlafs: Diagnostische und therapeutische Möglichkeiten des Schlaflabors. In: Zielke M, Sturm J (Hrsg.): Handbuch stationärer Verhaltenstherapie. Psychologische Verlagsunion, München, 831–847.

Uexküll, Th von (Hrsg., 1990): Psychosomatische Medizin. Urban & Schwarzenberg, München.

10. Sexuelle Störungen

Bernhard Strauß

Die **menschliche Sexualität** besitzt eine Vielzahl von Funktionen: Neben den körperlich-reproduktiven, die in der Medizin üblicherweise im Blickpunkt stehen, kommt ihr in der psychischen Organisation auch große Bedeutung für das Selbstwert-, Lebens- und Körpergefühl zu. Die Sexualität wird darüber hinaus beeinflußt durch gesellschaftliche Äußerungs- und Erscheinungsformen des Sexuellen. Ähnlich komplex ist die Entwicklung der Sexualität des Individuums. Sie konstituiert sich aus der Entwicklung von Beziehungsfähigkeit, Geschlechtsidentität, sexueller Reaktionen und Verhaltensweisen und einer sexuellen Präferenz und Orientierung, die wiederum von zahllosen Faktoren beeinflußt werden.

Auch deshalb ist es angezeigt, bei der Diagnostik und Behandlung der nachfolgend beschriebenen sexuellen Störungen die Entwicklung der Gesamtpersönlichkeit eines Patienten immer im Blickfeld zu behalten. Störungen der Sexualität sind häufig gekoppelt bzw. zurückführbar auf neurotische Fehlentwicklungen oder Störungen der Persönlichkeit.

10.1. Störungen der Geschlechtsidentität

Unter den Störungen der Geschlechtsidentität (vgl. Tabelle 10.1), deren Hauptmerkmal eine **Inkongruenz des tatsächlichen biologischen Geschlechts und der psychischen Geschlechtsidentität** ist, dürften die Transsexualität bzw. der Transsexualismus von besonderer klinischer Bedeutung sein. Sie werden deshalb hier zentral beschrieben.

10.1.1. Definition und Deskription

Die **Transsexualität** ist gekennzeichnet durch die ausgeprägte Identifikation mit dem Gegengeschlecht und den massiven Wunsch nach Geschlechtswechsel, bis hin zur operativen Geschlechtskorrektur oder »-umwandlung«. Geschlechtsspezifische Körpermerkmale werden abgelehnt, durch das Tragen von Kleidung des anderen Geschlechts (»cross-dressing«) und die Nachahmung von Erscheinungsbild, Ausdruck und Verhalten des angestrebten Geschlechts wird der Wunsch nach Geschlechtswechsel ausgelebt.

Tabelle 10.1. Diagnostische Einteilung von Störungen der Geschlechtsidentität

Diagnose	ICD-10-Kategorie
Transsexualismus	F64.0
Transvestitismus unter Beibehaltung beider Geschlechtsrollen (Störungen der Geschlechtsidentität in der Adoleszenz oder beim Erwachsenen, Nichttranssexueller Typus)	F64.1
Störung der Geschlechtsidentität des Kindesalters	F64.2
Andere Störungen der Geschlechtsidentität	F64.8
Nicht näher bezeichnete Störung der Geschlechtsidentität	F64.9

Geschlechtsidentitätsprobleme sind bei der Transsexualität in der Regel zurückzuverfolgen bis in die frühe Kindheit und bleiben konstant, d.h. die erlebte Geschlechtsidentität ist dauerhaft und irreversibel, während bei anderen Störungen der Geschlechtsidentität, die in Tabelle 10.1 genannt sind, entweder prä- oder postpubertär das Gefühl der Nichtzugehörigkeit zum biologischen Geschlecht zeitlich begrenzt bleibt. Für die Diagnose der Transsexualität sind unter anderem Geschlechtsidentitätsstörungen als Folge psychiatrischer Störungen (vgl. besonders Kapitel 6 und 8) oder körperlich-sexueller Fehlentwicklungen (»Intersexualität«) auszuschließen. Störungen der Persönlichkeit (vgl. Kapitel 11) sind in Verbindung mit der Transsexualität nicht unwahrscheinlich. Hier ist allerdings zu bedenken, daß die Inkongruenz des psychischen und körperlichen Geschlechts aller Voraussicht nach negative Einflüsse auf die Persönlichkeitsentwicklung mit sich bringt. Die Feststellung einer »untergeordneten Sexualität« als diagnostisches Merkmal der Transsexualität ist eher umstritten.

Differentialdiagnostisch bedeutsam ist allerdings, daß das »cross-dressing« bei der Transsexualität und anderen Störungen der Geschlechtsidentität im Gegensatz zum fetischistischen Transvestitismus (vgl. Abschnitt 10.2) nicht mit sexueller Erregung einhergeht; es ist darüber hinaus abzugrenzen von transvestitischen Verhaltensweisen Homosexueller.

Auch wenn in jüngster Zeit mehrfach vermutet wird, daß sich Geschlechtsunterschiede in der Prävalenz des Transsexualismus minimieren, ist nach wie vor davon auszugehen, daß die Mann-zu-Frau-Transsexualität etwa drei- bis viermal so häufig vorkommt wie die Frau-zu-Mann-Transsexualität. Dies wird unter anderem damit erklärt, daß die männliche Geschlechtsrolle weniger Flexibilität ermöglicht als die weibliche und damit das Verlangen nach Geschlechtswechsel eher provoziert. Die **Prävalenz** der Störung wird bei Männern mit 1:30000, bei Frauen mit 1:100000 beziffert.

10.1.2. Ätiologie und Pathogenese

Bislang gibt es keine wirklich akzeptierte ätiologische Theorie der Transsexualität, während temporäre Störungen der Geschlechtsidentität eher als neurotische Verarbeitung von Entwicklungskrisen gesehen werden können oder als Ausdruck einer Persönlichkeitsstörung. Körperliche Ursachen der Transsexualität, d.h. speziell endokrine und zentralnervöse, sind bislang nicht eindeutig nachweisbar gewesen. Tatsächlich gilt das Vorhandensein abweichender körperlicher (z.B. genetischer) Befunde in der Regel als Ausschlußkriterium für die Diagnose »Transsexualität«. Auch psychosoziale Faktoren sind für die Entstehung der Transsexualität nicht eindeutig auszumachen. In psychodynamischen Theorien wurden vor allem Besonderheiten in den Familien Transsexueller (etwa Abwesenheit des Vaters oder gestörter Separations-/Individuationsprozeß eines Jungen von seiner Mutter), die bisher aber nicht eindeutig belegbar sind, und spezifische, die Kerngeschlechtsidentität bedrohende präödipale Konflikte für die Entstehung der Störung verantwortlich gemacht. Auch die Tatsache, daß überzeugende ätiologische Erklärungen der Transsexualität bisher nicht verfügbar sind, hat in jüngster Zeit Versuche mitbedingt, diese Auffälligkeit zu depathologisieren [z.B. Sigusch, 1991].

10.1.3. Therapie

Während temporäre Störungen der Geschlechtsidentität in der Kindheit, Adoleszenz und im Erwachsenenalter psychotherapeutisch beeinflußbar erscheinen, ist dies für den dauerhaften Wunsch nach Geschlechtswechsel im Sinne einer Angleichung der psychischen und körperlichen Geschlechtsidentität bisher nicht überzeugend belegt. Nicht zuletzt deshalb wird davon ausgegangen, daß die »Behandlung« der Transsexualität auf die **schrittweise Angleichung des Körpers und der Lebensweise an die psychische Geschlechtsidentität** fokussieren und den Betroffenen diese Entwicklung erleichtern sollte. Dabei hat sich als hilfreich erwiesen, **unterschiedliche Phasen dieses Prozesses** zu unterteilen. An dessen Beginn sollte die ausführliche Beobachtung des Betroffenen besonders im Hinblick auf die Stabilität des Wunsches nach Geschlechtswechsel und der damit verbundenen Veränderungen der Lebenssituation über einen längeren Zeitraum (Beobachtungszeitraum >1 Jahr) sowie deren psychotherapeutische Begleitung stehen. Erst dann ist der »Alltagstest«, d.h. die probeweise Übernahme der angestrebten Geschlechtsrolle, empfehlenswert, der ebenfalls mindestens 1 Jahr durchgeführt werden sollte und erfahrungsgemäß eine Reihe familiärer, sozialer und beruflicher Probleme mit sich bringt. Erst danach sind medizinische Maßnahmen der **Geschlechtskorrektur** empfehlenswert, die üblicherweise zunächst in der Verordnung gegengeschlechtlicher Hormone bestehen, welche – zunächst noch reversible – körperliche Veränderungen (z.B. der Stimme, der Haut und der Körpergestalt) bedingen. Erst als letzter, keineswegs immer notwendiger Schritt der Entwicklung wird die geschlechtskorrigierende Operation angestrebt. Die hierfür verfügbaren Techniken sind mittlerweile weit entwickelt und zumindest in etablierten Zentren qualitativ abgesichert. Eine permanente **psychotherapeutische Begleitung** der beschriebenen Entwicklung und vor allem eine Nachsorge nach erfolgter Operation erscheint nach den vorliegenden Befunden sehr wichtig. Für die klinische Praxis ist bedeutsam, daß in der BRD seit 1980 eine **gesetzliche Regelung** (das Transsexuellen-Gesetz) der Voraussetzungen für eine Vornamens- und Personenstandsänderung besteht. Diese Änderungen sind möglich, wenn in zwei unabhängig erstellten ärztlichen (in der Regel psychiatrischen) Gutachten belegt wird, daß der/die Betroffene sich seit mindestens 3 Jahren dem anderen Geschlecht zugehörig empfindet, dem Zwang unterliegt, gemäß dieser Vorstellung zu leben und die Wahrscheinlichkeit einer Änderung des Zustands höchst unwahrscheinlich ist.

10.1.4. Verlauf und Prognose

Wie bereits ausgeführt, läßt sich die transsexuelle Entwicklung in der Regel bis in die Kindheit Betroffener zurückverfolgen, wenngleich das komplette Syndrom sich meist erst im späten Jugendalter, manchmal noch später, manifestiert. Im Verlauf der Entwicklung kommt es nicht selten zu sozialen Schwierigkeiten und psychischen Krisen, was die Notwendigkeit psychotherapeutischer Hilfen unterstreicht. Der Wunsch danach, primäre und sekundäre Merkmale des biologischen Geschlechts »loszuwerden«, wird früher oder später zum alles bestimmenden Gedanken, führt nicht selten zu autodestruktiven Handlungen, bis die gewünschte operative Geschlechtskorrektur erfolgt ist. Auch deshalb wird davon gesprochen, daß die Störung in der Regel »chronisch« verläuft.

Mittlerweile liegen zahlreiche **katamnestische Untersuchungen** Transsexueller nach Geschlechtsumwandlung vor, die von Pfäfflin und Junge [1992] systematisch zusammengefaßt wurden. Die Autoren kommen zu dem Schluß, daß »die Behandlung, die den gesamten Prozeß der Geschlechtsumwandlung umfaßt, wirkt« [S. 445]. Aus der Sicht der Patienten erbringt die Behandlung eine »Linderung von Leiden« und eine »Zunahme subjektiver Zufriedenheit«, die sich in verschiedenen Lebensbereichen (Partnerschaft, Sexualität, Beruf usw.) niederschlägt. Der Übersicht zufolge sind die Behandlungsergebnisse im Durchschnitt bei Männern etwas besser zu beurteilen als bei Frauen. Komplikationen der Behandlung beziehen sich vor allem auf die operativen Eingriffe. Suizidalität kommt im Behandlungsverlauf überdurchschnittlich häufig vor, während vollzogene Suizide offenbar eher selten sind. Der Wunsch nach Rückumwandlungen des Geschlechts scheint ebenfalls selten zu sein und ist in der Regel mit Mängeln der Behandlung zu erklären. Prognostisch günstig werden auf der Basis

Tabelle 10.2. Diagnostische Einteilung der häufigsten Störungen der sexuellen Präferenz

Diagnose	ICD-10-Kategorie
Störung der Präferenz bezüglich der Sexualpraktik	
Exhibitionismus	F65.2
Frotteurismus	(F65.8)[1]
Sexueller Masochismus/Sadomasochismus/Sadismus	F65.5
Voyeurismus	F65.3
Störung der Präferenz bezüglich des Sexualobjekts	
Fetischismus	F65.0
Transvestitischer Fetischismus	F65.1
Pädophilie	F65.4
Multiple Störungen der Sexualpräferenz	F65.9
Nicht näher bezeichnete Störungen der Sexualpräferenz	F65.9

[1] Zählt zu »Anderen Störungen der Sexualpräferenz«.

der Literaturübersicht neben einer stabilen und psychopathologisch unauffälligen Persönlichkeit folgende Faktoren eingeschätzt:

- Der kontinuierliche Kontakt mit einer Behandlungseinrichtung oder einem Forschungsprogramm.
- Der erwähnte »Alltagstest«.
- Die Durchführung einer Hormonbehandlung.
- Beratung bzw. psychiatrische oder supportive psychotherapeutische Behandlung.
- Die operative Geschlechtskorrektur.
- Deren Qualität.
- Die juristische Anerkennung des Geschlechtswechsels durch Namens- und Personenstandsänderung [vgl. Pfäfflin und Junge, 1992, S. 445].

10.2. Störungen der Sexualpräferenz

Störungen der Sexualpräferenz, in der psychiatrischen Literatur oft auch als sexuelle Abweichungen/Deviationen bzw. Perversionen bezeichnet, lassen sich sinnvoll untergliedern in **von der Norm abweichende sexuelle Praktiken und Präferenzen für bestimmte Objekte** (z.B. Partner bzw. Partneräquivalente). Tabelle 10.2 faßt die diagnostischen Subgruppen von Störungen der sexuellen Präferenz bzw. »Paraphilien« zusammen, die nach ICD-10 unterschieden werden.

10.2.1. Definition und Deskription

Die häufigste praktikbezogene Störung der Sexualpräferenz dürfte der **Exhibitionismus** sein, den der Impuls charakterisiert, die eigenen Genitalien in der Öffentlichkeit vor gegengeschlechtlichen Fremden zu entblößen und damit sexuelle Erregung zu verbinden, die meist verstärkt wird, wenn das »Opfer« mit Abscheu, Angst und Schrecken reagiert.

Beim **Sadismus** ist das Zufügen von Schmerzen und die Erniedrigung des Partners Basis der sexuellen Erregung, beim **Masochismus** das Erleiden sadistischer Handlungen.

Die Beobachtung (nackter) anderer Menschen bei sexuellen Handlungen oder beim Entkleiden zum Zwecke der sexuellen Erregung und Befriedigung (durch Masturbation) charakterisiert den **Voyeurismus**.

Der **Frotteurismus** schließlich ist gekennzeichnet durch sexuelle Erregung, die durch engen Körperkontakt, Berührungen oder Sichreiben an anderen Menschen, meist in der Öffentlichkeit, gesucht wird.

Ähnlich wie bei den objektbezogenen Störungen der Sexualpräferenz gibt es weitere spezifische Deviationen, die auch aufgrund ihrer Seltenheit in den gängigen Diagnosenmanualen nicht gesondert berücksichtigt werden. Nicht unbedeutend dürfte darunter allerdings die **Erotophonie** sein (Erleben sexueller Erregung durch obszöne Telefonanrufe).

Unter den Störungen der Sexualpräferenz bezüglich des Objekts ist der **Fetischismus** wohl am häufigsten, bei dem meist leblose Objekte (z.B. Kleidungsstücke, Objekte aus Gummi, Kunststoff oder Leder) als Quelle sexueller Stimulation benutzt werden.

Der **fetischistische Transvestitismus** ist als Sonderform dadurch gekennzeichnet, daß Kleidung des anderen Geschlechts der sexuellen Befriedigung dient.

Die fixierte Befriedigung durch sexuellen Kontakt mit gleich- und/oder gegengeschlechtlichen Kindern (real oder in der Phantasie) wird als **Pädophilie** bezeichnet.

Erheblich seltener sind Präferenzen für Kontakte mit Tieren **(Sodomie)**, die sexuelle Erregung durch Fäkalien **(Koprophilie)**, Urin **(Urophilie)** usw. Die **Homosexualität** als sexuelle Variation wird seit längerer Zeit nicht mehr als Störung der Sexualpräferenz aufgefaßt und ist demgemäß auch nicht mehr Bestandteil psychiatrischer Diagnosensysteme.

So läßt sich in der ICD-10 bei den psychischen und Verhaltensstörungen in Verbindung mit der sexuellen Entwicklung und Orientierung (F66), wie der sexuellen Reifungskrise (F66.0), der ichdystonen Sexualorientierung (F66.1) und der sexuellen Beziehungsstörung (F66.2) die Homosexualität gleichwertig neben der Heterosexualität, der Bisexualität oder einer unbestimmten Orientierung optional verschlüsseln, um gegebenenfalls eine als problematisch erlebte Orientierung zu kennzeichnen.

Um eine Störung der Sexualpräferenz zu diagnostizieren, müssen die charakteristischen **sexuellen Impulse und Phantasien dranghaft und ausgeprägt** sein, immer **wiederkehren** und sich – im Falle einer mittleren bis schweren Störung – in sexuellen Handlungen niederschlagen.

Die Symptomatik läßt sich in der Regel im Hinblick auf unterschiedliche klinische Aspekte differentiell beschreiben [vgl. Schorsch, 1985], nämlich durch

- die Intensität der Störung, die aus psychodynamischer Sicht auf die Schwere der Konflikte schließen läßt, die mit der Symptomatik abgewehrt werden;
- den Stellenwert, den die Störung in der Persönlichkeitsstruktur einnimmt;
- die Ich-Nähe der devianten sexuellen Präferenz.

Dies deutet bereits an, daß die Mehrzahl der genannten Störungen neben oder im Rahmen einer festen hetero- oder homosexuellen Beziehung durchaus existieren kann (vgl. 10.2.4).

Differentialdiagnostisch sind Störungen der Sexualpräferenz abzugrenzen von devianten Symptomen im Zusammenhang mit Intelligenzminderung (vgl. Kapitel 12), Epilepsien und anderen organischen Störungen (vgl. Kapitel 4), Altersveränderungen und psychotischen (Residual-)Syndromen (vgl. Kapitel 6).

Die **Häufigkeit der Störungen** ist schwer zu schätzen und liegt sicher wesentlich höher, als dies auf der Basis der klinisch beobachtbaren Fälle zu erwarten wäre. Die Mehrzahl der Störungen wird nur bei Männern festgestellt. Eine Ausnahme soll lediglich der Masochismus darstellen, bei dem die geschlechtsspezifische Verteilung zwischen Männern und Frauen aber auch auf 20:1 geschätzt wird.

10.2.2. Ätiologie und Pathogenese

Seitens der **Psychoanalyse** wurden sexuelle Deviationen der beschriebenen Art als offene Äußerungen kindlicher Partialtriebe gesehen, welche in der Neurose abgewehrt werden. Sexualisierung als Abwehr von Kastrationsangst wurde als die Basis »perverser Symptomatik« gesehen. Diese Auffassung wurde in den letzten Jahrzehnten ergänzt bzw. modifiziert, indem auf die Bedeutung präödipaler Entwicklungsabschnitte und früher Ängste vor Vernichtung und Selbstaufgabe hingewiesen wurde, ebenso wie auf die Rolle von sexuellen Abweichungen bei der Kompensation von Defiziten der Selbstentwicklung. Insbesondere Autoren wie Morgenthaler [1984], der die sexuelle Perversion als »Plombe« bezeichnet, weisen auf diese Zusammenhänge hin. Stoller [1979] sieht in Störungen der Sexualpräferenz eine erotisierte oder sexualisierte Form der Aggression, bei der eine frühe – reale oder erlebnishaft mißverstandene – Bedrohung der Geschlechtsidentität reinszeniert und das erlebte »Trauma in Triumph umgewandelt« wird. Allen theoretischen Auffassungen dieser Art ist die Annahme einer selbstreparativen Funktion der Störung gemein, die sich primär auf eine instabile Geschlechtsidentität bezieht. Weitere Funktionen der Symptomatik haben Schorsch et al. [1985] beschrieben, nämlich die Demonstration von Männlichkeit, das Ausweichen vor Genitalität, den Ausdruck von Wut und Haß, oppositionelle Ausbrüche, das Erleben von Omnipotenzgefühlen, das Auffüllen innerer Leere sowie die identifikatorische Wunscherfüllung.

Lerntheoretiker haben versucht, Störungen der Sexualpräferenz nach dem Modell der klassischen Konditionierung mit der Verbindung sexueller Reaktionen mit bestimmten Handlungen oder Objekten zu erklären, die im weiteren Verlauf nach dem Prinzip der operanten Konditionierung durch das Erleben des Orgasmus verstärkt und somit aufrechterhalten werden. Bancroft [1985] hat ausführlich dargelegt, daß das lerntheoretische Modell momentan offenbar noch nicht ausreicht, um die vielfältigen Störungen der sexuellen Präferenz wirklich zufriedenstellend erklären zu können.

Wie bei anderen Störungen der Sexualität wurden auch **somatische Ätiologien** sexueller Deviationen entwickelt. Insbesondere wurde vermutet, daß Störungen der sexuellen Präferenz Folge von Beeinträchtigungen bei der hormonell bedingten Differenzierung des Gehirns sein könnten, was aber bislang nicht hinreichend belegbar war.

10.2.3. Therapie

Ein wesentliches Problem bei der psychotherapeutischen Behandlung von Störungen der sexuellen Präferenz ist der Umstand, daß die **Eigenmotivation** zur Behandlung oft nur minimal ist, besonders wenn die Störung ichsynton erlebt wird. Dies zeigt sich besonders bei den strafrechtlich relevanten Störungen der sexuellen Präferenz, für die oftmals gerichtlich Psychotherapien angeordnet werden. Vielleicht ist so erklärbar, daß wirklich systematische Versuche, Patienten mit sexuellen Deviationen psychotherapeutisch zu behandeln, bisher so rar geblieben sind. Eine wichtige Ausnahme war der Versuch der Gruppe um Schorsch [1985], eine größere Population von Sexualstraftätern (vorwiegend Exhibitionisten und Personen, die sexueller Handlungen mit Kindern oder sexueller Gewalt gegen Frauen überführt waren) ambulant psychotherapeutisch zu behandeln. Im Blickpunkt der Therapien stand die Bearbeitung des Ausdrucks- oder Bedeutungsgehalts der Symptomatik. Auf der **Basis eines psychodynamischen Verständnisses** der Störung wurden auch **verhaltenstherapeutische Techniken** eingesetzt. Die Vorgehensweise der Autoren belegt, daß eine Therapiemotivation bei vielen Patienten durchaus förderbar ist und somit ein psychotherapeutischer Zugang möglich wird. Auf verschiedenen Ebenen erwies sich die Behandlung als recht erfolgreich (deutliche Besserung in etwa zwei Dritteln der Fälle). Es wird beschrieben, daß in den Behandlungen vier Ebenen, die für die Patienten unterschiedlich bedeutsam waren, Schwerpunkte der Therapie bildeten, nämlich

- Hilfen bei der Bewältigung äußerer Lebensumstände (z.B. soziale Desintegration);
- Hilfen bei der Bewältigung aktueller Krisen (z.B. Partnerprobleme);
- verhaltenstherapeutisches Arbeiten auf der Ebene konkreten Verhaltens und Erlebens;
- Herausarbeiten emotionaler Bewertungszusammenhänge, übergreifender Verhaltensstrukturen und funktionaler Zusammenhänge [vgl. Schorsch et al., 1985].

Nachdem die Aversionstherapie zu Recht in Verruf geraten ist, stehen in der **Verhaltenstherapie** (vgl. Kapitel 19) von Störungen der sexuellen Präferenz Methoden der verdeckten Sensibilisierung und Selbstkontrollmethoden sowie Methoden zur Verstärkung nichtdevianten sexuellen Verhaltens im Vordergrund. Bisher ist nicht genau abschätzbar, inwieweit derartige Vorgehensweisen langfristig zum Behandlungserfolg führen. Sieht man Störungen der sexuellen Präferenz als Ausdruck einer beeinträchtigten Beziehungsfähigkeit, liegt es nahe, auch tiefenpsychologische Ansätze in die Behandlung von Patienten mit abweichender sexueller Präferenz zu integrieren.

Obwohl bislang keine somatische Ätiologie von Störungen der sexuellen Präferenz identifizierbar war, wurden **somatische Therapien** vor dem Hintergrund der Überlegung propagiert, daß Eingriffe in die körperliche Steuerung sexueller Appetenz und Erregung zu einer Symptombeseitigung führen könnten. Die über einige Jahre praktizierten stereotaktischen Hirnoperationen stellen einen extremen Auswuchs dieser Auffassung dar. Sie werden mittlerweile zu Recht nicht mehr praktiziert. Ähnlich problematisch ist die chirurgische Kastration (nach Schorsch eine »therapeutische Verzweiflungstat«), bei der im übrigen bei einem beträchtlichen Anteil der Betroffenen die Erektions- und Koitusfähigkeit erhalten bleibt, weswegen ihre Anwendung zu »prophylaktischen« Zwecken, wie dies gelegentlich vorgeschlagen wurde, sehr fragwürdig ist. Die **medikamentöse Behandlung** von Patienten mit gestörter Sexualpräferenz, üblicherweise die Vergabe von Antiandrogenen, speziell Cyproteronazetat (vgl. Kapitel 15), ist nach wie vor üblich und wird selbst von kritischen Autoren als Ultima ratio bei der Behandlung sexueller Devianz befürwortet, wenn eine psychotherapeutische Behandlung nicht zustandekommt bzw. wenn eine »Dämpfung der Symptomatik« die Voraussetzung für den Beginn einer Psychotherapie darstellt. Dabei ist aber zu beachten, daß den vorliegenden Berichten zufolge Cyproteronazetat in hoher Dosierung zu einer Reduktion sexueller Appetenz (und als Folge davon der sexuellen Reaktionsfähigkeit) führen kann, dies aber nur für die Zeit der Anwendung einigermaßen zuverlässig zu erwarten ist.

10.2.4. Verlauf und Prognose

Einige der beschriebenen Störungen nehmen ihren Anfang oftmals bereits in der Kindheit, zumindest auf der Ebene der Phantasie (speziell masochistische und sadistische Störungen und der transvestitische Fetischismus), andere entwickeln sich in der Adoleszenz. Wie schon ausgeführt, kann der Verlauf der Symptomatik sehr unterschiedlich sein. Im Extremfall, wahrscheinlich abhängig davon, welchen Stellenwert die Störung in der Organisation der Persönlichkeit einnimmt, entwickelt sich aus vereinzelten devianten Impulsen im Lauf der Zeit eine stabile deviante Orientierung, d.h. daß die Sexualität ohne die abweichende Präferenz nicht oder nur unvollständig erlebbar ist. Nimmt die Störung einen progredienten Verlauf, ist sie durch **Leitsymptome** gekennzeichnet, die vor allem Giese [1962] in seiner Perversionslehre beschrieben hat, nämlich »süchtiges Erleben«, eine »zunehmende Frequenz der abweichenden Verhaltensweisen bei abnehmender Satisfaktion«, ein »Verfall an die Sinnlichkeit«, »zunehmende Promiskuität, Anonymität, Ausbau von Phantasie, Praktik und Raffinement«.

In diesem Fall dürfte die Störung den zentralen Bewältigungsmechanismus darstellen und dementsprechend ichsynton erlebt werden. Da man davon ausgehen kann, daß in vielen Fällen eine Störung der sexuellen Präferenz nicht auffällig wird, zum Teil sogar in eine heterosexuelle Beziehung integrierbar ist, läßt sich die Prognose schwer abschätzen. Generell ist aber anzunehmen, daß die Störungen chronisch verlaufen und als Folge soziale Probleme, Partnerprobleme und psychische Krisen auftreten. Auf andere Personen gerichtete Störungen der Sexualpräferenz sind in der Regel strafbar und führen dementsprechend bei Bekanntwerden zu Festnahmen und Inhaftierung. Wenn unter den genannten Bedingungen eine Psychotherapie initiiert und trotz des oftmals eingeschränkten Leidensdrucks aufrechterhalten werden kann, dürfte die Prognose dennoch nicht ungünstig sein. Genaue Angaben hierzu fehlen allerdings noch.

Tabelle 10.3. Sexuelle Funktionsstörungen der Frau und des Mannes in verschiedenen Phasen der sexuellen Interaktion (wenn nicht gesondert vermerkt, kommen alle Störungen bei Frauen und Männern vor)

Phase	ICD-10-Kategorie
Sexuelle Annäherung (Appetenz)	Mangel oder Verlust von sexuellem Verlangen (F52.0) Sexuelle Aversion (F51.10) Gesteigertes sexuelles Verlangen (52.7)
Sexuelle Erregung/Stimulation	Versagen genitaler Reaktionen (F52.2) – Mann: Erektionsstörung – Frau: Mangel oder Ausfall vaginaler Lubrikation
Immissio/Koitus	Nichtorganische Dyspareunie (F52.6) Nichtorganischer Vaginismus (F52.5)
Orgasmus	Orgasmusstörungen (F52.3; einschließlich Ejaculatio deficiens beim Mann) Ejaculatio praecox (F52.4) Mangelnde sexuelle Befriedigung (F51.11)

10.3. Sexuelle Funktionsstörungen

Störungen der sexuellen Funktionen sind die in der Praxis mit Abstand häufigsten sexuellen Probleme. In den gängigen Diagnosenmanualen sind sexuelle Funktionsstörungen mittlerweile differenziert, wobei sich die diagnostische Klassifikation der Störungen sinnvollerweise an den einzelnen Phasen der sexuellen Interaktion orientiert, nämlich der Appetenz-, Erregungs- und Orgasmusphase und der Entspannungsphase. Tabelle 10.3 gibt einen Überblick über die wichtigsten sexuellen Funktionsstörungen bei Frau und Mann, soweit sie die entsprechenden diagnostischen Kategorien der ICD-10 repräsentieren.

10.3.1. Definition und Deskription

Allgemein sind alle Beeinträchtigungen des sexuellen Erlebens und Verhaltens als sexuelle Funktionsstörungen zu verstehen, welche mit ausbleibenden, verminderten oder atypischen genitalphysiologischen Reaktionen einhergehen [vgl. Arentewicz und Schmidt, 1986].

Es hat sich inzwischen eingebürgert, auch Störungen der sexuellen Annäherung oder Appetenz zu dieser Gruppe von Sexualstörungen zu zählen.

Sexuelle Lustlosigkeit, Mangel oder Verlust sexuellen Verlangens, gehemmte sexuelle Appetenz, bei Männern und Frauen vorkommend, beschreiben andauernde Hemmungen des sexuellen Verlangens und Gleichgültigkeit gegenüber Sexualität. Diese sind oft gekoppelt mit sexueller Aversion, d.h. Widerwillen oder Ekel vor sexueller Annäherung und deren Vermeidung, die im Extremfall mit Angstzuständen (Sexualphobie) einhergehen kann.

Störungen der sexuellen Erregung bzw. das Versagen genitaler Reaktionen äußern sich beim Mann in nicht voll ausgeprägter oder vollständig ausbleibender Erektion, bei der Frau im Ausbleiben der physiologischen Reaktionen (Lubrikation, Anschwellen der äußeren Genitalien), die Voraussetzung sind für ein lustvolles Erleben des Koitus bzw. sexueller Stimulation. Auch ein anhaltender Mangel des subjektiven Gefühls sexueller Erregung würde zu dieser Gruppe von Störungen gerechnet.

Störungen des Orgasmus beim Mann entsprechen verschiedenartigen Beeinträchtigungen der Ejakulation. Die vorzeitige Ejakulation **(Ejaculatio praecox)** ist charakterisiert durch einen sehr schnellen Samenerguß, welcher vor, während der Immissio penis oder kurz danach auftritt. Seltener kommt es vor, daß die Ejakulation sehr lange oder ganz ausbleibt **(Ejaculatio deficiens oder retarda)** oder retrograd in die Blase erfolgt. Eine Ejakulation ohne das Gefühl der Befriedigung würde man diagnostisch als »mangelnde sexuelle Befriedigung« auffassen. Orgasmusstörungen der Frau sind vielfältiger. In der Regel versteht man darunter eine Verzögerung oder ein Ausbleiben des Orgasmus trotz intensiver Stimulation. Hier ist allerdings zu berücksichtigen, daß das Orgasmuserleben von Frauen generell intra- und interindividuell verschiedener ist als beim Mann und daß relativ viele Frauen über den Koitus hinausgehender manueller Stimulation bedürfen, um einen Orgasmus zu erleben.

Der (nichtorganische) **Vaginismus**, d.h. ein unwillkürlicher Spasmus der Bekkenmuskulatur beim Versuch oder bei der Vorstellung einer Immissio und unspezifischere Schmerzen beim Sexualverkehr **(Dyspareunie)**, die bei Frauen und Männern vorkommen können, zählen zu Störungen, die beispielsweise im DSM-III-R als »sexuell bedingte Schmerzen« bezeichnet werden.

Gesteigertes sexuelles Verlangen wird gelegentlich ebenso zu den sexuellen Funktionsstörungen gezählt wie **postorgastische Reaktionen** bei intakter sexueller Funktion. Letztere bei Männern und Frauen möglichen Reaktionen können sich sowohl körperlich (z.B. in genitalen Mißempfindungen) wie auch psychisch (in innerer Unruhe, Gereiztheit, depressiven Verstimmungen usw.) äußern. Sexualprobleme können in der klinischen Praxis häufig zudem »larviert« erscheinen, beispielsweise als körperliche Symptome im Bereich des urogenitalen Systems (Miktionsstörungen, Dysmenorrhö usw.).

Von klinischer Bedeutung sind eine Reihe **formaler Beschreibungsmerkmale**, die für fast alle genannten Störungen gelten, z.B. ihr Schweregrad, die Dauer der Störung, die Frage, ob die Störung primär (d.h. von der ersten sexuellen Erfahrung an bestehend) oder sekundär (d.h. nach symptomfreier Zeit auftretend) ist, initial (d.h. nur auf die erste Erfahrung begrenzt) oder dauerhaft. Situations-,

Partner- und Praktikabhängigkeit einer Störung können wichtige Aufschlüsse über die Bedeutung unterschiedlicher Ursachen für deren Entstehung geben.

Es wird geschätzt, daß sexuelle Funktionsstörungen, die in der Regel eine deutliche Altersabhängigkeit aufweisen, in klinischen Populationen bei 10–40% vorkommen. Bei Männern sind Erektionsstörungen wahrscheinlich am häufigsten, gefolgt von der vorzeitigen Ejakulation, bei Frauen sind Orgasmus- und Erregungsstörungen sowie Störungen der sexuellen Appetenz besonders häufig.

10.3.2. Ätiologie und Pathogenese

Sexuelle Funktionsstörungen lassen sich als Paradebeispiel einer **psychosomatischen Symptomatik** verstehen. Trotzdem finden sich in der Literatur immer wieder Auffassungen einer entweder ausschließlich körperlichen oder ausschließlich psychischen Bedingtheit der Probleme, derzeit mit einer deutlichen Überbetonung körperlicher Entstehungsfaktoren, deren allgemeine Bedeutung aber außer Zweifel steht. Man kann davon ausgehen, daß körperliche Erkrankungen jedweder Art eine Reduktion der sexuellen Appetenz und eine Beeinträchtigung sexueller Funktionen mit sich bringen können. Dies geschieht entweder durch spezifische Einflüsse, negative Auswirkungen auf die Stimmung, das Selbstwertgefühl oder durch die Funktionalisierung der Krankheit als Mittel zum Rückzug aus einer sexuellen Beziehung. Besonders häufig sind sexuelle Dysfunktionen beschrieben beim Diabetes mellitus, bei Herz-Kreislauf-Erkrankungen und Nierenerkankungen. Hormonelle Störungen, wie die Hyperprolaktinämie, genitale Mißbildungen oder Verletzungen und Erkrankungen des Rückenmarks führen ebenfalls gehäuft zu sexuellen Störungen, die überdies nicht selten gekoppelt mit psychiatrischen Erkrankungen, speziell affektiven Störungen (vgl. Kapitel 7) und Störungen durch psychotrope Substanzen (vgl. Kapitel 5), beobachtbar sind. Um **körperliche Ursachen** sexueller Funktionsstörungen auszuschließen, sind diverse medizinische Behandlungsmaßnahmen, von denen Auswirkungen auf die Sexualität zu erwarten sind, genau zu explorieren. Allen voran sind hier Operationen im Genitalbereich und medikamentöse Behandlungen zu nennen. Eine ganze Reihe von chemischen Substanzen, wie Alkohol, Psychopharmaka, blutdrucksenkende Mittel oder exogen verabreichte Hormone, können sich über die Beeinflussung zentralnervöser, peripherer oder endokriner Systeme negativ auf die Sexualfunktionen auswirken.

Bei der Frage nach der **Psychogenese** sexueller Dysfunktionen besteht Übereinstimmung darin, daß durch die Störung eine Vielzahl von Konflikten ausgedrückt werden kann. Primär scheinen sexuelle Funktionsstörungen dem Betroffenen zum Schutz vor irrationalen Ängsten zu dienen, die sich aus der »Bedürfnis-, Beziehungs- und Geschlechtsgeschichte« eines Individuums ableiten lassen [vgl. Arentewicz und Schmidt, 1986]. Spezifische Funktionsstörungen sind dabei keineswegs mit spezifischen Ängsten assoziiert. Generell ist zu erwarten, daß das Symptom dem Schutz vor Triebängsten (z.B. Angst vor Enttäuschung, Kontrollverlust, phantasierter Gewalttätigkeit oder Kastration) dient, vor Beziehungsängsten (z.B. Angst vor Verschmelzung, Ich-Auflösung, Selbstaufgabe, Partnerverlust oder inzestuösen Wünschen, die in der sexuellen Interaktion reaktiviert werden können), vor Geschlechtsidentitätsängsten, also Unsicherheiten im Hinblick auf die Geschlechtsidentität bei Mann und Frau, und vor Gewissensängsten [vgl. Becker, 1980].

Von besonderer Wichtigkeit im Zusammenhang mit sexuellen Funktionsstörungen ist ihre Bedeutung für das **Gleichgewicht innerhalb einer Partnerbeziehung**. Es ist mittlerweile mehrfach gezeigt worden, daß ein sexuelles Symptom in einer Beziehung meistens zur Lösung eines gemeinsamen Konflikts beider Partner, also der interpersonalen Abwehr, dient. So kann die Störung funktionalisiert werden zur Abwehr gemeinsamer Ängste, zum Ausdruck von Dominanzkonflikten in der Beziehung oder zur Regulation der ertragbaren Nähe bzw. Distanz zwischen beiden Partnern.

Lerndefizite oder verzerrte und falsche Vorstellungen von der menschlichen Sexualität sind häufig die Grundlage sexueller Funktionsstörungen. Daneben ist das bei fast allen Störungen beobachtbare Phänomen zu berücksichtigen, daß eine gestörte Funktion sehr rasch Erwartungs- und Versagensängste provozieren kann, die dann wiederum die sexuelle Funktion beeinträchtigen. Dieses Phänomen, gewöhnlich als **Selbstverstärkungsmechanismus** bezeichnet, hat neben der Auffassung, daß sexuelles Verhalten gelernt wird, sexuelle Störungen damit auch Ausdruck eines fehlgelaufenen Lernprozesses sind, die psychotherapeutischen Behandlungsansätze sexueller Funktionsstörungen maßgeblich beeinflußt.

10.3.3. Therapie

Patienten mit sexuellen Funktionsstörungen, besonders Männer mit einer derartigen Problematik, wirken in der Praxis häufig »somatisch fixiert«, weswegen **somatische Behandlungsansätze**, deren Angebot immer größer wird, auch bereitwillig akzeptiert werden. Gerade zur Behandlung von Störungen der Erektion werden häufig **medikamentöse Maßnahmen**, die Implantation von Prothesen und neuerdings die »Schwellkörperautoinjektionstherapie« sehr unkritisch angewandt. Eine ausführliche Sexualanamnese, welche Biographie und Beziehungsgeschichte eines Patienten bzw. Paares berücksichtigt, kann häufig bereits invasive medizinische Diagnostik und eingreifende Behandlungsmaßnahmen verhindern helfen. Wenn nicht eindeutige körperliche Ursachen einer sexuellen

Funktionsstörung diagnostizierbar sind, dürften somatische Behandlungsmaßnahmen keinerlei Besserung bringen, es sei denn über suggestive Beeinflussung des Patienten.

Offensichtlich ist vielen Paaren, die sexuelle Funktionsstörungen präsentieren, zumindest wenn abgegrenzte Konflikte oder Lerndefizite die Basis der Störung sind, mit relativ geringem Aufwand zu helfen. Mittlerweile gibt es für diese Fälle eine Reihe elaborierter Beratungskonzepte [vgl. z.B. Buddeberg, 1987].

Inzwischen liegt auch eine Reihe brauchbarer Ansätze zur **Psychotherapie sexueller Funktionsstörungen** vor, sowohl verhaltenstherapeutische als auch tiefenpsychologisch fundierte. Nicht selten wird versucht, Prinzipien der Verhaltenstherapie, also gezielte Verhaltensanleitungen, mit psychodynamischen Behandlungsansätzen zu kombinieren. Arentewicz und Schmidt [1986] haben als allgemeine **Ziele einer psychotherapeutischen Behandlung** sexueller Dysfunktionen formuliert:

- Auflösung des Selbstverstärkungsmechanismus.
- Korrektur von Lerndefiziten.
- Verständnis der Bedeutung der sexuellen Störung für die Partnerbeziehung und – nach Möglichkeit – eine Bearbeitung zugrundeliegender Paarkonflikte.
- Verständnis und Bearbeitung der ursächlichen psychodynamischen Konflikte und Ängste.

Insbesondere aufgrund der großen Erfolge eines von Masters und Johnson [1970] in den frühen 70er Jahren veröffentlichten **paartherapeutischen Behandlungsprogramms** bei sexuellen Funktionsstörungen, das sich spezifischer gestufter Verhaltensanleitungen bediente, gilt ein paartherapeutisches Vorgehen bei sexuellen Funktionsstörungen, sofern dies realisierbar ist, als die Behandlungsmethode der Wahl. Das Programm von Masters und Johnson wurde zwischenzeitlich mehrfach formal und inhaltlich modifiziert und vor allem ergänzt durch eine besondere Berücksichtigung der Psycho- und Paardynamik. Verhaltensanleitungen, einschließlich ein »Verbot« des Koitus, um den genannten Selbstverstärkungsmechanismus zu durchbrechen, erweisen sich dabei als hilfreich, um intrapsychische Konflikte zu verdeutlichen, aber auch – wie dies ursprünglich intendiert war – um es einem Paar zu ermöglichen, sexuelle Interaktion neu zu erleben und zu erlernen.

Ebenso wie die Paartherapie stützen sich speziell für die Behandlung sexueller Schwierigkeiten konzipierte Formen der **Einzeltherapie** auf eine Kombination verbaler Techniken, Verhaltensanleitungen und Körperselbsterfahrungsübungen. Auch in geschlechtshomogenen Gruppen und Paargruppen wurden psychotherapeutische Behandlungen sexuell gestörter Patienten erfolgreich angewandt.

10.3.4. Verlauf und Prognose

Der Verlauf sexueller Funktionsstörungen kann sehr unterschiedlich sein; dies wird deutlich an der Angabe, daß bis zu 50% aller Paare temporär von Störungen der Sexualität betroffen sein sollen. Sexuelle Funktionsstörungen treten häufig als Folge psychischer Krisen oder mehr oder weniger ausgeprägter Belastungssituationen auf. Nicht selten aber bestehen die Störungen bereits sehr lange Zeit, bevor ein Patient oder ein Paar professionelle Hilfe sucht. Der Grad der Chronifizierung einer sexuellen Funktionsstörung ist sicher ein wesentlicher Prognosefaktor für den Erfolg einer psychotherapeutischen Behandlung. Daneben werden die Qualität der Partnerbeziehung und die Behandlungsmotivation in der Literatur als prognostisch bedeutsame Einflüsse genannt. Erfahrungen, besonders mit paartherapeutischen Behandlungen sexueller Funktionsstörungen, legen nahe, die Prognose nicht allein an der Veränderung der Symptomatik zu messen. Wenn die Störung als Ausdruck einer neurotischen Beziehungsstörung aufgefaßt wird, sollte die Bewertung des Behandlungserfolgs sich primär an der Frage orientieren, in welchem Maße der Beziehungskonflikt einer Lösung zugänglich war.

Literatur

Arentewicz G, Schmidt G (1986): Sexuelle gestörte Beziehungen. Springer, Heidelberg.

Bancroft J (1985): Grundlagen und Probleme der menschlichen Sexualität. Enke, Stuttgart.

Becker N (1980): Psychoanalytische Ansätze bei der Therapie sexueller Funktionsstörungen. In Sigusch V (Hrsg.): Therapie sexueller Störungen. Thieme, Stuttgart.

Buddeberg C (1987): Sexualberatung. Enke, Stuttgart.

Giese H (1962): Psychopathologie der Sexualität. Enke, Stuttgart.

Pfäfflin F, Junge A (1992): Geschlechtsumwandlung. Schattauer, Stuttgart.

Masters WH, Johnson VE (1970): Human sexual inadequacy. Little, Brown, Boston.

Morgenthaler F (1984): Homosexualität – Heterosexualität – Perversion. Qumran, Frankfurt.

Schorsch E (1985): Sexuelle Perversionen. Mensch, Medizin, Gesellschaft 10:253–260.

Schorsch E, Galedary G, Haag A, Hauch M, Lohse H (1985): Perversion als Straftat. Springer, Heidelberg.

Sigusch V (1991): Die Transsexuellen und unser nosomorpher Blick. Teil I und II. Zeitschrift für Sexualforschung *4:* 225–226; 309–343.

Stoller RL (1979): Perversion. Die erotische Form von Haß. Reinbek, Rowohlt.

11. Persönlichkeits- und Verhaltensstörungen Erwachsener

Volker Dittmann, Rolf-Dieter Stieglitz

Die in diesem Kapitel behandelten Störungen sind häufig und treten sowohl im Alltagsleben als auch in den verschiedenen Bereichen des medizinischen Versorgungssystems und besonders in der forensischen Psychiatrie (vgl. Kapitel 31) in Erscheinung. Gemeinsam ist ihnen, daß sie langanhaltende abnorme Verhaltensmuster darstellen und sich auf den individuellen Lebensstil, das Erleben der eigenen Person und das Verhältnis zu anderen auswirken.

11.1. Persönlichkeitsstörungen

11.1.1. Definition und Deskription

Persönlichkeitsstörungen können als **die** Gruppe von Störungen angesehen werden, denen der größte wissenschaftliche wie klinische Zuwachs an Interesse in den letzten 10 Jahren zugekommen ist. Dieses zunehmende Interesse läßt sich durch verschiedene Fakten belegen:

- Es gibt kaum eine psychiatrische Fachzeitschrift, in der pro Ausgabe nicht mindestens ein Beitrag den Persönlichkeitsstörungen gewidmet ist.
- In den letzten Jahren ist sogar eine eigene Zeitschrift begründet worden, die sich ausschließlich den Persönlichkeitsstörungen widmet (»Journal of Personality Disorders«).
- Gerade in den letzten Jahren ist eine Vielzahl von Untersuchungsinstrumenten zur Diagnostik von Persönlichkeitsstörungen entwickelt worden [vgl. Dittmann und Stieglitz, 1994, Kapitel 2].
- Ebenfalls in den letzten Jahren zeigt sich die Entwicklung von differenzierten Behandlungskonzepten für spezifische Persönlichkeitsstörungen (besonders Borderline-Persönlichkeitsstörungen).
- Persönlichkeitsstörungen stellen **die** Störungsgruppe dar, bei der immer noch die größte Kontroverse bezüglich der Konzeptualisierung besteht (z.B. Anzahl von Persönlichkeitsstörungen, dimensionale versus kategoriale Beschreibung) [vgl. Fiedler, 1994a].

Die möglichen Ursachen für dieses zunehmende Interesse an den Persönlichkeitsstörungen sind gleichfalls vielfältig. Zu nennen sind zum einen die Konzeptualisierung einer eigenen Achse »Persönlichkeitsstörungen« im DSM-III und den nachfolgenden Versionen, die Einführung des Komorbiditätsprinzips in der Psychiatrie (vgl. Kapitel 2) sowie die praktische Relevanz von Persönlichkeitsstörungen in spezifischen Teildisziplinen der Psychiatrie (besonders der forensischen Psychiatrie).

Der **Begriff »Persönlichkeit«** wird umgangssprachlich und in der Fachterminologie häufig verwendet, vielfach jedoch ohne ausreichende Reflexion über seine Komplexität. Unter Persönlichkeit werden oft in moralisch wertender Bedeutung auch nur positive Charaktereigenschaften subsumiert.

Im psychologisch-psychiatrischen Sprachgebrauch kann **Persönlichkeit** definiert werden als die Gesamtheit der (psychischen) Eigenschaften und Verhaltensweisen, die dem einzelnen Menschen eine eigene, charakteristische, unverwechselbare Individualität verleihen. Es handelt sich dabei um eine weitgehend stabile oder doch lange Zeit überdauernde Struktur individueller Eigenschaften in bezug auf Charakter, Temperament, Intelligenz und körperliche Grundbedingungen eines Menschen. Das **Temperament** beschreibt dabei die Art des Antriebs und der Aktivität, die sich in Form von Gefühlen, Willensbildung und Triebleben zeigen. **Charakter** bezieht sich auf die im Laufe des Lebens weitgehend konstanten Einstellungen, Handlungsweisen, die individuelle Besonderheit und vor allem die Werthaltungen eines Menschen.

Lange Zeit standen sich in der Psychiatriegeschichte statische Auffassungen von der Persönlichkeit als weitgehend unveränderlicher, genetisch bedingter Konstante und besonders von Sigmund Freud und seinen Schülern herausgearbeitete dynamische Aspekte, denen zufolge wesentliche Elemente der Persönlichkeitsstruktur als Reaktion auf Umwelteinflüsse und soziale Bedingungen vor allem in der Kindheit erworben werden, unvereinbar gegenüber. Die modernen Konzepte von Persönlichkeiten und ihren Störungen versuchen zunehmend eine Synthese biologischer, psychischer und sozialer Aspekte.

Persönlichkeitsstörungen sind tiefverwurzelte und langanhaltende Verhaltensmuster, die sich in starren und unangepaßten Reaktionen in verschiedenen persönlichen und sozialen Lebenssituationen zeigen. Bezug genommen wird dabei auf eine Durchschnittsnorm, die von der Mehrheit der betreffenden Bevölkerung oder kulturellen Gruppe gebildet wird. Die Abweichungen zeigen sich besonders im Wahrnehmen, Denken, Fühlen und in den Beziehungen zu anderen. Normabweichend ist dabei nicht so sehr die Qualität der einzelnen Merkmale des Verhaltens und Erlebens, sondern vielmehr ihre Akzentuierung, die Ausprägung und vor allem ihre Dominanz, was sich sowohl in mangelnder sozialer Anpassung als auch in subjektiven Beschwerden ausdrückt.

Obwohl sich der Begriff »Persönlichkeitsstörung« in Psychiatrie und Psychotherapie inzwischen durchgesetzt hat, werden parallel noch weitere, aller-

Tabelle 11.1. Allgemeine diagnostische Leitlinien für Persönlichkeitsstörungen der ICD-10

F60 Persönlichkeitsstörungen
– Deutliche Unausgeglichenheit in Einstellungen und Verhalten in mehreren Funktionsbereichen, wie Affektivität, Antrieb, Impulskontrolle, Wahrnehmen und Denken, Beziehungen zu anderen
– Gleichförmiges, andauerndes, nicht auf Episoden psychischer Krankheiten begrenztes Verhaltensmuster
– Tiefgreifend gestörtes, in vielen persönlichen und sozialen Situationen eindeutig unpassendes Verhaltensmuster
– Beginn der Störung in Kindheit und Jugend, dauernde Manifestation im Erwachsenenalter
– Deutliches subjektives Leiden und/oder deutliche Einschränkung der beruflichen und sozialen Leistungsfähigkeit
– Die Störung ist nicht auf ausgeprägte Hirnschädigungen, Hirnerkrankungen oder andere psychische Störungen zurückzuführen

dings nicht völlig deckungsgleiche Termini verwendet, so vor allem der ältere klassische Begriff der **Psychopathie**, insbesondere in Anlehnung an Kurt Schneider, dessen in vielen Auflagen seit 1923 erschienene Monographie »Die psychopathischen Persönlichkeiten« nicht nur im deutschen Sprachraum großen Einfluß gewann. Wegen der zunehmend als abwertend angesehenen Bedeutung des Begriffs »Psychopathie« ist dieser ursprünglich wertneutrale Ausdruck jedoch ebenso wie die noch stärker diskriminierenden Termini »moralischer Schwachsinn«, »sozialer Parasitismus« und »Anethopathie« aufgegeben worden. Überschneidungen bestehen auch zum psychoanalytischen Konzept der **Charakterneurose**, wonach bestimmte Eigenschaften der Persönlichkeit durch unbewußte kindliche Konflikte in Form von Reaktionsbildungen auf verdrängte Wünsche aufgefaßt werden. Mit den verschiedenen Termini werden aber überwiegend nicht unterschiedliche Patientengruppen, sondern vielmehr verschiedene theoretische Konzepte bezeichnet.

Wegen unterschiedlicher Definitionen differieren die **Prävalenzraten** epidemiologischer Untersuchungen teils erheblich. Man kann jedoch davon ausgehen, daß Persönlichkeitsstörungen zu den häufigsten psychischen Störungen gehören. Die Prävalenzrate in der unausgelesenen Bevölkerung wird im allgemeinen mit 5–10% angegeben, psychiatrische Patienten haben etwa zu 50% Persönlichkeitsstörungen, in der forensischen Psychiatrie beträgt ihr Anteil zwischen 70 und 90%. Persönlichkeitsstörungen treten zudem häufig in Komorbidität (vgl. Kapitel 2) mit anderen Störungen auf (besonders affektiven Störungen, Angststörungen, Störungen durch psychotrope Substanzen).

Nach der **ICD-10** müssen für die sichere Diagnose einer Persönlichkeitsstörung zunächst **sechs allgemeine Kriterien** erfüllt sein (vgl. Tabelle 11.1).

Nur wenn die allgemeinen Kriterien erfüllt sind, ist die Diagnose einer oder mehrerer spezifischer Persönlichkeitsstörungen gerechtfertigt. Dies ist deshalb beachtenswert, weil sich auffällige Persönlichkeitszüge, d.h. beständige, von einer gedachten Durchschnittsnorm abweichende Erlebens- und Verhaltensweisen bei vielen Menschen finden. Sie allein rechtfertigen noch keine psychiatrische Diagnose, sofern die in den allgemeinen Leitlinien aufgeführten sozialen und persönlichen Beeinträchtigungen nicht vorliegen und die Anpassungsfähigkeit an wechselnde Situationen weitgehend erhalten ist. Es wäre verfehlt, spezifische Eigenschaften, die individuelle Besonderheiten eines Menschen prägen, zu pathologisieren. Stärker als bei anderen Störungen kommt der Einbeziehung fremdanamnestischer Angaben große Bedeutung in der Diagnostik zu. Darüber hinaus läßt sich eine zuverlässige Diagnose oft erst im Laufe einer Behandlung stellen. Bei stationärer Behandlung haben die Aufnahmediagnosen von Persönlichkeitsstörungen meist eher den Status von Verdachtsdiagnosen. Gleichfalls als erschwerend bei der Diagnostik einer Persönlichkeitsstörung hat sich die gleichzeitige Anwesenheit einer »Achse-I-Störung« (vgl. Kapitel 2) erwiesen, d.h. einer weiteren psychiatrischen Diagnose. So ist es z.B. beim gleichzeitigen Vorliegen einer depressiven Störung meist kaum möglich, zu einer zuverlässigen Diagnose einer Persönlichkeitsstörung zu gelangen. Daher muß erst das Abklingen der depressiven Symptomatik abgewartet werden.

Nachfolgend werden die wesentlichen Charakteristika der spezifischen Persönlichkeitsstörungen angeführt (vgl. Tabelle 11.2). Dabei ist zu bedenken, daß es sich um eine **typologische Abgrenzung** handelt, die im deutschen Sprachraum im wesentlichen von Schneider und Kretschmer aufgrund klinischer Beobachtungen und Erfahrungen entwickelt wurde und in der Folge vielfache empirische Bestätigung fand. Zu bedenken ist auch, daß nur ein reiner oder **Idealtyp** alle charakteristischen determinierenden Merkmale enthält. Diese reinen oder Idealtypen sind in der Praxis selten, die Zuordnung einer gestörten Persönlichkeit zu einem Typus ist jedoch auch erlaubt, wenn nicht sämtliche Merkmale in ausgeprägter Weise vorhanden sind. Die modernen operationalen Klassifikationssysteme verwenden dabei einen **polythetischen Ansatz**, d.h. von einer definierten Anzahl generell vorkommender Merkmale eines spezifischen Typus muß eine Mindestanzahl – in der ICD-10 bei spezifischen Persönlichkeitsstörungen mindestens drei – von Merkmalen vorhanden sein, damit eine sichere Diagnose gestellt werden kann.

Persönlichkeitsstörungen können auch, wie z.B. im DSM-III-R und im DSM-IV, als unabhängige eigene Achse in der Diagnostik aufgefaßt werden. Dies hat den Vorteil, daß sie bei den häufig gleichzeitig vorliegenden anderen psychischen Störungen nicht übersehen werden. Persönlichkeitsstörungen haben oft einen erheblichen, meist komplizierenden Einfluß auf Verlauf und Therapie

Tabelle 11.2. Spezifische Persönlichkeitsstörungen der ICD-10 und ihre wesentlichen Charakteristika

F60.0	**Paranoide Persönlichkeitsstörung** Mißtrauisch, streitsüchtig, nachtragend
F60.1	**Schizoide Persönlichkeitsstörung** Emotional kühl, distanziert, einzelgängerisch
F60.2	**Dissoziale Persönlichkeitsstörung** Verantwortungslos, aggressiv, Mißachtung von Normen
F60.3	**Emotional instabile Persönlichkeitsstörung** Instabile Stimmung, impulsives Handeln ohne Rücksicht auf die Konsequenzen
F60.4	**Histrionische Persönlichkeitsstörung** Dramatisierend, theatralisch, manipulativ
F60.5	**Anankastische Persönlichkeitsstörung** Übergewissenhaft, rigide, pedantisch, perfektionistisch
F60.6	**Ängstliche (vermeidende) Persönlichkeitsstörung** Ständig angespannt, besorgt, unsicher
F60.7	**Abhängige Persönlichkeitsstörung** Entscheidungsschwach, unselbständig, hilflos, nachgiebig
F60.8	**Sonstige spezifische Persönlichkeitsstörungen** **Narzißtische Persönlichkeitsstörung** Bedürfnis nach übermäßiger Bewunderung, arrogant, übersteigertes Größengefühl

anderer psychischer Erkrankungen. Viele Patienten mit Persönlichkeitsstörungen weisen Merkmale mehrerer Subtypen auf (**interne Komorbidität**). Die Zuordnung sollte wenn möglich zu der spezifischen Persönlichkeitsstörung erfolgen, die am prägnantesten ist oder die größte Bedeutung für Verlauf und Therapie hat. Bei gleichwertiger Merkmalsverteilung können auch zwei oder mehr Diagnosen sinnvoll sein.

In der ICD-10 lassen sich **acht spezifische Persönlichkeitsstörungstypen** unterscheiden:

F60.0 Paranoide Persönlichkeitsstörung. Diese Menschen sind ständig voller Mißtrauen und Groll, sie sind streitsüchtig, unnachgiebig und haben oft ungerechtfertigte Gedanken an Verschwörungen, die sie hinter an sich alltäglichen Ereignissen in ihrer näheren Umgebung, aber auch in aller Welt, vermuten.

- **Dazugehörige Begriffe:** Fanatische, paranoische und querulatorische Persönlichkeitsstörung.
- **Differentialdiagnostisch** sind schizophrene Störungen, anhaltende wahnhafte Störungen und Borderline-Persönlichkeitsstörungen zu erwägen.

F60.1 Schizoide Persönlichkeitsstörung. Die Betroffenen wirken emotional kühl, distanziert. Es handelt sich meist um Einzelgänger, die wenig Interesse an anderen Menschen haben und sich gleichgültig gegenüber Lob und Kritik verhalten. Häufig sind sie mit

Phantasien und in sich gekehrten Betrachtungen beschäftigt, durch mangelnde Sensibilität beim Erkennen und Befolgen gesellschaftlicher Regeln wirken sie oft exzentrisch.
- **Differentialdiagnostisch** abzugrenzen sind Schizophrenien, schizotype und wahnhafte Störungen.

F60.2 Dissoziale Persönlichkeitsstörung. Dissozialität, der ständige oder wiederholte Verstoß gegen gesellschaftliche Regeln und von der Gemeinschaft anerkannte Gesetze, ist häufig. Delinquentes oder kriminelles Verhalten allein rechtfertigt noch nicht die Diagnose »Persönlichkeitsstörung«, auch wenn es wiederholt oder über einen längeren Zeitraum auftritt. Die Diagnose »dissoziale Persönlichkeitsstörung« ist nur gerechtfertigt, wenn die allgemeinen Kriterien für eine Persönlichkeitsstörung nach ICD-10 gegeben sind.
- Kennzeichnend ist eine starke Diskrepanz zwischen dem Verhalten und den geltenden sozialen Normen. Diese Menschen sind verantwortungslos, bindungsunfähig, frustrationsintolerant und aggressiv, sie zeigen kaum Schuldbewußtsein und neigen dazu, andere für ihre eigenen Unzulänglichkeiten und Fehler zu beschuldigen oder für das eigene Fehlverhalten vordergründige Rationalisierungen anzubieten. Zumeist ist die dissoziale Persönlichkeit auch ständig reizbar, erste Symptome zeigen sich oft bereits in der Kindheit. Der Mißbrauch psychotroper Substanzen ist bei diesen Menschen häufig. Es sind im wesentlichen diese Persönlichkeitsgestörten, die das negative Bild der gesamten Gruppe der Persönlichkeitsstörungen und besonders des Psychopathiekonzepts geprägt haben.
- **Dazugehörige Begriffe:** Antisoziale, psychopathische, soziopathische Persönlichkeitsstörung.
- **Differentialdiagnosen:** Emotional instabile Persönlichkeitsstörung, Borderline-Persönlichkeitsstörung, narzißtische Persönlichkeitsstörung.

F60.3 Emotional instabile Persönlichkeitsstörung. Die Kernsymptomatik besteht in der Tendenz, ohne Rücksicht auf Konsequenzen impulsiv zu handeln. Die Stimmung ist oft instabil, es besteht ein Mangel an vorausschauender Planung, Ausbrüche intensiven Ärgers und gewalttätigen explosiven Verhaltens sind häufig. Diese Reaktionen werden leicht ausgelöst, wenn die Betroffenen von anderen kritisiert oder behindert werden.
- Nach ICD-10 werden **zwei Subtypen** unterschieden:

F60.30 Impulsiver Typ. Hier stehen die emotionale Instabilität und die mangelnde Impulskontrolle im Vordergrund, häufig sind gewalttätiges und bedrohliches Verhalten, besonders bei Kritik durch andere.
- **Dazugehörige Begriffe:** Aggressive, reizbare, explosive Persönlichkeitsstörung.
- **Differentialdiagnose:** Hirnorganische Schädigungen, Psychosen, dissoziale Persönlichkeitsstörung.

F60.31 Emotional instabile Persönlichkeitsstörung, Borderline-Typ. Die Merkmale dieser Störung bestehen außer in den allgemeinen Kennzeichnen der emotional instabilen Persönlichkeit zusätzlich darin, daß Selbstbild, Ziele, Präferenzen, auch sexuelle, unklar und gestört sind. Diese Menschen leiden an einem chronischen Gefühl innerer Leere, sie gehen oft intensive, aber sehr unbeständige Beziehungen ein, es kommt häufig zu emotionalen Krisen, suizidalen, parasuizidalen und anderen selbstschädigenden Handlungen. Weitere häufige Symptome sind frei flottierende Ängste, dissoziative Reaktionen, Depersonalisation, Suchtverhalten und kurzfristige psychotische Dekompensationen.

- **Differentialdiagnostisch** sind andere Persönlichkeitsstörungen, affektive Störungen und Psychosen zu erwägen.
- Der **Borderline-Begriff** wird leider in Psychiatrie, Psychotherapie und Psychoanalyse in unterschiedlicher Bedeutung, teils auch unscharf und inflationär verwendet. Die Bezeichnung geht zurück auf das englische »borderline« = Grenzlinie. In ihrer allgemeinen Bedeutung beschreibt sie eine psychische Störung, die zwischen Psychose und Neurose angesiedelt ist. Als Diagnose wird das Borderline-Syndrom häufig für unklare Fälle »mißbraucht«. Das besonders auf Kernberg zurückgehende psychoanalytische Borderline-Modell bezieht sich auf eine psychische Fehlentwicklung in den frühkindlichen Entwicklungsphasen: Es kommt dabei zu einer radikalen Auftrennung der Objektrepräsentanzen in gut und böse, charakteristische Abwehrmechanismen sind Spaltung, primitive Idealisierung, projektive Identifikation, Verleugnung, Omnipotenz und Entwertung. Abzugrenzen und nur teilweise deckungsgleich mit diesem psychoanalytischen Konzept einer spezifischen Ich-Struktur ist das **deskriptive Konzept** der Borderline-Persönlichkeitsstörung nach ICD-10, wonach bei der Diagnostik nicht auf theoretische tiefenpsychologische Konstrukte, sondern auf beobachtbare Verhaltensmerkmale abgestellt wird.

F60.4 Histrionische Persönlichkeitsstörung. Im Vordergrund steht ein dramatisierendes theatralisches Verhalten, verbunden mit einem übertriebenen Ausdruck von Gefühlen, wodurch die eigene Person in den Vordergrund gespielt werden soll. Diese Menschen geben sich übertrieben emotional, sie sind suggestibel und leicht beeinflußbar, oberflächlich und labil und streben danach, stets im Mittelpunkt zu stehen. Oft versuchen sie dies durch besonders verführerische äußere Erscheinung und aufreizendes Verhalten zu erreichen. Viele histrionisch gestörte Menschen sind durchaus zu künstlerisch-kreativen Leistungen in der Lage (griechisch: histrio = Schauspieler). Durch ihre Egozentrik, ihr ständiges Verlangen nach Anerkennung und ihre starke Kränkbarkeit sowie ihre Tendenz zu manipulativ agierendem Verhalten rufen sie jedoch häufig starke Ablehnung hervor, nachdem es ihnen anfänglich zumeist gelingt, mit ihrem oberflächlich gewinnenden Wesen Menschen vorübergehend für sich einzunehmen. Mit ihrer Neigung zu Simulation und Pseudologia phantastica, dem Schaffen phantastischer Lügengebäude ziehen sie jedoch bald Zorn und Abneigung auf sich.

- **Ältere Bezeichnungen:** Hysterische oder infantile Persönlichkeit.
- **Differentialdiagnostisch** zu erwägen: Dissoziative Störungen, die allerdings bei histrionischen Persönlichkeitsstörungen oft zusätzlich auftreten.

F60.5 Anankastische (zwanghafte) Persönlichkeitsstörung. Das Leben dieser Menschen ist geprägt durch übermäßige Zweifel und Vorsicht, sie sind ständig beschäftigt mit Details, Regeln, Listen, Ordnen und Organisieren, wobei sie ihr Perfektionismus häufig an der Fertigstellung von Aufgaben hindert. Häufig sind auch Pedanterie, Skrupelhaftigkeit, extreme Leistungsbezogenheit unter Vernachlässigung von Vergnügen und zwischenmenschlichen Beziehungen sowie das Bestehen auf der Unterordnung anderer unter die eigenen Gewohnheiten und die Unfähigkeit, Aufgaben zu delegieren. Bei diesen Persönlichkeiten kommen auch zwanghaft sich aufdrängende beharrliche oder unerwünschte Gedanken oder Impulse vor. Sind diese stark ausgeprägt, kann dies die eigene Diagnose einer Zwangsstörung (F42) rechtfertigen.

F60.6 Ängstliche (vermeidende) Persönlichkeitsstörung. Im Vordergrund steht die Selbstunsicherheit, verbunden mit ständigen Gefühlen von Anspannung und Besorgtheit.

Diese Menschen halten sich selbst für sozial unbeholfen, unattraktiv und minderwertig, sie haben ausgeprägte Ängste, in sozialen Situationen kritisiert oder abgelehnt zu werden, ihr Lebensstil ist oft wegen des Bedürfnisses nach körperlicher Sicherheit eingeengt, auch werden häufig soziale oder berufliche Aktivitäten aus Furcht vor Kritik und Ablehnung vermieden.

- **Dazugehöriger Begriff:** Selbstunsichere Persönlichkeitsstörung.
- **Differentialdiagnose:** Es bestehen Überschneidungen mit der abhängigen Persönlichkeitsstörung.

F60.7 Abhängige Persönlichkeitsstörung. Diese Menschen erleben sich selbst als hilflos, sie sind entscheidungsschwach, selbst bei einfachsten Alltagsentscheidungen wird an die Hilfe anderer appelliert oder diesen die Entscheidung überlassen. Dies führt dazu, daß eigene Bedürfnisse denen anderer untergeordnet werden. Eigene Ansprüche werden gegenüber Personen, zu denen Abhängigkeit besteht, nicht energisch vorgetragen. Diese Menschen fürchten sich vor dem Alleinsein und dem Verlassenwerden.

- **Dazugehörige Begriffe:** Asthenische, inadäquate, dependente, passive oder selbstschädigende Persönlichkeitsstörung.
- **Differentialdiagnostisch** ist vor allem die ängstliche (vermeidende) Persönlichkeitsstörung zu beachten.

Darüber hinaus gibt es eine Kategorie **F60.8: Sonstige spezifische Persönlichkeitsstörungen**, die zu verschlüsseln ist, wenn nicht die Kriterien eines spezifischen Subtyps erfüllt sind. In dieser Kategorie wäre auch die narzißtische Persönlichkeitsstörung zu verschlüsseln, für die es gleichfalls keine expliziten Kriterien in den klinisch-diagnostischen Leitlinien gibt, jedoch provisorische Kriterien in den Forschungskriterien (vgl. Kapitel 2). Im klinischen Alltag ist die **narzißtische Persönlichkeit** jedoch von Bedeutung. Im Vordergrund steht hier ein durchgängiges Muster von Großartigkeit sowohl in der Phantasie als auch im Verhalten. So wird die eigene Bedeutung oft übertrieben und überschätzt, es werden ohne entsprechende eigene Vorleistung besondere Vergünstigungen von anderen erwartet, diese Menschen fühlen sich stets als etwas Besonderes, Einmaliges und haben ein Bedürfnis nach übermäßiger Bewunderung. Sie nutzen zwischenmenschliche Beziehungen oft rücksichtslos aus, um eigene Ziele zu erreichen und zeigen dabei einen ausgeprägten Mangel an Empathie. Häufig sind auch Neid und besonders arrogantes hochmütiges Verhalten.

- Menschen mit dieser Persönlichkeitsstruktur geraten häufig in soziale und auch in juristische Konfliktsituationen, besonders aufgrund ihrer übermäßigen Kränkbarkeit. In Krisensituationen kommt es auch nicht selten zu suizidalem Verhalten.

Neben den soeben dargestellten Persönlichkeitsstörungen sind in anderen Klassifikationen, besonders im DSM-IV, einige weitere, zur Zeit aber noch nicht als eigenständige Formen allgemein akzeptierte Persönlichkeitsstörungen aufgeführt. Nach dem Konzept der ICD-10 wird die **schizotype Störung** nicht als Persönlichkeitsstörung, sondern als dem Formenkreis der Schizophrenien zugehörig angesehen (vgl. Kapitel 6). Die früher als Persönlichkeitsstörungen klassifizierten **depressiven** und die **zyklothymen Persönlichkeiten** finden sich in der ICD-10 bei den anhaltenden affektiven Störungen (F34; vgl. Kapitel 7).

11.1.2. Ätiologie und Pathogenese der Persönlichkeitsstörungen

Heute wird im allgemeinen von einer multifaktoriellen oder multikonditionalen Entstehung ausgegangen, wobei die den einzelnen spezifischen Persönlichkeitsstörungen jeweils zugrundeliegenden Faktoren von unterschiedlicher Bedeutung sind.

Genetische Faktoren sind für eine Reihe von Persönlichkeitsstörungen nachgewiesen, insbesondere durch Familienuntersuchungen, Adoptions- und Zwillingsstudien. Allerdings wurde der genetische Anteil in der Ätiologie der Persönlichkeitsstörungen früher überschätzt. In verschiedenen Untersuchungen wurden besonders bei dissozialen Persönlichkeitsstörungen und Borderline-Persönlichkeitsstörungen Hinweise für eine starke genetische Mitverursachung gefunden.

Hirnorganische und neurobiologische Modelle gewinnen seit der Anwendung der modernen hochauflösenden und dynamischen bildgebenden diagnostischen Verfahren auch für Persönlichkeitsstörungen zunehmend an Bedeutung. Minimale zerebrale Läsionen und Dysfunktionen und neurologische »soft signs«, gering ausgeprägte Normabweichungen, werden bei einer Reihe von Persönlichkeitsstörungen immer wieder gefunden. Bei ausgeprägten hirnorganischen Läsionen ist jedoch auch die Diagnose »organische Persönlichkeitsstörung« (F07) zu erwägen.

Auf **psychologischer Ebene** lassen sich psychoanalytische, interpersonelle und biopsychosoziale Erklärungsmodelle unterscheiden, wobei sich letztere noch weiter in biosoziale Lerntheorien, Diathese-Streß-Modell sowie kognitionstheoretische Ansätze differenzieren lassen [Fiedler, 1994a, b]. So wird z.B. beim Diathese-Streß- bzw. Vulnerabilitäts-Streß-Modell von einer dispositionellen Empfindlichkeit, Labilität oder Verletzlichkeit einer Person gegenüber sozialen Anforderungen und Streß ausgegegangen. Diese psychologischen Modelle bilden oft die Grundlage für die Entwicklung therapeutischer Interventionsprogramme (vgl. Abschnitt 11.3).

11.1.3. Therapie

Nach dem historischen Psychopathiekonzept ging man von weitgehend unveränderlichen, fest eingeprägten und überwiegend genetisch bedingten Persönlichkeitszügen aus, man sah demzufolge kaum Therapiemöglichkeiten. Im Rahmen des psychoanalytischen Konzepts der Persönlichkeitsstörungen als Charakterneurosen kam es dann anfänglich zu einer deutlichen Überbewertung der Möglichkeiten der Psychotherapie bei diesen Störungen. Gegenwärtig ist eine realistischere und pragmatische therapeutische Haltung zu beobachten, die durch Methodenvielfalt und integrative Konzepte gekennzeichnet ist. Die grundsätzlich auch bei Persönlichkeitsstörungen gegebene Psychotherapieindikation sollte dabei auf den individuellen Patienten abgestimmt und im Hinblick auf konkret definierte und auch erreichbare Ziele erfolgen, d.h. sie erfordert eine individuumzentrierte individuelle Therapieplanung unter Einbeziehung einer gründlichen Verhaltensanalyse (vgl. auch Kapitel 19).

Dabei ist besonders auf das Vorliegen weiterer komorbider Störungen (vgl. auch Kapitel 2) zu achten, was therapeutisch von Wichtigkeit ist. Patienten mit einer komorbiden Persönlichkeitsstörung sind in der Regel die schwerer gestörten Patienten mit einer schlechteren Prognose, was die Therapie-Response und den weiteren Verlauf der Erkankung betrifft. Der Fokus der Behandlung sollte zunächst auf der aktuell im Vordergrund stehenden Symptomatik liegen, z.B. einer depressiven Symptomatik.

Nach Fiedler [1994a] kamen bisher folgende Therapierichtungen in der Behandlung Persönlichkeitsgestörter zur Anwendung: Psychoanalyse, interpersonelle Psychotherapien, Verhaltenstherapie und kognitive Therapien. Wie bei anderen Störungen auch kann die Behandlung in unterschiedlichen Settings stattfinden: ambulant versus stationär, Einzelperson versus Gruppe. Aufgrund der Heterogenität dieser Störungsgruppe (vgl. verschiedene Subtypen) sei bezüglich der dementsprechend vielfältigen Therapieanwendungen auf weiterführende Literatur verwiesen [vgl. z.B. APA, 1991; Fiedler, 1994a].

Exemplarisch sei an dieser Stelle auf Ansätze zur Behandlung von Borderline-Persönlichkeitsstörungen hingewiesen sowie auf die kognitive Therapie nach Beck.

Bei der **Borderline-Persönlichkeitsstörung** handelt es sich um eine klinisch wichtige Störungsgruppe mit dem Ruf, besonders therapieresistent zu sein. Die theoretische Konzeptualisierung der Störung ist vielfältig (z.B. Gunderson, Kernberg, Rohde-Dachser), verbunden mit der Entwicklung spezifischer diagnostischer Instrumente [vgl. im Überblick Dittmann und Stieglitz, 1994] und der Erprobung unterschiedlicher therapeutischer Interventionen (pychotherapeutische wie psychopharmakologische). Am elaboriertesten und bisher empirisch am besten untersucht kann die **dialektische Verhaltenstherapie nach Linehan** [1994] angesehen werden. Dieser auf einer biosozialen (Verhaltens)-Theorie basierende Ansatz geht unter anderen von einer unangemessenen Affektregulation als primärer Dysfunktion der Störung aus, mit entsprechend abgeleiteten Behandlungsstrategien (unter anderem dialektische Strategien mit dem Ziel, von einer »Entweder-Oder-« zu einer »Sowohl-als-auch-Position« zu gelangen, Problemlösestrategien, Strategien zur Kompetenzerweiterung).

Ein auf alle Persönlichkeitsstörungen bezogener **kognitiver Therapieansatz** wurde von der Arbeitsgruppe um Beck entwickelt [Beck et al., 1993]. Ausgangspunkt ist die Vorstellung, daß die einzelnen Persönlichkeitsstörungen durch bestimmte Grundannahmen oder Einstellungen mit einem damit zusammenhängenden Verhaltensmuster zu charakterisieren sind. So läßt sich z.B. die abhängige Persönlichkeit charakterisieren durch Aussagen wie »Ich bin hilflos«, was sich auf der Verhaltensebene z.B. durch Anhänglichkeit äußert. Weiterhin wird davon ausgegangen, daß bestimmte Verhaltensmuster überentwickelt sind, andere unterentwickelt (z.B. abhängige Persönlichkeit: überentwickelt sind hilfesuchendes Verhalten, Anhänglichkeit; unterentwickelt sind Selbständigkeit, Mobilität). Das Verhalten eines persönlichkeitsgestörten Menschen wird im wesentlichen determiniert durch sein Selbstbild, das Bild von anderen Menschen sowie negative Grundannahmen. In der Behandlung kommen entsprechend den gestörten Bereichen kognitive Techniken (z.B. angeleitetes Entdecken dysfunktionaler Interpretationsmuster, Reattribuierungstechniken) sowie verhaltenstherapeutische Techniken (z.B. Rollenspiel, Einsatz von Vorstellungen; vgl. Kapitel 19) zur Anwendung.

Leidensdruck auf der einen und sozial auffälliges und störendes Verhalten auf der anderen Seite sind bei den einzelnen spezifischen Persönlichkeitstypen durchaus unterschiedlich ausgeprägt. Häufig sind **Kriseninterventionen** notwendig (vgl. auch Kapitel 28), diese allerdings in der Regel wiederholt, jedoch oft ausreichend, um die Patienten zumindest für einen gewissen Zeitraum wieder zu stabilisieren.

Vor allem Borderline-Persönlichkeitsstörungen, dissoziale und narzißtische Persönlichkeitsstörungen erfordern in der Regel eine intensive mehrjährige Psychotherapie, oft auch noch zusätzlich Maßnahmen im sozialen Umfeld. Der Erfolg einer Therapie hängt außer von den individuellen situativen Bedingungen vom Leidensdruck, von der Einsichtsfähigkeit und der Therapiemotivation des Patienten ab.

Der **Umgang mit Persönlichkeitsgestörten** [vgl. Beck et al., 1993] kann durch ihr oft schwieriges und manipulatives Verhalten auch für erfahrene Therapeuten eine schwere Belastung darstellen. Da die Störung meist schon Jahrzehnte besteht, bis die Patienten in Behandlung gelangen, ist nicht zu erwarten, daß durch kurze Interventionen ein Erfolg eintritt. Gegenüber persönlichkeitsgestörten Patienten ist in der Therapie besonders auf die nötige Distanz zu achten; der Therapeut darf sich keinesfalls für manipulative Zwecke einsetzen lassen. Dazu ist es notwendig, daß von Anfang an die Grundbedingungen der Therapie klar umrissen werden (Festlegung von Grenzen, Struktur, Regeln), besonders auch das Vorgehen bei Krisen, wie Selbstschädigung und Suizidalität. Gerade bei dieser schwierigen Patientengruppe ist eine ausreichende Therapiesupervision von besonderer Bedeutung.

Einen wesentlichen, gerade bei persönlichkeitsgestörten Patienten die Therapie komplizierenden Faktor stellt die zum Teil mangelnde **Compliance** dar [Freeman, 1988; Beck et al., 1993] (vgl. auch Kapitel 35). Als bedeutsame Faktoren sind hier unter anderem mangelnde Motivation, Machtkampf zwischen Therapeut-Patient, was die besondere Bedeutung der Therapeut-Patient-Beziehung unterstreicht, aber auch Faktoren wie sekundärer Krankheitsgewinn aus dysfunktionalen Verhaltensmustern oder unklare/unrealistische Therapieziele zu nennen.

Psychopharmaka können in Krisenzeiten vorübergehend indiziert sein, die Langzeittherapie mit Substanzen, die ein hohes Abhängigkeitspotential aufweisen, z.B. Benzodiazepine, ist unbedingt zu vermeiden. Auch Neuroleptika sind wegen der Gefahr der Spätdyskinesie mit Vorsicht und nur vorübergehend einzusetzen. Bei aggressiven Persönlichkeitsgestörten ist ein Versuch mit Carbamazepin, Lithium oder auch einem Antidepressivum vom Typ der Serotonin-Re-uptake-Hemmer indiziert. Nach unserem bisherigen Wissen sollte jedoch eine psychopharmakologische Behandlung von Persönlichkeitsstörungen nie isoliert, sondern immer nur gemeinsam mit psychotherapeutischen Interventionen erfolgen.

11.1.4. Verlauf und Prognose der Persönlichkeitsstörungen

Unser Wissen in diesem Bereich ist immer noch unvollständig, besonders fehlen großangelegte prospektive Langzeitstudien. Im allgemeinen kann davon ausgegangen werden, daß die gestörten Persönlichkeitsanteile im Laufe des Lebens qualitativ weitgehend unverändert bestehen bleiben. In aller Regel nimmt jedoch der Ausprägungsgrad im Laufe der Zeit ab, es tritt eine gewisse Beruhigung und häufig auch eine Anpassung ein, oft allerdings auf niedrigem Niveau. Verlauf und Prognose werden wesentlich durch die jeweils spezifischen Umweltbedingungen mitbestimmt. Gelingt es Persönlichkeitsgestörten, eine entsprechende soziale Nische und vor allem auch einen geeigneten und anpassungsfähigen Partner zu finden, so können sie durchaus gesellschaftlich akzeptiert und weitgehend unauffällig leben. Für den Langzeitverlauf gilt nach Tölle eine Drittelregel: Bei etwa einem Drittel ist ein ungünstiger Verlauf mit häufigem Versagen, Konflikten und unter Umständen auch langdauernder medizinischer Behandlung zu beobachten, bei einem weiteren Drittel kommt es unter oft weitgehenden Kompromissen zu einer gewissen Lebensbewältigung, allerdings meist mit erheblichen Einschränkungen der Beziehungen, bei einem weiteren Drittel wird ein günstiger Verlauf mit ausreichender oder sogar guter Lebensbewältigung beobachtet.

11.2. Andauernde Persönlichkeitsänderungen

Auch Menschen, die zuvor in ihrer Persönlichkeitsstruktur nicht erheblich normabweichend waren, können **nach extremer, übermäßiger, anhaltender Belastung oder nach schwerer psychiatrischer Krankheit** ausgeprägte Persönlich-

Tabelle 11.3. Andauernde Persönlichkeitsänderungen nach ICD-10

F62	**Andauernde Persönlichkeitsänderung** Persönlichkeits- und Verhaltensänderungen bei Menschen ohne vorbestehende Persönlichkeitsstörung nach extremer oder übermäßiger anhaltender Belastung oder nach schwerer psychiatrischer Erkrankung
F62.0	**Andauernde Persönlichkeitsänderung nach Extembelastung** Feindlich, mißtrauisch, sozialer Rückzug, innerlich leer und hoffnungslos, Gefühl ständiger Bedrohung
F62.1	**Andauernde Persönlichkeitsänderung nach psychiatrischer Erkrankung** Hochgradige Abhängigkeit und Anspruchshaltung, Passivität und verminderte Interessen, hypochondrische Klagen, dysphorische Stimmung, beeinträchtigte Leistungsfähigkeit

keits- und Verhaltensstörungen entwickeln. Die Veränderung der Persönlichkeit zeigt sich dann, ähnlich wie bei den primären Persönlichkeitsstörungen, in einem unflexiblen unangepaßten Verhalten mit Beeinträchtigungen der zwischenmenschlichen, sozialen und beruflichen Beziehungen. Der zeitliche Zusammenhang mit einer Extrembelastung muß dabei deutlich werden (vgl. Tabelle 11.3).

Diese Persönlichkeitsstörungen wurden erstmals aufgrund der psychiatrischen Erfahrungen mit Überlebenden der nationalsozialistischen Vernichtungslager ausführlicher untersucht und als eigenständige diagnostische Gruppe abgegrenzt. Sie sind auch heute häufig bei Menschen festzustellen, die langanhaltende Folter, Naturkatastrophen oder andauernde lebensbedrohliche Situationen, wie Geiselnahme, überstanden haben. Häufig geht zunächst eine posttraumatische Belastungsstörung (vgl. Kapitel 8) voraus, die dann in diese chronische und oft irreversible Form der Persönlichkeitsveränderung übergehen kann.

Wichtige diagnostische Kennzeichen der **andauernden Persönlichkeitsänderung nach Extrembelastung (ICD-10: F62.0)** sind eine feindliche oder mißtrauische Haltung der Umwelt gegegenüber, sozialer Rückzug, ein ständiges Gefühl von Leere und Hoffnungslosigkeit, chronische Nervosität und Entfremdungserleben. Die Diagnose sollte nur gestellt werden, wenn die Symptomatik seit mindestens 2 Jahren besteht.

Auch nach der traumatischen Erfahrung einer schweren psychiatrischen Erkrankung kann es zu Persönlichkeitsveränderungen kommen, die nicht durch eine vorbestehende Persönlichkeitsstörung oder durch Restsymptome der überstandenen psychischen Erkrankung erklärt werden können. Die **andauernde Persönlichkeitsänderung nach psychiatrischer Erkrankung (F62.1)** ist im wesentlichen gekennzeichnet durch eine hochgradige Abhängigkeit und An-

Tabelle 11.4. Abnorme Gewohnheiten und Störungen der Impulskontrolle nach ICD-10

F63	**Abnorme Gewohnheiten und Störungen der Impulskontrolle** Wiederholte Handlungen ohne vernünftige Motive mit Schädigung eigener oder fremder Interessen, subjektiv unkontrollierbare Impulse
F63.0	**Pathologisches Glücksspiel** Beharrliches wiederholtes Glücksspiel trotz negativer sozialer Konsequenzen
F63.1	**Pathologische Brandstiftung (Pyromanie)** Wiederholte Brandstiftung ohne erkennbares Motiv, starkes Interesse an Feuer
F63.2	**Pathologisches Stehlen (Kleptomanie)** Häufiges Nachgeben gegenüber Impulsen, an sich nutzlose Dinge zu stehlen
F63.3	**Trichotillomanie** Unfähigkeit, ständigen Impulsen zum Haareausreißen zu widerstehen

spruchshaltung gegenüber anderen, die Überzeugung, durch die vorangegangene Krankheit verändert oder stigmatisiert worden zu sein, Passivität, Interessenverlust, hypochondrische Klagen und dysphorische labile Stimmung mit Beeinträchtigung sozialer und beruflicher Funktionsfähigkeit.

Die andauernden Persönlichkeitsänderungen neigen zur **Chronifizierung**, besonders Ängste und depressive Verstimmung sind therapeutisch nur schwer zu beeinflussen, in jedem Fall sind aber stützende psychotherapeutische und medikamentöse sowie soziotherapeutische Maßnahmen indiziert. Nach dem Bundesentschädigungsgesetz von 1956 sind nachgewiesene Persönlichkeitsveränderungen als verfolgungsbedingte Gesundheitsstörungen anerkannt.

11.3. Abnorme Gewohnheiten und Störungen der Impulskontrolle

In dieser Kategorie werden in der ICD-10 verschiedene Verhaltensstörungen zusammengefaßt, denen gemeinsam ist, daß sie sich durch **wiederholte scheinbar unvernünftige Handlungen** auszeichnen, die die Interessen des Betroffenen oder anderer Menschen schädigen. Die Patienten berichten von zumindest subjektiv »unkontrollierbaren« Impulsen. Wegen der Schwierigkeit, diese Angaben zu verifizieren, wird die Stellung dieser Verhaltensstörungen als eigenständige Krankheitsbilder von manchen Autoren bezweifelt, besonders auch bei forensisch-psychiatrischen Fragestellungen. Im Zusammenhang mit diesen Störungen wird auch der **Begriff »nicht stoffgebundene Abhängigkeit«** benutzt (vgl. Tabelle 11.4).

F63.0 Pathologisches Glücksspiel. Durch häufiges wiederholtes und episodenhaftes Glücksspiel wird die Lebensführung des Patienten beherrscht, es kommt zum Verfall sozialer, beruflicher, materieller und familiärer Werte und Verpflichtungen. Abzugrenzen ist diese Störung von gewohnheitsmäßigem

Spielen, exzessivem Spielen bei Manie und normabweichendem Spielverhalten bei dissozialer Persönlichkeitsstörung. Dieser Störung ist in den letzten Jahren starke Beachtung geschenkt worden, inzwischen sind auch ambulante wie stationäre Therapiekonzepte [vgl. z.B. Russner und Jahrreiss, 1994] in Anlehnung an die Behandlung stofflicher Abhängigkeit etabliert und Selbsthilfegruppen gegründet worden.

F63.1 Pathologische Brandstiftung (Pyromanie). Hauptmerkmale sind wiederholte Brandstiftung ohne erkennbare Motive, wie materieller Gewinn, Rache oder politischer Extremismus. Zudem zeigen diese Menschen ein starkes Interesse an der Beobachtung von Bränden und allem, was mit Feuer zusammenhängt. Sie berichten häufig über Gefühle wachsender Spannung vor der Brandlegung und über starke Erregung sofort nach der Ausführung. Von manchen Autoren wird diese Störung mit sexuellen Perversionen in Verbindung gebracht, allerdings ist bei einem großen Teil der Brandstifter ein unmittelbarer sexueller Bezug nicht erkennbar.

Differentialdiagnostisch sind andere Formen der Brandstiftung zu erwägen, besonders im Zusammenhang mit anderen psychischen Störungen, oder rein kriminell motiviertes Feuerlegen.

F63.2 Pathologisches Stehlen (Kleptomanie). Es kommt hierbei zu einem häufigen Nachgeben gegenüber Impulsen, Dinge zu stehlen, die meist nicht zum persönlichen Gebrauch oder zur Bereicherung dienen. Dementsprechend werden die gestohlenen Gegenstände auch häufig fortgegeben, verschenkt oder sinnlos gehortet. Auch diese Menschen beschreiben gewöhnlich eine steigende Spannung vor und ein Gefühl der Befriedigung während der Tat und danach. Diese Kategorie ist wie die beiden vorher beschriebenen umstritten. Die Diagnose darf nicht allein aufgrund häufiger Diebstahlshandlungen, z.B. wiederholten Ladendiebstahls, gestellt werden, auch sind Diebstähle bei anderen psychischen Störungen in Erwägung zu ziehen.

Die abnormen Gewohnheiten und Störungen der Impulskontrolle neigen zur Chronifizierung, sie bringen die Betroffenen häufig in Konflikt mit den Strafverfolgungsbehörden. Therapeutisch gelten im wesentlichen die bei den Persönlichkeitsstörungen dargestellten Prinzipien.

Literatur

APA (1991): Treatments of psychiatric disorders, volume 3. American Psychiatric Association, Washington.

Beck AT, Freeman A, Pretzer J, Davis DD, Fleming B, Ottaviano R, Beck J, Simon KM, Padesky C, Meyer J, Trexler L (1993): Kognitive Therapie der Persönlichkeitsstörungen. Psychologie Verlagsunion, Weinheim.

Dittmann V, Stieglitz, RD (1994): Diagnostik von Persönlichkeitsstörungen. In: Stieglitz RD, Baumann U (Hrsg.): Psychodiagnostik psychischer Störungen. Enke, Stuttgart, 230–244.

Fiedler P (1994a): Persönlichkeitsstörungen. Beltz, Weinheim.
Fiedler P (1994b): Persönlichkeitsstörungen: Schlüssel zum Verständnis therapeutischer Krisen. In: Zielke M, Sturm J (Hrsg.): Handbuch stationärer Verhaltenstherapie. Psychologie Verlagsunion, Weinheim, 785–795.
Freeman A (1988): Cognitive therapy of personality disorders: General treatment considerations. In: Perris C, Blackburn IM, Perris H (Eds.): Cognitive psychotherapy. Springer, Berlin, 223–252.
Koenigsberg HW (1991): Borderline personality disorder. In: Beitman BD, Klerman GL (eds.): Integrating pharmacotherapy and psychotherapy. American Psychiatric Press, Washington, 271–290.
Linehan MM (1994): Dialektische Verhaltenstherapie bei Borderline-Persönlichkeitsstörungen. In: Zielke M, Sturm J (Hrsg.): Handbuch stationärer Verhaltenstherapie. Psychologie Verlagsunion, Weinheim, 796–804.
Payk TR (1992): Dissozialität. Psychiatrische und forensische Aspekte. Schattauer, Stuttgart.
Rohde-Dachser Ch (1989): Das Borderline-Syndrom; 4. Aufl. Huber, Bern.
Russner J, Jahrreiss R (1994): Stationäre Therapie pathologischen Glücksspiels. In: Zielke M, Sturm J (Hrsg.): Handbuch stationärer Verhaltenstherapie. Psychologie Verlagsunion, Weinheim, 825–830.
Saß H (1987): Psychopathie – Soziopathie – Dissozialität. Zur Differentialtypologie der Persönlichkeitsstörungen. Springer, Berlin.
Schneider K (1987): Die psychopathischen Persönlichkeiten; 1. Aufl. Deuticke, Wien, 1923; Reprint Thieme, Leipzig.
Tölle R (1986): Persönlichkeitsstörungen. In: Kisker KP, Lauter H, Meyer JE, Müller C, Strömgren E (Hrsg.): Psychiatrie der Gegenwart. I. Neurosen, psychosomatische Erkrankungen, Psychotherapie. Springer, Berlin, 151–188.

12. Intelligenzminderung

Rolf-Dieter Stieglitz, Volker Dittmann, Anneliese Ermer

12.1. Definition

Intelligenzminderungen (Synonyme: Oligophrenie, Minderbegabung, Retardierung, geistige Behinderung, Schwachsinn) stellen sich nach ICD-10 als in der Entwicklung manifestierende, stehengebliebene oder unvollständige Entwicklungen der geistigen Fähigkeiten dar, mit besonderen Beeinträchtigungen von Fertigkeiten, die zum Intelligenzniveau beitragen, wie z.B. Kognitionen, Sprache, motorische und soziale Fertigkeiten. Neben der Beeinträchtigung intellektueller Funktionen ist immer auch die (soziale) Anpassungsfähigkeit mitbeeinträchtigt. Wesentliche **Merkmale** der Kennzeichnung von Intelligenzminderungen sind demnach eine beeinträchtigte Intelligenz und unzureichende Anpassungsfähigkeit sowie die Manifestation dieser Beeinträchtigungen in der Entwicklung.

Obwohl in den meisten Klassifikationssystemen nicht explizit als Kriterien aufgeführt, finden sich bei Personen mit Intelligenzminderungen auch **Störungen in weiteren Bereichen,** z.B. in der Persönlichkeit oder im Antrieb. Die Persönlichkeit ist häufig wenig ausdifferenziert. Es zeigen sich oft Beeinträchtigungen im Bereich der Steuerungsfähigkeit mit aggressiven Durchbrüchen (mangelnde Selbstregulationsfähigkeit). Neben häufig auftretenden affektiven Verstimmungen kann es auch zu deutlicher Antriebssteigerung oder -verminderung kommen.

Epidemiologische Angaben zur **Häufigkeit** von Intelligenzstörungen sind aus verschiedenen Gründen nur schwer zu erhalten (unter anderem Wechsel des Grades der Behinderung im Verlauf, hohe Mortalität). Angaben zur Häufigkeit in der Bevölkerung schwanken zwischen 2 und 5%, mit einem höheren Anteil leichterer Formen (2–4%). Nach Cooper und Liepmann [1980] sind Prävalenzraten aus unterschiedlichen Ländern, die nicht auf operationalisierten Diagnosenkriterien basieren – was für die meisten der bisher publizierten Daten gilt –, irreführend, was sie am Beispiel der unterschiedlichen ICD-8-Anwendungen zeigen konnten. So findet sich z.B. im WHO-Glossar für die Kategorie »mittelgradig« ein Intelligenzbereich von 51 bis 36 (erfaßt mittels des Stanford-Binet-Tests), im deutschen Glossar für die entsprechende Kategorie ein Bereich von

Tabelle 12.1. Intelligenzminderung nach ICD-10

Bezeichnung		Intelligenzbereich
F70	Leichte Intelligenzminderung	50–69
F71	Mittelgradige Intelligenzminderung	35–49
F72	Schwere Intelligenzminderung	20–34
F73	Schwerste Intelligenzminderung	<20
F78	Sonstige Intelligenzminderung	
F79	Nicht näher bezeichnete Intelligenzminderung	
Ausmaß der Verhaltensstörungen		
F7x.0	Keine oder geringfügige Verhaltensstörung	
F7x.1	Deutliche Verhaltensstörung, die Beobachtung oder Behandlung erfordert	
F7x.8	Sonstige Verhaltensstörungen	
F7x.9	Nicht näher bezeichnete Verhaltensstörung	

74 bis 60 (erfaßt mittels Hamburg-Wechsler Intelligenztest für Kinder). Einigkeit besteht jedoch darin, daß Menschen mit einer Intelligenzminderung gegenüber der Normalbevölkerung eine deutlich verkürzte Lebenserwartung aufweisen.

12.2. Klassifikation

In der ICD-10 (vgl. Tabelle 12.1) wird für die Intelligenzminderung eine **Unterscheidung nach Schweregraden** auf vier Stufen getroffen. Wesentliche Merkmale neben der Intelligenzminderung und der Beeinträchtigung lebenspraktischer Fertigkeiten sind

- Störungen der Sprache (Spracherwerb, -gebrauch, -verständnis);
- Störungen motorischer Fertigkeiten;
- Beeinträchtigungen des schulischen Werdegangs (Bildbarkeit).

Die Differenzierung des Schweregrades basiert auf der Ausprägung der Störungen in den genannten Merkmalen. Die **Bedeutung organischer Ursachen** nimmt mit zunehmendem Schweregrad zu. Ist die Ursache der Intelligenzminderung beim einzelnen Patienten bekannt, so ist diese zusätzlich mittels der Kodierung einer weiteren somatischen ICD-10-Diagnose festzuhalten. Für die unterschiedlichen Schweregrade der Intelligenzminderung finden sich in der älteren Literatur zum Teil sehr unterschiedliche Begriffe.

Leicht: Schwachsinn, leichte geistige Behinderung, leichte Oligophrenie, Debilität.

Mittelgradig: Imbezillität, mittelgradige geistige Behinderung, mittelgradige Oligophrenie.

Schwer: Schwere geistige Behinderung, schwere Oligophrenie.

Schwerste: Idiotie, schwerste geistige Behinderung, schwerste Oligophrenie.

Wie bei anderen Störungen der ICD-10 auch wird versucht, das Erscheinungsbild möglichst umfassend zu beschreiben, wobei bei den Intelligenzminderungen das Ausmaß der begleitenden **Verhaltensstörungen** an 4. Stelle mitkodiert werden muß (vgl. Tabelle 12.1).

Das Hauptkriterium der Störung stellt die **Beeinträchtigung der Intelligenz** dar. Bei der Intelligenz handelt es sich nicht um ein homogenes Phänomen, sondern um ein Merkmal, das sich aus verschiedenen Teilkomponenten, Teilfertigkeiten zusammensetzt (unter anderem logisch-abstraktes Denken, räumliches Vorstellungsvermögen). Dadurch bedingt ergeben sich intra- wie interindividuell große Unterschiede hinsichtlich des klinischen Erscheinungsbildes. So können z.B. neben starken Beeinträchtigungen in bestimmten Funktionen (z.B. logisch-abstraktem Denken) besondere Fähigkeiten in anderen Funktionen (z.B. rechnerische Fertigkeiten) bei einer Person vorkommen. Die **Diagnostik einer Intelligenzminderung** basiert auf folgenden Informationsquellen: Anamnese (besonders frühkindliche Entwicklung), Anwendung standardisierter Verfahren (vgl. Kapitel 1).

Aufgrund der Definition der Intelligenzminderung als einer entwicklungsbedingten Störung ist die **Krankheits- und Entwicklungsanamnese** von zentraler Bedeutung (vgl. auch Kapitel 1 und 13). Durch die meist vorkommenden Kommunikationsstörungen der Patienten ist die Einbeziehung fremdanamnestischer Angaben (besonders im Hinblick auf Spracherwerb, -entwicklung) unerläßlich. Dies gilt auch für die Diagnose weiterer Störungen (z.B. anderer psychiatrischer Störungen) bei diesen Patienten. Fremdanamnestische Angaben sind in erster Linie von den Eltern zu erhalten, jedoch auch von Personen, die engen und längeren Kontakt zu diesen Kindern haben (z.B. Betreuer).

Nach ICD-10 sollte die endgültige Diagnose auf der Einschätzung der Störung der Intelligenz und der Anpassung an die Erfordernisse des täglichen Lebens mittels standardisierter Verfahren beruhen. In Tabelle 12.2. finden sich Beispiele für derartige **Untersuchungsinstrumente** (vgl. auch Kapitel 13). Diese Verfahren können hinsichtlich psychometrischer Kriterien und ihrer praktischen Bewährung als klinisch bedeutsam angesehen werden.

Die Diagnostik der Intelligenz ist ein traditionell psychologischer Bereich, für den eine Vielzahl von Instrumenten vorliegt [vgl. Remschmidt und Niebergall, 1994], die sich hinsichtlich zahlreicher Merkmale unterscheiden (z.B. verbal versus nichtverbal, eindimensional versus mehrdimensional). Für den Bereich der Diagnostik der Intelligenzminderung stellt sich jedoch das Problem, daß nicht vorgegeben ist, mit welchem Verfahren die Intelligenz zu erfassen ist. Außerdem ist zu beachten, daß gerade im unteren Intelligenzbereich eine Feindifferenzierung, wie sie z.B. ICD-10 verlangt, problematisch ist. Die geforderten IQ-Werte können lediglich als Richtwerte angesehen werden. Bei der Auswahl

Tabelle 12.2. Intelligenzminderung: Standardisierte Untersuchungsverfahren

Bereich	Verfahren/Autoren	Abkürzung
Intelligenz	Hamburg-Wechsler-Intelligenztest für das Vorschulalter (Wechsler; dt. Eggert)	HAWIVA
	Hamburg-Wechsler-Intelligenztest für Kinder (Wechsler; dt. Tewes)	HAWIE-R
	Coloured Progressive Matrices (Raven)	CPM
Spezifische Leistung	Testbatterie für geistig behinderte Kinder (Bondy et al.)	TBGB
Soziale Reife/Anpassung	Vineland Social Maturity Scale (Lüer et al.)	VSMS

Nähere Angaben vgl. Remschmidt und Niebergall [1994].

von Testverfahren sind daher vom klinischen Eindruck ausgehend das individuelle Leistungsniveau sowie etwaige zusätzliche Behinderungen (z.B. der Sprache) zu berücksichtigen. Zudem sollten auch alle weiter verfügbaren Informationen herangezogen werden.

Häufiger als bei anderen psychischen Störungen können Intelligenzminderungen mit anderen psychischen und/oder körperlichen Störungen auftreten. Intelligenzgeminderte können an allen psychiatrischen Störungen erkranken und weisen damit eine **hohe Komorbidität** auf. Prävalenzraten für andere psychiatrische Störungen sind mindestens 3- bis 4mal so hoch wie für die Allgemeinbevölkerung. Unabhängig vom Schweregrad sind am häufigsten sog. »Verhaltensstörungen«, wie sie in der ICD-10 an 4. Stelle zu kodieren sind. Darüber hinaus finden sich u.a. etwa gleich häufig schizophrene und affektive Störungen. Aufgrund der bereits erwähnten Kommunikationsschwierigkeiten ist der Untersucher gerade bei der Diagnostik komorbider Störungen auf fremdanamnestische Angaben besonders angewiesen. Daneben finden sich häufig neurologische wie körperliche Erkrankungen (**Multimorbidität;** unter anderen Epilepsie, körperliche Behinderungen, sensorische Beeinträchtigungen). Dabei nimmt die Häufigkeit weiterer Erkrankungen mit zunehmendem Schweregrad der Intelligenzminderung zu [Dupont, 1988]. Intelligenzminderungen stellen eine sehr heterogene Störungsgruppe dar, die häufig mit **Mehrfachbehinderungen** assoziiert ist.

Differentialdiagnostische Schwierigkeiten ergeben sich unter Umständen gegenüber gering normabweichenden Intelligenzgraden, die keinen Krankheitswert haben. Vom Erscheinungsbild her ähnlich, jedoch hinsichtlich der lebensgeschichtlichen Entwicklung unterschiedlich, da erst im späteren Leben erworben, ist die Demenz (vgl. Kapitel 4).

Tabelle 12.3. Organische Ursachen der Intelligenzminderung nach Warnke und Remschmidt [1993]

Ursache	Bezeichnung	Beispiele
Hereditär	Dysplasien des ZNS	Morbus Recklinghausen
	metabolisch-genetisch	Phenylketonurie
	erbliche Hirn- und Schädelmißbildungen	Apert-Syndrom
	erbliche endokrine Störungen	Hypothyreose
Chromosomal	Störungen der Körperchromosomen	Trisomie 21
	Störungen der Geschlechtschromosomen	Marker-X-Syndrom
Exogen	pränatal	Fetopathien
	perinatal	Sauerstoffmangel bei Geburt
	postnatal	endzündliche zerebrale Erkrankungen
Multifaktoriell (exogen und genetisch)	Mißbildungs- und Retardierungssyndrom	Hydrozephalus

Die Wichtigkeit der Beachtung des Bereichs Intelligenzstörungen kann man daraus ablesen, daß im **multiaxialen Ansatz** (vgl. auch Kapitel 2) des DSM-IIIR/DSM-IV eine eigene Achse »Entwicklungs- und Persönlichkeitsstörungen« (Achse II) existiert und es auch im multiaxialen Klassifikationssystem [MAS von Rutter; dt. Remschmidt u. Schmidt, 1994; vgl. Remschmidt und Niebergall, 1994, sowie Kapitel 13] im kinder- und jugendpsychiatrischen Bereich eine eigene Achse III »Intelligenzniveau« gibt. Die Verschlüsselung erfolgt anhand des gegenwärtigen intellektuellen Niveaus ohne Berücksichtigung von dessen Ursachen.

Die genaue und differenzierte Diagnostik einer Intelligenzstörung ist von großer praktischer Relevanz. Ziel ist die Optimierung der medizinischen Behandlung, der pädagogischen Förderung sowie der sozialen Integration und Abschätzung der Prognose [Warnke und Remschmidt, 1993]. Es geht dabei um die Erfassung von Funktionsdefiziten, individuellen Bedürfnissen, aber auch des Begabungsreservoirs. Neben einer Statusdiagnostik impliziert dies auch eine Verlaufsdiagnostik mit dem Ziel der Adaptation von Maßnahmen an veränderte Zustände (vgl. Abschnitt 12.4).

12.3. Ätiologie und Pathogenese

Die Ursachen von Intelligenzminderungen sind hauptsächlich organischer Natur, wenngleich hinsichtlich der Entwicklung soziokulturelle Umweltfaktoren von Bedeutung sind. In Tabelle 12.3 sind die wichtigsten **organischen Ursachen** aufgeführt.

Tabelle 12.4. Ursachen von Intelligenzminderung [Dupont, 1988]

	SMR, %	MMR, %
Pränatal	70	40
Perinatal	8	2
Postnatal	2	15
Chronologisch unbekannt, multifaktoriell	20	43

SMR = schwer. MMR = mäßig.

Es muß im wesentlichen von angeborenen, anlagebedingten oder in der frühen Entwicklung erworbenen Störungen ausgegangen werden. Man kann im allgemeinen annehmen, daß leichte Störungen zu 50–75% genuin, schwere zu 90% exogen sind. Nach Dupont [1988] ist bei einer Zweiteilung der Intelligenzminderung in »mäßig versus schwer« (MMR versus SMR) von folgenden **Häufigkeiten der Ursachen** auszugehen (Tabelle 12.4).

Demnach sind besonders die schweren Grade der Störungen hauptsächlich pränatal bedingt, die mäßigen Grade stärker multifaktoriell. Bei Eltern mit genuiner Intelligenzstörung haben 30% der Kinder ebenfalls eine Intelligenzstörung, bei Belastung beider Elternteile steigt der Anteil auf 60%. Zwillingsstudien weisen bei monozygoten Zwillingen auf eine 80%ige Konkordanz hin, bei heterozygoten nur auf eine 8%ige [Möller, 1992]. Die unterschiedlich defekten Intelligenzstrukturen kommen nach Specht [1988] dadurch zustande, daß die somatisch bedingten Störungen der **Informationsverarbeitung und -speicherung** zusammentreffen mit

- Wahrnehmungsstörungen, z.B. mangelhafte akustisch/visuelle Differenzierung;
- Beeinträchtigungen der Informationsaufnahme und -abgabe, z.B. sehen und hören;
- primären und sekundären Einschränkungen der psychosozialen Voraussetzungen des Lernens, z.B. Über- oder Unterforderung.

12.4. Therapie, Verlauf und Prognose

Die umfassende und differenzierte Diagnostik der Intelligenzstörungen stellt die Basis therapeutischer Interventionen dar. Ansatzpunkte sind neben dem Patienten selbst besonders die Angehörigen.

Bei **kausal behandelbaren Formen,** wie erblichen Enzymdefekten (z.B. der Phenylketonurie), sind mittels Screening-Strategien Präventivmaßnahmen von entscheidender Bedeutung. Hierzu zählen auch genetische Beratungsangebote an Eltern, Schwangerschaftsvorsorge, Vorsorge bei »Risikokindern«, d.h. entwicklungsgefährdeten Kindern.

Für **nichtkausal behandelbare Formen** sind verschiedene Fördermaßnahmen angezeigt, beginnend bei der Frühförderung über Kindergartenbetreuung bis hin zur schulischen und beruflichen Förderung (z.B. spezielle Schultypen abhängig vom Grad der Behinderung: Lernbehinderte versus geistig Behinderte). Wichtig ist dabei auf jeden Fall ein frühzeitiges Einsetzen der Förderungsmaßnahmen.

Daneben sind jedoch weitere **spezifische therapeutische Ansätze** notwendig. Entsprechend der zum Teil multifaktoriellen Bedingtheit der Störung sowie den Beeinträchtigungen in unterschiedlichen Bereichen, muß es sich dabei um eine multimodale Therapie handeln. Hierzu zählen logopädische Behandlungen, Musiktherapie, Beschäftigungstherapie wie ärztliche und psychologische Therapie [vgl. Warnke und Remschmidt, 1993].

Zielgruppen **psychologischer Maßnahmen** sind wiederum der Patient bzw. die Eltern und Familien. Seitens des **Betroffenen** haben sich verhaltenstherapeutische Ansätze (vgl. auch Kapitel 19) besonders bewährt. Ansatzpunkte sind zum einen klinisch bedeutsame psychopathologische Symptome (z.B. Verhaltensexzesse wie Aggressivität), ferner ist entsprechend der Beeinträchtigung der praktischen Lebensführung und Selbstversorgung der Aufbau lebenspraktischer Fertigkeiten von zentraler Bedeutung, besonders auch sozialer Fertigkeiten (z.B. Aufbau elementarer Formen sozialer Kompetenzen). Bei den **Angehörigen** ist zunächst die ausführliche Information über die Erkrankung (vgl. auch Kapitel 26) sowie damit verbundener Einschränkungen und Konsequenzen (z.B. Gleichgewicht zwischen Über- und Unterforderung) von großer Bedeutung. Es gilt jedoch auch, die Angehörigen zu stützen und ihnen Hilfestellung bei der Bewältigung der durch die Erkrankung entstehenden Probleme, Konflikte usw. zu geben.

Eine spezifische **medikamentöse Behandlung** der Intelligenzstörung gibt es nicht. Das therapeutische Vorgehen unterscheidet sich daher nicht von der Behandlung nicht intelligenzgestörter Patienten [Warnke und Remschmidt, 1993]. Zielsymptome einer Behandlung können jedoch sein:

- Störungen der Aufmerksamkeit und Ausdauer, Antriebsschwäche, psychische Verlangsamung.
- Akute wie chronische Unruhe- oder Erregungszustände.
- Pathologische Hypersexualität bzw. sexuelle Deviationen.

Zu beachten ist, daß eine medikamentöse Behandlung immer im Kontext mit anderen therapeutischen Maßnahmen gesehen werden muß, insbesondere mit heilpädagogischen und psychologischen Maßnahmen. Eine frühzeitige Diagnostik der Erkrankung mit der differenzierten Beschreibung von Defiziten wie

Kompetenzen und die rechtzeitige Einleitung therapeutischer Maßnahmen lassen einen günstigeren Verlauf erwarten. Diese **Therapie** muß jedoch immer **mehrdimensional** wie **interdisziplinär** sein [Dupont, 1988; Warnke und Remschmidt, 1993]. Verlaufskontrollen sind dabei unabdingbar notwendig mit dem Ziel der Modifikation der Maßnahmen abhängig vom aktuellen Zustandsbild.

Literatur

Cooper B, Liepmann MC (1980): Epidemiologie psychischer Störungen. In: Baumann U, Berbalk H, Seidenstücker G (Hrsg.): Klinische Psychologie. Trends in Forschung und Praxis Vol. 3. Huber, Bern, 72–110.

Dupont A (1988): Oligophrenien. In: Kisker KP, Lauter H, Meyer JE, Müller C, Stroemgren E (Hrsg.): Psychiatrie der Gegenwart, Vol. 6. Organische Psychosen. Springer, Berlin , 145–185.

Möller HJ (1992): Psychiatrie. Kohlhammer, Stuttgart.

Remschmidt H, Niebergall G (1994): Diagnostik psychischer Störungen im Kindes- und Jugendalter. In: Stieglitz RD, Baumann U (Hrsg.): Psychodiagnostik psychischer Störungen. Enke, Stuttgart, 245–261.

Remschmidt MH, Schmidt H (Hrsg., 1994): Multiaxiales Klassifikationsschema für psychische Störungen des Kindes- und Jugendalters nach ICD-10 der WHO; 3., rev. Aufl. Huber, Bern.

Specht F (1986): Intelligenzstörung. In: Müller C (Hrsg.): Lexikon der Psychiatrie; 2. Aufl. Springer, Berlin, 364–367.

Speck O, Miessler M, Starssmeier W (1988): Geistige Behinderung. In: Koch U, Lucius-Hoene G, Stegie R (Hrsg.): Handbuch der Rehabilitationspsychologie. Springer, Berlin, 700–721.

Warnke A, Remschmidt H (1993): Behandlung geistiger Behinderungen. In: Möller, HJ (Hrsg.): Therapie psychiatrischer Erkrankungen. Enke, Stuttgart, 398–414.

13. Psychische Störungen des Kindes- und Jugendalters

Ulrich Knölker, Michael Schulte-Markwort

13.1. Einleitung

Die Kinder- und Jugendpsychiatrie hat seit 1968 den Status eines **eigenen ärztlichen Fachgebiets** (Arzt für Kinder- und Jugendpsychiatrie und -psychotherapie, Weiterbildungszeit 4 Jahre, geplant 5 Jahre, davon 1 Jahr fakultativ Psychiatrie oder Pädiatrie). Ihr Aufgabengebiet wurde in den Richtlinien der Bundesärztekammer folgendermaßen definiert:

»Die Kinder- und Jugendpsychiatrie umfaßt die Erkennung, nichtoperative Behandlung, Prävention und Rehabilitation bei psychischen und psychosomatischen und neurologischen Erkrankungen oder Störungen sowie bei psychischen und sozialen Verhaltensauffälligkeiten im Kindes- und Jugendalter«.

Das Fachgebiet wurzelt historisch gesehen in der Erwachsenenpsychiatrie und der Kinderheilkunde. Es wird eine enge Beziehung zu zahlreichen Nachbardisziplinen unterhalten, wie zur Heilpädagogik, Pädagogik und Sonderpädagogik, Psychologie und Psychoanalyse sowie zur Jurisprudenz. Entsprechend der Erkenntnis, daß psychische Störungen des Kindes- und Jugendalters stets multifaktoriell bedingt sind, hat sich in der Kinder- und Jugendpsychiatrie seit Jahren ein **multiaxiales Klassifikationsschema** [Remschmidt und Schmidt, 1994] bewährt. Es umfaßt:

- das klinisch-psychiatrische Syndrom (ICD-10 bzw. DSM-III-R);
- umschriebene Entwicklungsrückstände;
- Intelligenzniveau;
- körperliche und neurologische Symptomatik;
- aktuelle abnorme psychosoziale Umstände;
- gegenwärtiges psychosoziales Funktionsniveau.

Zur **Beurteilung und Klassifikation psychopathologischer Phänomene** im Kindes- und Jugendalter ist die genaue Kenntnis der normalen körperlichen und psychosozialen Entwicklung unabdingbar. Eine kurze Übersicht über Einteilung, Daten und Begriffe kindlicher Entwicklungsstufen sowie die normale psychosoziale Entwicklung geben die Abbildungen 13.1 und 13.2.

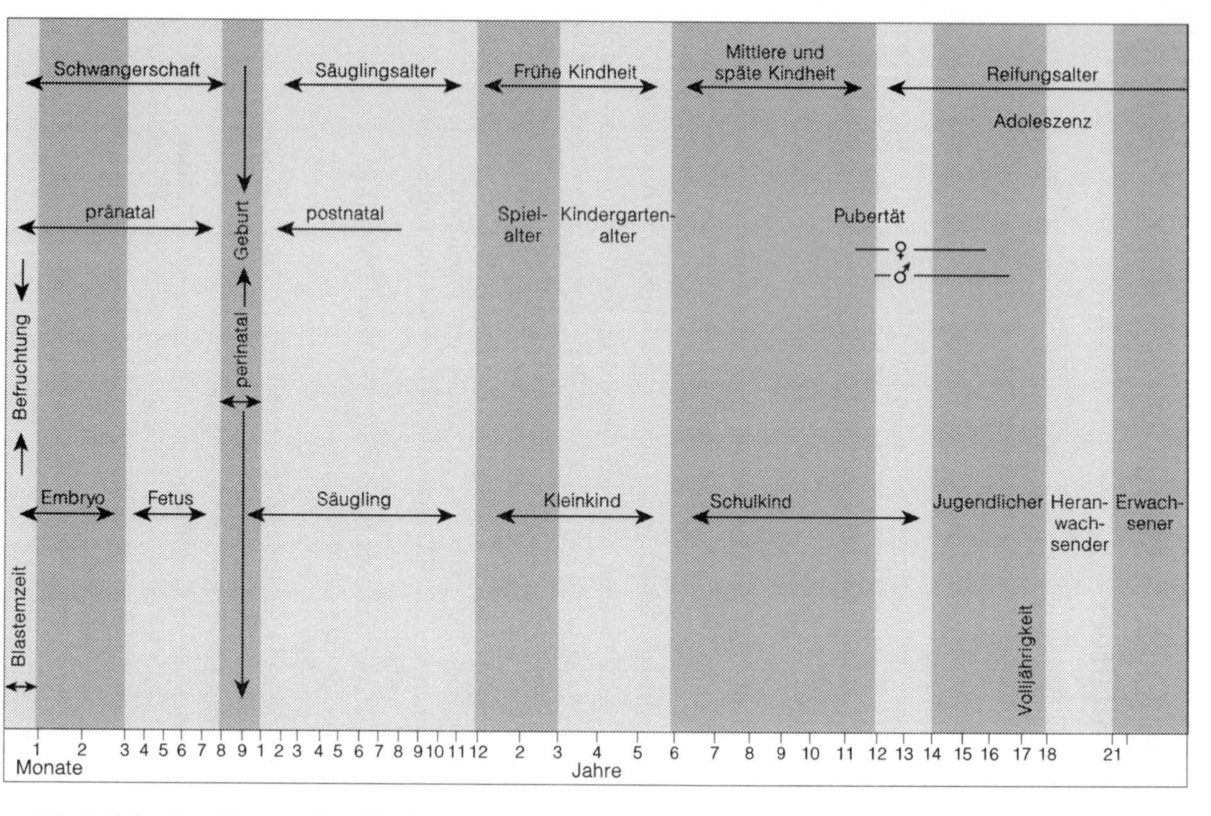

Abb. 13.1. Einteilung, Daten und Begriffe kindlicher Entwicklungsstufen.

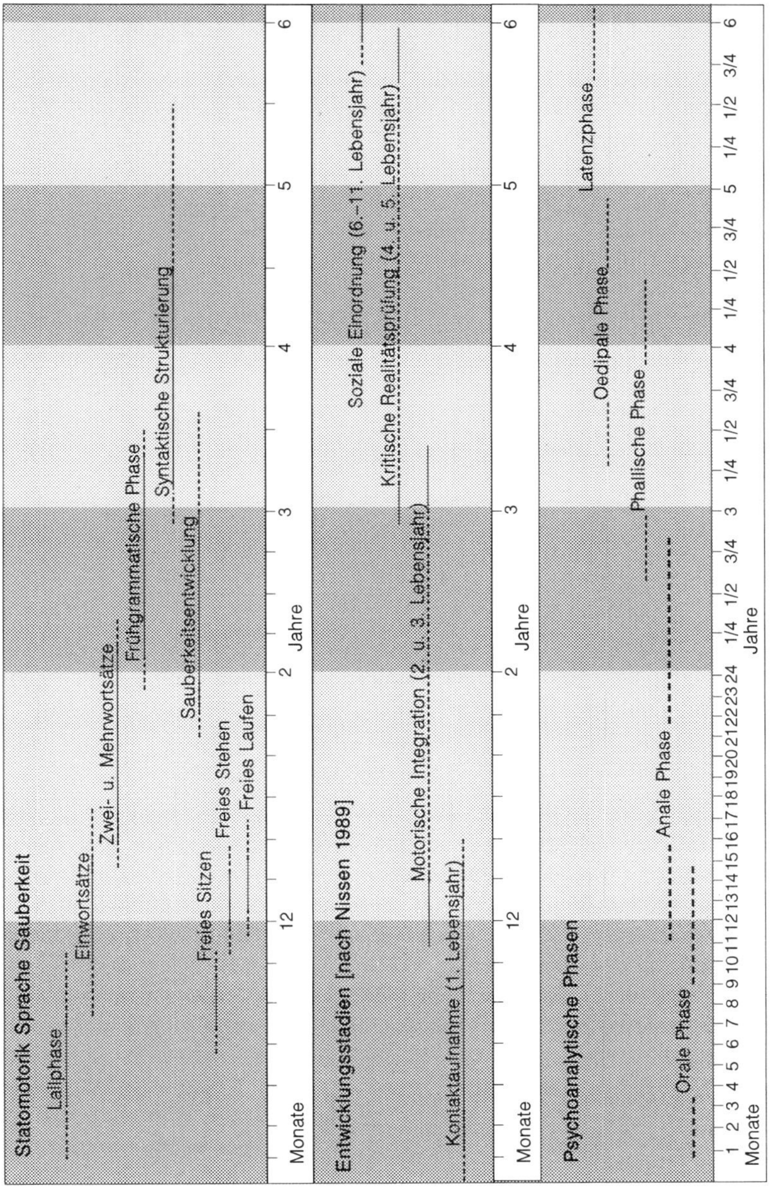

Abb. 13.2. Normale psychosoziale Entwicklung (bis 6. Lebensjahr).

Die kinder- und jugendpsychiatrische **Routinediagnostik** umfaßt die Erhebung einer Eigen-, Familien- und Sozialanamnese sowie fremdanamnestische Angaben (Geburtsakte, Vorsorgeheft, ärztliche und psychologische Befunde, Berichte von Kindergärten, Schulen, Jugendämtern usw.). Die **Befunderhebung** erfaßt den körperlichen und neurologischen Entwicklungsstatus unter Einbeziehung neurophysiologischer Verfahren (EEG, gegebenenfalls evozierte Potentiale), Verhaltensbeobachtungen, eventuell mit Rating-Skalen, den psychischen und testpsychologischen Befund sowie motoskopische Untersuchungsverfahren. Die angewandten **psychotherapeutischen Verfahren** sind individuell je nach Diagnose, Alter, Familien- und sozialen Konstellationen auszurichten. Je jünger das Kind ist, desto stärker werden die Bezugspersonen in das Behandlungskonzept einbezogen. Spezifische Therapieformen im Kindes- und Jugendalter sind Verhaltensmodifikationen und Elternberatung (»Erziehungsberatung«), spezielle Förderprogramme (z.B. bei Legasthenie), psychomotorische Übungsbehandlungen, Spieltherapie, Verhaltenstherapie, Suggestivverfahren, wie Autogenes Training und Hypnose, tiefenpsychologisch orientierte Verfahren, wie katathymes Bilderleben und Psychodrama, Familienberatung und -therapie, Musiktherapie, Reittherapie, Ergotherapie. Für umschriebene Krankheitsbilder (hyperkinetisches Syndrom, Psychosen, Anfallsleiden) ist häufig eine spezifische Psychopharmakotherapie erforderlich [Eggers et al., 1994; Herzka, 1978; Nissen et al., 1984; Nissen, 1989; Spiel, 1976].

Die Frage, inwieweit kinder- und jugendpsychiatrische Erkrankungen Vorstufen psychiatrischer Erkrankungen des Erwachsenenalters sind, läßt sich nicht eindeutig beantworten. Als **protektive Variablen** werden genannt: Geschlecht (das Erkrankungsrisiko bei Jungen ist deutlich höher), positive Temperamenteigenschaften, gute Beziehungen zu einer Bezugsperson, günstige Erfahrungen innerhalb und außerhalb der Familie.

Unter Verlaufsgesichtspunkten kann man **drei Typen von kinder- und jugendpsychiatrischen Erkrankungen** unterscheiden:

- Solche, die sich kontinuierlich in das Erwachsenenalter fortsetzen.
- Solche, die ausgesprochen entwicklungsabhängig sind und sich bis zum Erwachsenenalter zurückbilden.
- Solche, die in der Adoleszenz einen Häufigkeitsanstieg erfahren und ähnlichen Gesetzmäßigkeiten folgen wie psychiatrische Erkrankungen im Erwachsenenalter.

Manche Störungen erfahren im weiteren Verlauf einen Wandel der Symptomatik [Remschmidt und Herpertz-Dahlmann, 1989].

13.2. Entwicklungsstörungen

Den in diesem Kapitel dargestellten Entwicklungsstörungen ist im allgemeinen gemeinsam:

- Sie beginnen ausnahmslos im Kindesalter.
- Sie sind durch Einschränkungen oder Verzögerungen in der Entwicklung von Funktionen gekennzeichnet, die eng mit der biologischen Reifung des ZNS verknüpft sind.
- Sie zeigen einen stetigen Verlauf, der nicht für viele psychischen Störungen typischen charakteristischen Remissionen und Rezidive zeigt [Dilling et al., 1993].

Der Begriff »umschriebene« Entwicklungsstörung beinhaltet, daß die umschriebene Verzögerung deutlich vom allgemeinen Niveau der kognitiven Funktionen abweicht, also nicht Teil einer geistigen, körperlichen oder Sinnesbehinderung ist. Folgende umschriebene Entwicklungsstörungen werden unterschieden:

- Umschriebene Entwicklungsstörungen des Sprechens und der Sprache (vgl. Tabelle 13.1).
- Umschriebene Entwicklungsstörungen schulischer Fertigkeiten (Legasthenie, Dyskalkulie) (vgl. Tabelle 13.2).

Die Diagnose von umschriebenen Störungen schulischer Fähigkeiten stützt sich neben einer kinderpsychiatrischen Routinediagnostik vor allem auf spezifische standardisierte Testverfahren einschließlich Intelligenzuntersuchung.

- Umschriebene Entwicklungsstörungen der motorischen Funktionen (minimale zerebrale Dysfunktion, Syndrom des ungeschickten Kindes) (vgl. Tabelle 13.3).
- Tiefgreifende Entwicklungsstörungen (vgl. Tabelle 13.4).

13.3. Hyperkinetische Störungen

13.3.1. Definition und Deskription

Bei einer **Prävalenz** zwischen 3 und 10% ist das hyperkinetische Syndrom (HKS; vgl. Tabelle 13.5) eine der häufigsten kinderpsychiatrischen Störungen. Jungen sind wesentlich häufiger als Mädchen betroffen (Verhältnis 3:1, bei Inanspruchnahmepopulationen bis 9:1).

Tabelle 13.1. Umschriebene Entwicklungsstörungen des Sprechens und der Sprache

Störung	Definition/Symptomatik	Ätiologie/Pathogenese	Therapie	Verlauf
Artikulationsstörung Dyslalie	verzögerter Lauterwerb, Auslassungen oder Ersatz von Lauten und Lautfolgen	uneinheitliche genetische, hirnorganische Faktoren, mangelnde sprachliche Förderung	logopädische und heilpädagogische Behandlung	günstig
Expressive Sprachstörung Dysphasie	sprachliche Ausdrucksfähigkeit deutlich unter Intelligenzalter bei meist normalem Sprachverständnis, eingeschränkter Wortschatz, kurze Sätze, fehlerhafte Grammatik (Dysgrammatismus), Kombination mit Artikulationsstörungen	wie oben	wie oben	bei intensiver Therapie relativ günstig
Rezeptive Sprachstörung	Sprachverständnis und Ausdrucksfähigkeit deutlich unter Intelligenzalter	wie oben	wie oben	hohes Risiko für sekundäre soziale, emotionale und Verhaltensstörungen
Landau-Kleffner-Syndrom	erworbene Aphasie mit Epilepsie, typischerweise Beginn zwischen 3. und 7. Lebensjahr	unbekannt (Zinkstoffwechselstörung?)	symptomatisch, eventuell Antikonvulsiva	Epilepsie meist günstig, sonst ungünstig

Tabelle 13.2. Umschriebene Entwicklungsstörungen schulischer Fertigkeiten

Störung	Definition/Symptomatik	Ätiologie/Pathogenese	Therapie	Verlauf
Lese- und Rechtschreibstörung, Dyslexie, Legasthenie	deutliche Beeinträchtigung der Lesefertigkeiten, des Leseverständnisses und der Rechtschreibfähigkeit	zentrale Störung der kognitiven Informationsverarbeitung (visuell, auditiv), genetische Faktoren (überwiegend ♂, familäre Häufung)	spezielle Förderprogramme (Legasthenietraining) über Jahre, intensive Eltern- und Lehrerberatung, gegebenenfalls zusätzlich Psychotherapie	unbehandelt hohe Persistenz bis in das Erwachsenenalter, hohes Risiko für sekundäre Neurotisierung (depressive, emotionale, dissoziale, psychosomatische Störungen)
Isolierte Rechtschreibstörung	deutliche Beeinträchtigung der Rechtschreibfertigkeiten ohne umschriebene Lesestörungen	wie oben	wie oben	wie oben günstigere Prognose
Rechenstörung Dyskalkulie	deutliche Beeinträchtigung von grundlegenden Rechenfertigkeiten	wahrscheinlich wie oben, relativ selten	spezielle Förderprogramme	noch wenig untersucht

Tabelle 13.3. Umschriebene Entwicklungsstörungen der motorischen Funktionen

Störung	Definition/Symptomatik	Ätiologie/Pathogenese	Therapie	Verlauf
Syndrom des ungeschickten Kindes, Entwicklungsdyspraxie, »minimale zerebrale Dysfunktion« (heute umstrittener Begriff)	Hauptmerkmal: schwerwiegende Beeinträchtigung der motorischen Koordination (Fein- und Grobmotorik): die Kinder imponieren klinisch als »ungeschickt« (plumpes Hüpfen, Laufen, Schwierigkeiten beim An- und Ausziehen, Schuhebinden, ungelenke Bewegungsabläufe, schlechte Handschrift)	unsicher, konstitutionelle und hirnorganische Faktoren, frühkindliche Hirnschädigungen nicht obligat	psychomotorische Übungsbehandlung (Motopädie), Reittherapie, Eltern- und Lehrerberatung, gegebenenfalls zusätzlich Psychotherapie	bei adäquater Therapie günstige Prognose, Risiko sekundärer Neurotisierung, wenn die Störung nicht frühzeitig erkannt und behandelt wird

Tabelle 13.4. Tiefgreifende Entwicklungsstörungen

Störung	Definition/Symptomatik	Ätiologie/Pathogenese	Therapie	Verlauf und Prognose
Frühkindlicher Autismus (Kanner), Infantiler Autismus	schwere Kontakt- und Beziehungsstörung, motorische Stereotypien, Handlungen mit Zwangscharakter, Sprach- und Sprechstörungen, Veränderungsangst, Beginn vor dem 30. Lebensmonat, Intelligenzminderung, häufig motorisch unauffällig	zentrale Störung der Wahrnehmungsverarbeitung bei intakten Sinnesorganen, hirnorganische und genetische Faktoren (überwiegend ♂)	heilpädagogische Wahrnehmungsförderung, Musiktherapie, Sonderbeschulung	60–70% ungünstig 16–25% relativ integriert
Asperger-Syndrom, Austistische Psychopathie, Schizoide Störung des Kindesalters	Kontakt- und Beziehungsstörungen wie bei Kanner-Syndrom, stereotype, bizarre Sonderinteressen oder Aktivitäten, Sprachmanierismen, meist formal durchschnittliche Intelligenz, motorisch ungeschickt	genetische Faktoren? (überwiegend ♂)	wie oben	hohe Persistenz bis in das Erwachsenenalter, jedoch besser integrierbar
Desintegrative Psychose, Heller-Syndrom, Dementia infantilis	normale Entwicklung bis zum 2. Lebensjahr, Rückschritt in der Sprachentwicklung, Sprachverlust, Interessenverlust an der Umwelt, Stereotypien, Manierismen, autistoide Symptome	unbekannt	symptomatisch	ungünstig
Rett-Syndrom	normale frühkindliche Entwicklung, zwischen 7. und 24. Lebensmonat teilweiser oder vollständiger Verlust erworbener Fähigkeiten der Hände und der Sprache, Stereotypien in Form von windenden Handbewegungen, Hyperventilation, Rumpfataxie, Apraxie, zerebrale Anfälle, schwere intellektuelle Behinderung	unbekannt (ausschließlich ♀)	symptomatisch	ungünstig

Tabelle 13.5. Hyperkinetische Störungen

Störung	Definition/Symptomatik	Ätiologie/Pathogenese	Therapie	Verlauf und Prognose
Einfache Aktivitäts- und Aufmerksamkeitsstörung, Hyperkinetisches Syndrom	Überaktivität, ausgeprägte Unaufmerksamkeit, mangelnde Ausdauer, Impulsivität, mangelnde Selbstkontrolle, Distanzlosigkeit, Mißachtung sozialer Regeln, Beginn vor dem 6. Lebensjahr, mindestens 6 Monate anhaltend	hirnorganische Faktoren (prä-, peri-, postnatale Risikofaktoren), Aktivierungs- bzw. zentralnervöse Regulationsstörung, genetische Faktoren (überwiegend ♂), Nahrungsmittelallergene, peristatische Faktoren	Stimulanzien (Methylphenidat, Fenetyllin), eventuell Diät, Trainingsprogramme, Eltern- und Lehrerberatung, Verhaltenstherapie, Psychotherapie, Familientherapie	bei etwa einem Drittel Persistenz in das Erwachsenenalter, Häufung von Dissozialität, relative Schulleistungsschwächen, Heimeinweisungen, mangelnde soziale Kompetenz, sekundäre Neurotisierungen
Hyperkinetische Störung mit Störung des Sozialverhaltens	wie oben, zusätzlich fortgesetzt dissoziales, aggressives oder aufsässiges Verhalten	schwierige psychosoziale Umstände, mangelnde schulische Kooperation, reaktive Depression auf Schulversagen, mangelndes Selbstwertgefühl	wie oben, in schweren Fällen Heimeinweisung erforderlich	ungünstiger als bei einfachem hyperkinetischem Syndrom

Die **Hauptsymptome** (schon 1845 eindrucksvoll in Heinrich Hoffmanns »Struwwelpeter« als »Zappelphilipp« beschrieben) sind eine ausgeprägte Überaktivität (motorische Unruhe, Zappeligkeit, Schwierigkeiten sitzenzubleiben, stillzusitzen usw.) und eine ausgeprägte Aufmerksamkeitsstörung (leichte Ablenkbarkeit, mangelnde Ausdauer, schneller Wechsel der Beschäftigung, kurze Konzentrationsfähigkeit) sowie Impulsivität (mangelnde Selbstkontrolle, unvorhersehbares Verhalten, Schwierigkeiten abzuwarten, ständiges Dazwischenreden, Schwierigkeiten, Spiele und kognitive Aufgaben zu strukturieren).

Hyperkinetische Störungen treten bereits in den ersten 5 Lebensjahren auf, werden nicht selten schon in der Schwangerschaft von den Müttern beschrieben. In der ICD-10 wird unterschieden zwischen einer **einfachen Störung von Aktivität und Aufmerksamkeit** und einer **hyperkinetischen Störung mit Störung des Sozialverhaltens.** Hyperkinetische Kinder weisen häufig zusätzlich spezifische Verzögerungen der motorischen und sprachlichen Entwicklung auf. Obwohl es sich bei den Kardinalsymptomen um situationsunabhängige und zeitstabile Verhaltenscharakteristika handelt, sind Kinder mit HKS in der Untersuchungssituation (Arzt/Patient) nicht selten unauffällig. Verhaltensbeschreibungen von seiten der Eltern und vor allem der Schule (eventuell unter Zuhilfenahme von Conners-Skalen) sind für die Diagnose daher sehr wichtig.

13.3.2. Ätiologie und Pathogenese

Die Pathogenese des HKS ist noch nicht vollständig aufgeklärt. Es wird angenommen, daß eine **zentralnervöse Regulationsstörung** innerhalb des limbischen Systems an der Entstehung beteiligt ist. Obwohl manche Kinder mit HKS anamnestisch prä-, peri- oder postnatale Risikofaktoren aufweisen, läßt sich eine Hirnschädigung oft nicht objektivieren. Die Annahme, daß Nahrungsmittelallergene die Störung auslösen können, ist umstritten. **Peristatische Faktoren** (Familie, Schule) stehen in enger Wechselwirkung mit den Grundstörungen hyperkinetischen Verhaltens und müssen sorgfältig berücksichtigt werden.

13.3.3. Therapie

Das Behandlungskonzept ist vielfältig und muß individuell zwischen Kind, Familie und Schule abgestimmt werden. Gut bewährt haben sich verhaltenstherapeutisch orientierte Trainingsprogramme kombiniert mit Psychopharmaka. Stimulanzien, wie Methylphenidat oder Fenetyllin (BTM-Rezept!), sind Mittel der Wahl. Ferner kommen Antidepressiva und Neuroleptika (letztere besonders bei fortgesetzt aggressivem und dissozialem Verhalten) in Frage. Da sich sekundär häufig psychische Störungen (depressive, psychosomatische, dissoziale Störungen) entwickeln, wird häufig eine individuelle Psychotherapie und/oder

Familientherapie erforderlich. Eine spezifische diätetische Behandlung kann unter ärztlicher Aufsicht versucht werden, ist aber umstritten.

13.3.4. Verlauf und Prognose

Obwohl eine Reihe von Kindern eine graduelle Besserung bezüglich Aktivität und Aufmerksamkeit im Laufe der Schulzeit zeigt, weisen die Hauptsymptome Unaufmerksamkeit, Überaktivität und Impulsivität eine **hohe Persistenz** sogar bis ins Erwachsenenalter (etwa ein Drittel) auf. Die immer noch häufige Behauptung, daß sich das Syndrom »auswachse«, ist nicht gerechtfertigt. Die Prognose hängt wesentlich von der Kooperation zwischen Therapeuten, Kind, Familie und Schule ab. Kinder mit einem HKS stellen eine Risikogruppe dar, die trotz meist durchschnittlicher Intelligenz in Schule häufig versagen, in eine Außenseiterposition geraten und dadurch ein mangelndes Selbstwertgefühl oder schwerwiegende psychische Störungen entwickeln können. Die Prognose, besonders bei dissozialen oder gar delinquenten Entwicklungen (nicht selten mit Alkoholmißbrauch), ist deutlich ungünstiger als beim sogenannten einfachen HKS.

13.4. Emotionale Störungen des Kindes- und Jugendalters

Besonders im Kindesalter kommt im Vergleich zum Erwachsenenalter eine Vielzahl unspezifischer, entwicklungsabhängiger und passagerer Symptome vor, wie plötzlich auftretende unrealistische und unangemessene Befürchtungen, Ängste, Phobien, Rituale oder depressive Verstimmungen, die als Reaktion auf vom Kind zu bewältigende Konflikte oder Entwicklungsanforderungen zu verstehen sind und nur einer diagnostischen Abklärung und kinder- und jugendpsychiatrischer Behandlung bedürfen, wenn sie eine bestimmte Intensität und Dauer überschreiten und wenn unter Berücksichtigung des soziokulturellen Umfelds eine Abnormität erreicht ist, die den allgemeinen Kriterien der Behandlungsbedürftigkeit entspricht.

In der Praxis sind es meistens der Leidensdruck bzw. die Sensibilität der Eltern oder der Familie, die zumindest eine diagnostische Abklärung verlangen.

Emotionale Störungen des Kindes- und Jugendalters sind der häufigste Anlaß für eine kinder- und jugendpsychiatrische Diagnostik. Die **Prävalenzraten** schwanken zwischen 2,5 und 5% [Steinhausen, 1993]. Sie bilden auch einen eigenen diagnostischen Abschnitt im Kapitel V (F) der ICD-10, weil diese Störungen in der Regel auf das Kindes- und Jugendalter beschränkt bleiben und es zumindest ein symptomfreies Intervall zwischen Adoleszenz und Erwachsenenalter gibt. Auch wenn sich nach psychoanalytischem Verständnis intrapsychische Konflikte finden lassen, die als ursächlich für die Symptomatik gelten können, sind sie eindeutig von den Neurosen der Erwachsenen zu unterscheiden, weil sich die kindliche Persönlichkeit noch in der Entwicklung befindet und das Konfliktgeschehen noch nicht fixiert ist.

13.4.1. Angstsyndrome

13.4.1.1. Definition und Deskription

Angst sowohl als physiologisches als auch pathologisches Phänomen menschlichen Erlebens ist in ihrer individuellen Ausprägung und Ausgestaltung sehr unterschiedlich. Kennzeichen kindlicher Angstsyndrome ist, daß es sich in der Regel nicht um generalisierte Angststörungen wie im Erwachsenenalter handelt, sondern um situations- oder objektgebundene Angstzustände, die übermäßig ausgeprägt sind.

Die Ausbildung spezifischer pathologischer Angstsyndrome im Kindes- und Jugendalter ist altersabhängig. Sie treten z.B. auf im
- Säuglingsalter als Fremdeln, »Achtmonatsangst«;
- Kleinkindalter als Trennungsangst;
- Vorschulalter als Pavor nocturnus (angsterfülltes Aufwachen aus dem Schlaf);
- frühen Schulalter als Dunkelangst, spezifische Phobien;
- Schulalter als Schulphobie, Schulangst;
- Adoleszentenalter als Angststörungen (Angstneurose).

Eine einheitliche Klassifikation der Angstsyndrome ist außerordentlich schwierig, weil die Pathoplastik letztlich sehr differieren kann. Die ICD-10 unterscheidet folgende emotionale Störungen des Kindesalters mit ängstlicher Symptomatik:
- F93.0 Emotionale Störung mit Trennungsangst.
- F93.1 Phobische Störung des Kindesalters.
- F93.2 Störung mit sozialer Überempfindlichkeit.

Wegen der besonderen Bedeutung soll hier auf die **Differentialdiagnose der Schulphobie** eingegangen werden. Sie ist phänomenologisch betrachtet eine Form der Schulverweigerung, bedarf allerdings wegen unterschiedlicher zugrundeliegender Ursachen einer differenzierten Diagnostik (vgl. Tabelle 13.6).

13.4.1.2. Ätiologie und Pathogenese

Für die Ausbildung der Angstsyndrome im Kindes- und Jugendalter kann keine übergreifende Ätiologie angegeben werden. Oft ist es ein realer Auslöser, der dem Kind extreme Angst gemacht hat, wie das plötzliche Angebelltwerden durch einen Hund oder das plötzliche Erschrecktwerden in einer entspannten

Tabelle 13.6. Kennzeichen der Schulphobie, der Schulangst und der Schulverweigerung [modifiziert nach Nissen, 1989]

	Schulphobie	Schulangst	Schulverweigerung
Symptom-genese	Verdrängung der Angst, verlassen zu werden Verschiebung auf die Schule	Ausweichen aus Leistungs- oder Sozialangst reale Angst	Vermeidung unlustgetönter Leistungssituationen Verweigerung
Pathogene Faktoren	pathologische Mutter-Kind-Symbiose	psychische, physische oder kognitive Insuffizienz	mangelnde Gewissens-bildung/Deprivation/ Bindungsschwäche
Effekt	Mutter-Kind-Gemein-schaft bleibt erhalten	zunächst affektive Erleichterung, Angst vor Kontaktabbruch	ambivalente Bejahung der Verweigerung, Risiken der Ersatzhandlungen
Therapie	Familientherapie	differenzierte Diagnostik, Fördermaßnahmen, Psychotherapie	pädagogische Maßnahmen bzw. Psychotherapie

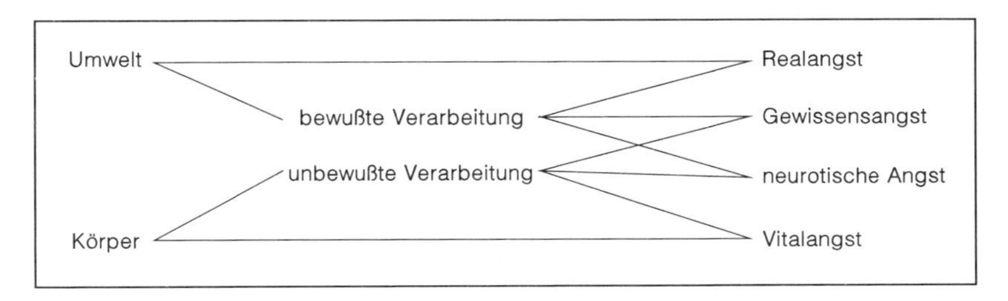

Abb. 13.3. Modell zur Genese der Angstsyndrome [modifiziert nach Luban-Plozza und Pöldinger, 1973].

Situation. Die **allgemeine Genese der Angstsyndrome** stellt das Modell in Abbildung 13.3 dar.

Die Zusammenhänge zwischen den einzelnen Komponenten des Modells sind komplex und als einander gegenseitig beeinflussend zu denken. Kennzeichen der Angstsyndrome ist, daß im Gegensatz zu vielen anderen psychischen Erkrankungen die Angstabwehr vermindert ist oder fehlt und der Angstaffekt vorherrschend bleibt. Auch wenn sich ein realer Auslöser findet, so ist der intrapsychische Mechanismus der Angstverschiebung in der Regel wirksamer als der reale Anteil. Dabei werden unbewußt angstbesetzte Affekte, meistens gegenüber Bezugspersonen, auf ein Objekt oder eine Situation verschoben, wodurch die Angst psychisch handhabbarer wird. Dies gilt insbesondere für alle Arten von Phobien.

13.4.1.3. Therapie

Vor einer Therapie müssen zunächst alle **individuellen pathogenetischen Gesichtspunkte** des Einzelfalls herausgearbeitet werden. Vorschnelle Deutungen psychodynamischer Zusammenhänge sind zu vermeiden, weil sie in der Familie oft als Schuldzuweisung wahrgenommen werden. Je nach Ausmaß der Symptomatik wird sich in den meisten Fällen eine Verhaltenstherapie anbieten. Dabei kann in einem für das Kind und seine Familie überschaubaren Zeitrahmen oft in relativ kurzer Zeit eine erhebliche Symptomreduktion erzielt werden. Der Einsatz suggestiver Verfahren, wie Autogenes Training, kann auch dem Kind schnell das Gefühl vermitteln, selbst etwas gegen seine Angst tun zu können. Eine weiterführende Aufarbeitung der Konflikte steht dann nicht mehr unter dem hohen Symptomdruck der Angstsymptomatik. In extremen Einzelfällen kann der kurzfristige Einsatz von Tranquilizern notwendig werden. Eine Schulphobie erfordert immer die Einbeziehung der gesamten Familie, d.h. eine Familientherapie.

13.4.1.4. Verlauf

Die Prognose der Angstsyndrome im Kindes- und Jugendalter ist günstig. Besondere Beachtung verdient die Schulphobie, deren Verlauf deutlich ungünstiger ist und die daher eine frühzeitige und konsequente Intervention – oft mit stationärer Behandlung – notwendig macht.

13.4.2. Depressive Syndrome im Kindesalter

13.4.2.1. Definition und Deskription

Spezifische depressive Syndrome im Kindesalter sind schwer abgrenzbar. In der ICD-10 hat man sich deshalb entschlossen, die noch in der ICD-9 vorhandene diagnostische Kategorie der emotionalen Störung mit Unglücklichsein nicht wieder aufzunehmen und damit auch die kindlichen depressiven Störungen den depressiven Episoden des Abschnittes F3 (vgl. Kapitel 7) zuzuordnen. Da depressive Symptome im Kindesalter klinisch eine eigene und andere Entität darstellen als die depressiven Störungen des Jugend- und Erwachsenenalters, soll hier kurz darauf eingegangen werden.

Nach Nissen [1994] können die in Abbildung 13.4 aufgeführten depressiven Syndrome des Kindes- und Jugendalters nach jeweiliger **psychogener bzw. somatogener Genese** differenziert werden.

Die Diagnostik depressiver Syndrome in Kindesalter erfordert eine differenzierte Kenntnis der **unterschiedlichen Ausformungen**, die sich sehr von denen

Psychogen

Anaklitische Depression
Reaktive Depression
Überforderungsdepression (Schule)
Neurotische Depression
Endogen-phasische Depression
Depressive Persönlichkeitsentwicklung
Depression bei Epilepsie
bei endokrinen Störungen
nach Hirntrauma usw.

Somatogen

Abb. 13.4. Depressive Syndrome des Kindes- und Jugendalters entsprechend einer psychogenen oder somatoformen Genese [modifiziert nach Nissen, 1989].

im Jugend- und Erwachsenenalter unterscheiden und nicht selten die typische Symptomatik in Form von Niedergeschlagenheit, Traurigkeit, Schuldgefühlen, Selbstvorwürfen und anderes mehr vermissen lassen. Häufig findet sich eine maskierte Symptomatik in Form körperlicher Beschwerden, wie Bauch- oder Kopfschmerzen, wechselnden körperlichen Symptomen, Appetitmangel, Weinerlichkeit usw. Insgesamt kann davon ausgegangen werden, daß psychosomatische Symptome um so ausgeprägter sind, je jünger das Kind ist. Eine fundierte Kenntnis der altersabhängigen Ausprägungsformen ist unabdingbare Grundlage der Diagnostik. Bei Schulkindern werden Symptome wie Faulheit, Passivität, Bequemlichkeit oder Gleichgültigkeit pädagogisch manchmal mißgedeutet. Kinder mit depressiven Syndromen, die besonders still, zurückgezogen und angepaßt sind, fallen oft nicht auf und laufen Gefahr, erst sehr spät diagnostiziert und adäquat behandelt zu werden.

Den unterschiedlichen Ausprägungsgrad einzelner Symptome zeigt Tabelle 13.7, in der unterschiedliche körperliche Symptome bei Kindern und Erwachsenen mit depressiven Syndromen gegenübergestellt werden.

Insgesamt muß festgehalten werden, daß depressive Symptome und Syndrome im Kindesalter sehr uneinheitlich sind und mit einer Vielzahl psychischer und physischer Symptome einhergehen können.

Differentialdiagnostisch müssen traditionelle diagnostische Konzepte in Betracht gezogen werden:

- Reaktive oder neurotisch-depressive Entwicklungen.
- Endogen-depressive Erkrankungen (selten).

Tabelle 13.7. Ausprägungsgrad einzelner Symptome bei depressiven Störungen von Kindern und Erwachsenen [nach Nissen, 1989]

Symptome	Kinder, %	Erwachsene, %
Abdominelle Beschwerden	40	36
Schlafstörungen	23	66
Kopfschmerzen	14	40
Herzbeschwerden	2	32

- Depressive Vorstadien einer beginnenden Schizophrenie.
- Depressive, depressiv-dysphorische oder depressiv-hypochondrische Verstimmungszustände bei hirnorganischen Erkrankungen.
- Depressive Verstimmungszustände als Begleiterscheinung zerebraler Anfallsleiden.
- Reaktive depressive Verstimmungszustände nach schweren Infektionskrankheiten.

13.4.2.2. Ätiologie und Pathogenese

In einer Zusammensetzung endogener, tradierter und übernommener Verarbeitungs- und Verhaltensmuster bildet sich das individuelle depressive Geschehen aus. Wahrscheinlich entstehen depressive Verarbeitungsmuster schon sehr früh und bilden die Grundlage für spätere additive, d.h. pathogene Muster oder subtraktive, d.h. protektive Verhaltens- und Erlebnisweisen.

Besondere Belastungen innerhalb der Familie und familienspezifische Verarbeitungsmuster können dann den jeweiligen Ausprägungsgrad formen. Im psychoanalytischen Sinn besteht der depressive intrapsychische Konflikt im Konflikt zwischen einem strengen Über-Ich und einer übermäßigen Bedürftigkeit mit der Wahrnehmung, mangelhaft versorgt worden zu sein.

13.4.2.3. Therapie

Die Therapie der jeweiligen kindlichen Depression muß **ursachenorientiert** arbeiten. Bei allen psychogenen Depressionen ist eine tiefenpsychologisch orientierte bzw. psychoanalytische Psychotherapie indiziert. Auch hier können suggestive Verfahren, wie das Autogene Training, den Boden für eine eventuelle weitergehende Bearbeitung bereiten. Schwerere Formen insbesondere im Jugendalter bedürfen einer pharmakologischen Behandlung mit Antidepressiva (vgl. Kapitel 15). Alle Formen depressiver Syndrome verlangen spezifische Abklärung und individuelle Indikationsstellung.

13.4.2.4. Verlauf und Prognose

Die Prognose schwerer und chronifizierter kindlicher Depressionen ist eher ungünstig. Handelt es sich um einzelne Symptome, ist der Verlauf deutlich günstiger. Eine frühzeitige Diagnostik auch der maskierten Formen wird eine Chronifizierung verhindern. Für die schweren (»endogenen«) Formen siehe Kapitel 7.

13.4.3. Enuresis

13.4.3.1. Definition und Deskription

Die kindliche Enuresis ist durch das wiederholte unwillkürliche und nicht organisch bedingte Einnässen gekennzeichnet. Es kann davon ausgegangen werden, daß im Alter von 4 Jahren etwa 90% eines Jahrgangs trocken sind, so daß erst ab einem Alter von mindestens 5 Jahren von Enuresis gesprochen werden kann.

Man unterscheidet folgende Formen:

- Primäre Enuresis ohne Entwicklung andauernder Kontinenz.
- Sekundäre Enuresis nach bereits erreichter Kontinenz.

Eine zusätzliche **Kennzeichnung** erfolgt **nach dem Zeitpunkt des Einnässens:**

- **Enuresis diurna**: Einnässen nur am Tag (etwa 5% der Fälle).
- **Enuresis nocturna**: Bettnässen nur nachts (etwa 80% der Fälle).
- **Enuresis diurna et nocturna**: Kombination beider Formen (etwa 15% der Fälle).

Die **Diagnostik** bezieht sich zunächst auf den Ausschluß organischer Ursachen (Urinuntersuchungen, Miktionsurographie, neurologische Untersuchung) und ermittelt dann die Häufigkeit und Abhängigkeit der Enuresis von bestimmten Situationen, Anamnese, Familienanamnese und bisherige Maßnahmen.

13.4.3.2. Ätiologie und Pathogenese

Das **Zusammenspiel unterschiedlicher Einflüsse** von genetischen, organischen und psychogenetischen Faktoren ergibt letztlich das Vollbild der Enuresis. Dabei spielen besondere Belastungen in der Kindheit, wie Tod oder Krankheit eines Elternteils, Trennung bzw. Scheidung der Eltern oder längere Trennung von der Mutter, eine wichtige Rolle. Die Bedeutung der Sauberkeitserziehung ist in der Genese der Enuresis als eher gering einzuschätzen, wenn auch ausnehmend strenge Erziehungsmethoden in diesem Bereich eine erhöhte Enuresisquote nach sich ziehen können.

13.4.3.3. Therapie

Die Enuresis ist eine Domäne der **Verhaltenstherapie.** Eine Kombination aus Verstärkerprogrammen, Blasentraining, Weckschema und apparativer Konditionierung bietet je nach Ausprägung und Möglichkeiten die besten Aussichten auf Erfolg. Bei Verstärkern ist zu beachten, daß diese nicht eingesetzt werden, solange das Kind keine Verhaltensänderungsmöglichkeiten angeboten bekommen hat und keine negativen Rückmeldungen, z.B. in Form von Aufzeichnen von Regenwolken für jedes Einnässen, die Insuffizienzgefühle des Kindes verstärken. Unterstützend kann eine pharmakotherapeutische Behandlung mit Antidepressiva (vgl. Kapitel 15) wirksam sein, die allerdings heute wieder umstritten ist. Unter einer Medikation mit Imipramin von 1 bis 2,5 mg/kg/ Körpergewicht kommt es innerhalb von 1 Woche bei 80% der Fälle zu einer Reduktion der Einnäßfrequenz, die allerdings nur bei 30% zu einer andauernden Symptombeseitigung führt, so daß die genannten verhaltenstherapeutischen Maßnahmen unabdingbar sind. Eine Behandlung mit ADH (Desmopressinazetat) zeigt zwar sofortigen Erfolg, birgt aber die Gefahr einer hohen Rückfallquote nach Absetzen der Medikation.

13.4.3.4. Verlauf und Prognose

Auch wenn die Prognose der Enuresis im Kindes- und Jugendalter als sehr gut bezeichnet werden muß, weil es kaum eine Symptompersistenz in das Erwachsenenalter hinein gibt, ist doch der Leidensdruck der Kinder und ihrer Familien oft erheblich. Eine frühzeitige kinder- und jugendpsychiatrische Intervention ist deshalb angeraten.

13.4.4. Enkopresis

13.4.4.1. Definition und Deskription

Unter Enkopresis versteht man die unwillkürliche, wiederholte und nicht organisch bedingte Stuhlentleerung in der Regel in die Kleidung, bei Kindern ab 4 Jahren. Im Alter von 3 Jahren sind 97% aller Kinder stuhlsauber.

Wie bei der Enuresis unterscheidet man eine **primäre** Enkopresis, bei der noch keine andauernde Sauberkeit vorgelegen hat von einer **sekundären,** die erst nach erfolgreich abgeschlossenener Sauberkeitsentwicklung einsetzt.

Differentialdiagnostisch muß in erster Linie eine Überlaufinkontinenz im Rahmen einer organisch bedingten Obstipation ausgeschlossen werden. Klinisch kann man milde Formen mit Kotspuren in der Unterwäsche bis hin zu exzessivem Einkoten mit Kotschmieren unterscheiden. Bei lernbehinderten oder geistig behinderten Kindern ist Einkoten häufiger und dann als Begleitsymptom einer intellektuellen Behinderung anders zu bewerten als dieselbe Symptomatik bei einem normalintelligenten Kind, das keine weiteren Symptome aufweist (vgl. Kapitel 12). Als **assoziierte Symptome** der Enkopresis treten Enuresis, Eßstörungen oder auch Bauchschmerzen auf. Bei schweren Verwahrlosungssyndromen kann eine Enkopresis ebenfalls Begleitsymptom sein.

Wie bei der Enuresis sollte zunächst die differenzierte organische Diagnostik eine somatische Genese ausschließen.

13.4.4.2. Ätiologie und Pathogenese

In der Gewichtung der einzelnen verursachenden Bereiche ist psychogenetischen Faktoren bei der Entstehung der Enkopresis vor biologisch-physiologischen Bedingungen der Vorzug einzuräumen. Auslösende und unter Umständen chronifizierende Bedingungen dürfen nicht übersehen werden.

Innerhalb der familiären Interaktion kommt zwanghaften rigiden Versuchen der Sauberkeitserziehung eine besondere Rolle in der Genese des Einkotens zu. Daneben finden sich einkotende Kinder gehäuft in sozial schwachen Familien, deren soziale Kompetenz in allen Bereichen der Versorgung und Erziehung ihrer Kinder nicht ausreichend ist.

13.4.4.3. Therapie

Eine **Kombinationsbehandlung** mit Stuhltraining, Verstärkerprogrammen und eventuell milden Laxantien in Ergänzung einer familienorientierten Psychotherapie wird die größte Aussicht auf Erfolg haben. Je ausgeprägter eine etwaige geistige Behinderung ist, desto mehr wird man den Akzent auf verhaltenstherapeutische und trainierende Verfahren verschieben. Bei verwahrlosten Kindern wird die Veränderung ihrer häuslichen Situation im Vordergrund stehen, und nur bei Kindern, bei denen psychodynamisch wirksame Bedingungen angehbar im Vordergrund stehen, wird der Akzent mehr auf Familien- bzw. Psychotherapie liegen.

13.4.4.4. Verlauf und Prognose

Persistierendes Einkoten bei geistig normal entwickelten Kindern und Jugendlichen bis in das Erwachsenenalter hinein ist sehr selten. In der Regel sistiert das Symptom mit Eintritt in die Pubertät. Diese gute Prognose darf allerdings nicht darüber hinwegtäuschen, daß die Enkopresis ein schwerwiegendes Symptom darstellt.

Auch wenn das Symptom der Enkopresis selbst nicht persistiert, haben katamnestische Untersuchungen gezeigt, daß 30% der ehemaligen Enkopretiker eine Störung aus dem depressiven Formenkreis entwickelten. Dies verweist auf die depressive Komponente der Störung.

13.4.5. Stottern

13.4.5.1. Definition und Deskription

Unter Stottern versteht man eine Störung des Redeflusses, das durch häufige Wiederholung oder Dehnung von Lauten, Silben oder Wörtern bzw. durch häufiges Zögern oder Innehalten, das den physiologischen rhythmischen Sprechfluß unterbricht, gekennzeichnet ist. Man unterscheidet das **klonische** Stottern (Wiederholungen) vom **tonischen** (Blockierungen) bzw. Kombinationen der beiden Formen. Von diesen pathologischen Formen ist das **Entwicklungsstottern** abzugrenzen, das physiologischerweise im Alter von 3 bis 4 Jahren auftritt.

Es existiert eine deutliche Jungenwendigkeit des Stotterns, allerdings schwanken die Angaben von 2:1 bis 10:1 zulasten der männlichen Population.

Differentialdiagnostisch muß das Poltern abgegrenzt werden. Beim Stottern treten keine Artikulationsstörungen auf. Ein weiteres Kennzeichen des Stotterns ist die Zunahme der Symptomatik, wenn man sich den Patienten zuwendet oder sie das Gefühl haben, unter besonderem Leistungsdruck zu stehen.

13.4.5.2. Ätiologie und Pathogenese

Das Stottern muß als polyätiologisch verstanden werden. Die wichtigsten Erklärungsansätze:

- Es liegt eine zerebrale Funktionsstörung vor.
- Es existiert eine genetische Disposition.
- Es hat ein pathologisches Lernen durch falsche Reaktionen der Eltern während des Entwicklungsstotterns oder durch Nachahmung falscher Vorbilder stattgefunden.
- Es liegt eine neurotische Entwicklung im Sinne eines unbewußten angstbesetzten Konflikts vor.

Jede individuelle Diagnostik wird klären müssen, wie im Einzelfall die Gewichtung der unterschiedlichen Faktoren vorzunehmen ist.

13.4.5.3. Therapie

An die erste Stelle ist unabhängig von der genannten Gewichtung eine **logopädische Behandlung** zu setzen. Über Atem- und Rhythmusübungen kann es den Patienten gelingen, einen veränderten Sprachduktus einzuüben. Eine Beratung sehr leistungsorientierter Eltern, die das Kind ständig korrigieren und zu besserem Sprechen auffordern, versteht sich von selbst. Allerdings ist der Therapieerfolg auch bei intensiven Behandlungen bescheiden, wenn man davon ausgeht, daß nur 30% geheilt werden können und 30% therapierefraktär sind.

13.4.6. Poltern

13.4.6.1. Definition und Deskription

Poltern ist wie das Stottern eine Störung des Redeflusses. Es ist gekennzeichnet durch hohe Silbengeschwindigkeit, erhöhtes Sprechtempo und Stolpern im Sprechfluß, das besonders bei längeren Wörtern auftritt.

Im Gegensatz zum Stottern bessert sich die Symptomatik, wenn man sich dem Kind zuwendet. Das Geschlechterverhältnis Jungen:Mädchen beträgt etwa 4:1.

Neben dem Stottern ist **differentialdiagnostisch** auch eine Ticstörung vom Poltern abzugrenzen. Isolierte vokale Tics sind allerdings selten.

13.4.6.2. Ätiologie und Pathogenese

Hier sind an erster Stelle genetische Ursachen zu nennen, die zu einer allgemeinen Sprachschwäche disponieren können. Daneben können auditive oder visuelle Teilleistungsschwächen zu ungenügendem Spracherwerb führen, wobei das Poltern als eine Art Kompensationsversuch zu deuten ist.

13.4.6.3. Therapie

Ziel der Therapie ist, den Sprechablauf zu verlangsamen und die Konzentrationsfähigkeit insbesondere auf die eigenen Sprechfunktionen zu erhöhen. Dies kann durch eine Kombination von Artikulationsübungen, psychomotorischen Übungsbehandlungen, eventuell unter Einbeziehung musiktherapeutischer Verfahren, erreicht werden. Unter Umständen ist eine Beeinflussung des häuslichen Milieus notwendig. Die Prognose ist günstiger als die des Stotterns. Differenzierte Untersuchungen hierzu fehlen allerdings.

13.4.7. Fütterstörungen im frühen Kindesalter

13.4.7.1. Definition und Deskription

Mit einem ersten Häufigkeitsgipfel im Alter von 6 Monaten können Eßstörungen des Säuglingsalters auftreten, die durch Nahrungsverweigerung, extrem langsames Essen oder wählerisches Eßverhalten gekennzeichnet sind. Begleitendes Symptom kann das willkürliche Heraufwürgen (Rumination) der Speisen sein.

Eine differenzierte Diagnostik des Eßverhaltens unter Einbeziehung einer organischen Diagnostik, unter anderem zum Ausschluß einer Pylorushypertrophie, bildet die Grundlage für alle weiteren therapeutischen Überlegungen.

13.4.7.2. Ätiologie und Pathogenese

Besondere Bedeutung in der Ätiologie der Fütterstörungen im Säuglings- und Kleinkindesalter kommt der Mutter-Kind-Beziehung zu. In dieser ersten intensiven Beziehung vermitteln sich viele emotionale Kommunikationsanteile über das Füttern. Dabei kann die Mutter in ihrer Persönlichkeit oder durch eine aktuelle psychische Erkrankung (z.B. durch eine Wochenbettpsychose) dahingehend beeinträchtigt sein, ihr Kind emotional angemessen zu versorgen oder der sensible Kontakt zwischen Mutter und Kind gelingt nicht und es bildet sich eine pathogenetisch bedeutsame pathologische Kommunikation aus. Ein Machtkampf zwischen Mutter und Kind um das Essen ist damit unter Umständen vorprogrammiert.

13.4.7.3. Therapie

Die Therapie wird sich nach dem Ausmaß der Störung zwischen einer Beratung der Mutter bis hin zu einer differenzierten Analyse der Mutter-Kind-Interaktion mit nachfolgender Therapie bewegen. Unter Umständen ist auch eine Einzeltherapie der Mutter indiziert. Eine Einbeziehung des Vaters ist unabdingbar, auch wenn er nicht primäre Bezugsperson des Kindes ist.

13.4.7.4. Verlauf und Prognose

Wegen der Heterogenität dieser Störungen sind allgemeine prognostische Aussagen kaum möglich. Das Ausmaß der Störung und ihre Therapierbarkeit wird unter anderem sehr von der Differenzierungsfähigkeit und der Belastung der Mutter durch weitere Kinder sowie durch die Zugänglichkeit der Interaktion für therapeutische Maßnahmen abhängig sein.

13.4.8. Pica

13.4.8.1. Definition und Deskription

Unter Pica versteht man die fortgesetzte Ingestion ungenießbarer Substanzen. Das Wort stammt vom lateinischen »pica« (=die Elster). Das Spektrum der gegessenen Substanzen ist kaum begrenzt (Abfall, Sand, Farbe, Kot, Kunststoff usw.). Pica kommt in der Regel bei verwahrlosten und/oder geistig behinderten Kindern vor (vgl. Kapitel 12) und erfordert eine umfassende Diagnostik der psychosozialen Umstände. Oft wird diese Verhaltensstörung von weiteren schwerwiegenden psychischen Auffälligkeiten sowie von automutilitativen Verhaltensweisen begleitet.

13.4.8.2. Ätiologie und Pathogenese

Wenn Pica nicht mit geistiger Behinderung einhergeht, also Folge unzureichender intellektueller Fähigkeiten ist, ist es meist auf mangelhafte emotionale oder ökonomische Bedingungen in der Herkunftsfamilie zurückzuführen. Dabei sollte auch immer daran gedacht werden, daß extrem hungrige Kinder in ihrer Not alles essen, was ihnen zur Verfügung steht.

13.4.8.3. Therapie

Abhängig von der Genese wird man sich auf kontrollierende und eventuell verhaltenstherapeutische Maßnahmen bei geistig Behinderten konzentrieren oder eine primäre Veränderung der deprivierenden Lebensbedingungen zu erreichen suchen. Dabei ist je nach Einzelfall eine Fremdunterbringung des Kindes manchmal nicht zu vermeiden.

13.4.8.4. Verlauf und Prognose

Die Prognose hängt wesentlich davon ab, wie sehr diese Störung mit anderen psychischen Auffälligkeiten vergesellschaftet ist. In vielen Fällen wird eine stringente Beratung und Kontrolle der Eltern unumgänglich sein. Je deprivierter ein Kind ist und je chronifizierter die Pica sich darstellt, um so schlechter ist die Prognose.

13.5. Störungen des Sozialverhaltens

13.5.1. Definition und Deskription

Jede menschliche Entwicklung bedeutet auch die Internalisierung von Verhaltensnormen, die das gesellschaftliche Leben organisieren. In der Kindheit und Jugend werden diese Normen und Werte maßgeblich über die Familie und deren Einbettung in gesellschaftliche Gruppierungen vermittelt. Dabei werden nach Kohlberg et al. [1983] verschiedene **Phasen der Entwicklung der Moral** unterschieden:

Prämoralisches Stadium

Stufe 1	Orientierung an Verbot und Erlaubnis.
Stufe 2	Natürliche egoistische Orientierung (die eigenen Bedürfnisse stehen im Vordergrund).

Stadium der konventionellen Rollenkonformität

Stufe 3	»Artiges-Kind-Orientierung« (Versuch, die Rollenerwartungen zu erfüllen).
Stufe 4	Autoritätsorientierung.

Stadium internalisierter moralischer Prinzipien

Stufe 5	Aktives Weitergeben der Gebote und Gesetze.
Stufe 6	Anspruch auf Universalität.
Stufe 7	Überprüfung und Anpassung der Normen an das eigene Leben.

Gelingt es nicht, zu einer angemessenen Internalisierung der familiären und gesellschaftlichen Normen zu kommen, kann es zur Ausbildung von Störungen des Sozialverhaltens kommen. Nach den emotionalen Störungen handelt es sich um die zweithäufigste kinder- und jugendpsychiatrische Diagnose, auch wenn sich diese Verhaltensauffälligkeiten oft im Grenzbereich zwischen Pädagogik, Psychologie, Soziologie und Kinder- und Jugendpsychiatrie bewegen.

Dissozialität ist der deskriptive Oberbegriff für die Störungen des Sozialverhaltens, der Delinquenz und der Verwahrlosung. Man unterscheidet von den Störungen des Sozialverhaltens als kinder- und jugendpsychiatrische Entität die **Delinquenz** als juristisch-kriminalistisch manifest gewordenes abweichendes Verhalten und die **Verwahrlosung** als persistierendes Verstoßen gegen die sozialen Normen.

Tabelle 13.8. Störungen des Sozialverhaltens in der ICD-10 und im DSM-III-R

ICD-10	F91.0	Auf den familiären Rahmen beschränkte Störung des Sozialverhaltens
	F91.1	Störung des Sozialverhaltens bei fehlenden sozialen Bindungen
	F91.2	Störung des Sozialverhaltens bei vorhandenen sozialen Bindungen
	F91.3	Störung des Sozialverhaltens mit oppositionellem, aufsässigem Verhalten
	F92.0	Störung des Sozialverhaltens mit depressiver Störung
	F92.8	Kombinierte Störung des Sozialverhaltens und der Emotionen
DSM-III-R	312.20	Gruppentypus
	312.00	Aggressiver Einzelgängertypus
	313.80	Störung mit oppositionellem Trotzverhalten

Man unterscheidet in der Reihenfolge nach dem Grad der Differenziertheit entsprechend des DSM-III-R folgende Symptome: Stehlen, Weglaufen, Lügen, Zündeln, Brandstiftung, Schulschwänzen, kriminelle Handlungen (Einbrüche), Zerstörungswut, Tierquälerei, Vergewaltigung, sexuelle Nötigung, Streitlust, Gewalttätigkeiten.

Diese Auflistung einzelner dissozialer Symptome zeigt, daß es sich dabei um **verschiedene Schweregrade** handeln kann. Zusätzlich muß der jeweilige Entwicklungsstand eines Kindes oder Jugendlichen berücksichtigt werden. Einmaliges Lügen oder Stehlen eines 8jährigen Kindes wird noch nicht als Störung des Sozialverhaltens bezeichnet. Die ICD-10 und das DSM-III-R fordern daher auch ein sich wiederholendes und andauerndes Verhaltensmuster, das mindestens 6 Monate andauert. Bei entsprechender erheblicher Ausprägung kann auch ein einzelnes Symptom ausreichen, um die Diagnose »Störung des Sozialverhaltens« zu stellen. Gemäß unterschiedlicher klinischer Ausprägung werden in der ICD-10 und dem DSM-III-R die in Tabelle 13.8 aufgeführten Subtypen unterschieden.

Auch wenn es Überschneidungen gibt, hat es sich klinisch bewährt, zwischen diesen **verschiedenen Störungen des Sozialverhaltens** zu unterscheiden. Zum einen ist es wichtig, ob die dissoziale Störung sozialisiert ist oder nicht. Ein Jugendlicher, der vornehmlich in seiner »peer-group« auffällig ist und mit dem Gesetz in Konflikt kommt, hat eine andere psychodynamische Grundlage als einer, der im wesentlichen ein Einzelgänger ist, also mehr oder minder schwere Kontaktstörungen aufweist oder nur im familiären Rahmen dissozial ist. Dissoziale Jugendliche sind in der Regel anfällig für gruppendynamische Prozesse, die es ihnen erleichtern, ihre Destruktivität auszuleben. Eine nichtsozialisierte Störung des Sozialverhaltens verweist auf eine schwerere psychische Störung, bei der schon im Jugendalter die alterstypischen Bezüge gestört sind. Eine Dissozialität, die sich nur zu Hause zeigt, verweist auf erhebliche Beziehungs- und

Tabelle 13.9. Differentialdiagnose der Störungen des Sozialverhaltens

Hirnorganische Erkrankungen	Angstzustände
Beginnende Schizophrenie	Dissoziale Persönlichkeitsstörung
Beginnende Manie	Hyperkinetisches Syndrom
Anpassungsstörung	

Kommunikationsstörungen in der Familie. Da es klinisch oft evident ist, daß die Störungen des Sozialverhaltens mit einer depressiven Grundstimmung oder deutlich depressiven Symptomen einhergehen, unterscheidet man außerdem die Formen der Dissozialität, die zusätzlich depressive bzw. emotionale Symptome zeigen.

Dissoziales Verhalten im Kindesalter ist im wesentlichen durch eine Verweigerungshaltung gekennzeichnet. Obwohl diese Störung nicht das Vollbild der Dissozialität bietet, wie man sie in der Adoleszenz antrifft, können auch Kinder schon so sehr in ihren normalen Bezügen beeinträchtigt sein, daß es gerechtfertigt ist, bei ihnen eine Störung des Sozialverhaltens, die dann eine eigene Kategorie darstellt, zu diagnostizieren. Typischerweise beginnt jedoch die Dissozialität erst mit der Pubertät (ab 12. Lebensjahr). Das Geschlechterverhältnis ist eindeutig zugunsten der Jungen verschoben (Verhältnis 6:1). Die Symptomausprägung hat bei den Jungen einen Schwerpunkt bei Eigentumsdelikten, während die dissozialen Mädchen im Zusammenhang mit Herumtreiben eher gefährdet sind, sexuell zu verwahrlosen.

Differentialdiagnostisch ist zu beachten, daß eine Vielzahl psychischer Erkrankungen im Kindes- und Jugendalter mit vermehrter Aggressivität einhergehen können (vgl. Tabelle 13.9). Eine beginnende Schizophrenie oder eine Manie können sich zunächst in gestörtem Sozialverhalten äußern. Die differenzierte kinder- und jugendpsychiatrische Diagnostik sowie der Verlauf werden die eigentliche Diagnose allerdings schnell stellen lassen. Eine Anpassungsstörung nach einem familiären Trauma, wie Scheidung der Eltern oder Tod eines Familienmitglieds, wird in der Regel nach einem entsprechenden Zeitraum überwunden sein, kann sich aber durchaus in dissozialem Verhalten äußern. Es ist oft schwierig, zwischen eher neurotischen Störungen des Sozialverhaltens und solchen zu unterscheiden, die durch eine langandauernde psychische Deprivation, mangelnde Erziehung oder ähnliches verursacht worden ist. Bei der neurotischen Form, die sich in der phänomenologischen Ausprägung nicht von der anderen Form unterscheiden muß, stehen intrapsychische Konflikte im Vordergrund, die durch das dissoziale Ausagieren gelöst werden. Verwahrlosung ist eine eigene nosologische Diagnose, die häufig in Störungen des Sozialverhaltens mündet. Bei hyperkinetischen Syndromen finden sich gehäuft Störungen des Sozialverhaltens. Diesem Befund wurde auch in der ICD-10 durch die Einführung einer entsprechenden diagnostischen Kategorie (F90.1) Rechnung getragen.

13.5.2. Ätiologie und Pathogenese

Mangelhafte emotionale Bindung an die Bezugspersonen aufgrund familiären Mangels an Bindungsfähigkeit, frühkindliche Deprivation, Verwahrlosung, Mißhandlung, sexueller Mißbrauch und mögliche hirnorganische Beeinträchtigungen spielen bei der Ätiologie der Dissozialität eine maßgebliche Rolle. Sind zusätzlich noch ökonomische und soziale Faktoren betroffen, ist das Risiko groß, daß sich eine Störung des Sozialverhaltens entwickelt. Die Modellwirkung der Eltern darf dabei nicht unterschätzt werden. Die Gewichtung der einzelnen Faktoren, etwaige psychische Störungen bei den Eltern, z.B. Alkoholismus, muß der jeweiligen Einzeldiagnostik überlassen bleiben. Auf die mögliche Komorbidität mit einem hyperkinetischen Syndrom wurde schon hingewiesen.

13.5.3. Therapie

Mit besonderem Gewicht auf pädagogischen und strukturierenden Maßnahmen wird jede Therapie versuchen, diesen Patienten Bedingungen zu verschaffen, die eine ausreichende Beziehungsstabilität mit zukünftigen Bezugspersonen als Grundlage anbietet. Reicht eine Stützung und Beratung der Eltern nicht aus und ist z.B. Einschulung nicht möglich, lassen sich heilpädagogische Maßnahmen im Rahmen einer Fremdunterbringung kaum vermeiden. Eine psychotherapeutische Intervention ist nur sinnvoll, wenn zusätzlich deutliche emotionale Symptome vorhanden sind oder wenn die Psychotherapie ausreichend strukturierend auf den Alltag Einfluß nehmen kann. Sind die Symptome nicht so ausgeprägt, daß die Patienten von sozialer oder schulischer Ausgrenzung bedroht sind, sind auch Trainingsmanuale sinnvoll, die auf der Basis der Verhaltenstherapie prosoziales Verhalten fördern und üben.

13.5.4. Verlauf und Prognose

Die Gefahr ist groß, daß unbehandelte Kinder und Jugendliche mit dissozialen Störungen später eine kriminelle Karriere einschlagen. 60% der Erwachsenen mit der Diagnose »dissoziale Persönlichkeitsstörung« waren auch als Kinder dissozial (vgl. Kapitel 11 und 31). Im Längsschnitt betrachtet werden 28% der Kinder als Erwachsene dissozial. Prognostisch günstig sind ein (Haupt-)-Schulabschluß, eine abgeschlossene Berufsausbildung und stabile soziale Kontakte auch außerhalb der »peer-group« der Dissozialen. Ungünstig sind fehlender Schulabschluß, abgebrochene Ausbildungen, Alkoholmißbrauch und frühe

Tabelle 13.10. Typologie der Ticstörungen [modifiziert nach Steinhausen, 1993]

Typ	Art	Beginn	Dauer	Verlauf
Isoliert	motorisch	4–6 Jahre	< 1 Jahr	remittierend
Multipel	motorisch	Kindesalter	Jahre	bis Adoleszenz
Chronisch	motorisch	Kindesalter	oft lebenslang	chronisch
Tourette-Syndrom	motorisch und vokal	Kindesalter	oft lebenslang	chronisch

Straftaten. Während die Jungen eher eine expansive Ausprägung – mit Aggressivität – in ihrer Symptomatik zeigen, sind Mädchen gefährdet, im Bereich der Promiskuität und Prostitution auffällig zu werden.

13.6. Ticstörungen

13.6.1. Definition und Deskription

Tics sind umschriebene unwillkürliche Bewegungen einzelner Muskeln oder Muskelgruppen, die plötzlich, wiederholt, unerwartet und ohne erkennbares Ziel ablaufen. Die Symptomatik nimmt unter Anspannung zu und tritt im Schlaf nicht auf.

Man kann die in Tabelle 13.10 aufgeführten Formen von Tics unterscheiden. Eine Sonderform stellt dabei das **Gilles-de-la-Tourette-Syndrom** dar, das sich durch eine Kombination komplexer motorischer und vokaler Tics auszeichnet.

Differentialdiagnostisch sind ein Tremor des Kopfes oder der Extremitäten aufgrund organischer Ursachen auszuschließen, ebenso wie Chorea, myoklonische Störungen, Torsionsdystonien, Krampfanfälle und Zwangssymptome. Zwangssymptome sind von einem Tic durch die Beschreibung der Patienten abzugrenzen, die im Fall eines Zwangs den rituellen Charakter ihrer Handlungen beschreiben können.

13.6.2. Ätiologie und Pathogenese

Auch in der Ätiologie der Ticstörungen werden pathogenetische Einflüsse aus hirnorganischen, hereditären und psychogenetischen Bereichen diskutiert. Sicher ist die Beziehung zwischen Tics und einem hohen Angstniveau. Daraus kann aber nicht geschlossen werden, daß auch die prämorbide Struktur dieser Kinder durch ein hohes Angstpotential gekennzeichnet war. Bei transienten Tics ist eine ursächliche Beteiligung einer partiellen hirnorganischen Reifungsverzögerung wahrscheinlich, aber auch rein reaktive Erscheinungen sind häufig.

13.6.3. Therapie

Ziel der diagnostischen Bemühungen bei einfachen Tics ist, die Ursache für das hohe Angstpotential des Kindes herauszufinden. Daraus werden sich eine entsprechende Psychotherapie unter Einbeziehung der Eltern bzw. eine Verhaltenstherapie oder das Autogene Training ableiten. Bei den komplexen Formen, besonders beim Gilles-de-la-Tourette-Syndrom, ist eine medikamentöse Therapie indiziert. Mittel der ersten Wahl ist hierbei Tiaprid mit einer Dosierung 5–6 mg/kg/Körpergewicht. Ansonsten kommen hochpotente Neuroleptika, wie Pimozid (1–12 mg/kg) oder Haldol (Erhaltungsdosis 2–10 mg/Tag), in Betracht (vgl. Kapitel 15).

13.6.4. Verlauf und Prognose

Die Mehrzahl aller Ticstörungen ist passager (vgl. Tabelle 13.10) und hat damit eine gute Prognose. Bei allen Formen, die länger als 1 Jahr dauern, sollte auf jeden Fall eine Therapie eingeleitet werden. Auch multiple Tics persistieren selten länger als über die Pubertät hinaus. Die Prognose des Gilles-de-la-Tourette-Syndroms ist deutlich ungünstiger als die der anderen Ticstörungen.

Literatur

Dilling H, Mombour W, Schmidt MH (Hrsg., 1993): Internationale Klassifikation psychischer Störungen, ICD-10, Kapitel V (F). Klinisch-diagnostische Leitlinien. Huber, Bern.

Eggers C, Lempp R, Nissen G, Strunk P (1994): Kinder- und Jugendpsychiatrie; 7. Aufl. Springer, Berlin.

Herzka HS (1978): Kinderpsychiatrische Krankheitsbilder. Schwabe, Basel.

Kohlberg L, Levin C, Ewer A (1983): Moral stages: A current formulation and response to critics. Karger, Basel.

Luban-Plozza B, Pöldinger W (1973): Der psychosomatisch Kranke in der Praxis. Lehmann, München.

Nissen G (1986): Psychische Störungen im Kindes- und Jugendalter. Springer, Berlin.

Nissen G (1994): Emotionale Störungen mit vorwiegend psychischer Symptomatik. In: Eggers C, Lempp R, Nissen G, Strunk P (Hrsg.): Kinder- und Jugendpsychiatrie. Springer, Berlin.

Nissen G, Eggers C, Martinius J (1984): Kinder- und jugendpsychiatrische Pharmakotherapie. Springer, Berlin.

Remschmidt H, Herpertz-Dahlmann B (1989): Sind kinder- und jugendpsychiatrische Erkrankungen Vorstufen psychiatrischer Erkrankungen des Erwachsenenalters? Fortschritte der Neurologie und Psychiatrie *57:* 281–298.

Remschmidt H, Schmidt MH (Hrsg., 1994): Multiaxiales Klassifikationsschema für psychische Störungen des Kindes- und Jugendalters; 3. Aufl. Huber, Bern.

Spiel W (1976): Therapie in der Kinder- und Jugendpsychiatrie. Thieme, Stuttgart.

Steinhausen HC (Hrsg., 1982): Das konzentrationsgestörte und hyperaktive Kind. Kohlhammer, Stuttgart.

Steinhausen HC (1993): Psychische Störungen bei Kindern und Jugendlichen. Urban & Schwarzenberg, München.

Therapieverfahren

14. Psychiatrische Therapieverfahren: Überblick

Harald J. Freyberger, Rolf-Dieter Stieglitz

14.1. Einleitung

Wie in den folgenden Kapiteln gezeigt wird, existiert eine **Vielzahl psychiatrischer Therapieansätze**, die sich im wesentlichen in drei Gruppen einteilen lassen:

- Psychotherapeutische Verfahren.
- Psychopharmakologische und andere biologische Verfahren.
- Soziotherapeutische Verfahren.

Psychotherapeutischen Verfahren ist gemeinsam, daß es sich bei ihnen um bewußte und geplante interaktionelle Prozesse – zwischen Therapeut(en) und Patient(en) – handelt, die eine positive Beeinflussung der zu behandelnden Störungen unter bestimmten Zielvorstellungen (z.B. Symptomlinderung, Veränderung der Persönlichkeitsstruktur) anstreben. Bei psychotherapeutischen Verfahren ist prinzipiell vorauszusetzen, daß ihnen eine Theorie normalen und pathologischen Verhaltens zugrundeliegt, auf deren Basis die psychotherapeutischen Techniken abgeleitet und überprüft werden können. Unterschiede zwischen den Verfahren bestehen besonders hinsichtlich der ätiologischen Annahmen, der Therapieziele, der therapeutischen Zeitperspektive (gegenwarts- versus vergangenheitsbezogen) sowie der psychologischen Interventionsmittel. Es ist dabei von schulenspezifischen Wirkfaktoren der Therapie auszugehen (vgl. die einzelnen Kapitel in diesem Kompendium) als auch von schulenunspezifischen/therapieübergreifenden (z.B. wertschätzende und angstfreie therapeutische Beziehung). Psychotherapeutische Verfahren bedienen sich entsprechend der mit ihnen verbundenen Zielvorstellungen sehr unterschiedlicher Rahmenbedingungen (Settings). So existieren etwa einzel-, paar-, familien- und gruppenpsychotherapeutische Behandlungsansätze, die den Patienten je nach der zugrundeliegenden Problematik angeboten werden können (z.B. Paartherapie bei Partnerschaftsproblemen). Wie im weiteren noch zu zeigen sein wird, liegen für eine Reihe von psychotherapeutischen Verfahren auf bestimmte Patientenmerkmale (z.B. Leidensdruck, Introspektionsfähigkeit bei psychodynamisch orientierten Therapieverfahren) oder Störungen (z.B. Angststörungen und Verhaltenstherapie) bezogene Indikationskriterien vor, die für die Wahl des betreffenden Verfahrens bei einem Patienten entscheidend sein sollen. Die Wirksamkeit einzelner therapeutischer Verfahren und Richtungen ist zum gegenwärtigen Zeitpunkt unterschiedlich gut belegt [vgl. Grawe et al., 1994]. Sie reicht entsprechend einer Grobkategorisierung von Revenstorf [1994] von wirksam (unter anderem verhaltenstherapeutische und kognitive Therapien) über schlecht untersucht (z.B. Familientherapie) bis zu eher unwirksam (unter anderem Autogenes Training).

Mit der **Psychopharmakotherapie und den anderen biologischen Verfahren** (Elektrokrampftherapie, Schlafentzugstherapie, Lichttherapie) werden demgegenüber symptomatologische und Verhaltensänderungen angestrebt, die einem biologischen Erkrankungskonzept folgen. Dabei wird in der Regel davon ausgegangen, daß einer Erkrankung ein biologisches Substrat mit einer entsprechend darauf fokussierten Therapie zugrundeliegt. Für die meisten psychischen Störungen haben rein biologische Konzepte zur Ätiologie gegenwärtig jedoch eher den Status von Hypothesen.

Die **Soziotherapie** umfaßt solche Behandlungsformen, bei denen zwischenmenschliche Beziehungen sowie die Umwelt des Patienten im Zentrum der therapeutischen Interventionen stehen. Sozialen Faktoren wird eine zentrale Rolle bei der Entstehung, der Therapie und dem weiteren Verlauf der Erkrankungen beigemessen.

Neben diesen drei wichtigsten Elementen psychiatrischer Therapieverfahren hat sich eine Reihe **weiterer therapeutischer Ansätze** entwickelt, die nach bestimmten Indikationskriterien bei unterschiedlichen Patientengruppen zusätzlich oder **komplementär** eingesetzt werden. Hierzu gehören z.B. verschiedene Entspannungsverfahren (vgl. Kapitel 24). In den letzten Jahren wurden darüber hinaus in der Therapie verschiedener Patientengruppen in immer stärkerem Maße Patientenratgeber und Selbsthilfemanuale eingesetzt (vgl. Kapitel 26). Ebenso wie psychoedukative Behandlungsansätze verfolgen diese das Ziel, die Krankheitskompetenz und das Krankheitsverhalten der Patienten zu verbessern.

14.2. Zur Indikationsfrage konkurrierender Therapieverfahren

Die Indikationen für psychiatrische und psychotherapeutische Verfahren sind über Jahrzehnte kontrovers diskutiert worden. Als Beispiel hierfür kann die Diskussion um die Wirksamkeit psychopharmakologischer Substanzen in der Therapie neurotischer und psychosomatischer Störungen gelten. In der Diskussion wurden einerseits psychophysiologische und neurobiologische Hypothesen für die Genese dieser Störungen angeführt und das Prinzip einer »kausalen« psychopharmakologischen Behandlung vertreten; anderseits wurde vor den Folgen der Psychopharmakaverordnung für verschiedene psychotherapeutische Behandlungsansätze und das Krankheitskonzept der Patienten (»Pille statt Konfliktbearbeitung«) gewarnt. So existieren z.B. für die Panikstörung bis zum heutigen Tag konkurrierende biologische, kognitiv-behaviorale wie integrative Modelle.

Entsprechend der weitgehenden Akzeptanz einer multifaktoriellen Bedingtheit psychischer Störungen hat sich in den vergangenen Jahren die ursprüngliche kontroverse Diskussion zunehmend entschärft, so daß heute die verschiedenen Verfahren als sich ergänzende therapeutische Ansätze anerkannt werden. In der Psychiatrie und Psychotherapie werden heute vor allem im stationären, aber auch im ambulanten Bereich einzelne Behandlungselemente in einem **Gesamtbehandlungsplan** integriert, der für jeden einzelnen Patienten entsprechend individueller und störungsspezifischer Merkmale entwickelt (selektive Indikation) und im Verlauf einer Behandlung modifiziert werden muß (adaptive Indikation). Für die Indikation einzelner als auch die Kombination verschiedener Therapieverfahren lassen sich eine Reihe von Regeln formulieren, die allerdings nur für einen Teil aller psychischen Störungen empirisch abgesichert sind [vgl. im Überblick Beitman und Klerman, 1991].

Bleiben wir beim Beispiel der konkurrierenden psychotherapeutischen und psychopharmakologischen Verfahren bei neurotischen und psychosomatischen Störungen, so ist zunächst davon auszugehen, daß dem einzelnen Patienten weder eine psychotherapeutische noch eine psychopharmakologische Behandlung vorenthalten werden darf, sofern die entsprechenden Indikationskriterien erfüllt sind. Die **differentielle Therapieindikation,** d.h. die Frage, welches Therapieverfahren indiziert ist, ergibt sich anhand bestimmter individueller (z.B. Leidensdruck, Psychotherapiemotivation, Introspektionsfähigkeit) und störungsspezifischer Kriterien. So werden z.B. bei den Angst- und Zwangsstörungen (vgl. Kapitel 8) heute in erster Linie verhaltenstherapeutische (vgl. Kapitel 19) und für dissoziative Störungen (vgl. Kapitel 8) psychodynamisch orientierte Behandlungsverfahren (vgl. Kapitel 18) empfohlen. Für eine Kombinationsbehandlung ergeben sich dabei, unter der Voraussetzung, daß die Behandlung in erster Linie psychotherapeutisch und in zweiter Linie psychopharmakologisch zu erfolgen hat, folgende Zielkriterien im Hinblick auf den Einsatz von Psychopharmaka:

- **Symptomreduktion** mit dem Ziel, die zuvor wegen eines zu großen Beschwerdedrucks nicht durchführbare Psychotherapie zu ermöglichen. Dabei geht es z.B. darum, kaum oder nicht mehr tolerable und den psychotherapeutischen Prozeß behindernde ängstliche, depressive oder psychotische Symptome zu behandeln.
- **Herstellung eines psychotherapeutischen Kontakts**, der ohne die Gabe von Psychopharmaka überhaupt nicht möglich wäre. In diese Indikationsgruppe fallen z.B. Patienten mit unzureichender psychotherapeutischer Motivation

und einem überwiegend an somatischen Vorstellungen orientierten Krankheitskonzept, die erst motivational über den Umweg einer Psychopharmakotherapie für Gespräche aufgeschlossen werden müssen.

- **Fokale oder mittelfristig angelegte Symptomreduktion innerhalb bereits laufender psychotherapeutischer Kontakte,** etwa bei plötzlich auftretenden suizidalen oder psychotischen Krisen oder zur Stärkung von bestimmten, den psychotherapeutischen Prozeß unterstützenden Ich-Funktionen (Stärkung der selbstreflektorischen Fähigkeiten).

Umgekehrt lassen sich für Erkrankungen, die in erster Linie psychopharmakologisch und in zweiter Linie psychotherapeutisch behandelt werden müssen, analoge Kriterien formulieren. Dabei ist neben positiven auch von negativen Effekten einer wechselseitigen Beeinflussung psychotherapeutischer und psychopharmakologischer Interventionen auszugehen (z.B. Verringerung der Therapiemotivation nach Symptomreduktion unter Psychopharmaka) [vgl. im Überblick Paykel, 1995].

Der Einsatz von Psychopharmako- wie Psychotherapie ist weiterhin auch unter dem Blickwinkel der **Zeitperspektive,** d.h. im Sinne einer sequentiellen Behandlungsstrategie, zu bedenken und im Einzelfall zu begründen. So steht z.B. bei der Akutbehandlung schizophrener Störungen (vgl. auch Kapitel 6) zunächst die neuroleptische Behandlung im Vordergrund, erst im Verlauf werden sich psychotherapeutische Ansätze anschließen können (z.B. Training kognitiver und sozialer Defizite; vgl auch Kapitel 22). Gegen Ende der Behandlung bzw. in der Phase der Nachbetreuung stellt sich dann unter Umständen die Indikation für familientherapeutische Maßnahmen (vgl. auch Kapitel 23).

Für jedes zusätzlich applizierte Verfahren muß jedoch im einzelnen geprüft werden, welche spezifische, durch die bereits laufenden Verfahren nicht abgedeckte Wirkung es verspricht, ob es mit den bereits angewendeten Therapien kompatibel ist, welche positiven und möglicherweise negativen Wechselwirkungseffekte sich ergeben und wie ein gegenseitiger inhaltlich sinnvoller Bezug hergestellt werden kann. So kann z.B. bei einem an einer Panikstörung leidenden Patienten eine symptomreduzierende Behandlung mit einem Antidepressivum erfolgen, die eine indizierte verhaltenstherapeutische Intervention erst möglich macht. Im stationären Rahmen kann zusätzlich die Indikation zu einem Entspannungsverfahren (z.B. dem Autogenen Training; vgl. Kapitel 24) gegeben sein, das seinerseits durch den Einsatz psychoedukativen Materials (vgl. Kapitel 26) ergänzt wird.

14.3. Frage der Dosis-/Wirkungsbeziehungen

Bei psycho-, sozio- und pharmakotherapeutischen Interventionen ist auch stets die Frage von Dosis-/Wirkungsbeziehungen zu stellen: Welche Dosis einer bestimmten Therapieform muß wie lange wirken, um welche Effekte zu erzielen? Umgekehrt: Wann sind Therapieversuche als effektlos abzubrechen und alternative Strategien zu verfolgen?

Für die verschiedenen Psychotherapieformen haben Grawe et al. [1994] eine umfassende Bestandsaufnahme vorgelegt. Sie gehen davon aus, daß sich der **Zeitraum,** in dem wirksame Therapien ihre Effekte erzielen, nach Monaten und nicht nach Jahren bemißt und sich damit die Effektivität einer psychotherapeutischen Behandlung rasch abzeichnen kann. Darüber hinaus gehen sie davon aus, daß Therapeuten bei ihren Indikations- und Therapieentscheidungen ausdrücklich die Möglichkeit mehrerer **therapeutischer Settings** (z.B. Einzel- versus Paar- versus Gruppentherapie, ambulant versus stationär) im Auge haben sollten. Es spricht viel dafür, daß Patienten dort am meisten profitieren, wo am spezifischsten ihre individuellen Konfliktkonstellationen angesprochen werden. So können eine Partnerschaftsproblematik vielleicht am adäquatesten in einer Paartherapie, generalisierte zwischenmenschliche Schwierigkeiten am ehesten in einer Gruppenpsychotherapie behandelt werden.

Zusammenfassend läßt sich zur psychiatrischen Therapie festhalten, daß sich heute die meisten Störungen durch psychopharmakologische oder psychotherapeutische Verfahren, zumeist jedoch durch deren Kombination effektiv behandeln lassen. Die Einbeziehung unterschiedlicher Perspektiven (biologische, psychologische, soziale) und daraus abgeleiteter Therapieansätze zur Akutbehandlung, der Prävention wie Rehabilitation entspricht der multifaktoriellen Determiniertheit psychischer Störungen und einem weitgehend akzeptierten biopsychosozialen Krankheitsmodell.

Literatur

Baumann U (1981): Indikation zur Psychotherapie. Urban & Schwarzenberg, München.

Beitman BD, Klerman GL (eds.; 1991): Integrating pharmacotherapy and psychotherapy. American Psychiatric Press, Washington.

Bergin AE, Garfield SL (eds.; 1994): Handbook of psychotherapy and behavior change. Wiley, New York.

Grawe K, Donati R, Bernauer F (1994): Psychotherapie im Wandel. Von der Konfession zur Profession; 3. Aufl. Hogrefe, Göttingen.

Paykel ES (1995): Psychotherapy, medication combinations, and compliance. Journal of Clinical Psychiatry *56* (suppl. 1):24–30.

Perrez M (1991): Behandlung und Therapie (Psychotherapie): Systematik und allgemeine Aspekte. In: Perrez M, Baumann U (Hrsg.): Klinische Psychologie, Vol. 2: Intervention. Huber, Bern, 99–116.

Perrez M, Baumann U (Hrsg.; 1991): Klinische Psychologie; Vol. 2: Intervention. Huber, Bern.

Revenstorf D (1994): Kognitive Verhaltenstherapie und Hypnose. Verhaltenstherapie *4:* 223–237.

15. Psychopharmakologische Behandlung

Markus Gastpar

15.1. Einleitung

Nachdem Alkohol und Opiate schon seit Jahrtausenden auch als Psychopharmaka Verwendung fanden, beginnt die eigentliche Psychopharmakologie im 19. Jahrhundert in kleinen Schritten. Chloraldurat, Paraldehyd und schließlich die Barbiturate gehörten zu den typischen Vertretern. Die eigentliche psychopharmakologische »Revolution« fand dann in den 50er Jahren mit der **Entdeckung der trizyklischen Neuroleptika** vom Typ des Chlorpromazins (1952) und der **Butyrophenone,** wie Haloperidol (1959), einerseits statt. Anderseits wurden 1957 die **trizyklischen Antidepressiva** vom Typ Imipramin und gleichzeitig die **Monoaminoxydase(MAO)hemmer** vom Typ Iproniazid entdeckt. Den Schlußpunkt setzte dann Anfang der 60er Jahre die Entdeckung der **Benzodiazepine** (BZD), beginnend mit Chlordiazepoxid und der Nachfolgesubstanz Diazepam. Daß diese Entdeckungen die Behandlung psychischer Erkrankungen revolutionierten, das Leben in den psychiatrischen Kliniken stark veränderten und den Aufbau einer breiten ambulanten psychiatrischen Behandlung ermöglichten, ist heute unbestritten.

Dem ersten Enthusiasmus folgte bald die Ernüchterung wegen der teilweise unangenehmen (z.B. Sedation, Hypotonie), teilweise aber auch schwerwiegenden (z.B. tardive Dyskinesie, Agranulozytose) **Nebenwirkungen.** Damit setzte auch der Versuch der Entwicklung verträglicherer und vom Patienten besser akzeptierter Psychopharmaka ein. Ausdruck davon sind heute bei den Antidepressiva die **selektiven Serotoninaufnahmehemmer,** wie Fluoxetin, oder der reversible MAO-Hemmer Moclobemid, auf der Seite der Neuroleptika **atypische Vertreter** mit geringer oder fehlender extrapyramidaler Wirkung, wie Clozapin und Sulpirid. Die neueste Entwicklung in der Psychopharmakologie geht in Richtung der gezielten Nutzung der **Kombinationswirkung zwischen Psychopharmaka und Psychotherapie.** Entsprechend ist in diesen Jahren die Facharztausbildung des Psychiaters in beiden Richtungen verstärkt und präzisiert worden. Eine weitere Entwicklungslinie geht dahin, Psychopharmaka nicht mehr primär nosologischen Gruppen, z.B. Antidepressiva den depressiven Erkrankungen, zuzuordnen, sondern die **Substanzen primär syndromspezifisch anzuwenden.** Außerdem kann eine psychopharmakologische Behandlung in

Tabelle 15.1. Wirkungen der Neuroleptika im Tierversuch

Kataleptogene Wirkung
Fehlende Spontanbewegungen
Haltung mit gekrümmtem Rücken, steifen Hinterextremitäten und weitgespreizten Zehen
Gesteigerter Muskeltonus
Sperrung gegen aufgezwungene Bewegungen
Antagonistische Wirkung gegenüber Stereotypien nach Apomorphin und Amphetamin
Hemmung apomorphin- und amphetamininduzierter Stereotypien (Lecken, Schnüffeln usw.)
Hemmung apomorphininduzierter Lauf- und Kletteraktivität
Hemmung apomorphininduzierten Erbrechens
Hemmende Wirkung auf den bedingten Fluchtreflex
Hemmung klassisch konditionierter Reaktionen (bedingter Fluchtreflex) bei noch weitgehend fehlender Beeinträchtigung der Motorik

ihrer Wirkung wesentlich verbessert werden durch die Beachtung der Faktoren, die die **Compliance** in der Behandlung erhöhen sowie durch die Beachtung **pharmakologischer und metabolischer Eigenschaften und Sachverhalte.** Die Kenntnis der Plasmahalbwertszeit, der Metabolisierungsanteile von Leber und Nieren und der hauptsächlichen Interaktionen mit anderen Pharmaka sind wichtige Komponenten für eine rational gesteuerte und verantwortbare Psychopharmakotherapie. Daß bei der großen Anzahl anwendbarer Stoffe und bekannter Fakten es schwierig ist, alle wichtigen Daten abrufbereit im Gedächtnis bereit zu haben, ist verständlich. Die Entwicklung geht deshalb dahin, daß der Arzt sich aus den verschiedenen Substanzklassen und Indikationsgruppen einige Medikamente auswählt, die er häufiger anwendet und deren Eigenschaften und Anwendungsweisen ihm dann besonders gut vertraut sind. Bei der heute zahlenmäßig überwiegenden ambulanten Behandlung psychiatrischer Patienten spielen zusätzlich die Gesichtspunkte »Arbeitsfähigkeit« und »Fahrtauglichkeit im Straßenverkehr« eine wichtige Rolle bei der individuellen Auswahl einzelner Medikamente und bei der vorbeugenden Information des Patienten über Chancen und Risiken einer Psychopharmakotherapie.

15.2. Neuroleptika

15.2.1. Definition und Wirkungen im Tierversuch

Im klinischen Sprachgebrauch versteht man unter **Neuroleptika** Substanzen, die psychotische Sinnestäuschungen, Wahngedanken, schizophrene Ich-Störungen und katatone Symptome bessern. Die »**typischen**« **Neuroleptika** führen dabei gleichzeitig relativ häufig zur Entwicklung **extrapyramidalmotorischer Symptome. Pharmakologisch** zeigen »typische« Neuroleptika im Tierversuch drei charakteristische Wirkungen (vgl. Tabelle 15.1). Abweichend von diesen

Tabelle 15.2. Neuroleptika: Einteilung nach der chemischen Struktur und Dosierung

Chemische Struktur	Substanz	Mittlere Tagesdosis, mg
Phenothiazine		
mit aliphatischer Seitenkette	Levomepromazin (Neurocil®)	200
	Promazin (Protactyl®	300
mit Piperidylseitenkette	Thioridazin (Melleril®	200
mit Piperazinylseitenkette	Fluphenazin (Lyogen®, Dapotum®)	8
	Perazin (Taxilan®)	300
	Perphenazin (Decentan®)	20
Thioxanthene	Chlorprothixen (Truxal®, Taractan®)	200
	Clopenthixol (Ciatyl®)	150
	Flupentixol (Fluanxol®)	10
	Zuclopenthixol (Ciatyl-Z®)	75
Butyrophenone	Benperidol (Glianimon®)	6
	Bromperidol (Impromen®, Tesoprel®)	7
	Haloperidol (Haldol®-Janssen u.a.)	8
	Melperon (Eunerpan®)	200
	Pipamperon (Dipiperon®)	200
Dephenylbutylpiperidene	Fluspirilen (Imap®)	0,5
	Pimozid (Orap®)	6
Andere trizyklische Neuroleptika	Clozapin (Leponex®). Atypisches Neuroleptikum	300
	Zotepin (Nipolept®). Atypisches Neuroleptikum	250
Benzisoxazol	Risperidon (Risperdal®). Atypisches Neuroleptikum	6
Benzamid	Sulprid (Dogmatil®). Atypisches Neuroleptikum	600

Eigenschaften verhalten sich die »**atypischen**« **Neuroleptika,** deren erste Hauptvertreter das Clozapin und das Sulpirid waren: Clozapin hat keine kataleptogene Wirkung, keinen wesentlichen Einfluß auf apomorphin- oder amphetamininduzierte Stereotypien und hemmt den bedingten Fluchtreflex erst in Dosen, die auch die motorische Aktivität der Tiere bereits deutlich herabsetzen. Sulpirid hat ebenfalls keine kataleptogene Wirkung und hemmt nur schwach apomorphininduzierte Stereotypien und Lauf- und Kletteraktivität. Klinisch zeigen beide Substanzen eine antipsychotische Wirksamkeit, führen aber im Vergleich zu den typischen Neuroleptika wesentlich seltener zu extrapyramidalmotorischen Symptomen.

15.2.2. Einteilung

Die gebräuchlichen Neuroleptika stammen aus verschiedenen chemischen Stoffklassen und lassen sich entsprechend einteilen (vgl. Tabelle 15.2). Klinisch werden die Neuroleptika auch nach ihrer »neuroleptischen Potenz« eingeteilt. **Niedrigpotente Neuroleptika** sind solche, die psychomotorisch dämpfen, aber produktive Phänomene, wie Sinnestäuschungen oder Denkstörungen, nur wenig beeinflussen. **Hochpotente Neuroleptika** wirken dagegen besonders gut auf produktive Symptome, sind aber wenig sedierend. **Mittelpotente Neuroleptika** nehmen, wie die Bezeichnung sagt, eine Mittelstellung zwischen hoch- und niedrigpotenten Substanzen ein.

15.2.3. Wirkungen und Nebenwirkungen

Allen Neuroleptika ist gemeinsam, daß sie **Dopaminrezeptoren** im ZNS blokkieren. Die einzelnen Neuroleptika unterscheiden sich allerdings in ihrer Fähigkeit, andere (Histamin-, Serotonin-, Azetylcholin-, Adreno-) Rezeptoren zu blockieren. Die Affinität der Neuroleptika zum D2-Rezeptor (Unterscheidung vom D1-Rezeptor durch inhibitorische Koppelung an Adenylatzyklase und Hemmung der cAMP-Bildung; Vorliegen in zwei Konformationen: »D2-high« und »D2-low«, entsprechend den Affinitäten zu Dopaminagonisten) ist sehr eng mit deren antipsychotischer Wirksamkeit verknüpft, d.h. mit steigender Affinität zum D2-Rezeptor steigt auch die antipsychotische Wirksamkeit. Im ZNS lassen sich nun drei dopaminerge Projektionsbahnen unterscheiden: Mesolimbisch-mesokortikales (A10-Region), nigrostriatales (A9-Region) und tuberoinfundibuläres System. Die **antipsychotische Wirksamkeit** der Neuroleptika scheint durch die Blockade der dopaminergen Transmission im mesolimbisch-mesokortikalen System bedingt zu sein, während die **extrapyramidalmotorischen Nebenwirkungen** durch die Blockade der Dopamin-Rezeptoren im nigrostriatalen System und die **endokrinen Nebenwirkungen** (Prolaktinämie, Galaktorrhö, Gynäkomastie) durch die Blockade der Dopaminrezeptoren im tuberoinfundibulären System bedingt sind.

Die **peripheren Nebenwirkungen** (anticholinerge Effekte, Hypotonie) und die **sedierende Wirkung** einiger Neuroleptika sind durch die Blockade anderer (Histamin-, Adreno-, Azetylcholin-) Rezeptorsysteme bedingt. Aus dem Rezeptorbindungsverhalten läßt sich ableiten, daß die Substanzen, die hauptsächlich den D2-Rezeptor antagonisieren, in der Regel wenig sedierend wirken und wenig periphere Effekte zeigen, aber häufig zu extrapyramidalmotorischen Nebenwirkungen führen, während Substanzen, die zahlreiche Rezeptorsysteme beeinflussen (»dirty drugs«), in der Regel stärker sedierend sind und mehr periphere Wirkungen zeigen, aber seltener zu extrapyramidalmotorischen Nebenwirkungen führen.

Die **wichtigsten Nebenwirkungen** der Neuroleptika sind die **extrapyramidalmotorischen Effekte,** da diese die Patienten häufig stark beeinträchtigen und dadurch zur mangelhaften Compliance führen oder – wie die tardive Dyskinesie – irreversibel werden können. Eine Übersicht über Symptomatik, Häufigkeit und Behandlungsmöglichkeiten der extrapyramidalmotorischen Nebenwirkungen gibt Tabelle 15.3. Eine Übersicht über weitere Nebenwirkungen der Neuro-

Tabelle 15.3. Extrapyramidalmotorische Nebenwirkungen der Neuroleptika

Bezeichnung	Klinisches Bild	Häufigkeit	Zeitpunkt des Auftretens	Therapiemaßnahmen
Frühdyskinesie	unwillkürliche dyskinetische, athetoide oder choreiforme Bewegungen der Gesichts-, Augen-, Zungen-, Stamm- und/oder Extremitätenmuskulatur (subjektiv sehr unangenehm)	30%	1–5 Tage nach Beginn einer Neuroleptikatherapie	Biperiden, ggf. Wechsel oder Reduktion des Neuroleptikums
Parkinsonoid	Akinese, Rigor, Tremor	30%	5–30 Tage nach Beginn einer Neuroleptikatherapie	Neuroleptikareduktion, Biperiden, Wechsel des Neuroleptikums
Akathisie	quälende Unruhe mit Bewegungsdrang	25%	5–70 Tage nach Beginn einer Neuroleptikatherapie	Neuroleptikareduktion, Biperiden, Betablocker, Benzodiazepine, Wechsel des Neuroleptikums
Tardive Dyskinesie	unwillkürliche dyskinetische oder choreiforme Bewegungen der Gesichts-, Augen-, Zungen-, Stamm- und/oder Extremitätenmuskulatur (werden subjektiv meist nicht wahrgenommen)	15%	nach frühestens 6monatiger Neuroleptikatherapie	Neuroleptika- und Anticholinergikareduktion, Tiaprid, Benzodiazepine

leptika findet sich in Tabelle 15.4. Die schwerwiegendsten – allerdings seltenen – Nebenwirkungen sind die **Agranulozytose,** das **maligne neuroleptische Syndrom** und das **anticholinerge Intoxikationssyndrom** (»anticholinerges Delir«), bei denen das sofortige Absetzen der Neuroleptika die wichtigste therapeutische Maßnahme ist. Wegen möglicher Nebenwirkungen sollten vor Behandlungsbeginn ein EEG und ein EKG abgeleitet werden, während der Behandlung sind regelmäßige Untersuchungen des Blutbilds und der Leberwerte erforderlich.

Psychische Nebenwirkungen, besonders kognitive und affektive Störungen, sind unter Neuroleptika immer wieder beschrieben worden; ob solche Störungen im Einzelfall aber neuroleptikainduziert sind oder durch die psychiatrische Grunderkrankung verursacht werden, wird sich oft nicht oder nur schwer entscheiden lassen. Besondere Vorsicht ist wegen der Verstärkung der zentral dämpfenden Wirkung bei der Kombination von Neuroleptika mit Barbituraten, Antihistaminika und Benzodiazepinen (BZD) geboten.

15.2.4. Indikationen und Dosierung

Hauptindikation der Neuroleptika sind **schizophrene Erkrankungen** (vgl. Kapitel 6), wobei allerdings produktive Symptome wesentlich besser anspre-

Tabelle 15.4. Nebenwirkungen unter Neuroleptikamedikation

Art der Nebenwirkung	Verlauf	Therapiemaßnahmen
Leukopenie	passager zu Beginn der Behandlung	keine
Leukozytose	passager zu Beginn der Behandlung	keine
Eosinophilie	passager, 2.–4. Behandlungswoche	keine
Agranulozytose (selten)	meist 4.–10. Behandlungswoche, lebensbedrohlich	sofortiges Absetzen der Neuroleptika
Arzneimittelexanthem	meist 2.–4. Behandlungswoche	antiallergische Behandlung, evtl. Wechsel des Neuroleptikums
Photosensibilisierung (selten)	tritt bei Behandlungsbeginn unter Phenothiazinen auf	Wechsel auf ein Butyrophenon
Anstieg der alkalischen Serumphosphatase	passager, 2.–4. Behandlungswoche	keine
Orthostatische Dysregulation	dosisabhängig	Dosisreduktion, Dihydroergotonin
Temperaturerhöhung	Beginn in den ersten Tagen nach Therapiebeginn	meist benigne, keine Therapie
Malignes neuroleptisches Syndrom (selten)	kann jederzeit unter Neuroleptikamedikation auftreten, lebensbedrohlich	sofortiges Absetzen der Neuroleptika, intensivmedizinische Überwachung, Dopaminagonisten, Dantrolen, Benzodiazepine
Gewichtszunahme	persistiert häufig unter Fortführung der Neuroleptikamedikation	Reduktion oder Wechsel des Neuroleptikums
Sexualstörungen	persistieren häufig unter Fortführung der Neuroleptikamedikation	Reduktion oder Wechsel des Neuroleptikums
Zerebraler Krampfanfall (selten)	meist einmaliges oder sehr seltenes Auftreten	evtl. Reduktion des Neuroleptikums
Delir	häufig schleichender Beginn, lebensbedrohlich!	sofortiges Absetzen des Neuroleptikums, intensivmedizinische Überwachung, Clomethiazol, Physostigmin

chen als Negativsymptome (vgl. Kapitel 1). Darüber hinaus können Neuroleptika auch bei **anderen psychotischen Störungen** (Manie, organische oder exogene Psychosen) eingesetzt werden. Die Behandlung **nichtpsychotischer Erkrankungen** (unter anderen Schlafstörungen, Angstsyndrome, andere neurotische Störungen, Persönlichkeitsstörungen) mit niedrigdosierten Neuroleptika ist wegen der Gefahr der extrapyramidalen Nebenwirkungen umstritten und sollte deswegen erst nach Ausschöpfung anderer Therapiemaßnahmen – und dann zeitlich befristet – durchgeführt werden.

Wegen des Fehlens einer klaren **Dosis-Wirkungs-Beziehung** für Neuroleptika muß für jeden Patienten eine **individuell angepaßte Dosierung** gefunden werden. Überdosierungen kommen wegen der sehr großen therapeutischen Breite der Neuroleptika selten vor. Tritt bei einer schizophrenen Episode trotz ausreichender Dosierung eines Neuroleptikums nach 4–6 Wochen keine ausreichende Besserung ein, sollte auf ein Präparat aus einer anderen Stoffklasse (z.B. von einem Phenothiazin auf ein Butyrophenon oder umgekehrt) gewechselt werden. Führt auch dies zu keiner Besserung, kann auf ein atypisches Neuroleptikum gewechselt werden.

Neben der **Akutbehandlung** der schizophrenen Störungen (vgl. auch Kapitel 27) spielen die Neuroleptika in der **Rezidivprophylaxe** der Schizophrenie eine wesentliche Rolle. Nach einer ersten schizophrenen Episode wird heute eine neuroleptische Rezidivprophylaxe für 6 Monate bis 2 Jahre empfohlen, nach zweiten und weiteren Episoden soll die Rezidivprophylaxe 2–5 Jahre durchgeführt werden. Die zur Rezidivprophylaxe erforderliche Dosis sollte für jeden Patienten individuell angepaßt und möglichst niedrig gehalten werden. Am besten eignen sich Depotpräparate (z.B. Fluphenanzin – Decanoat, Haloperidol – Decanoat, Fluspirilen), die einmal wöchentlich bis einmal vierwöchentlich intramuskulär injiziert werden. Bei 60–80% der schizophrenen Patienten gelingt es mit einer konsequent durchgeführten Rezidivprophylaxe, weitere Episoden zu verhindern.

15.3. Antidepressiva

15.3.1. Definition und Wirkungsweise

Die depressionsaufhellende Wirkung von Imipramin und Iproniazid war 1957 eher zufällig entdeckt worden. Die spätere Aufdeckung der Wirkmechanismen der verschiedenen Antidepressiva (AD) hat wesentlich zur Entwicklung pathophysiologischer Konzepte depressiver Erkrankungen beigetragen. Der Begriff »Antidepressivum« wird auch heute noch verwendet, obwohl die Substanzen bei einer Vielzahl nichtaffektiver Störungen, wie etwa der generalisierten Angststörung, der Panikstörung, den Zwangsstörungen, den Eßstörungen, den Schmerzstörungen und den Entzugssyndromen, eingesetzt werden. Die **chemische Struktur** der einzelnen Substanzen ist häufig sehr ähnlich, kleine Änderungen in der entsprechenden Strukturformel führen bereits zu ausgeprägten Änderungen des pharmakologischen und klinischen Wirkprofils. Heute sind verschiedene pharmakologische Mechanismen als wirksam bei depressiven Erkrankungen bekannt. Nach unseren derzeitigen Vorstellungen wird langfristig die Sensitivität zentraler Rezeptoren verstellt. Neuerdings werden auch genomische Effekte berichtet, denen ebenfalls eine Latenz von Wochen zwischen erster Verabreichung und klinisch meßbarer Wirkung zuzuschreiben ist.

15.3.2. Einteilung

Man kann die meisten AD den drei **Wirkmechanismen** der Serotoninwiederaufnahme-, Noradrenalinwiederaufnahme- und MAO-Hemmung zuordnen

Tabelle 15.5. Profile der Rezeptorwirkungen bei Antidepressiva

Antidepressivum	Rezeptorwirkungen				
	anticholinerg	noradrenerg	serotoninerg	dopaminerg	antihistaminerg
Amitriptylin	+++	+(+)	+(+)/–	0	+++
Clomipramin	++	++	++(+)/	–	–
Desipramin	+(+)	+++	0	0	
Dibenzepin	+(+)	++	+(+)	0	0
Doxepin	+++	+(+)	+/–	0	+++
Fluoxetin	0	0	+++	0	0
Fluvoxamin	0	0	+++	0	
Imipramin	++	++	+(+)	0	0
Lofepramin	+(+)	+	+	0	
Maprotilin	+	+++	0	(+)	+++
Mianserin	0	0	–(5-HT2)	0	+++
Moclobemid	0	++	++	++	0
Nortriptylin	++	+++	+	0	
Paroxetin	0	0	+++	0	
Tranylcypromin	0	++	++	++	0
Trazodon	0	0	+(+)/– (5-HT2)	(+)	0
Trimipramin	++	0	0	–	+++

(vgl. Tabelle 15.5). Sie erhöhen die wirksame Konzentration der Transmitter Serotonin, Noradrenalin und/oder Dopamin in zerebralen Synapsen, was allein aber nicht die antidepressive Wirkung erklärt. Entscheidend für die Wirkung scheint die Dichteminderung der Rezeptoren der postsynaptischen Membran zu sein (dies betrifft vor allem auch Beta-1- und Alpha-2-Rezeptoren), die über Tage bis Wochen stattfindet, analog zum Zeitverlauf des klinischen Ansprechens auf die AD. Die anticholinergen Wirkungen, bei praktisch allen trizyklischen AD vorhanden, scheinen für die **antidepressive Wirkung** nicht elementar zu sein, da neuere AD ohne anticholinerge Wirkung entwickelt werden konnten. Sie sind die Ursache für eine Reihe **unerwünschter Wirkungen.** Hemmende Einflüsse auf Histamin-H1-Rezeptoren tragen zur sedierenden Komponente bei, die bei einzelnen AD deutlich ausgeprägt ist.

15.3.3. Wirkungen und Nebenwirkungen

Über 30 Jahre sind die klassischen trizyklischen AD im Einsatz bei der Behandlung depressiver Syndrome. Das Rezeptorbindungsverhalten der spezifischen Substanzen zeigt sich insbesondere für das Nebenwirkungsprofil verantwortlich. Aufgrund **antihistaminerger** und **anticholinerger Eigenschaften** kommt es häufiger zu störenden **Nebenwirkungen,** wie Mundtrockenheit (Problematik für Prothesenträger), chronischer Obstipation, Miktionsstörungen

Tabelle 15.6. Klinisches Wirkprofil und Dosierung

Antidepressivum, Wirkprofil		Mittlere Tagesdosis, mg
Psychomotorisch aktivierend		
MAO-Hemmer	Tranylcypromin (Parnate®, Jatrosom®)	20
Trizyklische AD	Desipramin (Pertofran®)	150
	Nortriptylin (Nortrilen®)	150
Andere	Viloxazin (Vivalan®)	200–300
Psychomotorisch neutral		
Trizyklische AD	Imipramin (Tofranil®)	150–200
	Clomipramin (Anafranil®)	100–150
	Dibenzepin (Noveril®)	360–480
	Lofepramin (Gamonil®)	140–210
Tetrazyklische AD	Maprotilin (Ludiomil® u.a.)	150
	Mianserin (Tolvin®, Prisma®)	60
Selektive Serotonin-wiederaufnahmehemmer	Fluvoxamin (Fevarin®)	100–200
	Fluoxetin (Fluctin®)	20
	Paroxetin (Seroxat®, Tagonis®)	20
Reversibler MAO-Hemmer	Moclobemid (Aurorix®)	300
Psychomotorisch dämpfend		
Trizyklische AD	Amitriptylin (Saroten® u.a.)	150
	Amitriptylinoxid (Equilibrin®)	180
	Dosulepin (Idom®)	75–150
	Trimipramin (Stangyl®)	15
	Doxepin (Aponal®, Sinquan®)	75–150
Andere	Trazodon (Thombran®)	300

oder kardiovaskulären Störungen, so daß besonders bei älteren Patienten nach Alternativen gesucht wurde (vgl. Tabelle 15.5). Hier bieten sich neben den tetrazyklischen AD die Inhibitoren der MAO sowie die selektiven Serotonin-Reuptake-Hemmer an (vgl. Tabelle 15.6). Ferner sind die in Tabelle 15.7 genannten Nebenwirkungen zu berücksichtigen.

Neben der antidepressiven Wirkung ist eine Reihe anderer Aspekte für den behandelnden Arzt wichtig. Er muß sich mit der Frage auseinandersetzen, ob bei einer ambulanten Behandlung die **Alltagssicherheit** des Patienten, z.B. die Fahrtüchtigkeit oder die Arbeitssicherheit, durch die Verordnung gefährdet ist. Insofern sind neuere Studien zur Gabe von AD im Zusammenhang mit der Verkehrssicherheit zu berücksichtigen. Wichtig ist zudem die Frage, inwieweit AD die Alkoholwirkung potenzieren können. Dagegen konnten Untersuchungen zur suizidinduzierenden Wirkung von AD bis auf einzelne Fallberichte in kontrollierten Studien nicht repliziert werden.

Tabelle 15.7. Risiken und unerwünschte Nebenwirkungen bei AD

Unspezifische Nebenwirkungen	Serotoninerge Nebenwirkungen	Spezifisch bei MAO-Hemmern
Tremor Allergische Reaktionen Leukopenie, Agranulozytose Endokrine Begleitwirkungen Zerebrale Krampfanfälle Gewichtszunahme Orthostatische Hypotonie Ejakulationsstörung Parästhesien Verwirrtheitszustände	(bei selektiven Serotonin-wiederaufnahmehemmern und Clomipramin) gastrointestinale Beschwerden, besonders Nausea Blutdruckkrisen Verwirrtheitszustände	Hypotonie hypertone Blutdruckkrisen (nach stark aminhaltiger Nahrung, besonders Tyramin) Schlafstörung
Anticholinerge Nebenwirkungen	**Relative Kontraindikationen**	**Cholinerger Rebound-Effekt**
Trockener Mund Obstipation Harnverhaltung Reizleitungsstörungen des Herzens Mydriasis Akkommodationsstörungen Schwitzen	Prostatahypertrophie Überleitungsstörungen des Herzens Engwinkelglaukom	(bei abruptem Absetzen) gastrointestinale Beschwerden Schweißausbrüche, Ängstlichkeit, Panik Agitation Schlafstörungen

15.3.4. Indikationen und Dosierung

Der **Indikationsbereich** der AD wurde von der »endogenen Depression« nicht nur auf die ganze Bandbreite **depressiver Syndrome** (vgl. Kapitel 7) ausgedehnt, sondern umfaßt inzwischen auch eine Reihe **weiterer Krankheitsbilder.** Vor allem Imipramin und MAO-Hemmer erwiesen sich als wirksam bei Agoraphobie mit Panikattacken (vgl. Kapitel 8). Bis zum Erreichen einer maximalen Wirkung vergehen in der Regel mehrere Wochen. AD sind aber auch bei der Behandlung der generalisierten Angst wirksam, und ihr Einsatz erscheint im besonderen bei zusätzlich vorliegender depressiver Verstimmung sinnvoll. Bei Zwangsstörungen haben sich AD mit bevorzugter Wirkung auf das serotonerge System bewährt. Dasselbe gilt für Eßstörungen (Bulimie) (vgl. Kapitel 9). Bei Schlafstörungen (Insomnie) ist die Indikation zur Gabe von AD vor allem bei Abhängigkeitsgefahr, nach mehrfachen erfolglosen Versuchen mit BZD oder auch bei anderweitigen BZD-Kontraindikationen gegeben. In Frage kommen AD mit sedierender Wirkkomponente, wie Amitriptylin, Doxepin, Trimipramin oder Trazodon. Bei der Narkolepsie finden sich mit individuell unterschiedlichen Anteilen verschiedene Symptome, die auf unterschiedliche Substanzgruppen ansprechen können. Hervorzuheben ist hier die Wirkung von

Clomipramin auf die Kataplexie. AD sind auch bei depressiven Symptomen im Rahmen einer schizophrenen Psychose wirksam, allerdings können sie wahrscheinlich gelegentlich auch schizophrene Symptome provozieren (vgl. Kapitel 6). Eine Wirkung bei depressiven Minussymptomen ist eher unsicher. Bei verschiedenen Symptomen im Rahmen einer Borderline-Persönlichkeitsstörung (vgl. Kapitel 11) können AD hilfreich sein, besonders im Sinne der affektiven Stabilisierung. Von Vorteil ist bei den Antidepressiva, das sie keine Suchtgefahr mit sich ziehen. Eine Übersicht zum klinischen Wirkprofil und zur Dosierung gibt Tabelle 15.6.

15.4. Lithium und Carbamazepin

Entsprechend ihres Haupteinsatzgebiets in der Psychiatrie können Lithium und Carbamazepin als Phasenprophylaktika zusammengefaßt werden. Die Langzeitbehandlung mit Phasenprophylaktika stellt einen wesentlichen Fortschritt in der Behandlung affektiver Störungen dar (vgl. Kapitel 7).

15.4.1. Lithium

Lithium, ein metallisches Element, das in der Natur weitverbreitet vorkommt, wird in Form verschiedener Salze (Azetat, Aspartat, Karbonat, Zitrat, Glukonat, Glutamat, Orotat, Sulfat) als Medikament eingesetzt. Dabei stellt das Lithiumion den biologisch wirksamen Bestandteil dar. Lithiumsalze werden in erster Linie zur **rezidivprophylaktischen Behandlung** bipolarer affektiver Störungen und rezidivierender depressiver Störungen eingesetzt. Nachdem bereits 1949 die **antimanische Wirkung** von Lithiumsalzen beobachtet worden war, konnte der phasenverhütende Effekt in vielen Untersuchungen seit 1960 nachgewiesen werden. Es gibt zunehmend gut abgesicherte Hinweise, daß die prophylaktische Wirksamkeit auch bei schizoaffektiven Psychosen zum Tragen kommen kann. Aufgelistet in der Reihenfolge der Sicherheit der Effektivität ergeben sich folgende **Indikationen:**

- Rezidivprophylaxe bei bipolaren affektiven Störungen, rezidivierenden depressiven und schizoaffektiven Störungen.
- Akutbehandlung der Manie.
- Zusätzliche Therapie bei therapieresistenten Depressionen (Augmentierung).
- Episodisch-aggressives Verhalten (kontrovers diskutierte Indikation).
- Cluster-Kopfschmerz (Erythroprosopalgie).

Tabelle 15.8 faßt **Kontraindikationen und unerwünschte Wirkungen** zusammen. Die genannten Repolarisationsveränderungen im EKG, geringradige Leukozytosen und auch leichte EEG-Veränderungen sind jedoch häufig kein Grund, die Lithiummedikation zu reduzieren oder gar abzusetzen.

Tabelle 15.8. Lithiumtherapie: Kontraindikationen und unerwünschte Wirkungen

Absolute Kontraindikationen
Akutes Nierenversagen
Myokardinfarkt
Gravidität im 1. Trimenon und Stillen
Relative Kontraindikationen
Krankheiten, die zu Nierenfunktionsstörungen mit verminderter glomerulärer Filtrationsrate führen können
Psoriasis vulgaris
Morbus Addison
Myasthenia gravis
Bradyarrhythmie
Epilepsie
Hypothyreose
Initiale unerwünschte Nebenwirkungen, oft vorübergehend
Feinschlägiger Händetremor
Polyurie, Polydipsie
Gastrointestinale Beschwerden (Übelkeit, Durchfallneigung, Völlegefühl)
Spätere unerwünschte Nebenwirkungen
Feinschlägiger Händetremor
Euthyreote Struma, selten Hypothyreose
Polyurie, Polydipsie
Tubulusfunktionsstörungen, sehr selten reversible Nephropathien
Gewichtszunahme
Dermatologische Wirkungen (juckende Exantheme, sehr selten Acne vulgaris, reversible Alopezie)
Kardiale Wirkungen (Repolarisationsstörungen, sehr selten Störungen der Reizbildung und Erregungsleitung)
Gastrointestinale Wirkungen (Übelkeit, Erbrechen, Appetitlosigkeit, Durchfallneigung)
Leukozytenanstieg
Möglicherweise teratogene Wirkung (Lithium passiert die Plazentaschranke)
Übertritt in die Muttermilch

Der **Beginn einer Lithiumbehandlung** kann im Intervall zwischen zwei Krankheitsphasen oder während einer Krankheitsphase erfolgen. Wichtig ist die ausführliche Aufklärung des Patienten über den möglichen Nutzen der Behandlung und über häufiger auftretende unerwünschte Wirkungen. Es muß versucht werden, die Compliance des Patienten abzuschätzen und durch ausführliche Informationen die Motivation zur Einnahme zu erhöhen. Die **Voruntersuchungen** umfassen die genaue Bestimmung des bisherigen Krankheitsverlaufs, die Anamnese bezüglich möglicher Kontraindikationen, körperliche Untersuchung, Körpergewicht, Blutdruck, Blutbild, Elektrolyte, Schilddrüsenhormonparameter, Nierenwerte, Urinstatus, Kreatinin-Clearance, Messung des Halsumfangs, EKG, EEG und gegebenenfalls Schwangerschaftstest. Der Patient sollte einen Lithiumbehandlungsausweis erhalten, der Arzt muß mögliche Wechselwirkungen berücksichtigen (vgl. Tabelle 15.9).

Tabelle 15.9. Lithiumtherapie: Klinisch relevante Wechselwirkungen

Wechselwirkung mit Lithium	Klinischer Effekt	Empfehlung
ACE-Hemmer	Lithiumkonzentration erhöht (verminderte Lithiumausscheidung)	Dosisanpassung
Alkohol	Verstärkung der sedierenden Alkoholwirkung	
Antiphlogistika	Lithiumkonzentration erhöht	ASS verwenden bzw. Dosisanpassung
Thiaziddiuretika	verminderte Lithium-Clearance, Intoxikatsgefahr!	Lithiumdosis reduzieren
Neuroleptika	möglicherweise Verstärkung unerwünschter Neuroleptikawirkungen	cave bei Hochdosierungstherapie und bei älteren Patienten
Methyldopa	neurotoxische Symptome	Kombination meiden
Thyreostatika, Jodverbindungen	Hypothyreose	Kombination meiden, ggf. *L*-Thyroxin-Gabe
Elektrokrampftherapie	postiktale Verwirrtheitszustände	Lithium vor Elektrokrampftherapie absetzen

Der Beginn der prophylaktischen Behandlung erfolgt mit einschleichender Dosis. Lithiumsalze werden nahezu vollständig resorbiert. Eine Metabolisierung findet nicht statt. Die Ausscheidung erfolgt renal. Es liegt eine Fülle von Einzeluntersuchungen über biologische Effekte von Lithium vor. Ein in sich geschlossenes Modell über den Wirkmechanismus existiert jedoch nicht. Es ist wichtig, den unterschiedlichen Lithiumgehalt je Tablette der im Handel befindlichen Lithiumpräparate zu berücksichtigen, der zweckmäßigerweise in Millimol pro Tablette ausgedrückt werden sollte, genau wie auch die Lithiumserumkonzentrationen in Millimol pro Liter gemessen werden sollten. Die **Dosierung** muß individuell unter Kontrolle der Serumkonzentrationen festgelegt werden, wobei eine Lithiumkonzentration von 0,5 bis 0,8 mmol/l angestrebt wird. Zur Behandlung der Manie kann mit höheren Dosierungen begonnen werden, hier sind vorübergehend Serumkonzentrationen zwischen 1,0 und 1,2 mmol/l therapeutisch sinnvoll. Bei Lithiumkonzentrationen über 1,5 mmol/l ist mit vermehrtem Auftreten von **Nebenwirkungen** zu rechnen, ab 2,0 mmol/l bestehen Intoxikationssymptome (vgl. Tabelle 15.10). Vitale Gefährdung liegt in der Regel bei einer Lithiumkonzentration ab 3,5 mmol/l vor. Als Therapie der Lithiumintoxikation kann die forcierte Diurese, schließlich aber auch die Hämodialyse erforderlich werden. Abschließend sei jedoch darauf hingewiesen, daß sich als wichtigste Maßnahme zur Verhütung von Intoxikationen die regelmäßi-

Tabelle 15.10. Lithiumintoxikation: Symptomatik

Warn- und Initialsymptome	Fortschreitende Intoxikation
Starker Tremor der Hände Koordinationsstörungen Undeutliche Sprache Starker Durst Eventuell Übelkeit und Erbrechen	Grobschlägiger Händetremor Ataxie, Dysarthrie Muskelzuckungen, Reflexsteigerung Übelkeit, Erbrechen, Diarrhö Verwirrtheit, Desorientiertheit Delir Zerebrale Anfälle Bewußtseinstrübung bis zum Koma Akutes Nierenversagen

ge Lithiumserumkonzentrationskontrolle, die ausreichende Aufklärung des Patienten und die Information über mögliche Wechselwirkungen erweist.

15.4.2. Carbamazepin

Carbamazepin wurde 1957 synthetisiert und besitzt als trizyklische Substanz eine dem Imipramin ähnliche Struktur. Es ist rasch zu einem wichtigen Präparat der Epilepsietherapie, der Behandlung der Trigeminusneuralgie und bei anderen neurologischen Indikationen geworden. Das Interesse an den psychotropen Wirkungen und damit möglichen psychiatrischen Indikationen hat in den letzten Jahren deutlich zugenommen. Heute kommt eine Behandlung mit Carbamazepin bei folgenden **Indikationen** in Frage:

- Rezidivprophylaxe der bipolaren affektiven Störungen, besonders bei Lithium Non-Respondern und bei »rapid cycling« (mehr als drei Krankheitsphasen pro Jahr) (vgl. Kapitel 7).
- Rezidivprophylaxe schizoaffektiver Psychosen und Behandlung der akuten Manie, besonders als Alternative bei Lithiumunverträglichkeit oder bei Ablehnung einer Lithiumbehandlung (vgl. Kapitel 6 und 7).
- Stationäre Behandlung des Alkoholentzugssyndroms, vor allem bei anamnestisch erhöhtem Risiko für das Auftreten von Krampfanfällen (vgl. Kapitel 5).

Zunehmend zeichnen sich auch die Kombinationstherapie mit Neuroleptika bei therapieresistenten schizophrenen Patienten und die antiaggressive Wirkung als mögliche Einsatzgebiete von Carbamazepin ab.

Der **Beginn der prophylaktischen Behandlung** erfolgt ebenfalls mit einschleichender Dosierung, z.B. mit 200 mg Carbamazepin retard pro Tag und täglicher Erhöhung um 100 mg, bis 800 mg als Tagesdosis erreicht sind. Unter Steady-state-Bedingungen (etwa 5 Tage auf stabiler Dosis) wird die Plasmakonzentration überprüft, die weitere Einstellung erfolgt unter Berücksichtigung der unerwünschten Wirkungen, regelmäßige Konzentrationskontrollen werden empfohlen. Als Orientierung, besonders beim Auftreten unerwünschter Wirkungen, dienen die empfohlenen Plasmakonzentrationen für die Carbamazepinbehandlung in der Neurologie bei der Behandlung von Epilepsien (6–11 mg/l Carbamazepin). Ob zu unterschiedlichen psychiatrischen Krankheitsbildern »therapeutische Fenster« definiert werden können, ist noch offen. Die Relevanz des Metaboliten Carbamazepin-10-11-Epoxid wird zur Zeit noch kontrovers diskutiert.

Gegenanzeigen zur Carbamazepinbehandlung stellen eine Überempfindlichkeit gegenüber trizyklischen AD und Carbamazepin, atrioventrikulärer Block und schwere Leberfunktionsstörungen dar. Es verbietet sich eine Kombination mit irreversiblen MAO-Hemmern. Die wichtigsten **Nebenwirkungen** sind allergische Reaktionen (Störungen der Hämatopoese, Exantheme), kardiovaskuläre Symptome (Bradykardie, atrioventrikulärer Block), Cholestase und Gamma-GT-Anstieg. Die möglichen Nebenwirkungen auf neurologisch-psychiatrischem Gebiet (Kopfschmerzen, Müdigkeit, Schwindel, Sehstörungen, Ataxie) werden vorwiegend initial beobachtet.

Mit Lithium und Carbamazepin liegen zwei wirksame Phasenprophylaktika vor, deren therapeutische Einsatzmöglichkeiten auch bei kritischer Würdigung über die Rezidivprophylaxe hinausgehen, auch wenn die differentielle Indikationsstellung teils weiterer wissenschaftlicher Absicherung bedarf und die Suche nach weiteren Phasenprophylaktika fortgesetzt werden muß.

15.5. Benzodiazepine

15.5.1. Definition und Wirkweise

BZD gehören zu den meistverordneten Substanzgruppen. Sie haben Substanzen wie Meprobamat, die Barbiturate und eine Reihe älterer Hypnotika aus den meisten Indikationen weitgehend verdrängt. BZD wirken über einen weitgehend spezifischen Rezeptor, der bei einem Teil der gabaergen Synapsen des ZNS mit dem postsynaptischen GABA-Rezeptor und einem Chloridkanal einen Komplex bildet, wobei BZD die Wirkung des körpereigenen GABA verstärken können. GABA ist der wichtigste inhibitorische Transmitter im ZNS des Menschen.

Die BZD sind klinisch durch ein Spektrum **anxiolytischer, sedativ-hypnotischer, muskelrelaxierender** und **antikonvulsiver Wirkungen** charakterisiert. Die einzelnen Substanzen unterscheiden sich vor allem im Hinblick auf ihren **Schwerpunkt** innerhalb dieses Spektrums und bezüglich ihrer **Wirkzeiten** (vgl. Tabelle 15.11). Dies führt zu einer (unscharfen) Unterteilung der BZD in Sedativa oder Anxiolytika einerseits und Hypnotika anderseits, was psychiatrische

Tabelle 15.11. Benzodiazepine

Freiname	Handelsnamen	Wirkdauer
Tranquilizer		
Alprazolam	Tafil®	mittellang
Bromazepam	Lexotanil® u.a.	mittellang
Camazepam	Albego®	mittellang
Chlordiazepoxid	Librium®, Multum®, Librax®	lang
Clobazepam	Frisium®	lang
Clotiazepam	Trecalmo®	kurz
Diazepam	Valium® u.a.	lang
Dikaliumchlorazepat	Tranxilium®	lang
Ketazolam	Contamex®	lang
Lorazepam	Tavor® u.a	mittellang
Medazepam	Nobrium®	lang
Metaclazepam	Talis®	mittellang
Nordazepam	Tranxilium® N	lang
Oxazepam	Adumbran® u.a.	mittellang
Oxazolam	Tranquit®	lang
Prazepam	Demetrin®, Mono-Demetrin®	lang
BZD-Antiepileptika		
Clonazepam	Rivotril®	lang
Diazepam	Valium® u.a.	lang
Nitrazepam	Mogadon® u.a.	mittellang
BZO-Muskelrelaxantien		
Tetrazepam	Musaril®	lang
Hypnotika (sortiert nach sedierender Wirkung)		
Lormetazepam	Noctamid®	mittellang
Temazepam	Planum®, Remestan®	mittellang
Nitrazepam	Mogadon® u.a.	mittellang
Flurazepam	Dalmadorm®, Staurodorm®	lang
Brotizolam	Lendormin®	kurz
Triazolam	Halcion®	kurz
Flunitrazepam	Rohypnol®	mittellang
Midazolam[1]	Dormicum®	kurz

[1] Als Hypnotikum nur in der Schweiz zugelassen.

Indikationen betrifft. Die Wirkzeit spielt auch für den Indikationsbereich einzelner Präparate eine wesentliche Rolle. Kurzdauernd bis mittellang wirksame Präparate, wie Triazolam oder Temazepam, werden als Hypnotika eingesetzt und stellen sicher, daß kaum relevante Überhangeffekte auftreten werden.

15.5.2. Nebenwirkungen

Es wurde wiederholt auf eventuell zunehmende Ängstlichkeit am Tage danach, frühmorgendliche Schlaflosigkeit und erhöhtes Risiko der Abhängig-

Tabelle 15.12. Wichtigste Risiken, Nebenwirkungen und Kontraindikationen einer BZD-Verordnung

Unerwünschte Nebenwirkung(en)	Abhängigkeitsentwicklung
Müdigkeit	nachlassende Wirkung
Aufmerksamkeits- und Konzentrationsstörungen	Tendenz zur Dosiserhöhung
Konzentrationsstörungen	affektive Verflachung
Mnestische Störungen	Dysphorie
Muskuläre Schwäche	
Verwirrtheit	
Absetzeffekte	**Keine Verordnung bei**
Rebound-Insomnie	Suchtanamnese
Angstzustände	hirnorganischen Erkrankungen (paradoxe Wirkung)
Vegetative Entzugssymptome	Myasthenia gravis
Unruhe	Schlafapnoe
Verwirrtheit	schwerer respiratorischer Insuffizienz
Halluzinationen	akutem Engwinkelglaukom
Zerebrale Krampfanfälle	
Beendigung einer Therapie notwendig bei	
erkennbarer Tendenz zur Suchtentwicklung	
weiterem Einnahmewunsch über 4–6 Wochen hinaus	
Unwirksamkeit	
Unverträglichkeit	
spezifischen psychischen Grunderkrankungen	
Indikation für andere Medikation	

keit hingewiesen (vgl. Tabelle 15.12). Längerwirkende Präparate, wie Diazepam, rufen weniger Entzugssymptome oder kurzfristige Rebound-Phänomene sowie kaum vermehrte Ängstlichkeit gegen Ende des Einnahmeintervalls hervor, sie können jedoch – wie z.B. Flurazepam als Hypnotikum – deutliche Überhangeffekte bewirken und auch kumulieren. Dieses Risiko ist bei älteren Menschen noch deutlich erhöht. Bei Anxiolytika und Antiepileptika ist eine möglichst gleichbleibende Konzentration über 24 Stunden ausdrücklich erwünscht. Daß die BZD nur geringe Nebenwirkungen hervorrufen und ihre Toxizität auch bei Überdosierung verhältnismäßig gering ist, hat dazu geführt, daß sie in vielen medizinischen Bereichen in großer Zahl verordnet werden.

15.5.3. Indikationen

BZD sind bei **generalisierter Angst** und **akuten Angstzuständen** in ihrer prompten Wirkung unübertroffen. Ihre Wirkung ist hier unspezifisch: Neben Angstsymptomen werden auch vegetative und allgemeine Störungen der Befindlichkeit gebessert, am wenigsten jedoch Zwangssymptome (vgl. Kapitel 8).

Ihre Verordnung sollte – wie bei anderen Indikationen in der Regel **auf wenige Wochen beschränkt** bleiben. Wie bei den Angststörungen ist auch bei den **Ein- und Durchschlafstörungen** die Gefahr einer unkritischen Verordnung groß. Die Indikationen sollten deshalb hier streng begrenzt bleiben: Zur Entlastung des Patienten bei akuter, reaktiver oder situativer Schlafstörung (z.B. vor und nach Operationen, bei Verlust eines Angehörigen), bei der transienten psychophysiologischen Insomnie, bei der chronischen Insomnie mit primär gestörtem Schlafmuster nur im Falle einer idealen Compliance und bei Fehlen von Toleranzentwicklung und Dosissteigerung, außerdem Einsatz bei chronischen, nicht vorbehandelten Schlafstörungen als passagere Verordnung über wenige Wochen, um den Circulus vitiosus mit Angst vor dem Nichtschlafenkönnen und daraus resultierender Schlaflosigkeit zu durchbrechen und schließlich zur Unterstützung anderer Therapien. Das hohe Abhängigkeitsrisiko darf aber nicht aus den Augen verloren werden.

In der **antiepileptischen Behandlung** haben BZD bei einigen Anfallsformen (z.B. Clonazepam bei myoklonisch-astatischen Anfällen, BNS-Krämpfen und Status epilepticus) einen festen Indikationsbereich. Problematisch ist aber die Tendenz zum Nachlassen der antiepileptischen Wirkung nach Wochen bis Monaten. Die **muskelrelaxierende Wirkung** führt zur Indikationsstellung bei spastischen Paresen, akuter Lumbago und muskelbedingtem Geburtsstillstand. Im Rahmen der Verordnungen bei psychiatrischer Indikation ist sie indes mit einer nicht ungefährlichen Nebenwirkung behaftet, indem sie besonders bei älteren Patienten zu Stürzen beitragen kann.

15.5.4. Nichtbenzodiazepine mit Wirkung am Benzodiazepinrezeptor

Das Zyklopyrrolon Zopiclon (Ximovan®) und das Imidazopyridin Zolpidem (Stilnox®) greifen ebenfalls am BZD-Rezeptor an, aber mit anderem Schwerpunkt bezüglich der Rezeptorwirkungen und der zerebralen Lokalisation, was ihre andersartige Wirkung erklärt. Nach vorliegenden Studien sind Zopiclon und Zolpidem im Vergleich zu BZD in einigen wichtigen Charakteristika als Hypnotika überlegen. Bezüglich Überhangwirkungen, Toleranzentwicklung, Rebound-Phänomen, unerwünschter Muskelrelaxation und Entzugssymptomen scheinen sie im Vergleich zu BZD günstiger abzuschneiden. Weitere Substanzen dieser Gruppen – auch Anxiolytika – befinden sich in Entwicklung.

15.6. Clomethiazol

Clomethiazol (Distraneurin®) ist strukturell mit dem Thiazolanteil des Thiamins (Vitamin B_1) verwandt, besitzt jedoch weder agonistische noch antagonistische B_1-Effekte. Nach seiner Einführung 1963 ist die Letalität bei den Alkoholentzugsdelirien deutlich zurückgegangen. Die Plasmahalbwertszeit ist kurz, der exakte Wirkmechanismus noch nicht bekannt, ein gabaerger Angriff erscheint sehr wahrscheinlich. Die Substanz hat antikonvulsive, sedierende und hypnotische Wirkungen. Sie hat eine hohe Metabolisierungsrate in der Leber unter Bildung pharmakologisch inaktiver und nichttoxischer Metaboliten. Die Halbwertszeit beträgt 4–6 Stunden. Die Ausscheidung der Metabolite erfolgt über die Nieren.

Das **Hauptindikationsgebiet** von Clomethiazol liegt in der stationären Behandlung behandlungsbedürftiger Alkoholentzugssyndrome bis hin zu manifest ausgeprägten Alkoholentzugsdelirien (vgl. Kapitel 5 und Abschnitt 27.1.6). Wegen seiner rasch einsetzenden hypnotischen Wirkung wird die Substanz gelegentlich auch als **Schlaf- und Beruhigungsmittel** in der **Gerontopsychiatrie** bei psychomotorisch unruhigen Patienten angewandt. Angesichts seiner Suchtgefahr darf es auch hier nur zeitlich begrenzt gegeben werden. Eine weitere Indikation ist der **Status epilepticus,** wenn Präparate wie Diazepam und Hydantoin nicht ausreichend wirksam sind.

Clomethiazol ist als Kapseln und Tabletten im Handel, die trotz unterschiedlichen Wirkstoffgehalts quantitativ wirkungsgleich sind. Zusätzlich liegt es in Form einer Mixtur und einer 0,8%igen Lösung zur Infusion vor. Wenn möglich sollte die orale Medikation vorgezogen werden. Clomethiazol ist als **ambulante Medikation** bei Alkoholentzugssyndromen **kontraindiziert.** Ambulante Patienten neigen dazu, Alkohol und Clomethiazol zu kombinieren und können so iatrogen zur Clomethiazolabhängigkeit geführt werden. Kommt es bei diesen Patienten zum Entzugsdelir, ist dies wesentlich schwerer zu beherrschen. Die Voraussetzungen für eine Delirtherapie mit intravenösen Clomethiazolinfusionen sind auf psychiatrischen Stationen im allgemeinen (fehlende Intensivüberwachung, Gefahr der Atemdepression) nicht gegeben.

Die **Dosierung** erfolgt nicht schematisch, sondern flexibel nach dem jeweiligen klinischen Befund, da der Schweregrad des Alkoholentzugssyndroms sich stündlich ändern kann [Saitz et al., 1994]. Als klinische Entscheidungshilfen werden neuerdings Rating-Instrumente [Banger et al., 1992] eingesetzt. **Klinisches Vorgehen:** Bei einem manifesten Alkoholentzugssyndrom und einer Alkoholkonzentration, die sich unter 1‰ befindet, sollten dem Patienten initial 2 Kapseln Distraneurin oder das Äquivalent an Distra-Mix gegeben werden. Erfolgt nach 30 Minuten keine Besserung, können in den ersten 2 Stunden bis zu 8 Kapseln und dann 1- bis 2stündlich weitere 2 Kapseln gegeben werden, bis eine notwendige Sedierung erreicht ist. Höchstdosis sind 20 Kapseln Distraneurin pro 24 Stunden. Regelmäßige Kontrollen von Blutdruck und Puls und pflegerische Beurteilung sind wichtig. Ist das Entzugssyndrom unter dieser Medikation nicht beherrschbar, kommt eine Kombinationstherapie von Clomethiazol mit einem hochpotenten Neuroleptikum, z.B. Haloperidol oder Benperidol, in Frage.

Kontraindikationen zur Clomethiazolbehandlung sind relevante chronische obstruktive Atemwegserkrankungen, die manifeste Alkoholintoxikation sowie Allergien gegen den Wirkstoff.

Nebenwirkungen können Niesreiz mit tränenden Augen, zentrale Atemdepression (vor allem bei intravenöser Gabe), Verschleimung des Bronchialtrakts mit Pneumoniegefahr, hypotone Krisen sowie die Entwicklung einer Clomethiazolabhängigkeit sein.

15.7. Nootropika

Parallel zur Zunahme der Lebenserwartung und damit auch der Zahl an dementiellen Erkrankungen leidender alter Menschen haben Forschung und Ruf nach hier wirksamen Medikamenten massiv zugenommen. Diese zentral wirkenden Substanzen, die Nootropika, sollen zur **Verbesserung der Hirnleistung** (vor allem Orientierung, Auffassung, Aufmerksamkeit und Konzentration, Gedächtnis sowie Urteilsvermögen) und/oder zur **Verhinderung von Beeinträchtigungen der sozialen Aktivitäten** führen. Die erstrebte Wirkung dieser Substanzen wird in zwei Richtungen gesucht:

- Anregung (noch) funktionsfähiger Nervenzellen (bzw. Nervenzellverbände) zu möglichst optimaler Leistung im Sinne einer Besserung der Symptomatik.
- Schutz vor pathologischen Mechanismen mit dem Ziel des Verhinderns einer Progredienz der Krankheit (Neuroprotektion).

Bevor mit einer Pharmakotherapie von Hirnleistungsstörungen begonnen wird, müssen folgende **Voraussetzungen** erfüllt sein:

- Entsprechende vorgeschaltete (Ausschluß-) Diagnostik behandelbarer Erkrankungen.
- Optimierung der allgemeinmedizinischen Maßnahmen unter besonderer Beachtung der physiologischen Veränderungen im Alter sowie der Pharmakokinetik und Pharmakodynamik beim alten Menschen.
- Gleichzeitige stützende Behandlung mit Soziotherapie, Ergotherapie, Krankengymnastik und anderem.

Die **Indikation zur Behandlung mit Nootropika** bezieht sich auf Hirnleistungsstörungen von der leichten kognitiven Beeinträchtigung bis zu allen Formen (degenerativ oder vaskulär bedingt bzw. Mischformen) der Demenz nach DSM-III-R oder ICD-10 (vgl. Kapitel 4). Die bisher diskutierten und wissenschaftlich erwiesenen **Wirkmechanismen** sind:

- Gestörte intrazelluläre Kalziumhomöostase.
- Beeinflussung von Rezeptoren und Neurotransmittern, besonders des cholinergen Systems.
- Verbesserung der Glukoseverwertung.
- Steigerung der neuronalen Erregbarkeit.

Tabelle 15.13. Nootropika

Substanz	Handelsname	Einschätzung (pharmakologisch und therapeutisch)
Codergocrin (Dihydroergotoxin)	Hydergin® Nehydrin N®	wirkt vasodilatatorisch (blockiert Alpha-Rezeptoren); antagonistische Wirkung an zentralen noradrenergen und serotonergen Rezeptoren; agonistische Wirkung an zentralen dopaminergen Rezeptoren; Besserung verschiedener Einzelsymptome (Stimmungslage und kognitive Leistungen)
Gingko biloba (EGb 761)	Kaveri® Rökan® Tebonin®	im Tierversuch: Erhöhung der Hypoxietoleranz, Radikalfängereigenschaften, Hemmung der Lipidperoxidation, Erhöhung der m-Cholinozeptoren, Reduzierung des toxischen Hirnödems, Steigerung der Gehirndurchblutung
Nicergolin	Sermion®	Vasodilatator; cave »Steal«-Phänomen
Nimodipin	Nimotop®	experimentell antiischämische und neuroprotektive Wirkung; Verbesserung der neuronalen Plastizität; in Doppelblindstudien verbesserte zerebrale Leistung
Piracetam	Nootrop® Normabrain®	zyklisches GABA-Derivat ohne meßbare Wirkung auf GABA-Stoffwechsel
Pyritinol	Encephabol®	chemisch mit Vitamin B_6 verwandt ohne Vitamineigenschaften; im Tierversuch erhöhte Hypoxietoleranz und Vigilanzanhebung; in Doppelblindstudien nach 6–9 Wochen signifikante Besserungen

Bisher wurde eine größere Anzahl von Substanzen mit zum Teil fragwürdigem oder nur spekuliertem Wirkmechanismus im klinischen Alltag verwendet, wohl auch durch die entsprechende Nachfrage und den immer stärker werdenden Handlungsbedarf bedingt. Nach dem neuen Arzneimittelgesetz sind durch entsprechende wissenschaftliche Kommissionen insgesamt sechs Substanzen (Nimodipin, Nicergolin, *Gingko biloba,* Pyritinol, Dihydroergotoxin, Pirazetam) aufgrund des wissenschaftlichen Nachweises ihrer Wirkung bei dementiellen Erkrankungen im Alter zugelassen worden (vgl. Tabelle 15.13). Ihre Anwendung wird in der Regel im ersten Therapieschritt auf 3 Monate begrenzt und eine längerdauernde Anwendung nur empfohlen, wenn durch entsprechende objektive Messungen des Befunds beim Patienten eine relevante Wirkung nachgewiesen ist. Bei dieser Vorgehensweise spielen neben medizinischen auch gesundheitsökonomische Überlegungen eine Rolle.

15.8. Andere Substanzen (Hypnotika, Betarezeptorenblocker u.a.)

15.8.1. Buspiron (5-HT1A-Agonist)

Buspiron (Bespar®) erwies sich in einigen Untersuchungen in der anxiolytischen Wirkung als den BZD ebenbürtig. Die Wirkung erfolgt über einen hochselektiven 5-HT1A Agonismus. Buspiron wirkt nicht sedierend, eine Abhängigkeitsentwicklung wurde bislang nicht beobachtet, BZD-Entzugssymptome wer-

Tabelle 15.14. Betablocker

Freiname	Handelsnamen	Hydrophil/lipophil	Beta-1-selektiv
Acebutolol	Prent®, Neptal®	mäßig lipophil	+
Alprenolol	Aptin®	lipophil	–
Atenolol	Tenormin® u.a.	hydrophil	+
Bisoprolol	Concor®	lipophil	+
Metoprolol	Beloc® u.a.	mäßig lipophil	+
Oxprenolol	Trasicor®	lipophil	–
Pindolol	Visken® u.a.	mäßig lipophil	–
Propranolol	Dociton® u.a.	lipophil	–

Tabelle 15.15. Psychiatrische Indikationen für Betablocker (mit Dosierungsbeispielen für Propranolol)

Indikationen	Dosierungsbeispiele
Prüfungsangst	Einzeldosis bis 120 mg
Paniksyndrom (besonders kardiovaskuläre Symptome), Hyperventilationssyndrom	pro Tag 160 mg (eventuell Kombination mit Antidepressivum)
Generalisiertes Angstsyndrom (besonders mit kardiovaskulärer Symptomatik)	pro Tag 80–240 mg (eventuell Kombination mit Antidepressivum)
Kontrolle von Wutausbrüchen, schwere Aggressivität	pro Tag 320–520 mg
Psychopharmakabedingte Nebenwirkungen:	
feinschlägiger Tremor (Lithiumtherapie)	Einzeldosis 10–20 mg
neuroleptikainduzierte Akathisie	pro Tag 20–60 mg
tardive Dyskinesie	pro Tag bis 320 mg
Entzugssyndrome bei Alkohol, BZD	pro Tag 40–120 mg
Prämenstruelle dysphorische Verstimmung	pro Tag 40–120 mg

den nicht beeinflußt. Als Nebenwirkungen können Schwindel, Magenbeschwerden, Übelkeit, Diarrhö, Kopfschmerz, Nervosität, Erregung, Schlaflosigkeit und Benommenheit auftreten.

15.8.2. Beta-Rezeptoren-Blocker

Es ist wahrscheinlich, aber bislang noch nicht eindeutig bewiesen, daß mit Betablockern (vgl. Tabelle 15.14) außer den bekannten peripheren Wirkungen auch zentralnervöse therapeutische Effekte in üblichen Dosierungsbereichen bewirkt werden. In einer Reihe von Untersuchungen wurde jedenfalls gezeigt, daß sie bei verschiedenen psychischen Störungen (z.B. Panikattacken, generalisierter Angst mit somatischen Symptomen, Entzugssymptomen) therapeutisch

Tabelle 15.16. Betablocker: Nebenwirkungen und Kontraindikationen

Nebenwirkungen	
Auslösung einer Herzinsuffizienz	Benommenheitsgefühl, Schwindel
Bradykarde Herzrhythmusstörungen	Müdigkeit
Verschlimmerung einer Bronchospastik	Lebhafte Träume (Alpträume)
Kalte Extremitäten (Raynaud-Phänomen)	Schlaflosigkeit
Allergische Hautreaktionen	Kopfschmerzen
Provokation von Psoriasis	Impotenz
Depressive Verstimmungen	Gastrointestinale Störungen
Verschlechterung eines Diabetes mellitus	Verringerte Tränenproduktion
Halluzinationen, Wahn	Rasche körperliche Ermüdung
(Relative) Kontraindikationen	
Diabetes mellitus	Bronchiale Obstruktion (Asthmaanfall)
Dekompensierte Herzinsuffizienz	Atrioventrikuläre Überleitungsstörungen
Wolff-Parkinson-White-Syndrom	Sick-sinus-Syndrome
Schock	Schwere periphere Durchblutungsstörungen
Metabolische Azidose	

sehr hilfreich sein können (vgl. Tabelle 15.15). Von Vorteil ist vor allem das Fehlen einer Suchtpotenz sowie kognitiver Beeinträchtigungen. Bei psychiatrischen Indikationen wurde am häufigsten Propranolol untersucht, jedoch auch Beta-1-selektive Substanzen (bevorzugt kardiale Wirkung, geringe Wirkung auf Bronchien, Gefäße und Uterus) wurden erfolgreich getestet. In einigen Fällen psychiatrischer Syndrome erwiesen sich auch hydrophile (nicht-ZNS-gängige) Betablocker als hilfreich. Die Verordnung von Betablockern erfordert vorab eine sorgfältige körperliche Untersuchung und die entsprechende Beachtung der Kontraindikationen (vgl. Tabelle 15.16).

15.8.3. Barbiturate

Barbiturate waren bis zur Einführung der BZD-Hypnotika die am häufigsten verwendeten Schlafmittel. Da sie bezüglich Nebenwirkungen, therapeutischer Breite, Schwere von Vergiftungserscheinungen, Toleranzentwicklung (schon nach 10 Tagen), Mißbrauch und Abhängigkeitspotential den BZD deutlich unterlegen sind, sind sie als Sedativa oder Hypnotika kaum noch indiziert. Zur Epilepsiebehandlung (Phenobarbital) und als Kurznarkotika (z.B. Methohexital) haben einige Präparate jedoch einen festen Stellenwert. Als Hypnotika mit mittellanger Wirkdauer werden z.B. noch Pentobarbital (Neodorm® u.a.) und Zyklobarbital (Somnupan® C) angeboten.

15.8.4. Derivate von Alkoholen und Aldehyden

Chloralhydrat (Chloraldurat®) eignet sich bei kurzer Wirkdauer vor allem als Einschlafmittel. Es ist mit weniger Risiken behaftet als die Barbiturate, kann aber ebenso Sucht und Gewöhnung sowie Entzugssymptome (Delir, Krämpfe) verursachen. Schon nach Tagen tritt ein Wirkungsverlust ein (Enzyminduktion). Die fehlende Muskelrelaxation ist beim Einsatz bei älteren Patienten gelegentlich von Vorteil. Die therapeutische Breite ist sehr gering (hypnotische Dosis 0,5–2 g, letale Dosis 6–10 g). Als Nebenwirkungen sind Übelkeit, Verwirrtheitszustände und allergische Reaktionen beschrieben worden. Kontraindikationen sind schwere Magen-Darm-Erkrankungen, Herzrhythmusstörungen sowie Herz-, Leber- und Niereninsuffizienz. Paraldehyd besitzt gegenüber Chloralhydrat keine Vorteile.

15.8.5. Antihistaminika

Antihistaminika, wie Diphenhydramin (z.B. Sekundal®-D), Doxylamin (z.B. Hoggar® N) und Meclozin (Calmonal®), sind als Hypnotika schwächer wirksam als BZD. Ihr Wirkungseintritt ist vergleichsweise verzögert. Weil sie noch rezeptfrei verkäuflich sind, werden sie häufig mißbräuchlich verwendet. Sie haben ausgeprägte anticholinerge Nebenwirkungen. Ihre therapeutische Breite ist gering. Besonders für Kinder besteht eine hohe Toxizität.

15.8.6. *L*-Tryptophan

L-Tryptophan wurde als biologische Serotoninvorstufe bei Schlafstörungen und depressiven Verstimmungen häufig verordnet. Nach dem Auftreten schwerer Nebenwirkungen (Eosinophilie-Myalgie-Syndrom) wurden die Präparate vom Markt genommen.

Literatur

Banger M, Philipp M, Herth T, Hebenstreit M, Aldenhoff J (1992): Development of a rating scale for quantitative measurement of the alcohol withdrawal syndrome. European Archives of Psychiatry and Clinical Neuroscience 241:241–246.

Benkert O, Hippius H (1994): Psychiatrische Pharmakotherapie. Springer, Berlin.

Herrschaft H (1992): Nootropika. In: Riederer H, Laux G, Pöldinger W (Hrsg.): Neuro-Psychopharmaka. Springer, Wien, 161–324.

Kissling W (1991): Guidelines for neuroleptic relapse prevention in schizophrenia. Springer, Berlin.

Konsensus-Papier BGA (1991): Empfehlungen zum Wirksamkeitsnachweis von Nootropika im Indikationsbereich »Demenz« (Phase III). Bundesgesundheitsblatt, 7 (34) (Berlin), 342–350.

Krieglstein J (1990): Hirnleistungsstörungen: Pharmakologie und Ansätze für die Therapie. Wissenschaftliche Verlags-Gesellschaft, Stuttgart, 37–72.

Laux G (1992): Pharmakopsychiatrie. Fischer, Stuttgart.

Meltzer HY (1987): Psychopharmacology: the third generation of progress. Raven Press, New York.

Pichot P, Möller HJ (1987): Neuroleptika-Rückschau 1952–1986 – künftige Entwicklung. Springer, Berlin.

Riederer P, Laux G, Pöldinger W (1992): Neuropsychopharmaka, Vol 4: Neuroleptika. Springer, Wien.

Saitz R, Mayo-Smith MF, Roberts MS, Redmond HA, Bernard DR, Clakins D (1994): Individualized treatment for alcohol withdrawal. Journal of the American Medical Association 272:519–523.

16. Andere biologische Verfahren

Hans-Joachim Haug

16.1. Elektrokrampftherapie

16.1.1. Einleitung

Die Methode, durch künstlich induzierte zerebrale Krampfanfälle psychische Erkrankungen zu behandeln, geht bis ins 16. Jahrhundert zurück. Im 20. Jahrhundert wurden dann viele verschiedene Arten untersucht, mit denen solche Anfälle provoziert werden können. Die Anwendung chemischer Mittel, wie Kampfer, Kardiazol und Metrazol, ist heute wegen schlechter Steuerbarkeit der Therapie nicht mehr im Gebrauch. 1938 wurde die erste Krampfauslösung durch einen elektrischen Reiz bei einem schizophrenen Patienten durchgeführt. Die erfolgreiche Behandlung des Patienten löste eine Entwicklung aus, die die EKT zu einem der etablierten Verfahren in der Behandlung psychisch Kranker machte. Synonym zum Begriff »Elektrokrampftherapie« (EKT) werden auch die **Bezeichnungen** »Elektrokonvulsionsbehandlung«, »Elektrokrampfbehandlung«, »neuroelektrische Therapie« und »Heilkrampftherapie«, seltener »Seismotherapie« und »Cerletti-Bini-Kur« gebraucht, während der frühere Begriff »Elektroschock« wegen der irreführenden Bedeutung nicht mehr verwendet werden sollte. Gleichzeitig aber wurde vor allem durch die öffentliche Diskussion die Methode umstritten, weniger was die Wirkung, mehr was mögliche Nebenwirkungen und vor allem was die **ethischen Aspekte** der Anwendung der EKT betrifft. In manchen Medien wurde die Therapiemethode in die Nähe von Folterung, und die Psychiater, die sie anwenden, in die Nähe verantwortungsloser Folterknechte gerückt. Auch heute ist es kaum möglich, sachliche Zusammenhänge darzustellen, ohne dieses Bild der EKT in der Öffentlichkeit zu berücksichtigen, das nach wie vor stark von Emotionen und Ideologien geprägt ist. In der Tat wird der Patient als Teil dieser Öffentlichkeit ja auch ein eher negatives Bild der Therapiemethode haben, was wiederum bedeutet, daß er nur schwer in eine ihm angeratene Therapie einwilligen wird. Die Diskrepanz zwischen den Ergebnissen wissenschaftlicher Studien [Coffey, 1993] und der tatsächlichen Anwendung von EKT in der klinischen Praxis ist wohl nur so zu erklären, ebenso die unterschiedliche Häufigkeit der Anwendung der Therapiemethode in verschiedenen Ländern. In den USA und Skandinavien beispielsweise wird die EKT im Unterschied zu den deutschsprachigen Ländern sehr viel häufiger und gelegentlich auch als Methode erster Wahl durchgeführt. So geht es heute trotz viel positiverer Studienergebnisse wohl eher darum, die im Einzelfall sehr hilfreiche Therapiemethode überhaupt zu retten, als ihre Anwendung auszudehnen. Die folgenden Ausführungen einschließlich der Anwendungsempfehlungen sind in diesem Rahmen zu sehen.

16.1.2. Praktische Durchführung

Die praktische Durchführung der EKT unterscheidet sich wesentlich von der ursprünglich angewandten Technik. Sie findet heute unter den **Sicherheitsbedingungen** einer kurzen Operation statt. Selbstverständlich wird die EKT heute unter **Narkose** und **Muskelrelaxation** durchgeführt. Vor Beginn der Therapie wird – wie bei jeder anderen Therapie – der Patient ausführlich über erhoffte Wirkungen, mögliche Nebenwirkungen und die genaue Durchführung informiert. Liegt sein Einverständnis vor, wird das durchführende Team organisiert. Es handelt sich in der Regel mindestens um einen Psychiater, einen Anästhesisten und eine Krankenschwester oder einen Pfleger. Das EKT-Gerät muß auf Funktion und Sicherheit überprüft sein. Nach eventueller anxiolytischer Prämedikation und ständiger psychotherapeutischer Begleitung des Patienten wird ein EEG abgeleitet. Die Narkose wird durch den Anästhesisten eingeleitet, Beatmung, Tiefe der Narkose und Herz-Kreislauf-Funktionen (On-line-EKG) werden von ihm überwacht. Der Psychiater setzt die Elektroden an den Schläfen an und gibt den elektrischen Reiz. Es wird zwischen **unilateraler** und **bilateraler** Anwendung unterschieden. Bei der unilateralen werden beide Elektroden an einer Kopfseite (Schläfe und Hinterkopf), bei der bilateralen an beiden Schläfen angesetzt. Die unilaterale Anwendung soll durch primäre Reizung der nicht sprachdominanten Hirnhälfte nebenwirkungsärmer sein, es ist aber umstritten, ob auch die gleichen therapeutischen Erfolge erzielt werden. Allgemein wird heute dennoch die unilaterale Methode zur Anwendung empfohlen. Zu Einzelheiten der EKT-Durchführung (z.B. Impedanzprüfung, Stromstärke usw.) gibt es unterschiedliche Angaben [Abrams, 1992]. Es besteht Konsens darüber, daß das eigentlich **wirksame Agens** der EKT der ausgelöste zerebrale Krampfanfall ist, wenn auch der genaue Wirkmechanismus bis heute unbekannt ist. Sollte deshalb bei der ersten Reizung kein Krampfanfall ausgelöst werden, soll eine erneute Reizung in der gleichen Sitzung mit erhöhter Stromstärke angeschlossen werden. In der Regel werden etwa 6–8 solcher Einzelsitzungen durchgeführt. Dies ist allerdings individuell sehr verschieden, die Häufigkeit von Anwendungen im Therapieverlauf kann deutlich über diese Richtwerte hinausgehen. Innerhalb eines Therapieverlaufs sollten die EKT-Sitzungen nicht häufiger als 2- bis höchstens 3mal pro Woche durchgeführt werden. Wenn auch immer wieder, vor allem in den USA, über die ambulante EKT-Verabreichung geschrieben wird, geht aus dem beschriebenen technischen und organisatorischen Aufwand und der Notwendigkeit einer stationären Nachbetreuung der Patienten hervor, daß EKT unter **stationären Bedingungen** durchgeführt werden sollte.

16.1.3. Indikationen, Kontraindikationen, Vorsichtsmaßnahmen

Wurde die EKT ursprünglich für die Behandlung der Schizophrenie (vgl. Kapitel 6) empfohlen, hat sich das Indikationsgebiet heute fast ausschließlich auf die Behandlung des **therapieresistenten schweren depressiven Syndroms** eingeengt. Eine seltene, dann aber unbestrittene Indikation ist die Behandlung der **febrilen Katatonie** (»perniziöse Katatonie«, »akute tödliche Katatonie«). Besonders gut sind die Behandlungserfolge bei wahnhafter Depression (s. Kapitel 7). Die Angaben über die **Häufigkeit der Response** sind sehr unterschiedlich. Sie erreichen zum Teil 70%. Erstaunlich sind immer wieder die Response-Raten bei Patienten, die therapieresistent auf Antidepressiva sind. Die Frage, ob eine EKT-Serie einer pharmakologischen antidepressiven Therapie überlegen ist, wird unterschiedlich beurteilt, stellt sich aber nach den einleitenden Bemerkungen kaum noch so. Es wird in der Regel bei der Behandlung depressiver Patienten immer ein psychopharmakologischer Behandlungsversuch vorgeschaltet sein. Bei Therapieresistenz kommt dann bei schweren Depressionen die EKT in Frage. Bei diesen seltenen Indikationen gibt es keine eigentlichen Kontraindikationen, vielmehr stellt sich in jedem Einzelfall eine **Nutzen-Risiko-Abwägung**, bei der auf der einen Seite bedingungsgemäß eine schwer ausgeprägte Symptomatik mit ihren eigenen Risiken (z.B. Suizidalität) und die Therapieresistenz auf Psychopharmaka steht. Vorbestehende internistische oder neurologische Erkrankungen machen besondere Vorsichtsmaßnahmen erforderlich, schließen aber eine EKT nicht aus. Unter Kombination von EKT und Reserpin bzw. Chlorpromazin ist es zu Todesfällen gekommen. Entschließt man sich zu einer EKT, müssen die beiden Medikamente lange genug vorher abgesetzt werden. Besondere Vorsicht ist auch bei einer begleitenden Lithiumtherapie geboten, unter der gehäuft und in stärkerem Ausmaß Nebenwirkungen der EKT auftreten. Als **Risiken** der EKT sind zunächst die Narkoserisiken zu nennen. Sie sind jenen bei kurzdauernden Operationen zu vergleichen. Häufige Nebenwirkungen sind reversible Verwirrtheitszustände, die bei etwa 10% aller Behandlungen auftreten und üblicherweise nicht länger als etwa eine Stunde anhalten. Die einzelnen Symptome sind in Tabelle 16.1 zusammengefaßt.

Für anhaltende hirnorganische Veränderungen nach EKT gibt es keine Belege. Ein Umschlag von depressiver in manische Symptomatik nach EKT wurde beschrieben, ist aber selten. Die Auslösung eines Status epilepticus ist eine seltene Komplikation, die wie bei genuiner Epilepsie zu behandeln ist. Zusammenfassend kann man sagen, daß die EKT in der Regel nur selten bei therapie-

Tabelle 16.1. Häufige, reversible Symptome nach EKT [modifiziert nach Abrams, 1992]

Ruhelosigkeit, Agitation	Konzentrationsstörungen
Desorientiertheit	Verminderte Response auf äußere Reize
Quantitative Bewußtseinsstörung	Retrograde Amnesie
Stereotype Bewegungen	Übelkeit, Erbrechen
Auffassungsstörungen	Kopfschmerzen

resistenten schwer depressiven Patienten zur Anwendung kommt. In einem solchen Fall ist dafür zu sorgen, daß sie unter modernen Sicherheitsbedingungen durchgeführt wird. Hierfür werden nur Zentren in Frage kommen, in denen ein spezielles »Know-how« und die Nähe zu chirurgischen und intensivmedizinischen Einrichtungen gegeben sind. Unter diesen Rahmenbedingungen gehört die EKT aber zu den Therapieformen, die gelegentlich als einzige (meist sehr gut) wirksame Behandlungsform übriggeblieben ist. Für die Behandlung solch schwerkranker Patienten bei vorsichtiger Indikationsstellung ist sie nach wie vor unverzichtbar.

16.2. Schlafentzugsbehandlung

16.2.1. Einleitung

Der Verzicht auf Teile des Schlafs oder auch einen ganzen Nachtschlaf wirkt antidepressiv. Auf Initiative des Tübinger Psychiaters Schulte kam es zu systematischen Untersuchungen, zuerst durch Pflug und Tölle. In der Zwischenzeit gibt es viele internationale Studien, die den **antidepressiven Effekt** bei etwa 60% der depressiven Patienten belegen [Kuhs und Tölle, 1986; Leibenluft und Wehr, 1992]. Wegen der Nähe des Begriffs zu nichttherapeutischen Zwangsmaßnahmen wurde vorgeschlagen, die Behandlung »Wachtherapie« oder »Nachttherapie« zu nennen, was sich aber nicht durchsetzen konnte. Es ist deshalb wichtig zu betonen, daß es sich beim Schlafentzug um einen freiwilligen Verzicht des Patienten auf seinen Schlaf handelt und Indikationsstellung und Durchführung vom Arzt unter therapeutischen Gesichtspunkten überwacht werden. Wie bei anderen Behandlungen muß das Einverständnis des Patienten vorliegen, das jederzeit widerrufen werden kann, was zum Abbruch des Schlafentzugs führt. Es ist häufig nicht leicht, Patienten, die meist schon unter gestörtem Schlaf leiden, davon zu überzeugen, daß ein Verzicht auf den Schlaf positive Effekte auf das Befinden haben kann. Die Patienten müssen auch darüber aufgeklärt werden, daß der antidepressive Effekt meist nur einen Tag anhält und am zweiten Tag nach dem Schlafentzug (also nach dem ersten Schlaf) die Depression (manchmal abgeschwächt) wieder auftritt. Trotz dieser kurzdauernden Wirkung ist es für viele Patienten nützlich, wenigstens einen Tag ohne Depression zu erleben. Bei genügend dazwischengeschalteten normalen Nächten kann der Schlafentzug auch wiederholt werden. In der Regel sollten maximal zwei totale und drei partielle Schlafentzüge pro Woche erfolgen. Manchmal setzt die antidepressive Wirkung erst am zweiten Tag nach Schlafentzug ein (»Tag-2-Responder«), selten hält sie länger als einen Tag lang an, sehr selten tritt eine Vollremission auf, und genauso selten werden Verschlechterungen des depressiven Syndroms nach Schlafentzug berichtet. Häufig ist die antidepressive Wirkung des Schlafentzugs schon nach kurzem Schlaf, also auch nach einem Nickerchen am Tag (»nap«), wieder verloren. Die Patienten sollten deshalb möglichst den ganzen Tag nach Schlafentzug wach bleiben. Überlegungen zum **Wirkmechanismus** gehen davon aus, daß mit dem Schlaf ein depressogen wirksamer Effekt verbunden sei, der durch Schlafentzug unterdrückt werde, möglicherweise vermittelt über eine in der Nacht ausgeschüttete Substanz (Peptid?). Eine chronobiologische Theorie geht davon aus, daß in der Depression eine Störung des zirkadianen Systems vorliegt (z.B. eine Entkoppelung eines zirkadianen »process C« und eines schlafregulierenden »process S«), die durch Schlafentzug (Eingriff in den zirkadian organisierten Schlaf-Wach-Rhythmus) behoben wird.

16.2.2. Praktische Durchführung

Schlafentzug kann auf verschiedene Arten durchgeführt werden (vgl. Tabelle 16.2). Es gibt Berichte über gute Erfolge von ambulanten Schlafentzügen, meist wird dieser aber unter **stationären Bedingungen** durchgeführt. In der klinischen Praxis haben sich der totale und der partielle Schlafentzug der zweiten Nachthälfte durchgesetzt. Der **selektive Entzug** einzelner Schlafphasen kommt wegen des hohen technischen Aufwands (z.B. Schlaf-EEG) nur für Forschungsfragestellungen in Betracht. Ermutigende erste Ergebnisse gibt es auch bezüglich der **Schlafphasenverschiebung**, bei der die Patienten zunächst sehr früh und dann von Tag zu Tag immer eine Stunde später geweckt werden, bis sie sich wieder im normalen Tag-Nacht-Rhythmus befinden. Aber auch diese Therapieform stellt hohe organisatorische Anforderungen an das Behandlungsteam, es bleibt abzuwarten, ob sie sich in der klinischen Praxis durchsetzen kann.

Beim **totalen Schlafentzug** verbringen die Patienten die durchwachte Nacht meist in Gruppen. Eine wichtige Aufgabe des Pflegepersonals ist es, den Patienten durch verschiedene Aktivitäten das Wachbleiben zu erleichtern. Dies ist wichtiger als die Art der Beschäftigung selbst. Beim Entzug der zweiten Nachthälfte (**partieller Schlafentzug**) wird der Patient meist zwischen Mitternacht und 2 Uhr geweckt. Für viele Patienten ist das Gewecktwerden unangenehmer, als die ganze Nacht aufzubleiben.

Tabelle 16.2. Verschiedene Arten der Schlafentzugsbehandlung

Fachbegriff	Beschreibung	Besonderheiten
Totaler Schlafentzug	Patient schläft eine ganze Nacht nicht, wacht also 36 Stunden	gut antidepressiv wirksam
Partieller Schlafentzug zweite Nachthälfte	Patient wird etwa um 1 Uhr geweckt, wacht also etwa 18 Stunden	gut antidepressiv wirksam, Wiederholung in engeren Intervallen (2- bis 3mal pro Woche) möglich
Partieller Schlafentzug erste Nachthälfte	Patient schläft erst ab etwa 1 Uhr, wacht also etwa 17 Stunden	antidepressive Wirksamkeit umstritten
Selektiver Schlafentzug REM	unter Schlaf-EEG-Kontrolle wird Patient geweckt, wenn REM-Phasen auftreten	antidepressiv wirksam, hoher technischer Aufwand (Forschungsfragestellungen)
Selektiver Schlafentzug »slow wave sleep«	unter Schlaf-EEG-Kontrolle wird Patient geweckt, wenn Tiefschlafphasen auftreten	Wirksamkeit unklar, wenige Studien
Schlafphasenverschiebung	Beginn mit partiellem Schlafentzug zweite Hälfte oder totalem Schlafentzug, dann am Abend früher ins Bett und jeden Tag 1 Stunde später wecken	antidepressiv wirksam, hoher organisatorischer Aufwand, wenige Studien

16.2.3. Indikationen, Kontraindikationen, Vorsichtsmaßnahmen

Eine Indikation zum Schlafentzug besteht bei **depressiven Syndromen**, unabhängig davon, welche Art der Depression vorliegt, und auch bei verschiedenen Grundkrankheiten. So gibt es z.B. auch positive Befunde bei Schizophrenen mit depressiver Symptomatik oder bei Patientinnen mit prämenstruellem Syndrom. Schlafentzug wirkt auf die depressive Kernsymptomatik, bei Response werden also sowohl Stimmung wie auch Antrieb und vegetative Symptomatik besser. Es gibt mehrere Hinweise darauf, daß **Patienten mit Tagesschwankungen** vom Abendtyp (abendliche Besserung der Stimmung) am besten auf eine Schlafentzugstherapie ansprechen. Meistens fällt den depressiven Patienten das Wachbleiben überraschend leicht. Im Gegensatz zu Gesunden werden sie auch oft am Tag nach einem Schlafentzug gegen Mittag nicht besonders müde. Der Schlaf nach Schlafentzug ist häufig tiefer und weniger unterbrochen als in der Depression, das Einschlafen fällt leichter. Diese Wirkung (die meist nur für die erste Nacht nach Schlafentzug gilt) wird von den Patienten oft als genauso wohltuend wie der antidepressive Effekt erlebt. Als **Nebenwirkungen** während des Schlafentzugs treten neben Müdigkeit vor allem gelegentlich vegetative Begleiterscheinungen auf (orthostatische Beschwerden, Übelkeit). Diese sind selten und harmlos. Schlafentzug kann zerebrale Krampfanfälle provozieren. Durch eine genaue Anamnesenerhebung kann dieses Risiko minimiert werden. Sehr selten ist bei bipolarer affektiver Störung ein Umschlagen der Depression in Manie oder Hypomanie berichtet worden. Ebenso selten kann bei Vorliegen einer schizophrenen Erkrankung als Grundkrankheit die paranoid-psychotische Symptomatik verstärkt oder ausgelöst werden. Eine **Kombination von Schlafentzug mit Psychopharmaka** ist unproblematisch und wird meist indiziert sein. Vereinzelt ist über einen additiven Effekt von Schlafentzug und Antidepressiva berichtet worden. Insgesamt handelt es sich bei dieser Maßnahme um eine einfach durchzuführende, nebenwirkungsarme und in einem beachtlichen Prozentsatz gut antidepressiv wirksame Therapie.

16.3. Lichttherapie

16.3.1. Einleitung

Der Nachweis von Störungen im zirkadianen System depressiver Patienten hat zu **chronobiologischen Hypothesen** zur Pathogenese depressiver Störungen geführt (s. Abschnitt 7.2.1.2.1). Die Entdeckung, daß zirkadiane Rhythmen durch helles Licht beeinflußt werden können, führte zu Überlegungen, depressive Menschen hellem Licht auszusetzen. Da es Menschen gibt, die besonders im Winter depressiv werden (s. Abschnitt 7.5.2), was auch mit einem Mangel an hellem Licht zu tun haben könnte, wurden die ersten therapeutischen Versuche bei Patienten mit Winterdepression durchgeführt. Etwa 60% aller solcher Patienten mit **Saisonal Abhängigen Depressionsformen** mit depressiver Phase in den Herbst- und Wintermonaten respondieren auf Lichttherapie. Es ist nicht sicher ausgeschlossen, daß auch Plazeboeffekte hierbei eine Rolle spielen. Es gibt aber breiten Konsens, daß es sich bei Lichttherapie um eine **biologisch wirksame Methode** handelt [Kasper et al., 1988a, b; Blehar und Lewy, 1990]. Der genaue **Mechanismus der Wirkung** ist nicht geklärt. Sicher scheint, daß Licht über die retinalen Photorezeptoren und nicht über die Haut antidepressiv wirksam ist.

16.3.2. Praktische Durchführung

Licht entfaltet beim Menschen erst ab etwa 2500 Lux (Beleuchtungsstärke) biologische Wirkungen im Sinne eines Einflusses auf das zirkadiane System. Die **Beleuchtungsstärke** hängt neben der Helligkeit des Lichtgeräts vom Abstand der Lichtquelle zur Retina ab. Üblicherweise wird die **Lichttherapie mit Geräten** durchgeführt, die im Abstand von etwa 50–80 cm zum Auge eine Beleuchtungsstärke von etwa 2500 Lux entfalten. Die Geräte müssen technischen Sicherheitsanforderungen genügen (elektrische Sicherheit, UV-Anteil ausgefiltert, diffuses Licht, Wärmeentwicklung minimiert). Unter diesen Bedingungen werden Patienten angewiesen, sich täglich für 1–2 Stunden vor das Gerät zu setzen und in regelmäßigen Abständen direkt in das Licht zu sehen (nicht längere Zeit hineinstarren!). Diese **Standardtherapie** wird üblicherweise

Tabelle 16.3. Empfehlungen zur praktischen Durchführung der Lichttherapie

	Standardschema
Geräteart	2500 Lux
Abstand von der Lichtquelle	50–80 cm
Dauer der Einzelanwendung	1–2 Stunden/Tag
Dauer der Therapie	1 Woche
Tageszeit	vor 8 Uhr morgens

am Morgen und zunächst 7 Tage lang durchgeführt. Modifikationen dieses Vorgehens sind an verschiedenen Stellen möglich (vgl. Tabelle 16.3). Einzelne Hersteller bieten hellere Lichtquellen an (10 000 Lux), bei denen üblicherweise kürzere Anwendungszeiten ausreichen (30–40 Minuten). Nach vereinzelten Berichten ist von einer Dosis-Wirkungs-Beziehung auszugehen. Die Zeit der Anwendung kann aber auch ausgedehnt oder auch länger als 1 Woche durchgeführt werden. Einige Patienten benutzen die Therapielampen den ganzen Winter über. Über die beste **Tageszeit** für die Lichttherapie gibt es kontroverse Ansichten. Einige Autoren bevorzugen die Anwendung am frühen Morgen (vor 8 Uhr), nach neueren Befunden wirkt Licht aber zu jeder Tageszeit antidepressiv. Wichtiger scheint zu sein, daß das Therapieschema den Patienten erlaubt, ihren sonstigen sozialen Rhythmus (z.B. Arbeitsbeginn) weitgehend beizubehalten.

16.3.3. Indikationen, Kontraindikationen, Vorsichtsmaßnahmen

Lichttherapie ist bei Patienten mit **Saisonal Abhängiger Depressionsform** (s. Kapitel 7) Therapie der Wahl. Sie wirkt bei etwa 60% der Patienten antidepressiv. Die Angaben über die Response von Patienten mit anderen, nicht saisonal gebundenen Depressionsformen sind uneinheitlich. Es ist vorläufig davon auszugehen, daß ein Einsatz der Lichttherapie nur bei rezidivierenden Depressionsformen sinnvoll ist, die gehäuft im Winter auftreten. Einen zusammenfassenden Überblick über sichere und fragliche Indikationsgebiete gibt Tabelle 16.4.

Bei richtiger Anwendung ist die Lichttherapie **relativ nebenwirkungsarm**. Eigentliche **Kontraindikationen** bestehen bisher nicht. Bei Patienten mit Augenerkrankungen und unter der Einnahme von Medikamenten, die die Photosensibilität erhöhen [Terman et al., 1990], sind besondere Vorsichtsmaßnahmen erforderlich (ophthalmologische Untersuchung vor Beginn und im Verlauf der Lichttherapie). Milde Erytheme, Austrocknung von Augenschleimhäuten und Hautpartien, Übelkeit und gesteigerte vegetative Irritabilität kommen selten vor, sind meist leicht zu behandeln und führen in der Regel nicht zum Abbruch der Therapie. Lichttherapie kann (und soll bei vorliegender Indikation) mit Medikamenten kombiniert werden. Es gibt Hinweise darauf, daß eine Lithium-

Tabelle 16.4. Indikationsbereiche für Lichttherapie

Therapie erster Wahl
Saisonal Abhängige Depressionsform (SAD)
Überwiegend positive Erfahrungen
Subsyndromale Saisonal Abhängige Depessionsform
Saisonal gebundene vegetative Symptomatik ohne Depression
»Delayed-sleep-phase«-Syndrom
Recurrent Brief Depression (RBD) mit saisonalem Verlauf
Kontroverse Befunde
Andere Depressionsformen ohne jahreszeitliche Häufung
Einzelne positive Berichte
Prämenstruelles Syndrom
Psychosomatische Beschwerden bei Schichtarbeitern
»Jet-lag«-Syndrom
Mögliche zukünftige Indikationen
Regulierung des Menstruationszyklus
Zusätzliches Wirkprinzip bei Infertilitätsbehandlung
Schlaf-Wach-Umkehr bei alten Menschen
Klimakterische Beschwerden
Zusätzliches Wirkprinzip bei Alkohol- und Drogenentzug

medikation die Ansprechbarkeit auf Licht vermindert. Mit Ausnahme der möglichen photosensibilisierenden Eigenschaften mancher Medikamente sind bei der Kombination mit Lichttherapie keine Besonderheiten zu beachten.

Literatur

Abrams R (1992): Electroconvulsive therapy; 2nd ed. Oxford University Press, New York.

Blehar MC, Lewy AJ (1990): Seasonal mood disorders: consensus and controversy. Psychopharmacology Bulletin *26:*527–530.

Coffey C (ed., 1993): The clinical science of electroconvulsive therapy. American Psychiatric Press, Washington.

Kasper S, Wehr T, Rosenthal N (1988a): Saisonal abhängige Depressionsformen (SAD). I. Grundlagen und klinische Beschreibung des Syndroms. Nervenarzt *59:*191–199.

Kasper S, Wehr T, Rosenthal N (1988b): Saisonal abhängige Depressionsformen (SAD). II. Beeinflussung durch Phototherapie und biologische Ergebnisse. Nervenarzt *59:*200–214.

Kuhs H, Tölle R (1986): Schlafentzug (Wachtherapie) als Antidepressivum. Fortschritte der Neurologie und Psychiatrie *54:*341–355.

Leibenluft E, Wehr TA (1992): Is sleep deprivation useful in the treatment of depression? American Journal of Psychiatry *149:*159–168.

Sauer H, Lauter H (1987a): Elektrokrampftherapie. I. Wirksamkeit und Nebenwirkungen der Elektrokrampftherapie. Nervenarzt *58:*201–209.

Sauer H, Lauter H (1987b): Elektrokrampftherapie. II. Indikationen, Kontraindikationen und therapeutische Technik der Elektrokrampftherapie. Nervenarzt *58:*210–218.

Terman M, Remé CE, Rafferty B, Gallin PF, Terman JS (1990): Bright light therapy for winter depression: potential ocular effects and theoretical implications. Photochemistry and Photobiology *51:*781–792.

Wu JC, Bunney WE (1990): The biological basis of an antidepressant response to sleep deprivation and relapse: review and hypothesis. American Journal of Psychiatry *147:*14–21.

17. Psychotherapeutisches Gespräch und Beratung

Wolfgang Schneider

17.1. Einleitung

Psychotherapie und **Beratung** weisen Unterschiede sowohl im methodischen Vorgehen als auch in der Zielsetzung auf. Gleichzeitig kann jedoch im alltäglichen Handeln der Übergang zwischen einem Beratungsgespräch und einem psychotherapeutischen Gespräch fließend sein.

Damit wir ein besseres Verständnis für die hier besprochene Themenstellung entwickeln können, soll zunächst auf eine **Definition der Psychotherapie** zurückgegriffen werden, die Strotzka [1975] vorgelegt hat:

Psychotherapie ist ein bewußter und geplanter interaktioneller Prozeß zur Beeinflussung von Verhaltensstörungen und Leidenszuständen, die in einem Konsens (möglichst zwischen Patient, Therapeut und Bezugsgruppe) für behandlungsbedürftig gehalten werden. Strotzka ergänzt dann, daß in der Psychotherapie auf ein möglichst gemeinsam zwischen dem Therapeuten und dem Patienten entwickeltes Ziel (Symptomlinderung, Änderung der Persönlichkeitsstruktur) hingearbeitet wird. Darüber hinaus muß den angewandten psychotherapeutischen Techniken eine Theorie des »normalen und pathologischen Verhaltens« zugrundeliegen.

Durch diese weitverbreitete Definition des Begriffs »Psychotherapie« wird deutlich, daß bei der Psychotherapie mit kranken Menschen gearbeitet wird, mit dem Ziel, diesen bei der Überwindung oder Linderung der Beschwerden zu helfen. Demgegenüber ist die **beratende Tätigkeit** oder **Beratung,** wie sie in der Psychologie verstanden wird, vorrangig auf die Arbeit mit »gesunden« Individuen ausgerichtet, die mit **spezifischen Fragestellungen** in die Beratung kommen. Die **Bereiche,** in denen eine Beratung stattfinden kann, sind vielfältig und umfassen z.B. folgende Themenstellungen:

- Berufsberatung.
- Erziehungsberatung.
- Familien- oder Eheberatung.
- Drogen- oder Suchtberatung.

Zumindest in die Erziehungs- und Familienberatung kommen die Patienten in der Regel mit konkreten Problemen mit dem Ziel, eine möglichst pragmatische Hilfestellung bei der Problemlösung zu erhalten. Sicher werden sich in derartigen Einrichtungen – besonders auch bei den Suchtberatungsstellen – auch Menschen einfinden, die krankheitswertige psychische oder psychosomatische Probleme aufweisen und denen entsprechend dazu geraten wird, eine Psychotherapie aufzusuchen. Im Fall der Suchtberatung etwa werden jedoch auch Angehörige um Rat fragen, wie sie z.B. mit ihrem süchtigen oder suchtgefährdeten Partner umgehen sollen.

Es gibt somit ein großes Spektrum an Fragestellungen im Bereich der Beratung, bei denen die inhaltliche Nähe zu den klassisch psychotherapeutisch zu bearbeitenden Problemen sehr hoch ist. Viele Patienten finden erst aufgrund einer Beratung in eine psychotherapeutische Behandlung.

17.2. Zielsetzungen und Methodik des psychotherapeutischen Gesprächs

Es ist eigentlich kaum möglich, über Zielsetzungen und Methodik der Psychotherapie zu schreiben, da es eine Vielzahl unterschiedlicher psychotherapeutischer Verfahren mit sehr heterogenen Zielen und Methoden gibt. So können z.B. die Ziele »Symptomreduktion«, »Erhöhung allgemeiner oder spezieller psychosozialer Kompetenzen«, »Persönlichkeitsentwicklung oder -umstrukturierung« heißen.

Für den Bereich der **psychoanalytisch orientierten psychotherapeutischen Gespräche** (vgl. Kapitel 18 und 33) reicht das methodische Spektrum von einem »verstehenden« Vorgehen, das mittels Deutung oder Interpretation dem Patienten bislang nicht bewußte Motive und Bedürfnisse bewußt und damit verstehbar machen will bis hin zu einem »unterstützenden« oder »supportiven« Vorgehen. Hierbei geht es im Gespräch zuerst einmal darum, dem Patienten eine schützende und ihn emotional stabilisierende Atmosphäre zur Verfügung zu stellen und ihm bei der Bewältigung der unterschiedlichen Probleme Hilfestellung zu geben. Diese kann z.B. die unmittelbare emotionale Entlastung sein, die Überprüfung und Korrektur der Realitätswahrnehmung, aber auch die gemeinsame Entwicklung von Problemlösungen. Diese hier skizzierten Typen eines psychoanalytisch orientierten Gesprächsansatzes sind natürlich Polarisierungen. Im alltäglichen psychotherapeutischen Gespräch kommen sowohl Elemente des verstehenden wie des supportiven Vorgehens zum Tragen. Wichtig ist in jedem Fall die sich im psychotherapeutischen Gespräch anbahnende Beziehung zwischen dem Patienten und dem Therapeuten, auf deren Hintergrund der Patient zu bedeutsamen neuen emotionalen Erfahrungen und Einsichten kommen kann.

Die **verhaltenstherapeutisch orientierten Gespräche** (vgl. Kapitel 19) zielen sehr viel stärker auf eine konkrete Veränderung des Verhaltens ab. Wichtig ist jedoch auch die Analyse und Veränderung kognitiver Prozesse gemeinsam mit dem emotionalen Erleben. Das psychotherapeutische Gespräch verfolgt oft primär eine diagnostische Funktion (Verhaltensdiagnostik, Entwicklung von Zielbestimmungen), dient jedoch auch der Informationsvermittlung sowie der Vorbereitung konkreter therapeutischer Interventionen (z.B. beim Expositionstraining). Im Kontext kognitiver Ansätze stellt das therapeutische Gespräch das zentrale Mittel der Intervention dar (z.B. Veränderung dysfunktionaler Kognitionen).

Als dritter Ansatz für psychotherapeutische Gespräche soll hier noch die **Gesprächspsychotherapie** (vgl. Kapitel 20) erwähnt werden. Das Ziel der Gesprächspsychotherapie besteht allgemein formuliert darin, dem Patienten in der Behandlung neue, das Persönlichkeitswachstum fördernde Erfahrungen zu ermöglichen. Der Therapeut soll deshalb in der Gesprächspsychotherapie dem Patienten ein Beziehungsangebot machen, das diesem Ziel förderlich ist. Dafür sind nach dem Verständnis der Gesprächspsychotherapie die folgenden charakteristischen therapeutischen Haltungen hilfreich:

- Der Therapeut soll empathisch sein (sich in den Patienten einfühlen und dies auch zeigen).
- Der Therapeut soll dem Patienten »unbedingte Wertschätzung« entgegenbringen, d.h. ihm möglichst vorurteilsfrei begegnen.
- Der Therapeut sollte sich gegenüber dem Patienten »echt« verhalten, d.h. sich in der therapeutischen Beziehung nicht verleugnen, sondern dem Patienten gegenüber seine Gefühle und Haltungen deutlich werden lassen, wenn dies angemessen ist (Echtheit oder Kongruenz).

Neben diesen therapeutischen Merkmalen soll im Gesprächsprozeß möglichst »nichtdirektiv« vorgegangen werden. Dem Patienten soll damit die Möglichkeit eingeräumt werden, die wichtigen Probleme und Gefühle im Gespräch deutlich werden zu lassen, wobei das Bewußtwerden von Gefühlen und Sprechen über diese vom Therapeuten gefördert und unterstützt werden soll. Die hier nur kurz skizzierten Prinzipien des therapeutischen Vorgehens (vgl. hierzu Kapitel 20) sind eng verknüpft mit Konzepten zur nichtdirektiven Arbeitsweise in der Beratung.

17.3. Ziele und methodische Vorgehensweisen in der Beratung

Ziele und Methoden der Beratung sind abhängig von der spezifischen Fragestellung sehr heterogen. So wird z.B. bei der Berufsberatung in der Regel ein »gesunder« Proband bezüglich eines für ihn geeigneten Berufs- oder Ausbildungsplatzes »aktiv« beraten, d.h. man gibt ihm direkte Empfehlungen oder Ratschläge. Dieser Empfehlung geht in der Regel ein Gespräch voraus, in dem für die Problemstellung relevante Gesichtspunkte erhoben werden. Dazu können z.B. die Ausbildung des Ratsuchenden, spezielle Vorlieben und Stärken, aber auch Schwächen und Begrenzungen gehören. Ergänzend wird häufiger eine testdiagnostische Untersuchung (vgl. Kapitel 1) vorgenommen, um mit Hilfe standardisierter Meßverfahren Aussagen über allgemeine oder spezielle Problembereiche, Intelligenzniveau usw. machen zu können. Der Kontakt zwischen dem Berater und dem Probanden umfaßt bei diesem **Typ des aktiven Beratungsgesprächs** häufig nur zwei Sitzungen, wobei die erste Sitzung diagnostische Gesichtspunkte und die zweite Sitzung das abschließende Gespräch und die Empfehlung umfaßt.

Demgegenüber kommt z.B. in der **Eheberatung** ein einzelner Klient oder ein Paar zu einem Berater, um sich hinsichtlich eines bestimmten Problems in der Ehe beraten zu lassen. Im Verlauf des Beratungsgesprächs wird unter Umständen deutlich, daß der »kritische« Problembereich sehr vielgestaltig ist und vom Ehepaar auch divergent gesehen wird. Es wird eine Reihe weiterer Beratungsgespräche notwendig, um in einem ersten Schritt zu einer gemeinsamen Problemdefinition zu kommen und in den nächsten Schritten an Problemlösungen zu arbeiten. Diese können beispielsweise in einer Veränderung der ehelichen Rollen- und Aufgabenzuschreibung liegen, aber auch psychotherapeutische Aspekte des einzelnen oder des Paares beinhalten. Der Beratungskontakt stellt sich in diesem Beispiel als hochkomplex dar, deshalb wird er über einen Zeitraum von häufig fünf oder mehr Gesprächen gehen.

Die Art der Aufgabenstellung legt bereits ein unterschiedliches Beratungsvorgehen nahe. Dabei gibt es jedoch keine verbindlichen Regeln oder Methoden. Die Beratung findet im Spannungsfeld zwischen der institutionellen Einbindung des Beraters (z.B. beim Staat, der Kirche oder Kommune), seiner professionellen Ausbildung, seiner spezifischen persönlichen Entwicklung und der konkreten Berater-Klient-Interaktion statt.

Sowohl die **Ziele der Beratung** als auch die **Methoden** sind von diesen Faktoren abhängig. Die Beratungsinstitution definiert über ihren Auftrag (z.B. Familienberatung) die Art der zu bearbeitenden Problemstellungen und die damit verbundenen Ziele. Darüber hinaus mag es auch einen charakteristischen methodischen Anspruch auf die Beratung seitens der Institution geben, der z.B. als nichtdirektiver Beratungsstil umschrieben werden kann. Auf der nächsten Ebene sind Zielsetzung und Methode des Beratungsgesprächs von der spezifischen Ausbildung des Beraters abhängig. Dieser kann z.B. Sozialarbeiter, Pastor, Psychologe oder Arzt sein und eine spezifische beraterische oder psychotherapeutische Zusatzausbildung haben.

Der **Bezugsrahmen einer Beratung** kann vor diesem Hintergrund wie folgt dargestellt werden:

- Der Klient präsentiert ein Problem und Erwartungen an den Berater.
- In einem gemeinsamen Prozeß zwischen Berater und Klient wird eine Problemdefinition erarbeitet.

- Daran anschließend werden gemeinsame Problemlösungsansätze entwickelt.
- Gegebenenfalls wird danach erneut über die Tauglichkeit der Problemlösungsansätze gesprochen und unter Umständen eine Korrektur der Problemlösungsstrategien vorgenommen.

In diesem **Beratungsmodell** lassen sich viele Fragestellungen, methodische Vorgehensweisen und Zielsetzungen integrieren. Generell wird mit der Beratung angestrebt, dem Klienten im Beratungsprozeß ein möglichst hohes Ausmaß an **Aktivität** und **Eigenverantwortlichkeit** einzuräumen. Dies erfolgt mit dem Ziel, die Fähigkeit zur Selbsthilfe zu erhöhen und über die damit verbundene Kompetenzentwicklung letztlich präventiv (im Sinne der Vorbeugung von erneuten Krisen oder chronifizierenden psychischen Fehlentwicklungen) zu wirken. Dem Klienten wird so im Beratungsgespräch ein hohes Maß an Zeit zur Darstellung und Reflektion des Problems eingeräumt. Die psychotherapeutische Grundorientierung des Beraters spielt unter Umständen in diesem Zusammenhang erst dann eine Rolle, wenn es um die Empfehlung einer weiterführenden Psychotherapie geht.

Natürlich hat die Beratung auch innerhalb des **ärztlichen Handelns** eine wichtige Funktion. Der Arzt hat dem Patienten und seinen Angehörigen z.B. eine Diagnose zu erläutern (Problemdefinition), einen Therapievorschlag (z.B. Medikation oder operativer Eingriff) und/oder Verhaltensregeln im Sinne einer Problemlösung zu machen. Aufgrund der naturwissenschaftlichen Grundorientierung der Medizin hat jedoch das ärztliche Gespräch gegenüber aufwendigen diagnostischen und therapeutischen Maßnahmen insgesamt eine Vernachlässigung erfahren. Entsprechend ist auch die Ausbildung in ärztlich-beratendem Gesprächsverhalten vernachlässigt worden. Michael Balint hat mit der Balint-Gruppenarbeit (vgl. auch Kapitel 29) ein Modell der berufsbegleitenden Fortbildung entwickelt, das dem Ziel dient, auch die Kompetenz des Arztes für die beratende Gesprächsführung weiterzuentwickeln. Dem Konzept der psychosomatischen Grundversorgung mit seinem speziellen Weiterbildungsangebot ist eine ähnliche Bedeutung beizumessen (vgl. Kapitel 29).

Literatur

Biermann-Ratjen E, Eckert J, Schwartz HJ (1981): Gesprächspsychotherapie. Verändern durch Verstehen. Kohlhammer, Stuttgart.
Strotzka H (1982): Tiefenpsychologie und Psychotherapie. Springer, Wien.

18. Psychoanalytische und andere tiefenpsychologische Verfahren

Wolfgang Schneider

18.1. Einleitung

Der Begriff **Tiefenpsychologie** umfaßt in einer weiten Definition alle psychologischen Denk- und Handlungsansätze, die von der Existenz unbewußter Persönlichkeitsanteile ausgehen und annehmen, daß menschliches Erleben und Verhalten durch diese psychodynamisch wirksamen unbewußten Faktoren begründet wird.

Die Psychoanalyse Freuds stellt so nur eine spezifische Form der Tiefenpsychologie dar, obwohl weitere bedeutsame Tiefenpsychologien (jene Adlers oder Jungs) sicherlich auf dem theoretischen Hintergrund von Freuds Psychoanalyse entwickelt worden sind. Ein tiefenpsychologisch ausgerichtetes Verständnis der menschlichen Entwicklung und Existenz ist jedoch bereits in der Philosophie der Antike (vor allem bei Plato) vertreten und findet sich besonders bei Philosophen des 18. und 19. Jahrhunderts wieder (z.B. bei Schopenhauer und Nietzsche).

Sprechen wir heute von tiefenpsychologischen Ansätzen, sind in der Regel Freuds Psychoanalyse oder mehr oder weniger stark von ihren zentralen Gedanken und Behandlungsprinzipien beeinflußte Schulen (z.B. Adler, Jung) gemeint. Für Adler und Jung gilt gleichermaßen, daß sie als »Freudianer« begonnen haben und sich erst nach einem längeren Prozeß der engen Zusammenarbeit mit Freud in der »Wiener Psychoanalytischen Vereinigung« von Freud und dieser Gruppe getrennt haben. Diese Trennungen resultierten einerseits aus inhaltlichen Divergenzen bezüglich der psychoanalytischen Theorie und Behandlungskonzeption, zum anderen sicher auch aus persönlichen Gründen, die ergänzend ideologisch untermauert wurden. Adler wie Jung haben jeder für sich eigene tiefenpsychologische Schulen begründet, die in Deutschland noch heute eine nennenswerte Verbreitung aufweisen (vgl. Tabelle 18.1).

Eine andere tiefenpsychologische Variante mit einem spezifischen theoretischen Bezugsrahmen stellt die Wiener Schule von Victor Frankl dar, die sich besonders am Philosophen Binswanger orientiert. Die Psychoanalyse wurde von Sigmund Freud, einem Wiener Nervenarzt, um die Jahrhundertwende und im ersten Drittel dieses Jahrhunderts in der praktischen Arbeit mit Patienten

Tabelle 18.1. Alfred Adler und Carl-Gustav Jung

Alfred Adler (geb. 1870) war relativ früh Mitglied der »Wiener Psychoanalytischen Vereinigung« und war einige Zeit ihr Präsident. Inhaltlich entwickelte er früh grundlegende Differenzen bezüglich relevanter Konzepte Freuds – besonders verneinte er die entwicklungsbestimmende Funktion des Sexualtriebs. Auf diesem Hintergrund negierte er auch den besonderen Stellenwert der Sexualität und des Ödipus-Komplexes bei der Herausbildung der Neurosen. Als entwicklungsbestimmenden Faktor sah Adler ein allen Menschen gemeinsames Minderwertigkeitsgefühl, das sich aus somatischen, psychischen und soziokulturellen Aspekten zusammensetzt; das Individuum strebt aus dieser Perspektive während seines Lebens danach, dieses initiale Minderwertigkeitsgefühl zu überwinden. Adler wollte in seiner Konzeption der Einmaligkeit der individuellen Entwicklung stärker Rechnung tragen, als er dies im Kontext einer »Triebpsychologie« gewährleistet sah. Die Positionen Adlers sind in der Vergangenheit besonders in der Pädagogik rezipiert worden.

Auch **Carl-Gustav Jung** kritisierte Freuds Konzeptualisierung des Sexualtriebs; für ihn repräsentierte die Libido eher so etwas wie eine generelle »Lebensenergie«, die weit über sexuelle Motive hinausging. Jung – beeinflußt von fernöstlichen philosophischen und religiösen Vorstellungen – ging vom Vorhandensein eines »kollektiven Unbewußten« aus, das sich in Träumen und Märchen symbolhaft und als Erzählungen wiederfindet. Jung hat sich so viel mit der Analyse von Symbolen befaßt; darüber hinaus ging es ihm um eine Herausarbeitung von »psychologischen Typen«. Für ihn stellen die Extraversion und die Introversion zwei Pole der Wechselbeziehung zwischen der Lebensenergie und der Außenwelt dar, wobei bei der Extraversion die Libido von innen nach außen strömen soll und bei der Introversion die gegenläufige Beziehung besteht. Im Alltag finden sich die unterschiedlichsten Abstufungen dieser Idealtypen.

und auf der Grundlage einer Selbstanalyse entwickelt. Einen knappen Überblick über wichtige Stationen seines Lebens und wissenschaftlichen Schaffens zeigt die Übersicht in Tabelle 18.2.

18.2. Theorie der Psychoanalyse

Das Theoriegebäude der Psychoanalyse umfaßt unterschiedliche Gesichtspunkte. So stellt die Psychoanalyse eine **Persönlichkeitstheorie,** ein **Entwicklungsmodell,** eine Theorie der **Krankheitsverursachung** und eine **Behandlungstheorie** dar. Aufgrund dieser auf das Individuum bezogenen Konzepte befaßte sich Freud auch mit Fragen der Kultur- und Gesellschaftsentwicklung. Dieses Interesse ist wegen der Eingebundenheit der individuellen Entwicklung und auch gegebenenfalls der individuellen Krankengeschichte in den familiären und sozialen (gesellschaftlichen) Hintergrund leicht nachvollziehbar.

18.2.1. Psychoanalytisches Persönlichkeitsmodell

Die Psychoanalyse geht davon aus, daß menschliches Erleben nicht nur auf der bewußten Ebene geschieht, sondern daß es auch **unbewußtes oder vorbewußtes Erleben** oder psychische Motive gibt.

Dabei werden unbewußte psychische Prozesse als erst einmal dem Bewußtsein nicht zugänglich aufgefaßt; sie sind verdrängt und gegen ihre Bewußtwer-

Tabelle 18.2. Kurzbiographie Sigmund Freuds

Geboren am 6. Mai 1856	in Freiberg, Mähren, als Sohn jüdischer Eltern
1881	Abschluß des Medizinstudiums, Promotion zum Dr. med., anschließend wissenschaftliche Tätigkeit in der Physiologie und Neuroanatomie
1884	Beginn der klinisch-ärztlichen Tätigkeit mit Schwerpunkt Neurologie
1885	Stipendium an der Salpétriêre Paris (Prof. Charcot), seitdem Studien zur Hysterie, Behandlung mit Hypnose
ab 1890	in der Folgezeit hat sich Freud zunehmend mit psychologischen Themen befaßt, Entwicklung der psychoanalytischen Theorie und Therapie Wichtige theoretische Meilensteine – »Traumdeutung« (1900) – »Drei Abhandlungen zur Sexualtheorie« (1905) – »Totem und Tabu« (1913) – »Vorlesungen zur Einführung in die Psychoanalyse« (1916/17) – »Das Unbehagen in der Kultur« (1930)
1903	außerordentlicher Professor in Wien, Tätigkeit in seiner Privatpraxis
1938	Emigration nach London
1939	verstorben

dung richten sich seelische Widerstände. Die unbewußten psychologischen Prozesse und Motive wirken jedoch auf das individuelle Erleben und Handeln ein. Demgegenüber werden vorbewußte psychische Inhalte als prinzipiell bewußtseinsfähig angesehen; sie sind aktuell dem Bewußtsein nicht verfügbar, jedoch bei entsprechender Aufmerksamkeit wieder erinnerbar.

Das bekannteste psychoanalytische Persönlichkeitsmodell ist das **Strukturmodell,** nach dem sich die Psyche des Menschen über drei Strukturen oder Instanzen (das Es, das Ich und das Über-Ich) aufbaut.

Nach dem psychoanalytischen Entwicklungskonzept bilden sich aus dem **Es,** das durch unbewußte triebhafte und unmittelbare emotionale Grundbedürfnisse charakterisiert ist, im Laufe der individuellen Entwicklung die weiteren Strukturen, wie das **Ich** und das **Über-Ich,** heraus. Das Ich übernimmt die Funktion der Vermittlung zwischen der »Trieb- und Bedürfnisseite« (Es) und der Außenwelt bzw. den Anforderungen des dritten Systems, des Über-Ichs. Es weist so für das Individuum eine wichtige adaptive Funktion an die Umwelt auf und gleichzeitig dient es der Integration unterschiedlicher psychischer Motive und Intentionen seitens des Über-Ichs und des Es.

Das Ich weist eine Reihe von Funktionen oder Eigenschaften auf, die dieser Aufgabe gerecht werden sollen. Dazu gehören z.B. die Wahrnehmung, die Intelligenz oder die Steuerung der Motorik und des Verhaltens. Dem Ich kommt weiter die Fähigkeit zu, bedrohliche Reize oder Erfahrungen abzuwehren.

Als **Abwehr** werden in der Psychoanalyse alle innerpsychischen Regulierungsvorgänge verstanden, die dazu dienen, unlustvolle oder nicht akzeptable Wünsche, Affekte oder Bedürfnisse vom Bewußtsein fernzuhalten.

Wird der Abwehr ursprünglich zumeist eine pathologische Funktion zugeschrieben, so wird doch zunehmend auch auf deren adaptiven Charakter hingewiesen. Verschiedene Autoren haben unterschiedliche Systematiken von Abwehrmechanismen entwickelt [z.B. A. Freud, 1936], es findet sich jedoch generell eine Tendenz, zwischen reiferen (z.B. Verdrängung) und unreiferen Formen (z.B. Projektion, Verleugnung) der Abwehr zu unterscheiden.

Die dritte Instanz ist das **Über-Ich,** das nach dem Verständnis Freuds der Ort der Zensur oder des Gewissens ist. Auf dem Hintergrund des Über-Ichs werden Idealvorstellungen, wie das Individuum zu sein hat (Ich-Ideal), herausgebildet; eine weitere Funktion des Über-Ichs wird in der Selbstbeobachtung und der Bewertung von eigenem und fremdem Verhalten oder Erleben gesehen. Die traditionelle Sicht der Psychoanalyse versteht die Herausbildung des Über-Ichs als eine Verinnerlichung elterlicher Verbote und Forderungen. Diese unterschiedlichen Strukturen weisen bezüglich ihrer Entwicklung eine enge Wechselbeziehung auf und stehen grundsätzlich in einer hochkomplexen Interaktion.

Die angesprochenen unterschiedlichen Formen des Bewußtseins sind nun nicht schematisch und eindeutig den hier dargelegten psychischen Strukturen zuzuordnen; dennoch wird davon ausgegangen, daß der größte Teil der »Es-Inhalte« erst einmal unbewußt ist, aber grundsätzlich bewußt gemacht werden kann. Dem Ich werden vor allem bewußte oder vorbewußte psychische Inhalte oder Funktionen zugeschrieben, wobei jedoch auch hier unbewußte Motive, z.B. in der Abwehr, wirken können.

Im Zusammenhang mit der unterschiedlichen psychischen Funktionsweise der Instanzen, aber auch dem Konzept der unterschiedlichen Systeme des Bewußtseins, sind die Begriffe des Primär- und Sekundärvorgangs gebräuchlich.

Unter **Primärvorgang** wird eine psychische Funktionsweise verstanden, die dem Erleben im Traum oder der Denkweise kleiner Kinder entspricht. Sie ist besonders durch die Aufhebung von Kriterien der Zeit und der Logik charakterisiert. Daneben wird das Denken oder Erleben als fließend locker assoziativ und symbolhaft beschrieben. Primärvorgänge sind für das Unbewußte oder das Es charakteristisch. Der **Sekundärvorgang** entspricht dem erwachsenen Denken, das durch Logik, Akzeptieren des Zeitbegriffs, Aufmerksamkeitslenkung, Strukturierung und Entscheidung zu kennzeichnen ist.

Diese psychische Funktionsform herrscht vorrangig im Bewußtsein vor und findet sich so vor allem in den Systemen des Ichs und des Über-Ichs.

Als weitere die Psychoanalyse konstituierende Annahmen über die Struktur und Funktionsweise der Persönlichkeit sind das Begriffspaar des **Lust-Unlust-Prinzips** anzusehen. Danach streben die Triebe nach der unmittelbaren nicht aufgeschobenen Befriedigung, sie folgen dem Lustprinzip, das vor allem durch eine primärprozeßhafte Funktionsweise gekennzeichnet ist. Der reife Mensch in seinem bewußten Denken und seinen psychischen Abläufen orientiert sich vor allem an dem Realitäts-(Unlust)prinzip, das vor allem durch den Sekundärprozeß strukturiert wird.

18.2.2. Psychoanalytische Entwicklungspsychologie

Für die psychoanalytische Entwicklungspsychologie spielt die Entwicklung des Sexualtriebs (Libido) eine zentrale Rolle.

Zum **psychoanalytischen Triebkonzept**: Die Trieblehre hat eine grundlegende Bedeutung für die klassische Psychoanalyse, da sie letztlich als Grundlage der psychischen Phänomene angesehen wird.

Triebe haben ihren Ursprung in organischen Prozessen und bilden sich psychisch als Vorstellung oder Affekt ab. Triebe streben nach der unmittelbaren Befriedigung (Triebziel) und »suchen« sich dafür ein Objekt.

In der ursprünglichen Triebkonzeption ging Freud von der Existenz eines Sexualtriebs und eines Selbsterhaltungstriebs aus. In der letzten Triebfassung beschreibt Freud mit dem Eros und dem Destruktionstrieb zwei »Urtriebe«. Dient der Eros der Erhaltung und Entwicklung des Lebens und umfaßt die Liebe und Fürsorge für sich selbst (Ich-Liebe) und für andere Personen (Objektliebe), so nimmt Freud an, daß eine andere Triebqualität auf Zerstörung und Aggressivität ausgerichtet sei.

Es wird in der Triebtheorie davon ausgegangen, daß der Sexualtrieb sich zuerst als Partialtrieb (Teil) Lust oder Befriedigung an unterschiedlichen erogenen Zonen und erst in einer reiferen Phase als umfassender Trieb den Lustgewinn im Dienst der Fortpflanzungsfähigkeit sucht. Eng verknüpft ist die Annahme, daß sich die Triebe zuerst auf das eigene Subjekt (Autoerotismus) oder Teile davon beziehen und erst in einer reiferen Phase auf andere Individuen (Objekte). In diesem Zusammenhang gewinnt auch das **Phasenmodell der psychosexuellen Entwicklung** an Bedeutung (vgl. Tabelle 18.3).

Es sind hier – knapp und sicherlich vereinfacht – ausgewählte Begriffe der psychoanalytischen Triebkonzeption dargelegt worden. Von Bedeutung für Freuds Triebkonzept ist die Vorstellung, daß ursprünglich eine enge »Vermischung« zwischen aggressiven und sexuellen Triebanteilen gegeben ist und daß im Rahmen der fortschreitenden individuellen Entwicklung die Triebe entmischt werden.

Tabelle 18.3. Phasenmodell der psychosexuellen Entwicklung

Orale Phase
Erogene Zone und Triebziel: Mund und Haut. Psychische Entwicklungsaufgaben: Die ursprünglich erlebte Einheit von Mutter und Kind wird zugunsten der Unterscheidung von Subjekt (Kind) und Objekt (Mutter) aufgegeben. Ebenso wird die Außenwelt als vom Subjekt gesondert wahrgenommen. Das Kind versucht dann von der Mutter Besitz zu ergreifen, um sich die Versorgung durch sie zu sichern. Diese Handlung wird durch das kindliche Beißen und Saugen repräsentiert.

Anal-sadistische Phase
Erogene Zone und Triebziel: Afterschleimhaut und Enddarm sowie Extremitätenmuskulatur. Psychische Entwicklungsaufgaben: das Objekt zu beherrschen, es sich aneignen und loslassen können. Charakteristisch ist eine ambivalente Grundhaltung gegenüber dem Objekt. In der frühen Phase spielen aggressive Tendenzen gegenüber dem Objekt eine große Rolle. Später entwickeln sich objektzugewandtere Handlungen.

Phallisch-narzißtische Phase
Erogene Zone und Triebziel: das Genital. Zuerst bleibt die Wahl des Objekts noch weitgehend auf sich selbst beschränkt. Das Kind befaßt sich sowohl in der Phantasie als auch auf der Handlungsebene mit sich selbst oder seinem Genital. In der weiteren Entwicklung nimmt das Individuum wahr, daß der gegengeschlechtliche Elternteil ein anderes Genital aufweist, als es selbst. Es bilden sich sexuelle Wünsche gegenüber dem gegengeschlechtlichen Elternteil heraus, die das Kind vor völlig neue Erfahrungen stellen.

Ödipus-Komplex
Triebziel ist der gegengeschlechtliche Elternteil. Der Junge begehrt die Mutter und fürchtet den Vater als Rivalen. Diese Furcht vor der Rache des Vaters führt zur Kastrationsangst. Um diesem Konflikt zu entgehen, identifiziert sich der Junge bei der positiven Auflösung des Ödipus-Komplexes mit dem Vater. Diese Verinnerlichung der vom Kind wahrgenommenen Bilder und Züge des Vaters bieten die Grundlage der Über-Ich-Entwicklung. Beim Mädchen entwickeln sich sexuelle Wünsche zum Vater und die Mutter wird zur Rivalin. Es kommt später zur Identifikation mit der Mutter. Die hier dargelegte Schematisierung der ödipalen Phase verkürzt jedoch die Problemstellung. Für das Mädchen resultiert aus der Tatsache, daß es erst seine Vorstellung, wie der Junge auch einen Penis zu besitzen, aufgeben muß; der Weg zur Geschlechtsidentität ist aus der klassischen psychoanalytischen Sicht schwieriger. Kommt es beim Kind zur Identifikation mit dem gegengeschlechtlichen Elternteil, wird von einem negativen Ödipus-Komplex gesprochen. Von besonderer Bedeutung für diese Phase ist, daß erstmals eine Drei-Personen-Beziehung in der psychosexuellen Entwicklung auftaucht.

Latenzphase
Es wird angenommen, daß die Entwicklung der Trieborganisation etwa mit 4 oder 5 Jahren zum Stillstand kommt und die Triebenergien für die allgemeinen Aufgaben der psychosozialen Anpassung verwendet werden. In dieser Periode wird das Über-Ich durch die Identifikation mit neuen nicht-familiären Vorbildern weiterentwickelt. Mit dem Ende der Latenzzeit (ab dem 10. Lebensjahr) kommt es während der Pubertät wieder zur Aktualisierung der unmittelbaren Triebwünsche und -ziele; gegen Ende der Pubertät weist das Individuum bei günstiger Entwicklung die Fähigkeit zur genitalen Triebbefriedigung und gleichzeitig angemessenen Anpassung an seine Umwelt auf, für die aus der Sicht der Psychoanalyse ebenfalls (sublimierte) Triebenergie nötig ist.

Anzumerken ist, daß einzelne wichtige Vorstellungen Freuds, z.B. das Konzept des Penisneids oder auch seine Triebeinteilung, umstritten sind und vielfach abgelehnt werden. Darüber hinaus gibt es relevante Strömungen in der Psychoanalyse, die sich von Freuds Triebpsychologie doch weitgehend zugunsten anderer Konzepte abgewandt haben.

Eine relevante Perspektivenänderung bei der Konzeptualisierung der individuellen Entwicklung stellt die Fokussierung der **Entwicklung der Objektbeziehungen** dar [siehe auch Mertens, 1992]. Der Objektbegriff bezeichnet in der modernen Psychoanalyse ein anderes Individuum, mit dem wir interagieren. Für das sich entwickelnde Kind ist es der »reagierende Partner, der die kindlichen Verhaltensweisen mit seinem Verhalten beantwortet, der geliebt, herbeigesehnt, gebraucht und gehaßt wird« [Mertens, 1992]. Dieser Partner, in der frühen Entwicklung in der Regel die Mutter, dient als Modell zur Nachahmung und Identifikation. In dieser engen symbiotischen Beziehung zur Mutter bilden sich relevante Konzepte über Interaktionen mit anderen heraus, die das aktuelle und zukünftige Selbstverständnis prägen. Die verstärkte Thematisierung der frühen Mutter-Kind-Interaktion stellte vor allem ein Resultat der verstärkten wissenschaftlichen Beschäftigung mit der Erforschung des 1. Lebensjahrs des Kindes dar, wie sie von M. Mahler und ihrem Mitarbeiterkreis betrieben wurde. In der Folge hat diese Perspektive durch die systematische Untersuchung (»Baby-watchers«) von Säuglingen, aber auch von Föten während der Schwangerschaft, weitere Argumente für sich sammeln können, da doch eine große Vielfalt und Differenziertheit im interaktionellen Handeln und Erleben von Säuglingen gezeigt werden konnte. Die **Psychoanalyse der Objektbeziehungen** untersucht Entwicklung und Qualität der Beziehungen sowie die emotionalen und kognitiven Prozesse, die diesen zugrundeliegen. Das Individuum bildet in den frühen Beziehungen sein Bild über sich selbst aus (Selbstrepräsentanz), von dem aus es eine phantasierte Beziehung zu einem Interaktionspartner eingeht (Objektrepräsentanz). Von großem Interesse sind also Phantasien über sich selbst in der Beziehung mit anderen und die mit Beziehungen verbundenen Wünsche, aber auch Ängste. Die inneren Vorstellungen haben eine wichtige selbstwertregulierende Funktion, können sich jedoch prinzipiell über neue Erfahrungen in der Interaktion mit anderen verändern. M. Mahler hat ein beziehungstheoretisches Entwicklungsmodell herausgearbeitet, das die Phasen der Symbiose, Loslösung und Individuation umfaßt.

Weitere neuere Strömungen der Psychoanalyse befassen sich verstärkt mit der **Entwicklung des Ichs und des Selbst** (das Gesamt an Vorstellungen und Konzepten über sich). Besondere Beachtung haben in diesem Kontext die Arbeiten von Kohut und Kernberg gefunden, die sich mit den frühesten strukturellen Entwicklungsaufgaben sowie deren Störungen befaßt haben. Es geht dabei um die Herausbildung des »Selbst« in der frühen Mutter-Kind-Interaktion, in der über die angemessenen handlungsbezogenen und emotionalen »Antworten« der Mutter auf die »Größenvorstellungen und Allmachtsphantasien« das Kind ein sicheres Selbstgefühl herausbilden kann. Kommt es hier zu ernsten Mängeln oder Defiziten, resultieren gravierende Störungen des Selbstwertgefühls, Depressivität, Gefühle der inneren Leere und des permanenten Angewiesenseins auf Bestätigung. Diese hier skizzierten theoretischen Konzepte weisen wiederum einen engen Praxiseinfluß auf, da sie besonders aus der klinischen Arbeit mit Patienten mit »frühen« oder »strukturellen Ich-Störungen« (Borderline-Patienten, narzißtische Persönlichkeitsstörungen) entstanden sind.

18.2.3. Psychoanalytische Krankheitskonzepte

Die Psychoanalyse geht davon aus, daß die psychischen Prozesse zu einem gewichtigen Anteil unbewußt determiniert sind. Frühe biographische Erfahrungen werden »aktiv« über die Verdrängung oder andere Abwehrmechanismen dem unmittelbaren Bewußtsein entzogen, können jedoch noch auf das aktuelle Erleben und Handeln des Individuums einwirken. Die Psychoanalyse versteht unter einem **Konflikt** das Vorliegen widerstrebender Tendenzen oder Wünsche innerhalb eines Individuums. Diese können zwischen unterschiedlichen psychischen Instanzen entstehen (Es, Ich, Über-Ich) sowie der Realität und einer dieser Instanzen, häufig dem Ich, dem die Aufgabe der Vermittlung zwischen dem Es und der Umwelt zufällt. Ein aktuell wirksamer Konflikt kann dann eine neurotische Entwicklung auslösen, wenn er in einer »inneren« Beziehung zu ungelösten früheren infantilen Konflikten steht, die in der Folge reaktiviert werden und ihre pathogene Wirkung in der Form von Symptomen entfalten. Notwendige Voraussetzung für eine neurotische Entwicklung ist nach diesem Konzept das Vorliegen einer **neurotischen Fixierung der Libido an frühe Entwicklungsstufen**, die konflikthaft durchlaufen wurden. Diese Fixierung oder Anbindung der Libido kann sowohl durch konstitutionelle Faktoren (Ausprägung der Triebstärke) oder durch psychosoziale Aspekte (z.B. zuviel oder zuwenig an Triebbefriedigung) verursacht sein. Wird ein Individuum mit einem für sich nicht lösbaren aktuellen Konflikt konfrontiert, »regrediert« es auf diese frühen, nicht befriedigend gelösten Entwicklungsphasen und damit verbundene Konflikte. Die Neurose wird so als ein »verunglückter« Lösungsversuch unbewußter Konflikte verstanden. Von »Symptomneurosen« wurde beim Vorliegen einer manifesten Symptomatik gesprochen; als »Charakterneurosen« werden neurotische Entwicklungen bezeichnet, bei denen es zu typischen Veränderungen der Persönlichkeit ohne spezifische Symptomatik kommt. Allerdings ist aus aktueller Sicht davon auszugehen, daß auch beim größten Teil der Symptomneurosen, vor allem bei chronifizierten Formen, auch charakteristische Persönlichkeitsveränderungen vorliegen.

Dem »**strukturellen**« **Konfliktmodell** wird von manchen Autoren ein »**objektbeziehungstheoretisches**« gegenübergestellt, das als Ursache für die Herausbildung bestimmter Persönlichkeitsstörungen angesehen wird. Nach diesem Konzept kommt es bei einigen Individuen in der frühen Beziehung zur Mutter zu gravierenden Irritationen, die zu einer nachhaltigen Störung der Ausbildung von Selbst- und Objektrepräsentanzen führen. Das Individuum entwickelt dysfunktionale Konzepte über sich und seine Beziehungen zu anderen, die letztlich zu einer erheblichen Fehlentwicklung im Sinne einer Persönlichkeitsstörung führen. Die Objektrepräsentanzen sind entweder ungenügend von den Subjektrepräsentanzen getrennt oder der oder die andere wird als »die Autonomie eingrenzend«, kontrollierend und gefährlich erlebt.

18.3. Psychoanalytische Behandlungskonzepte

Die von Freud entwickelte **Standardmethode** ist die hochfrequente Psychoanalyse, bei der ein Patient etwa 4- bis 5-mal pro Woche in die Einzelbehandlung kommt. Der Patient liegt bei diesem Verfahren auf der Couch, und der Psychoanalytiker sitzt außerhalb der Sicht des Patienten hinter ihm. Das Ziel der Psychoanalyse besteht darin, die neurotischen Konflikte des Patienten in der Beziehung zum Psychoanalytiker darstellbar werden zu lassen und sie zu bearbeiten. Dazu ist auf seiten des Patienten ein regressiver Prozeß notwendig, bei dem er sich emotional früheren kindlichen Erfahrungen und Erlebensweisen zuwendet (er regrediert) und diese in seiner Übertragung zum Psychoanalytiker manifest werden. Unter dem Begriff der **Übertragung** hat Freud den Sachverhalt gefaßt, daß Patienten in der Analyse gegenüber dem Psychoanalytiker Gefühle und Einstellungen entgegenbringen, die eigentlich nicht zu diesem gehören, sondern aus vergangenen Beziehungen mit signifikanten Bezugspersonen (der Mutter, dem Vater) stammen. Mit Hilfe der Übertragung soll also in der Psychoanalyse der Hintergrund des neurotischen Erlebens darstellbar werden. Um die Prozesse der Regression und Übertragung zu fördern, ist in der Standardmethode auch die räumliche Anordnung wie beschrieben konzeptualisiert worden. Dem Patienten wird weiter nahegelegt, in der Behandlung alles zu sagen, was ihm gerade einfällt (frei zu assoziieren), um Prozesse der Zensur weitgehend zu eliminieren und das relevante Material möglichst unverstellt in die Behandlung einfließen zu lassen. Dem Psychoanalytiker fällt nun in der Psychoanalyse die Aufgabe zu, dem Patienten die neurotischen Problemstellungen, z.B. nicht akzeptierte Triebwünsche oder Gefühle, seine damit in Zusammenhang stehenden Über-Ich-Impulse und Abwehrmechanismen über die **Methode der Deutung oder Interpretation** (es wird ein Zusammenhang zwischen aktuellem Erleben oder Handeln und den zugrundeliegenden Faktoren hergestellt) zu verdeutlichen. Über die in der Psychoanalyse erfolgte Neubearbeitung bislang wirkender pathogener Konflikte wird erwartet, daß diese überwunden werden und ihre Bedeutung für das Erleben und Handeln der Person verlieren. Im Zusammenhang mit dieser Entwicklung wird eine Reduzierung und Aufhebung der manifesten neurotischen Symptomatik erwartet. Dieses Konzept einer

»verstehenden« Psychoanalyse ist für die klassischen Psychoneurosen, bei denen es aufgrund einer weitgehend intakten Persönlichkeitsentwicklung zu umschriebenen Konflikten mit ihrer spezifischen Symptomatik kommt, entwickelt worden.

Die zunehmende klinische Arbeit mit Patienten mit tiefgreifenden Störungen oder Behinderungen ihrer Persönlichkeitsstruktur hat zu einer **Modifikation der psychotherapeutischen Technik**, aber auch der therapeutischen Zielsetzung geführt. Im Zentrum dieser doch eher (supportiven, stützenden) Psychotherapie steht die Arbeit an der Beziehungsfähigkeit des Patienten. Dieser soll neue Erfahrungen einer sicheren und libidinös wünschenswerten Beziehung, über die Art der Kontaktaufnahme des Psychotherapeuten zu ihm kennenlernen und so seine eigene Beziehungsfähigkeit verändern. Dafür ist es notwendig, daß der Psychoanalytiker über weite Phasen der Behandlung weitgehend auf interpretierendes und konfrontierendes Vorgehen verzichtet, um den hoch verletzbaren Patienten nicht abzuschrecken. Zur Stabilisierung der defizitären Ich-Struktur des Patienten (z.B. mangelnde Frustrationstoleranz, unangemessene Abwehrmechanismen) ist es häufig notwendig, daß der Therapeut über weite Strecken der Behandlung hinweg stellvertretend für den Patienten relevante Ich-Funktionen über z.B. die Grenzsetzung oder Klarstellung problematischer sozialer Situationen übernimmt. Daneben wird mit diesen Patienten oft mit »körpernahen Erlebensmodi« gearbeitet, da sie häufig nur eine ungenügende emotionale Differenzierung aufweisen und Affekte so meist körpernah erlebt werden. Über einen körperorientierten psychotherapeutischen Ansatz kann es zur Differenzierung des emotionalen Erlebens kommen, das dann später auch einer verbalen Behandlung unterzogen werden kann.

Auf dem Hintergrund des psychoanalytischen Krankheits- und Behandlungskonzepts haben sich unter den verschiedensten institutionellen Bedingungen unterschiedliche Therapieformen (z.B. Gruppentherapie, Kurz- oder Fokaltherapie) entwickelt, auf die in separaten Abschnitten eingegangen wird.

18.4. Zusammenfassung

Die Psychoanalyse hat einen gewichtigen Einfluß auf die Psychologie dieses Jahrhunderts gehabt. Dieser bestand nicht nur im Feld der klinischen Anwendung der Psychoanalyse als quasimedizinischer Heilmethode, sondern auch in geisteswissenschaftlichen Disziplinen, z.B. der Philosophie, der Soziologie und der Pädagogik. Eine Vielzahl psychoanalytischer Begriffe oder Konzepte ist zum »Alltagsgut« geworden, wir sprechen vom »Unbewußten« oder »Freudschen Fehlleistungen«.

Innerhalb der akademischen Psychologie ist der **wissenschaftliche Wert** der Psychoanalyse häufig bestritten worden, weil diese ihre Konzepte und Aussagen nicht nach methodischen Kriterien der empirischen Forschung entwickelt hat. Der Psychoanalyse wird so vorgeworfen, daß ihre Begriffsbildung zu weit und zu spekulativ sei. Bezüglich der klinischen Wirksamkeit der psychoanalytischen Psychotherapie wird auch in der jüngeren Vergangenheit vielfach kritisiert, daß die Psychoanalyse bislang weitgehend vernachlässigt habe, ihre Wirksamkeit als »Heilmethode« nach wissenschaftlichen Kriterien nachzuweisen. Dies gelte besonders für die langdauernde hochfrequente Psychoanalyse, für die es bislang keine gesicherten Therapierfolge geben würde.

Anders verhielte es sich bei den kürzeren Anwendungsformen der psychoanalytischen Psychotherapie (bis zu 40 Stunden Therapiedauer); hier sei die Wirksamkeit relativ gut belegt. Darüber hinaus wird bemängelt, daß besonders unklar sei, welche Mechanismen innerhalb der Therapie wirken würden (z.B. die Art der Beziehung, die Deutung, die unterstützenden Interventionen), ein Sachverhalt, der jedoch durchaus auch für andere psychotherapeutische Verfahren gilt.

Insgesamt läßt sich formulieren, daß sich die Psychoanalyse auch im wissenschaftlichen Bereich zunehmend an empirischen Standards der wissenschaftlichen Überprüfung ihrer Konzepte und Methoden orientiert. Die Möglichkeiten der Messung und Quantifizierung sind jedoch bei dem komplexen Gegenstand der Psychologie nur begrenzt. So ist das angemessene wissenschaftliche Vorgehen als ein Prozeß der Kombination quantitativer und qualitativer – oftmals am Einzelfall orientierter – Forschungsansätze zu verstehen. Diese Sicht hat sich zunehmend auch innerhalb der Psychoanalyse etablieren können, ein Umstand, der sowohl für deren theoretische als auch praktische Entwicklung vielversprechend ist.

Literatur

Freud A (1936): Das Ich und die Abwehrmechanismen. Internationaler Psychoanalytischer Verlag, Wien.

Freud S (1960): Gesammelte Werke. Fischer, Frankfurt.

Jung CG (1912, 1964): Über die Psychologie des Unbewußten. Gesammelte Werke, Vol. 7. Rascher, Zürich.

Mahler MS (1972): Symbiose und Individuation. Klett, Stuttgart.

Mertens W (1983): Psychoanalyse – ein Handbuch in Schlüsselbegriffen. Urban & Schwarzenberg, München.

19. Verhaltenstherapie

Jürgen Margraf, Roselind Lieb

19.1. Definition

Nach rund 30 Jahren ständiger Weiterentwicklung nimmt die Verhaltenstherapie heute einen bedeutenden Platz in der psychotherapeutischen Praxis ein. Dies ist ganz wesentlich dadurch bedingt, daß die Effizienz verhaltenstherapeutischer Maßnahmen im Vergleich zu anderen Psychotherapieformen empirisch weitaus besser abgesichert ist [Grawe, 1992]. Es ist jedoch sehr schwierig, zu einer Definition »der« Verhaltenstherapie zu gelangen. Dies liegt sicher maßgeblich daran, daß diese Therapieform inzwischen eine **große Anzahl unterschiedlicher spezifischer Techniken und Behandlungsmaßnahmen** in sich vereinigt, welche im therapeutischen Handeln je nach Art der vorliegenden Störung einzeln oder miteinander kombiniert eingesetzt werden. Ebensowenig, wie sich die Verhaltenstherapie als eine einzelne, klar umreißbare Therapiemethode begreifen läßt, kann ihr Vorgehen auf ein einziges theoretisches Modell zurückgeführt werden. Vielmehr zeichnet sich auch ihr theoretischer Hintergrund durch eine **Vielzahl störungsspezifischer und -unspezifischer Erklärungsansätze** und hieraus abgeleiteter Änderungsmodelle aus. Die gemeinsame Klammer bildet die **Orientierung an der empirischen Psychologie**. Somit ist es sinnvoll, Verhaltenstherapie nicht als einzelnes Verfahren oder Therapieschule, sondern als eine psychotherapeutische Grundorientierung aufzufassen. Diese kann wie folgt definiert werden:

Die **Verhaltenstherapie als psychotherapeutische Grundorientierung** beinhaltet störungsspezifische und -unspezifische therapeutische Verfahren, die aufgrund von möglichst hinreichend nachgewiesenem Störungswissen und psychologischem Veränderungswissen eine systematische Besserung von problematischem Verhalten und Erleben erreichen sollen. Die ein konkretes Ziel verfolgenden Maßnahmen leiten sich aus einer **individuellen Problemanalyse** ab und können auf der behavioralen, kognitiven oder physiologischen Ebene des gegenwärtigen Problemverhaltens der betroffenen Individuen oder Gruppen ebenso wie an den aktuell aufrechterhaltenden Bedingungen – und somit auch an der Umwelt – ansetzen. Die Verhaltenstherapie hat den Anspruch, ihre Effektivität empirisch abzusichern.

Aus der Definition wird ersichtlich, daß verhaltenstherapeutische Maßnahmen in der Regel direkt am Problemverhalten ansetzen. Im Gegensatz etwa zur Psychoanalyse konzipiert die Verhaltenstherapie **Problemverhalten** nicht grundsätzlich als Symptom einer »tieferliegenden« Störung, die eigentlich Ansatzpunkt der Behandlung sein müßte. Vielmehr ist das Problemverhalten typischerweise selbst die Störung, auf deren direkte Besserung die Intervention abzielt. An dieser Stelle sei nochmals explizit darauf hingewiesen, daß der von uns verwendete Verhaltensbegriff sämtliche (physiologische, kognitive, behaviorale) Verhaltensebenen einschließt und der Begriff **Verhaltenstherapie** sowohl die klassischen, vorwiegend aus der Lernpsychologie abgeleiteten verhaltenstherapeutischen Verfahren als auch die später hinzugekommenen kognitiven Interventionsmethoden umfaßt.

19.2. Grundlagen

Historisch betrachtet bildet die Lernpsychologie mit den Prinzipien der klassischen und operanten Konditionierung die Wurzel der Verhaltenstherapie.

Das Prinzip der **klassischen Konditionierung** kann hauptsächlich auf zu Beginn dieses Jahrhunderts durchgeführte tierexperimentelle Studien des russischen Physiologen Pawlow (1849–1936) und seiner Kollegen zurückgeführt werden. Kurz zusammengefaßt besagt dieses Prinzip, daß eine ehemals von einem unkonditionierten Reiz ausgelöste angeborene Reaktion nach der Koppelung dieses unkonditionierten Reizes mit einem neutralen Reiz (welcher vormals die Reaktion nicht hervorrief) auch allein durch den ehemals neutralen Reiz ausgelöst werden kann. Die Reaktion wird dadurch zur konditionierten Reaktion.

Watson (1878–1950), der Begründer des amerikanischen Behaviorismus, griff das Prinzip der klassischen Konditionierung auf und übertrug es bereits auf den klinischen Bereich. In seinen Überlegungen zur Entstehung von Ängsten beim Menschen ging er davon aus, daß phobische Ängste durch klassische Konditionierung gelernt werden. Obwohl diese Auffassung nicht unwidersprochen blieb, hatte sie doch bedeutsamen Einfluß auf die Entwicklung der später aufkommenden Verhaltenstherapie.

Ein zweiter historischer Grundpfeiler der Verhaltenstherapie ist im Prinzip der **operanten Konditionierung** zu sehen. Die Entwicklung dieses Konzepts erfolgte im Rahmen der amerikanischen Lerntheorien in der ersten Hälfte dieses Jahrhunderts und ist eng mit den ebenfalls tierexperimentellen Arbeiten von Thorndike, Hull und Skinner verbunden. Thorndike (1874–1949) formulierte schon sehr früh das »law of effect«, wonach die Auftretenswahrscheinlichkeit eines bestimmten Verhaltens davon abhängt, ob dieses befriedigende oder unbefriedigende Folgen nach sich zieht. Skinner (1904–1990), einer der maßgeblichen Begründer der Verhaltenstherapie, differenzierte schließlich die Konsequenzen eines bestimmten Verhaltens nach der Funktion, die ihnen für die Auftretenswahrscheinlichkeit dieses vorangegangenen Verhaltens zukommt.

Nach ihm hat die auf eine Reaktion folgende Konsequenz die Funktion eines Verstärkers, wenn sie die Auftretenswahrscheinlichkeit dieser Reaktion erhöht. Führt die Konsequenz hingegen zu einer Senkung der Reaktionsrate, bekommt sie nach Skinner eine bestrafende Funktion. Verhalten hängt nach diesem Ansatz primär von seinen nachfolgenden Konsequenzen ab (steht unter »operanter Kontrolle«) und kann demnach vor allem über Veränderungen dieser Konsequenzen beeinflußt werden.

Aus Skinners Arbeiten hervorgegangen sind Verfahren zur Veränderung von Verhaltenskonsequenzen (die operanten Methoden), die noch heute wichtige Techniken der Verhaltenstherapie sind.

Neben ihren Arbeiten zur Lerntheorie prägten Watson und Skinner die sich später entwickelnde Verhaltenstherapie durch ihre streng behavioristische Herangehensweise an die Erforschung von Verhalten. Als zentralen Gegenstand akzeptierten sie ausschließlich **beobachtbares Verhalten**, das durch **objektive Untersuchungsmethoden** beschreibbar war. Subjektive Methoden, wie Introspektion, lehnten sie strikt ab, so daß nicht beobachtbare menschliche Phänomene, wie etwa Kognitionen, nicht Gegenstand ihrer Forschungsbemühungen sein konnten.

Die **Verhaltenstherapie als therapeutische Behandlungsmethode** für die klinische Praxis entwickelte sich ab der Mitte dieses Jahrhunderts – damals kam auch erst der Begriff »Verhaltenstherapie« auf – und beinhaltete in ihrer frühen Phase die klinische Anwendung der Prinzipien der klassischen und operanten Konditionierung. Wesentlich beeinflußt wurde ihre Entwicklung zunächst von Arbeiten der Arbeitsgruppen um Wolpe in Südafrika, Eysenck in England und Skinner in den USA. Aufgrund ihrer behavioristischen Wurzeln konzentrierte sie sich auf direkt beobachtbares Verhalten, das nach dem Reiz-Reaktions-Modell der Lerntheorien als abhängig von (externen) Stimuli und (externen) Konsequenzen gesehen wurde. Aus dieser Phase der Verhaltenstherapie gingen vor allem die Reizkonfrontationsverfahren und die operanten Methoden hervor.

In den 60er und 70er Jahren wurde Unzufriedenheit mit der streng behavioristischen Verhaltenstherapie und speziell deren Ausschluß von nicht beobachtbaren Phänomenen laut. Aus der Kritik, daß die Verhaltenstherapie **kognitive Prozesse,** deren Bedeutung inzwischen weithin akzeptiert worden war, nicht berücksichtige, entwickelte sich eine Erweiterung des verhaltenstherapeutischen Ansatzes um kognitive Aspekte. Ausgehend von Arbeiten von Cautela und Homme, welche als Übertragung der Verhaltenstheorie auf den kognitiven Bereich charakterisiert werden können, entstanden zunächst die **Vermittlungsmodelle.** In diesen werden Kognitionen als interne nicht beobachtbare Reaktionen auf externe Stimuli konzipiert, welche wiederum eine beobachtbare Reaktion hervorrufen. Aus diesem Ansatz gingen therapeutische Verfahren hervor, welche auf dem Prinzip des **verdeckten Konditionierens** basierten. Einen weiteren wichtigen Meilenstein in der Erweiterung der Verhaltenstherapie um kognitive Aspekte stellten Banduras Arbeiten über **Lernen am Modell** dar. Nach Bandura [1977] können neue Verhaltensweisen durch deren alleinige Beobachtung gelernt werden, womit **kognitive Prozesse**, wie Aufmerksamkeitszuwendung, Behalten, Kodieren und Abrufen von Information als bedeutsame Prinzipien des Lernens erkannt wurden. Schließlich hatte noch der Ansatz von Beck [1967] maßgeblichen Einfluß auf die Aufnahme und Integration kognitiver Prozesse in die Verhaltenstherapie. Beck betonte zunächst die Bedeutsamkeit bestimmter Denkinhalte und Denkmuster für die Entstehung und Aufrechterhaltung von Depressionen und entwickelte Interventionsmethoden (wie etwa kognitives Neubewerten oder Entkatastrophisieren), welche folglich eine direkte Modifikation dieses depressionstypischen Denkens zum Ziel hatten. In der weiteren Entwicklung der Verhaltenstherapie erfolgte eine Ausweitung des kognitiven Ansatzes auf andere psychische Störungen. Charakteristisch für die heutige Bandbreite der Verhaltenstherapie ist der Versuch, **verhaltensorientierte und kognitive Ansätze zu integrieren** und in ihrer Anwendung problemgerecht zu kombinieren, so daß bei einigen Aspekten der Behandlung der verhaltensorientierte, bei anderen hingegen mehr der kognitive Anteil dominiert.

Dieser Überblick über die Wurzeln der Verhaltenstherapie kann nur einen ersten Einblick in die Entwicklung und Grundlagen dieser psychotherapeutischen Grundorientierung geben. Ausführlichere Darstellungen der Geschichte und theoretischen Hintergründe der Verhaltenstherapie haben Schorr [1984], Eysenck und Martin [1987] und Reinecker [1987] vorgelegt.

19.3. Allgemeine Prinzipien des verhaltenstherapeutischen Ansatzes

Angesichts der Vielfalt unterschiedlicher Therapiemethoden, die sich in der Verhaltenstherapie wiederfinden, ist es sinnvoll, zunächst die allgemeinen Prinzipien darzulegen, welche verhaltenstherapeutischen Verfahren zugrundeliegen:

Die Verhaltenstherapie orientiert sich an der empirischen Psychologie. Die Verhaltenstherapie bemüht sich, sowohl ihre theoretischen Konzepte als auch ihre therapeutischen Methoden in operationalisierbarer Form darzulegen, um sie der empirischen Evaluation zugänglich zu machen. Sie legt Wert darauf, die empirische Überprüfung mit einer Vielzahl von Maßen durchzuführen, welche möglichst den methodischen Kriterien der Objektivität, Reliabilität und Validität genügen sollen. Darüber hinaus stammt das Veränderungswissen der Verhaltenstherapie vor allem aus der empirisch-psychologischen Forschung.

Die Verhaltenstherapie ist problemorientiert. Die Behandlung setzt primär am gegenwärtig bestehenden Problemverhalten und dessen aufrechterhaltenden Bedingungen an. Das therapeutische Vorgehen wird möglichst genau auf die jeweilige Störung zugeschnitten, so daß für verschiedene Störungen auch verschiedene Verfahren, welche auf empirisch ermitteltem Störungswissen basieren, individuell angewendet werden. Über die Lösung des aktuell bestehenden Problems hinaus wird in der Verhaltenstherapie eine Erhöhung der allgemeinen Problemlösefähigkeit angestrebt.

Die Verhaltenstherapie ist zielorientiert. Die Identifikation des Problems sowie die gemeinsame Festlegung des zu erreichenden Therapieziels sind integrativer Bestandteil der Verhaltenstherapie. Das Problem definiert den Inhalt der Therapie, so daß durch dessen Lösung bzw. durch das Erreichen des angestrebten Ziels die Therapie beendet wird.

Die Verhaltenstherapie ist aktionsorientiert. Die Verhaltenstherapie setzt zu ihrem Gelingen eine aktive Beteiligung des Patienten voraus. Sie erschöpft sich nicht in Diskussion und Reflektion von Problemen, sondern motiviert den Patienten zum aktiven Erproben neuer Verhaltensweisen/Problemlösestrategien, sowohl innerhalb der therapeutischen Sitzungen als auch in Alltagssituationen.

Die Verhaltenstherapie ist nicht auf das therapeutische Setting begrenzt. Die Verhaltenstherapie strebt eine Generalisierung von Verhaltensänderungen auf den Alltag des Patienten an. Das therapeutische Setting und eine gute therapeutische Beziehung bieten die Möglichkeit, verändertes Verhalten in einem geschützten Rahmen zu erfahren und einzuüben, gewährleisten jedoch nicht deren Übernahme in den Alltag. Hierzu ist es sinnvoll, daß der Patient neuerworbene Verhaltensstrategien regelmäßig zwischen den Sitzungen ausprobiert und übt.

Die Verhaltenstherapie ist transparent. Sowohl das Bieten eines plausiblen Erklärungsmodells für die vorliegende Störung als auch das verständliche Erklären aller Aspekte des therapeutischen Vorgehens sind Bestandteile der Verhaltenstherapie und tragen zu einer erhöhten Akzeptanz der Therapiemaßnahmen sowie zur Prophylaxe von Rückfällen bei.

Die Verhaltenstherapie stellt »Hilfe zur Selbsthilfe« dar. Über die Erhöhung der allgemeinen Problemlösefähigkeit und über das transparente Ableiten des therapeutischen Vorgehens aus einem Störungsmodell werden den Patienten generelle Fertigkeiten zur selbständigen Analyse und Bewältigung zukünftiger Probleme vermittelt. Somit erhöht die Verhaltenstherapie das Selbsthilfepotential der Patienten und kann dadurch Rückfällen und der Entwicklung neuer Probleme vorbeugen.

19.4. Verhaltenstherapeutische Methoden

Wie schon angeführt, läßt sich die Verhaltenstherapie durch eine **große Breite therapeutischer Vorgehensweisen** charakterisieren. Da eine hinreichend ausführliche Darstellung all dieser Vorgehensweisen den Rahmen dieses Artikels sprengen würde, werden die wichtigsten praxisrelevanten verhaltenstherapeutischen Methoden lediglich in einer zusammenfassenden Übersicht (vgl. Tabelle 19.1) dargestellt. Anschließend werden als konkrete Beispiele die Reizkon-

Tabelle 19.1. Überblick und Auswahl verhaltenstherapeutischer Behandlungsmaßnahmen

Störungsunspezifische Maßnahmen	Störungsspezifische Therapieprogramme
Reizkonfrontationsverfahren Systematische Desensibilisierung Reizüberflutung Habituationstraining Reaktionsverhinderung **Operante Methoden** Positive Verstärkung Löschung »Response cost« »Time out« »Token-Economies« **Kognitive Methoden** Modifikation von Selbstinstruktionen Training im Problemlösen Identifikation dysfunktionaler Kognitionen Überprüfen dysfunktionaler Kognitionen Erarbeiten alternativer Gedanken Reattribution Analyse fehlerhafter Logik Entkatastrophisieren **Training in sozialer Kompetenz** **Modellernen** **Selbstkontrollverfahren** Selbstbeobachtung Stimuluskontrolle Selbstverstärkung Selbstbestrafung **Multimodale Therapie** nach Lazarus [1978]	Agoraphobie: Bartling et al. [1980], Mathews et al. [1981] Soziale Phobie: Heimberg et al. [1987], Pfingsten und Hinsch [1991] Spezifische Phobie: Bartling et al. [1980] Panikstörung: Margraf und Schneider [1989] Generalisierte Angststörung: Butler et al. [1987] Zwangsstörungen: Steketee und Foa [1985], Salkovskis und Kirk [1989], Reinecker [1991] Eßstörungen: Fairburn und Cooper [1989], Waadt et al. [1992] Depressive Störungen: Beck et al. [1986], Fennell [1989], Hautzinger et al. [1989] Somatoforme Störungen: Salkovskis [1989] Schizophrenien: Falloon et al. [1984], Roder et al. [1988] Sexuelle Störungen: Arentewicz und Schmidt [1986], Masters und Johnson [1970] Partnerschaftsprobleme: Hahlweg et al. [1984] Chronische Schmerzzustände: Rehfisch et al. [1989], Turk et al. [1983] Hyperaktivität: Meichenbaum [1979] Aggressivität bei Kindern: Petermann und Petermann [1984]

frontationsverfahren und die kognitiven Interventionsmethoden als zwei der bedeutendsten Verfahren ausführlicher vorgestellt.

Tabelle 19.1 enthält in der linken Spalte **störungsunspezifische verhaltenstherapeutische Maßnahmen** – quasi verhaltenstherapeutische Grundtechniken – über welche Verhaltenstherapeuten verfügen und die sie auch flexibel in der Behandlung einsetzen können müssen. Für vertiefende Darstellungen verweisen wir auf Heyden et al. [1986], Reinecker [1987] und Fliegel et al. [1989]. Die rechte Spalte zeigt eine exemplarische und daher nicht erschöpfende Auswahl **störungsspezifischer Therapieprogramme**, für welche in der Regel hinreichende empirische Effizienznachweise vorliegen. Die angegebene Literatur beinhaltet sowohl standardisierte Behandlungsprogramme bzw. Therapiemanuale, in denen das konkrete störungsspezifische Vorgehen der einzelnen Therapiesitzungen detailliert und ausführlich beschrieben wird [z.B. Margraf und Schneider, 1989; Waadt et al., 1992], als auch nicht in Manualform vorliegende, aber dennoch sehr genaue und möglichst praktische Darstellungen spezieller störungsspezifischer Behandlungsmethoden [z.B. Hautzinger et al., 1989; Falloon et al., 1984]. Neben den in Tabelle 19.1 aufgeführten Therapietechniken im engeren Sinne kommt auch der therapeutischen Beziehung praktische Bedeutung zu, eine Tatsache, die in der verhaltenstherapeutischen Forschung zunehmend mehr Berücksichtigung findet [vgl. Schindler, 1991; Margraf und Brengelmann, 1992].

19.4.1. Reizkonfrontationsverfahren

Die Gruppe der Reizkonfrontationsverfahren beinhaltet Interventionsmethoden, die primär bei der verhaltenstherapeutischen **Behandlung von Angststörungen** (Panikstörung, Agoraphobie, spezifische Phobie, Zwangsstörungen, posttraumatische Belastungsstörungen; vgl. Kapitel [8]) zum Einsatz kommen. Allen diesen Verfahren ist gemeinsam, daß der Patient mit den subjektiv gefürchteten und angstauslösenden Reizen (Situationen, Symptome usw.) konfrontiert wird. Hierdurch soll ihm die Erfahrung ermöglicht werden, daß er sich der Situation aussetzen kann, ohne daß die erwarteten katastrophalen Konsequenzen eintreten.

Die einzelnen Reizkonfrontationsverfahren unterscheiden sich danach, ob die Konfrontation
- unter Entspannung stattfindet,
- in der Realität (in vivo) oder in der Vorstellung (in sensu) durchgeführt wird,
- eine schrittweise Annäherung an die angstauslösende Situation beinhaltet (graduelles Vorgehen) oder ob der Patient unmittelbar einer Situation ausgesetzt wird, die bei ihm hohe Angst auslöst (nichtgraduelles Vorgehen bzw. Reizüberflutung),
- mehrere Tage nacheinander mehrere Stunden täglich (massiertes Vorgehen) oder über eine längere Zeit verteilt – etwa mehrere Wochen lang 1 Stunde pro Woche – durchgeführt wird.

Das wohl früheste empirisch untersuchte Konfrontationsverfahren stellt die **systematische Desensibilisierung** nach Wolpe [1958] dar. Bei diesem Verfahren werden die angstauslösenden Situationen zunächst nach dem Grad ihrer Angstintensität geordnet und anschließend dem Patienten graduell in der Vorstellung (später auch in der Realität) dargeboten. Nach dem von Wolpe postulierten Wirkprinzip der reziproken Hemmung wird eine erfolgreiche Angstreduktion nur erreicht, wenn die Konfrontation unter Entspannung des Patienten durchgeführt wird: Der zur Angst antagonistische Entspannungszustand soll das Auftreten der Angstreaktion hemmen. Im Gegensatz zu anderen Konfrontationsverfahren, bei welchen das aktive Erleben der von den gefürchteten Reizen provozierten Angst bzw. deren Habituation im Vordergrund steht, strebt die systematische Desensibilisierung über den Einsatz von Entspannung das sofortige angstfreie Erleben der kritischen Situationen an. Die Wirksamkeit der systematischen Desensibilisierung wurde regelmäßig in kontrollierten Studien bei einer Vielzahl v.a. phobischer Ängste nachgewiesen [Grawe, 1992]. Allerdings ergaben verschiedene Untersuchungen auch, daß weder die Entspannung noch das graduelle Vorgehen notwendige Bedingungen für eine erfolgreiche Angstreduktion darstellen [vgl. zusammenfassend hierzu Heyden et al., 1986] und folglich das Prinzip der reziproken Hemmung die Wirksamkeit dieses Verfahrens nicht hinreichend erklären kann [zu alternativen Erklärungsansätzen vgl. Fliegel et al., 1989].

War die systematische Desensibilisierung vor allem in der frühen Phase der Verhaltenstherapie von großer praktischer Relevanz, so stellt heute die **Konfrontation in vivo** – oft kombiniert mit weiteren verhaltenstherapeutischen Verfahren – die gängige Behandlungsmethode bei den meisten Angststörungen dar. Aufgrund systematischer empirischer Untersuchungen hat sich dieses Verfahren als die Methode der Wahl erwiesen. Dieses Verfahren setzt an der behavioralen Ebene der Störung, dem Vermeidungsverhalten, an und beinhaltet die direkte Konfrontation mit der angstauslösenden Situation (auch »**Exposition**« genannt) ohne den Einsatz von Entspannung. Hier wird exemplarisch das **therapeutische Vorgehen bei der Behandlung einer Agoraphobie** dargestellt [detailliertere Ausführungen finden sich bei Bartling et al., 1980; Mathews et al., 1981; Margraf und Schneider, 1993]. Zunächst wird dem Patienten anhand individueller Beispiele aus der Anamnese ein **Erklärungsmodell** seiner Agoraphobie vermittelt. Als Grundlage wird hierzu die um die Sicherheitssignalhypothese (Reduktion der Angst durch die Anwesenheit von Sicherheitssignalen, wie etwa der Telefonnummer der Therapeutin) erweiterte Zwei-Faktoren- Theorie der Angst [negative Verstärkung des Vermeidungsverhaltens durch Angstreduktion; vgl. Mowrer, 1960] herangezogen. Aus diesem individualisierten Modell wird in einer für den Patienten verständlichen Art und Weise das auf die Charakteristika seiner Angststörung **zugeschnittene konfrontative Vorgehen** abgeleitet: Er soll die gefürchtete Situation nicht wie bisher meiden, sondern sich ihr aktiv aussetzen und die Erfahrung machen, daß nicht die erwartete Katastrophe (z.B. Ohnmacht, Verrücktwerden), sondern ein Rückgang der Angst eintritt. Die Situationen für die Konfrontation in vivo und die hierfür benötigte Zeit werden zusammen mit dem Patienten sehr konkret und detailliert geplant. Agoraphobische Situationen wären etwa Fahrstuhlfahren im Kaufhaus, Schlangestehen an der Kasse oder alleine Autofahren. Die Therapeutin instruiert nun den Patienten, sich in die angstauslösende Situation zu begeben und dort zu bleiben, bis die Angst »von selbst« geringer wird. Dabei soll er nicht versuchen, die hervorgerufene Angst zu unterdrücken oder sich abzulenken. Um eine Stabilisierung und Generalisierung therapeutischer Erfolge zu fördern, sollte die Therapeutin möglichst bald ihre Begleitung aufgeben und den Patienten ermuntern, die Konfrontationsübungen allein durchzuführen. Sie sollte den Patienten grundsätzlich für die Durchführung der für ihn schwierigen Konfrontationsübungen und nicht für ein bestimmtes Maß an erreichter Angstreduktion verstärken und ihn zur Selbstverstärkung anhalten.

Am Beispiel der Agoraphobie wurde die Konfrontation mit einer angstauslösenden Situation beschrieben. Nur kurz soll ergänzend erwähnt werden, daß je nach Art der vorliegenden Störung in der Behandlung eine Konfrontation etwa mit angstauslösenden Gedanken [z.B. bei Zwangsstörungen, vgl. hierzu Reinecker, 1991] oder mit angstauslösenden Körperempfindungen [z.B. bei der Panikstörung, vgl. Margraf und Schneider, 1989] indiziert ist und sich die Konfrontation in vivo somit nicht auf beobachtbare Situationen oder Reize beschränkt.

Wie eingangs erwähnt, kann eine **In-vivo-Konfrontation graduell** (manchmal auch »Habituationsverfahren« genannt) oder **nichtgraduell** (auch »flooding« genannt) durchgeführt werden. Beim graduellen Vorgehen lernen Patienten mit einer Agoraphobie schrittweise, ihren Aktionsradius auszudehnen [vgl. Mathews et al., 1981]. Die Ergebnisse einiger Katamnesestudien deuten jedoch daraufhin, daß das nichtgraduelle Vorgehen, also die sofortige Konfrontation mit der stark angstauslösenden Situation (Reizüberflutung bzw. »flooding«), zumindest bei schweren Phobien langfristig wirksamer ist. Die schnellsten und dauerhaftesten Erfolge scheint die massiert durchgeführte Konfrontation in vivo mit mehreren Stunden Konfrontation täglich an aufeinanderfolgenden Tagen zu bewirken [Fiegenbaum, 1988].

Aufgrund zahlreicher Effektivitätsstudien ist die allgemeine **Wirksamkeit** dieses Konfrontationsverfahrens hinreichend nachgewiesen. Welche therapeutischen Komponenten über welchen Wirkmechanismus letztlich angstreduzierend wirken – diskutiert wird hier etwa eine Modifikation semantischer Netzwerke als Folge der Konfrontation [Foa und Kozak, 1986] – und inwiefern »nicht-spezifische« Variablen, z.B. die Glaubwürdigkeit der Therapie und die Güte der Therapeut-Patient-Beziehung, an der Wirksamkeit der Konfrontationsbehandlung beteiligt sind, ist jedoch noch nicht ausreichend geklärt [vgl. Margraf und Brengelmann, 1992].

19.4.2. Kognitive Verfahren

Der Gruppe der kognitiven Verfahren können **unterschiedliche therapeutische Veränderungsstrategien** zugeordnet werden, welche als gemeinsames Charakteristikum eine **Intervention auf der kognitiven Ebene** des Problemverhaltens aufweisen.

In der Literatur werden am häufigsten die rational-emotive Therapie nach Ellis [1977], die Modifikation von Selbstinstruktionen [Meichenbaum, 1979], das Training im Problemlösen [D'Zurilla und Goldfried, 1971] und die kognitive Therapie nach Beck [Beck, 1967; Beck et al., 1992] als kognitive Therapiemethoden angeführt. Diese Verfahren zeichnen sich jeweils durch unterschiedliche Strategien zur Veränderung von Kognitionen aus. Wir verweisen wiederum auf die angegebene Literatur und zeigen hier ausschließlich therapeutische Vorgehensweisen, welche ursprünglich (und auch heute noch) kognitive Änderungsstrategien innerhalb der **Depressionstherapie nach Beck** darstellen. Die kognitive Therapie wurde von Beck auf dem Hintergrund seines kognitiven Störungsmodells der Depression entwickelt. Diesem Modell liegt der Gedanke zugrunde, daß Affekt und Verhalten des Menschen weitgehend von der kognitiven Repräsentation seiner selbst und von inneren/äußeren Ereignissen bestimmt sind, also davon, wie er Ereignisse oder seine eigene Person wahrnimmt, interpretiert und welche Bedeutung er ihnen zuspricht. Entstehung und Aufrechterhaltung einer depressiven Störung führt Beck auf eine typische Art zu denken zurück, welche sich durch **spezifische Denkinhalte** (negative Sicht der Welt, von sich selbst und von der Umwelt), **depressionstypische Schemata** (stabile »negative« kognitive Verarbeitungsmuster) und »**kognitive Fehler**« (inadäquate fehlerhafte Informationsverarbeitung) kennzeichnen läßt. Aus diesem Ansatz leitete er die kognitive Therapie ab, welche – neben verhaltensbezogenen Therapieelementen – an eben jenem Denken ansetzt und zunächst auf eine Veränderung der depressionstypischen Kognitionen abzielt.

Inzwischen gilt als anerkannt, daß bestimmten Kognitionen auch bei einer Reihe weiterer Störungen (z.B. bei Angst- oder Eßstörungen) nicht nur symptomatische, sondern auch auslösende oder aufrechterhaltende Bedeutung zukommt, so daß die direkte Intervention auf kognitiver Ebene auch bei deren Behandlung als indiziert gilt [vgl. Hawton et al., 1989]. **Ziel der kognitiven Intervention** ist jeweils, die allgemeinen und/oder störungsspezifischen inadäquaten Kognitionen zu identifizieren, auf ihre Angemessenheit hin zu analysieren und durch neue, adäquatere Kognitionen zu ersetzen. Darüber hinaus soll der Patient grundsätzlich gegenüber seinem Denken sensibilisiert und dazu befähigt werden, dieses durch die selbständige Anwendung der gelernten kognitiven Techniken überprüfen und modifizieren zu können.

Beispielhaft werden im folgenden einige **therapeutische Strategien zur Veränderung** von Kognitionen vorgestellt, wie sie im Rahmen der **Panikbehandlung** nach Margraf und Schneider [1989] Anwendung finden.

Zunächst vermittelt die Therapeutin dem Patienten das auf die individuelle Symptomatik zugeschnittene psychophysiologische Erklärungsmodell der Panikstörung [vgl. hierzu Ehlers und Margraf, 1989] und betont hierbei, daß an der Auslösung eines Panikanfalls maßgeblich dysfunktionale Kognitionen im Sinne von Fehlinterpretationen körperlicher Empfindungen oder anderer Angstsymptome beteiligt sind. Hiervon wird für den Patienten nachvollziehbar abgeleitet, daß in der Therapie unter anderem die Veränderung und Korrektur dieser angsttypischen inadäquaten Kognitionen angestrebt wird.

Zur **Veränderung der angstauslösenden Fehlinterpretationen** wird ein allgemeines Schema angewendet, welches folgende Schritte beinhaltet:

Identifikation dysfunktionaler Kognitionen. Dysfunktionale Kognitionen (auch in Form »automatischer Gedanken«) stellen das Material dar, mit dem in der kognitiven Therapie gearbeitet wird. Eine dysfunktionale Kognition wäre bei der Panikstörung etwa die Interpretation »ich bekomme einen Herzinfarkt« beim Wahrnehmen einer erhöhten Herzfrequenz. Neben systematischen Tagebüchern kann die Therapeutin auf mehrere Methoden [vgl. hierzu Beck et al., 1992; Hautzinger et al., 1989, Margraf und Schneider, 1989] zurückgreifen, um gemeinsam mit dem Patienten störungsrelevante Kognitionen zu identifizieren. So kann sie beispielsweise den Patienten angstprovozierende Aktivitäten ausführen und ihn die hierbei auftretenden Gedanken erfassen lassen. Eine weitere Methode wäre, ihn zu bitten, einen vergangenen Panikanfall nochmals in Gedanken – eventuell in Zeitlupentempo (»remote recall«) – nachzuvollziehen und ihn so zu erleben, »als ob« er im Moment auftreten würde. Auch hierbei soll der Patient versuchen, die mit dem Angstanfall verbundenen Gedanken zu identifizieren.

Einschätzung des Überzeugungsgrads der dysfunktionalen Kognitionen. Die Therapeutin bittet nun den Patienten, auf einer Skala von 0 bis 100% einzuschätzen, wie überzeugt er von der identifizierten Fehlinterpretation jeweils zum Zeitpunkt eines Panikanfalls und außerhalb eines Anfalls ist. Durch die Gegenüberstellung der unterschiedlichen Einschätzungen soll der Patient erkennen, daß die Interpretation eines körperlichen Symptoms während einer Panikattacke sehr stark durch die Angst geprägt ist und dadurch verzerrt und unrealistisch wird. Die Interpretationen werden während der gesamten Intervention immer wieder hinsichtlich ihres Überzeugungsgrads eingeschätzt. Dadurch kann die Therapeutin laufend überprüfen, ob die Veränderung der dysfunktionalen Kognitionen erfolgreich verlief.

Überprüfen der dysfunktionales Kognitionen und Ersetzen durch adäquate Kognitionen (Reattribution). In diesem Schritt überprüft die Therapeutin gemeinsam mit dem Patienten explizit die dysfunktionalen Kognitionen auf deren **Realitätsgehalt.** Sie wählt eine spezifische Fehlinterpretation aus und bittet den Patienten, zunächst sämtliche Beobachtungen und Beweise zusammenzutragen, welche **für** die jeweilige Fehlinterpretation sprechen. So könnte als Beweis für die genannte »Herzinfarkt«-Interpretation genannt werden: »Ich habe gehört, daß starkes Herzklopfen ein Vorläufer von Herzerkrankungen ist.« Anschließend leitet die Therapeutin den Patienten dazu an, selbst nach Erklärungen zu suchen, welche **gegen** die Fehlinterpretation sprechen und diese quasi widerlegen. Für das genannte Beispiel könnte etwa die Beobachtung »Das EKG ist ohne Befund. Bei körperlicher Aktivität treten nicht stärkere Herzschmerzen auf« gegen die Fehlinterpretation angeführt werden. Gibt es weitere, dem Patienten unbekannte Erklärungen für die jeweiligen interpretierten Symptome, so sollten ihm diese von der Therapeutin im Sinne einer Informationsvermittlung entweder genannt oder z.B. über Verhaltensexperimente erfahrbar gemacht werden. Diese Analyse der Interpretationen hinsichtlich Verzerrung und Realitätsangemessenheit wird für die einzelnen Fehlinterpretationen durchgeführt, bis der Patient schließlich seine vormals inadäquaten Erklärungen durch realistischere Alternativen ersetzen kann.

Weitere, häufig angewandte kognitive Interventionen sind die Analyse fehlerhafter Logik und die Technik des Entkatastrophisierens. Die **Analyse fehlerhafter Logik** wird zur Modifikation allgemeiner dysfunktionaler Kognitionen eingesetzt, welche nicht unmittelbar störungsspezifisch sein müssen. Bei dieser Methode beschreibt die Therapeutin zuerst die unterschiedlichen Arten logischer Fehler (z.B. willkürliches Schlußfolgern, Übergeneralisierungen oder Alles-oder-nichts-Denken) und führt auf diesem Hintergrund anschließend gemeinsam mit dem Patienten eine Analyse und Modifikation mit seinen vorab identifizierten individuellen unlogischen Kognitionen durch. Dabei wird wiederum so vorgegangen, daß der Patient zunächst selbst bzw. mit therapeutischer Unterstützung Beweise sammelt, welche für und gegen seine eigenen Schlußfolgerungen sprechen. Anschließend soll der Patient die jeweiligen Schlußfolgerungen hinsichtlich Realitätsangemessenheit und Glaubwürdigkeit einschätzen und sie auf logische Fehler hin analysieren, so daß er die von ihm gemachten Fehlschlüsse benennen kann. Hierauf erarbeiten Patient und Therapeutin gemeinsam realistischere alternative Interpretationen, welche der Patient an die Stelle seiner unlogischen Schlußfolgerungen setzen kann.

Als letzte Strategie zur Veränderung von Kognitionen wird schließlich noch die **Methode des Entkatastrophisierens** angeführt, mit welcher die Therapeutin eine Modifikation speziell von Katastrophenerwartungen anstrebt. Bei der Panikstörung folgen auf die Wahrnehmung innerer Ereignisse häufig Katastrophenerwartungen, z.B. »Ich werde ohnmächtig«. Bei der Entkatastrophisierung versucht nun die Therapeutin, den Patienten durch »Was-wäre-wenn«-Fragen dazu zu bringen, die Bedrohlichkeit der gefürchteten Katastrophen in Frage zu stellen, um so eine Reduktion seiner hierauf bezogenen Erwartungsangst zu erreichen. So könnte sie etwa fragen, was denn konkret passieren würde, wenn die schreckliche Befürchtung eintreten und der Patient in Ohnmacht fallen würde: »Was wäre, wenn Sie in Ohnmacht fallen würden? Was wäre, wenn Sie dadurch auffallen würden? Was wäre, wenn Sie auf die Hilfe anderer Menschen angewiesen wären?« Der Patient kann sich dadurch mit der Katastrophe »in Ohnmacht fallen« angemessener und realistischer auseinandersetzen und zu der Erkenntnis gelangen, daß selbst bei deren Eintreten dies nicht die finale Katastrophe, sondern ein zu bewältigendes Ereignis darstellen würde.

Die genannten kognitiven Techniken stellen nur eine Auswahl an therapeutischen Strategien zur Veränderung von Kognitionen dar. Weitere Verfahren finden sich in der angegebenen Literatur. Hervorgehoben sei an dieser Stelle, daß es bei den vorgestellten Methoden auf keinen Fall darum geht, den Patienten einfach zu neuen Interpretationen (denen der Therapeutin) zu überreden. Die Therapeutin sollte vielmehr durch »**geleitetes Entdecken**« (z.B. durch gezielte Fragen oder Verhaltensexperimente) den Patienten dazu führen, selbst seine Gedanken oder Schlußfolgerungen zu hinterfragen und rationale Alternativen hierzu zu entwickeln.

Die vorliegenden **Wirksamkeitsuntersuchungen** haben auch für kognitive Verfahren, wie etwa Becks Depressionstherapie oder die Programme zur Panikbehandlung, eine gute Effizienz überzeugend belegt. Diese Verfahren werden in der Praxis meist in Kombination mit Therapieelementen verwendet, die unmittelbar auf der behavioralen Ebene ansetzen. Darüber hinaus haben sie sich im Vergleich mit sonstigen psychotherapeutischen und pharmakologischen Verfahren sowohl hinsichtlich Symptomreduktion als auch Therapieabbruchquote und Stabilisierung von Therapieerfolgen sehr gut bewährt [eine Übersicht über die Studien geben Beck et al., 1992]. Auch Grawe [1992] spricht der kognitiven Therapie – allerdings ohne Differenzierung nach speziellen Störungsgruppen – den Status eines hinreichend nachgewiesenen effizienten Therapieverfahrens zu.

19.5. Indikation

Die Indikationsfrage wird häufig als eines der wichtigsten Probleme sowohl für die Psychotherapieforschung als auch für die Psychotherapiepraxis angesehen. Für die Psychotherapieforschung läßt sich nach Paul [1967, p. 111, Übersetzung durch die Autoren] das **Problem der Indikation** als folgende **komplexe Fragestellung** formulieren: »Welches ist für dieses Individuum mit diesem spezifischen Problem die effektivste Behandlung, durch wen und unter welchen Umständen?« Eine ideale und befriedigende Beantwortung dieser Frage würde riesige faktorielle Versuchspläne voraussetzen, bei welchen alle genannten Variablengruppen (Patienten, Störungen, Therapeutinnen, Therapieverfahren, Umgebungen) systematisch variiert werden müßten. Es ist evident, daß solche Studien aus rein praktischen Gründen nicht durchführbar sind, weshalb die Psychotherapieforschung die so gestellte Indikationsfrage letztlich nicht vollständig befriedigend beantworten kann.

Ungeachtet der ausstehenden Beantwortung dieser komplexen Indikationsfrage durch die Forschung stellen sich jedoch der Praktikerin in ihrer psychotherapeutischen Tätigkeit täglich eine Vielzahl unterschiedlicher Indikationsfragen, welche sich auf Entscheidungen sowohl vor (etwa ob eine Psychotherapie überhaupt indiziert ist) als auch während der Behandlung (z.B. die Form der Durchführung einer konkreten Konfrontationsübung während einer Sitzung) beziehen [vgl. Margraf und Schneider, 1993]. Ist die Praktikerin nicht Anhängerin des in der Psychotherapieszene noch leider häufig anzutreffenden Uniformitätsmythos, wonach alles, was Therapeutinnen tun, in gleicher Weise Psychotherapie darstellt, die bei allen Patienten wirksam ist [Kiesler, 1966], so stellt sich ihr als ein zu lösendes Indikationsproblem die Frage nach einem für die vorliegende spezifische Störung geeigneten Therapieverfahren. Die **Entwicklung störungsspezifischer Psychotherapieverfahren** wurde durch die Verhaltenstherapie maßgeblich beeinflußt. Für die meisten psychischen Störungen liegen inzwischen verhaltenstherapeutische Verfahren vor, welche auf die Charakteristika einer spezifischen Störung zugeschnitten sind und deren Effizienz zum größten Teil empirisch nachgewiesen wurde. Die Entscheidung für eine störungsgerechte Intervention kann die Praktikerin somit mittlerweile weitgehend auf der Basis von Ergebnissen aus der Psychotherapieforschung treffen. Für Beispiele spezifischer Therapieindikationen verweisen wir wiederum auf Tabelle 19.1. Die dort in der rechten Spalte angeführten exemplarischen Literaturangaben beinhalten empirisch bewährte verhaltenstherapeutische Verfahren, welche bei der Behandlung der jeweiligen Störungen (diagnostiziert nach DSM-III-R-Kriterien) indiziert sind. Natürlich wird die Therapeutin bei der Anpassung des therapeutischen Vorgehens an die individuelle Problematik immer wieder auf Indikationsprobleme stoßen, welche die jeweils aktuelle Konkretisierung und Modifikation des gewählten Therapieverfahrens betreffen. Zu ihrer Lösung wird sie sich hauptsächlich auf ihre klinische Erfahrung berufen müssen, so daß auch bei existierenden Therapieindikationen zu speziellen Störungen die Umsetzung im Einzelfall mit klinischer Kompetenz geleistet werden muß.

19.6. Effektivität

Wie eingangs schon betont wurde, bemüht sich die Verhaltenstherapie ständig um eine empirische Absicherung ihrer Effektivität. Es liegt bis heute eine **Vielzahl von Effektivitätsuntersuchungen** zu den unterschiedlichen verhaltenstherapeutischen Verfahren vor, welche unmöglich im Rahmen eines Handbuchartikels befriedigend dargestellt und diskutiert werden können. Wir beschränken uns daher auf die bereits zitierte, groß angelegte Zusammenstellung der Psychotherapieforschung durch Grawe [1992], dessen Arbeitsgruppe versuchte, alle erreichbaren Psychotherapiestudien auszuwerten. Die berichteten

Ergebnisse beziehen sich auf alle bis 1983/1984 an klinischen Populationen durchgeführten Psychotherapiestudien (insgesamt 897), welche minimalen methodischen Anforderungen genügen. Erwähnt werden soll nur kurz, daß die Verhaltenstherapie im Vergleich zu allen übrigen Psychotherapieverfahren am häufigsten und für das **breiteste Spektrum an psychischen Störungen** untersucht wurde. Hierauf basierend – und auch unter Einschluß später durchgeführter Studien – läßt sich die Frage nach der Wirksamkeit verhaltenstherapeutischer Verfahren nach Grawe [1992, p. 139] wie folgt beantworten: Verhaltenstherapeutische Therapiemethoden »... haben sich mit solcher Regelmäßigkeit als wirksam zur Herbeiführung der jeweils unmittelbar angestrebten, aber auch generalisierter Veränderungen erwiesen, daß ihnen schon als Einzeltechniken der Status bewährter Therapietechniken eingeräumt werden muß ... Die Anwendung von Verhaltenstherapie in der klinischen Praxis kann sich also auf ein breites Spektrum an Therapiemethoden mit nachgewiesener Wirksamkeit stützen. Mit deutlichem Abstand vor anderen Therapieformen kann daher die Verhaltenstherapie für sich in Anspruch nehmen, ihre Wirksamkeit ausreichend unter Beweis gestellt zu haben, um in der psychotherapeutischen Versorgung eine prominente Rolle zu spielen.«

Literatur

Arentewicz G, Schmidt G (1986): Sexuell gestörte Beziehungen. Konzept und Technik der Paartherapie. Springer, Berlin.

Bandura A (1977): Social learning theory. Prentice Hall, Englewood Cliffs.

Bartling G, Fiegenbaum W, Krause R (1980): Reizüberflutung. Theorie und Praxis. Kohlhammer, Stuttgart.

Beck A (1967): Depression. Clinical, experimental and theoretical aspects. Harper & Row, New York.

Beck AT, Rush AJ, Shaw BF, Emery G (1992): Kognitive Therapie der Depression; 3. Aufl. Psychologie Verlags Union, Weinheim.

Butler G, Cullington A, Hibbert G, Klimes I, Gelder M (1987): Anxiety management for persistent generalized anxiety. British Journal of Psychiatry 151:535–542.

D'Zurilla TJ, Goldfried MR (1971): Problem solving and behavior modification. Journal of Abnormal Psychology 78:107–126.

Ehlers A, Margraf J (1989): The psychophysiological model of panic. In: Emmelkamp PMG, Everaerd PW, Kraaymaat F, van Son F [eds.]: Anxiety disorders. Swets, Amsterdam.

Ellis A (1977): Die rational-emotive Therapie. Das innere Selbstgespräch bei seelischen Problemen und seine Veränderungen. Pfeiffer, München.

Eysenck HJ, Martin T (1987): Theoretical foundations of behavior therapy. Plenum Press, New York.

Fairburn C, Cooper P (1989): Eating disorders. In: Hawton K, Salkovskis PM, Kirk J, Clark DM (eds.): Cognitive behaviour therapy for psychiatric problems. Oxford University Press, Oxford.

Falloon IR, Boyd JL, McGill CW (1984): Family care of schizophrenia. Guilford Press, New York.

Fennell M (1989): Depression. In: Hawton K, Salkovskis PM, Kirk J, Clark DM (eds.): Cognitive behaviour therapy for psychiatric problems. Oxford University Press, Oxford.

Fiegenbaum W (1988): Long-term efficacy of ungraded versus graded massed exposure in agoraphobia. In: Hand I, Wittchen HU (eds.): Panic and phobias; 2nd ed. Springer, Berlin.

Fliegel S, Groeger WM, Künzel R, Schulte D, Sorgatz H (1989): Verhaltenstherapeutische Standardmethoden. Ein Übungsbuch. 2. Aufl. Urban & Schwarzenberg, München.

Foa EB, Kozak MJ (1986): Emotional processing of fear: exposure to corrective information. Psychological Bulletin 99:20–35.

Grawe K (1992): Psychotherapieforschung zu Beginn der neunziger Jahre. Psychologische Rundschau 43: 132–162.

Hahlweg K, Schindler L, Revenstorf D (1984): Partnerschaftsprobleme: Diagnose und Therapie. Springer, Berlin.

Hautzinger M, Stark W, Treiber R (1989): Kognitive Verhaltenstherapie bei Depressionen. Psychologie Verlags Union, München.

Hawton K, Salkovskis PM, Kirk J, Clark DM (1989): Cognitive behavior therapy for psychiatric problems. A practical guide. Oxford University Press, Oxford.

Heimberg RG, Dodge CS, Becker RE (1987): Social phobia. In: Michelson I, Ascher LM (eds.): Anxiety and stress disorders. Cognitive-behavioral assessment and treatment. Guilford, New York.

Heyden T, Reinecker R, Schulte D, Sorgatz H [1986]: Verhaltenstherapie – Theorien und Methoden. DGVT, Tübingen.

Kiesler DJ (1966): Some myths of psychotherapy research and the search for a paradigm. Psychological Bulletin 65:110–136.

Lazarus AA (1978): Multimodale Verhaltenstherapie. Fachbuchhandlung für Psychologie, Frankfurt.

Margraf J, Brengelmann JC (1992): Die Therapeut-Klient-Beziehung in der Verhaltenstherapie. Röttger, München.

Margraf J, Schneider S (1989): Panik. Angstanfälle und ihre Behandlung. Springer, Berlin.

Margraf J, Schneider S (1993): Klassifikatorische Diagnostik, Strukturierte Interviews und Therapieindikation. In: Reinecker H (Hrsg.): Lehrbuch der Klinischen Psychologie. Modelle psychischer Störungen. 2. Aufl. Hogrefe, Göttingen.

Masters WH, Johnson VE (1970): Human sexual inadequacy. Little, Brown, Boston.

Mathews AM, Gelder MG, Johnston DW (1981): Agoraphobia: nature and treatment. Guilford Press, New York (1981). (dt. Übersetzung: Agoraphobie. Eine Anleitung zur Durchführung einer Exposition in vivo unter Einsatz eines Selbsthilfemanuals. Springer, Berlin).

Meichenbaum DH (1979): Kognitive Verhaltensmodifikation. Urban & Schwarzenberg, Berlin.

Mowrer OH (1960): Learning theory and behavior. Wiley, New York.

Paul GL (1967): Strategy of outcome research in psychotherapy. Journal of Consulting Psychology 31: 109–118.

Petermann F, Petermann U (1984): Training mit aggressiven Kindern. Urban & Schwarzenberg, München.

Pfingsten U, Hinsch R (1991): Gruppentraining sozialer Kompetenzen (GSK); 2., überarb. Aufl. Psychologie Verlags Union, Weinheim.

Rehfisch HP, Basler HD, Seemann H (1989): Psychologische Schmerzbehandlung bei Rheuma. Springer, Berlin.

Reinecker H (1987): Grundlagen der Verhaltenstherapie. Psychologie Verlags Union, München.

Reinecker H (1991): Zwänge. Diagnose, Theorien und Behandlung. Huber, Bern.

Roder V, Brenner HD, Kienzle N, Hodel B (1988): Integriertes Psychologisches Therapieprogramm für schizophrene Patienten (IPT). Psychologie Verlags Union, München.

Salkovskis PM (1989): Somatic problems. In: Hawton K, Salkovskis PM, Kirk J, Clark DM (eds.): Cognitive behaviour therapy for psychiatric problems. Oxford University Press, Oxford.

Salkovskis PM, Kirk J (1989): Obsessional disorders. In: Hawton K, Salkovskis PM, Kirk J, Clark DM (eds.): Cognitive behaviour therapy for psychiatric problems. Oxford University Press, Oxford.

Schindler L (1991): Die empirische Analyse der therapeutischen Beziehung. Springer, Berlin.

Schorr A (1984): Die Verhaltenstherapie. Ihre Geschichte von den Anfängen bis zur Gegenwart. Beltz, Weinheim.

Steketee G, Foa EB (1985): Obsessive-compulsive disorder. In: Barlow DH (ed.): Clinical handbook of psychological disorders. A step-by-step treatment manual. Guilford, New York.

Turk DC, Meichenbaum D, Genest M (1983): Pain and behavioral medicine. A cognitive-behavioral perspective. Guilford, New York.

Waadt S, Laessle R, Pirke K (1992): Bulimie. Springer, Berlin.

Wolpe J (1958): Psychotherapy by reciprocal inhibition. Stanford University Press, Stanford.

20. Gesprächspsychotherapie

Hans-Jürgen Luderer, Rolf-Dieter Stieglitz

20.1. Einleitung

Zum Begriff **Gesprächspsychotherapie** gibt es eine Vielzahl englisch- wie deutschsprachiger Synonyme, die sich im Laufe der Entwicklung der Gesprächspsychotherapie verändert haben (engl.: »non-directive psychotherapy«, »client-centered therapy«; dt.: »Gesprächspsychotherapie«, »klienten- oder personenzentrierte Gesprächspsychotherapie«). Im folgenden soll der am häufigsten verwendete Begriff »Gesprächspsychotherapie« verwendet werden. Bommert [1977, p.11] schlägt folgende **Definition** vor:

»Die Gesprächspsychotherapie ist eine systematische, selektive und qualifizierte Form verbaler und nonverbaler Kommunikation und sozialer Interaktion zwischen zwei oder mehreren Personen – Psychotherapeut(en) und Klient(en) – mit dem Ziel einer Verminderung der vom Patienten erlebten psychischen Beeinträchtigungen durch eine als Folge differenzierter Selbst- und Umweltwahrnehmungen eintretende Neuorientierung des (der) Patienten im Erleben und Verhalten, auf der Basis grundlegender Erkenntnisse der wissenschaftlichen Psychologie, insbesondere der Lern- und Sozialpsychologie.«

20.2. Historische Entwicklung

Die Entwicklung der Gesprächspsychotherapie ist besonders in den Anfängen eng mit der persönlichen Entwicklung des amerikanischen Psychologen **C.R. Rogers** verbunden. Rogers, als Vertreter der **humanistischen Psychologie,** beeinflußt durch verschiedene philosophische Richtungen (unter anderen Kierkegaard) und die Psychoanalyse (insbesondere Rank), entwickelte seine theoretischen wie psychotherapeutischen Konzepte fortwährend unter dem Einfluß persönlicher wie politischer Erfahrungen weiter. Tabelle 20.1 faßt seine wichtigsten Arbeiten chronologisch zusammen. Die folgenden Ausführungen lehnen sich eng an die aufgeführten Arbeiten an.

Zentrale Grundgedanken seines eigenen psychotherapeutischen Konzepts entwickelte Rogers in den Jahren zwischen 1928 und 1940, als er an einer Beratungsstelle für Eltern sozial auffällig gewordener Kinder in Rochester tätig war. Aufgrund seiner praktischen Erfahrungen aus Gesprächen mit Kindern, Ju-

Tabelle 20.1. Arbeiten von C.R. Rogers zur Gesprächspsychotherapie

Jahr	Titel
1939	»Clinical treatment of the problem child«
1942	»Counseling and psychotherapy« (dt. »Die nicht-direktive Beratung«, 1972)
1951	»Client-centered therapy« (dt. »Die klient-bezogene Gesprächstherapie«, 1973)
1957	»The necessary and sufficient conditions of therapeutic personality change«
1961	»On becoming a person« (dt. »Entwicklung der Persönlichkeit«, 1973)
1979	»Carl Rogers on encounter groups«

Literaturangaben vgl. Biermann-Ratjen et al. [1989], Luderer [1994].

gendlichen und deren Eltern kam er zur Überzeugung, daß eine Psychotherapie dann zum Scheitern verurteilt ist, wenn der Therapeut glaubt, die Wurzel des Übels erkannt zu haben und dann versucht, diese Erkenntnis dem Kind, Jugendlichen oder Elternteil zu vermitteln.

1939 formulierte Rogers in seinem ersten Buch »Clinical treatment of the problem child« unter anderem die These, daß die Beziehung zwischen Berater und Eltern das entscheidende Element in der Therapie der Kinder sei. Das Therapieziel bestehe in einer vermehrten Selbstakzeptanz der Eltern, die dann nach abgeschlossener Therapie in der Lage seien, ihren Kindern gegenüber ebenfalls eine akzeptierendere Haltung einzunehmen. Im gleichen Jahr wurde er als Professor an die Ohio State University berufen. Dort begann er als einer der ersten, psychotherapeutische Gespräche aufzuzeichnen. Seit dieser Zeit gehört das Aufzeichnen von Therapiegesprächen zum selbstverständlichen Standard bei der Ausbildung zum Gesprächspsychotherapeuten.

Die Zeit zwischen 1942 und 1950 wurde durch das Buch »Counseling and psychotherapy« geprägt. Im Vordergrund stand die Vorstellung, ein Therapeut solle den Verlauf eines Gesprächs nicht durch Fragen, Ratschläge und Anweisungen lenken, sondern durch Wärme und Akzeptanz ein Klima schaffen, in dem eine Weiterentwicklung möglich sei. Die Nondirektivität, der Verzicht auf Beeinflussung und Lenkung, ist in dieser Phase das entscheidende Therapiemerkmal.

1945 wechselte Rogers zur Universität von Chicago. Dort schrieb er das Buch »Client-centered therapy« (1951), in dem er seine Grundgedanken weiterentwickelte und verdeutlichte. 1957 faßte Rogers seine Auffassungen über den **psychotherapeutischen Prozeß** im Aufsatz »The necessary and sufficient conditions of therapeutic personality change« zusammen (vgl. auch Abschnitte 20.3.2 und 20.4.1). Der Therapeut tritt als Person stärker in Erscheinung. Die Echtheit oder Kongruenz wird als grundlegende Einstellung gesehen: Der Therapeut soll

Gefühle, die er in der Therapie erlebt, nicht vor sich selbst verbergen und sich auch gegenüber dem Patienten nicht hinter einer professionellen Maske verstekken. Gegen Ende der 60er Jahre begann er, sich auch mit psychotherapeutischen Gruppen zu beschäftigen, die er als **Encounter-Gruppen** bezeichnete.

1960 erschien das erste deutschsprachige Lehrbuch über »Erwachsenentherapie in nicht-directiver Orientierung« von Tausch, das 1968 aktualisiert und mit dem Titel «Gesprächspsychotherapie« neu aufgelegt wurde; bereits 1979 erschien die von Tausch und Tausch herausgegebene 7. Auflage [zum aktuellen Stand der Gesprächspsychotherapie siehe z.B. Finke, 1994].

20.3. Theoretische Annahmen

20.3.1. Menschenbild/Persönlichkeitsbild

In verschiedenen Arbeiten hatte Rogers seit Ende der 50er Jahre seine theoretischen Konzepte der Persönlichkeit und Persönlichkeitsentwicklung dargestellt [vgl. im Überblick Rogers, 1987]. Rogers postulierte ein Grundmotiv menschlichen Handelns, das den Charakter eines Triebes hat. Dieses Motiv nannte er die **aktualisierende Tendenz** (»actualizing tendency«), d.h. die generelle Tendenz des Organismus, sich so zu verhalten, daß er existieren und wachsen kann. Diese Tendenz bezieht sich auf physiologische Bedürfnisse, wie Essen und Trinken, schließt Vorgänge wie Triebbefriedigung und Spannungsreduktion ein, meint aber auch das, was den Menschen dazu treibt, Spannungen zu suchen.

Wenn der Mensch lernt, seine eigene Person und ihre Beziehungen zu anderen Menschen oder Dingen bewußt wahrzunehmen, beginnt die aktualisierende Tendenz auch, die eigene Persönlichkeit, das Selbst, einzubeziehen. Die **selbstaktualisierende Tendenz** ist somit die Kraft, die den Menschen zur Weiterentwicklung seines Selbst treibt. Das Selbst ist bei Rogers eine sich ständig verändernde, ständig im Fluß befindliche Gestalt. Mit dem Selbst entsteht beim Menschen auch das Bedürfnis nach unbedingter, d.h. nicht an bestimmte Bedingungen geknüpfter **positiver Wertschätzung** durch andere (»need of positive regard«). Wenn er diese unbedingte positive Wertschätzung erfährt, wird er in die Lage versetzt, sich selbst als Person uneingeschränkt anzunehmen (»unconditional self-regard«). Ein Mensch, der gelernt hat, sich selbst ohne Bedingungen wertzuschätzen, bewertet sein eigenes Erleben und Verhalten auf der Grundlage seiner aktualisierenden Tendenz. Rogers spricht in diesem Zusammenhang vom **organismischen Wertungsprozeß** (»organismic valuing process«): Der Mensch ist in der Lage, sich sein eigenes Erleben jederzeit zu vergegenwärtigen und es einer eigenen Bewertung zu unterziehen. Selbst und Erfahrung stimmen überein (»congruence between self and experience«). Erlebt der Mensch hingegen, daß bestimmten Aspekten seiner Person Wertschätzung entgegengebracht wird, anderen jedoch nicht, entwickelt er **Wertbedingungen**

(»conditions of worth«): Er sieht bestimmte Teile seiner Person als weniger schätzenswert (»worthy of self-regard«) an als andere. Sie werden nicht mehr zur Bewußtwerdung zugelassen (»denied to awareness«).

Wenn bestimmte Erfahrungen nicht in das Bewußtsein gelangen, können sie auch nicht in das Selbst integriert werden: Selbst und Erfahrung sind nicht mehr in Übereinstimmung (»incongruence between self and experience«). Die **mangelnde Übereinstimmung zwischen Selbst und Erfahrung** wird zunächst nicht bewußt wahrgenommen, sondern als Bedrohung erlebt (»subceived as threatening«). Vor dieser Bedrohung schützt sich das Selbst erneut durch Verzerren oder Unterdrücken der Wahrnehmung. Dadurch, daß nur der Teil des Selbsterlebens zugelassen wird, der zum Selbstkonzept paßt, erstarrt das Selbstkonzept. Häufig gelingt es solchen Menschen, durch verschiedene Abwehrmechanismen, z.B. Rationalisierung oder Phantasiebildung, das Selbstkonzept aufrechtzuerhalten. Unter bestimmten Umständen versagt das Abwehrsystem, die mangelnde Übereinstimmung zwischen Selbst und Erfahrung wird bewußt erlebt, die Gestalt der Selbststruktur zerbricht.

Wenn eine Person die Inkongruenz zwischen Selbst und Erfahrung wahrnimmt, ist auch ein **Prozeß der Reintegration** möglich, ein Prozeß, der sich in Richtung einer Zunahme von Kongruenz zwischen Selbst und Erfahrung bewegt. Ein solcher Prozeß kann dann in Gang kommen, wenn die betreffende Person mit einem anderen Menschen in Kontakt tritt und im Rahmen dieses Kontakts die Erfahrung unbedingter positiver Wertschätzung macht. Wenn die Wertschätzung des anderen nicht an Bedingungen geknüpft ist, wird auch das Selbstwertgefühl des Patienten unabhängiger von Bedingungen. Erfahrungen, die vorher abgewehrt wurden, können so ins Bewußtsein gelangen. Hieraus resultiert eine zunehmende Offenheit für Erfahrung (»openness to experience«). Rogers betrachtet es als Lebensziel, das Selbst zu sein, was man ist.

Das Selbst bei Rogers ist jedoch kein bestimmter Zustand, auf den hin das Leben sich entwickeln sollte, sondern ein Prozeß. Eine Person, die das Selbst ist, das sie wirklich ist – von Rogers etwas mißverständlich als »fully functioning person« bezeichnet – ist in zunehmendem Umfang offen für neue Erfahrungen, ist in der Lage, jeden Augenblick im vollen Umfang zu erleben und hat es gelernt, den in ihr wohnenden Kräften zu vertrauen.

20.3.2. Basisvariablen

Rogers geht davon aus, daß zwei Personen zueinander eine Beziehung aufnehmen. Der eine, der Patient, ist mit sich selbst uneins (»incongruence«). Der andere, der Therapeut, ist in der Lage, sich sein gesamtes Erleben zu vergegenwärtigen (»congruence«, im Deutschen auch als »**Echtheit**« bezeichnet). Er ist dem Patienten ohne Vorbedingungen positiv zugewandt (»unconditional positive regard«, »**nicht an Bedingungen geknüpfte Wertschätzung**«). Er ist in der Lage, sich in den Patienten einzufühlen, ihn zu verstehen und ihm das Verstandene mitzuteilen (»empathic understanding« oder »empathy«, **einfühlendes Verstehen).**

Diese »notwendigen und hinreichenden Bedingungen für eine Veränderung der Persönlichkeit durch Psychotherapie« – Kongruenz, nicht an Bedingungen geknüpfte Wertschätzung, einfühlendes Verstehen – sind unter der Bezeichnung »Basisvariablen« bekanntgeworden und bilden auch heute noch die Grundlage des klientenzentrierten Vorgehens.

20.4. Therapie

20.4.1. Methodisches und therapeutisches Vorgehen

Das von Rogers entwickelte Konzept geht davon aus, daß eine Person, die psychotherapeutische Hilfe sucht, die Fähigkeit hat, ihre Probleme selbst zu lösen, wenn der Therapeut bestimmte Einstellungen und Verhaltensweisen verwirklicht. Diese wurden von ihm 1957 als »notwendige und hinreichende Bedingungen für eine Persönlichkeitsveränderung durch Psychotherapie« bezeichnet. Wenn ein Therapeut das versteht, was zum Zeitpunkt der Therapie in einem Patienten vorgeht, und wenn er in der Lage ist, ihm das Verstandene in aufrichtiger Freundlichkeit mitzuteilen, so wird dieser eine konstruktive Persönlichkeitsveränderung erfahren. Diese Veränderung geht vom Patienten aus. Sie kann und soll vor Beginn der Therapie nicht inhaltlich festgelegt werden. Der Therapeut kann und soll dem Patienten erlauben, sich in jede mögliche Richtung zu entwickeln. Rogers hat immer wieder auch in mündlichen Äußerungen betont, daß diese Basisvariablen keine Techniken sind, die unabhängig von der inneren Einstellung des Therapeuten erlernt und angewandt werden können.

Die Verwirklichung der drei Basisvariablen mit der entsprechenden inneren Einstellung des Therapeuten ermöglicht jedoch unter anderem die **Selbstexploration des Patienten**, d.h. die Möglichkeit, über sich selbst, besonders über persönliche innere Erlebnisse zu sprechen, sich darüber klar zu werden und somit die Voraussetzungen für konstruktive Veränderungen zu geben (z.B. Abbau der Diskrepanz zwischen Real- und Idealselbst).

Die Schwierigkeit der Gesprächsführung liegt darin, bei jeder Äußerung die hinter den Worten des Patienten liegende Gefühlsbedeutung zu erfassen und sofort zu formulieren. Dies wurde von Tausch [1973] mit dem Begriff **Verbalisierung emotionaler Erlebnisinhalte** bezeichnet (vgl. auch Tabelle 20.2).

Tabelle 20.2. Skalen zur Beurteilung der Merkmale »Verbalisierung persönlich-emotionaler Erlebnisinhalte des Klienten durch den Psychotherapeuten« und »Selbstexploration von Klienten« [Auszug; aus Tausch, 1973]

»Verbalisierung persönlich-emotionaler Erlebnisinhalte des Klienten durch den Psychotherapeuten«

Stufe 2: Keine Verbalisierung der vom Klienten ausgedrückten persönlich-emotionalen Inhalte des Erlebens durch den Psychotherapeuten.

Stufe 6: Verbalisierung eines oder weniger nebensächlicher vom Klienten ausgedrückten Erlebnisinhalte.

Stufe 12: Verbalisierung in genauer Form aller wesentlichen vom Klienten geäußerten persönlich-emotionalen Inhalte des Erlebens durch den Psychotherapeuten.

»Selbstexploration von Klienten«

Stufe 2: Der Klient berichtet nichts über sich selbst, weder über sein Verhalten noch über sein inneres Erleben.

Stufe 6: Der Klient berichtet über sein eigenes Verhalten oder äußere Vorgänge und seine spezifisch persönlichen inneren Erlebnisse, die dazu in Beziehung stehen.

Stufe 9: Der Klient schildert ausführlich seine spezifisch persönlichen inneren Erlebnisse.

Durch den raschen Wechsel von Äußerungen des Patienten und die Intervention des Therapeuten werden die Formulierungen des Therapeuten nicht nur anfällig für falsches oder unvollständiges Verstehen, sondern auch für diskrete, dem Therapeuten meist nicht unmittelbar bewußte Formen von Wahrnehmungsverzerrung, Ablehnung oder Unechtheit.

So kommt es häufig vor, daß ein Therapeut beim Abhören von Tonbandaufzeichnungen therapeutischer Gespräche im Rahmen der **Supervision** feststellt, daß er nicht das wiedergibt, was der Patient sagt oder daß seine unterschwellig aggressive Wortwahl mit einer unnatürlich sanften Stimme kontrastiert. Der Patient spürt bei solchen Unstimmigkeiten instinktiv, daß der Therapeut sein Beziehungs- und Bearbeitungsangebot nicht konstant aufrechterhalten kann. Für den Therapeuten ist dies Anlaß, im Rahmen der Supervision seinen eigenen, bisher nicht wahrgenommenen oder nicht eingestandenen Unzulänglichkeiten nachzugehen. Das Gesprächsverhalten des Gesprächspsychotherapeuten erfordert nicht nur ständige Aufmerksamkeit und Konzentration, sondern auch eine unverzerrte Wahrnehmung des eigenen Erlebens und die Bereitschaft, sich selbst ständig kritisch zu hinterfragen. Zur Beurteilung, inwieweit die vom Therapeuten realisierten Techniken bzw. die beim Patienten intendierten Reaktionen erreicht wurden, wurden bereits frühzeitig Beurteilungsskalen entwickelt. In Tabelle 20.2 sind exemplarisch für die Variablen »Verbalisierung emotionaler Erlebnisinhalte« und «Selbstexploration« Beispiele aufgeführt.

Gesprächspsychotherapeutische Sitzungen finden in der Regel wöchentlich einmal mit einer Dauer von 45 Minuten statt. Die Therapie umfaßt durchschnittlich 69 Behandlungsstunden, verteilt über durchschnittlich 2 Jahre [vgl. Eckert und Wuchner, 1994].

20.4.2. Indikation und Kontraindikationen

Die klientenzentrierte Therapie ist ein **Verfahren mit breiter Indikation.** In den von Grawe et al. [1994] referierten Studien fanden sich positive Effekte besonders bei ambulanter Einzel- und Gruppentherapie psychoneurotischer Patienten, aber auch bei Alkoholkranken, bei Personen mit umschriebenen Störungen, z.B. Stottern, und bei Schizophreniekranken als Begleittherapie zur medikamentösen Behandlung. Es ist allerdings schon lange bekannt, daß nicht alle Personen in gleicher Weise von einem gesprächstherapeutischen Vorgehen profitieren. Patienten, die zu Beginn einer Therapie eigene Gefühle zulassen und sich mit sich selbst auseinandersetzen, haben im allgemeinen eine gute Prognose. Dies mag zum Teil auch daran liegen, daß es Therapeuten bei dieser Personengruppe leichter fällt, die Basisvariablen zu realisieren. Insofern liegt die Überlegung nahe, die Frage der Indikation auf das Problem der Selektion zu reduzieren, d.h.auf die Frage, wie man möglichst frühzeitig Personen identifizieren kann, die voraussichtlich von einer Gesprächstherapie wenig oder gar nicht profitieren. Vielversprechender ist jedoch die Adaptation des therapeutischen Vorgehens an die Person und die Störung des Patienten [Sachse, 1992, pp. 52ff.].

Störungsspezifische Modifikationen der Gesprächspsychotherapie finden sich nach Luderer [1994]) unter anderem bei psychosomatischen Patienten, Alkoholkranken, Patienten mit schizophrenen Störungen und körperlich Kranken. Darüber hinaus finden sich bereits frühzeitig Weiterentwicklungen des Ansatzes im Bereich von Kindern und Jugendlichen (Axline: klientenzentrierte Kinderspieltherapie) sowie der Paar- und Familientherapie (vgl. auch Kapitel 23).

20.5. Weiterentwicklungen

Wenngleich der Ansatz der Gesprächspsychotherapie im wesentlichen durch die Arbeiten von Rogers geprägt worden ist, sind in der Folgezeit auch die Einflüsse anderer Autoren zu erkennen, die eine Präzisierung bzw. Erweiterung des Konzepts bewirkt haben [vgl. GWG, 1975; Biermann-Ratjen et al., 1989; Teusch und Finke, 1993; Luderer, 1994]. Dies betrifft neben der **Ausweitung der Indikationsbereiche** (vgl. Abschnitt 20.4.2) auch einige **konzeptuelle Veränderungen,** von denen zwei kurz erwähnt werden sollen.

20.5.1. »Experiencing«/»Focusing«

Die Interpretation der Basisvariablen, besonders die des »einfühlenden Verstehens«, wird weiter präzisiert. Eine entscheidende Rolle spielt dabei das »Experiencing«-Konzept von Gendlin [vgl. Biermann-Ratjen et al., 1989; Grunwald, 1979]. Gendlin geht von der Vorstellung aus, daß jedes Gefühl mit einer Wahrnehmung von Vorgängen im eigenen Körper einhergeht. Den Prozeß des körperlichen Fühlens innerer Reize nennt er »experiencing«. Die inneren Reize, das **indirekte Bezugsobjekt** des »experiencing«, sind nicht nur physiologische Abläufe, sondern auch Träger einer Vielzahl von Bedeutungen. So kann beispielsweise Erröten – die Erweiterung von Hautgefäßen mit nachfolgendem Wärmegefühl – Ausdruck von Freude, Ärger, Scham oder anderen Empfindungen sein. Die gefühlte Bedeutung (»felt meaning«) ist das **direkte Bezugsobjekt** (»direct referent«) des »experiencing«. Der Prozeß der Psychotherapie besteht nach Gendlin in der **Suche nach der Bedeutung innerer Wahrnehmungen.** Diese Suche wird erleichtert, indem der Therapeut nicht, wie in der gefühlsverbalisierenden Phase, die »reinen Gefühle« (»sheer emotions«), sondern die »gefühlten Bedeutungen« (»felt meanings«) anspricht. Ein wesentlicher Teil des »Experiencing«-Konzepts stellt der »Focusing«-Begriff dar, als dessen therapeutische Umsetzung [vgl. Grunwald, 1979].

20.5.2. Zielorientierte Gesprächspsychotherapie

Auch Fragen der Therapiestrategie werden neuerdings nicht mehr ausgeklammert. So konnte Sachse [1992] wiederholt zeigen, auf welche Weise zielorientierte Handlungen der Therapeuten zum Bestandteil der Therapie werden können (und auch sollen), ohne daß das personenzentrierte Grundkonzept verlassen werden muß.

20.6. Empirische Überprüfung

Bereits von Rogers und dessen Mitarbeitern wurden Anstrengungen unternommen, die Gesprächspsychotherapie hinsichtlich ihrer Effektivität zu evaluieren. Auch in der Folgezeit wurden zahlreiche Evaluationsstudien [vgl. Luderer, 1994] mit sehr unterschiedlichen Zielsetzungen durchgeführt (unter anderem Untersuchungen zur Beziehung von Therapeuten- und Patientenvariablen, Operationalisierung von Konstrukten, wie »Selbstexploration«).

In den metaanalytischen Therapievergleichen von 897 zwischen 1936 und 1983 durchgeführten Wirksamkeitsstudien fanden Grawe et al. [1994] für die Gesprächspsychotherapie 35 kontrollierte Untersuchungen an etwa 2400 Personen. Fast regelmäßig wurden positive Therapieeffekte festgestellt. Hinsichtlich der nachgewiesenen Wirkungen sowie der Anzahl und Qualität der Studien steht die Gesprächspsychotherapie etwas besser da als die tiefenpsychologischen Verfahren. Direkte Wirkungsvergleiche (3 aussagekräftige Untersuchungen) erbrachten keine eindeutigen Unterschiede. Die 20 Vergleiche mit verhaltenstherapeutischen Vorgehensweisen ließen jedoch eine gewisse Überlegenheit der Verhaltenstherapie erkennen, besonders bei Personen, die in der Therapie aktive Anleitung oder Struktur erwarteten. Wer auf seine Autonomie bedacht ist, scheint hingegen von einem personenzentrierten Vorgehen besonders gut zu profitieren. Die Autoren ordneten die Gesprächspsychotherapie als ein in seiner Wirkung gut abgesichertes Verfahren ein.

Literatur

Biermann-Rathjen EM, Eckert J, Schwartz HJ (1989): Gesprächspsychotherapie: Verändern durch Verstehen. Kohlhammer, Stuttgart.

Bommert H (1977): Grundlagen der Gesprächspsychotherapie. Kohlhammer, Stuttgart.

Eckert J, Wuchner M (1994): Frequenz-Dauer-Setting in der Gesprächspsychotherapie heute. GWG-Zeitschrift *95:* 17–20.

Finke J (1994): Empathie und Interaktion. Methodik und Praxis der Gesprächspsychotherapie. Thieme, Stuttgart.

Gesellschaft für wissenschaftliche Gesprächspsychotherapie (GWG) (Hrsg., 1975): Die klientenzentrierte Gesprächspsychotherapie. Kindler, München.

Grawe K, Donati R, Bernauer F (1994): Psychotherapie im Wandel: von der Konfession zur Profession. Hogrefe, Göttingen.

Grunwald W (Hrsg., 1979): Kritische Stichwörter zur Gesprächspsychotherapie. Fink, München.

Luderer HJ (1994): Gesprächspsychotherapie: der personenzentrierte Ansatz in der Psychotherapie. Fundamenta Psychiatrica *8:* 140–147.

Minsel WR (1974): Praxis der Geprächspsychotherapie. Böhlus, Wien.

Rogers CR (1987): Eine Theorie der Psychotherapie, der Persönlichkeit und der zwischenmenschlichen Beziehungen. GWG, Köln.

Sachse R (1992): Zielorientierte Gesprächspsychotherapie. Hogrefe, Göttingen.

Tausch R (1973): Gesprächspsychotherapie; 5. Aufl. Hogrefe, Göttingen.

Tausch R, Tausch AM (1979): Gesprächspsychotherapie; 7. Aufl. Hogrefe, Göttingen.

Teusch L, Finke J (Hrsg., 1993): Krankheitslehre in der Gesprächspsychotherapie. Asanger, Heidelberg.

21. Psychoanalytische Gruppenpsychotherapie und verwandte Verfahren

Wolfgang Schneider

21.1. Einleitung

Wenn heute von Gruppenpsychotherapie gesprochen wird, umfaßt dieser Begriff alle Formen der Psychotherapie, bei der mehr als zwei Patienten gemeinsam (in der Gruppe) behandelt werden.

Jede psychotherapeutische »Schule« hat heute neben ihrer einzeltherapeutischen Anwendungsform auch gruppenpsychotherapeutische Ansätze in ihrem Behandlungsangebot. Die wachsende Beliebtheit gruppenpsychotherapeutischer Methoden ist einerseits in ihrer **Wirtschaftlichkeit** und **Effizienz** bezüglich der quantitativen Versorgung von Patienten begründet, denn ein Therapeut behandelt in einer bis eineinhalb Stunden bis zu 10 Patienten. Dieser Gesichtspunkt hat wohl neben inhaltlichen Erwägungen dazu geführt, daß sich gruppentherapeutische Behandlungsverfahren gerade im **Bereich der stationären Psychotherapie** so großer Beliebtheit erfreuen. Neben diesen ökonomischen Gesichtspunkten haben sicher auch gesellschaftliche Normen und Wertvorstellungen nach dem Zweiten Weltkrieg zum Anwachsen der theoretischen und klinisch-praktischen Bedeutung gruppenpsychotherapeutischer Denk- und Handlungsmodelle geführt. Die sozialen Kompetenzen, aber auch Defizite des einzelnen, haben eine stärkere Beachtung nicht nur in den direkten Feldern der Psychopathologie oder Psychotherapie, sondern auch in den Bereichen Pädagogik oder Soziologie gefunden.

Vor diesem Hintergrund hat sich die Arbeit in **Gruppen der unterschiedlichsten Provenienz und Zielsetzung** generell ausgeweitet. Sie umfaßt z.B. die Arbeit in Großgruppen mit mehreren hundert Teilnehmern, die psychoanalytisch orientierten Gruppentherapien und problemlösenden Gruppenansätze, z.B. Schmerzgruppen, übende Gruppen, wie Entspannungs- oder Selbstsicherheitstrainingsgruppen, Selbsthilfegruppen, aber auch Selbsterfahrungsgruppen mit oder ohne Leiter. Nicht alle diese Gruppen haben einen therapeutischen Anspruch und zielen auf die Heilung oder Linderung psychischer, psychosomatischer oder somatopsychischer Beschwerden und Probleme ab. Vielfach wollen die Gruppen ein »Wachstum der Person« oder eine Erweiterung allgemeiner oder spezifischer psychosozialer Fähigkeiten bei ihren Teilnehmern erreichen;

andere Gruppen, z.B. die Selbsthilfegruppen, wollen Menschen mit speziellen Krankheiten oder Behinderungen eine bessere Bewältigung der Probleme und eine effektivere Anpassung an den Alltag ermöglichen. Es ist jedoch leicht ersichtlich, daß zwischen diesen unterschiedlichen Zielen große Überschneidungen bestehen.

In ihrer **historischen Entwicklung** hat die Gruppentherapie sicher eine Wurzel in der Psychoanalyse, auf die später ausführlicher eingegangen werden soll. Für die eher pädagogisch ausgerichteten Gruppenkonzepte hat seitens der Tiefenpsychologie sicher Alfred Adler eine besondere Bedeutung. Ein anderer wichtiger Begründer gruppentherapeutischer Ansätze, aber auch generell der Gruppenarbeit, ist Moreno, dessen Konzept ebenfalls noch kurz erörtert werden soll. Eine dritte Wurzel liegt in der »Encounter«-Bewegung, die auf Rogers (vgl. Kapitel 20) zurückgeht und stärker den Prozeß der Selbsterfahrung, weniger den therapeutischen Aspekt fokussiert. Im folgenden sollen ausgewählte Modelle gruppentherapeutischer Verfahren in ihren Grundzügen dargestellt werden. Auf diesem Hintergrund werden dann allgemeine Fragen der Indikation, der charakteristischen Variablen von Gruppenverfahren sowie Fragen der möglichen Wirkfaktoren von Gruppentherapien diskutiert.

21.2. Psychoanalytisch orientierte Gruppentherapie

Unter die psychoanalytisch orientierten Gruppenpsychotherapieverfahren sind alle die Behandlungsformen einzuordnen, die auf der Grundlage des **psychoanalytischen Persönlichkeits- und Krankheitskonzepts** (vgl. auch Kapitel 18 und 33) ein psychodynamisches Verständnis für die Verursachung einer Störung aufweisen und den Beziehungsaspekten im Sinne von Übertragungs- und Gegenübertragungsreaktionen eine wichtige Funktion im Therapieprozeß zuordnen.

Inwieweit in den konkreten Gruppen dann der Blick auf die jeweils relevante »kritische« Biographie des einzelnen Gruppenmitglieds gerichtet wird und mit der Methode der Deutung oder der Interpretation ein Zusammenhang zwischen vergangenen Erfahrungen und Beziehungen und aktuellem Erleben und Handeln hergestellt wird, hängt vom jeweiligen Gruppenkontext und dem Therapeuten ab. Eine weitverbreitete Strömung psychoanalytisch orientierter Psychotherapie fokussiert im Therapieprozeß schwerpunktmäßig die sich aktuell in der Behandlung darstellenden Interaktionen und versucht, an diesem Material die relevanten unbewußten Handlungsmotive herauszuarbeiten und, soweit diese als problematisch für die psychosoziale Anpassungsfähigkeit des Patienten anzusehen sind, zu verändern.

Es findet sich konzeptionell und auch praktisch bei den psychoanalytischen Verfahren – aber auch bei anderen Modellen – die Frage, ob in der Gruppe **das**

einzelne Individuum oder **die Gruppe als Ganzes** den Schwerpunkt des therapeutischen Handelns darstellen sollen. Die ersten Protagonisten einer psychoanalytischen Gruppenbehandlung übten weitgehend eine individuumbezogene Therapie in der Gruppe aus (z.B. Slavson). In der Arbeit mit einem bestimmten Patienten wird versucht, die unbewußten Motive und Intentionen seines Erlebens und Handelns zu analysieren und so für den Patienten verstehbar und veränderbar zu machen. Von besonderer Bedeutung ist in diesem Zusammenhang die Art der **Übertragungsbeziehung** des Patienten zum Gruppenanalytiker. Das Gesamt an Gruppeninteraktionen stellt nach diesem Verständnis die Summe einer Vielzahl von Zweierbeziehungen (Patient/Therapeut) dar. Eine streng entgegengesetzte Auffassung von Gruppentherapie sieht die Gruppe als »Ganzes« als Behandlungs»gegenstand«. Hier interessieren die bewußten, aber vor allem auch die unbewußten Gruppenmotive, -gefühle und dynamischen Prozesse, die vom Analytiker aufgegriffen und bearbeitet werden. Die psychotherapeutischen Interventionen beziehen sich so eher auf das Gesamterleben und -verhalten der Gruppe und weniger auf den einzelnen, oder es werden jeweils Beziehungen zwischen dem Erleben und Handeln des einzelnen Patienten und Gruppenprozessen hergestellt. Auch wenn es für jeden dieser hier skizzierten unterschiedlichen Gruppenansätze differenzierte Konzepte gibt, ist doch davon auszugehen, daß sich bei den meisten Gruppentherapien im Gruppenprozeß zu unterschiedlichen Behandlungszeiten und Phasen das therapeutische Handeln mal stärker auf den einzelnen Patienten ausrichtet und dann wieder die Gruppe als Ganzes fokussiert. Die Besonderheit der Gruppenbehandlung ginge weitgehend verloren, wenn der Tatsache, daß mehrere Individuen miteinander interagieren und dabei eine spezifische interpersonelle Dynamik entfalten, im therapeutischen Handeln keine Rechnung getragen würde.

Seit den 40er Jahren haben besonders amerikanische und englische Psychoanalytiker oder psychoanalytisch orientierte Therapeuten eine Vielzahl an Konzepten und wissenschaftlichen Arbeiten vorgelegt. Im deutschsprachigen Raum haben sich vor allem Heigl-Evers und Heigl [1973, 1983] um eine systematische Beschreibung psychoanalytisch orientierter Gruppenpsychotherapie, aber auch der Entwicklung eines eigenen Ansatzes bemüht.

Nach dem **Schichtenmodell** der Gruppentherapie [Heigl-Evers und Heigl, 1973, 1983] handeln Individuen in Gruppen jeweils auf drei verschiedenen Ebenen, die sich nach den Vorstellungen der Autoren überlagern. Dies sind die Ebenen des **unbewußten Handelns** (Ebene 1), des **vorbewußten** (Ebene 2) und des **bewußten Verhaltens** (Ebene 3). In dieser Darstellung orientieren sich die Autoren an Freuds topischem Persönlichkeitsmodell, bei dem er sich die Persönlichkeit des Individuums als Schichtenmodell vorstellt, bei dem das »Unbewußte« die Basis darstellt, auf der sich das »Vorbewußte« und das »Bewußte« aufbauen. Je nach Art der Gruppenzusammensetzung (z.B. Art der Patienten und ihrer Problemstellungen) und der damit verbundenen therapeutischen Zielsetzung wird nun in den verschiedenen gruppentherapeutischen Ansätzen seitens des Therapeuten unterschiedlich vorgegangen. Besteht z.B. das Ziel der Gruppe darin, möglichst viel unbewußtes Material im Gruppenprozeß darstellbar werden zu lassen, so wird der Therapeut in der Gruppe möglichst wenig strukturieren und die Gruppenmitglieder auffordern, sich möglichst unbefangen und spontan in der Gruppe zu äußern und zu verhalten. Bei einem derartigen Ansatz werden »regressive« Prozesse gefördert, die der Darstellung unbewußter und vorbewußter Phantasien und Motive in der Gruppe entgegenkommen.

Demgegenüber wird ein Therapeut in anderen Gruppen das Gruppengeschehen und das Verhalten einzelner Gruppenmitglieder stärker strukturieren, wenn er beabsichtigt, die Entwicklung regressiver Prozesse zugunsten einer Arbeit am bewußten oder bewußtseinsnahen Material zu begrenzen. Dies wird besonders bei Therapiegruppen der Fall sein, bei denen es um die Förderung realitätsgerechten Wahrnehmens und Handelns geht. Je nach Art der therapeutischen Interventionen können also in therapeutischen Gruppen unterschiedliche Handlungsebenen oder Gruppenprozesse gefördert werden. Vor diesem Hintergrund ist eine **Differenzierung der psychoanalytischen Gruppentherapie** vorstellbar. Die Pole stellen eine eher bewußtseins- und realitätsnah arbeitende Gruppe sowie Gruppen dar, in denen es vorrangig um die Förderung und Entwicklung unbewußter Phantasien und Wünsche sowie deren Bearbeitung geht. Natürlich kann der Therapeut auch innerhalb einer speziellen Gruppenbehandlung durch die Modifikation seines Vorgehens die Schwerpunkte des Gruppenverhaltens und -erlebens variieren.

Welche **Art von Gruppenarbeit** vom jeweiligen Therapeuten gewählt wird, hängt grundsätzlich von einer Vielzahl von Faktoren ab. Ein wichtiges Kriterium stellt jedoch die **Auswahl der Patienten** dar. In Gruppen, die sich vorrangig aus Patienten mit Persönlichkeitsstörungen und weitreichenden Beschränkungen wichtiger Ich-Funktionen (z.B. Realitätskontrolle, Angst- oder Frustrationstoleranz) zusammensetzen, wird der Gruppenprozeß schwerpunktmäßig auf einer bewußten Ebene gehalten, wobei dem Therapeuten häufig die Aufgabe zukommt, die fehlenden Ich-Funktionen der Gruppenmitglieder und der Gruppe stellvertretend zu übernehmen. Demgegenüber wird in Gruppen mit Patienten, die keine gravierenden Persönlichkeitsstörungen aufweisen und über adäquate Ich-Funktionen verfügen, eine Förderung der unbewußten Gruppenprozesse intendiert, soweit nicht andere Argumente dagegensprechen. Dazu könnte beispielsweise eine spezifische Zielsetzung – etwa die Bearbeitung umgrenzter Fragestellungen – gehören. Auf Fragen der Indikationsstellung soll jedoch später ausführlicher eingegangen werden.

Tabelle 21.1. Übersicht zu Gruppenpsychotherapiekonzepten

Psychodrama: Ein Gruppenmodell, bei dem über das Rollenspiel versucht wird, relevante individuelle Konflikte oder Problemstellungen zu identifizieren und zu verändern. Das Psychodrama findet auf einer »Bühne« statt. Ein »Protagonist« spielt ein besonderes Problem, ein Teil der Gruppenmitglieder bekommt spezifische Rollen zugewiesen, die für das vom Patienten bearbeitete Problem wichtig sind. Der Therapeut leitet und lenkt das Spiel. Das anwesende Publikum (die nicht im Spiel involvierten Gruppenmitglieder) ist immer wieder bei der Interpretation und Bearbeitung des gespielten Materials involviert.
»Encounter«-Gruppen sind unstrukturierte Gruppen, die aufgrund eines offenen emotions- und beziehungsorientierten psychologischen Klimas die persönliche Entwicklung ihrer Mitglieder und eine Steigerung ihrer kommunikativen und interaktionellen Kompetenzen fördern.
Themenzentrierte Interaktionsgruppen: In diesen Gruppen, die zumeist eine sachbezogene Aufgabe zu lösen haben, geht es darum, über spezifische Interaktionsregeln die bedeutsamen hinderlichen Beziehungsaspekte der Gruppe auszuschalten und ein Arbeitsklima zu schaffen, das einer Problemlösung und angemessenen sozialen Interaktion förderlich ist.

21.3. Andere Ansätze der Gruppenpsychotherapie

Im folgenden sollen einige weitere gruppenpsychotherapeutische Ansätze skizziert werden. Ein relevantes Konzept stellt das **Psychodrama von Moreno** dar. Moreno, ein Österreicher, hat sich zu Beginn dieses Jahrhunderts intensiv mit der Gruppenarbeit befaßt. Er hat mit der Beobachtung von Kindergruppen und dem Stegreifspielen begonnen, danach 1921 ein »Stegreiftheater« gegründet, dem zunehmend auch therapeutische Funktion zukam.

Beim Psychodrama handelt es sich allgemein formuliert um eine Methode, bei der ein Individuum im gemeinsamen Rollenspiel mit der Gruppe relevante Problemstellungen bearbeiten und verändern kann. Als **wichtige therapeutische Variablen** werden die emotionale Entlastung, die Identifikation neurotischer Faktoren und deren Veränderung bezeichnet (vgl. Tabelle 21.1).

Moreno hat das Psychodrama nicht nur als eine therapeutische Methode im engeren Sinn verstanden, die in der Arbeit mit psychisch Kranken Anwendung finden sollte, sondern auch als ein Modell, das für unterschiedlichste Gruppen und Zielsetzungen hilfreich sei. Es kann beispielsweise für die Bearbeitung von Konflikten in den verschiedensten Institutionen eingesetzt werden oder eine Funktion bei der Ausbildung z.B. von Lehrern oder Erziehern (Rollenspiel) haben. Neben dem Psychodrama hat sich Moreno besonders mit der Methode der **Soziometrie** beschäftigt, bei der es im weitesten Sinn um die »Abbildung« von Gruppenprozessen bzw. um die Beziehungen der Mitglieder von Gruppen untereinander geht.

Einen anderen Gruppenansatz stellen die »**Encounter**«-**Gruppen** [Rogers, 1987] (vgl. Kapitel 20) dar. Diese Gruppen sind nicht im engeren Sinne als Therapiegruppen zu verstehen, obwohl ihr Ziel auch in der Veränderung und Entwicklung sozialer Kompetenzen und der Konfliktfähigkeit der Gruppenmitglieder besteht.

Entwickelt haben sich diese Gruppen, die in den 50er bis 70er Jahren in den USA weite Verbreitung fanden, in den unterschiedlichsten Institutionen. Ausgehend von Initiativen der Industrie hatten diese Gruppen (auch als »Trainingsgruppen« bezeichnet) die Aufgabe, Manager für zwischenmenschliche Interaktionen zu sensibilisieren und ihre Fähigkeit zu erhöhen, interaktionelle Probleme zu lösen. Etwa zeitgleich entwickelte Rogers gemeinsam mit seinen Mitarbeitern vor dem Hintergrund der Ausbildung persönlicher Berater für Kriegsopfer Trainingsgruppen, bei denen die Mitglieder über das kognitive Lernen hinaus intensive zwischenmenschliche Erfahrungen in der Gruppe sammeln konnten, um ihre Kommunikations- und Beziehungsfähigkeit zu erhöhen. Aus diesen Ansätzen entwickelten sich die »Encounter«-Gruppen (vgl. Tabelle 21.1).

Diese Gruppenbewegung ist als konzeptionelle Basis für unterschiedliche Gruppen, z.B. Kreativitäts-Workshops oder Selbsthilfegruppen für Alkoholkranke (Synanon-Gruppen), anzusehen, obwohl es in der Gruppenarbeit, besonders im Umgang mit den Gefühlen der Teilnehmer, wesentliche Unterschiede gibt.

Einen damit verwandten Ansatz der Gruppenarbeit stellt die **themenzentrierte Interaktion** von Ruth Cohn dar (vgl. Tabelle 21.1). Auf verhaltenstherapeutische Gruppenansätze wird im Kapitel 22 eingegangen.

Sind bislang vor allem Konzepte angesprochen worden, die aufgrund eines spezifischen Psychotherapiekonzepts innerhalb einer Persönlichkeits- und Krankheitstheorie entwickelt worden sind, sollen abschließend Positionen aufgezeigt werden, die sich eher aus einer **schulenübergreifenden Perspektive** mit der Analyse und Konzeptualisierung von Gruppenprozessen und -behandlungen befassen.

Yalom [1989] hat die folgenden **therapeutisch wirkenden Variablen** (Heilfaktoren) für die Gruppentherapien beschrieben (vgl. auch Kapitel 22):
- Mitteilung von Informationen.
- Einflößen von Hoffnung.
- Universalität des Leidens.
- Altruismus.
- Korrigierende Rekapitulation der Primärfamilie.
- Entwicklung von Techniken des menschlichen Umgangs.

- Nachahmendes Verhalten (Lernen am Modell).
- Interpersonales Lernen.
- Korrigierende emotionale Erfahrung.

Die beiden letzten Konzepte, das interpersonelle Lernen und die korrigierende emotionale Erfahrung, sind als übergreifende Konzepte der Wirkweise von Gruppentherapien zu verstehen. Auf dem Hintergrund vielfältiger interpersoneller Lernprozesse kommt es zu neuen emotionalen Erfahrungen, die schließlich in der Lage sein sollen, die bekannten »neurotischen« Erlebens- und Handlungsmuster zu verändern.

Entlang den hier dargestellten Wirkfaktoren wird deutlich, daß Yalom den Interaktionen zwischen den Patienten eine wichtige Funktion im Veränderungsprozeß einräumt. Dem Therapeuten fällt in der Gruppenarbeit insbesondere die Aufgabe zu, ein psychologisches Gruppenklima zu fördern, in dem die beschriebenen Heilfaktoren optimal wirksam sein können.

Die Betonung des **interpersonellen Lernens** in seiner Bedeutung für die Gruppentherapie hat vor allem in den USA in den letzten 20 Jahren weite Verbreitung gefunden. Dabei wird davon ausgegangen, daß viele Patienten massive Schwierigkeiten in den Beziehungen zu ihren Mitmenschen aufweisen und diese Probleme durch neue und andere Beziehungserfahrungen in der Gruppe korrigiert werden können. Die Gruppe als interpersonelles Lern- und Übungsfeld bietet so dem einzelnen die Möglichkeit zur Veränderung, wobei vor allem den Interaktionen zwischen den Gruppenmitgliedern eine wichtige verändernde Funktion zugeschrieben wird. Als hilfreich für die Gruppenarbeit werden z.B. die Variablen der **Selbstöffnung** (das Ansprechen persönlicher Dinge und Gefühle), des **interpersonellen Feedbacks** und des **introspektiven Lernens** angesehen. Beim introspektiven Lernen wird die Gruppe durch den Therapeuten ermutigt, zunehmend auch affektbezogenes und belastendes Material in den Gruppenprozeß einzubringen. Weiter wird als hilfreich angesehen, wenn in der Gruppenarbeit relativ früh im Gruppenprozeß ein Fokus oder mehrere Fokusse herausgearbeitet werden, die dann im weiteren Verlauf besondere Beachtung finden.

21.4. Unterschiedliche Gruppenvariablen

Die verschiedenen Gruppentherapien unterscheiden sich nicht nur auf der Ebene der Konzepte oder des inhaltlichen Vorgehens im Gruppenprozeß, sondern bereits auf der Ebene unterschiedlichster Gruppenvariablen. Dazu gehören z.B. folgende Faktoren:

- Der äußere Rahmen, in welchem sich die Gruppe befindet (z.B. ambulante oder stationäre Gruppenbehandlung).
- Häufigkeit und Dauer der Gruppentherapie (z.B. einmal pro Woche für eineinhalb Stunden).

- Größe der Gruppen und Art der Patienten.
- Arbeit mit einem Therapeuten oder mit Kotherapeuten.
- Kombination von Gruppentherapie und Einzeltherapie.
- Offene versus geschlossene Gruppe.

Bei offenen Gruppen ändert sich deren Zusammensetzung kontinuierlich; scheidet ein Mitglied aus, wird es durch ein neues ersetzt.

Wir sehen bereits bei dieser Auswahl von Gruppenvariablen, daß es nahezu unmöglich ist, von **der** Gruppentherapie zu sprechen. Gruppentherapien sind hochkomplex und in sich sehr unterschiedlich, so daß sich heute erst vorsichtige Aussagen darüber machen lassen, welche konkreten Wirkungen sich in welcher Art von Gruppenbehandlung durch welche Variablen erzielen lassen. Es ist jedoch davon auszugehen, daß neben **spezifischen Wirkvariablen** der einzelnen Gruppentherapieformen auch **generelle – schulenübergreifende – Wirkmechanismen der Gruppentherapie** existieren, die wohl am ehesten den beschriebenen interpersonellen Faktoren des Gruppengeschehens zugerechnet werden können. Empirisch gesicherte Befunde über die in den Gruppentherapien wirksamen Variablen und mögliche unterschiedliche Therapieeffekte verschiedener Gruppenansätze liegen nur begrenzt und nicht für die gesamte Vielfalt an Verfahren vor. Sicher gibt es gerade auf diesem Feld, das in den 60er und 70er Jahren zu einem »Modethema« oder einer »Modebewegung« geworden ist, auch eine große Zahl unseriöser Gruppenaktivitäten, die wohl durchaus Wirkung – aber keine therapeutisch erwünschte – erzielen.

21.5. Indikationsstellung zur Gruppenpsychotherapie

Es ist wohl leicht nachvollziehbar, daß bei dem dargestellten weiten und heterogenen Spektrum an unterschiedlichen Gruppenpsychotherapieverfahren die Frage nach **der** Indikation zur Gruppenpsychotherapie nicht einfach zu beantworten ist. Es gibt keine grundsätzliche Indikation zu einer Gruppentherapie, sondern es kann Indikationen für eine oder mehrere spezifische Therapieformen, also auch einer Gruppentherapie, geben.

Aber welche Kriterien sind nun geeignet, zwischen einer Indikation für eine Einzeltherapie oder einer Gruppentherapie zu differenzieren. Erst einmal muß ein Patient in der Lage sein, sich mit seinen Problemen in einer Therapiegruppe einzubringen, an den Gruppeninteraktionen teilnehmen zu können und das breitere Angebot an unterschiedlichen sozialen Interaktionsmustern für sich im emotionalen Erleben nutzbar zu machen. Die mit diesen Kriterien verbundenen Anforderungen differieren natürlich stark, abhängig von der Charakteristik der konkreten Gruppe. Darüberhinaus sollte der Patient für diesen spezifischen Zugang zur Therapie motiviert sein oder im Prozeß der Behandlung motiviert werden können. Dazu gehört, daß er seine Probleme und ihre Lösung durchaus auch im Kontext zwischenmenschlicher Interaktionen versteht. Wichtig ist ein gewisses Vertrauen im Kontakt zu anderen, das ihm eine Öffnung im Gruppenprozeß ermöglicht, sowie eine basale Belastbarkeit bezüglich seiner Frustrations- und Angsttoleranz. Patienten mit massiven Störungen im Bereich ihrer zwischenmenschlichen Beziehungen sind unter Umständen für weite Phasen der Psychotherapie erst einmal auf die geborgene und sichere Situation der Einzeltherapie angewiesen. Erst in einer späteren Phase der Psychotherapie ist dann der Wechsel zur Gruppenbehandlung indiziert, um dem Patienten spezifische therapeutische Erfahrungen zu ermöglichen, die besonders aus der Interaktion mit anderen Patienten erwachsen können.

Neben diesen allgemeinen Indikationskriterien sind abhängig von der spezifischen Therapieform weitere Aspekte von Bedeutung. Dazu können bestimmte kognitive Voraussetzungen auf seiten des Patienten zählen oder seine Bereitschaft, im Rollenspiel mit anderen zu interagieren. Für die Gruppen mit Trainings- oder Selbsterfahrungscharakter ist zu beachten, daß die Teilnehmer aufgrund ihrer emotionalen und kognitiven Entwicklung wie ihrer Belastbarkeit in bezug auf Gruppeninteraktionen nicht durch die Maßnahme überfordert werden. Hier wie auch in den Therapiegruppen im eigentlichen Sinn fällt dem Therapeuten sowohl bei der Auswahl der Patienten oder Teilnehmer wie im späteren Verlauf des Gruppenprozesses die Aufgabe zu, darauf zu achten, daß kein Gruppenmitglied durch die sich entwickelnden Gruppeninteraktionen in seiner Entwicklung behindert oder gar gefährdet wird. In diesem Zusammenhang soll noch einmal darauf hingewiesen werden, daß die Funktion des Gruppentherapeuten einen hohen Anspruch an seine Ausbildung und Sensibilität im komplexen Interaktionsfeld »Gruppe« erforderlich macht.

Literatur

Cohn R (1984): Themenzentrierte Interaktion. Ein Ansatz zum Sich-selbst- und Gruppen-leiten. In: Heigl-Evers A, Streeck U (Hrsg.): Die Psychologie des 20. Jahrhunderts; vol. 2: Sozialpsychologie. Beltz, Weinheim, 873–883.

Heigl-Evers A, Heigl F (1973): Gruppentherapie: interaktionell – tiefenpsychologisch fundiert (analytisch fundiert) – psychoanalytisch. Gruppenpsychotherapie Gruppendynamik *7*:132–157.

Heigl-Evers A, Heigl F (1983): Das interaktionelle Prinzip in der Einzel- und Gruppenpsychotherapie. Zeitschrift für Psychosomatische Medizin und Psychoanalyse *29*:1–14.

König K, Lindner WV (1991): Psychoanalytische Gruppentherapie. Vandenhoeck & Ruprecht, Göttingen.

Moreno JL (1959): Gruppenpsychotherapie und Psychodrama. Thieme, Stuttgart.

Rogers CR (1987): Eine Theorie der Psychotherapie, der Persönlichkeit und der zwischenmenschlichen Beziehungen. GWG, Köln.

Slavson SR (1956): Einführung in die Gruppenpsychotherapie. Vandenhoeck & Ruprecht, Göttingen.

Yalom ID (1989): Theorie und Praxis der Gruppenpsychotherapie. Ein Lehrbuch. Pfeiffer, München.

22. Verhaltenstherapeutische Gruppenpsychotherapie

Roland Vauth

Die Notwendigkeit einer gruppentherapeutischen Behandlung ergibt sich für die Versorgungspraxis allein aufgrund pragmatisch-ökonomischer Überlegungen: Es besteht die Hoffnung, in einem begrenzten zeitlichen Rahmen eine größere Anzahl Patienten kompetent therapeutisch versorgen zu können, d.h. therapeutische Ressourcen einzusparen. Doch neben der hier implizit enthaltenen Vorstellung von »Einzeltherapie in der Gruppe« entfaltet die Gruppe als solche – strukturiert durch die Intervention des Therapeuten – eine Reihe therapeutischer Wirkungen, die in der einzeltherapeutischen Behandlung nur schwer oder gar nicht realisierbar sind. So läßt sich in Anlehnung an Yalom [1989] eine Reihe **unspezifischer Wirkfaktoren gruppentherapeutischer Behandlungen** nennen, die später im Text spezifisch für die psychischen Störungen, Depression, Angst und Schizophrenie verhaltenstherapeutisch konkretisiert werden (vgl. Tabelle 22.1).

Tabelle 22.1. Unspezifische Wirkfaktoren der Gruppentherapie in Anlehnung an Yalom [1989]

Aufbau aktiver statt passiver Änderungserwartungen/Einnahme einer problemorientierten Sicht der eigenen Problematik (Statt »für mich muß etwas getan werden/ich bin hilflos« besser »Ich muß und ich kann für mich etwas tun«).
Erweiterung der diagnostischen Datenbasis: Ergänzung der Verbaldaten der Exploration durch die direkte Beobachtung sozialer Interaktion des Patienten (Gruppe als sozialer »Mikrokosmos«).
Affektive und Selbstkonzeptentlastung (»ich habe nicht allein das/ein Problem«).
Überwindung der vor der Behandlungsaufnahme vorherrschenden Tendenz zum sozialen Rückzug (»relatedness«) und soziale Unterstützung für aktive Auseinandersetzung mit der relevanten Problematik durch die Gruppe.
Differenzierung global negativer Selbstwahrnehmung durch konstruktive (und nicht affirmative!) Rückmeldung über positives wie negatives Verhalten.
Vermittlung von Handlungswissen über seelische Störungen und Änderungsprinzipien des Behandlungsverfahrens.
Experimentierfeld für neue Verhaltens- und/oder Sichtweisen (»automatic thoughts«).
Aufbau sozialer Basiskompetenzen und Nutzung sozialer Modelle (Mitpatienten, Therapeut) für effizientes Sozialverhalten.

Tabelle 22.2. Behandlungsstrategien in der kognitiv-behavioralen Gruppentherapie [Freeman et al., 1993]

Kognitive Strategien

Konkretisieren und Präzisieren individueller Bedeutungsgebung (Was meint der Patient, wenn er sagt, daß er ...?).

Identifizieren und Benennen kognitiver Verzerrungen (z.B. zu starkes Verallgemeinern, zu rasches Schlußfolgern, Alles-oder-nichts-Denken, alles auf sich beziehen).

Automatische Gedanken in Worte fassen (»interne Dialoge«) und im Rollenspiel und -tausch (offener Dialog) verändern.

Relativieren von Beispielen aus der Erfahrung des Patienten, die für diesen problematischen Sichtweisen (z.B. »ich bin ein Versager«) begründen, durch (gemeinsame) Suche nach Gegenbeispielen (z.B. Erfolge).

Gedankliches Durchspielen negativer («schwärzester«) Befürchtungen des Patienten, mit dem Ziel, hierfür angemessene Bewältigungsstrategien zu entwickeln (»decatastrophizing«).

Neutrales Herausarbeiten von Vor- und Nachteilen des Beibehaltens problematischer Sicht- und Handlungsweisen.

Entwicklung adaptiver Selbstanweisungen (»self-statements«) zur Kontrolle impulsiven Verhaltens und Überprüfen deren Wirksamkeit in Risikoübungen außerhalb der Gruppe.

Umbewerten (»reframing«) negativer Ereignisse (z.B. das Positive einer zur Behandlungsbedürftigkeit führenden persönlichen Krise).

Problemlösen: Entwicklung unterschiedlicher Handlungsalternativen für kritische Situationen und systematisches Gewichten von deren kurz- und langfristigen Folgen.

Verhaltensbezogene Strategien

Aufstellen, Überprüfen und Ergänzen eines Tages- und Wochenaktivitätsplans, der wichtige Teilschritte des übergeordneten Therapieziels spezifiziert (»activity scheduling«).

Festlegen abgestufter (Risiko-)Übungen (»graded task assignments«) und Nutzung von Gruppenmitgliedern als Kotherapeuten bei Übungen außerhalb der Gruppe.

Festigen neuen Verhaltens durch wiederholtes Durchspielen im Rollenspiel (»behavioral rehearsal«).

22.1. Verhaltenstherapiegruppen bei Depression

Die Entwicklung verhaltenstherapeutischer Gruppenkonzepte zur Depressionsbehandlung ist an **zwei Entwicklungstrends** gebunden [Neimeyer und Weiss, 1990]: Überwindung des traditionellen Pessimismus, daß starker Antriebsmangel und soziale Rückzugstendenz den depressiven Patienten in der Gruppentherapie überfordern und Übergang zu weniger heterogenen und stärker störungsspezifischen Behandlungsansätzen. Gruppentherapeutische Depressionsbehandlung entspricht gegenwärtig zumeist einer kombinierten Anwendung von kognitiven und verhaltensbezogenen Strategien (vgl. Kapitel 19), die mit Hilfe des Therapeuten und später auch der Gruppenmitglieder erlernt werden (vgl. Tabelle 22.2).

Im wesentlichen ist das Konzept **Einzeltherapie in der Gruppe** realisiert. Die **Hauptfunktion der Gruppe** wird dabei darin gesehen, den Prozeß des Infragestellens dysfunktionaler/negativer Grundannahmen des Patienten über sich selbst und seine (soziale) Umwelt zu unterstützen, eventuell zu beschleunigen.

Tabelle 22.3. Kognitive Gruppentherapie der Depression [nach Hogg und Deffenbacher, 1988]

Vermittlung von Störungs- und Behandlungsmodellen (Psychoedukation).
Herausarbeitung systematischer Verzerrungstendenzen der Informationsverarbeitung.
Unterweisung in Selbstbeobachtung und -protokollierung des Problemverhaltens (hier vor allem negativen Denkens).
Besprechung eines Selbsthilfelehrbuchs zur Depression (»bibliotherapy«).
Identifizieren und Überprüfen dysfunktionaler Grundeinstellungen.
Vermittlung von Strategien zur Überprüfung der Gültigkeit negativer/dysfunktionaler Grundannahmen (»hypotheses-testing techniques«).
Anwendung alternativer innerer Dialoge/Selbstanweisungen.
Anwendung erlernter Selbsthilfestrategien im Alltag.

Nicht die Gruppeninteraktion selbst steht daher inhaltlich im Vordergrund (wie z.B. bei der »Encounter«-Gruppe, vgl. Kapitel 21), sondern die Alltagserfahrung mit der Depression und die Anwendung kognitiver Techniken als Selbsthilfestrategie. Solchen irrationalen Überzeugungen und automatischen Gedanken wird im ätiopathogenetischen Modell der kognitiven Depressionstherapie die Bedeutung auslösender und aufrechterhaltender Faktoren zugeschrieben. Nicht das Ereignis selbst, sondern Erwartungen und Interpretationen führen zu den negativen Gefühlen. Die gestörten Prozesse der Informationsverarbeitung kreisen um Themen wie Trennung, Statusverlust oder Hilflosigkeit/Kontrollverlust und sind auf zwei Ebenen angesiedelt: Negative automatische Gedanken (z.B. »die halten mich jetzt für langweilig«) und die in der Lerngeschichte wurzelnden dysfunktionalen Grundeinstellungen (z.B. »wenn ich nicht von jedem gemocht werde, bin ich wertlos«), die in ähnlichen Situationen zu dysfunktionalen Interpretationen disponieren. Die **Behandlungsdauer** beträgt im Mittel 8–20 Sitzungen zu 90 Minuten über 4–20 Wochen mit einem Therapeuten und einem Kotherapeuten.

Ein Beispiel für ein solches Gruppentherapiekonzept findet sich bei Hogg und Deffenbacher [1988]. Die in Tabelle 22.3 wiedergegebenen Aspekte werden als immer wieder zu durchlaufende Sitzungsschwerpunkte für die geschlossene Gruppe vorgeschlagen.

Die **Aufgabe des Therapeuten** wird dabei darin gesehen, direktiv, durch Überzeugung, Konfrontation und emotionale Unterstützung für die Gruppenmitglieder Übungssituationen herzustellen, in denen diese veränderungswirksame Erfahrungen oder relevante didaktische Einsichten vermittelt bekommen. Die wesentlichen **therapeutischen Techniken**, die hierbei eingesetzt werden, sind didaktische Instruktionen, das Nutzen strukturierter Selbstbeobachtung und die Anwendung schriftlicher Anleitung zur Selbsthilfe (»bibliotherapy«) sowie das Initiieren von Verhaltensübungen. Es gibt anderseits auch Ansätze, die dem Verhalten als Träger des Veränderungsprozesses größeres Gewicht beimessen. Orientiert an **Lewinsohns Depressionsmodell** (Depression als Folge von Verstärkerverlust) zielen sie z.B. auf eine Anhebung der Rate angenehmer Alltagsaktivitäten.

Die kognitive Gruppentherapie bei unipolarer nichtpsychotischer Depression wurde hinsichtlich ihrer differentiellen Wirksamkeit bezüglich konkurrierender psychotherapeutischer und psychopharmakologischer Behandlungsmaßnahmen sowie einschließlich der gewählten Therapieform (Einzel- versus Gruppenbehandlung) evaluiert: Während sich der Wirksamkeitsnachweis relativ unabhängig von psychopharmakologischer Zusatzbehandlung (z.B. Alprazolam, Imipramin) erbringen ließ, ist der Nachweis der Wirkungsüberlegenheit gegenüber einer verhaltenstherapeutischen Einzelbehandlung oder von Gruppentherapieverfahren, wie nichtdirektive Gruppentherapie nach Rogers, **Lektüre von Selbsthilfemanualen** und Wartegruppe bzw. **»Interpersonal Process Group Therapy«** nach Yalom, kontrovers [Hogg und Deffenbacher, 1988].

Die methodische Hauptkritik der vorliegenden Wirksamkeitsstudien betrifft die oft zu geringen Stichprobengrößen, die die Wahrscheinlichkeit reduzieren, statistisch signifikante Gruppenunterschiede zu erfassen, ferner die zu geringen oder fehlenden Katamnesezeiträume, die Abwesenheit von Instrumenten, die den Effekt spezifisch gruppenbezogener Therapievariablen erfassen (z.B. diverse Interaktionsparameter, Gruppenkohäsion) sowie die Vernachlässigung von Wirksamkeitsanalysen bei stationären Patienten [vgl. Freeman et al., 1993]. Richtungweisend dürften Studien sein, die ermitteln, welche Patientenvariablen den Erfolg gruppentherapeutischer Behandlungen voraussagen [z.B. Neimeyer und Weiss, 1990].

22.2. Verhaltenstherapiegruppen bei Angststörungen

Dargestellt werden gruppentherapeutische Ansätze aus der Verhaltenstherapie bei Angststörungen. In der Literatur dominieren hier eindeutig **Verfahren der Reizkonfrontation/Reizexposition** (mit und ohne Graduierung). Daneben gelangen kognitive Techniken und Methoden zum Abbau von (z.B. assertiven) Verhaltensdefiziten zum Einsatz (vgl. Kapitel 19).

22.2.1. Soziale Phobie

Soziales Meidungsverhalten als aufrechterhaltende Bedingung sozialer Ängste resultiert nach Barlow [1992] aus folgender **Ereigniskette**: Situation mit expliziter oder impliziter Erwartung an die soziale Leistungsfähigkeit – Auftritt negativer Affekte und negativer Erwartungen – Kontrollverlustängste – Verlagerung der Aufmerksamkeit weg von für kompetentes Sozialverhalten relevan-

Tabelle 22.4. Komponenten der kognitiv-behavioralen Gruppentherapie sozialer Ängste [nach Barlow, 1992]

Vermittlung des kognitiv-behavioralen Störungsmodells für soziale Ängste.
Strukturierte Verhaltensübung zur Identifikation, Analyse und Disputation problematischer Kognitionen.
Simulation angstinduzierender Situationen in der Gruppe (Exposition).
Vermittlung kognitiver Strategien zur Selbstkontrolle dysfunktionaler Kognitionen während der Expositionsübung in der Gruppe.
Expositionsübung außerhalb der Gruppe (Hausaufgaben).
Anwendung der Selbstkontrollstrategien dysfunktionaler Kognitionen bei Expositionsübungen außerhalb der Gruppe.

ten Hinweisreizen (»off-task-focussing«) auf hiermit interferierende Stimuli (z.B. öffentliche Konsequenzen für inkompetentes Sozialverhalten) – Anstieg vegetativer Erregung – noch stärkere Einengung der Aufmerksamkeit auf negative Konsequenzen – nichtkompetentes Sozialverhalten – reale Beeinträchtigung des Sozialverhaltens – Meidungsverhalten. Die **kognitiv-behaviorale Gruppentherapie**, die Barlow [1992] anwendet (12 wöchentliche 90minütige Sitzungen, 5–6 Patienten, 2 Therapeuten) hat sechs Komponenten (vgl. Tabelle 22.4).

Im Wirkungsvergleich mit einer psychoedukativen Kontrollgruppe, in der die Basisvariablen nach Rogers verwirklicht wurden, erwies sich das skizzierte Verfahren eindeutig als überlegen (Besserung bei 75 gegenüber 40%), ein Effekt, der auch in der 5-Jahres-Katamnese stabil blieb [vgl. Barlow, 1992].

22.2.2. Panikstörung mit und ohne Agoraphobie

Das »**Panic Control Treatment**« von Barlow [1990] basiert auf einem **Störungsmodell,** abgeleitet aus einer vergleichenden Untersuchung von Probanden mit spontanen Panikattacken in der Anamnese, die später eine Panikstörung entwickelten bzw. nicht entwickelten: Während erstere den spontanen Panikanfall auf ein vorübergehendes Ereignis zurückführten und sich in der Folge nicht weiter mit ihm beschäftigten, bildeten die späteren Patienten eine ängstliche Erwartungshaltung gegenüber einem möglichen als nichtkontrollierbar wahrgenommenen weiteren Anfall aus. So begannen sie, extrem wachsam gegenüber vermeintlichen körperlichen Warnsignalen zu sein (positives Feedback). Folgerichtig fokussiert das »Panic Control Treatment« auch die Panikattacken selbst und nicht das als sekundär betrachtete agoraphobische Meidungsverhalten.

Das Verfahren wird mit 2 Therapeuten und 10–15 Patienten über 15 wöchentliche Sitzungen durchgeführt. **Kern** sind Symptominduktions- oder Provokationsübungen (»interoceptive exposure strategy«), in denen der Patient syste-

Tabelle 22.5. Kognitiv-behaviorale Gruppentherapie für Agoraphobie mit Panikstörung [Nagy et al., 1991]

Psychoedukation: Vermittlung des Störungsmodells (Wochen 1 und 2).
Entspannungstechniken: Vertieftes Atmen, progressive Muskelrelaxation, geleitete Vorstellungsübung (Wochen 2–4).
Vermittlung kognitiver Strategien (Wochen 5 und 6).
Expositionsübung in der Gruppe (Wochen 7–16).
Hausaufgaben zur Desensibilisierung mit abgestufter Exposition außerhalb der Gruppe (Wochen 8–13).
Selbstsicherheitstraining (Wochen 14 und 15).

matisch mit den angstinduzierenden Körpersignalen und den hiermit in Verbindung stehenden Kognitionen konfrontiert wird – zunächst in der Gruppe, später auch außerhalb. Beispiele sind die Induktion kardiovaskulärer Symptome durch gymnastische Übungen, respiratorischer Symptome durch Hyperventilation oder von Druckgefühlen auf der Brust durch Anspannung der Interkostalmuskulatur. Daneben wurden kognitive Strategien nach Beck [vgl. z.B. Freemann et al., 1993] angewandt.

Im Wirksamkeitsvergleich mit Entspannungstraining und Wartegruppe zeigte sich eine eindeutige Überlegenheit des »Panic Control Treatment« (Anfallsfreiheit 85 zu 60 zu 30%), die sich auch in der 2-Jahres-Katamnese als stabil erwies [vgl. Barlow, 1992].

Eine **Kombination** von kognitiv-behavioraler Gruppentherapie mit psychopharmakologischer Behandlung (Alprazolam bzw. Imipramin) für stationäre Agoraphobiker mit Panikstörungen wurde von Nagy et al. [1991] entwickelt (vgl. Tabelle 22.5).

Bei der Evaluation zeigte sich eine deutliche Reduktion der Häufigkeit der Panikanfälle, die auch im Katamnesezeitraum stabil blieb (1–5 Jahre).

Interessant ist vielleicht noch, daß das schon früh entwickelte **Gruppenexpositionstraining für Agoraphobie** von Hand et al. [1974], das mit 4–5 Patienten/Gruppe über 3 × 4 Stunden in der Woche begonnen und mit täglichen einstündigen Einzelexpositionssitzungen bis zur Symptomminimierung fortgesetzt wurde. Die Patienten erhielten hierbei die Instruktion, sich so lange der angstauslösenden Situation auszusetzen, bis sie einen spontanen Abfall der Angst bemerken und hierbei ihre Körperempfindungen und Kognitionen (neutral) zu beobachten (vgl. Tabelle 22.6).

Interessanterweise zeigte sich in der Evaluation zwar nicht unmittelbar nach Behandlungsende, wohl aber in der Katamnese (maximal 6 Monate) eine Wirkungsüberlegenheit derjenigen Gruppentherapieform, in der systematisch ein strukturierter Austausch der Gruppenmitglieder über ihre Erfahrungen und

Tabelle 22.6. In-vivo-Gruppenexpositionstraining für Agoraphobie [Hand et al., 1974]

Information über Agoraphobie, Ermutigung der Patienten (30 Minuten).
Exposition in vivo mit der Gruppe (45 Minuten) mit anschließender Nachbesprechung (15 Minuten), insgesamt 4mal/Tag.
Fortsetzung als Einzelexposition 1 Stunde/Tag.

Tabelle 22.7. »Stress Control Large Group Didactic Therapy« für generalisierte Angststörungen [nach White et al. 1992]

Vermittlung des Störungsmodells und Informationen über Selbsthilfestrategien.
Kognitive Strategien: Identifikation und Selbstbeobachtung dysfunktionaler automatischer Gedanken/ Einstellungen (Angst, Depression, Schlaflosigkeit) sowie Einübung rationaler Gegenargumentation.
Verhaltensbezogene Strategien: Progressive Muskelrelaxation, Funktionsanalyse, abgestufte Exposition, Atmungskontrolle.

Selbsthilfestrategien angeregt wurde. Sie war der Gruppentherapieform überlegen, in der Gruppeninteraktionen zugunsten eines Patienten-Therapeuten-Austauschs minimiert wurden. Dies spricht für eine stärkere Nutzung der Gruppe selbst als Träger des Veränderungsprozesses und relativiert das Konzept einer »Einzeltherapie in der Gruppe«.

22.2.3. Generalisierte Angststörungen

Erwähnenswert ist hier die kognitiv-behaviorale »**Stress Control Large Group Didactic Therapy**« von White et al. [1992], da sie sich speziell auf eine Durchführung in größeren Gruppen mit 20 und mehr Patienten richtet und die Moderation einer psychoedukativen Selbsthilfelektüre darstellt. Sie wird von 2 Therapeuten über 6 × 2 Stunden/Woche durchgeführt (vgl. Tabelle 22.7).

Die Evaluation zeigt zwar eine Wirkungsüberlegenheit gegenüber der Wartegruppe nach Behandlung und in der Katamnese, aber keine Unterschiede zwischen der Vermittlung und kognitiver (Punkt 2) bzw. nur behavioraler (Punkt 3) oder beiden Arten von Strategien, und es zeigte sich auch kein Unterschied zu einer psychoedukativen Gruppe, in der Tonbänder angehört und verteilt wurden, auf denen nur vermeintlich unterschwellige angstreduzierende Suggestionen in Musik eingebettet waren. Letzteres wirft die Frage auf, ob nicht unspezifische Wirkungsaspekte, wie der Aufbau höherer Selbstwirksamkeitserwartung, den eigentlichen Träger des Veränderungsprozesses darstellen.

Tabelle 22.8. Leitlinien des psychotherapeutischen Umgangs mit schizophrenen Patienten [nach Buchkremer und Windgassen, 1987]

Einfache, übersichtliche Information.
Eindeutiger Kommunikationsstil.
Klare Definition des Therapieziels.
Wahrung zeitlicher und personeller Konstanz in der Behandlung.
Aktives, eher direktives Therapeutenverhalten.
Positive Interpretation von Symptomatik als Bewältigungsversuch.
Stützung gesunder Ich-Anteile.

22.3. Verhaltenstherapiegruppen bei Schizophrenie

Verhaltenstherapeutische Gruppen besitzen seit mehr als einem Jahrzehnt in der **Rehabilitation schizophrener Patienten** eine feste Stellung: Sie sollen neben der neuroleptischen Rezidivprophylaxe den Spontanverlauf der Erkrankung verbessern (soziale Anpassung, Lebensqualität, Rückfall) und den rückfallbestimmenden Einfluß von »Streßprotektoren« und «Vulnerabilitätskompensatoren« stärken. Der Kostensenkungsdruck im Gesundheitswesen und die Zunahme extramuraler Versorgung unterstreichen zusätzlich diese Notwendigkeit [z.B. Häfner, 1988]. Häfner benennt **fünf Ebenen der Rehabilitation**: Wohnen, Arbeiten, Behandlung, soziale Integration, Freizeitgestaltung. In integrierten Behandlungsprogrammen, wie denen der Arbeitsgruppe um Brenner in Bern (»Integriertes Psychologisches Trainingsprogramm«) [z.B. Brenner et al., 1992] und der um Liberman in Los Angeles (»Social and Independent Living Skills Program«) [z.B. Eckman et al., 1992] sind hierzu Bausteine entwickelt worden. Neben diesen Programmen werden die Bereiche »Soziales Fertigkeitstraining« und »Rezidivprophylaxe mit Krisenbewältigungstraining« näher beschrieben.

Berücksichtigt man Aspekte störungsspezifischer Vulnerabilität, lassen sich für den **psychotherapeutischen Umgang mit schizophrenen Patienten** einige Grundregeln den einzelnen Behandlungsverfahren voranstellen (vgl. Tabelle 22.8).

22.3.1. Training sozialer Fertigkeiten

Die bei schizophrenen Patienten so häufigen sozialen Fertigkeitsdefizite besitzen im »Behinderungsprofil« [Häfner, 1988] eine **eigenständige Bedeutung**, was ihre Unabhängigkeit von Positiv- und Negativsymptomatik belegt; außerdem erhöhen sie das **Rückfallrisiko**, indem sie verhindern, daß der Patient soziale Isolation überwindet und ein protektives soziales Netz aufbauen kann [Bellack und Mueser, 1993].

Tabelle 22.9. Methoden beim Training sozialer Fertigkeiten [nach Mueser, 1993]

Motivation und kognitive Vorstrukturierung durch **Instruktion** (Nützlichkeit, Komponenten des Zielverhaltens).

Orientierung der Aufmerksamkeit (Komponenten, Abfolge der Teilschritte) und **Modelldarbietung** durch das Therapeutenteam.

Rekapitulation der Teilschritte und Benennung des Handlungsziels durch den Patienten (»cognitive rehearsal«).

Umsetzung im **Rollenspiel** (»behavioral rehearsal«).

Rückmeldung: Spezifisch auf konkretes Verhalten bezogen, kurz, zunächst positiv, dann korrigierend durch Therapeut und Gruppe.

Erneutes **Durchspielen** und erneute **Rückmeldung.**

Hausaufgaben zum weiteren Training und zur Generalisierung (präzise abgestimmt auf Ziele und Kompetenz des Patienten).

Bei der Konzipierung von Trainingsprogrammen muß berücksichtigt werden, daß die **Beeinträchtigung sozialer Kompetenz** Schizophrener **bedingt** ist **durch Defizite auf vier Ebenen** [vgl. zur Übersicht Mueser, 1993]: Soziale Wahrnehmung (vor allem Erkennen nichtverbaler Signale negativer Affekte), Informationsverarbeitung und damit das Lösen interpersoneller Probleme (Abruf und Bewertung unterschiedlicher Handlungsalternativen), Wissen über Interaktionsregeln (Antizipation von Handlungsfolgen) sowie Fertigkeitsdefizite auf der Verhaltensebene (Sprachflüssigkeit, paralinguistische Elemente, nichtverbales Verhalten, Steuerung des Gesprächsflusses und -wechsels). Dazu treten **sekundäre Beeinträchtigungen** des Sozialverhaltens durch Negativ- oder Positivsymptomatik (Rückzug, Motivationsdefizite, Interferenz) und **Medikamentennebenwirkungen** (z.B. Akathisie).

Grundbestandteile sozialer Fertigkeitstrainings, die mit etwa 5–10 Patienten 2–5mal pro Woche 60–90 Minuten (2 Therapeuten) über unterschiedlich lange Zeiträume durchgeführt werden (4 Wochen bis 2 Jahre), sind aus der sozialen Lerntheorie Banduras abgeleitet (vgl. Tabelle 22.9).

Eine vergleichende **Wirksamkeitsprüfung** ist vor allem in den Arbeitsgruppen um Bellack, Liberman und Hogarty erfolgt [Übersicht z.B. Bellack und Mueser, 1993]. In allen Untersuchungen wurde eine neuroleptische Langzeitprophylaxe durchgeführt. Hauptergebnis war, daß durch soziales Fertigkeitstraining in der Regel im Beobachtungszeitraum (12–24 Monate) eine größere Verbesserung des sozialen Anpassungsniveaus und eine stärkere Symptomreduktion im Vergleich zum bloßen Tagesklinikaufenthalt (Bellack) oder unspezifischer Betreuung (z.B. Gymnastik/Yoga) erzielt werden konnte (Liberman). Zur Senkung der Rückfallrate hingegen finden sich kontroverse Ergebnisse. Gegenwärtig fehlen allerdings Untersuchungen zum Zusammenhang von Therapieumfang und -wirkung, zu

Tabelle 22.10. Problemlöse- und Krisenbewältigungstraining [nach Buchkremer und Fiedler, 1987]

Psychoedukation über Vulnerabilitäts-Streß-Modell, Behandlungsmöglichkeiten, Wirkung und Nebenwirkung von Neuroleptika (4 Stunden).
Problemlösetraining: Training in Problem- und Zieldefinition, Bewertung und Umsetzung von Lösungsalternativen (9 Stunden).
Entwicklung eines individuellen **Krisenplans:** Verbesserung von Wahrnehmung und Bewältigung von Frühsymptomen (2 Stunden).

Wechselwirkungen mit Umgebungsaspekten (z.B. »high vs. low expressed emotion«, Streß oder Substanzmißbrauch) und Erfolgsprädiktoren.

22.3.2. Psychoedukation und Krisensignale

Stellvertretend für einen weiteren Typ verhaltenstherapeutischer Gruppen für Schizophrenie, die den psychoedukativen Aspekt weiter in den Vordergrund stellen, kann das **Problemlösetraining zur Rezidivprophylaxe** von Buchkremer und Fiedler [1987] genannt werden. Vor allem den Frühinterventionsstudien ist es zu danken, daß heute bekannt ist, daß Patienten im Vorfeld ihres Rückfalls Krisensignale bei sich wahrnehmen und spontan ein mehr oder weniger günstiges Bewältigungsverhalten zeigen. Buchkremer und Fiedler [1987] haben versucht, hieraus Konsequenzen für ein rezidivprophylaktisches Training zu ziehen: In 10 wöchentlichen und 5 14tägigen Gruppensitzungen zu 90 Minuten versuchen sie mit je 4–6 ambulanten Patienten zunächst ein Problemlösetraining durchzuführen, in das dann die Erarbeitung eines individuellen Krisenplans integriert wurde (vgl. Tabelle 22.10).

Im Vergleich mit einem gleich umfangreichen sozialen Fertigkeitstraining und einer Kontrollgruppe zeigte sich im 1. Katamnesejahr eine Senkung von Rückfallrate und Rehospitalisierungsdauer [Buchkremer und Fiedler, 1987].

22.3.3. Mehrkomponenten-Trainingsprogramme

Trainingsprogramme, die mehrdimensional verschiedene Ebenen bzw. Bereiche des Beeinträchtigungsprofils Schizophrener angehen, sind in den Arbeitsgruppen um Brenner [z.B. Brenner et al., 1992] bzw. Liberman [vgl. Eckman et al., 1992] entwickelt worden.

Im **Integrierten Psychologischen Trainingsprogramm für schizophrene Patienten** werden systematisch **fünf Trainingsstufen** durchlaufen (vgl. Tabelle 22.11).

Brenner et al. [1992] gehen hierbei davon aus, daß Vorteile hinsichtlich der Stabilität und Generalisierung komplexerer Fertigkeiten dadurch erzielt werden

Tabelle 22.11. Die fünf Stufen des integrierten psychologischen Trainingsprogramms schizophrener Patienten [nach Brenner et al., 1992]

Kognitives Funktionstraining
Kognitive Differenzierung.
Soziale Wahrnehmungen anhand von Bildmaterialien.
Verbale Kommunikation I: Synonyme, Antonyme, Wortfelder.
Soziales Fertigkeitstraining
Verbale Kommunikation II: Paraphrasieren, Zusammenfassen von Gesprächsinhalten.
Training sozialer Fertigkeiten: Dialogentwurf und Rollenspiel.
Interpersonelles Problemlösen.

Tabelle 22.12. Module für die Selbstkontrollbereiche »Symptombewältigung« und »Umgang mit Medikation« des »Social and Independent Living Skills Program« [Eckman et al., 1992]

Symptombewältigung
Identifikation von Warnsignalen eines drohenden Rückfalls.
Bewältigungsstrategien bei persistierender Produktivsymptomatik.
Abwehrstrategien in Zusammenhang mit Alkohol und Drogen.
Umgang mit Medikation
Verstehen der Wirkung und Bedeutung von Langzeitprophylaxe.
Regeln der Medikamenteneinnahme.
Erkennen von Nebenwirkungen.
Aushandeln der Dosis und Kommunikation von Nebenwirkungen gegenüber dem Arzt.

können, daß zunächst basalere Fertigkeiten trainiert werden (Pervasivitätshypothese: hierarchische Generalisierung). Angesetzt wird hierbei zum einen an den basalen Störungen der Abstraktionsfähigkeit und Konzeptbildung, der Aufmerksamkeit (besonders deren selektiver Aspekt) und der Verwertung von Vorerfahrungen. Zum anderen wird die besondere Störanfälligkeit der Informationsverarbeitung bei emotionaler Belastung berücksichtigt, d.h. die Hierarchisierung innerhalb und zwischen den Stufen erfolgt abgestuft nach zunehmender kognitiver Komplexität und Zunahme an emotionaler und interpersonaler Belastung. In der kontrollierten **Evaluation** des Programms konnten die kognitiven Verbesserungen nur zum Teil repliziert werden [vgl. hierzu Übersicht z.B. Häfner, 1988], und die Pervasivitätshypothese ließ sich – zumindest in ihrer linearen Form – nicht untermauern [Brenner et al., 1992].

Stärker strukturiert und standardisiert (z.B. durch Videomodellverhalten, Arbeitshefte) als das Integrierte Psychologische Trainingsprogramm ist das »**Social and Independent Living Skills Program**«, das in der Arbeitsgruppe um

Liberman entwickelt wurde [vgl. orientierend Eckman et al., 1992]. Beispielhaft seien hier die Module zum Aufbau verbesserter Selbstkontrolle in den Bereichen »Symptomatik« und »Medikation« beschrieben, die in 2 90minütigen Sitzungen pro Woche über 6 Monate realisiert wurden (vgl. Tabelle 22.12).

Hauptergebnis der vergleichenden Evaluation mit einer eher einsichtsorientierten Gruppentherapie war eine deutliche Wirkungsüberlegenheit des beschriebenen Trainings hinsichtlich des Aufbaus von Wissen und Handlungskompetenz, die unabhängig war vom Ausgangsniveau psychopathologischer und sozialer Gestörtheit. Letzteres unterstreicht die Bedeutung starker Strukturierung von Behandlungsprogrammen zur Kompensation der oft multiplen Defizite im Zusammenhang mit schizophrenen Störungen.

22.4. Zusammenfassung

In den Störungsbereichen Depression, Angst und Schizophrenie konnte eine Vielzahl von Gruppenverfahren der Verhaltenstherapie beschrieben werden, deren Wirksamkeit zum Teil eindrucksvoll belegt ist. Künftige Studien sollten jedoch mit umfangreicheren Stichproben durchgeführt werden, um vorhandene Wirksamkeitsunterschiede nicht zu übersehen und auch längere Katamnesezeiträume umfassen. Wirksamkeitsnachweise wären auch stärker vor dem Hintergrund des Dosis-Wirkungs-Zusammenhangs und der Wechselwirkung mit rezidivrelevanten Umweltvariablen zu führen (z.B. »high expressed emotion«). Neben Psychopathologie und Rückfall sollten Lebensqualität und sozialer Anpassungsgrad als Zielvariablen berücksichtigt werden. Stärker müßte auch der Frage nachgegangen werden, was eigentlich wirkt und welche Patientenvariablen für welches Verfahren den Therapieerfolg voraussagen.

Literatur

Barlow DH (1990): Long-term outcome for patients with panic disorder treated with cognitive-behavioral therapy. Journal of Clinical Psychology *51*(Suppl. A):17–23.

Barlow DH (1992): Cognitive-behavioral approaches to panic disorder and social phobia. Bulletin of the Menninger Clinic, *56*(Suppl. A):A14-A28.

Bellack AS, Mueser KT (1993): Psychosocial treatment for schizophrenia. Schizophrenia Bulletin *19*: 313–336.

Brenner HD, Hodel B, Genner R, Roder V, Corrigan PW (1992): Biological and cognitive vulnerability factors in schizophrenia: implications for treatment. British Journal of Psychiatry *161*(Suppl. 18): 154–163.

Buchkremer G, Fiedler P (1987): Kognitive versus handlungsorientierte Therapie. Nervenarzt *58*:481–488.

Buchkremer G, Windgassen K (1987): Leitlinien des psychotherapeutischen Umgangs mit schizophrenen Patienten. Was ist den verschiedenen Schulen und Methoden gemeinsam? Zeitschrift für Psychotherapie, Psychosomatik, Medizinische Psychologie *37*:407–412.

Eckman TA, Wirsching WC, Marder SR, Liberman RP, Johnson-Cronk K, Zimmermann, Mintz J (1992): Technique for training schizophrenic patients in illness self-management: a controlled trial. American Journal of Psychiatry *149*:1549–1553.

Freeman A, Schrodt GR, Gilson M, Lugate JW (1993): Group cognitive therapy with inpatients. In: Wright JH, Thase ME, Beck AT, Lugate JW (eds.): Cognitive therapy with inpatients. Developing a cognitive milieu. New York, Guilford, 121–153.

Häfner H (1988): Rehabilitation Schizophrener. Ergebnisse einiger Studien und selektiver Überblick. Zeitschrift für Klinische Psychologie *17*:187–209.

Hand I, Lamontagne Y, Marks JM (1974): Group exposure (flooding) in vivo for agoraphobics. British Journal of Psychiatry *124*:588–602.

Hogg JA, Deffenbacher JL (1988): A comparison of cognitive and interpersonal process group therapies in the treatment of depression among college students. Journal of Counselling Psychology *35*:304–310.

Mueser KT (1993): Schizophrenia. In: Bellack AS, Hersen M (eds.): Handbook of behavior therapy in the psychiatric setting. New York, Plenum, 269–291.

Nagy CM, Krystal JH, Charney DS, Woods SW (1991): Follow up study of patients with panic disorder. Archives of General Psychiatry *48*:861–862.

Neimeyer RA, Weiss ME (1990): Cognitive and symptomatic predictors of outcome of group therapies for depression. Journal of Cognitive Psychotherapy *4*:23–32.

White J, Keeman M, Brooks N (1992): Stress control: a controlled comparative investigation of large group therapy for generalized anxiety disorder. Behavioral Psychotherapy *20*:97–114.

Yalom ID (1989): Theorie und Praxis der Gruppenpsychotherapie. München, Pfeiffer.

23. Paar- und Familientherapie

Rolf-Dieter Stieglitz

23.1. Vorbemerkung

Unter der Bezeichnung »Paar- und Familientherapie« verbirgt sich eine Vielzahl unterschiedlicher konzeptueller und therapeutischer Ansätze. Zu den meisten Therapierichtungen finden sich entsprechende Modifikationen und Weiterentwicklungen zur Behandlung von Paaren, zumeist jedoch Familien [vgl. im Überblick Schneider, 1988]. Der **Begriff Familientherapie** kann dabei als ein **Rahmenbegriff** verstanden werden, der die Paartherapie mitumfaßt, mit Fokussierung auf eine besondere Art der Beziehung zwischen Familienmitgliedern (hier Ehe- oder Elternpaar). Die eheliche Beziehung wird dabei als **eine** Beziehung in der Gesamtheit familiärer Beziehungssysteme aufgefaßt. Im folgenden wird aus Gründen der Vereinfachung primär von Familientherapie gesprochen werden.

Entsprechend den unterschiedlichen historischen Entwicklungen der einzelnen Richtungen (vgl. auch Abschnitt 23.2) gibt es nicht **die** Familientherapie oder eine allgemeinverbindliche Definition. Nachfolgend soll trotzdem von folgender **Definition** ausgegangen werden, da zentrale Aspekte verschiedener Ansätze enthalten sind:

»Familientherapie ist ein psychotherapeutischer Ansatz mit dem Ziel, Interaktionen zwischen einem Paar, in einer Kernfamilie, in einer erweiterten Familie oder zwischen einer Familie und anderen interpersonellen Systemen zu verändern und dadurch Probleme einzelner Familienmitglieder, Probleme von Familien-Subsystemen oder Gesamtfamilien zu verändern« [Wynn, 1988, S. 7].

Die Einbeziehung familientherapeutischer Ansätze in die Behandlung stellt eine wichtige **Veränderung und Erweiterung psychiatrischen Denkens** dar, indem Probleme oder Störungen nicht mehr allein entwicklungsgeschichtlich in einer Person angesiedelt werden, sondern auch versucht wird, diese zu verstehen und zu erklären, wenn man gleichzeitig die familiäre Beziehung mitbetrachtet. Unter diesem Blickwinkel sind z.B. Paar- oder Familiengespräche mit Angehörigen psychiatrischer Patienten mittlerweile ein unabdingbarer Standard in der Behandlung. Angehörigengruppen (vgl. auch Kapitel 25 und 30) stellen darüber hinaus wichtige Angebote im Gesamtbehandlungsplan dar.

23.2. Familientherapeutische Richtungen

Die familientherapeutische Szene ist vielgestaltig. Dies liegt unter anderem daran, daß die Entwicklung familientherapeutischer Ansätze **verschiedene Wurzeln** hat. Im Gegensatz zu anderen Therapierichtungen gibt es nicht **den** Begründer, wie z.B. der psychoanalytischen Therapie in Freud (vgl. Kapitel 18) oder der Gesprächspsychotherapie in Rogers (vgl. Kapitel 20). Familientherapeutische Ansätze sind aus sehr unterschiedlichen Richtungen heraus entwickelt worden. Zu nennen sind hier zum einen die Sozialarbeit, zum anderen die psychodynamisch orientierte Schizophrenieforschung. In der Anfangsphase war Familientherapie immer noch stark individuumzentriert. So wurde einerseits die individuelle Pathologie als Unfähigkeit angesehen, klare Grenzen zwischen sich und wichtigen Bezugspersonen zu ziehen. Anderseits wurde die familiäre Umwelt als Mitursache an der Erkrankung eines Familienmitglieds betrachtet und somit zumindest eine gewisse Schuldzuweisung vorgenommen (vgl. z.B. Konzept der schizophrenogenen Mutter bei Fromm-Reichmann). Erst allmählich entwickelte sich die Familientherapie von der einseitigen Ursache-Wirkungs-Annahme in Richtung einer Sichtweise, die interaktionelle Prozesse und deren Regeln und Gesetzmäßigkeiten als wesentliche Aspekte einer Störung und deren Behandlung ansah. Die Familie wurde damit als ein System von wechselseitig voneinander abhängigen Personen angesehen. Den **theoretischen Hintergrund** für diese veränderte Sichtweise lieferten unter anderem die System- und Regeltheorie sowie die Informations- und Kommunikationstheorie.

Es bestehen erhebliche Unterschiede zwischen den Schulen hinsichtlich der theoretischen Annahmen, der spezifischen Sprache [Simon und Stierlin, 1984] sowie den praktisch-therapeutischen Vorgehensweisen. Es sind jedoch auch zahlreiche »Vernetzungen« zwischen den unterschiedlichen Ansätzen bzw. der Übernahme von Teilkonzepten festzustellen. Dies resultiert aus der Tatsache der Kooperation der verschiedenen Vertreter in der Anfangszeit.

Die Vielzahl unterschiedlicher Ansätze zusammenzufassen fällt daher schwer. So finden sich z.B. Unterteilungen nach psychoanalytischen versus nicht-psychoanalytisch orientierten oder behavioralen versus nicht-behavioralen Ansätzen. In Tabelle 23.1 wird in Anlehnung an von Schlippe [1984], Kriz [1991] und Schneider [1988] eine etwas differenziertere Unterteilung vorgenommen.

Unterschiede zwischen den einzelnen Ansätzen bestehen zumeist hinsichtlich der theoretischen Konzepte (Therapietheorien), die jedoch unterschiedlich weit

Tabelle 23.1. Einteilung familientherapeutischer Schulen/Richtungen in Anlehnung an von Schlippe [1984], Schneider [1988] und Kriz [1991]

Hauptrichtungen Familientherapie	Vertreter (Beispiele)
Psychoanalytisch orientierte	Bozormenyi-Nagy, Framo, Lidz, Stierlin, Richter
Strukturelle	Minuchin
Strategische	Hailey
Kurztherapien paradoxaler Ausprägung und systemische Familientherapie	Selvini Palazzoli, Watzlawick, Weakland
Entwicklungsorientierte, erlebnisorientierte, integrative Familientherapie	Satir, Jackson, Kirschenbaum, Bosch
Andere Richtungen (Beispiele)	
– verhaltenstherapeutische	Mandel, Falloon, Hogarty
– individualpsychologische	Ackerknecht, Titze
– gestalttherapeutische	Kempler

elaboriert und empirisch überprüft worden sind. Darüber hinaus gibt es auch eine Reihe von Gemeinsamkeiten, sowohl was die Zielsetzung als auch therapeutische Interventionen betrifft.

Als wichtige **Kennzeichen und Abgrenzungen zu einzeltherapeutischen Ansätzen** sind zu nennen:
- Die Problematik/Symptomatik des Patienten wird nicht primär als von diesem selbst verursacht angesehen, sondern als Resultat einer gestörten Interaktion zwischen ihm und den anderen Familienmitgliedern.
- Alle Familienmitglieder stehen in einer Art Wechselbeziehung zueinander, jeder leistet seinen Beitrag zur Art und Weise, wie innerhalb der Familien miteinander umgegangen wird.
- Veränderungen werden im Familiensystem angestrebt und weniger im Verhalten des einzelnen Individuums. Individuelle Veränderungen werden dabei eher als sekundäre Folgen der Veränderungen im familiären System angesehen.
- Zur Lösung der Probleme werden die Ressourcen mit einbezogen, d.h. die Fähigkeiten der einzelnen Familienmitglieder bzw. der Familie als System.
- Neben verbalen Äußerungen gewinnen nichtverbale Interaktionen größere Bedeutung.
- Das therapeutische Setting unterscheidet sich deutlich (unter anderem Anzahl und Dauer der Sitzungen).

Tabelle 23.2. Bausteine behavioraler Familientherapie [nach Falloon, 1989]

Verhaltensanalyse des Familiensystems (z.B. Umgang mit Problemen, Identifikation von Stärken und Schwächen).
Information über psychiatrische Erkrankungen (Psychoedukation) (z.B. Korrektur von Einstellungen über Erkrankungen, Rückfallprophylaxe, Identifikation von Frühwarnzeichen).
Training kommunikativer Fertigkeiten (z.B. positive/negative Gefühle äußern, empathisches Zuhören, Wünsche äußern).
Problemlösetraining (z.B. Vermittlung von Problemlösestrategien).
Vermittlung spezifischer Verhaltenskompetenzen (z.B. Umgang mit spezifischen Symptomen wie Wahn, Halluzinationen).

Als **gemeinsamer Nenner vieler Ansätze** ist die Annahme anzusehen, daß Veränderungen innerhalb des familiären Beziehungssystems zu Änderungen im Verhalten und Erleben der einzelnen Mitglieder der Familie führen. Die Familie hat über die Zeit hinweg ein bestimmtes Kommunikationssystem entwickelt, das dem Therapeuten wichtige Informationen über die intrafamiliären Beziehungen gibt. Es ist die Aufgabe des Therapeuten, diese Regeln zu erkennen und durch Interventionen Änderungen im gewohnten Ablauf der intrafamiliären Kommunikation herbeizuführen.

Weitere **wesentliche Gemeinsamkeiten familientherapeutischer Ansätze** sind nach Stierlin und Simon [1986]:
- Allparteilichkeit (empathisches Einfühlen in jedes Familienmitglied, dessen individuelle Situation und Probleme).
- Aktivität des Therapeuten (aktive Haltung und Einflußnahme auf den therapeutischen Prozeß durch spezifische therapeutische Techniken).
- Betonung des Positiven (positive Bewertung und Deutung des Verhaltens und der Organisation der Familie).
- Mobilisierung der Ressourcen der Familie (vorhandene Kompetenzen, Fähigkeiten der Familie identifizieren und für den therapeutischen Prozeß nutzbar machen).
- Umdeutungen (vgl. Tabelle 23.2).
- Stellenwert des Erstgesprächs (vgl. Abschnitt 23.3).

Darüber hinaus lassen sich nach von Schlippe [1984] bei einer Reihe von Ansätzen zudem gemeinsame, d.h. **schulenübergreifende therapeutische Interventionen** [vgl. auch Kriz, 1991; Simon und Stierlin, 1984; Schneider, 1988] erkennen, wie sie exemplarisch in Tabelle 23.2 enthalten sind.

Es gibt jedoch auch eine Reihe Unterschiede, die unter anderem das **Therapie-Setting,** d.h. die äußeren Rahmenbedingungen bei der Durchführung der Therapie, betreffen:

Tabelle 23.3. Beispiele für familientherapeutische Interventionen

Intervention	Erläuterung
»Joining«	spezifische Form des Arbeitsbündnisses zwischen Therapeut und den Familienmitgliedern; Ziel: Zu jedem Familienmitglied einen emotional tragfähigen Kontakt aufbauen als Voraussetzung dafür, Strukturen zu verändern.
»Reframing«	Umdeutung von Ereignissen; alternative Erklärungen zu ursächlichen Erklärungsvorstellungen der Familie geben.
Paradoxe Interventionen	kontradiktische Handlungsanweisungen; Ziel: Gegenteil von dem erreichen, was scheinbar erreicht werden soll.
Arbeiten an Grenzen	Grenzen als Voraussetzung der Strukturierung des familiären Systems (z.B. Stärkung einer zu schwachen Eltern-Kind-Grenze).
Zirkuläres Befragen	Aufforderung des Therapeuten an alle Familienmitglieder, Kommentare über die Beziehung der anderen zueinander abzugeben.
Verschreibungen	Versuch, traditionelle Verhaltensmuster zu ändern, indem die Familie aufgefordert wird, etwas »Neues« zu tun, z.B. ein bestimmtes Symptom zu intensivieren.

- Anzahl der Therapeuten (einzeln, mit Kotherapeut versus Team).
- Ort (z.B. ambulant versus stationär).
- Anzahl der Sitzungen (variabel versus begrenzt).
- Abstand der Sitzungen (z.B. wöchentlich versus monatlich).
- Ablauf der Sitzungen (z.B. ohne oder mit Unterbrechungen zwecks Absprachen der Therapeuten und Planung von Interventionen).
- einbezogene Personen (z.B. Kernfamilie, Mehrgenerationenfamilie).
- Hilfsmittel (z.B. Einwegscheibe mit Beobachter, Hausaufgaben zwischen den Sitzungen).

Im psychiatrischen Setting haben in den letzten Jahren insbesondere **verhaltensorientierte (oder behaviorale) familientherapeutische Ansätze** Verbreitung gefunden, unter anderem bedingt durch ihre umfassende empirische Absicherung. In Tabelle 23.3 sind die wesentlichen gemeinsamen Elemente dieser Gruppe von Ansätzen aufgeführt.

Diese oft auch als **psychoedukativ** bezeichneten Ansätze zielen darauf ab, der Familie Möglichkeiten zu vermitteln, effizient mit Problemen umzugehen, um dadurch längerfristig Belastungen sowie die Rezidivgefahr des Patienten zu reduzieren. Eine Vielzahl von Studien an **schizophrenen Patienten** im Kontext des EE-Konzepts (»Expressed Emotion«; vgl. auch Kapitel 6) belegen die rezidivprophylaktische Wirkung (geringere Rückfallquoten). Als wesentliche Elemente der Ansätze sind die Vermittlung spezifischer Fertigkeiten (unter anderem Kommunikation, Problemlösen) zu nennen; aber auch dem psychoedukativen Teil, orientiert am Vulnerabilitäts-Stress-Modell der Programme, kommt große Bedeutung zu (vgl. auch Kapitel 6). Seit kurzem liegt auch ein deutschsprachiges Therapiemanual vor [Hahlweg et al., 1995]. Diese zunächst für schizophrene Patienten und ihre Familien entwickelten Programme sind zwischenzeitlich auch auf andere Störungsgruppen ausgeweitet worden [vgl. Falloon, 1993]. Besonders bei Patienten mit (rezidivierenden) **depressiven Störungen** sind familien- und paartherapeutische Interventionen von Bedeutung, nicht nur im Hinblick auf die Belastung der Familie/Partner, sondern auch hier im Hinblick auf rezidivprophylaktische Wirkungen. Zur Anwendung bei diesen Erkrankungen können spezifisch hierfür zugeschnittene Ansätze kommen (z.B. Modifikationen der Interpersonellen Psychotherapie; vgl. Kapitel 7) oder auch eher unspezifische Ansätze, die in der Regel auch Therapiebausteine wie Kommunikations- oder Problemlösetrainings beinhalten [z.B. Bornstein und Bornstein, 1993]. Unabhängig davon, ob eine Paar- oder Familientherapie stattfindet, sollte jeder Therapeut in der Lage sein, die »Diagnose« des familiären oder Paarsystems zu stellen, um gegebenfalls zu entscheiden, ob die Einbeziehung einer weiteren Bezugsperson in die Therapie wichtig bzw. sogar notwendig ist.

23.3. Diagnostik in der Familientherapie

Eine effektive Familientherapie setzt auch eine präzise Diagnostik voraus. Damit ist nicht die psychopathologische oder klassifikatorische Diagnostik gemeint (vgl. hierzu Kapitel 1 und 2), sondern eine auf die **familiäre Interaktion** und damit zusammenhängende Faktoren bezogene Diagnostik. So kann es z.B. um die Identifizierung von Familienregeln gehen, die das familiäre System steuern (z.B. »man muß immer auf die anderen Rücksicht nehmen«), um die Diagnostizierung von Familiengrenzen (z.B. unklare Grenzen zwischen Eltern und Kindern), Delegationen (z.B. Kinder, die von Eltern nicht erreichte Ziele stellvertretend erreichen sollen, mit den darin implizierten möglichen Komplikationen) oder die Beurteilung der Funktionalität von Einzelsymptomen (z.B. Versuch, durch Symptome die Familie zusammenzuhalten). Diese Diagnostik ermöglicht dem Therapeuten, Störungen in der Familie zu identifizieren, zu beschreiben und behandlungstechnisch Vorstellungen zu entwickeln. Die **Familiendiagnose** (z.B. »chaotische Familie«) bietet meist schon erste Handlungsanweisungen für die Therapie.

Familiendiagnostische Methoden lassen sich nach Cierpka [1988] unterteilen in

- klinische Diagnostik,
- diagnostische Beobachtungsverfahren, d.h. das beobachtbare aktuelle Verhalten ist Gegenstand der Erhebung, nicht die individuelle Sicht des Verhaltens; die Beobachtung kann sich dabei auf eine Dyade (Zweierbeziehung), ein

Subsystem (Teilkonstellation einer Familie, z.B. elterliches Subsystem) oder die ganze Familie beziehen,
- Fragebogenverfahren.

Die Beobachtungssituationen werden meist vom Therapeuten durch Vorgabe spezifischer Aufgaben herbeigeführt. Diese können z.B. darin bestehen, zu versuchen, bestimmte Probleme oder Konflikte gemeinsam zu lösen.

In den letzten Jahren gewinnen auch Selbstbeurteilungsverfahren (Fragebogenverfahren) zunehmend an Bedeutung. Exemplarisch zu erwähnen ist das »Family Assessment Measure« (FAM-III) von Skinner et al. [vgl. Cierpka, 1987], welches erlaubt, die Familie als System, die Beziehung in bestimmten Paaren oder die Wahrnehmung der Funktion in der Familie zu erfassen.

Auf zwei in der Familientherapie besonders wichtige und aus ihr heraus entwickelte diagnostische Ansätze sei kurz hingewiesen: das Genogramm und die Familienskulptur. Unter einem **Genogramm** versteht man eine Art Familienstammbaum über mehrere Generationen, der unterschiedliche Informationen über die einzelnen Familienmitglieder enthält (z.B. Trennungen, Scheidungen). Es ermöglicht einen schnellen Überblick über teilweise komplexe Familienstrukturen und kann als Grundlage der Hypothesenbildung dienen (z.B. Konflikte, diffuse Grenzen, Bindung von Familien an bestimmte Traditionen). Bei der **Familienskulptur** bekommt ein Familienmitglied die Aufgabe, die Beziehung der einzelnen Familienmitglieder räumlich (durch Nähe und Distanz) in einer Art Skulptur darzustellen. Die Auswertung derartiger Skulpturen kann z.B. Hinweise auf emotionale Nähe und Distanz einzelner Familienmitglieder geben, was dann therapeutisch nutzbar gemacht werden kann.

Von verschiedenen familientherapeutischen Richtungen wird das **Erstgespräch** als besonders relevant herausgestellt. Dies gibt es zwar auch in anderen Therapierichtungen, in der Familientherapie wird ihm jedoch besonderer Stellenwert zugesprochen. Oft ist es nach einem speziellen Schema strukturiert. So wird im **Ansatz von Haley** [1985] unterschieden zwischen einer »gesellschaftlichen Phase« (Ziel ist unter anderem das Kennenlernen), einer »Problemphase« (Ziel ist unter anderem die Problemidentifikation), der »Interaktionsphase« (Ziel ist unter anderem, Informationen über Familienstruktur zu bekommen), »Zielsetzungsphase« (Ziel ist unter anderem die Festsetzung von Therapiezielen) und »Schlußphase« (Ziel sind unter anderem organisatorische Absprachen).

23.4. Indikation und Effektivität

23.4.1. Indikation

Die **Indikation** für eine Paar- oder Familientherapie wird in der Regel eher weit gestellt. Allgemein kann man davon ausgehen, daß eine Behandlung dann indiziert ist, wenn die zu behandelnden Probleme, Symptome usw. im Kontext familiärer Konflikte oder Kommunikationsmuster einer interpersonellen Störung in der Familie zu sehen bzw. mit zu sehen sind. So wäre z.B. bei der Therapieentscheidung für eine Paartherapie zu prüfen, ob das Einsetzen der Symptomatik eines Partners im Zusammenhang mit ehelichen Konflikten und/oder Auseinandersetzungen zu sehen ist oder ob derartige Konflikte alle bisherigen Therapieversuche haben scheitern lassen.

Neben einer rein therapeutischen Indikation haben familientherapeutische Ansätze auch eine diagnostische (z.B. Hypothesen zur Erklärung von Störungen) und eine unterstützende Funktion (z.B. Vorbereitung auf Einzeltherapie).

Familientherapie findet heute **Anwendung bei unterschiedlichen Störungsgruppen** (besonders bei psychosomatischen Störungen, wie Anorexia nervosa oder depressiven und schizophrenen Erkrankungen), d.h. sie ist per se nicht an bestimmte Störungsgruppen gebunden sowie in sehr unterschiedlichen Bereichen anwendbar (z.B. Kinder- und Jugendpsychiatrie, Erwachsenenpsychiatrie, Psychosomatik, Erziehungsberatung, in Heimen) [vgl. auch Schneider, 1988]. Abhängig von der jeweiligen Zielgruppe der therapeutischen Interventionen finden unterschiedliche Ansätze Anwendung. So sind z.B. strukturelle Ansätze eher für psychosomatische Störungen indiziert (Ziel z.B. Identifikation und Korrektur pathologischer Familienstrukturen und gestörter Grenzen), behaviorale Ansätze besonders bei schizophrenen Erkrankungen (Ziel z.B. Informationsvermittlung, Verbesserung der Kommunikations- und Problemlösefertigkeiten). Hinsichtlich einer **Kontraindikation** gibt es keine allgemein verbindlichen Kriterien. Zu nennen sind jedoch z.B. mangelnde Motivation oder auch Familien mit einem akut psychotischen Patienten.

23.4.2. Effektivität

Die Überprüfung der Effektivität von **Familientherapien** ist im Vergleich zu anderen Therapierichtungen, wie der Verhaltenstherapie, weniger weit vorangeschritten, wenngleich es eine Reihe von empirischen Belegen für ihre Effektivität gibt [vgl. Grawe et al., 1994]. Diese betreffen besonders die verhaltenstherapeutisch orientierten Ansätze, zum Teil auch die nicht-verhaltenstherapeutischen, wenngleich es ein Reihe familientherapeutischer Ansätze gibt, für die bisher überhaupt keine empirischen Belege ihrer Effektivät existieren.

Als Gründe für diesen insgesamt gesehen eher unbefriedigenden Zustand sind z.B. die wesentlich komplexere Situation der Therapie und deren empirische Erfassung und Evaluation zu nennen. Zu erwähnen sind jedoch auch historische Gründe. Die Gründer waren weniger empirisch orientiert. Erst in den letzten Jahren wurde versucht, hier Abhilfe zu schaffen.

In bezug auf die **Paartherapie** gibt es nach Grawe et al. [1994] für die verhaltenstherapeutischen Ansätze Belege ihrer Effektivität, wobei umfassendere

Behandlungsprogramme (Einbeziehung unterschiedlicher therapeutischer Techniken) wirksamer zu sein scheinen als Vorgehensweisen, die nur auf eine Verbesserung der Kommunikationsfertigkeiten abzielen.

Literatur

Bornstein PH, Bornstein MT (1993): Psychotherapie mit Ehepaaren. Bern, Huber.

Cierpka M (Hrsg., 1987): Familiendiagnostik. Springer, Berlin.

Falloon IRH (1989): Verhaltenstherapeutisch orientierte Familientherapie bei Schizophrenie. In: Hand I, Wittchen HU (Hrsg.): Verhaltenstherapie in der Medizin. Springer, Berlin, 97–105.

Falloon IRH (1993): Behavioral family therapy for schizophrenic and affective disorders. In: Bellack AS, Hersen M (eds.): Handbook of behavior therapy in the psychiatric setting. Plenum Press, New York, 595–611.

Grawe K, Donati R, Bernauer F (1994): Psychotherapie im Wandel. Hogrefe, Göttingen.

Hahlweg K, Dürr H, Müller U (1995): Familienbetreuung schizophrener Patienten. Psychologie Verlags Union, Weinheim.

Haley J (1985): Direktive Familientherapie, 3. Aufl. Pfeiffer, München.

Kriz J (1991): Grundkonzepte der Psychotherapie, 3. Aufl. Psychologie Verlags Union, Weinheim.

Schlippe A von (1984): Familientherapie im Überblick. Junfermann, Paderborn.

Schneider, K (Hrsg., 1988): Familientherapie in der Sicht psychotherapeutischer Schulen. Junfermann, Paderborn.

Simon FB, Stierlin H (1984): Die Sprache der Familientherapie. Klett-Cotta, Stuttgart.

Stierlin H, Simon FB (1986): Familientherapie. In: Kisker KP, Lauter H, Meyer JE, Müller C, Stroemgren E (Hrsg.): Psychiatrie der Gegenwart. Vol. 1: Neurosen, psychosomatische Erkrankungen, Psychotherapie. Springer, Berlin, 249–275.

Wynn LLC (1988): Zum Stand der Forschung in der Familientherapie: Probleme und Trends. System Familie *1*:4–22.

24. Andere psychotherapeutische Verfahren

Harald J. Freyberger, Rolf-Dieter Stieglitz

In der psychiatrischen und psychotherapeutischen Therapie hat sich eine Reihe **komplementärer psychotherapeutischer Behandlungsverfahren** durchgesetzt, die ambulant oder stationär ergänzend zu den psychopharmakologischen, sozio-, einzel-, gruppen- oder familientherapeutischen Interventionen durchgeführt werden. Neben den in Kapitel 25 besprochenen ergotherapeutischen Verfahren sind dies vor allem eine Reihe überwiegend non-verbaler Therapien, die im folgenden besprochen werden.

24.1. Progressive Relaxation

Die progressive Muskelrelaxation wurde als Entspannungsverfahren in den USA von Jacobson [1938] entwickelt. Sie beruht auf der Annahme, daß sich über eine Entspannung der Muskulatur auch eine zugrundeliegende psychische Anspannung vermindern lasse. Im Sinne eines Regelkreismodells wird davon ausgegangen, daß sich psychische Belastungen stets auch in einem erhöhten Muskeltonus niederschlagen, der den Angriffspunkt der therapeutischen Intervention darstellt. Im Rahmen dieses Verfahrens wird systematisch die Anspannung bzw. Entspannung einzelner Muskeln und Muskelgruppen geübt (von der Stirn bis zu den Füßen), mit dem Ziel, einen globalen Entspannungszustand herbeizuführen. Hierdurch wird nicht nur die interozeptive Wahrnehmung gesteigert, sondern die Relaxation breitet sich als intensives Entspannungserlebnis über den gesamten Körper aus. Die etwa 15–30 Minuten dauernden Übungen werden meist in Gruppen im Liegen von hierzu geschultem Personal (z.B. Psychologen, Krankengymnastinnen) durchgeführt. Bei schwerer kranken Patienten ist unter Umständen eine Einübung in Einzelsitzungen notwendig. Wie beim Autogenen Training werden die Patienten angehalten, die Übungen mehrfach täglich allein durchzuführen. Die progressive Muskelentspannung gibt es in Kurz- und Langformen. Sie kann durch auditive Hilfsmittel unterstützt werden. Entspannungstrainings gehören mittlerweile zum Standardangebot der meisten psychiatrischen und psychosomatischen Kliniken. Sie finden bei einer Vielzahl von Krankheitsbildern Anwendung, meist kombiniert mit anderen Verfahren (besonders verhaltenstherapeutischen Techniken, vgl. auch Kapitel 19).

24.2. Autogenes Training

Neben der Hypnose (vgl. Abschnitt 24.3) gehört auch das Autogene Training zu den (auto)suggestiven Verfahren und stellt eine systematische Selbstentspannungsmethode mit breitem Wirkungsspektrum dar. Die in genau festgeschriebenen Einzelschritten beim Autogenen Training durchgeführte konzentrative Selbstentspannung verfolgt das Ziel, sich innerlich zu lösen und zu versenken, um so zu Erholung und Entängstigung zu gelangen. Während des einzeln oder in Gruppen im Sitzen oder Liegen durchgeführten Verfahrens wird in Einzelschritten (Schwereübung, Wärmeübung, Herzübung, Atemübung, Sonnengeflechtsübung, Kopfübung) durch entsprechende, zunächst vom Therapeuten vermittelte, später selbstständig durchgeführte Instruktionen (z.B. »ich bin ganz ruhig«) eine konzentrative Entspannung bestimmter Körperregionen und psychischer Funktionen erreicht. Das Autogene Training ist ein weitverbreitetes Standardverfahren, das vor allem bei neurotischen und psychosomatischen Störungen ergänzend zu anderen Therapieverfahren durchgeführt wird.

24.3. Hypnose

Kaum ein anderes psychotherapeutisches Verfahren hat zu derartigen Kontroversen und Mystifizierungen geführt wie die Hypnosetherapie. Nach dem klassischen Verständnis wird der Patient vom Hypnotiseur in einen schlafähnlichen Zustand versetzt, in dem es zu außergewöhnlichen, der Alltagserfahrung fremden Verhaltensweisen kommt (z.B. Armsteifheit). Ist ein Patient bereit, sich hypnotisieren zu lassen, treten nach der Hypnoseeinleitung eine Reihe psychophysiologischer Funktionsänderungen auf (körperliche Entspannung und Immobilisation, erhöhte Suggestibilität, Konzentration der Aufmerksamkeit auf die verbalen Interventionen des Hypnotiseurs, Nachlassen der willkürlichen Kontrolle und Tendenz zu Verzerrungen des Denkens). Hypnose wird heute in der Psychotherapie vergleichsweise selten eingesetzt, und wenn, dann vor allem bei neurotischen (vgl. Kapitel 8) und psychosomatischen Erkrankungen (vgl. Kapitel 9) als Entspannungsverfahren. Seit einigen Jahren gewinnt das Verfahren jedoch wieder stärker an Interesse und war auch wiederholt Gegenstand empirischer Untersuchungen, mit deren Hilfe die Effektivität belegt werden konnte. Durch Hypnose herbeigeführte Reaktionen und Verhaltensweisen unterscheiden sich prinzipiell nicht von den möglichen Reaktionen nicht-hypnotisierter Patienten, eine Manipulation in Richtung sonst nicht für ein Individuum typischer Verhaltensmerkmale ist entgegen einer weitverbreiteten Meinung nicht möglich.

24.4. Katathymes Bilderleben

Das von Leuner entwickelte tiefenpsychologisch orientierte Katathyme Bilderleben beruht auf der Möglichkeit, sich in einem hypnoiden regressiven Zustand Bilder (»Tagträume«) vorzustellen. Dabei fungieren 12 entwickelte Standardmotive als Kristallisationspunkte, auf die der Patient seinen inneren Zustand und seine inneren Konflikte projizieren kann. Mit Hilfe einer Entspannungstechnik (z.B. Autogenes Training) kommt der Patient in einen Zustand, in dem ihm bestimmte relativ vage Vorstellungsinhalte, wie etwa eine Wiese (als symbolischer Ausdruck der aktuellen Gestimmtheit), ein Bachlauf (als symbolischer Ausdruck des dynamischen seelischen Geschehens) oder ein Berg (als symbolischer Ausdruck des Leistungsverhaltens), angeboten werden. Über die Thematisierung der sich daraus ergebenden Phantasien und Inhalte können einerseits kreative Imaginationen geübt, anderseits aktuelle Konflikte fokussiert und durchgearbeitet werden. Das Katathyme Bilderleben wird heute als Standardverfahren vor allem bei neurotischen und psychosomatischen Störungen eingesetzt.

24.5. Biofeedback

Als Biofeedback, d.h. Rückmeldung psychophysiologischer Signale, wird ein im weitesten Sinn psychotherapeutisches Verfahren bezeichnet, mit dessen Hilfe Körperfunktionen, die normalerweise nicht der bewußten Steuerung unterliegen, willkürlich kontrollierbar gemacht werden sollen. Auf der physiologischen Ebene ist eine gute apparative Meßbarkeit der betreffenden Körperfunktion (z.B. Herzfrequenz oder muskuläre Anspannung) notwendig. Beim Biofeedback wird die abgeleitete Körperfunktion zwecks besserer Wahrnehmbarkeit in zumeist optische oder akustische Signale umgewandelt und dem Patienten über einen Bildschirm oder Lautsprecher rückgemeldet. Biofeedback ist als Therapieverfahren vor allem bei Spannungskopfschmerz, Migräne, Hypertonie und Torticollis spasmodicus eingesetzt worden. Ziel ist das Training der Selbstbeeinflussung körperlicher Funktionen, d.h. diese unter eigene kognitive Kontrolle zu bringen.

24.6. Konzentrative Bewegungstherapie

Die Konzentrative Bewegungstherapie (KBT) stellt ein überwiegend non-verbales körperorientiertes psychotherapeutisches Verfahren dar [Stolze, 1984]. Dem averbalen Hauptteil geht ein Anfangsgespräch voraus, in dem der Patient angehalten wird, sich über seine gegenwärtigen (körperbezogenen) Gefühle und Empfindungen zu äußern. Im Rahmen eines Abschlußgesprächs dieses in Gruppen durchgeführten Verfahrens werden gemeinsam die Erfahrungen der Patienten zusammengetragen und diskutiert, die sich aus der eigenen Bewegung, mit dem eigenen Körper, innerhalb des Raums und seiner Gegenstände ergeben haben. Der Raum, in dem die Konzentrative Bewegungstherapie stattfindet, ist hierzu mit einer Reihe von in der Krankengymnastik üblichen Gegenständen ausgestattet, wie Gymnastikkeulen, Stäben, Reifen usw. Jeder Patient wird im Hauptteil angehalten, sich mit seiner Konzentration und seinem Körper den eigenen Assoziationen zu überlassen und sich im Raum zu bewegen, ohne daß weitere Instruktionen gegeben werden. Hierdurch soll ein intensives Erleben der eigenen Position ermöglicht werden. Die Interventionen des geschulten Therapeuten sind sparsam und non-direktiv, sollen helfen, Hemmungen zu überwinden und so zu besserer Ausdrucksstärke zu gelangen. Anwendung findet das Verfahren unter anderem bei psychosomatischen Beschwerden sowie bei Patienten, die nur schwer Zugang zu ihren Gefühlen finden können.

24.7. Tanztherapie

Die Tanztherapie versucht als überwiegend non-verbales psychotherapeutisches Verfahren grundlegende Bewegungselemente des Tanzes zu benutzen, ohne durch technische Instruktionen oder festgelegte Formen den Entfaltungsspielraum des einzelnen zu begrenzen. Ziel ist es, zu einer besseren Integration körperlicher und psychischer Funktionen zu gelangen [Klein, 1983]. Bei dem als Einzel- oder Gruppenbehandlung durchgeführten Verfahren werden die typischen Bewegungsmuster der Patienten vom Tanztherapeuten aufgenommen, übernommen und in der tänzerischen Interaktion modifiziert. Ziel der Tanztherapie ist es, über ein verändertes Bewegungsverhalten psychische und körperliche Funktionen zu integrieren.

24.8. Musiktherapie

Musiktherapie gehört mittlerweile ebenfalls zum Standardangebot der meisten psychiatrischen und psychosomatischen Kliniken. Bei der Musiktherapie handelt es sich um eine auf unterschiedlichen konzeptuellen Vorstellungen und praktischen Erfahrungen beruhende systematische und gezielte Anwendung von Musik zu therapeutischen Zwecken [Harrer, 1995]. Ziele der Behandlung sind unter anderem die Aktivierung emotionaler Prozesse sowie die Verbesserung der Erlebnisfähigkeit oder sozialer Interaktionen. Der Indikationsbereich wird mittlerweile sehr weit gesteckt, d.h. Musiktherapie kann bei den meisten Störungsgruppen Anwendung finden. Sie findet in der Regel in Gruppen statt, wobei der Fokus der Behandlung dann stärker auf gruppendynamischen Prozessen liegt. Musiktherapie wird jedoch auch oft als Einzeltherapie durchgeführt.

Literatur

Harrer G (1995): Musiktherapie. In: Faust V (Hrsg.): Psychiatrie. Fischer, Stuttgart, 743–745.
Jacobson E (1938): Progressive relaxation. University of Chicago Press, Chicago.
Klein P (1983): Tanztherapie, eine einführende Betrachtung im Vergleich mit Konzentrativer und Integrativer Bewegungstherapie. Pro Janus, Suderburg.
Langen (1972): Kompendium der medizinischen Hypnose. Karger, Basel.
Legewie H, Nusselt L (1975): Biofeedback-Therapie. Lernmethoden in der Psychosomatik, Neurologie und Rehabilitation. Urban & Schwarzenberg, München.
Ohm D (1992): Progressive Relaxation. Thieme, Stuttgart.
Revenstorf D (Hrsg., 1990): Klinische Hypnose. Berlin, Springer.
Revenstorf D (1994): Kognitive Verhaltenstherapie und Hypnose. Verhaltenstherapie *4*:223–237.
Schultz JH (1970): Das Autogene Training. Thieme, Stuttgart.
Stolze H (1984): KBT. Die konzentrative Bewegungstherapie. Mensch und Leben, Berlin.
Wilke E, Leuner H (1990): Das Katathyme Bilderleben in der Psychosomatischen Medizin. Huber, Bern.

25. Soziotherapie

Stefan Priebe

25.1. Einleitung

Neben den somatotherapeutischen und psychotherapeutischen Ansätzen umfassen die psychiatrischen Therapiemöglichkeiten auch die Soziotherapie, wobei der **Begriff der Soziotherapie** häufig unscharf und uneinheitlich verwendet wird. Spezifische theoretische Konzepte sind zur Soziotherapie in wesentlich geringerem Maße als zur Somato- und Psychotherapie entwickelt worden, und im Vergleich mit somato- und psychotherapeutischen Ansätzen ist die Soziotherapie bisher auch viel seltener Gegenstand gezielter empirischer Untersuchungen gewesen. Diese relativ geringe Beachtung in der psychiatrischen Literatur und Forschung steht im Gegensatz zur großen Bedeutung der Soziotherapie im therapeutischen Alltag psychiatrischer Institutionen.

25.2. Ansatz und Inhalt der Soziotherapie

Basis jeder Soziotherapie ist das Zusammensein eines Patienten mit anderen Menschen. In stationären, teilstationären, komplementären und ambulanten psychiatrischen Einrichtungen (vgl. Kapitel 30) können Patienten mit anderen Menschen – Mitpatienten, Ärzten, anderen professionellen Helfern, Laien oder auch Angehörigen – zusammenkommen und mit ihnen unterschiedlich lange Zeit verbringen. Geregelt durch Vorgaben der Institution oder auch spontan bilden sich Gruppen, in denen die Mitglieder auf vielfältige Weise interagieren und sich entsprechende zwischenmenschliche Beziehungen entwickeln. Die **Soziotherapie** ist nun dadurch charakterisiert, daß diese Interaktionen und Beziehungen als spezifisches Therapeutikum betrachtet und genutzt werden. Die konstanten oder situativ wechselnden Beziehungen innerhalb der Gruppe sind also Voraussetzung für jede soziotherapeutische Aktivität und können das Ziel dieser Maßnahmen sein, vor allem aber sind sie der therapeutische Faktor selbst. Dabei kann der Grad, in dem die interaktionellen Prozesse unmittelbar therapeutisch gesteuert werden, sehr variieren. Geleitet werden soziotherapeutische Gruppen von Ärzten, Psychologen, Krankenpflegekräften, Sozialarbeitern, Arbeits- und Beschäftigungstherapeuten oder anders qualifizierten Therapeuten. Sie können aber auch von nicht primär therapeutisch ausgebildeten

Personen, deren eigentliches berufliches Herkunftsfeld außerhalb der Psychiatrie liegt (z.B. Sportler, Musiker oder Künstler), oder wie in Selbsthilfegruppen von Patienten selbst geleitet werden.

Jede psychiatrische Therapie erfordert eine Beziehung zwischen Patient und Therapeut, und in nahezu jeder psychiatrischen Institution sind die Patienten auch an Interaktionen in irgendeiner Form von Gruppen beteiligt. Da diese basalen Beziehungen und Interaktionen natürlich immer – unabhängig davon, ob die sonstigen Ansätze primär somato- oder psychotherapeutisch sind – möglichst hilfreich und therapeutisch sinnvoll gestaltet werden sollen, wird die Soziotherapie von manchen Autoren auch als **Basis jeden therapeutischen Handelns** in psychiatrischen Einrichtungen bezeichnet.

Ein wesentlicher Ausgangspunkt für die **Entwicklung der Soziotherapie** war die Beobachtung, daß sich bei chronisch Kranken und dauerhaft hospitalisierten Patienten häufig ausgeprägte Antriebsminderung, allgemeiner Rückzug und Affektverflachung entwickelten. Der Gedanke, daß diese zunächst als irreversibel erscheinende Symptomatik weniger Ausdruck des jeweiligen Krankheitsprozesses selbst, sondern vielmehr Folge der sozialen Unterstimulation und der eintönigen und reizarmen Lebensbedingungen in der psychiatrischen Anstalt sei, fand in den 50er und 60er Jahren erstmals große Verbreitung und führte dazu, daß spezifische Gegenmaßnahmen in Form soziotherapeutischer Aktivitäten erdacht und eingeführt wurden (vgl. Kapitel 30). Diese Aktivitäten sollten der Entwicklung etwa der **Negativsymptomatik** bei schizophrenen Patienten entgegenwirken, wobei inzwischen nachgewiesen worden ist, daß eine sinnvolle Soziotherapie auch zur Rückbildung einer bereits entstandenen Negativsymptomatik führen kann. Viele soziotherapeutische Maßnahmen bemühen sich dementsprechend um eine **gezielte, hinreichende und adäquate Stimulierung und Aktivierung der Patienten**, um deren kognitive und soziale Fähigkeiten sowie die affektiven Erlebnismöglichkeiten zu erhalten und zu fördern. Um die Patienten aber nicht zu überfordern und dadurch z.B. eine psychotische Dekompensation auszulösen, müssen die Angebote so strukturiert sein, daß eine Überreizung und zu hohe Stimulation durch diese Interaktionen vermieden werden. Besonders in der Behandlung von schwer und chronisch psychisch Kranken ist es eine wesentliche Aufgabe der Soziotherapie, ein therapeutisch sinnvolles Maß an Stimulation zu gewährleisten und dies den häufig wechselnden Bedürfnissen und Möglichkeiten der Patienten anzupassen.

25.3. Abgrenzung von anderen Therapieformen

Soziotherapie berührt und überschneidet sich zum Teil mit dem Bereich der Gruppenpsychotherapie. So folgen viele therapeutische Gruppenaktivitäten sowohl gruppenpsychotherapeutischen als auch soziotherapeutischen Prinzipien und lassen sich unter Gesichtspunkten beider Therapieformen betrachten und begründen. Trotz dieser Gemeinsamkeiten unterscheidet sich die Soziotherapie von der Gruppenpsychotherapie (vgl. Kapitel 22 und 23).

Die äußeren Bedingungen einer **Gruppenpsychotherapie** sind auch hinsichtlich des formalen Rahmens (z.B. Zeitdauer und Gruppengröße) exakt festgelegt, was für soziotherapeutische Gruppenaktivitäten nicht oder zumindest nicht notwendigerweise in gleichem Maße der Fall ist. Unterschiede bestehen aber auch im inhaltlichen Konzept: Während sich die Teilnehmer einer Gruppenpsychotherapie darum bemühen, Probleme und Defizite der Beteiligten deutlich zu machen oder wenigstens explizit zu beschreiben, um sie dann gezielt zu modifizieren, werden solche individuellen pathologischen Verhaltens- oder Erlebnisweisen in der Soziotherapie nicht hervorgehoben, sondern eher implizit durch das Gruppengeschehen angegangen und verändert. So kann die Gruppenpsychotherapie versuchen, durch die Anregung der Patienten zum sprachlichen Austausch ihrer Gefühle und zum offenen Spiel affektiver Beziehungen anzuregen, wohingegen die Themen von Gesprächen im soziotherapeutischen Rahmen in der Regel sachbezogen bleiben und sich z.B. an den Inhalten einer gemeinsamen Tätigkeit oder Aufgabe orientieren.

Soziotherapie kann in vielen Punkten **einer Milieutherapie entsprechen**, ist aber spezifischer und dadurch unterscheidbar. So trägt die Soziotherapie stets in entscheidender Weise zum therapeutischen Milieu einer Institution bei und zielt darauf ab, dieses möglichst freundlich, offen und wenig artifiziell zu gestalten. In der Regel bemüht sich die Soziotherapie um ein Milieu, in dem psychisch Kranken mit Achtung und mitmenschlichem Respekt begegnet wird.

Milieutherapie beschränkt sich aber nicht auf den Bereich der Soziotherapie, sondern ist allgemeiner und umfaßt auch andere Aspekte. So kann z.B. die Gestaltung der architektonischen Gegebenheiten einer Institution von großer Bedeutung für das therapeutische Milieu sein, stellt aber keine Soziotherapie dar.

Die Abgrenzung der Soziotherapie von der Gruppenpsychotherapie und der Milieutherapie kann also zum Teil schwierig sein. Keine Gemeinsamkeiten hingegen hat die Soziotherapie mit dem zuweilen auch als »**Sozialtherapie**« bezeichneten reinen Management von krankheitsbedingten oder sonstigen sozialen Defiziten eines Patienten, z.B. im Sinne der organisatorischen Bemühungen zur Beschaffung eines Arbeitsplatzes oder zur Vermittlung von Wohnraum, was in vielen Institutionen dem klassischen Tätigkeitsfeld von Sozialarbeitern entspricht.

25.4. Formen der Soziotherapie

In den letzten drei bis vier Jahrzehnten sind sehr unterschiedliche Formen von Soziotherapie eingeführt, weiterentwickelt und etabliert worden. Die konkrete Ausgestaltung hängt dabei häufig auch von regionalen und institutionellen Besonderheiten ab und wird von Neigungen und Fähigkeiten der verantwortlichen Therapeuten und auch der jeweils beteiligten Patienten beeinflußt. Beispielhaft werden im folgenden vier der am weitesten verbreiteten und bekanntesten Formen dargestellt.

25.4.1. Arbeits- und Beschäftigungstherapie

In nahezu allen psychiatrischen Kliniken und teilstationären Einrichtungen in Deutschland gehören **Arbeits-, Ergo-, Beschäftigungs- oder Werktherapie** zum Routineprogramm; in manchen komplementären Einrichtungen (vgl. Kapitel 30) steht eine solche Therapieform sogar im Zentrum der therapeutischen Bemühungen, und es gibt bereits verschiedene Ansätze, sie auch als Teil einer rein ambulanten Behandlung anzubieten. Die Bezeichnungen Arbeits-, Ergo-, Beschäftigungs- und Werktherapie – und erst recht die zum Teil beträchtlichen Unterschiede zwischen ihnen – sind **nicht einheitlich definiert** und werden im klinischen Alltag mit verschiedenen Bedeutungen benutzt. Manche Autoren sehen Ergotherapie als Überbegriff sowohl für eine Werktherapie, in der ein nutzbares Produkt hergestellt wird, als auch für eine Arbeitstherapie, in der die bloße Tätigkeit im Vordergrund steht. Auf diese und andere Unterteilungsmöglichkeiten soll hier nicht weiter eingegangen werden. Der Einfachheit halber wird im folgenden lediglich zwischen »Arbeitstherapie« und »Beschäftigungstherapie« differenziert.

In der **Arbeitstherapie** erfüllt eine Gruppe von Patienten Arbeitsaufgaben, die eine reale Funktion erfüllen und einen entsprechenden Wert haben. Es handelt sich also nicht um eine simulierte, sondern um eine **tatsächliche Arbeit**. Die Aufgaben können sehr einfach oder komplex sein und dabei präindustriellen oder sogar industriellen Charakter haben. Umfangreiche Aufgaben werden gewöhnlich in der Gruppe besprochen, die erforderlichen einzelnen Arbeitsschritte werden gemeinsam geplant und vorbereitet. So können die Lösung komplexer Aufgaben, Teamarbeit und Arbeitsteilung geübt werden. Während der Arbeit werden konstante und situative Beziehungen innerhalb der Gruppe möglich und wirksam. Hinzu kommt als **therapeutischer Faktor** der sachgebundene Bezug zwischen dem Patienten und seiner Aufgabe, z.B. einer manuellen, in einer vertretbaren Zeitspanne und mit Präzision auszuführenden Arbeitsleistung, wodurch individuelle intellektuelle und physische Fähigkeiten gefördert werden und das Erleben von Erfolg und Leistung zu einem gestärkten Selbstwertgefühl beitragen kann. Schrittweise können Patienten gegebenenfalls an schwierigere Aufgaben und anspruchsvollere Tätigkeiten herangeführt werden. Anzustreben ist, daß die Arbeitsleistungen der Patienten entlohnt werden und daß der Wert der Entlohnung für die Patienten eine reale Bedeutung und nicht nur symbolischen Charakter hat. Der Stellenwert der Tätigkeit als echte Arbeit wird dadurch betont und eine gewisse **Realitätsnähe** hergestellt, wobei anzumerken ist, daß eine solche Entlohnung nicht in allen therapeutischen Institutionen möglich ist, wenn sie mit den vorhandenen Etatmitteln nicht finanziert werden kann oder wenn die Produkte auf dem freien Markt nicht hinreichend konkurrenzfähig sind.

In der **Beschäftigungstherapie** sind Patienten ebenfalls in strukturierter Weise für zumeist mehrere Stunden am Tag tätig. Die Aktivitäten sollten sinnvoll sein, sie müssen aber nicht zu einem real verwertbaren Ergebnis führen. Wie in der Arbeitstherapie können Durchhaltevermögen, Konzentrationsfähigkeit und Umgehen mit Mitpatienten und therapeutischem Personal geübt werden; die Ansprüche an die Fähigkeiten der Patienten sind aber in der Regel geringer, jede Form von Leistungsdruck wird vollständig vermieden. Anwesenheitsprämien oder gar Entlohnung sind nicht üblich.

25.4.2. Kreative Gruppenaktivitäten

Andere soziotherapeutische Gruppen beinhalten vorwiegend kreative Tätigkeiten, in denen nicht – wie in der Arbeitstherapie – die Herstellung eines verwertbaren Produkts angestrebt wird. Hierzu können Gruppen für bildnerisches Gestalten, Musiktherapie, Modelliergruppen oder auch Formen der Tanztherapie gehören. In der Regel werden die Gruppen von therapeutisch oder künstlerisch ausgebildeteten Mitarbeitern angeleitet, die Vorgaben bezüglich der zu verwendenden Materialien, Instrumente und Techniken machen, so daß die Patienten in einem **strukturierten Rahmen** allein oder gemeinsam kreativ tätig werden. Im Gegensatz zu manchen kunsttherapeutischen Richtungen werden die Patienten in diesen Gruppen nicht vorrangig dazu angeregt, intrapsychisches Erleben zum Ausdruck zu bringen, um sie möglicherweise später im Gespräch damit zu konfrontieren. Es wird vielmehr angenommen, daß der Prozeß einer kreativen Tätigkeit an sich therapeutische Qualität besitzen kann und daß in einer solchen Gruppe Interaktionen mit Mitpatienten und Mitarbeitern möglich werden, die hilfreich sein können und therapeutische Veränderungen stimulieren oder unterstützen. Wesentlich dabei ist die Freude an der Aktivität selbst und am gemeinsamen Gestalten, der spielerische Umgang mit zum Teil ungewohnten Materialien, mit dem eigenen Körper oder mit Musikinstrumenten, das Wiederentdecken vorhandener und das Erlernen neuer Fähigkeiten und schließlich auch die Zufriedenheit über den erfolgreichen Abschluß eines Vorhabens. Die kreativen Tätigkeiten sind mit keinerlei Perfektionsanspruch verbunden. Dennoch können einige Resultate dieser Tätigkeiten natürlich künstlerische Qualität besitzen und auch – z.B. in Ausstellungen – entsprechend gewürdigt werden.

25.4.3. Patientenversammlung

In vielen stationären, teilstationären und auch komplementären Einrichtungen (vgl. Kapitel 30) finden ein- oder mehrmals pro Woche regelmäßige Patientenversammlungen statt, die je nach Gepflogenheit auch als **Stationsversammlung, Vollversammlung** oder **Stationsgruppe** usw. bezeichnet werden. Möglichst alle zum jeweiligen Zeitpunkt in einer Einrichtung betreuten Patienten treffen sich zu einer festen Zeit mit einem oder mehreren therapeutischen Mitarbeitern. In **strukturiertem Rahmen** wird dabei über Ereignisse und Probleme des täglichen Miteinanders gesprochen. Gemeinsam werden Regelungen für das Zusammenleben getroffen, was auch die Übernahme von Verpflichtungen (z.B. Küchen- oder Aufräumdienste) einschließt. Angesprochen werden auch Konflikte, die sich zwischen den Patienten und den therapeutischen Mitarbeitern der Einrichtung oder auch unter den Patienten selbst ergeben haben. Modellhaft wird ein Interessenausgleich gesucht, wobei auch die Patienten eine gewisse Verantwortung für die Umsetzung der gefundenen Lösungen übernehmen. So können das Gemeinschaftsgefühl sowie die Fähigkeiten zur Kommunikation und zur aktiven und gemeinsamen Problemlösung gestärkt werden. Gleichzeitig sollen in zunehmender Weise auch die Eigenverantwortlichkeit und die Selbständigkeit der Patienten gefördert werden.

25.4.4. Therapeutische Gemeinschaft

Die therapeutische Gemeinschaft ist keine isolierte Behandlungsform, sondern ein **soziotherapeutisches Grundprinzip** für die Interaktionen von Patienten und gesamtem Personal einer psychiatrischen Institution, was insbesondere in stationären und teilstationären, aber zum Teil auch in komplementären Einrichtungen in unterschiedlichem Grad realisiert werden kann (vgl. Kapitel 30). Der Begriff »therapeutische Gemeinschaft« wurde in den 40er Jahren dieses Jahrhunderts von Maxwell Jones in England eingeführt; vereinzelte ähnliche Ansätze gab es in verschiedenen Ländern aber auch schon früher.

Die therapeutische Gemeinschaft beinhaltet ein Miteinander von Personal und Patienten einer Institution, in welchem jeder der Beteiligten im therapeutischen Prozeß Verantwortung übernimmt und in einer Atmosphäre des gegenseitigen Respekts und der wechselseitigen Unterstützung Rechte und Pflichten wahrnimmt. Dies bedeutet auch, daß Beschränkungen von Freiheit und Rechten der Patienten soweit wie möglich vermieden werden. Traditionell hierarchische Beziehungen zwischen den Beteiligten – z.B. mit einer eindeutigen und einseitigen Weisungsbefugnis vom Chefarzt zu den Ober- und Assistenzärzten, von diesen zum Pflegepersonal und von diesem schließlich zu den Patienten – sollen so gering wie möglich gehalten werden, ohne daß es zu einer vollständigen Rollendiffusion oder Vermischung bzw. Aufhebung der spezifischen Kompetenzen der jeweiligen therapeutischen Mitarbeiter kommt. Therapierelevante Informationen werden zwischen den Mitgliedern der Gemeinschaft ausgetauscht und besprochen. Entscheidungsprozesse beruhen auf gemeinsamen Diskussionen; ihr Ablauf soll für alle transparent und ihr Inhalt möglichst auch nachvollziehbar sein.

Die therapeutische Gemeinschaft zielt nicht allein darauf ab, die Lebensbedingungen der Patienten zu humanisieren und ihnen in den therapeutischen Beziehungen mitmenschliche Wertschätzung und Achtung entgegenzubringen. Erhofft wird darüber hinaus, daß in den eher normalen als künstlichen therapeutischen Beziehungen in der Gemeinschaft und in der gegenseitig unterstützenden Atmosphäre positive Verhaltensanteile – z.B. Kommunikationsfähigkeiten und Erlebensmöglichkeiten (z.B. Selbstwertgefühl) – genutzt und verstärkt werden.

25.5. Gezielte Nutzung der Soziotherapie

Es wurde bereits erwähnt, daß einerseits die wissenschaftlichen Konzepte und die Fachliteratur zur Soziotherapie – im Vergleich zu somato- und psychotherapeutischen Ansätzen – deutlich weniger elaboriert und umfangreich sind und daß anderseits die Soziotherapie als Basis jeden therapeutischen Handelns in psychiatrischen Einrichtungen betrachtet werden kann sowie daß bestimmte Formen der Soziotherapie – z.B. die Arbeits- und Beschäftigungstherapie – in nahezu allen Einrichtungen verbreitet sind. Für das therapeutische Selbstverständnis von psychiatrischen Einrichtungen und ihren Mitarbeitern ist die Soziotherapie vor allem im komplementären und in geringerem Maße auch im teilstationären Bereich von Bedeutung (vgl. Kapitel 30). Besonders in psychosozialen Kontaktstellen, in Tagesstätten und in Wohnheimen wird Soziotherapie in der Regel als bedeutsamster Bestandteil der Behandlung angesehen und genutzt.

Literatur

Dörner K, Plog U (1989): Irren ist menschlich oder Lehrbuch der Psychiatrie, Psychotherapie. Überarbeitete Auflage. Psychiatrie-Verlag, Bonn.

Jones M (1955): The therapeutic community. Basic Book, New York.

26. Psychoedukation, Patientenratgeber und Selbsthilfemanuale

Jörg Angenendt, Rolf-Dieter Stieglitz

26.1. Einleitung

Seit einigen Jahren zeigt sich in der Behandlung psychischer Störungen zunehmend die Tendenz, die »klassischen« Behandlungsverfahren durch zusätzliche Therapieelemente zu erweitern. Zu nennen sind hier besonders spezifische psychoedukative Therapiekomponenten sowie der Einsatz von Patientenratgebern und Selbsthilfemanualen. Hintergrund hierfür ist die **Annahme,** daß Patienten mit psychischen Störungen in der Lage sind, selbst einen wesentlichen Beitrag für Veränderungen und deren Stabilisierung leisten zu können. Der Patient wird dabei nicht mehr als passiver Empfänger therapeutischer Maßnahmen angesehen, sondern als ein die Behandlung aktiv mitgestaltender Akteur.

Wesentliche Anstöße für diese Sichtweise kamen insbesondere aus der Verhaltenstherapie (vgl. Verhaltensanalyse: Selbstkontrollversuche; s.a. Kapitel 19) sowie aus der Bewältigungsforschung (vgl. Kapitel 35).

26.2. Psychoedukation

Der Gedanke, den Patienten (und seine Angehörigen) über die Erkrankung zu informieren, ist zunächst nicht neu und sollte ein Element jeder Behandlung sein. Fragen von Patienten und Angehörigen zur Erkrankung und deren weiteren Verlauf zu beantworten bzw. Informationen darüber zu geben, ist generell von großer Bedeutung. Als expliziter und systematischer Baustein in Therapieansätzen ist die Psychoedukation jedoch eher neu. **Zielgruppen** sind dabei die Patienten selbst oder deren Partner und Angehörige. Dementsprechend findet diese Strategie in **unterschiedlichen Settings** Anwendung: Einzel- und Gruppentherapie, Familientherapie oder auch Angehörigengruppen.

Unabhängig von den unterschiedlichen Zielgruppen sind folgende Ziele der Psychoedukation zu nennen:
- Abbau von Informationsdefiziten (Symptomatik, Ätiologie und Genese, Therapie, weiterer Verlauf).

- Erhöhung der Compliance (vgl. auch Kapitel 35) in der Behandlung (Akut- und Langzeitbehandlung).
- Subjektive Erleichterung (»anderen geht es auch so wie mir«; verbessertes Verständnis der Beschwerden).

Nachfolgend sollen am Beispiel einiger wichtiger psychiatrischer Störungsgruppen spezifische psychoedukative Therapiebausteine vorgestellt werden.

26.2.1. Panikstörungen

Von Margraf und Schneider [1990] (vgl. auch Kapitel 19 und 22) wurde ein standardisiertes Therapieprogramm zur Behandlung von Panikstörungen entwickelt. Ein wesentliches Kernstück bildet dabei der am **Beginn der Therapie** (Sitzungen 1–3) vorgesehene **psychoedukative Teil**. Innerhalb der Erläuterung des Therapierationales stellt die »Informationsvermittlung über die allgemeine Natur der Angst« einen wesentlichen Aspekt dar (unter anderem Vermittlung des Drei-Komponenten-Modells der Angst, unterschiedlicher Arten von Angstanfällen, Genese, Angstverlauf). Unabhängig von diesen allgemeinen Informationselementen ist die genaue Beschreibung (und häufige Wiederholung) der Therapieschritte von großer Bedeutung. Zur Unterstützung der Informationsvermittlung werden Graphiken (z.B. Teufelskreis der Angst) oder Informationsblätter (z.B. Informationen zu den Ursachen von Angst und Angstanfällen) eingesetzt.

26.2.2. Schlafstörungen

Schlafstörungen sind nicht nur im Kontext psychiatrischer Störungen Symptome mit einer hohen Prävalenz, sondern stellen in psychiatrischen Klassifikationssystemen eine Gruppe eigener Störungen dar (z.B. ICD-10, F51: nichtorganische Schlafstörungen). Für diesen Bereich wurden z.B. von Backhaus und Riemann [im Druck] im Rahmen eines verhaltenstherapeutischen Therapieprogramms Begleitmaterialien für Patienten mit Schlafstörungen entwickelt. Diese umfassen unter anderem einen einführenden Abschnitt über biologische Grundlagen des Schlafs, Arten von Schlafstörungen und Schlafmittelkonsum.

26.2.3. Depressive Störungen

Für Patienten mit depressiven Störungen (vgl. Kapitel 7 und 22) ist Psychoedukation wie bei allen Krankheiten mit Neigung zu Rezidiven von besonderer Bedeutung. Im Rahmen der **Interpersonellen Psychotherapie** (IPT) nach Klerman et al. [1984] wird der Psychoedukation ein besonderer Stellenwert zugesprochen. In diesem standardisierten und empirisch überprüften Therapieprogramm wird in der **»initialen Phase«** (1.–3. Sitzung) eine systematische Krankheitsaufklärung durchgeführt, auf deren Basis die anderen Behandlungsschritte abgeleitet und begründet werden. Dabei geht es unter anderem um die Information über Diagnose, Prognose und Behandlungsmöglichkeiten. Auch hier wird empfohlen, dem Patienten (und den Angehörigen) schriftliches Informationsmaterial, das nicht zu umfangreich sein sollte, mitzugeben.

26.2.4. Schizophrene Störungen

Auch schizophrene Störungen (vgl. Kapitel 6) mit einer hohen Rezidivwahrscheinlichkeit sind Erkrankungen, bei denen Psychoedukation von großer Wichtigkeit ist. So erleidet ein großer Anteil von Patienten mit oder ohne Medikation einen Rückfall. Fragen der (mangelnden) Compliance sind gerade bei diesen Erkankungen von zentraler Bedeutung.

Unterscheiden lassen sich hier patienten-, familien- und angehörigenzentrierte Ansätze:

26.2.4.1. Patientenzentrierte Ansätze

Bei den patientenzentrierten Ansätzen wird nur der Patient in die psychoedukative Maßnahme einbezogen. Psychoedukative Elemente nehmen zwar in den meisten gruppentherapeutischen Ansätzen (vgl. Kapitel 22) ihren Platz ein, jedoch gibt es auch explizit für psychoedukative Zwecke konzipierte Programme. Zu nennen ist das von Stark [1992] entwickelte, über 4 Sitzungen gehende Programm mit den Themen: Symptome der Psychose, Krankheitsmodell, Medikamente und Vorsorge. Ein umfangreiches, sich über 14 Sitzungen (jeweils eineinhalb Stunden) erstreckendes Programm wurde von Kieserg und Hornung [1994] entwickelt. Dieses als **psychoedukatives Training für schizophrene Patienten** bezeichnete Programm behandelt in jeder Sitzung eine für schizophrene Störungen zentrale Fragestellung (unter anderem Diagnose »Schizophrenie«, Krankheitskonzept, Behandlungsmöglichkeiten, Erkennen von Frühsymptomen). Derartige Programme lassen sich in ambulanten wie stationären Settings implementieren.

26.2.4.2. Familienzentrierte Ansätze

Da Familienangehörige durch die Erkrankung eines Familienmitglieds ebenfalls betroffen sind, besteht auch hier die Notwendigkeit, Informationen über die Erkrankung zu vermitteln. Darüber hinaus kommt für den weiteren Verlauf der Erkrankung schizophrener Patienten der Familie eine wichtige Bedeutung zu (vgl. »Expressed-Emotion«-Konzept, Kapitel 6 und 35). So ist auch in den meisten als **psychoedukative Familienbehandlung** bezeichneten Ansätzen der Informationsaspekt ein wichtiger Therapiebaustein [vgl. Mueser und Glynn, 1990] (sowie Kapitel 23). Gemeinsame Inhalte der meisten psychoedukativen

Programmteile sind Vermittlung des Vulnerabilitäts-Stress-Modells, Information über ätiologische Modelle, Verlauf und Prognose, verschiedenene Behandlungsmöglichkeiten, Coping-Strategien und Identifizierung von Frühsymptomen.

26.2.4.3. Angehörigenzentrierte Ansätze

Aus verschiedenen Gründen ist es nicht möglich, allen Familien eine derartige Behandlung zukommen zu lassen (unter anderem fehlende Qualifikation der Therapeuten, Kostengründe), so daß der Arbeit mit den Familien in den **Angehörigengruppen** (vgl. auch Kapitel 24 und 28) ein wichtiger Stellenwert zukommt. Auch hier gilt es, Fragen der Angehörigen zu den genannten Themen zu beantworten. Neben der reinen Informationsvermittlung geht es aber auch um die emotionale Entlastung (z.B. Abbau von Schuldgefühlen) und die Entwicklung von Verhaltensmöglichkeiten gegenüber dem erkrankten Familienmitglied, wobei besonders dem Erfahrungsaustausch darüber mit anderen Angehörigen große Bedeutung zukommt.

Unabhängig von den genannten spezifischen Ansätzen sollte der psychoedukative Aspekt auch expliziter Bestandteil jeder stationären wie ambulanten Behandlung sein. Hierzu bieten sich **Gesundheitsinformationsgruppen** an, die in einer Reihe von Kliniken bereits etabliert sind. Diese offenen Gruppen können gleichfalls störungsgruppenspezifisch orientiert sein oder aber bei einer heterogenen Zusammensetzung von Patienten einer Station eher allgemeine Aspekte psychischer Störungen zum Gegenstand haben. Sie finden in der Regel wöchentlich statt.

Psychoedukative Elemente sollten jedoch auch generell Bestandteil jeder **Einzeltherapie** sein. Sie müssen, wenn nicht standardisiert als expliziter Therapiebaustein vorhanden, individuell entwickelt werden. Folgende Ziele stehen dabei im Vordergrund:

- Information über die jeweilige Erkrankung.
- Verbesserung der Therapiecompliance (Pharmako- und Psychotherapie).
- Beitrag zur Verhinderung bzw. rechtzeitigen Erkennung von Rückfällen.

26.3. Patientenratgeber

26.3.1. Funktionen und Ziele

Patientenratgeber sind seit einigen Jahren für praktisch alle relevanten psychiatrischen Erkrankungen auf dem Buchmarkt erhältlich. Ein Großteil bezieht sich dabei nicht nur auf manifeste und schwere psychiatrische Erkrankungen, sondern auch auf Störungen auf subklinischem Niveau (emotionale Schwierigkeiten, Problemverhalten, Erziehungsfragen und allgemeine Lebensprobleme).

Tabelle 26.1. Ziele und Funktionen von Patientenratgebern [Angenendt, 1995]

Wissen und Informationen über die Erkrankungen vermitteln
Der Leser findet Aufklärung bezüglich der
- typischen Symptome, Beschwerden, aber auch unterschiedlichen Erscheinungsformen;
- Verbreitung in der Bevölkerung und der Krankeitsverläufe;
- Ursachen und Bedingungen;
- wichtigsten Krankheitsmodelle/-konzepte;
- verschiedenen Therapiemöglichkeiten;
- Möglichkeiten der Selbsthilfe;
- weiteren praktischen Hilfen (Erklärung wichtiger Fachbegriffe, Adressenverzeichnis psychosozialer Institutionen, weiterführende Literatur).

Emotionale Entlastung und Unterstützung gewähren
- Abbau von Schuld-, Scham- und Angstgefühlen;
- Enttabuisierung, Entmystifizierung;
- Abbau von Demoralisierung und Resignation;
- Vermittlung realistischer Hoffnungen auf Veränderbarkeit.

Wege einer konstruktiven Auseinandersetzung mit der Störung aufzeigen
- Sichinformieren als erster aktiver Schritt;
- Ermutigung zur Auseinandersetzung mit den individuellen Bedingungen der Erkrankung;
- Förderung einer differenzierten Selbstbeobachtung;
- Abbau möglicher Hemmschwellen zur Aufnahme einer angemessenen Behandlung.

Die Patient-Therapeut-Beziehung mit dem Ziel des »mündigen Patienten« beeinflussen
- Patient als aktiver Mitgestalter der Behandlung;
- Information als Möglichkeit der Förderung von Compliance für therapeutische Maßnahmen.

Patientenratgeber verstehen sich als **Informations- und Aufklärungshilfen für spezifische Erkrankungen** und/oder psychologische Probleme. Ihre **Zielgruppen** sind die von psychischen Störungen unmittelbar betroffenen Patienten, aber auch deren Angehörige und Berufsgruppen, die mit den speziellen Problemen dieser Patienten konfrontiert sind.

Die vielfältigen Ziele und Funktionen von Patientenratgebern lassen sich, wie aus Tabelle 26.1 ersichtlich, verschiedenen übergeordneten Bereichen zuordnen [Angenendt, 1995].

Ratgeber enthalten neben den überwiegend sachlichen Informationen häufig auch Fallberichte von oder Gesprächsausschnitte mit betroffenen Patienten, die den Zugang zum eigenen Krankheitserleben erleichtern können.

Der **Einsatz von Ratgebern** bei Patienten ist hauptsächlich im Vorfeld und zu Beginn einer professionellen Therapie sinnvoll. In der Regel enthalten Ratgeber keine präzisen Instruktionen und Techniken zur Selbsttherapie, wie es bei Selbsthilfemanualen der Fall ist. Eher allgemeine Hinweise auf Möglichkeiten des lebenspraktischen Umgangs mit der Krankheit zielen aber auf die Verbesserung der Bewältigungsressourcen ab. Empirisch sind Möglichkeiten, Grenzen und Wirksamkeit des Einsatzes von Ratgebern innerhalb der Therapie nicht untersucht. Ihre Nützlichkeit in bezug auf die genannten, begrenzten Zielsetzungen wird aber als unbestritten angesehen. Der häufige Rückgriff von Therapeuten auf solche Buchempfehlungen und die überwiegend hohe Zufriedenheit auf Patientenseite sprechen für diese Einschätzung.

26.3.2. Beispiele für Patientenratgeber

26.3.2.1. Angst

Aus der fast unüberschaubar gewordenen Fülle von Patientenratgebern zum Thema »Ängste« sollen nur einige exemplarisch hervorgehoben werden, um Unterschiede in Umfang, Komplexität und schulenspezifischer Ausrichtung verdeutlichen zu können (vgl. Tabelle 26.2). Ein kurzer, didaktisch gut gestalteter und für Patienten ohne Vorwissen sehr geeigneter Ratgeber wurde von Wittchen und Mitarbeitern verfaßt. Hier geht es zunächst um Hilfestellungen, aus eher diffusen körperlichen und psychischen Beschwerden das mögliche Bestehen einer primären Angststörung (das gesamte Spektrum wird angesprochen) erkennen zu können. Mit der korrekten Identifizierung werden Wege für geeignete und aussichtsreiche therapeutische Maßnahmen (unterschiedliche verhaltenstherapeutische und psychopharmakologische Verfahren, bei leichten Ausprägungen aber auch Selbsthilfe) aufgezeigt. Als »Klassiker« eines umfangreichen Ratgebers kann das von Marks verfaßte Buch »Bewältigung der Angst« gesehen werden, das sich ebenfalls auf das gesamte Spektrum von Ängsten bezieht. Es ist sehr umfassend, zuweilen recht anspruchsvoll geschrieben, setzt Vorkenntnisse über die Thematik voraus oder erfordert eine intensive Auseinandersetzung mit dem Text. In der 2. deutschen Auflage wurde die Beschreibung der Therapiemaßnahmen stärker akzentuiert, so daß z.B. in bezug auf die Expositionstherapie – wie sonst Selbsthilfemanualen vorbehalten – auch eine schriftliche Anleitung zur selbständigen Durchführung gegeben wird. Darin spiegelt sich die von Marks vertretene Einschätzung wider, daß die regelmäßige selbständige Durchführung von Konfrontationsübungen in den angstauslösenden Situationen der entscheidende Faktor für den langfristigen Erfolg von Expositionstherapien ist. Der Therapeut hat die Aufgabe, den Patienten zur Durchführung der dann im wesentlichen manualgestützten Übungen zu motivieren und den Übungsverlauf zu supervidieren.

Andere Patientenratgeber befassen sich nicht mit dem gesamten Spektrum von Ängsten, sondern beziehen sich auf spezielle Unterformen (z.B. Panikattacken, soziale Ängste, Prüfungsängste). Einige gewichten verstärkt Aspekte, die über die Veränderung der Symptomatik im engeren Sinn hinausgehen und sich z.B. auf ein vertieftes Verständnis der Ursachen und Bedingungen von Angstsymptomen oder die Lösung begleitender Problembereiche beziehen.

26.3.2.2. Zwang

Im Bereich der Zwangserkrankungen (vgl. Kapitel 8) kommt der angemessenen Krankeitsaufklärung und Informationsweitergabe an Patienten und Angehörige eine noch größere Bedeutung zu. Stärker als bei den Angststörungen besteht eine ausgeprägte Tendenz zur »Geheimhaltung« und Tabuisierung. Gravierende Unkenntnisse und Fehleinschätzungen über den Charakter der Zwangsphänomene, ihre Ursachen und die (vermeintlich fehlenden) Behandlungsmöglichkeiten stellen dabei leider nicht nur auf seiten der Betroffenen, sondern auch bei professionellen Helfern ein Problem dar. Der verstärkten klinischen und wissenschaftlichen Auseinandersetzung mit Zwangsstörungen sind mit Verzögerung in den letzten Jahren entsprechende Patientenratgeber gefolgt. Im deutschen Sprachraum sind die Bücher von Hoffmann und Rapoport erwähnenswert. Ein differenzierter und die verschiedenen Facetten der Zwänge berücksichtigender, englischsprachiger Ratgeber, der die Grenzen zum Selbsthilfemanual jedoch zum Teil schon überschreitet, wurde von Steketee und White publiziert: »When once is not enough«.

26.3.2.3. Depression

Depressive Störungen (vgl. Kapitel 6) stellen von der Prävalenz her eine der größten Störungsgruppen dar. Entsprechend vielfältig sind Bücher zu diesem Thema, wenngleich die wenigsten die Kriterien eines Ratgebers im engeren Sinn erfüllen. Zumeist handelt es sich um Erfahrungsberichte von Betroffenen. In Tabelle 26.2 sind einige Ratgeber im strengeren Sinn aufgeführt. Gegenüber den Ratgebern zu anderen Störungsgruppen läßt sich hier eine stärkere Differenzierung vornehmen. Alle Bücher wenden sich an Patienten und Angehörige, die beiden rein psychopharmakologisch orientierten zusätzlich auch an den Arzt. Unterschiede bestehen weiter hinsichtlich der angesprochenen Störungen. Das Buch von Freyberger beschränkt sich auf depressive Erkrankungen, die anderen beiden schließen die manischen Erkrankungen mit ein. Auch die dargestellten Inhalte und damit die Schwerpunktsetzung sind verschieden. Dennoch enthalten alle Bücher die grundlegenden Informationen zu Symptomatik, Verlauf und Behandlung. Leider kommt bis auf eine Ausnahme (Freyberger) die psychotherapeutische Behandlung zu kurz. Eine besondere Art von Ratgebern stellen die beiden Bücher zur rezidivprophylaktischen Behandlung manisch-depressiver Erkrankungen dar. Der Fokus der Darstellung ist hier die Behandlung mit Lithium bzw. Carbamazepin (vgl. Kapitel 15). Der Einsatz in der Behandlung wird umfassend unter Berücksichtigung vieler Aspekte (z.B. Nebenwirkungen, Risiken) auch für den Laien verständlich dargestellt.

Tabelle 26.2. Beispiele für Patientenratgeber

Störungsgruppen	Beispiele
Angst	Marks [1977]: Bewältigung der Angst Marks [1992]: Behandlung der Angst Wittchen et al. (1993): Was Sie schon immer über Angst wissen wollten!
Zwang	Hoffmann [1990]: Wenn Zwänge das Leben einengen Rapoport [1993]: Der Junge, der sich immer waschen mußte Steketee und White [1990]: When once is not enough
Depression	Rafaelsen und Helmchen [1982]: Depression, Melancholie, Manie Freyberger [1991]: Depression Luderer [1994]: Himmelhochjauchzend, zum Tode betrübt Schou [1991]: Lithium-Behandlung der manisch-depressiven Krankheit Greil et al. [1994]: Die manisch-depressive Krankheit. Therapie mit Carbamazepin
Schizophrenie	Bäuml [1994]: Psychosen aus dem schizophrenen Formenkreis Finzen [1993]: Schizophrenie – die Krankheit verstehen Hell und Fischer-Gestefeld [1993]: Schizophrenien Luderer [1989]: Schizophrenien

Genaue Literaturangaben s. Anhang S. 566.

26.3.2.4. Schizophrenie

Zu den schizophrenen Störungen (vgl. Kapitel 6) ist erst in den letzten Jahren eine Reihe bemerkenswerter Ratgeber erschienen, einige bereits schon in Neuauflagen, was die hohe Akzeptanz unterstreicht. Die in Tabelle 26.2 aufgeführten Bücher sind alle für Patienten wie Angehörige konzipiert worden. Unterschiede bestehen hinsichtlich des Umfangs der Darstellungen. Die wesentlichen Aspekte, wie Symptomatik, Ätiologie und Verlauf sowie Behandlung, werden jedoch in allen Büchern angesprochen. Unterschiede bestehen ferner hinsichtlich spezifischer Schwerpunktsetzungen. So finden sich z.B. die umfassendsten Informationen zur psychopharmakologischen Behandlung im Buch von Bäuml, während Luderer, Finzen sowie Hell und Fischer-Gestefeld stärker auch die Angehörigenperspektive einbeziehen. Positiv hervorzuheben ist, daß in allen Büchern Kontaktadressen für Selbsthilfe- und/oder Angehörigengruppen zu finden sind.

26.4. Selbsthilfemanuale

Selbsthilfemanuale gehen in ihrer **Zielsetzung** über Psychoedukation, emotionale Unterstützung und Orientierungshilfe zum Auffinden geeigneter Behandlungsmöglichkeiten hinaus. Sie enthalten **konkrete und präzise Anleitungen zur selbständigen Durchführung von therapeutischen Verfahren und Techniken**.

Daraus ergibt sich, daß Selbsthilfemanuale vor allem für psychotherapeutische – speziell auch verhaltenstherapeutische – Maßnahmen konzipiert sind, die sich für ein strukturiertes, schriftlich dargebotenes Veränderungsprogramm besonders eignen. Es lassen sich entsprechend dem Umfang des Kontakts zu einem Therapeuten und des Stellenwerts des Therapiemanuals in der Gesamtbehandlung **drei Anwendungsmodalitäten** unterscheiden [Glasgow und Rosen, 1978]:

- Reine Selbsthilfeprogramme, in denen das schriftliche Therapiemanual ohne jeden weiteren Therapeutenkontakt als einziges Verfahren eingesetzt wird.
- Minimale Kontaktprogramme, in denen das Manual die Basis der Therapie ist, der Kontakt zum Therapeuten auf kurze Treffen oder manchmal auch nur telefonische Rückmeldungen eingeschränkt bleibt.
- Therapeutenangeleitete Programme, in denen regelmäßige Sitzungen mit dem Therapeuten stattfinden, die manualgestützte Programmanwendung also innerhalb eines dyadischen oder gruppentherapeutischen Kontexts geschieht.

Voraussetzung für die Manualisierung von Therapietechniken ist ein hoher klinischer Entwicklungsstand, der sich durch eine empirisch gut dokumentierte Wirksamkeit der entsprechenden Therapieverfahren im üblichen Patient-Therapeuten-Setting auszeichnet. Des weiteren muß das Vorgehen sich standardisieren lassen und die Patientenzielgruppe mit ihren Beschwerden/Symptomen zur Selbstbehandlung überhaupt in der Lage sein. Manualgeleitete Selbsthilfetherapien wurden häufig bei Klienten von Beratungsstellen, Teilnehmern öffentlicher Gesundheitsprogramme sowie in wissenschaftlichen Kontexten eingesetzt. Im psychiatrisch-psychotherapeutischen Setting überwiegen Anwendungsversuche mit ambulanten und leichter gestörten Patienten. Bevorzugt wird dabei der Einsatz im Rahmen »therapeutenangeleiteter Selbsthilfeprogramme«.

Selbsthilfemanuale verbieten sich von selbst bei Erkrankungen, die aufgrund ihrer spezifischen Syptommerkmale (schizophrene Erkrankungen, Impulskontrollstörungen) oder deren Schwere (Anorexia nervosa, Suizidalität bei Depression) eine Selbstbehandlung – zumindest in der akuten Krankheitsphase – ausschließen.

Da sich Selbsthilfemanuale von ihrem Anspruch her als therapeutische Verfahren definieren, die unter günstigen Bedingungen auch ohne weitere professionelle Hilfestellungen wirksam sind, müssen sie – wie andere Verfahren auch – nachweislich »sicher und hilfreich« sein. Die **Effektivität** ist selbst in den traditionellen Anwendungsbereichen (s. Abschnitt 26.4.2) teilweise aber nicht ausreichend belegt. Potentiell schädliche Wirkungen sind bei unangemessener »Selbstselektion« von Patienten, unrealistischen Zielsetzungen und weiterer Demoralisierung von Patienten bei nicht eintretenden Veränderungen des Selbsthilfevorgehens möglich. Vergleichende Studien zeigen, daß Selbsthilfebücher ohne jeglichen Therapeutenkontakt deutlich höhere Abbrecherquoten nach sich ziehen und weniger wirksam sind als die Anwendung der Manuale im Rahmen eines persönlichen Therapeutenkontakts. Wenn nach fachgerechter Diagnostik und Indikationsentscheidung Selbsthilfeschriften gezielt und therapiebegleitend zum Einsatz gebracht werden, sind sie ein geeignetes Mittel, die **Effektivität und Effizienz des Therapeuten zu verbessern:**

- Sie können durch die redundante Beschreibung und Anleitung der Veränderungsschritte das in den gemeinsamen Sitzungen erarbeitete Krankheits- und Therapieverständnis verfestigen.
- Sie unterstützen die Durchführung »therapeutischer Hausaufgaben« und Übungen zwischen den Sitzungen.
- Sie ermöglichen eine den persönlichen Voraussetzungen und individuellen Zielen angepaßte Durchführung von Maßnahmen.

In der Phase der Nachbehandlung können sie Funktionen bei der Stabilisierung der erreichten Veränderungen erhalten, z.B. als Mittel der »Rückfallprävention« bzw. des Umgangs mit eingetretenen Rückfällen.

Da viele der publizierten Manuale nicht oder nur unzureichend empirisch überprüft sind, hat der Therapeut, der mit Hilfe eines Manuals arbeiten will, dessen **Qualität, Glaubwürdigkeit und Nützlichkeit** zu beurteilen. Wichtige Kriterien können dabei sein [Angenendt, 1995]:

- Ist spezifiziert, für welche Krankheiten oder Teilaspekte welcher Schweregrade das Manual intendiert ist?
- Finden sich Hinweise auf Grenzen ihres Einsatzes, die Anwendungsmodalität (z.B. kein Ersatz für professionelle Therapie), notwendige Voraussetzungen auf seiten des Patienten?
- Werden realistische Vorstellungen über erreichbare Ziele, den erforderlichen Zeitaufwand, mögliche Hindernisse vermittelt?
- Ist es verständlich und nachvollziehbar geschrieben?
- Sind die vorgeschlagenen Therapiemaßnahmen vereinbar mit dem aktuellen Stand der Therapieforschung?
- Stimmen die beschriebenen Maßnahmen mit den in der Therapie vertretenen Konzepten und Verfahren überein?
- Liegen Untersuchungsergebnisse für das vorliegende Progamm in der entsprechenden Anwendungsform vor?

Eine Übersicht verhaltenstherapeutisch orientierter deutsch- und englischsprachiger Selbsthilfemanuale findet sich bei Angenendt [1995]. Selbsthilfemanuale wurden bislang vor allem für »leichtere« Störungen und Verhaltensprobleme verfaßt, die sich auf relativ begrenzte Ausschnitte des Erlebens und Handelns einer Person beziehen. Entsprechend den gut dokumentierten Erfolgen verhaltenstherapeutischer Verfahren bei **Angststörungen** finden sich hier besonders vielfältige und differenzierte Angebote, die sich auf isolierte Phobien, Agoraphobie, Panikstörung, generalisierte Angst, soziale Angst und Zwangsstörungen beziehen. Aufgrund ihrer Erprobung in diagnostisch homogenen Patientengruppen können besonders hervorgehoben werden: Mathews et al. [1994] für Agoraphobie, Butler [1985] und Fenell und Butler [1985] für generalisierte Angst, Marks [1992] für verschiedene Angststörungen, Clum [1990] für Panikstörungen.

Weitere Anwendungsfelder sind **Sexualstörungen** (Ejaculatio praecox, Anorgasmie) und Störungen, bei denen »Selbstkontrollverfahren« eine besondere Rolle spielen: z.B. Übergewicht, Rauchen, exzessives Trinken, Verhaltensstörungen (Nägelkauen, Tics). Neben diesen »traditionellen« und gut untersuchten Anwendungsfeldern für manualgestützte Behandlungen gibt es eine Reihe von bisher vereinzelten Versuchen, Selbsthilfemanuale auch für die in **psychiatrischen Kontexten** häufigeren Störungsbereiche, wie Depressionen, Schlafstörungen und kindliche Verhaltensstörungen, einzusetzen.

Sollen Selbsthilfemanuale zum Einsatz kommen, ist die Beachtung folgender **Anwendungsvoraussetzungen** erforderlich: Es sollte aus der diagnostischen Phase eine klare Begründung für den Einsatz des Manuals ableitbar sein. Kontraindikationen müssen ausgeschlossen sein, der Patient muß die individuellen und motivationalen Voraussetzungen für diese Form der Selbstbehandlung erfüllen. Der Therapeut muß das Manual sehr genau kennen, ausreichend Zeit für Verständnisfragen einplanen und die Reaktionen des Patienten auf das Manual berücksichtigen. Für den Fall unzureichender Veränderungen sind alternative, stärker auf therapeutischer Fremdhilfe beruhende Verfahren zu erwägen.

26.5. Schlußbemerkungen

In der Psychiatrie und Psychotherapie sind deutliche Veränderungen des vormalig autoritären und asymmetrischen Rollenverständnisses zu beobachten: »Transparenz«, »Psychoedukation«, »Hilfe zur Selbsthilfe«, »Patient als Experte für seine Erkrankung« sind aktuelle Konzepte, die diese Entwicklung kennzeichnen. Psychische Störungen können durch Therapie häufig nicht endgültig »geheilt« werden, so daß der aktiven Krankheitsbewältigung und – in einigen Fällen – dem Lernen, mit bestimmten Störungen zu leben, große Bedeutung zukommt. Dazu ist komplexes Wissen erforderlich, das dem Patienten in unterschiedlicher Form vermittelt werden kann. Aufklärung und Information (Psychoedukation) sind unverzichtbarer Bestandteil jeder Therapie. Dem Therapeuten steht dazu eine Vielzahl von Hilfsmitteln zur Verfügung, als deren wichtigste schriftliche Materialien gelten können. Bibliotherapeutische Verfahren in Form von Ratgebern und Therapiemanualen sind dabei – besonders in den USA häufig angewandte – Hilfsmittel, störungsspezifisches Wissen und bewährte psychologische Therapieverfahren direkt an die betroffenen Patienten zu vermitteln. Die Bedeutung, die der **Bibliotherapie innerhalb einer Therapie** zukommen kann, hängt von folgenden Faktoren ab:

- Symptombezogene Merkmale (Art und Schwere der Störung, Vorbehandlungen).
- Persönliche Voraussetzungen des Patienten (Motivation, Intelligenz, Lesebereitschaft).
- Intention und Merkmale des Buchs (Ratgeber, Selbsthilfemanual; Umfang, Komplexitätsgrad).
- Von der Frage, ob die Schriften therapievorbereitend, therapiebegleitend oder zur Nachbehandlung zum Einsatz kommen sollen.

Es scheint wichtig, die **Möglichkeiten der Bibliotherapie gezielt und stärker als bisher zu nutzen,** ohne ihren Stellenwert dabei zu überschätzen: In psychiatrischen Populationen sind Patientenratgeber und Selbsthilfemanuale kein Ersatz für Therapie, können aber zur Unterstützung der Therapie zur Anwendung kommen. Bei relativ isolierten Beschwerdebildern, wie Angststörungen, sexuellen Störungen, Übergewicht, Rauchen und zur Verbesserung der allgemeinen Problemlösekompetenz, ist deren Einsatz nachgewiesenermaßen wirksam. Bei den komplexeren und schwereren Störungsbildern sind die Möglichkeiten des Einsatzes didaktischer und edukativer Bücher noch nicht genügend abgesteckt.

Literatur

Angenendt J (1995, im Druck): Patienten-Ratgeber und Selbsthilfe-Materialien. In: Margraf J (Hrsg): Lehrbuch der Verhaltenstherapie. Springer, Berlin.

Backhaus J, Riemann D (im Druck): Schlafstörungen erfolgreich bewältigen. Psychologie Verlags Union, München.

Butler G (1985): Managing anxiety. Hall, Oxford.

Clum GA (1990): Coping with panic. Brooks/Cole, Pacific Grove.

Fennell M, Butler G (1985): Controlling anxiety. Hall, Oxford.

Glasgow RE, Rosen GM (1978): Behavioral bibliotherapy: A review of self-help behavior therapy manuals. Psychological Bulletin *85:* 1–23.

Kieserg A, Hornung WP (1994): Psychoedukatives Training für schizophrene Patienten (PTS). Ein verhaltenstherapeutisches Behandlungsprogramm zur Rezidivprophylaxe. Deutsche Gesellschaft für Verhaltenstherapie, Tübingen.

Klerman GL, Weissman MM, Rounsaville BJ, Chevron (1984): Interpersonal psychotherapy of depression. Basic Books, New York.

Margraf J, Schneider S (1990): Panik. Angstanfälle und ihre Behandlung. Springer, Berlin.

Mathews A, Gelder M, Johnston D (1994): Platzangst. Ein Übungsprogramm für Betroffene und Angehörige. (Deutsche Bearbeitung: Hand I und Fisser-Wilke C). Karger, Basel.

Mueser KT, Glynn SM (1990): Behavioral family therapy for schizophrenia. Progr. Behav. Modif. *26:* 122–149.

Stark FM (1992): Strukturierte Information über Vulnerabilität und Belastungsmanagement für schizophrene Patienten. Verhaltenstherapie *2:* 40–47.

27. Psychopharmakologische Notfalltherapie

Gisbert Eikmeier, Markus Gastpar

Der **psychiatrische Notfall** ist definiert als ein **akut eingetretener seelischer Krankheits- und/oder Leidenszustand,** der zumeist durch »endogene« (vgl. Kapitel 6 und 7), exogene oder organische Psychosen (vgl. Kapitel 4 und 5) bedingt ist und wie der »medizinische Notfall« sofortiger Diagnostik und/oder Therapie bedarf, damit schwerwiegende Folgen für den Patienten und/oder seine Umgebung abgewendet werden können.

Am sinnvollsten werden die **psychiatrischen Notfallsituationen** anhand der bei ihnen vorherrschenden Symptomatik eingeteilt (vgl. Tabelle 27.1), da der psychiatrische Notfallpatient zunächst auf **Symptom- bzw. Syndromebene** beurteilt (und gelegentlich auch behandelt) werden muß. Erst danach sollten ätiologische Überlegungen angestellt oder nosologische Zuordnungen getroffen werden. Genau wie die Beurteilung der psychiatrischen Notfallsituation ist auch die psychopharmakologische Notfalltherapie häufig nicht ursachenspezifisch, sondern symptom- oder syndromgeleitet.

Trotz dieser **Unspezifität vieler psychopharmakologischer Notfallbehandlungen** sollte – wenn irgend möglich – versucht werden, **vor** einer medikamentösen Behandlung eigen- und fremdanamnestische Angaben zu erhalten und den Patienten allgemein-körperlich und neurologisch zu untersuchen, um die Ursache der vorliegenden Notfallsymptomatik zu klären. Für den Arzt ist es daher wichtig, in jeder psychiatrischen Notfallsituation Übersicht und Ruhe zu bewahren und sich die Zeit zu nehmen, mit dem Patienten und gegebenenfalls auch dessen Angehörigen ruhig, offen und aufmerksam zu sprechen. Die **größte Gefahr** in einer psychiatrischen Notfallsituation besteht darin, daß der Arzt sich durch eine hektische Situation, die angstauslösend und beunruhigend wirken kann, emotional »anstecken« läßt und vor dem Versuch, die Ursache der Notfallsituation zu klären, psychopharmakologisch behandelt.

27.1. Ausnahme- und Erregungszustände verschiedener Genese

27.1.1. Bewußtseinsstörungen

Bewußtsein schließt die Summe aller zerebralen und kortikalen Funktionen ein und ist ein Zustand des Wachseins mit psychologisch verstehbarer Reaktionsfähigkeit auf verschiedene externe wie interne Stimuli (vgl. Kapitel 1). **Eine**

Tabelle 27.1. Leitsymptome psychiatrischer Notfallsituationen

Bewußtseinsstörungen	Vigilanzminderung von Somnolenz bis zum Koma
Orientierungsstörungen	Un- oder Fehlinformiertheit zur Zeit, zum Ort, zur Situation und/oder zur eigenen Person
Antriebsstörungen	Erregung oder Antriebsarmut bis zum Stupor
Affektstörungen	Angst und/oder Depressivität mit Suizidalität

Tabelle 27.2. Gradeinteilung der Bewußtseinsstörungen

Somnolenz	Benommenheit, Fragen können beantwortet werden, aber verlangsamt; gezielte und reproduzierbare Abwehrreaktionen auf Schmerzreize
Sopor	Schläfrigkeit, Fragen werden inkonstant und vage beantwortet, auf Schmerzreize inkomplette Wachheit und Abwehrreaktion
Leichtes Koma mit Restreaktion	keine Aufweckbarkeit, Fragen werden nicht beantwortet, auf Schmerzreize primitive unkoordinierte und ungezielte motorische Antworten, Hirnstammreflexe erhalten
Koma ohne Reaktion mit Atemantrieb	auf Schmerzreize allenfalls Streck- oder Beugemechanismen
Schweres Koma ohne jede Reaktion	keinerlei Antwort auf Schmerzreize, fehlender Atemantrieb, häufig Entsteuerung des Kreislaufs, keine spontanen Streck- oder Beugemechanismen

Unterteilung der Bewußtseinsverminderung entsprechend dem Schweregrad gibt die Tabelle 27.2. Zur **Verminderung der Bewußtseinslage** (Vigilanzherabsetzung) kommt es bei Läsionen oder Dysfunktionen beider Hemisphären oder des Hirnstamms. Ursächlich können Bewußtseinsminderungen postiktal auftreten oder durch raumfordernde, entzündliche oder vaskuläre intrakranielle Prozesse hervorgerufen werden (vgl. Kapitel 4). Ferner können sie durch zahlreiche metabolische (z.B. Urämie, Hypoglykämie, diabetisches Koma, hepatische Enzephalopathie, Elektrolytstörungen, endokrine Erkrankungen, anaphylaktische Reaktionen) Erkrankungen und toxisch (z.B. Alkohol oder andere suchterzeugende Stoffe, Lösungsmittel usw.; vgl. Kapitel 5) bedingt sein. Die Bewußtseinsverminderung ist somit – abgesehen von ganz wenigen Ausnahmen – **Kernsymptom akuter exogener oder organischer Psychosen** und schließt praktisch immer das Vorliegen einer »endogenen« Psychose oder einer psychoreaktiven Störung aus. Umgekehrt schließt das Fehlen einer Bewußtseinsstörung das Vorliegen einer exogenen oder organischen Psychose aber nicht aus.

Tabelle 27.3. Sofortmaßnahmen bei soporösen oder komatösen Patienten

Gewährleistung freier Atemwege: Lagerung in Seitenlage oder Kopfseitenlage, Rachentubus, sofortige Intubation bei zentraler Atemstörung.
Anlegen eines parenteralen Zugangs.
Stabilisierung der Herz-Kreislauf-Funktion und deren Überwachung.
Diagnostische Abklärung: laborchemische Untersuchungen, Körpertemperaturmessung, EEG, CT, Liquoruntersuchung usw.
Eventuell Einlegen einer Magensonde.

Patienten mit **verminderter Bewußtseinslage** sollten in der Regel zur Überwachung rasch stationär aufgenommen werden. Bei soporösen und komatösen Patienten sollte dies auf einer Intensivstation erfolgen. Die **allgemeinen Sofortmaßnahmen** bei bewußtseinsgestörten Patienten werden in Tabelle 27.3 angegeben. Eine **psychopharmakologische Therapie** ist bei diesen Patienten kontraindiziert. Bei **Hypoglykämieverdacht** sollten sofort 50 ml 40%ige Glukose intravenös gegeben werden. Bei Verdacht auf **Opiatintoxikation** kann Naloxon (initial 0,4–2 mg intravenös, bei Notwendigkeit weitere Dosen von 0,4–2 mg alle 2 bis 3 Minuten; falls nach insgesamt 10 mg keine Reaktion erfolgt, liegt keine Opiatüberdosierung vor), bei Verdacht auf **Benzodiazepinintoxikation** kann Flumazenil (initial 0,2 mg intravenös innerhalb von 15 Sekunden, falls nötig weitere 0,1 mg nach jeweils 60 Sekunden, maximale Gesamtdosis 1 mg) gegeben werden. Bei Verdacht auf **Wernicke-Enzephalopathie** sollten rasch 100 mg Vitamin B_1 intravenös gegeben werden (vor der Gabe von Glukose!). Alle weiteren spezifischen Therapiemaßnahmen erfolgen erst nach Diagnosensicherung. Bei allen unklaren Bewußtseinsstörungen müssen Blut-, Urin- und Magensaftproben toxikologisch untersucht werden.

27.1.2. Orientierungsstörungen

Alle **akut aufgetretenen Störungen der Orientierung** (Verlust der Fähigkeit, sich in Raum und Zeit, zur Situation und/oder der eigenen Person zu orientieren; vgl. Kapitel 1) stellen neuropsychiatrische Notfallsituationen dar. Ähnlich wie bei den Bewußtseinsstörungen sind echte Störungen der Orientierung praktisch immer exogen (z.B. Intoxikationen) oder organisch (z.B. Stoffwechselerkrankungen, zerebrale Minderdurchblutung, postiktal) bedingt und bedürfen der **raschen Diagnostik.** Eine **psychopharmakologische Behandlung** ist nicht indiziert und zumeist auch nicht erforderlich. Ist die Desorientiertheit allerdings von erheblicher Erregung oder starker Angst begleitet (vgl. Abschnitte 27.1.3 und 27.1.4), ist eine psychopharmakologische Behandlung nicht immer zu umgehen.

27.1.3. Antriebsstörungen

Antriebsstörungen (psychomotorische Störungen) äußern sich entweder durch **Erregung,** die von leicht gesteigertem Bewegungs- und/oder Rededrang bis zu schweren Unruhezuständen mit sinnlosem Umsichschlagen und schneller körperlicher Entkräftung reichen können, oder durch eine **Reduktion der körperlichen und/oder psychischen Aktivität,** die von leichten autistischen Rückzugstendenzen bis zum kompletten Stupor reichen können (vgl. Kapitel 1). Störungen der Psychomotorik können sowohl im Rahmen »endogener« (Katatonie, Manie, Depression) als auch exogener und organischer Psychosen auftreten, kommen aber auch reaktiv bei akuten Belastungen, Persönlichkeitsstörungen und neurotischen Störungen vor (vgl. Kapitel 8, 9 und 11).

Akute Erregungszustände stellen wohl die dramatischsten psychiatrischen Notfälle dar. Dennoch sollte auch bei diesen Patienten oberstes Ziel sein, eine ruhige und sachliche Atmosphäre herzustellen, in der man dann versucht, die Ursache der Erregung zu verstehen. Mit diesem Vorgehen gelingt es häufig, den Patienten soweit zu beruhigen, daß eine Anamnese erhoben und eine körperliche und psychische Untersuchung vor der Gabe von Psychopharmaka durchgeführt werden können. Falls durch ein Gespräch keine ausreichende Beruhigung des Patienten zu erreichen ist und/oder die Gefahr des erneuten Auftretens eines Erregungszustands besteht, sind medikamentöse Therapiemaßnahmen erforderlich. Liegt dem Erregungszustand eine exogene oder organische Ursache (Intoxikation, Stoffwechselstörung, organische Hirnerkrankung) zugrunde, sind Psychopharmaka sehr vorsichtig zu dosieren. Haloperidol kann in Dosen von 5 (bis 10) mg oral oder parenteral gegeben werden. Bei **älteren Menschen** wirkt auch Promazin 50–100 mg oral oder intramuskulär günstig. Beim **»Horrortrip« nach Halluzinogengebrauch** ist Diazepam 10–20 mg intravenös Mittel der Wahl. Bei **Erregungszuständen im Rahmen »endogener« Psychosen oder psychoreaktiver/neurotischer Störungen** kann symptomatisch ebenfalls ein Benzodiazepin (z.B. Diazepam) gegeben werden, gleichzeitig sollte eine spezifische Behandlung der Grunderkrankung eingeleitet werden. Nach Sedierung, besonders mit einem Benzodiazepin, ist die stationäre Überwachung erforderlich.

Gelegentlich ist es bei **schwererregten, krankheitsuneinsichtigen Patienten** zur Gefahrenabwehr erforderlich, auch gegen den Willen des Betroffenen eine medikamentöse Behandlung durchzuführen. Ist dies erforderlich, sollten bestimmte Regeln beachtet werden: Anwesenheit mehrerer Pflegepersonen (wirkt häufig allein für sich beruhigend, so daß der Patient die Medikamente doch noch freiwillig nimmt), Absprechen des Vorgehens (Medikation muß festgelegt sein und bereitstehen, Injektionsart und -ort müssen festgelegt werden), während des gesamten Vorgangs Versuch, mit dem Patienten verbalen Kontakt zu halten und ihm die durchzuführenden Maßnahmen schildern und erklären.

Besteht der Erregungszustand trotz ausreichender Medikation weiter, muß der Patient, sofern er sich oder andere durch die Erregung gefährdet, mechanisch fixiert (gepolsterte Ledergurte!) werden. Dieses Vorgehen sollte aber auf Ausnahmefälle beschränkt bleiben und ist exakt (Zeitraum, Begründung) zu dokumentieren und so rasch wie möglich wieder zu beenden.

Stuporöse Patienten (keine Kontaktaufnahme möglich, keine Spontanbewegungen, keine Schmerzreaktionen, fehlende Nahrungs- und Flüssigkeitsaufnahme, unkontrollierter Stuhl- und Urinabgang) müssen intensivmedizinisch überwacht werden, besonders wenn die Ursache des Stupors ungeklärt ist und/oder wenn Zeichen einer autonomen Dysregulation (Tachykardie, Fieber, starkes Schwitzen, labiler Blutdruck) bestehen. Neben den allgemein-intensivmedizinischen Maßnahmen richtet sich die spezifische Behandlung nach der jeweiligen Grunderkrankung. Ein Stupor im Rahmen einer Depression wird also mit Antidepressiva, ein katatoner Stupor mit Neuroleptika behandelt. Durch Gabe eines Anxiolytikums (z.B. Lorazepam 2 mg intramuskulär oder intravenös) gelingt es gelegentlich, stuporöse Zustandsbilder bei »endogenen« Psychosen (vgl. Kapitel 6) für kurze Zeit zu durchbrechen. Dann ist ein verbaler Kontakt mit dem Patienten möglich und die zugrundeliegende Psychopathologie (z.B. Angst, Wahn, Halluzinationen) kann exploriert werden.

Als **perniziöse (febrile) Katatonie** wird ein lebensbedrohliches Zustandsbild mit Stupor oder schwerer Erregung (gelegentlich im Wechsel), erhöhtem Tonus der Skelettmuskulatur, Fieber über 38 °C (bei fehlendem Infekt) und anderen Zeichen der autonomen Dysregulation bezeichnet, das (allerdings selten) im Rahmen schizophrener Psychosen auftreten kann (vgl. Kapitel 6). Neuroleptika sind häufig bei perniziösen Katatonien nicht oder nicht ausreichend wirksam. Das Mittel der Wahl bei dieser Erkrankung ist die Elektrokrampftherapie in Kurznarkose (vgl. Kapitel 16). Differentialdiagnostisch muß bei neuroleptisch anbehandelten schizophrenen Patienten das **maligne neuroleptische Syndrom** von der perniziösen Katatonie abgegrenzt werden. Beim malignen neuroleptischen Syndrom handelt es sich um eine seltene Komplikation der Behandlung mit antidopaminerg wirkenden Substanzen (besonders Neuroleptika), die gekennzeichnet ist durch Rigor, Bewußtseinsstörung, Fieber über 38 °C und weiteren Zeichen der autonomen Dysregulation. Beim Verdacht auf Vorliegen eines malignen neuroleptischen Syndroms sind sofort alle antidopaminergen Substanzen abzusetzen, und der Patient muß intensivmedizinisch überwacht werden. Eine Übersicht über spezifische Behandlungsmöglichkeiten des malignen neuroleptischen Syndroms gibt Tabelle 27.4.

Tabelle 27.4. Therapeutische Maßnahmen beim malignen neuroleptischen Syndrom

Absetzen aller Neuroleptika (und anderer antidopaminerger Substanzen).
Intensivmedizinische Überwachung.
Möglicherweise Behandlung mit:
- Amantadin 200–400 mg täglich oral, 200 mg täglich langsam intravenös;
- Bromocriptin 5–30 (60) mg täglich oral;
- *L*-Dopa 75–300 mg täglich;
- Dantrolen 100–400 mg täglich oral oder 1–2 mg/kg Körpergewicht langsam intravenös;
- Lorazepam 1,5–2 (3) mg täglich.

27.1.4. Affektstörungen

Akut aufgetretene Angst und Depressivität mit Suizidalität stellen die beiden psychiatrischen Notfallsituationen dar, in denen Störungen des Affekts im Vordergrund stehen. Der **akute Angstanfall (Panikattacke)** ist ein plötzlich ohne erkennbaren Grund auftretender Zustand mit Todesangst, der häufig begleitet wird von körperlichen Beschwerden (Thoraxschmerzen, Hitzewallungen oder Kälteschauern, Parästhesien, abdominellen Beschwerden, Erstickungsgefühl, Zittern, Tachykardie, Ohnmachtsgefühl; vgl. Kapitel 8). Abzugrenzen und spezifisch zu behandeln sind Angstzustände, die im Rahmen »endogener«, exogener oder organischer Psychosen auftreten. Die Panikattacke bessert sich nicht selten allein durch die Anwesenheit eines Arztes oder während eines beruhigenden und klärenden Gesprächs (vgl. Kapitel 17 und 28). Führt dies nicht zu einer ausreichenden Besserung, kann ein anxiolytisches Benzodiazepin (z.B. Diazepam 5–20 mg, Lorazepam 2 mg) gegeben werden.

Depressivität mit Suizidalität kann im Rahmen fast aller psychischen Erkrankungen, aber auch als Reaktion auf körperliches Kranksein auftreten oder pharmakogen induziert sein. Es ist wichtig, den Patienten vertrauens- und verständnisvoll nach Suizidalität zu fragen und gegebenenfalls deren Intensität abzuschätzen (Gedanken ans Sterben, Selbstmordgedanken, Gedanken an eine konkrete Selbstmordmethode, konkrete Vorbereitungen für eine Selbstmordhandlung; vgl. Kapitel 28). Bei allen Patienten mit Suizidalität sind konkrete Maßnahmen zu ergreifen, um eine Suizidhandlung zu verhindern. Gelegentlich wird es möglich sein, eine ausreichende Betreuung des suizidalen Patienten durch Angehörige oder Freunde sicherzustellen. In allen anderen Fällen – besonders wenn es in der unmittelbaren Vorgeschichte bereits zu Suizidversuchen gekommen ist – muß die Aufnahme auf eine psychiatrische Station (eventuell auch gegen den Willen des Patienten!) erfolgen. Die spezifische Behandlung von Depressivität und Suizidalität richtet sich nach der zugrundeliegenden Erkrankung; symptomatisch kann bei ausgeprägter Suizidalität ein sedierendes

Tabelle 27.5. Psychopathologische Symptome und Möglichkeiten der Antidotbehandlung bei Drogenintoxikationen

Substanz	Psychopathologische Symptomatik	Antidot
Opiate	Euphorie, später Bewußtseinsstörung bis Koma	Naloxon
Kokain	Euphorie, Erregung, Halluzinationen, Wahn, Delir	–
Amphetamine	Euphorie, Erregung, Angst, Wahn, Halluzinationen, gelegentlich Suizidalität	–
Halluzinogene	Wahrnehmungsverzerrung, Halluzinationen, Wahn, Angst	–
Cannabis	initial Euphorie, später Somnolenz, Halluzinationen	–
»Schnüffelstoffe«	Euphorie, Bewußtseinsstörungen bis Koma, Halluzinationen	–

Tabelle 27.6. Psychopathologische Symptome und Möglichkeiten der Antidotbehandlung bei Psychopharmakaintoxikationen

Substanz	Psychopathologische Symptomatik	Antidot
Neuroleptika	Bewußtseinsstörungen bis zum Koma, Delir	bei Zeichen der zentral-anticholinergen Intoxikation: Physostigmin
Antidepressiva	Bewußtseinsstörungen bis zum Koma, Delir	bei Zeichen der zentral-anticholinergen Intoxikation: Physostigmin
Benzodiazepine	Bewußtseinsstörungen bis zum Koma, selten paradoxe Reaktionen mit Erregung	Flumazenil
Barbiturate	Bewußtseinsstörungen bis zum Koma	–
Lithiumsalze	Bewußtseinsstörungen bis zum Koma	–
MAO-Hemmer	Bewußtseinsstörungen bis zum Koma	–

Neuroleptikum (z.B. Levomepromazin, Chlorprothixen) oder ein Benzodiazepin (z.B. Diazepam, Lorazepam) gegeben werden.

27.1.5. Behandlung von Intoxikationen

Die Behandlung von Intoxikationen (akzidenteller oder suizidaler Ursache) richtet sich nach den **Richtlinien zur Versorgung medizinischer Notfälle:** Nach der Diagnosenstellung erfolgen Elimination des Gifts (Auslösen von Erbrechen, Magenspülung), Neutralisation und/oder symptomatische Therapie (siehe Lehrbücher der Intensivmedizin). Welche Behandlungsstrategie eingeschlagen wird, hängt entscheidend von den Bedingungen des Einzelfalls ab: Alter des Patienten, eingenommene Substanz bzw. -menge, Zeitpunkt der Einnahme, aktuelle Symptomatik. Die Tabellen 27.5 und 27.6 geben eine Übersicht über die psychopathologische Symptomatik und gegebenenfalls spezifische Antidotbehandlungen bei Intoxikationen mit Drogen und Psychopharmaka, verdeutlichen aber auch, daß die psychopathologische Symptomatik der Drogen- und Psychopharmakaintoxikation uncharakteristisch ist. Immer sollte man auch das Vorliegen von Mischintoxikationen in Betracht ziehen.

27.1.6. Delir und Entzugsbehandlung

Nach dem **Absetzen psychotroper Substanzen** (Alkohol, Drogen, Medikamenten) kann es zum **Auftreten von Entzugssymptomen** unterschiedlicher Intensität kommen (vgl. Kapitel 4 und 5). Deren schwerste Ausprägung stellt das **Delir** dar. Bei der Mehrzahl der Entgiftungsbehandlungen treten **vegetative Symptome** (gastrointestinale Störungen, Hyperhidrosis, Tremor, Tachykardie, Schlafstörungen, selten Fieber) auf. Psychisch schildern sich die Patienten häufig als innerlich unruhig und/oder ängstlich. Bei einem kleinen Teil der Patienten (z.B. 10–15% der stationär zur Entgiftung aufgenommenen Alkoholiker) entwickeln sich ohne Vorboten oder aus dem beschriebenen vegetativen Entzugssyndrom heraus die **psychopathologischen Symptome des Delirs** (vgl. Kapitel 4): Bewußtseinsstörungen, Desorientiertheit, Halluzinationen, Verkennung der Umgebung, Auffassungsstörungen, Suggestibilität, psychomotorische Unruhe.

Der Begriff **Entzugsdelir** wird teilweise nur dann verwandt, wenn alle genannten Symptome vorliegen. Liegen nur einzelne dieser Symptome vor, wird recht unpräzise von »Prädelir« gesprochen. Teilweise wird der Begriff »Delir« aber auch sehr weit gefaßt, und alle Entzugssyndrome, bei denen zu irgendeinem Zeitpunkt – wenn auch nur flüchtig – ein Delirsymptom auftritt, als »Entzugsdelir« bezeichnet. Zur **Einschätzung der Schwere** ist deshalb die exakte psychopathologische Beschreibung wichtig. Leichte bis mittelschwere vegetative Entzugssyndrome bedürfen häufig überhaupt keiner psychopharmakologischen Behandlung. **Schwere vegetative Entzugssyndrome** können mit sedierenden Psychopharmaka [z.B. Doxepin 150–250 mg täglich, Perazin 100–300 (600) mg täglich, Levomepromazin 50–150 mg täglich] kupiert werden. Alternativ bietet sich Carbamazepin 300–800 (1600) mg täglich an. Bei Auftreten psychopathologischer **Delirsymptome** oder wenn ein schweres vegetatives Entzugssyndrom bei Patienten mit begleitenden schweren körperlichen Erkrankungen und/oder einer Vorgeschichte mit Delir oder Entzugsanfällen auftritt, sollte mit Clomethiazol behandelt werden. Die Behandlung orientiert sich an dem Ziel, den deliranten Patienten in einen schläfrigen Zustand zu versetzen, aus dem er jederzeit leicht weckbar ist: Ist eine orale Medikation möglich, kann initial mit 2–4 Kapseln Distraneurin (1 Kapsel enthält 0,192 g Clomethiazol) begonnen werden. Tritt nach 30–60 Minuten noch keine Sedierung ein, kann die gleiche Dosis nochmals gegeben werden (Höchstdosis 6–8 Kapseln innerhalb von 2 Stunden).

Für die weitere Behandlung reichen meistens 3–6mal 2 Kapseln Distraneurin täglich aus (Maximaldosis 20 Kapseln täglich). Ist eine orale Medikation nicht möglich oder nicht ausreichend, ist die Behandlung mit Clomethiazolinfusionen indiziert (Maximaldosis 2500 ml Distraneurin täglich, entsprechend 12,6 g Clomethiazol). Wegen der Gefahren (zu starke Bewußtseinsstörung bei zu rascher und/oder hoher Clomethiazolgabe, zentrale Atemdepression, Kreislaufversagen, Sucht) darf Clomethiazol nur unter stationären Bedingungen (bei Infusionsbehandlungen intensivmedizinische Überwachung!) und nicht länger als 14 Tage gegeben werden. Größte Vorsicht ist bei der Kombination von Clomethiazol mit anderen zentral wirksamen Substanzen geboten. Prinzipiell ist eine Behandlung des Entzugsdelirs auch mit Benzodiazepinen (z.B. Diazepam, Chlordiazepoxid) möglich, im deutschsprachigen Raum wird dieses Vorgehen aber kaum praktiziert.

Beim **schweren Alkoholentzugssyndrom oder beim Delir** ist zur Prophylaxe der Wernicke-Enzephalopathie eine zusätzliche Behandlung mit 100 mg Thiamin (Vitamin B_1) sinnvoll. Eine delirante Symptomatik kann auch im Rahmen eines **zentral-anticholinergen Intoxikationssyndroms** (»anticholinerges Delir«; vgl. Kapitel 4) auftreten (Leitsymptom zur Abgrenzung vom Alkoholentzugsdelir: rote trockene Haut). Symptomatisch kann bei solchen Patienten ebenfalls mit Distraneurin gearbeitet werden. Ist die Diagnose »anticholinerges« Delir gesichert, ist aber auch eine spezifische Antidottherapie mit dem reversiblen Cholinesterasehemmer Physostigmin möglich (Kontraindikationen beachten!). Initial werden 2 mg Physostigmin über 5 Minuten langsam intravenös injiziert. Bei fehlender Wirkung können nach 15 Minuten erneut 2 mg injiziert werden. Dies gilt auch, wenn nach initialer Besserung erneut Symptome auftreten.

Andere exogene oder organische Delire (vgl. Kapitel 4 und 5) können symptomatisch ebenfalls mit Distraneurin behandelt werden. Immer muß aber eine gleichzeitige Behandlung der Grundkrankheit eingeleitet werden.

Literatur

Banger M, Philipp M, Herth T, Hebenstreit M, Aldenhoff J (1992): Development of a rating scale for quantitative measurement of the alcohol withdrawal syndrome. European Archives of Psychiatry and Clinical Neuroscience *241:* 241–246.

Benkert O, Hippius H (1994): Psychiatrische Pharmakotherapie. Springer, Berlin.

Laux G (1992): Pharmakopsychiatrie. Fischer, Stuttgart.

Riederer P, Laux G, Pöldinger W (1992): Neuropsychopharmaka, vol 4: Neuroleptika. Springer, Wien.

Saitz R, Mayo-Smith MF, Roberts MS, Redmond HA, Bernard DR, Clakins D (1994): Individualized treatment for alcohol withdrawal. Journal of the American Medical Association *272:* 519–523.

28. Kurzpsychotherapie und Krisenintervention

Wolfgang Schneider

28.1. Historische Anmerkungen

Die Konzeptualisierung von Kurzpsychotherapien auf dem **Hintergrund der Psychoanalyse** hat eine lange Tradition, auf die im folgenden näher eingegangen werden soll. Die Polarisierung von Langzeit- versus Kurzzeitpsychotherapie ist jedoch nur innerhalb der Psychoanalyse derart akzentuiert, weil es hier die extrem langen Behandlungsverläufe von 500 oder mehr Stunden gibt, die oft über mehr als 3 Jahre gehen. Bei anderen psychotherapeutischen Richtungen, z.B. der Verhaltenstherapie oder der Gesprächspsychotherapie, spielen Langzeitbehandlungen sowohl auf der konzeptionellen Ebene als auch in der praktischen Arbeit keine derart gravierende Rolle. Für die Psychoanalyse muß eingangs darauf hingewiesen werden, daß in ihren Anfangsjahren die psychoanalytischen Behandlungen relativ kurz waren, sie dauerten häufig nur wenige Monate. Dennoch hat sich Freud [1905] für die lange Dauer seiner Psychoanalysen entschuldigt. Nachdem diese seit Beginn des neuen Jahrhunderts immer länger dauerten, thematisierte Freud erneut die Frage der Behandlungsdauer. Die Gründe dafür lagen vor allem in ökonomischen Gesichtspunkten und dem damit verbundenen Ziel, die Psychoanalyse einer größeren Zahl von Patienten, nicht nur den Wohlhabenden, zukommen zu lassen. Dabei spielte auch der Erste Weltkrieg und der Bedarf an Psychotherapie durch Soldaten eine Rolle. In diesem Kontext formulierte Freud seine bekannte Aussage, daß die Psychoanalytiker sehr wahrscheinlich genötigt sein würden, »in der Massenanwendung unserer Therapie das reine Gold der Analyse reichlich mit dem Kupfer der direkten Suggestion zu legieren« [1918, S. 193].

Es gab dann eine Reihe **inhaltlicher Auseinandersetzungen** zwischen Freud und seinen Schülern Ferenczi und Rank in den 20er Jahren, bei denen besonders die Frage thematisiert wurde, inwieweit für eine erfolgreiche Therapie die Aufarbeitung der Kindheitskonflikte notwendig sei. Betont wurde die Beachtung des aktuellen emotionalen Erlebens in der therapeutischen Beziehung, in dem sich die relevanten Konflikte aus der Kindheit abbilden würden. Darüber hinaus forderten Ferenczi und Rank eine aktivere Vorgehensweise des Therapeuten in der Behandlung, die zu einer Zuspitzung der Grundkonflikte führen würde. Ein höheres Ausmaß an emotionaler Einfühlung des Therapeuten könnte dann noch dazu verhelfen, daß der Patient nicht zu lange in seiner neurotischen emotionalen Einstellung gegenüber dem Therapeuten verharrt (als Ausdruck der Übertragung) und so der Prozeß der Behandlung beschleunigt würde.

Die hier skizzierte Debatte flammte in den 40er Jahren erneut auf; daraus entwickelte sich eine Reihe unterschiedlicher psychodynamisch orientierter Kurztherapien. Eng verwoben mit der Konzeptualisierung kurzpsychotherapeutischer Ansätze war die **Entwicklung von Kriseninterventionsmodellen.** Einer der ersten systematischen Ansätze der Krisenintervention wurde 1944 von E. Lindemann bei der psychosozialen Unterstützung von Opfern der »Coconut-Grove«-Feuerkatastrophe in Boston entwickelt. In der Folge sind in den USA »Walk-in«- und Notfallkliniken in Allgemeinkrankenhäusern entstanden, deren Ziel die psychosoziale Unterstützung von Menschen in Krisensituationen ist. Auch in Deutschland existieren heute etliche Krisenzentren, oft zur Behandlung bei suizidalen Krisen. Bei einer nicht zu vernachlässigenden Zahl von Kriseninterventionen taucht die Frage auf, ob nicht eine weitergehende psychotherapeutische Maßnahme, oft im Sinne einer Kurzpsychotherapie, indiziert sei. Gleichzeitig weisen Techniken der Kurzpsychotherapie ähnliche oder gleiche Strukturelemente sowie Zielsetzungen wie Kriseninterventionen auf.

Im folgenden werden zur Charakterisierung der Problemstellungen relevante Aspekte der Kurzpsychotherapie wie der Krisenintervention aufgezeigt. Diese beziehen sich auf die Variablen des Patienten, der therapeutischen Mittel und der Zielsetzungen.

28.2. Psychodynamische Kurzpsychotherapie

Auch wenn die unterschiedlichen psychodynamisch orientierten kurzpsychotherapeutischen Konzepte sich in relevanten Aspekten unterscheiden, gehen sie doch von zu verallgemeinernden **Grundannahmen** aus, die Strupp und Binder [1991] wie folgt zusammenfaßten:

- Auch kurze psychodynamisch orientierte Therapieformen sind in der Lage, bei Patienten mit gravierenden neurotischen Erkrankungen oder Persönlichkeitsstörungen nachhaltige Erfolge zu erzielen, die auch bleibende Veränderungen in der Persönlichkeitsstruktur umfassen.
- Die relevanten Behandlungsprinzipien, wie das deutende Vorgehen und die Konzepte der Übertragung und des Widerstands, stellen essentielle Bausteine dieser Therapie dar.

28.2.1. Indikation

Welche Kriterien muß ein Patient erfüllen, damit für ihn eine verstehende dynamisch orientierte Kurzpsychotherapie indiziert ist? Die Art der vorliegenden psychischen Störung (die Diagnose) hat insgesamt wenig Aussagekraft.

Relevanter für die **Patientenselektion** sind die Aspekte seiner Intelligenz, Beziehungsfähigkeit und Introspektionsfähigkeit und seine Möglichkeit, eigenes emotionales Geschehen zu erleben und in die Behandlung einzubringen. Wichtig für diese kurzen Behandlungsverfahren ist seine Fähigkeit, zum Therapeuten eine tragfähige Beziehung eingehen zu können und auf dieser Basis seine relevanten Probleme oder ein ausgewähltes Problem zu bearbeiten. Es hat sich weiter gezeigt, daß die Patienten auch eine hohe Psychotherapiemotivation aufweisen müssen und insgesamt eine hohe kognitive und emotionale Belastbarkeit zeigen sollten.

Sifneos, ein amerikanischer Wissenschaftler und Psychotherapeut, hat zwischen einer eher **aufdeckenden »angstfördernden« Kurzpsychotherapie** und einem **stützenden»angstlösenden« Ansatz** unterschieden. Für die erste Form der Kurzpsychotherapie sollten die Patienten die eben beschriebenen Voraussetzungen mitbringen. Patienten, die Zeit ihres Lebens nur eine ungenügende psychosoziale Entwicklung aufgewiesen haben, besonders in ihrer Beziehungsfähigkeit massive Probleme haben und an alltäglichen Bedingungen zu scheitern drohen, sollten eher mit angstlindernden oder supportiven Techniken behandelt werden. Dazu gehören z.B. die emotionale Entlastung des Patienten, die Unterstützung bei konkreten Problemen des Alltags, aber auch die ergänzende psychopharmakologische Hilfe. Bei Patienten mit Persönlichkeitsstörungen (z.B. des Borderline-Typs) kann es notwendig werden, daß der Therapeut während der Behandlung wichtige Ich-Funktionen des Patienten zumindest zeitweise übernimmt (z.B. die Setzung von Grenzen, die Kontrolle der Realität).

Diese Differenzierung zwischen einer **»verstehenden« oder »aufdeckenden« Psychotherapie und der »stützenden« bzw. »supportiven« Behandlung** hat sich im übrigen auch für längerdauernde Psychotherapieformen eingebürgert. Letztlich enthalten psychotherapeutische Behandlungen in der Regel sowohl stützende als auch verstehende Elemente; das Verhältnis der jeweiligen Anteile variiert jedoch bei den verschiedenen Behandlungen abhängig von den Patienten- und Therapeutenvariablen.

Zentrale **Veränderungen des therapeutischen Handelns** bei den verschiedenen psychodynamisch ausgerichteten Kurztherapiemethoden betreffen den Umgang mit der Lebensgeschichte des Patienten und seinen charakteristischen Übertragungsmustern. Alexander und French [1946] hinterfragten die Annahme der klassischen Psychoanalyse, daß es eine lineare Beziehung zwischen dem Ausmaß an Aufarbeitung von vergangenem psychodynamisch bedeutsamem lebensgeschichtlichem Material des Patienten und den therapeutischen Veränderungen gebe. Entscheidend für den **Therapieerfolg** sei weniger die Erinnerung markanter kindlicher und frühkindlicher Erfahrungen als die Bearbeitung neurotischer Konflikte oder kritischer Entwicklungslinien, wie sie sich in den gegenwärtigen Übertragungen des Patienten zum Therapeuten darstelle. In der **therapeutischen Handhabung der Übertragungsphänomene und -beziehungen** beschritten sie dann einen grundlegend anderen Weg als »klassisch« arbeitende Psychoanalytiker. Der Therapeut sollte sich deutlich von den ihm von den Patienten zugeschriebenen Handlungs- und Rollenzuweisungen abheben und dem Patienten dadurch eine beschleunigte und vertiefte Möglichkeit der Korrektur seiner neurotisch getönten Erwartung an den Therapeuten ermöglichen. Dies bedeutet beispielsweise, daß der Analytiker auf einen Patienten, der aufgrund seiner spezifischen Lebensgeschichte dem Therapeuten eine dominierende und kalte Haltung zuschreibt, bewußt einfühlsam, gewährend und akzeptierend reagiert. Darüber hinaus thematisierten diese Autoren die Gefahr der Abhängigkeit des Patienten vom Therapeuten und befaßten sich mit unterschiedlichen Möglichkeiten der Minimierung dieser Tendenz über die Variation der Behandlungsdauer, der Einführung von Therapieunterbrechungen und der Festsetzung des Behandlungsendes.

Eine **strikte Form der zeitlichen Begrenzung** der Therapie wurde vom Bostoner Psychoanalytiker James Mann entwickelt. Die Therapien umfaßten jeweils 12 Sitzungen mit einer Frequenz von 1 Stunde pro Woche. Die bewußte Handhabung des Faktors Zeit stellte konzeptionell einen bedeutsamen therapeutischen Wirkfaktor dar. Nach der Vorstellung Manns sind die therapeutisch zu bearbeitenden Konfliktkonstellationen durch den Wunsch des Patienten nach »unendlicher Zuwendung und Liebe« einerseits und dem unbewußten Wissen der Patienten, daß diese Bedürfnisse nur begrenzt erfüllt werden können, charakterisiert. In dieser Form der Therapie soll dem Patienten letztlich eine Korrektur seiner bedeutsamen neurotischen Konflikte und Selbstwertprobleme gelingen und eine weniger belastende Trennung vom Therapeuten ermöglicht werden, als es ihm in den vergangenen Beziehungen mit relevanten Bezugspersonen möglich war. Einen zentralen Stellenwert bei dieser Therapieform nimmt die Bearbeitung des Therapieendes für das Selbstkonzept des Patienten ein.

Einen weiteren akzentuierten kurzpsychotherapeutischen Ansatz stellt die **Fokaltherapie** (Balint und in der Folge Malan) dar. Bei Patienten mit nachhaltigen und häufig chronifizierten Störungen wird in der ersten Phase der Behandlung ein Fokus (ein umgrenzter Problembereich) herausgearbeitet, der einen engen Zusammenhang zur aktuellen Problematik des Patienten aufweist. Gegebenenfalls werden während der Therapie weitere Foki hinzugenommen, soweit diese einen Bezug zum ursprünglichen Schwerpunkt aufweisen. Methodisch legt dieser Therapieansatz dann großen Wert auf die **Arbeit an der Übertragung** (vgl. Kapitel 18 und 33). Die charakteristischen Übertragungsmuster der Patienten werden dann vom Analytiker interpretativ in einen lebensgeschichtlichen Zusammenhang gestellt und dem Patienten als Deutung angeboten. Das methodische Vorgehen orientiert sich also eng am verstehenden Vorgehen der klassischen Psychoanalyse mittels der Deutung; der inhaltliche oder thematische Rahmen der Behandlung ist jedoch auf den Fokus begrenzt. Diese Therapieform ist vor allem bei Patienten geeignet, bei denen sich ein umschriebener Fokus herausarbeiten läßt und die mit der Methode der Deutung konstruktiv umgehen können. Soweit die Patienten Widerstände gegenüber den Interpretationen erkennen lassen, wird auf dem Hintergrund dieser Technik aktiv am Therapiewiderstand gearbeitet. Das Verhalten des Patienten wird diesem z.B. als Widerstand gedeutet, verbunden mit der Intention, die Therapiewiderstände aufzulösen und damit den Weg für Veränderungsprozesse freizumachen.

Unter **Therapiewiderstand** werden in diesem Zusammenhang unbewußt motivierte Handlungen oder Einstellungen des Patienten verstanden, die sich gegen die therapeutischen Veränderungsprozesse richten. Nach der psychoanalytischen Konzeptualisierung geht der Widerstand aus unbewußten Ich-Anteilen hervor. Als Widerstand können z.B. das Nichtannehmenkönnen einer Deutung, das Schweigen in der Behandlung oder das Zuspätkommen gedeutet werden.

Weitere psychodynamisch orientierte Kurztherapiemodelle nehmen weniger stark Bezug auf die psychoanalytische Konflikttheorie, sondern berücksichtigen stärker Vorstellungen zur Objektbeziehungstheorie (vgl. Kapitel 18 und 33) oder der Ich-Psychologie. Für diese Verfahren stellt die Arbeit an der aktuellen Beziehung zwischen Therapeut und Patient eine zentrale Bedeutung dar. Die Patienteneinstellungen und -haltungen gegenüber dem Therapeuten werden daraufhin untersucht, inwieweit sie dysfunktionale oder neurotisch verzerrte Elemente aufweisen, die dem Patienten in seinen aktuellen Beziehungen Schwierigkeiten bereiten könnten. Eine systematische Konzeptualisierung und Herausarbeitung von Technikvariablen findet sich bei Strupp und Binder [1991].

28.2.2. Zusammenfassende Bewertung

Kurzpsychotherapeutischen Ansätze umfassen ein weites und durchaus divergierendes inhaltliches Spektrum. Wenn hier ausschließlich psychodynamisch ausgerichtete Verfahren vorgestellt wurden, liegt dies daran, daß die systematische Diskussion und Konzeptualisierung des Faktors der Therapiezeit oder -dauer auf dem Hintergrund der klassischen Psychoanalyse eine besondere Dringlichkeit aufgewiesen hat. Für viele Psychoanalytiker war die Kurzzeitpsychotherapie gegenüber der hochfrequenten und langen Behandlungsdauer der Psychoanalyse ein Verfahren der zweiten Wahl, das bestenfalls für leichter gestörte Patienten geeignet schien. Die praktischen Erfahrungen, aber auch wissenschaftliche Überprüfungen, haben zeigen können, daß diese Behandlungsansätze durchaus bei Patienten mit ernsthaften psychoneurotischen Krankheiten, Persönlichkeitsstörungen oder psychosomatischen Erkrankungen bedeutsame Therapieeffekte aufweisen können. Kurzpsychotherapien können jedoch nicht nur in der Form einer **Einzelbehandlung** durchgeführt werden, sondern **auch als Gruppenbehandlung.**

Berücksichtigt werden muß unbedingt, daß durch andere Therapieschulen eine **große Zahl von Therapie- oder Interventionstechniken** entwickelt worden ist, die als Einzel- oder Gruppenverfahren durchaus den Kurzpsychotherapien zugerechnet werden können. Dazu zählen z.B. Entspannungsverfahren, Biofeedback-Methoden, Verfahren zur Angstbehandlung oder Methoden der kognitiven Verhaltenstherapie, wie die Depressionsbehandlung nach Beck, die alle auf dem Hintergrund der Verhaltenstherapie entwickelt worden sind (vgl. Kapitel 19). Auch ausgewählte Methoden der humanistischen Psychologie, wie die Gesprächspsychotherapie (vgl. Kapitel 20) oder das Psychodrama (vgl. Kapitel 21) können oftmals als Kurzzeittherapien angesehen werden. Bemerkenswert ist die wachsende Tendenz der **empirischen Überprüfung** der Therapieerfolge und der therapeutischen Wirkweisen, die sich im Kontext der Kurzpsychotherapien entwickelt hat. Dies gilt besonders für die Psychoanalyse, die auf dem Feld der Langzeittherapie bislang kaum Anstrengungen unternommen hat, ihre Behandlungsmodi und Therapieergebnisse zu überprüfen.

Offen ist eigentlich nach wie vor, wieviele Stunden eine Behandlung dauern kann oder über welchen **Zeitraum** sie sich erstrecken darf, damit wir noch von einer Kurzzeittherapie sprechen können. Die Angaben variieren zwischen 5 oder 6 Stunden über eine Zahl von 10 bis 20 Stunden bis zu etwa 40 oder 50 Stunden Behandlungsdauer. Die Dauer derartiger Behandlungen kann dann bei einer Frequenz von 1 Stunde pro Woche bei 1 Jahr liegen. Insgesamt sind wir heute jedoch noch weit von der Situation entfernt, wissenschaftlich exakte Angaben über den Einfluß verschiedener therapeutischer Variablen auf den Therapieverlauf oder den Therapieerfolg machen zu können. Dies gilt auch für die Parameter der Stundenzahl und der Stundenfrequenz.

28.3. Krisenintervention

Ansätze zur Krisenintervention haben sich in extremen sozialen Situationen, z.B. der Wirtschaftskrise und Massenarbeitslosigkeit in den 20er Jahren in den Niederlanden, oder, wie bereits angesprochen, nach einer akuten Brandkatastrophe in den USA entwickelt. Es stellt sich hier sehr gut der Zusammenhang zwischen der Entwicklung neuerer klinischer Methoden und des gesellschaftlichen Bedarfs dar; dies haben wir ja auch schon für die Entwicklung der Kurzpsychotherapie sehen können.

Was ist eine Krise? Eine Krise kann jedes Ereignis oder Vorkommnis sein, daß geeignet ist, die Fähigkeit eines Individuums zur Bewältigung der mit dem Ereignis für ihn verbundenen emotionalen, kognitiven und handlungsbezogenen Anforderungen zu überfordern.

Nicht bei jedem Individuum wirkt die gleiche Belastungssituation (z.B. Naturkatastrophe, Verlust eines nahen Angehörigen, eigene schwere Erkrankung) in gleicher Weise. Kann der Verlust eines Lebenspartners beim einen Menschen über eine Trauerreaktion zur Neuorientierung führen, so kann dieser bei einem anderen Individuum zum nachhaltigen und dauerhaften seelischen und/oder körperlichen Zusammenbruch führen. Die Frage, inwieweit belastende Ereignisse zu einer Krise führen, hängt somit nicht nur von der Qualität des Ereignisses ab, sondern auch von der Fähigkeit des Individuums, die mit der Situation verbundenen Anforderungen zu bewältigen. In der wissenschaftlichen Literatur hat sich für den Begriff der Bewältigung der Terminus »**coping**« (vgl. Kapitel 35) eingebürgert . Die Fähigkeit zur Bewältigung belastender Ereignisse ist abhängig von Aspekten der Persönlichkeitsentwicklung des Patienten, z.B. seiner Abwehrstruktur, seinen emotionalen und kognitiven Voraussetzungen (Ich-Stärke), seiner Flexibilität sowie seinen sozialen Beziehungen. Gerade die Verfügbarkeit geeigneter emotionaler, aber auch praktischer Unterstützung durch den sozialen Bezugsrahmen (Netzwerk) scheint eine wichtige Rolle bei der Bewältigung von krisenhaften Ereignissen zu spielen. Dazu gehört auch die Unterstützung durch professionelle Helfer, wie sie die Krisenintervention darstellt.

Infolge einer Krise kann es zu akuten psychischen Beeinträchtigungen kommen, die sich entweder durch Depressivität oder Hoffnungslosigkeit bis hin zur Suizidalität darstellen können oder durch massive Ängste und damit verbundene körperliche Symptome und Hilflosigkeit charakterisierbar sind. Darüber hinaus kann es auch zu psychotischen Dekompensationen kommen.

Je nach Art der krisenhaften Symptomatik ist immer auch abzuwägen, ob nicht akut neben einer geeigneten psychosozialen Hilfe auch eine medikamentöse Maßnahme (z.B. zur Angstreduzierung oder zur Behandlung akuter psychotischer Symptome) angezeigt ist.

Das **Ziel der Krisenintervention** besteht in der aktuellen emotionalen Entlastung des Individuums und in der Unterstützung bei der Bewältigung der Krise. Eine grundlegende Veränderung der Persönlichkeit des Betroffenen ist erst einmal nicht indiziert. Unter Umständen erweist sich jedoch während oder nach einer Krisenintervention eine weitergehende psychotherapeutische Hilfe als angezeigt.

Tabelle 28.1. Technik der Krisenintervention (angelehnt an Jacobson)

Abfuhr und Bearbeitung belastender Affekte, Entlastung von drängenden Symptomen.
Der Krisenauslöser muß exploriert und verstanden werden.
Erarbeitung einer Definition der Krisenbedingungen gemeinsam mit dem Betroffenen.
Aktivierung nützlicher gewohnter Handlungsmuster bzw. Erarbeitung neuer Problemlösungsansätze.
Rückblickende Bewertung der Krise sowie ihrer Entstehungsbedingungen und Ausarbeitung von Möglichkeiten der zukünftigen Prophylaxe.

In einer Reihe von Fällen werden durch Krisen auch bislang latent gebliebene neurotische Problemkonstellationen aktiviert, die dann zu einer manifesten psychischen oder psychosomatischen Symptomatik führen und eine weitergehende psychotherapeutische Behandlung indizieren. Dies ist auch hin und wieder beim Auftreten akuter oder chronischer körperlicher Krankheiten festzustellen.

Wichtig ist, bei der **Intervention in Krisensituationen** die Dringlichkeit der Unterstützung richtig einzuschätzen, also nicht zu spät zu handeln. Bei depressiven Krisen und fraglicher Suizidalität oder auch bei psychotischen Dekompensationen ist immer auch die zumindest kurzfristige stationäre Aufnahme in eine Klinik zu erwägen. Darüber hinaus ist das psychosoziale Umfeld so weit als möglich einzubeziehen.

Während der Arbeit mit dem Krisenpatienten ist darauf zu achten, wie hoch der eigene persönliche Anteil des Patienten – auch der unbewußte – an der Entwicklung der krisenhaften Bedingungen zu veranschlagen ist. In diesem Zusammenhang wird die Frage zu klären sein, inwieweit der Patient oder die Patientin über die eigentliche Krisenintervention hinaus eine **weitergehende Psychotherapie** benötigen, die dann über die Bearbeitung kritischer persönlicher Erlebens- und Handlungsmuster eine präventive Funktion für eine neue Krise haben kann. Bei einer Reihe von Fällen wird zudem eine aktive **Korrektur von Umgebungsbedingungen** notwendig sein. Dies kann z.B. die Hilfe bei der Wohnungs- oder Arbeitsplatzsuche sein oder gemeinsame Gespräche mit Angehörigen oder Vorgesetzten im Falle dringender beruflicher Probleme. Bezüglich dieser Fragestellungen ist jeweils zu klären, inwieweit es für den Patienten günstiger ist, die anfallenden Aufgaben allein aktiv anzugehen oder ob eine praktische Unterstützung aktuell dringlich ist, weil der Patient beispielsweise mit bestimmten zur Klärung der krisenhaften Bedingungen notwendigen Schritten überfordert ist (zur Technik der Krisenintervention vgl. Tabelle 28.1).

Wir sehen, daß es sich bei der Krisenintervention um eine komplexe Aufgabe handelt, die auch **hohe Anforderungen an die diagnostische Kompetenz des Krisenhelfers** stellt. Im Falle depressiver Krisen ist das Ausmaß an Suizidalität abzuschätzen, oder wir haben die Gefahr der psychotischen Dekompensation aufgrund diskreter psychopathologischer Symptome (z.B. Erregung, Anspannung, wahnhafte Verarbeitung) einzuschätzen und jeweils die adäquaten Handlungskonsequenzen einzuleiten. Dies bedeutet, daß für den Einsatz in der Krisenintervention seitens der Mitarbeiter ein hohes Ausmaß an psychotherapeutischer, aber auch psychiatrischer Kompetenz gefordert wird.

Krisenintervention ist also **keine »kleine Psychotherapie« oder gar eine Beratung.** Deshalb sollten hier nur Ärzte oder Psychologen eingesetzt werden, die beide Arten von Erfahrungen aufweisen. Unterstützt werden müssen diese dann in Krisenzentren oder Einrichtungen durch kompetente Sozialarbeiter (Sozialpädagogen), denen die Aufgabe zufällt, bei der konkreten Lösung sozialer Probleme Hilfe zu leisten. Hierzu kann die Beratung bei Schulden, Arbeits- und Wohnungslosigkeit gehören, die oft zu den krisenherbeiführenden Bedingungen gehören. Eine wichtige Funktion im **Vorfeld von Krisen** können Sozialpädagogen oder Sozialarbeiter haben, die z.B. in städtischen Einrichtungen (sozialpsychiatrische Dienste, Jugendamt) oder Erziehungs- und Familienberatungsstellen über Erfahrungen im Umgang mit »krisengefährdeten« Menschen verfügen. Ihnen fallen einerseits die Aufgaben zu, soweit als möglich hilfreich bei der Klärung vielfältigster psychosozialer Probleme – im Sinne einer Krisenprävention – zu sein; zum anderen sollten sie soweit geschult sein, frühe Zeichen einer Krisenentwicklung wahrzunehmen und in ihrer Brisanz bewerten zu können. Soweit unklar ist, ob eine spezielle psychotherapeutische und/oder psychiatrische Kompetenz für die angemessene Behandlung der Situation angezeigt ist, sollte unbedingt die Vorstellung bei einem entsprechend ausgebildeten Fachmann veranlaßt werden. Um die Sensibilität für Krisenprozesse und den damit verbundenen psychischen, kognitiven, aber auch somatischen Folgen zu erhöhen, ist eine **spezifische Ausbildung** der in diesem Umfeld arbeitenden Berufsgruppen angezeigt. Im Rahmen der Krisenintervention haben sich nicht nur Gespräche zwischen dem Therapeuten und dem Patienten bewährt, sondern auch die **Arbeit in Krisengruppen.** So wird beispielsweise in den USA mit Modellen einer »offenen« Krisengruppe gearbeitet, bei der ein Patient in der Regel nach einem individuellen Vorgespräch mit einem Therapeuten etwa 5mal an diesen Gruppensitzungen teilnimmt. Diese Krisengruppen können dabei nach festgelegten inhaltlichen Strukturen arbeiten oder eher einen offenen Charakter haben, wobei jedoch die bereits skizzierten relevanten Aufgaben erfüllt werden müssen. Seitens der Verhaltenstherapie wird mit unterschiedlichen Ansätzen (z.B. Rollenspielen, Video) im Rahmen der Krisenintervention gearbeitet, wobei z.B. Verstärkermethoden oder Rückmeldungen, aber auch kognitive Problemlösungsstrategien eingesetzt werden. Letztlich ist zu beachten, daß die therapeutische Beziehung in der Krisenarbeit wie in der gesamten Psychotherapie eine sehr wichtige Funktion aufweist. Gerade Menschen in der Krise, die oft durch soziale Isolation und Einsamkeit charakterisiert sind, haben großen Bedarf an Beziehung, oder ihre Beziehungsfähigkeit ist durch ein hohes Ausmaß an Ambivalenz bezüglich Nähe und Distanz gegenüber anderen Menschen gekennzeichnet. Auf diesem Hintergrund kommt der Trennung zwischen Krisenhelfer und Patienten besondere Brisanz zu. Es muß abgeschätzt werden, ob die aktuelle psychische Verfassung des Patienten sowie seine Einbindung in tragfähige Beziehungen genügend stabil sind, um ihn aus der therapeutischen Beziehung entlassen zu können. Ist dies nicht der Fall, muß abhängig von der konkreten Problemstellung eine weitere angemessene Betreuung durch Psychotherapeuten oder Sozialarbeiter des sozialpsychiatrischen Dienstes erfolgen.

Literatur

Freud S (1905): Über Psychotherapie. Gesammelte Werke, vol 5. Fischer, Frankfurt am Main, 11–26.

Freud S (1918): Aus der Geschichte einer infantilen Neurose. Gesammelte Werke, vol 12. Fischer, Frankfurt am Main, 27–157.

Malan DH (1965): Psychoanalytische Kurztherapie. Eine kritische Untersuchung. Huber, Bern; Klett, Stuttgart.

Sifneos PE (1979): Short-term dynamic psychotherapy. Plenum, New York.

Strupp HH, Binder JL (1991): Psychotherapy in a new key. Basic Books, New York.

29. Psychotherapeutische Ausbildung und Supervision

Gerhard Schüßler

Grundsätzlich können zwei Aus- und Weiterbildungswege für Ärzte und Psychologen unterschieden werden:

Die **klinische Facharztweiterbildung** zielt darauf ab, eingehende Kenntnisse, Erfahrungen und Fertigkeiten zur Erlangung der Berufsbefähigung zu erwerben. Die Ausbildung erfolgt im Rahmen einer ganztägigen und hauptberuflichen Stellung, die Weiterbildung wird durch zur Anleitung befugte Ärzte durchgeführt. Die **berufsbegleitende Weiterbildung** hingegen wird außerhalb der Dienstzeit und außerhalb jeglicher dienstlicher Verpflichtungen erworben.

Die berufsbegleitende Weiterbildung wird in der Regel in den Abendstunden oder an Wochenenden durchgeführt und begleitet die klinische Tätigkeit. Sie bedeutet immer ein erhebliches Mehr an persönlicher Bereitschaft und persönlichem Aufwand. Bis vor kurzem wurde die psychotherapeutische Aus- und Weiterbildung fast immer als berufsbegleitende Weiterbildung durchgeführt.

Grundelemente jeder psychotherapeutischen Ausbildung sind die Vermittlung von Theoriewissen, das Erlernen einer differenzierten Diagnostik und die Durchführung psychotherapeutischer Behandlungen unter regelmäßiger Supervision. Ergänzend zu sonstigen medizinischen Aus- und Weiterbildungen ist die psychotherapeutische Tätigkeit ohne **Selbsterfahrungsprozeß** kaum denkbar.

Diese Selbsterfahrung kann im Rahmen von Selbsterfahrungsgruppen oder Einzeltherapien durchgeführt werden. Ziel ist es, das eigene Erleben und die eigenen Grenzen besser zu erkennen und wenn möglich zu erweitern. Das Erleben einer eigenen Psychotherapie und die daraus gewonnene Erfahrung verbessern die Voraussetzungen für die Gestaltung einer hilfreichen therapeutischen Beziehung.

29.1. Facharzt »Psychotherapie«

Für Deutschland haben sich nach den Beschlüssen des 90. Deutschen Ärztetages in Köln 1992 maßgebliche Änderungen vollzogen. Der bisherige »Facharzt für Psychiatrie« wurde erweitert in den »Facharzt für Psychiatrie und Psychotherapie«, die psychotherapeutische Ausbildung wird nun elemen-

Tabelle 29.1. Weiterbildungsmöglichkeiten zum Erwerb psychotherapeutischer Fachkenntnisse

Facharzt für Nervenheilkunde (oder Nervenarzt)
Facharzt für Psychiatrie und Psychotherapie
Facharzt für Kinder- und Jugendpsychiatrie und -psychotherapie
Facharzt für psychotherapeutische Medizin
Zusatztitel Psychotherapie
Zusatztitel Psychoanalyse

tarer Bestandteil psychiatrischen Handelns. Die in diesem Sinne erfolgte Aufnahme der Psychotherapie in die psychiatrische Facharztbezeichnung ist eine wichtige Entscheidung für die Versorgung und zukünftige Entwicklung. Die Mehrzahl der psychiatrischen Fachärzte hatte bisher den Zusatztitel »Psychotherapie« berufsbegleitend erworben; nun wird es möglich, die Psychotherapie mehr und mehr in die klinische und praktische Tätigkeit zu integrieren. Auch die Kinder- und Jugendpsychiatrie umfaßt künftig die Psychotherapie als notwendigen Weiterbildungsinhalt, dementsprechend wird die Bezeichnung in »Facharzt für Kinder- und Jugendpsychiatrie und Psychotherapie« geändert. Gleichzeitig wurde der »Arzt für Nervenheilkunde (Psychiatrie und Neurologie)« wiederbelebt und als neues Gebiet der »Arzt für psychotherapeutische Medizin« geschaffen [Janssen, 1993]. Unverändert bestehen bleiben die berufsbegleitend zu erwerbenden Zusatztitel »Psychotherapie« und »Psychoanalyse« (vgl. Tabelle 29.1).

Welche Weiterbildungsrichtlinien für den **psychologischen Fachpsychotherapeuten** zu erwarten sind, ist derzeit unklar. Bisher gibt es nur für Ärzte eine verbindliche Weiterbildungsordnung, die gleichzeitig die Ausübung des Berufs schützt und der Qualitätssicherung dient. Für Psychologen ist eine derartige Regelung überfällig, und sie wird in absehbarer Zeit im Rahmen des «Psychotherapeutengesetzes« Wirklichkeit werden. Bisher gibt es keine allgemeinen Richtlinien für Psychologen, dementsprechend gibt es auch keine rechtlich abgesicherte Berufsbezeichnung für psychotherapeutische Psychologen. Die Inhalte und Richtlinien der Weiterbildung psychologischer Psychotherapeuten werden sich vermutlich an den Anforderungen des »Facharztes für psychotherapeutische Medizin« bzw. an den Zusatztiteln »Psychotherapie« und »Psychoanalyse« ausrichten.

Die **psychotherapeutische Ausbildung** gliedert sich künftig in drei Hauptbereiche (vgl. Tabelle 29.2):

Psychosomatische Grundversorgung beschreibt das Bestreben, psychosomatisch-psychosoziale Kompetenzen in die ärztliche Basisversorgung zu integrie-

Tabelle 29.2. Gliederung der psychotherapeutischen Weiterbildung

Psychosomatische Grundversorgung (Zielgruppe: alle Patienten in Praxis und Klinik)
Zusatzbezeichnung »Psychotherapie« in Verbindung zu einer organmedizinischen Facharztausbildung (Zielgruppe: psychosomatische Störungen)
Fachpsychotherapie:
Psychiatrie und Psychotherapie, Kinder- und Jugendpsychiatrie und Psychotherapie (Zielgruppe: psychiatrische Erkrankungen)
Psychotherapeutische Medizin und Zusatzbezeichnung »Psychoanalyse« (Zielgruppe: psychosomatische und neurotische Störungen)

Tabelle 29.3. Psychotherapeutische Weiterbildung des Arztes für Psychiatrie und Psychotherapie

Theorie	mindestens 100 Seminarstunden
Behandlung	120 Theoriestunden im Hauptverfahren (Verhaltenstherapie oder tiefenpsychologisch fundierte Psychotherapie), Supervision nach jeder 4. Sitzung
	80 Therapie-Stunden im Zweitverfahren, Supervision nach jeder 4. Sitzung
Selbsterfahrung	35 Doppelstunden Balint-Gruppe
	150 Stunden Einzelselbsterfahrung oder
	70 Doppelstunden Gruppenselbsterfahrung

ren. Bisher handelte es sich hierbei um ein Fortbildungsprogramm, das Ärzten, die bereits in der Praxis tätig waren, Grundlagenkenntnisse in Theorie und Gesprächsführung vermittelte. Dieses ungemein wichtige Bemühen, psychotherapeutisch-psychosomatische Grundkenntnisse in die Basisversorgung einzubauen, wird durch die neue ärztliche Ausbildungsordnung unterstützt. Zukünftig wird diese psychosomatische Grundversorgung in die **Facharztweiterbildung der organmedizinischen Fächer** (z.B. Innere Medizin, Hautheilkunde, Gynäkologie) aufgenommen. Die zukünftigen Gebietsärzte werden also Grundkenntnisse erwerben, um sowohl einzelne psychotherapeutische Techniken selbst anzuwenden als auch die Indikation für eine Fach-Psychotherapie stellen zu können.

Während beim **Arzt für Nervenheilkunde** (oder Nervenarzt) die psychotherapeutische Ausbildung gegenüber den psychiatrischen und neurologischen Weiterbildungsinhalten im Hintergrund steht, ist für den **Facharzt für Psychiatrie und Psychotherapie** die psychotherapeutische Ausbildung ein Eckpfeiler (vgl. Tabelle 29.3). Die endgültigen Richtlinien für die Weiterbildung werden von den jeweiligen Landesärztekammern festgelegt, im wesentlichen stimmen sie mit den Vorschlägen der Deutschen Gesellschaft für Psychiatrie, Psychotherapie und Nervenheilkunde (DGPPN) überein.

Die psychotherapeutische Weiterbildung für Ärzte gründet auf zwei psychotherapeutischen Methoden: der **tiefenpsychologisch-psychoanalytischen Therapie** und der **Verhaltenstherapie.** Entsprechend sind diese beiden Therapiemethoden in unterschiedlichem Ausmaß in die Weiterbildungsgänge eingebaut. Grund für die Auswahl dieser beiden Therapieverfahren ist, daß beide in ihrer Wirksamkeit wissenschaftlich am besten belegt sind. Dementsprechend können sie im Rahmen des kassenärztlichen Erstattungsverfahrens durchgeführt und abgerechnet werden.

Beim »Facharzt für Psychiatrie und Psychotherapie« sind die Verhaltenstherapie und die Tiefenpsychologie Grundbausteine, wobei das eine ein **Hauptverfahren** und das andere ein **Zweitverfahren** ist. Diese Wahl (Hauptverfahren – Zweitverfahren) wird entsprechend den Schwerpunkten der Ausbildungsklinik oder den Wünschen des Weiterbildungsteilnehmers entschieden. Alle Weiterbildungsinhalte – mit Ausnahme der **Einzel- oder Gruppenselbsterfahrungen** – können im Rahmen der dienstlichen Tätigkeit ohne Kosten für den Weiterzubildenden erworben werden. Die praktischen Fähigkeiten (also die Durchführung eigener Psychotherapien) werden bei der Behandlung stationärer und ambulanter Patienten der Klinik erworben; die Supervision wird in der Regel in kleinen Gruppen erfolgen. Diese Entwicklung ist außerordentlich begrüßenswert und wird die Versorgung der psychiatrischen Patienten erheblich verbessern. Die Gesamtweiterbildungszeit zum »Facharzt für Psychiatrie und Psychotherapie« umfaßt 5 Jahre, wovon 1 Jahr Neurologie und 4 Jahre Psychiatrie und Psychotherapie abgeleistet werden müssen.

Auch die Weiterbildungszeit zum **Facharzt für psychotherapeutische Medizin** umfaßt 5 Jahre, hiervor müssen 3 Jahre in einer Klinik oder Abteilung mit psychotherapeutischem Schwerpunkt abgeleistet werden, 1 Jahr in der Psychiatrie und 1 Jahr in der Inneren Medizin. Entsprechend der Schwerpunktsetzung ist die psychotherapeutische Weiterbildung sehr umfangreich.

In der **Schweiz** ist die psychotherapeutische Ausbildung bereits seit langem in den »Spezialarzt Psychiatrie und Psychotherapie« integriert. Der Inhalt der Weiterbildung umfaßt einen theoretischen psychotherapeutischen Fachunterricht über 4 Semester mit 2 Wochenstunden sowie die praktische Erfahrung in Psychotherapie. Im Laufe der Weiterbildung müssen mindestens drei eingehende Behandlungen unter Kontrolle eines erfahrenen ärztlichen Psychotherapeuten durchgeführt werden, diese Behandlungen müssen in mindestens 100 einstündigen Kontrollsitzungen, verteilt über einen Zeitraum von 2 Jahren, supervidiert werden. Der Kandidat muß hierbei mindestens die doppelte Anzahl Therapiesitzungen durchgeführt haben.

29.2. Berufsbegleitende psychotherapeutische Weiterbildung

Ärzte aller Fachgruppen können ergänzend zu ihrer sonstigen klinischen Tätigkeit berufsbegleitend eine psychotherapeutische Qualifikation erwerben. Diese Weiterbildung schließt mit dem Erwerb des **Zusatztitels »Psychotherapie« oder »Psychoanalyse«** ab. Während bisher sowohl psychiatrische Ärzte als auch Ärzte anderer Fachgruppen meist den Zusatztitel «Psychotherapie« erwarben, wird diese Weiterbildung in Zukunft vornehmlich Ärzten anderer Fachgruppen (Allgemeinärzten, Gynäkologen usw.) ermöglichen, Psychotherapie zu erlernen und in ihrem Fachgebiet anzuwenden. Diese Weiterbildung wird gestaltet von Instituten, Fachgesellschaften und Weiterbildungsgemeinschaften. Die Kosten müssen vom Weiterbildungsteilnehmer selbst getragen werden. Ausbildungsinhalte und Anforderungen für den Zusatztitel »Psychotherapie« sind vergleichbar mit den Weiterbildungsinhalten für den »Facharzt Psychiatrie und Psychotherapie«. Entsprechend beträgt die Dauer der berufsbegleitenden Ausbildung 3 Jahre.

Die Ausbildung zum Erwerb des Zusatztitels »Psychoanalyse« umfaßt die gesamte Breite der analytischen Theorie und Behandlung, entsprechend ist die Weiterbildungszeit mit 5 Jahren und 400 Theoriestunden, 600 Behandlungsstunden und 250 Einzelselbsterfahrungsstunden umfangreich.

In **Österreich** gliedert sich die berufsbegleitende Weiterbildung in drei Stufen. Der »Arzt für psychosoziale Medizin« besitzt Grundlagenkenntnisse, die der deutschen psychosomatischen Grundversorgung entsprechen. Der »Arzt für Psychosomatik« erwirbt mehr psychotherapeutische Kompetenz und der »Arzt für psychotherapeutische Medizin« besitzt Kenntnisse, die im wesentlichen mit den Zusatztiteln »Psychotherapie« bzw. »Psychoanalyse« in Deutschland vergleichbar sind.

29.3. Balint-Gruppen und andere Supervisionsformen

Der Ausdruck **Supervision** entstammt dem Englischen und meint »Beaufsichtigung, Leitung und Kontrolle«. Dementsprechend wird Supervision z.B. in den Vereinigten Staaten in fast allen Bereichen der Wirtschaftspolitik und des öffentlichen Lebens angewandt: Vorgesetzte kontrollieren Funktionsabläufe und ihre Mitarbeiter. Diese Art von Supervision wird hier nicht angesprochen. Supervision im Rahmen der psychotherapeutischen Ausbildung und im gesamten Feld der psychosozialen Dienste ist weniger Kontrolle als Hilfe durch einen Außenstehenden (Supervisor), der einem einzelnen oder einer Gruppe von Menschen aufgrund seiner Distanz ermöglicht, Konflikte besser zu verstehen und zu lösen [Scobel, 1988].

Im Gegensatz zur psychotherapeutischen Selbsterfahrung ist die **Selbstreflexion im Rahmen der Supervision** immer eng an die berufliche Tätigkeit und die beruflichen Erfahrungen gebunden. Im Rahmen der psychotherapeutischen Ausbildung verstehen wir unter Supervision die Hilfe eines Lehrtherapeuten, dem in Ausbildung Befindlichen seine Behandlung besser verstehen und durchführen zu lernen. Da der Supervisor die Behandlung nicht direkt überwacht, also bei der Behandlung nicht direkt anwesend ist, wird der tatsächliche Psychotherapieprozeß anhand von Protokollen, Tonbändern oder sogar Videoaufzeichnungen besprochen. Der Supervisor ist Ratgeber und Helfender, aber auch Verantwortlicher, der die Qualität einer Behandlung sichert und hilft, Fehler zu vermeiden.

Diese psychotherapeutische Supervision hat sich immer mehr in andere psychosoziale Arbeitsbereiche ausgeweitet. Meist handelt es sich hierbei um die Supervision von Teamgruppen (Klinikstationen, Kindergartengruppen, Erziehergruppen, Kinderheime usw.). Der Supervisor ist Außenstehender, der dem Team hilft zu reflektieren, was sich in der Realität, aber auch in der gefühlsmäßigen Auseinandersetzung ereignet. Darauf aufbauend unterstützt er das Team, neue Erfahrungen und Lösungen zu suchen. Der Supervisor ist hier Lehrer und therapeutischer Berater. Eine besondere Form ist die **Stationsteamsupervision:** Das Team einer medizinischen Station kommt regelmäßig zusammen, um sowohl Schwierigkeiten und Erlebnisse mit den Patienten wie auch Arbeitskonflikte untereinander zu bearbeiten.

Eine besondere Bedeutung in der allgemeinärztlichen Weiterbildung haben **Balint-Gruppen.** Die nach Michael Balint benannte Form der Gruppenselbsterfahrung zielt auf ein besseres Verständnis der Arzt-Patient-Beziehung hin. Die Bezeichnung »Balint-Gruppe« steht für die von ihm begonnene Gruppenarbeit. In der **ursprünglichen Form** bilden Allgemeinärzte oder Fachärzte eine Gruppe, die sich in Abständen von 1 bis 2 Wochen für 1,5–2 Stunden trifft. Am Anfang jeder Sitzung berichtet einer der Teilnehmer über einen ihn beunruhigenden schwierigen Behandlungsfall. Anschließend bringen die anderen Gruppenteilnehmer ihre Einfälle, Fragen oder Kommentare ein. Anhand dieses Wechselspiels klärt sich mehr und mehr die Beziehung zwischen dem Arzt und seinem Patienten. Es steht immer die Beziehung zum Patienten im Mittelpunkt, besonders gilt es, berufsspezifische Haltungen und Vorurteile durchzuarbeiten [Knöpfel, 1980].

Literatur

Janssen PL (1993): Von der Zusatzbezeichnung »Psychotherapie« zur Gebietsbezeichnung »Psychotherapeutische Medizin«. Zeitschrift für Psychosomatik und Medizinische Psychoanalyse *39*:95–117.

Knöpfel HK (1980): Einführung in die Balint-Gruppenarbeit. Fischer, Stuttgart.

Scobel WA (1988): Was ist Supervision. Vandenhoeck & Ruprecht, Göttingen.

Anwendungsbereiche

30. Sozialpsychiatrie und gemeindenahe Versorgung

Stefan Priebe

30.1. Einleitung

Der Begriff »Sozialpsychiatrie« hat sich in den 50er Jahren in den westlichen Industrieländern verbreitet und etabliert. Seither sind – mit einiger Verzögerung auch in Deutschland – universitäre Abteilungen und große Fach- und Interessenverbände für Sozialpsychiatrie entstanden. Regelmäßig werden spezielle sozialpsychiatrische Tagungen und Kongresse veranstaltet und fachbezogene Zeitschriften publiziert. Allerdings ist das Wort »Sozialpsychiatrie« – zumindest im heutigen Sprachgebrauch – ein weiter **Begriff,** mit dem verschiedene Inhalte bezeichnet werden. **Vier unterschiedliche Bedeutungen,** die sich in manchen Punkten überschneiden, werden im folgenden erläutert.

30.2. Bedeutungen von »Sozialpsychiatrie«

30.2.1. Orientierung des Denkens

Mit »Sozialpsychiatrie« wird eine bestimmte Orientierung psychiatrischen Denkens beschrieben. Im Unterschied etwa zur biologischen Psychiatrie steht dabei die **soziale Dimension einer psychischen Erkrankung im Mittelpunkt des Interesses** und auch des therapeutischen Handelns. Diese Dimension besteht zunächst darin, daß sich psychische Störungen im Rahmen sozialer Interaktionen zeigen und in diesen als Erkrankungen definiert werden. Darüber hinaus können soziale Lebensbedingungen psychische Erkrankungen auslösen, modifizieren und im Verlauf beeinflussen; umgekehrt kann sich jede psychische Erkrankung auf die soziale Lebenssituation und die Beziehungen zu den Menschen auswirken, mit denen der Betroffene lebt oder arbeitet.

Im sozialpsychiatrischen Denken werden vorrangig soziale Phänomene als Bedingungsfaktoren, Erscheinungsformen und Folgen psychischer Erkrankungen betrachtet, ohne die Bedeutung biologischer oder psychologischer Beschreibungsebenen für das Verhalten und Erleben psychisch Kranker in Frage zu stellen. Die sozialpsychiatrische Orientierung des Denkens findet ihren Ausdruck in einer entsprechenden gesundheitspolitischen Bewegung, in einer therapeutischen Praxis, die sich im Zuge von Reformen der psychiatrischen Versorgung entwickelt hat, und in einer von diesem Denken geleiteten wissenschaftlichen

Forschung. Diese konkreteren Bedeutungen von Sozialpsychiatrie sind in den nächsten drei Abschnitten dargestellt.

30.2.2. Gesundheitspolitische Bewegung

So wird unter Sozialpsychiatrie eine gesundheits- bzw. sozialpolitische und zum Teil auch **allgemeingesellschaftliche Bewegung** verstanden, die in den letzten 40 Jahren für die Integration und die Rechte psychisch Kranker eingetreten ist und Reformen der psychiatrischen Versorgung initiiert und vorangetrieben hat.

Mit unterschiedlichem Tempo hat sie in den westlichen Industrieländern eine fachliche und öffentliche Diskussion über die adäquate Versorgung besonders von chronisch und schwer psychisch Kranken und deren Platz in der Gesellschaft in Gang gesetzt. Vorrangige **Ziele** sind die Achtung der Menschenwürde psychisch Kranker, die weitestgehende Reduzierung von Gewaltmaßnahmen und die Beendigung einer Ausgrenzung und bloßen Verwahrung psychisch Kranker in großen psychiatrischen Anstalten. Gefordert wurden und werden eine humane Gestaltung psychiatrischer Institutionen – sofern ihr vollständiger Abbau nicht möglich ist - , eine gemeindenahe Versorgung, umfassende Hilfen zur sozialen Integration und zur Verwirklichung materieller Rechte und schließlich die Sicherung der personalen Anerkennung und der gesellschaftlichen Mitbestimmungsrechte psychisch Kranker. Zur Förderung und Umsetzung dieser Ziele haben sich Interessenverbände aller in der psychosozialen Versorgung tätigen Berufsgruppen gebildet; darüber hinaus haben sich auch Patienten und deren Angehörige in Verbänden organisiert, die besonders in den USA bereits über erheblichen Einfluß auf gesundheitspolitische Entscheidungen und teilweise auch auf die Verteilung von Forschungsgeldern verfügen. Abzugrenzen ist die sozialpsychiatrische Bewegung von der **sogenannten Antipsychiatrie.** Diese propagierte vor allem in den 60er und 70er Jahren, daß psychopathologische Auffälligkeiten grundsätzlich auf gesellschaftliche Bedingungen zurückzuführen und nicht Ausdruck individueller psychischer Erkrankungen seien und forderte die weitgehende Abschaffung aller psychiatrischen Institutionen. Im Gegensatz dazu lehnt die Sozialpsychiatrie weder eine psychiatrische Krankheitslehre noch medizinische Versorgungsansätze prinzipiell ab, sondern bemüht sich um deren Weiterentwicklung und bestmögliche Gestaltung.

30.2.3. Therapeutische Praxis

Sozialpsychiatrie wird auch aufgefaßt als eine therapeutische Praxis, die sich, dem genannten sozialpsychiatrischen Denken folgend und von einer entsprechenden Reformbewegung propagiert, in verschiedenen Ländern – zum Teil in etwas unterschiedlicher Weise – entwickelt hat. Diese Praxis wird nicht von isolierten und rein symptomorientierten Therapiemaßnahmen bestimmt. Sie ist vielmehr geprägt durch das langfristige Bemühen um eine **soziale Integration** chronisch Kranker in Familie und Gesellschaft und um das Erreichen einer größtmöglichen **Lebensqualität** der Betroffenen.

Dabei werden unterschiedliche Therapieansätze – z.B. somato-, psycho- und soziotherapeutischer Art (vgl. Kapitel 25) – genutzt und integriert. Die therapeutische Aufmerksamkeit gilt besonders dem sozialen Umfeld der Patienten, das den jeweiligen Bedürfnissen und Bedingungen entsprechend möglichst optimal gestaltet werden soll, wofür häufig Ressourcen sowohl der medizinischen Versorgung als auch rein sozialer Dienste dauerhaft in Anspruch genommen werden.

30.2.4. Wissenschaftsbereich

Sozialpsychiatrie ist schließlich eine Bezeichnung für jenen Bereich der theoretischen und vor allem empirischen Wissenschaft und Forschung, der sich allgemein mit der **Bedeutung sozialer Faktoren für psychische Gesundheit und Krankheit und deren Prävention und Veränderung** beschäftigt.

Speziell zählen hierzu die **psychiatrische Epidemiologie** einschließlich transkultureller Vergleiche und Feldstudien bei definierten Zielgruppen sowie Studien zum Einfluß von Lebensbedingungen und mitmenschlichen Beziehungen auf psychische Gesundheit und Krankheit.

Bei Patienten, Angehörigen, professionellen Helfern und der Normalbevölkerung werden Einstellungen bzw. Meinungen zu psychiatrischen Erkrankungen und Behandlungen erfaßt. Es wird sowohl untersucht, wodurch solche Meinungen beeinflußt werden, als auch, wie sie sich auf Krankheitsabläufe und psychiatrisches Handeln auswirken; Milieu- und Soziotherapie (vgl. Kapitel 25) und spezielle langfristige Therapiekonzepte für chronisch psychisch Kranke werden wissenschaftlich weiterentwickelt. Schließlich gehören zur sozialpsychiatrischen Wissenschaft die Konzeptualisierung von psychiatrischer Versorgung und die Evaluation dieser Versorgung unter Berücksichtigung objektiver und subjektiver Erfolgskriterien. Die Sozialpsychiatrie als wissenschaftliche Disziplin steht anderen Ansätzen der Psychiatrie – z.B. den biologischen oder psychodynamischen – in keiner Weise entgegen, sondern versucht, diese zu ergänzen und zum Teil auch bei der Entwicklung übergreifender Versorgungskonzepte zu nutzen. Sie umfaßt somit Ansätze, die der Gemeindepsychiatrie (»Community Psychiatry«), der Sozialmedizin und »Public Health« – die letzten beiden beschränkt auf ihren Bezug zur Psychiatrie – entsprechen.

30.3. Entwicklung gemeindenaher Versorgung

Eine **wesentliche Aufgabe der Sozialpsychiatrie** ist der Aufbau, die Weiterentwicklung und die Evaluierung gemeindenaher psychiatrischer Versorgung (gemeindepsychiatrische Versorgung). Diese Form der Versorgung ist dadurch gekennzeichnet, daß sie konsequent versucht, psychische Störungen dort zu behandeln, wo sie entstehen und sichtbar werden, d.h. im Lebensumfeld und der sozialen Umgebung des Patienten und nicht in spezialisierten Institutionen oder gar hinter Anstaltsmauern.

Die **Idee der gemeindenahen Versorgung** weist auf eine lange Tradition zurück und ist in Ansätzen schon vor der Entwicklung moderner Versorgungssysteme verschiedentlich realisiert worden, so z.B. in der mancherorts üblichen Familienpflege oder der Betreuung von Geisteskranken in einzelnen Dorfgemeinschaften. Diesen Ansätzen gegenüber stand jedoch im 19. Jahrhundert der Bau großer, vor den Toren der Städte und dabei häufig weit entfernt gelegener psychiatrischer Anstalten, in denen psychisch Kranke oft dauerhaft verblieben. Von diesen Anstalten hatte man sich einerseits erhofft, daß sie ein geschütztes und in den Anforderungen reduziertes Milieu schaffen würden, das den Möglichkeiten psychisch Kranker gerecht würde und dadurch auch therapeutisch hilfreich sein könnte. Anderseits dienten sie aber der Ausgrenzung der Kranken aus ihren Familien und den Gemeinden und ihrer bloßen Verwahrung, was früher oder später das Abreißen der ursprünglichen sozialen Bindungen der Patienten zur Folge hatte. Die artifiziellen, eintönigen und hinsichtlich der Kontaktmöglichkeiten reduzierten Lebensbedingungen in den Anstalten führten bei solchen Menschen, deren Erkrankung ohnehin mit Rückzugstendenzen, Apathie, Interessenverlust und manieriertem Verhalten verbunden war, zu einer erheblichen Verstärkung dieser Symptome. Aber auch bei anderen Patienten entwikkelte sich häufig eine ähnliche Symptomatik, die – nach heutiger Erkenntnis – nicht durch die Erkrankung selbst bedingt war, sondern ausschließlich Folge der äußeren Gegebenheiten. Durch diese negativen Auswirkungen der Hospitalisierung wurde die soziale Wiedereingliederung der Patienten zusätzlich erschwert oder gar unmöglich gemacht. Als in den 50er Jahren mehr Patienten hospitalisiert bzw. dauerhospitalisiert waren als je zuvor, fand die Idee der gemeindenahen Versorgung neue Verbreitung und erhielt besonders in den USA, aber auch in Frankreich, Großbritannien und den Niederlanden und mit einiger Verzögerung auch in anderen Ländern zunehmend Gewicht. Aufgrund vielfältiger praktischer Erfahrungen und wissenschaftlicher Forschungsergebnisse sind die Ansätze und Konzepte gemeindenaher Versorgung in den letzten vier Jahrzehnten konkretisiert und differenziert worden. Der grundsätzliche Anspruch aber, daß eine soziale Gemeinschaft Verantwortung auch für die in ihr lebenden psy-

Tabelle 30.1. Prinzipien gemeindenaher Versorgung und ihre wesentlichen Inhalte

Deinstitutionalisierung	Sektorisierung	Kontinuität und Koordination	Orientierung an Bedürfnissen	Prävention
Verminderung der Zahl psychiatrischer Klinikbetten Gemeindenahe Versorgung mit möglichst geringer institutioneller Protektion Förderung der Selbständigkeit psychisch Kranker	Vorhaltung aller Institutionen im zu versorgenden Sektor Übernahme einer Versorgungsverpflichtung durch alle Institutionen	Koordination der Aufgaben und Arbeitsweisen aller Versorgungsinstitutionen Kontinuierliche Koordination aller Behandlungsmaßnahmen im Einzelfall	Orientierung der Versorgungsangebote an den Bedürfnissen der psychisch Kranken Besondere Beachtung von Grundbedürfnissen und Lebensqualität	Frühzeitige Interventionen zur Vermeidung von ungünstigen Krankheitsverläufen und sozialen Defiziten

chisch Kranken übernehmen müsse und sich um deren Wohl und Integration in ihrem Lebensraum zu bemühen habe, gilt weiterhin in unveränderter Weise.

30.4. Prinzipien gemeindenaher Versorgung

Die gemeindenahe Versorgung ist theoretisch und praktisch von **verschiedenen Grundideen** geleitet, die im folgenden in fünf Prinzipien zusammengefaßt sind. Tabelle 30.1 zeigt die Inhalte dieser Prinzipien in Stichworten.

30.4.1. Deinstitutionalisierung

Die Deinstitutionalisierung ist das bekannteste und wohl auch bedeutsamste Prinzip der gemeindenahen Versorgung.

Diesem **Prinzip** folgend soll der Anteil an Hilfe und Unterstützung für psychisch Kranke, der von medizinischen Institutionen und professionellen Helfern – wie Ärzten, Krankenpflegepersonal, Psychologen oder Sozialarbeitern – geleistet wird, möglichst gering gehalten werden. Umgekehrt sollen Unabhängigkeit und Eigenständigkeit der Betroffenen soweit wie möglich gewahrt und gefördert werden.

Der Gedanke der Deinstitutionalisierung betraf zunächst vorrangig psychiatrische Anstalten bzw. psychiatrische Krankenhäuser, deren dominierende Rolle in der psychiatrischen Versorgung vermindert werden sollte. Die Aufgaben dieser Anstalten einschließlich der Akutversorgung und dauerhaften Unterstützung von chronisch Kranken, die ohne fremde Hilfe nicht selbständig leben können und deshalb dauerhospitalisiert werden, sollen in die Gemeinde verlagert werden. Dafür müssen Anstalten geschlossen, ihre Bettenzahl verringert und alternative Hilfsmöglichkeiten geschaffen werden. Die Deinstitutionalisierung betrifft aber nicht nur herkömmliche stationäre Behandlungseinrichtungen, sondern auch andere Institutionen, z.B. teilstationäre oder komplementäre Dienste, die teilweise erst im Zuge sozialpsychiatrischer Reformen entstanden sind und soweit wie möglich durch nichtinstitutionalisierte Unterstützung in der Gemeinde ersetzt werden sollen.

Eine solche Deinstitutionalisierung ist auch mit einer **Entprofessionalisierung** der Hilfe für psychisch Kranke verbunden. Unterstützungsmöglichkeiten durch andere Betroffene, Partner, Familienverbände und sonstige Lebens- oder Arbeitsgemeinschaften sind dem Einsatz professioneller Helfer vorzuziehen. Aufgabe dieser Helfer und der Institutionen, in denen diese arbeiten, ist es, solche Unterstützungsmöglichkeiten in der Gemeinde und durch Laien zu suchen und zu fördern, anstatt sie zu ersetzen. Die vielfältigen Selbsthilfepotentiale, über die psychisch Kranke verfügen, sollen durch eine institutionelle Versorgung nicht behindert, sondern gestützt und gefördert werden. Für viele Schwierigkeiten können psychisch Kranke selbst Bewältigungsstrategien entwickeln oder diese mit Hilfe therapeutischer Interventionen erlernen. In **Selbsthilfegruppen** können der Austausch von Erfahrungen und das gegenseitige Verstehen, Anregen und Ermutigen zur Stabilisierung und positiven Veränderung beitragen. Schließlich können psychisch Kranke teilweise auch weitergehende Unterstützung organisieren und z.B. Patientenfirmen, in denen Betroffene sinnvoll und produktiv beschäftigt sind, initiieren und leiten. Angehörige und sonstige soziale Bezugspersonen können, wenn sie richtig informiert sind und gegebenenfalls in angemessener Weise unterstützt werden, viele der Aufgaben übernehmen, die traditionellerweise von Institutionen geleistet werden. Mit dem Prinzip der Deinstitutionalisierung verbunden ist jedoch die **Gefahr,** daß professionelle Helfer ihrer therapeutischen Verantwortung und Fürsorgepflicht für psychisch Kranke nicht hinreichend nachkommen, wenn ihre Patienten hilflos und unbedingt auf therapeutische Unterstützung angewiesen sind. Die Förderung der Unabhängigkeit der Patienten ist zuweilen nur schwer mit verantwortungsvollem und aktivem therapeutischen Handeln in Einklang zu bringen.

Motiv für die Deinstitutionalisierung ist weniger die Absicht, die Kosten der Versorgung zu senken – obwohl auch dies eine Rolle spielt –, als vielmehr die Hoffnung, psychisch Kranken ein »normales« Leben mit aktiver Teilhabe an der sozialen Gemeinschaft und weitgehender Selbstbestimmung zu ermöglichen, anstatt sie in ein artifizielles und in vieler Hinsicht reduziertes Dasein zu drängen. Deinstitutionalisierung beinhaltet aber keineswegs die vollständige Abschaffung psychiatrischer Institutionen, sondern das Bemühen um ihre möglichst förderliche und hilfreiche Gestaltung und Nutzung. Wenn demnach eine institutionelle Hilfe erforderlich ist, dann sollte der Grad der jeweiligen Protektion für den Patienten möglichst niedrig sein, d.h. daß vom Grundsatz her ambulante Hilfe eher als komplementäre, komplementäre eher als teilstationäre und teilstationäre eher als vollstationäre genutzt werden sollte.

30.4.2. Sektorisierung

Das **Prinzip der Sektorisierung** bedeutet, daß eine psychiatrische Institution für ein bestimmtes geographisch definiertes Versorgungsgebiet, den Sektor, zuständig und prinzipiell allen dort lebenden Menschen zugänglich ist.

Wie groß ein solcher Sektor idealerweise sein und wie viele Einwohner er umfassen soll, ist umstritten. In der Praxis entsprechen die Sektoren aus Praktikabilitätsgründen meist politisch vorgegebenen Verwaltungsbezirken (z.B. Stadtbezirken oder Landkreisen).

Institutionen, die sektorisiert arbeiten, liegen in der Regel auch selbst innerhalb des zu versorgenden Sektors. Zum einen entsteht dadurch eine räumliche Nähe zur Gemeinde mit kurzen Wegen sowohl für Patienten und Angehörige als auch für die Mitarbeiter der Institution, z.B. bei Hausbesuchen. Zum anderen hat die Versorgung eines überschaubaren Sektors zur Folge, daß die professionellen Helfer mit den örtlichen Gegebenheiten gut vertraut sind und enge Kooperationsbeziehungen zwischen verschiedenen Institutionen im gleichen Sektor entstehen können. Verbunden mit der Sektorisierung ist die **Voll- oder Pflichtversorgung,** d.h. daß eine oder mehrere Institutionen, die den jeweiligen Sektor versorgen, verpflichtet sind, Patienten aus diesem Sektor aufzunehmen und zu behandeln, sofern eine inhaltliche Indikation hierfür vorliegt. Das hat den Vorteil, daß Institutionen ihre Patienten nicht auswählen, z.B. nach der Motivation oder nach dem zu erwartenden Behandlungserfolg. Bei einer solchen Auswahl würde nämlich manchen Patienten diese Versorgung versagt bleiben, und erfahrungsgemäß ist es in erster Linie die Gruppe der chronisch und schwer Kranken, deren Behandlung dann abgelehnt wird und die an andere, zumeist schlechter ausgestattete Institutionen weiterverwiesen werden. Durch die Pflichtversorgung soll somit besonders eine Benachteiligung der schwerer Kranken verhindert werden.

Bei konsequenter Anwendung der Sektorisierung müssen in jedem Versorgungsgebiet Institutionen existieren, die in ihrer Quantität und Qualität eine angemessene psychiatrische Versorgung der gesamten im Gebiet lebenden Bevölkerung gewährleisten. Dies wiederum ermöglicht den unmittelbaren Vergleich von Versorgungseinrichtungen in verschiedenen Sektoren und dadurch eine bessere Evaluierung der jeweiligen Institutionen und der Gesamtversorgung. Für die Konzeption der Versorgungseinrichtungen in einem Sektor sind neben der Einwohnerzahl und räumlichen Ausdehnung des Sektors vor allem die Sozialstruktur der Bevölkerung und die gewachsenen institutionellen Gegebenheiten von Bedeutung.

30.4.3. Kontinuität und Koordination

Patienten mit schweren und chronischen psychischen Erkrankungen bedürfen in der Regel langfristiger oder sogar dauerhafter Behandlung und Hilfe. Während dieser Zeit können sich ihr Zustand und ihre soziale Situation mehrfach und kurzfristig ändern, wodurch sich dann auch veränderte Anforderungen an die jeweiligen Therapiemaßnahmen und die notwendige soziale Unterstützung ergeben. Die psychiatrische Versorgung sollte in der Lage sein, diesen wechselnden Bedürfnissen der Patienten in flexibler und abgestufter Weise gerecht zu werden, was bedeutet, daß sie unterschiedliche – aber koordinierte – Therapie- und Rehabilitationsangebote enthalten muß.

Prinzipien der gemeindenahen Versorgung sind daher die Koordination differenzierter Behandlungsformen und die Kontinuität der individuellen Betreuung.

Um Aufbau und Arbeitsweise einzelner therapeutischer Einrichtungen aufeinander abzustimmen, ist eine Koordination auf administrativer und gegebenenfalls gesundheitspolititscher Ebene notwendig. Zur Sicherung von Koordination und Kontinuität bei der Behandlung jedes einzelnen Patienten dient das international verbreitete, in Deutschland aber noch unübliche System des »**Case Management**«. Dies bedeutet, daß ein Patient langfristig von derselben Person (»case manager« oder »key worker«) oder auch von einem zumeist multiprofessionell zusammengesetzten und aus 3–5 Personen bestehenden Team betreut wird. Der Case Manager bzw. das Team sind durchgehend für den Patienten zuständig, unabhängig davon, in welcher Einzelinstitution dieser gerade behandelt wird oder welche Therapiemaßnahmen jeweils angewendet werden. Unterschieden werden dabei **zwei Modelle von »Case Management«**. Im ersten Modell ist der »Case Manager«, der zuweilen auch »Care Manager« genannt wird, vorwiegend für die reine Organisation und Vermittlung von Unterstützungsleistungen und Behandlungsmaßnahmen zuständig, die dann von anderen – therapeutisch qualifizierten – Helfern ausgeführt werden. Im zweiten Modell besitzt der »Case Manager«, der dann als »Clinical Case Manager« (Bezugstherapeut) bezeichnet wird, selbst klinische Ausbildung und Kompetenz und ist an der Durchführung vieler Therapiemaßnahmen beteiligt bzw. für diese verantwortlich, so z.B. für die Verordnung der Medikation, für emotional stützende Einzelgespräche oder für gezielte psychotherapeutische Interventionen.

30.4.4. Orientierung an Bedürfnissen

Natürlich sollte jedes medizinische – und nicht nur psychiatrische – Versorgungsangebot an den Bedürfnissen seiner Konsumenten und Nutzer, d.h. der Patienten, orientiert sein. Für die gemeindenahe psychiatrische Versorgung gilt dies aber in besonderer Weise und bedeutet, daß diese Versorgung nicht nur auf eine Veränderung von klassischen Symptomen medizinisch definierter Erkrankungen, sondern auf eine **positive Beeinflussung der gesamten Lebenssituation** der Betroffenen abzielt.

So sind die **Erfüllung von Grundbedürfnissen,** z.B. in den Bereichen Ernährung, Wohnen, soziale Kontakte oder berufliche Tätigkeit, und die Sicherung einer angemessenen **Lebensqualität** mindestens ebenso bedeutsame Aufgaben dieser Versorgung wie die **Verminderung spezifischer psychopathologischer Auffälligkeiten.** Demzufolge sind praktische und soziale Hilfen in denjenigen Bereichen, in denen nach Einschätzung der Betreuer oder des Patienten selbst die Lebensqualität krankheitsbedingt eingeschränkt ist, häufig wichtiger als spezifische medizinische Interventionen.

Eine Orientierung an den Bedürfnissen der Patienten wird dann erleichtert, wenn entweder die Patienten selbst ein Mitspracherecht bei der Gestaltung dieser Versorgung haben oder aber, wenn die Versorgungsinstitutionen in diesem Sinne politisch kontrolliert werden. Voraussetzung für eine solche Kontrolle ist wiederum, daß Arbeitsweise und Leistungen der Institutionen sowohl für die Patienten als auch für Außenstehende transparent und überprüfbar sind. Das Prinzip der Orientierung an Bedürfnissen ist daher verbunden mit der Forderung, daß die Arbeit der beteiligten Institutionen in verständlicher Weise dokumentiert wird und dadurch der Evaluation auch im Hinblick auf eine Kosten-Nutzen-Relation zugänglich ist.

30.4.5. Prävention

Ein weiteres wesentliches Prinzip der gemeindenahen Versorgung ist das Bemühen um wirksame Prävention. So sollen Krankheitsepisoden, Krisen und sozialer Abstieg bei psychisch Kranken von vornherein verhindert und nicht nur erst später bewältigt werden. Durch adäquate und flexible Nutzung der existierenden Therapiemöglichkeiten und durch Interventionen im sozialen Umfeld der Patienten sollen Krankheitsverläufe positiv beeinflußt und negative Auswirkungen von Erkrankungen vermieden werden. In diesem Sinn betreibt eine gemeindenahe Versorgung tertiäre und zum Teil sekundäre Prävention. Hingegen konnte die theoretisch wiederholt erhobene Forderung nach **primärer Prävention** etwa im Sinne einer krankheitsverhütenden Psychohygiene in Schulen, Wohngebieten oder Betrieben, in den bislang bestehenden Versorgungssystemen nicht realisiert werden. Für eine solche Prävention existieren bisher kaum konzeptionelle Ansätze, deren Wirksamkeit nachgewiesen wäre, und die Erfahrung zeigt, daß selbst in Institutionen, die sich, wie z.B. einzelne psychosoziale Kontaktstellen, explizit auch für Menschen ohne bisherige Anzeichen einer psychischen Erkrankung zuständig fühlen, ein solcher Kontakt zu Menschen ohne bisherige Psychiatrieerfahrung doch nur in Ausnahmefällen zustande kommt. Vorbeugende Effekte in der gemeindenahen Versorgung beschränken sich somit bislang auf eine **sekundäre** und vor allem **tertiäre** Prävention.

30.5. Versorgungsinstitutionen

Im folgenden werden die Institutionen aufgeführt, die an der gemeindenahen Versorgung beteiligt sind. Sie können nur prototypisch dargestellt werden, da ihre genaue Arbeitsweise nicht nur von historischen, soziokulturellen oder ökonomischen Besonderheiten der jeweiligen Region, sondern auch vom Zusammenwirken mit den anderen dort existierenden Einrichtungen abhängt. Ändert in einem bestehenden Versorgungssystem eine einzige Institution, z.B. eine Tagesklinik, Aufgabe und Inhalt ihrer bisherigen Arbeit, so führt dies in der Regel auch bei anderen kooperierenden Institutionen zu mehr oder minder deutlichen Veränderungen.

Die Frage, welche Institutionen in einer bestimmten Region eingerichtet werden und wie groß diese sein sollen, ist häufig Gegenstand heftiger und kontroverser Diskussionen. Die internationale Erfahrung zeigt, daß Versorgungsangebote auch zu einer entsprechenden Nachfrage führen können, d.h. daß nahezu jede Versorgungseinrichtung von Patienten gefüllt oder in Anspruch genommen wird, sofern sie über einen hinreichenden Bekanntheitsgrad verfügt. Die Konzeption von psychiatrischer Versorgung und einzelnen Institutionen ist daher weniger von einem vermeintlich objektiven Bedarf abhängig, sondern wird vorrangig davon bestimmt, welche Art von Versorgung politisch und gesellschaftlich gewünscht wird, d.h. wie die Lebenssituation psychisch Kranker dem jeweils vorherrschenden Menschenbild und den jeweils gültigen kulturellen Werten entsprechend sein soll und was das Erreichen der Versorgungsziele einer Gesellschaft an Kosten und Unannehmlichkeiten wert ist.

In Tabelle 30.2 sind die **wesentlichen Institutionen einer gemeindenahen Versorgung** in Deutschland aufgelistet.

30.5.1. Stationäre Einrichtungen

Die sozialpsychiatrische Reformbewegung ist zwar darum bemüht, stationäre Einrichtungen soweit wie möglich abzubauen und durch alternative ambulante und komplementäre Angebote zu ersetzen; aber auch im Rahmen der gemeindenahen Versorgung werden stets einige psychiatrische Betten vorgehal-

Tabelle 30.2. Wesentliche Institutionen einer gemeindenahen Versorgung in Deutschland, gegliedert in stationäre, teilstationäre, ambulante und komplementäre Einrichtungen

Stationär	Teilstationär	Ambulant	Komplementär
Psychiatrisches Landes-/Fachkrankenhaus	Tagesklinik	Niedergelassene Ärzte, Psychotherapeuten	**Wohnbereich** Wohnheim Therapeutische Wohngemeinschaft Betreutes Einzelwohnen
Psychiatrische Abteilung am Allgemeinkrankenhaus	Nachtklinik	Institutsambulanz	**Arbeitsbereich** Rehabilitationseinrichtungen Geschützter Arbeitsplatz Patientenfirma
		Sozialpsychiatrischer Dienst	**Tages- und Freizeitbereich** Tagesstätte Psychosoziale Kontaktstelle
		Psychiatrischer Notdienst, Beratungsstelle	

ten und genutzt. In Deutschland existieren sowohl **psychiatrische Landeskrankenhäuser** als auch **psychiatrische Abteilungen** an Allgemeinkrankenhäusern. Landeskrankenhäuser sind Einrichtungen mit zumeist hoher Bettenzahl und großem Einzugsgebiet, in denen überwiegend psychisch Kranke behandelt werden und in denen manche Patienten dauerhaft hospitalisiert sind. Anstelle dieser Einrichtungen sollen in der gemeindenahen Versorgung psychiatrische Abteilungen treten, die wesentlich kleiner und an Allgemeinkrankenhäuser angegliedert sind. Die Allgemeinkrankenhäuser liegen in der Regel im zu versorgenden Sektor und sind gleichzeitig für die sonstige stationäre medizinische Versorgung der jeweiligen Region zuständig. Durch diese Angliederung an Allgemeinkrankenhäuser ist nicht nur eine dem Standard entsprechende somatische Versorgung der psychisch Kranken gewährleistet, sondern es wird vor allem auch eine Trennung der Versorgung von psychisch und somatisch Kranken vermieden, welche in der Vergangenheit häufig eine Benachteiligung psychisch Kranker mit sich brachte.

Aufbau und Arbeitsweise stationärer Einrichtungen variieren sehr, abhängig z.B. von der personellen und räumlichen Ausstattung, der Zielgruppe und vom therapeutischen Konzept. In Deutschland werden stationäre Einrichtungen vor allem zur Akutbehandlung und Langzeitbetreuung psychisch Kranker einschließlich rehabilitativer Maßnahmen, zum Alkohol- bzw. Drogenentzug und zur Drogenentwöhnung und Psychotherapie bzw. psychosomatischen Behandlung genutzt.

30.5.2. Teilstationäre Einrichtungen

Nachdem in den 20er und 30er Jahren erste **Tageskliniken** zunächst in der damaligen Sowjetunion eingerichet worden waren, fand die Idee teilstationärer – und vorrangig tagesklinischer – Behandlungsmöglichkeiten in Nordamerika und in Europa zunehmend Verbreitung, wobei der englischen Psychiatrie eine führende Rolle in der europäischen Entwicklung zukam. Tageskliniken bieten zumeist während der 5 Werktage ein festes Programm – Angebotstageskliniken mit einer freien Auswahl von Einzelangeboten haben sich nicht durchsetzen können – von Aktivitäten, Kontakten und Therapiemaßnahmen. Je nach Zielgruppe und Aufgabe können die therapeutischen Konzepte und der Programmaufbau sehr variieren. Sie erlauben den Patienten, abends und an Wochenenden weiter in ihrer gewohnten Umgebung zu leben. Im Vergleich zu stationären Einrichtungen gefährden sie damit weniger die Integration der Patienten in ihrem gewohnten sozialen Umfeld und Alltagsleben und ermöglichen auch eher eine Aktivierung, zumal es keine Krankenbetten gibt, die eine herkömmliche und eher passive Patientenrolle festlegen. Häufige **Elemente der Behandlung** in Tageskliniken sind neben psycho- und pharmakotherapeutischen Maßnahmen die Strukturierung des Tagesablaufs, sinnvolle Beschäftigungsangebote und die Vermittlung sozialer Kontakte in der Begegnung mit Mitpatienten und Therapeuten. Soziale, lebenspraktische und kognitive Fähigkeiten können im geschützten Rahmen erprobt und geübt werden. Tageskliniken werden nicht nur als Ergänzung, sondern auch als Alternative zu stationären Einrichtungen genutzt. Empirische Studien haben gezeigt, daß die therapeutische Effektivität ähnlich ist wie bei stationären Behandlungen.

Das Gegenstück zur Tagesklinik ist die **Nachtklinik.** Als teilstationäre Einrichtung bietet sie eine geschützte Wohn- und Lebenssituation vom Nachmittag bis zum folgenden Morgen und an den Wochenenden. Ursprünglich wurden Nachtkliniken für Patienten konzipiert, die tagsüber einer beruflichen Tätigkeit nachgehen, sonst aber institutioneller Protektion und Behandlung bedürfen. Viele psychisch Kranke sind in den Industrieländern aber ohne Arbeit oder sollten gerade in Zeiten akuter Krankheitsepisoden nicht der Arbeitssituation ausgesetzt werden. Nachtkliniken werden deshalb auch für Patienten genutzt, die tagsüber nicht beruflich arbeiten, sondern an den Programmen anderer therapeutischer bzw. rehabilitativer Einrichtungen teilnehmen. Die **Indikationen** reichen gewöhnlich von der psychiatrischen Akutbehandlung bis zur Erleichterung des Übergangs von einer vollstationären in die ambulante Behandlung. Die Atmosphäre in Nachtkliniken ist häufig am Prinzip der therapeutischen Gemeinschaft orientiert. Das Zusammenleben beinhaltet dann die Mitverantwortung an anfallenden Gemeinschaftsaufgaben und die Gestaltung von Gruppenaktivitäten, aber auch die Förderung von Selbständigkeit und Eigenverantwortlichkeit.

30.5.3. Ambulante Einrichtungen

Ambulante Einrichtungen der psychiatrischen Versorgung sind zunächst die Praxen **niedergelassener Ärzte,** d.h. vor allem von Nervenärzten bzw. Psychiatern und Hausärzten. In Einzelfällen behandeln aber auch Ärzte anderer Fachrichtungen in ihren Praxen Patienten mit psychiatrischen oder psychosomatischen Erkrankungen. Hinzu kommen Praxen von ärztlichen oder nichtärztlichen **Psychotherapeuten.** In unterschiedlicher Organisationsform existieren zahlreiche **Beratungsstellen,** die an der psychosozialen Versorgung beteiligt sind, ohne sich ausschließlich an psychiatrische Patienten zu wenden. Häufig sind sie spezialisiert für bestimmte Zielgruppen, z.B. für Immigranten oder Drogenabhängige. Angegliedert an stationäre psychiatrische Einrichtungen sind **Institutsambulanzen,** in denen Patienten in der Regel nach einem stationären Aufenthalt auch längerfristig ambulant weiterbehandelt werden können.

In den Gesundheitsämtern angesiedelt sind in Deutschland **sozialpsychiatrische Dienste,** die keine eigentliche Behandlungsvollmacht haben, aber beratend allen Bürgern zur Verfügung stehen, sich aktiv um die Lösung von in der Gemeinde auftretenden und im Zusammenhang mit psychischen Erkrankungen stehenden Problemen bemühen und dabei auch Hoheitsrechte ausüben, d.h. daß sie stationäre Einweisungen auch gegen den Willen des Patienten veranlassen können. Darüber hinaus gibt es in Deutschland einzelne und sehr unterschiedlich arbeitende **psychiatrische Notdienste,** die auch außerhalb der Öffnungszeiten von sozialpsychiatrischen Diensten zur Verfügung stehen und im Falle von Notfällen bzw. Krisen vor Ort intervenieren können. Mobile Notfalldienste, die an jedem Tag für 24 Stunden einsatzbereit sind, die bei Notfällen am Ort des Geschehens eine kompetente therapeutische Intervention durchführen bzw. einleiten oder eine weitere Behandlung unmittelbar vermitteln und die schließlich in ein koordiniertes Versorgungssystem eingegliedert sind, werden von einigen Experten zwar als Eckpfeiler eines gemeindenahen Versorgungssystems betrachtet, arbeiten in dieser Weise in Deutschland aber bisher nicht.

30.5.4. Komplementäre Einrichtungen

Der Begriff der komplementären Einrichtung stammt daher, daß diese ursprünglich als bloße Ergänzung zur herkömmlichen stationären und teilstationären Versorgung einerseits und zur rein ambulanten Behandlung anderseits gedacht war. Inzwischen hat sich der Blickwinkel bei der Konzeption gemeindenaher Versorgung diesbezüglich geändert: Komplementäre Einrichtungen werden – gemeinsam mit ambulanten Diensten – als **zentrale Institutionen der gemeindenahen Versorgung** betrachtet, während stationäre und auch teilstationäre Angebote lediglich ergänzenden Charakter haben. Komplementäre und ambulante Aufgaben sind dabei nicht immer eindeutig zu trennen, und es gibt sowohl primär ambulante (z.B. sozialpsychiatrischer Dienst) als auch primär komplementäre (z.B. psychosoziale Kontaktstelle) Einrichtungen, in denen sich beide Aufgabenbereiche überschneiden.

Die komplementären Einrichtungen lassen sich einteilen nach dem Lebensbereich, in welchem sie Hilfe anbieten: Wohnbereich, Arbeitsbereich und Tages- bzw. Freizeitprogramme.

30.5.4.1. Wohnbereich

Im Wohnbereich bieten **Wohnheime** häufig für eine größere Anzahl von Patienten eine geschützte Lebenssituation, die über einen längeren Zeitraum und gegebenenfalls auch dauerhaft in Anspruch genommen werden kann. Ähnlich wie Nachtkliniken arbeiten Wohnheime oft nach dem Prinzip der therapeutischen Gemeinschaft (vgl. Kapitel 25). Durch die geschützte Situation können Patienten dort behandelt werden und in der Gemeinde leben, die sonst möglicherweise dauerhospitalisiert würden. Behandlungsziel kann auch der allmähliche Übergang in andere Wohn- und Lebenssituationen sein.

In **therapeutischen Wohngemeinschaften** leben gewöhnlich 3–7 Patienten, welche für einen mittel- oder längerfristigen Zeitraum eine geschützte Wohnsituation benötigen und von der Gemeinschaft mit anderen Patienten profitieren können. Die Patienten werden betreut und in lebenspraktischen Fragen unterstützt. So planen sie mit ihren Betreuern die Gestaltung der Freizeit und werden von diesen gegebenenfalls bei Behördengängen oder Einkäufen begleitet. Allmählich sollen Selbsthilfepotential und allgemeine soziale Fähigkeiten gefördert werden.

Im Rahmen des **betreuten Einzelwohnens** werden Patienten in ihrer eigenen oder einer zur Verfügung gestellten Wohnung betreut. Ziele und Prinzipien der Förderung sind ähnlich wie bei den therapeutischen Wohngemeinschaften; die Patienten leben jedoch allein oder in Ausnahmefällen zu zweit, und die Betreuungsdichte ist in der Regel geringer.

30.5.4.2. Arbeitsbereich

Hilfen im Arbeitsbereich bieten zunächst die differenzierten gesetzlichen Möglichkeiten zum Schutz und zur Förderung **regulärer Arbeitsplätze** solcher Patienten, die als schwerbehindert anerkannt sind. Zudem gibt es eigene **überbetriebliche Rehabilitationseinrichtungen,** die von psychisch Kranken genutzt werden können. Hierzu gehören Berufsbildungswerke für die Erstausbildung, Berufsförderungswerke für die Umschulung oder Fortbildung und Werkstätten für Behinderte. Letztere sind Einrichtungen für eine dauerhafte Tätigkeit und Integration von psychisch Kranken und Behinderten, die nicht bzw. noch nicht wieder auf dem allgemeinen Arbeitsmarkt tätig sein können. Darüber hinaus gibt es in vielen Firmen **geschützte Arbeitsplätze,** die in den zeitlichen und inhaltlichen Anforderungen sehr variieren und speziell für psychisch Kranke eingerichtet sind. Schließlich werden vorrangig von und für Patienten **Patientenfirmen** organisiert, die überwiegend selbständig sind und Arbeitsmöglichkeiten für psychisch Kranke bieten.

30.5.4.3. Tages- und Freizeitbereich

Als komplementäre Tages- und Freizeitangebote sind in Deutschland vor allem Tagesstätten und psychosoziale Kontakt- und Beratungsstellen eingerichtet worden. **Tagesstätten** bieten ebenso wie Tageskliniken ein festes Programm an den Werktagen, das jedoch vergleichsweise einfacher und mit weniger Anforderungen verbunden ist. Tagesstätten sollen der langfristigen Betreuung chronisch psychisch Kranker dienen und dabei mittels Beschäftigung, sozialer Kontakte und Tagesstrukturierung Grundfähigkeiten erhalten und stärken und für die Betroffenen größtmögliche Lebensqualität schaffen (vgl. Kapitel 25).

Anders aufgebaut sind die **psychosozialen Kontakt- und Beratungsstellen,** welche ebenfalls psychisch Kranke bei der Suche nach sozialen Kontakten und Beschäftigung sowie bei der Freizeitgestaltung unterstützen. Während einiger Stunden am Tag sind sie – einem Kaffeehaus vergleichbar – für jeden geöffnet, der kommen möchte, wobei jeder Besucher anonym bleiben kann. Angeboten werden unverbindliche und weitgehend unstrukturierte Freizeit- und Kontaktmöglichkeiten einschließlich Patientenversammlungen (vgl. Kapitel 25), welche abhängig von den Bedürfnissen und der Initiative der jeweiligen Patienten variabel gestaltet werden können. Darüber hinaus bestehen Möglichkeiten zur Beratung und Teilnahme an offenen oder geschlossenen Gruppen.

30.6. Effektivität gemeindenaher Versorgungssysteme

Nach dem Aufbau erster gemeindenaher Versorgungssysteme in den westlichen Industrieländern stellte sich die Forderung an die sozialpsychiatrische Forschung, die Effektivität dieser neuen Versorgungsform wissenschaftlich zu überprüfen. Besonders exakte und aussagekräftige Studien sind hierzu in Madison im US-Staat Wisconsin, in Sidney und in London durchgeführt worden. In all diesen Studien wurden chronisch psychisch Kranke randomisiert entweder in einem gemeindepsychiatrischen und mittels »Case Management« (vgl. Abschnitt 30.4.3) koordinierten Versorgungssystem mit teilstationären, komplementären und ambulanten Diensten oder in herkömmlicher Weise vorrangig durch Krankenhäuser und ambulante Einrichtungen über mehrere Jahre hinweg behandelt. Die Resultate zeigen durchgängig, daß die Patienten in der gemeindepsychiatrischen Versorgung weniger Krankenhausaufenthalte hatten, etwas weniger Kosten verursachten, einen eher günstigeren Verlauf der psychopathologischen Symptome aufwiesen und besonders – ebenso wie ihre Angehörigen – zufriedener mit der erhaltenen Behandlung waren.

Literatur

Creed F, Black D, Philip A (1989): Day-hospital and community treatment for acute psychiatric illness. A critical appraisal. British Journal of Psychiatry *154:* 300–310.

Hoult J (1986): Community care of the acutely mentally ill. British Journal of Psychiatry *149:* 137–144.

Kruse G (1992): Praxisratgeber – Sozialpsychiatrie als integraler Bestandteil therapeutischer Konzepte. Fischer, Stuttgart.

Marks I (1992): Innovations in mental health care delivery. British Journal of Psychiatry *160:* 589–597.

Mosher LR, Burti L (1992): Psychiatrie in der Gemeinde. Grundlagen und Praxis. Psychiatrie-Verlag, Bonn.

Stein LI, Test MA (1980): Alternative to mental hospital treatment. I. Conceptual model, treatment program, and clinical evaluation. Archives of General Psychiatry *37:* 392–397.

31. Forensische Psychiatrie

Volker Dittmann

31.1. Aufgabenbereiche und Grundsätzliches

Die forensische Psychiatrie (lateinisch »Forum« = Markt- oder Gerichtsplatz) stellt jenes Grenzgebiet zwischen Psychiatrie und Recht dar, das sich mit den juristischen Aspekten psychischer Störungen befaßt. Das Arbeitsgebiet umfaßt im **Strafrecht** die psychiatrische Beurteilung der Schuldfähigkeit, die Indikationsstellung und Durchführung von Maßregeln der Besserung und Sicherung, die Erarbeitung von Prognosen über zukünftiges Verhalten psychisch gestörter Straftäter und die Beurteilung der Verantwortungsreife im Jugendrecht. Im **Zivilrecht** bestehen die Aufgaben in der Beurteilung der Geschäftsfähigkeit, psychiatrischer Fragen im Zusammenhang mit dem Eherecht, der Testierfähigkeit sowie in Stellungnahmen im Rahmen des Betreuungs- und Unterbringungsrechts. Im **Sozialrecht** stehen die Beurteilung der Berufs- und Erwerbsfähigkeit sowie Fragestellungen im Rahmen des sozialen Entschädigungsrechts im Vordergrund.

Psychiater und Juristen repräsentieren zwei unterschiedliche soziale Systeme, die verschiedene Ziele verfolgen und sich sowohl in ihren Grundlagenwissenschaften als auch in deren praktischer Anwendung und in ihren Denk- und Arbeitsweisen stark unterscheiden. Gesetzlich ist die Zusammenarbeit zwischen Psychiatrie und Justiz vielfach vorgeschrieben. Das Wechseln von einem Denksystem in das andere kann jedoch mit erheblichen Schwierigkeiten verbunden sein: Es gibt verschiedene Fachsprachen, wobei es in der forensischen Psychiatrie nicht lediglich um das »Übersetzen« psychiatrischer Diagnosen in juristische Begriffe geht. Die **Jurisprudenz** ist eine Normwissenschaft, die überwiegend dogmatisch-deduktiv vorgeht und sich häufig abstrakter Begriffe bedient. Für den Nichtjuristen kommt komplizierend hinzu, daß sich in verschiedenen Rechtsgebieten unterschiedliche Kausalitätstheorien etabliert haben. Aufgrund der Konstruktion unseres Rechtssystems müssen Juristen oft mit starren Grenzen arbeiten, für sie ist der Grad einer Erkrankung meist wichtiger als die Art der Erkrankung. Grundsätzlich gehen Juristen unabhängig von philosophischen Überlegungen von der **freien Willensbestimmung des erwachsenen, psychisch nicht gestörten Menschen** aus, der damit auch Verantwortung für sein

Handeln übernehmen muß. Die in den verschiedenen Gesetzen genannten »juristischen« Krankheitsbegriffe sind keineswegs deckungsgleich mit psychiatrischen Diagnosen, selbst wenn ähnliche Termini verwendet werden.

Die **Psychiatrie** als Teil der Medizin, aber auch mit ihren geisteswissenschaftlichen Wurzeln, ist mehr seins- als normbezogen. Hier bilden empirische Befunde die Basis, wobei sowohl hinsichtlich der Qualität als auch der Quantität psychischer Störungen von fließenden Übergängen ausgegangen wird. In der Medizin geht es seltener um Gesetze, mehr um Regeln oder Wahrscheinlichkeiten.

Die Grundhaltung des Arztes ist zunächst eine therapeutisch-einfühlende, empathische. Vom forensisch tätigen Psychiater werden in erster Linie Neutralität und Objektivität verlangt. Dies bedeutet allerdings nicht die völlige Aufgabe einer ärztlichen Haltung. Im juristischen Verfahren hat der Psychiater die Stellung eines **Beraters** oder **Gehilfen** des Gerichts, seine Tätigkeit wird durch den Richter geleitet. Das **Objektivitätsgebot** verlangt, daß in der Gutachtensituation weder eine protektive Haltung dem zu Begutachtenden gegenüber (»den armen Angeklagten vor der Justiz in Schutz nehmen«) noch die Rolle eines Ermittlungsbeamten (»Hilfsstaatsanwalt«) übernommen wird. Der psychiatrische Sachverständige hat sich streng an seinen gesetzlichen Auftrag zu halten und darf nur die Fragen beantworten, für die sein Fach auch die wissenschaftlichen Grundlagen bereitstellt. Wichtigste Aufgabe ist die Analyse eines konkreten Einzelfalls vor dem Hintergrund des anerkannten psychiatrischen Erfahrungswissens. Einseitige Darstellungen aus der Perspektive einzelner psychiatrischer »Schulen« sind ebenso obsolet wie die Wiedergabe nicht belegbarer persönlicher Meinungen. Juristen sollen durch das Gutachten in die Lage versetzt werden, die Schlußfolgerungen des Sachverständigen in allen Teilen nachzuvollziehen und auf ihr Fachgebiet zu übertragen. Sie verlangen daher in erster Linie **verständliche** und **objektive Gutachten** mit **klaren Aussagen.** Juristische Bewertungen sind nicht Aufgabe der forensischen Psychiatrie, die letzte Entscheidungshoheit liegt in allen Fällen beim zuständigen Gericht.

31.2. Technik der Gutachtenerstellung

In der Regel erhält der Sachverständige von den Ermittlungsbehörden oder vom Gericht einen ausführlichen **schriftlichen Gutachtenauftrag** mit detaillierten Fragestellungen, gleichzeitig werden meist die Akten übersandt. Bei Unklarheiten in der Fragestellung sollte bereits zu Beginn Kontakt mit dem Auftraggeber aufgenommen werden. Zunächst verschafft man sich dann durch das **Aktenstudium** einen Überblick über den bisherigen Sachstand, in einem nächsten Schritt wird die persönliche Untersuchung des zu Begutachtenden geplant. Sie kann je nach Fragestellung und den Umständen des Falles ambulant oder stationär durchgeführt werden. **Exploration und Befunderhebung** erfolgen nach den

Tabelle 31.1. Aufbau eines schriftlichen Gutachtens

Erste Seite
Personalien des Probanden, Aktenzeichen, Auftraggeber, Auftragsdatum, kurze Kennzeichnung des Sachverhalts, Zusammenfassung der Fragestellung, Sachbearbeiter, Angabe der Quellen

1. Kurzer Aktenauszug
Aktuelles Verfahren, Vorverfahren, Krankenunterlagen, Vorgutachten

2. Vorgeschichte
- Angaben des Beschuldigten: Familienanamnese, Biographie, Eigenanamnese, Angaben zur Tat bzw. zum Sachverhalt in der Exploration
- Angaben von Bezugspersonen

3. Untersuchungsbefunde
Psychischer Befund, körperlicher und neurologischer Befund, Labor, EEG, CT, eventuell andere bildgebende Verfahren, Testpsychologie

4. Zusammenfassung
Komprimierte Darstellung des wesentlichen Materials, auf dem die Beurteilung beruht

5. Beurteilung und Fragenbeantwortung
Diagnostische Einordnung, mögliche Differentialdiagnosen und deren Wahrscheinlichkeit, Zuordnung zu den Rechtsbegriffen, Auswirkungen der Störung auf den juristisch zu beurteilenden Sachverhalt, im Strafrecht Diskussion von Einsichts- und Steuerungsfähigkeit, Prognose, empfohlene Therapie oder sonstige Maßnahmen

allgemeinen Prinzipien der psychiatrischen Untersuchungstechnik (vgl. Kapitel 1). Zu Beginn der Untersuchung ist dem Probanden gegenüber deutlich zu machen, daß der **Arzt als Gutachter nicht der Schweigepflicht unterliegt**, anderseits bedarf die Heranziehung von Krankenunterlagen der Zustimmung des Untersuchten. Dies gilt auch für eigene Befunde, die vor der Begutachtungssituation erhoben wurden. In der Regel soll jedoch wegen möglicher Interessenkollisionen der Therapeut nicht gleichzeitig Gutachter sein.

In den meisten Fällen wird vom Auftraggeber zunächst ein **schriftliches Gutachten** verlangt. Dieses hat im Strafrecht nur vorläufigen Charakter, da hier das Unmittelbarkeitsprinzip gilt, d.h. entscheidend ist das mündlich in der Hauptverhandlung erstattete Gutachten, wobei nur die Tatsachen gewertet werden dürfen, die ordnungsgemäß in die Hauptverhandlung eingeführt worden sind. Unabhängig vom Rechtsgebiet darf erwartet werden, daß jedes Gutachten einem **klaren Aufbau** folgt. Für den Juristen muß jederzeit erkennbar sein, woher die referierten Befunde und Sachverhalte stammen. In Tabelle 31.1 findet sich ein allgemeines Schema für ein psychiatrisches Gutachten. Unterschieden wird grundsätzlich zwischen der **Aktenlage,** der durch den Gutachter selbst erhobenen **Vorgeschichte** und den **objektiven Untersuchungsbefunden**. Vor der eigentlichen Beurteilung und Fragenbeantwortung sollte zum rascheren Überblick eine kurze **Zusammenfassung** des gesamten Materials, auf das sich die

Beurteilung stützt, gegeben werden. Juristisch akzeptable Gutachten zeichnen sich durch eine klare, auch sprachlich prägnante Darstellung unter Vermeidung von Fachtermini aus. Jedes Gutachten muß in sich für den psychiatrischen Laien verständlich sein, d.h. alle Schlußfolgerungen müssen für den Juristen nachvollziehbar sein, ohne daß er seinerseits psychiatrische Fachliteratur konsultieren muß. Es ist zu berücksichtigen, daß der Explorand Einsicht in das Gutachten nehmen kann, nicht nur deshalb sind auch abwertende und verletzende Formulierungen zu vermeiden.

Sprachliche Präzision und Klarheit sind auch beim **mündlichen Vortrag des Gutachtens** in der **Hauptverhandlung** erforderlich. Der Sachverständige muß mit seinen Rechten und Pflichten im Verfahren vertraut sein. So kann er beispielsweise anwesenden Zeugen Fragen stellen, jedoch nur soweit seine Aufgabe der psychiatrischen Begutachtung betroffen ist. Sachverständige können auch darauf vereidigt werden, daß sie das Gutachten unparteiisch und nach bestem Wissen und Gewissen erstattet haben (§ 79 StPO).

Zu unterscheiden ist die Rolle des Sachverständigen von der des Zeugen: Ein **Zeuge** darf nur über das aussagen, was er selbst beobachtet hat. In dieser Funktion ist er auch nicht austauschbar. Selbstverständlich kann ein Psychiater auch als Zeuge eine Aussage über einen Patienten machen, sofern er von der Schweigepflicht entbunden wurde. Der **sachverständige Zeuge** berichtet über Wahrnehmungen, zu denen ihn seine besondere Ausbildung befähigt hat, beispielsweise über erhobene medizinische Befunde. Alle fachspezifischen Fragen, die über die bloße Befunddarstellung hinausgehen und eine Bewertung oder Beurteilung erfordern, kann jedoch nur ein **Sachverständiger** beantworten.

31.3. Strafrecht

31.3.1. Sinn und Zweck des Strafrechts

Unser modernes Strafrecht fußt auf mehreren Theorien oder grundlegenden Ideen. Die älteste ist die **Vergeltungsidee**, wonach die Strafe als staatliche Übelszufügung angesehen wird, um einen Unrechtszustand wieder auszugleichen und damit Gerechtigkeit wieder herzustellen, außerdem dient sie der **Verhinderung der Selbstjustiz**, denn das Recht jedes einzelnen auf Vergeltung ist in den moderneren Kulturen auf den Staat übergegangen. Die **Generalprävention** soll der Abschreckung der Allgemeinheit dienen. Durch das Wissen um die Strafbarkeit bestimmter Verhaltensweisen und das Erleben, daß diese auch wirklich durch den Staat geahndet werden, sollen die Bürger in Versuchungssituationen davon abgehalten werden, Straftaten zu begehen. Der wesentliche Zweck der **Spezialprävention** liegt schließlich darin, den einmal straffällig gewordenen Menschen vor einem Rückfall zu bewahren. Dies kann grundsätzlich auf dem Weg der **reinen Sicherung** durch Verwahrung in einer Umgebung, in der er keine Straftaten mehr begehen kann, oder durch eine **spezielle Behandlung** und Resozialisierung erfolgen. Im modernen Strafrecht wird im allgemeinen die **Resozialisierung als Hauptziel** angesehen.

31.3.2. Schuldfähigkeit

Grundlage unseres Strafrechts ist das **Schuldprinzip**. Ein Täter kann nur dann zur Rechenschaft gezogen werden, wenn er schuldfähig ist. In ähnlicher Bedeutung werden auch noch die Begriffe »Zurechnungsfähigkeit« oder »Verantwortlichkeit« verwendet. Vor jeder Verurteilung ist also zu klären, ob bei einem Straftäter psychische Störungen vorliegen und wie sie sich gegebenenfalls auf sein Erleben und Verhalten bei der Tat ausgewirkt haben.

31.3.2.1. Gesetzliche Bestimmungen

§ 20 StGB. Schuldunfähigkeit wegen seelischer Störung
Ohne Schuld handelt, wer bei Begehung der Tat wegen einer krankhaften seelischen Störung, wegen einer tiefgreifenden Bewußtseinsstörung oder wegen Schwachsinns oder einer schweren anderen seelischen Abartigkeit unfähig ist, das Unrecht der Tat einzusehen oder nach dieser Einsicht zu handeln.

§ 21 StGB. Verminderte Schuldfähigkeit
Ist die Fähigkeit des Täters, das Unrecht der Tat einzusehen oder nach dieser Einsicht zu handeln, aus einem der in § 20 bezeichneten Gründe bei Begehung der Tat erheblich vermindert, so kann die Strafe nach § 49 Abs. 1 gemildert werden.

Aus diesen Bestimmungen ergibt sich ein **zweistufiges Vorgehen** bei der Beurteilung der Schuldfähigkeit: Im Gesetz werden zunächst als juristische Eingangskriterien vier psychische Zustände genannt, die zur Schuldunfähigkeit oder erheblich verminderten Schuldfähigkeit führen können. Hierbei handelt es sich um die **sogenannte erste psychiatrische oder diagnostische Stufe**.

Liegt eine derartige Störung vor, ist auf einer **zweiten – der normativen – Stufe** zu prüfen, ob der Täter in der Lage war, das Unrecht seiner Tat einzusehen, ob also seine Einsichtsfähigkeit betroffen war. War diese zum Zeitpunkt der Tat nicht vorhanden, bedarf es keiner weiteren Überlegungen, weil dann Schuldunfähigkeit vorliegt. War die **Einsichtsfähigkeit** jedoch gegeben oder lediglich vermindert, ist schließlich noch zu prüfen, ob die Fähigkeit des Täters, nach seiner Einsicht zu handeln – die **Steuerungs- oder Hemmungsfähigkeit** – beeinträchtigt war.

Sieht das Gericht die Voraussetzungen für die Anwendung des § 20 StGB als gegeben an, ist der Angeklagte wegen Schuldunfähigkeit für das ihm zur Last gelegte Delikt freizusprechen. Im Falle der Anwendung des § 21 StGB kann das

Tabelle 31.2. Zuordnung juristischer Begriffe zu psychiatrischen Diagnosen

Krankhafte seelische Störung	
F0	Organische und symptomatische psychische Störungen
F1	Störungen durch psychotrope Substanzen (Intoxikation, Delir, psychotische Störungen, Korsakow-Syndrom, verzögerte psychotische Reaktion, Restzustände)
F2	Schizophrenie und wahnhafte Störungen
F3	Affektive Störungen (nur schwere Formen)
Tiefgreifende Bewußtseinsstörung	
F43.0	Akute Belastungsreaktion
Schwachsinn	
F7	Intelligenzminderung
Schwere andere seelische Abartigkeit	
F1x.2	Abhängigkeit von psychotropen Substanzen
F21	Schizotype Störung
F34	Anhaltende affektive Störungen
F4	Neurotische, Belastungs- und somatoforme Störungen
F6	Persönlichkeits- und Verhaltensstörungen

Gericht die Strafe mildern. In beiden Fällen ist auch die Verhängung einer Maßregel nach §§ 63, 64 StGB möglich, wenn der Zustand des Betreffenden dies erfordert.

31.3.2.2. Praktisches Vorgehen bei der Beurteilung der Schuldfähigkeit

Zunächst gilt es zu prüfen, ob beim Beschuldigten oder Angeklagten überhaupt eine Diagnose oder mehrere psychiatrische Diagnosen vorliegen (vgl. Kapitel 2). Die juristische Akzeptanz eines Gutachtens wird erhöht, wenn der Sachverständige sich dabei eines international akzeptierten psychiatrischen Diagnosen- und Klassifikationssystems, z.B. der ICD-10, bedient. Es ist wichtig zu beachten, daß es sich bei den vier Eingangskriterien des § 20 StGB nicht um psychiatrisch-nosologische Begriffe, sondern um juristische Umschreibungen normabweichender psychischer Zustände handelt. Nachdem die psychiatrische Diagnose erarbeitet worden ist, ist diese also zunächst einem der vier juristischen Kriterien zuzuordnen (vgl. Tabelle 31.2).

Neben der diagnostischen Einordnung ist die wichtigste und zugleich schwierigste Aufgabe des psychiatrischen Sachverständigen die **Quantifizierung des Schweregrads einer psychischen Störung**. Bildlich gesprochen gehen Juristen davon aus, daß für die Anwendung des § 20 StGB (Schuldunfähigkeit) »das seelische Gefüge zerstört« sein muß, bei der erheblich verminderten Schuldfähigkeit soll es »erschüttert« sein.

Das moderne Strafrecht beruht auf einem pragmatischen sozialen Schuldbegriff. Letztlich geht es um die **sozial vergleichende Beurteilung von Handlungs-**

spielräumen und um die Frage, in welchem Ausmaß dem Täter in der Tatsituation ein rechtskonformes Verhalten noch zuzumuten war. Dies ist eine rein juristische Frage, deren Beantwortung der Sachverständige jedoch vorbereiten muß. Entscheidend ist die möglichst anschauliche und präzise Darstellung der Auswirkungen einer bestimmten psychischen Störung auf das Erleben und Verhalten des Täters zum Zeitpunkt der Tat, zu berücksichtigen sind dabei sowohl die **Psychopathologie** und besondere **belastende Umstände zum Tatzeitpunkt** als auch grundlegende Verhaltensmuster, Entwicklung und Dynamik der **Persönlichkeit** im Längsschnitt.

Relativ einfach ist die Beurteilung bei jenen Störungen, die eine schwere Beeinträchtigung kognitiver Funktionen oder des Realitätsbezugs mit sich bringen, z.B. ein **ausgeprägter Wahn** bei Psychosen (vgl. Kapitel 6) oder **schwere Bewußtseinsstörungen** bei Intoxikationen mit psychotropen Substanzen (vgl. Kapitel 5). Hier ist in der Regel von zumindest erheblicher Beeinträchtigung, meist sogar Aufhebung der Einsichtsfähigkeit auszugehen. In der Mehrzahl der zu begutachtenden Fälle liegen aber keine derart schwere Störungen vor. Aus dem Gesetzestext ergibt sich, daß nicht jede psychische Normabweichung bei der Beurteilung der Schuldfähigkeit zu berücksichtigen ist, heißt es doch »tiefgreifende« Bewußtseinsstörung und »schwere« andere seelische Abartigkeit. Oft wird der Fehler gemacht, daß allein aus einer für den Außenstehenden schwer erklärlichen »uneinfühlbaren« Tat oder aus häufigem delinquentem und dissozialem Verhalten auf eine forensisch relevante psychische Störung rückgeschlossen wird. Derartige Zirkelschlüsse sind unzulässig. Ungeeignet sind auch Kriterien wie »unbewußte« Motivation, angegebene Erinnerungslücken, Sichstellen nach der Tat oder das Ablegen eines Geständnisses. Die Bedeutung somatischer Minimalbefunde wird oft ebenso überschätzt wie die Aussagekraft von Laborbefunden. Dies gilt auch für die **Blutalkoholkonzentration (BAK)**. Es gibt z.B. keine feste Korrelation zwischen Blutalkoholkonzentration und darauf beruhender forensisch relevanter Psychopathologie, stets sind Gewöhnung, Persönlichkeit und Tatsituation in die Beurteilung einzubeziehen. Als grobe Faustregel kann lediglich davon ausgegangen werden, daß bei einer Blutalkoholkonzentration von unter 2 Promille in der Regel keine Beeinträchtigung der Schuldfähigkeit vorliegt, während bei einer solchen von 3 Promille und darüber meist Schuldunfähigkeit gegeben ist. Außer Alkohol werden von Tätern häufig weitere psychotrope Substanzen konsumiert. Auch für diese gilt, daß das psychopathologische Erscheinungsbild – und nicht allein die Serumkonzentration – für die forensische Beurteilung entscheidend ist.

Auch in anderen Fällen, besonders bei **Affektdelikten**, kommt der forensisch-psychopathologischen Analyse der eigentlichen Tatsituation entscheidende Bedeutung zu. Für eine erhebliche Beeinträchtigung oder gar Aufhebung der

Schuldfähigkeit kann z.B. sprechen, daß ein enger Zusammenhang zwischen einer Provokation und der Tat besteht, daß die Tat abrupt und impulsiv abgelaufen ist, sich das Wahrnehmungsfeld des Betreffenden einengte und vegetative und psychomotorische Begleiterscheinungen einer heftigen Erregung feststellbar waren. Wenn die Introspektionsfähigkeit des Täters bei der Tat vorhanden war, er auf Außenreize adäquat reagieren und sich an wechselnde Erfordernisse der Situation anpassen konnte, spricht dies eher gegen eine erhebliche Beeinträchtigung.

Persönlichkeits- und Verhaltensstörungen (vgl. Kapitel 11) gehören zu den häufigsten Diagnosen in der forensischen Psychiatrie. Sie sind nur bei erheblichen psychosozialen Auswirkungen als »schwere andere seelische Abartigkeit« zu werten, d.h. daß zumindest die generellen Eingangskriterien für Persönlichkeitsstörungen (F60 nach ICD-10) erfüllt sein müssen. Persönlichkeitsstörungen wirken sich im allgemeinen überwiegend auf die Steuerungsfähigkeit aus. Steht die Tat mit der Symptomatik der Störung in Zusammenhang, ist die Schuldfähigkeit häufig gemäß § 21 StGB vermindert, nur in seltenen Ausnahmefällen auch einmal aufgehoben.

Eine erfolgreiche forensisch-psychiatrische Sachverständigentätigkeit setzt jahrelange Erfahrung mit Hunderten von Gutachten voraus. Alle schwierigen Fragestellungen sollten der Beantwortung durch Spezialisten vorbehalten bleiben.

31.3.3. Forensisch-psychiatrische Prognose

Die Notwendigkeit, das zukünftige Verhalten eines Straftäters zu beurteilen, ist in den meisten Fällen gegeben, besonders wenn das Gericht zu entscheiden hat, ob eine Strafe zur Bewährung ausgesetzt werden kann oder ob eine strafrechtliche Maßregel erforderlich ist. Die Möglichkeiten und Grenzen psychiatrischer Prognosen werden vielfach überschätzt. Eine sichere Vorhersage menschlichen Verhaltens ist mit wissenschaftlichen Mitteln nicht möglich, da zum Zeitpunkt der Prognoseerstellung viele zukünftige Einflußgrößen gar nicht kalkulierbar sind. Die Aufgabe der forensischen Psychiatrie besteht heute eher im **Aufzeigen und Abschätzen von Risiken**, die von einem Straftäter ausgehen können. Bei der **klinischen Prognosemethode**, der Einzelfallanalyse auf der Basis von Erfahrungswissen, wird heute ein strukturiertes kriterien- und verlaufsorientiertes Vorgehen bevorzugt, wobei auch dynamische Aspekte, mögliche Persönlichkeitsentwicklungen und Therapieerfolge berücksichtigt werden. Eine Prognose sollte immer nur für einen begrenzten Zeitraum abgegeben werden. Häufig stellt sich die Frage nach der »**Gefährlichkeit**«, wobei es sich hier nicht um einen medizinischen, sondern um einen juristischen Begriff handelt, der auf einer Rechtsgüterabwägung beruht. Als »für die Allgemeinheit gefährlich« werden solche Täter angesehen, von denen eine konkrete ernsthafte Bedrohung für Leib, Leben oder psychische Gesundheit Dritter ausgeht. Das Ausmaß der Gefährlichkeit ergibt sich dabei aus der Art der zu befürchtenden Tat, der zu erwartenden Häufigkeit und der Wahrscheinlichkeit ihrer Verwirklichung. Im allgemeinen werden heute folgende **prognostischen Kriterien bei der Risikoeinschätzung** eines Täters berücksichtigt: bisherige Kriminalitätsentwicklung, vorhandene psychische Störung, Krankheitseinsicht, soziale Kompetenz, spezifisches Konfliktverhalten, Auseinandersetzung mit der Tat, theoretische und reale Therapiemöglichkeiten, Therapiebereitschaft, sozialer Empfangsraum bei Entlassung oder Beurlaubung und bisheriger Verlauf nach den Taten.

Ein rein statistisch-additives Vorgehen ist dabei obsolet. Stets bedarf es einer umfassenden Gesamtschau des Einzelfalls, dabei kann einerseits ein gravierender ungünstiger Faktor, z.B. das generelle Fehlen einer erfolgversprechenden Therapie bei sonst günstigeren Faktoren, das Gesamtrisiko bestimmen. Anderseits ist denkbar, daß überwiegend ungünstige Faktoren durch günstige Umstände, wie einen besonders guten sozialen Empfangsraum nach der Entlassung oder eine erfolgversprechende spezielle Therapiemöglichkeit, kompensiert werden.

Ein **besonders hohes Risiko** besteht bei folgenden Konstellationen:

- Bei paraphil fixierten (perversen) Störungen der sexuellen Präferenzen in Verbindung mit Aggression, besonders bei sexuellem Sadismus (vgl. Kapitel 10);
- bei chronischem, auf eine Person oder Personengruppe bezogenem Wahn (vgl. Kapitel 6);
- bei schweren aggressiven Impulskontrollstörungen, besonders bei hirnorganischer Komponente (vgl. Kapitel 4), Abhängigkeit von psychotropen Substanzen (vgl. Kapitel 5) und schwerer (z.B. Borderline-) Persönlichkeitsstörung (vgl. Kapitel 11).

31.3.4. Strafen und Maßregeln, forensisch-psychiatrische Therapie

Im »doppelspurigen« deutschen Strafrecht können Strafen durch gleichzeitig verhängte Maßregeln der Besserung und Sicherung ersetzt oder ergänzt werden.

§ 63 StGB. Unterbringung in einem psychiatrischen Krankenhaus
Hat jemand eine rechtswidrige Tat im Zustand der Schuldunfähigkeit (§ 20) oder der verminderten Schuldfähigkeit (§ 21) begangen, so ordnet das Gericht die Unterbringung in einem psychiatrischen Krankenhaus an, wenn die Gesamtwürdigung des Täters und seiner Taten ergibt, daß von ihm in Folge seines Zustandes erhebliche rechtswidrige Taten zu erwarten sind und er deshalb für die Allgemeinheit gefährlich ist.

Es handelt sich hierbei um eine einschneidende Maßnahme, die an bestimmte **Voraussetzungen** geknüpft ist: Schuldunfähigkeit oder verminderte Schuldfähigkeit müssen sicher festgestellt sein, zudem muß es sich um eine länger anhaltende Störung handeln und die Prognose muß, entsprechend den dargestellten Kriterien, ungünstig sein, zudem muß die aktuelle Tat symptomatisch für die vorliegende Störung sein. Die bloße psychiatrische Behandlungsbedürftigkeit ist nicht ausreichend für die Verhängung einer Maßregel, wenn die anderen Kriterien nicht gegeben sind.

Die **Durchführung der Maßregel** erfolgt in Deutschland in forensisch-psychiatrischen Spezialkliniken oder spezialisierten Abteilungen psychiatrischer Krankenhäuser. Die Details des Maßregelvollzugs sind durch Ländergesetze geregelt. Eine Unterbringung gemäss § 63 StGB ist zunächst unbefristet, gemäss § 67d StGB setzt das Gericht jedoch die weitere Vollstreckung der Unterbringung zur Bewährung aus, sobald verantwortet werden kann zu erproben, ob der Untergebrachte außerhalb des Maßregelvollzuges keine rechtswidrigen Taten mehr begehen wird.

Außerdem ist es möglich, eine verhängte Maßregel primär zur Bewährung auszusetzen.

§ 64 StGB. Unterbringung in einer Entziehungsanstalt

1. Hat jemand den Hang, alkoholische Getränke oder andere Rauschmittel im Übermaß zu sich zu nehmen, und wird er wegen der rechtswidrigen Tat, die er im Rausch begangen hat oder die auf seinen Hang zurückgeht, verurteilt oder nur deswegen nicht verurteilt, weil seine Schuldunfähigkeit erwiesen oder nicht auszuschließen ist, ordnet das Gericht die Unterbringung in einer Entziehungsanstalt an, wenn die Gefahr besteht, daß er in Folge seines Hanges erhebliche rechtswidrige Taten begehen wird.

2. Die Anordnung unterbleibt, wenn eine Entziehungskur von vornherein aussichtslos erscheint.

Die Dauer der Unterbringung nach § 64 StGB ist auf 2 Jahre begrenzt.

Maßregeln dürfen nur nach dem **Verhältnismäßigkeitsprinzip** angeordnet werden. Sie sind nur zulässig, wenn das Interesse der Allgemeinheit im konkreten Fall schwerer wiegt als die Freiheitsbeschränkung für den Betroffenen und wenn weniger einschneidende Maßnahmen, z.B. ambulante psychiatrische Behandlung oder zivilrechtliche Unterbringung nach den jeweiligen Ländergesetzen nicht ausreichen.

Die Therapie erfolgt bei Maßregeln nach §§ 63, 64 StGB im Prinzip wie in der Allgemeinpsychiatrie nach den jeweiligen **störungsspezifischen Behandlungsgrundsätzen**. Viele forensisch-psychiatrische Patienten weisen aber zusätzlich schwere psychosoziale Beeinträchtigungen auf, die eine Behandlung und Rehabilitation erheblich erschweren. In den meisten forensisch-psychiatrischen Kliniken ist inzwischen ein **Stufenkonzept** verwirklicht worden, bei dem die Patienten nacheinander die Abteilungen Aufnahme und Diagnostik, Grundstufe, Förder- und Fortgeschrittenenstufe und Entlassungsstufe durchlaufen. Gerade in der forensischen Psychiatrie ist es wichtig, daß klare und erreichbare therapeutische Ziele formuliert werden. Wegen möglicher gefährlicher Konsequenzen in Form neuer Straftaten sind Therapieverlauf und -erfolg regelmäßig zu evaluieren. Die schrittweise Reintegration des Untergebrachten in die Gesellschaft ist rechtzeitig und sorgfältig vorzubereiten. Diese und andere moderne forensisch-psychiatrische Therapieprinzipien setzen aber einen sehr hohen Personalaufwand voraus, der wegen der damit verbundenen Kosten vielerorts erst in Ansätzen gegeben ist.

31.3.5. Spezielle strafrechtliche Fragestellungen

Häufig ergeben sich im Rahmen eines Strafverfahrens weitere Fragestellungen, die Gegenstand eines psychiatrischen Gutachtens sein können.

Unter **Vernehmungsfähigkeit** versteht man im allgemeinen die Fähigkeit zur richtigen Kommunikation mit den Ermittlungsbehörden. Im Vordergrund steht dabei die Fähigkeit, den Sinn von Fragen verstehen und darauf sinnvoll antworten zu können.

Bei der **Verhandlungsfähigkeit** geht es um die Fähigkeit zur Wahrnehmung von Prozeßrechten, der Betreffende muß in der Lage sein, seine Interessen vernünftig zu vertreten, er muß aufgrund seiner körperlichen und psychischen Verfassung der Verhandlung folgen und die Bedeutung der einzelnen Verfahrensschritte erkennen können. Dabei sind allerdings nur erhebliche Beeinträchtigungen zu berücksichtigen, Maßstab ist keineswegs die Fähigkeit zur »optimalen« Selbstverteidigung.

Bei der Beurteilung der **Haftfähigkeit** sind psychischer und körperlicher Zustand eines Beschuldigten, Angeklagten oder Verurteilten in bezug auf die Folgen eines Freiheitsentzugs zu berücksichtigen. Heute können die meisten körperlichen Erkrankungen in entsprechend ausgerüsteten Krankenabteilungen der Haftanstalten behandelt werden. § 455 Abs. 1 StPO bestimmt, daß die Vollstreckung einer Freiheitsstrafe aufzuschieben ist, wenn der Verurteilte »in Geisteskrankheit verfällt«, worunter nur ein solches Ausmaß an psychischer Erkrankung zu verstehen ist, daß der Verurteilte für die Zwecke der Strafvollstreckung nicht mehr ansprechbar ist. Der Gutachter sollte sich darauf beschränken, den medizinischen Befund und die wahrscheinlichen Konsequenzen der weiteren Unterbringung aufzuzeigen. Die Entscheidung über die Haftfähigkeit liegt immer beim Gericht, da sie auch auf einer Rechtsgüterabwägung beruht.

31.4. Beurteilung Jugendlicher und Heranwachsender

Im Jugendstrafrecht steht grundsätzlich der **Erziehungsgedanke** im Vordergrund, Strafen werden als Mittel der erzieherischen Beeinflussung angesehen, der Vergeltungsgedanke tritt demgegenüber zurück. Es dürfen daher nach dem Jugendgerichtsgesetz (JGG) weder Strafen noch andere »Zuchtmittel«, wie Verwarnung, Auferlegung besonderer Pflichten oder Jugendarrest, angewandt werden, wenn bereits Erziehungsmaßregeln, wie Weisungen, Schutzaufsicht oder Fürsorgeerziehung, ausreichend sind. Das JGG erlaubt dabei einen relativ flexiblen Umgang mit den einzelnen Maßnahmen, abgestimmt auf den Einzelfall. Zuständig sind spezielle Jugendgerichte, die zur Vorbereitung der Verfahren mit der Jugendgerichtshilfe zusammenarbeiten, welche bereits im Vorfeld der Verhandlung das soziale Umfeld und besonders die Familienverhältnisse des Jugendlichen analysiert. Folgende **Altersgrenzen** sind zu berücksichtigen: Jugendliche zwischen 14 und 18 Jahren sind bedingt strafmündig, vom vollendeten 18. bis zum noch nicht vollendeten 21. Lebensjahr gelten Täter als Heranwachsende, das Jugendrecht kann jedoch unter bestimmten Voraussetzungen noch angewendet werden. Im psychiatrischen Zusammenhang wichtige Bestimmungen:

§ 3 JGG. Verantwortlichkeit

Ein Jugendlicher ist strafrechtlich verantwortlich, wenn er zur Zeit der Tat nach seiner sittlichen und geistigen Entwicklung reif genug ist, das Unrecht der Tat einzusehen und nach dieser Einsicht zu handeln. Zur Erziehung eines Jugendlichen, der mangels Reife strafrechtlich nicht verantwortlich ist, kann der Richter dieselben Maßnahmen anordnen wie der Vormundschaftsrichter.

Es geht hier für den psychiatrischen Sachverständigen im wesentlichen darum, den **Entwicklungsstand des Jugendlichen** so genau wie möglich zu analysieren. Erforderlich ist die ausdrückliche Feststellung der strafrechtlichen Verantwortlichkeit. Zu berücksichtigende Kriterien sind beispielsweise fehlende Lebensplanung, mangelnde Fähigkeit zum selbständigen Urteilen, überwiegend emotionale Verhaltenssteuerung, ungenügende Ausformung der Persönlichkeit, allgemeine Hilflosigkeit, Anlehnungsbedürftigkeit, spielerische Lebenseinstellung und anderes (vgl. Kapitel 13).

§ 105 JGG. Heranwachsende

I. Begeht ein Heranwachsender eine Verfehlung, die nach den allgemeinen Vorschriften mit Strafe bedroht ist, so wendet der Richter die für einen Jugendlichen geltenden Vorschriften der §§ 4–32 an, wenn

1. die Gesamtwürdigung der Persönlichkeit des Täters bei Berücksichtigung auch der Umweltbedingungen ergibt, daß er zur Zeit der Tat nach seiner sittlichen und geistigen Entwicklung noch einem Jugendlichen gleichstand, oder

2. es sich nach der Art, den Umständen oder den Beweggründen der Tat um eine Jugendverfehlung handelt.

II. Das Höchstmaß einer Jugendstrafe für Heranwachsende beträgt 10 Jahre.

Hier geht es darum, daß Heranwachsende im Prinzip strafrechtlich grundsätzlich wie Erwachsene beurteilt werden können. Bei der Frage, ob noch das »mildere« Jugendrecht anwendbar ist, sind u.a. die Entwicklung der Gesamtpersönlichkeit, eventuelle Reifeverzögerungen und charakteristische jugendtypische Eigenschaften zu berücksichtigen (vgl. Kapitel 13).

31.5. Zivilrecht

Im Strafrecht setzt der Staat seinen Strafanspruch gegen einen einzelnen Menschen durch, der gegen eine rechtliche Bestimmung verstoßen hat. Im Zivilprozeß treffen zwei gleichberechtigte Parteien aufeinander. Demzufolge gibt es hier auch nicht Freispruch und Verurteilung, sondern Gutheißung oder Abweisung einer Klage. Ausgegangen wird von dem Grundsatz, daß der Kläger die Tatsachen, aus denen er Ansprüche ableiten will, zu beweisen hat.

31.5.1. Geschäftsfähigkeit

Grundsätzlich wird beim volljährigen Menschen die **Geschäftsfähigkeit**, also die Fähigkeit, durch eigenes Handeln Rechte und Pflichten zu begründen und Verträge einzugehen, vorausgesetzt.

§ 104 BGB. Geschäftsunfähigkeit

Geschäftsunfähig ist

1. wer nicht das 7. Lebensjahr vollendet hat,

2. wer sich in einem die freie Willensbestimmung ausschließenden Zustand krankhafter Störung der Geistestätigkeit befindet, sofern nicht der Zustand seiner Natur nach ein vorübergehender ist.

§ 105 BGB. Nichtigkeit der Willenserklärung

1. Die Willenserklärung eines Geschäftsunfähigen ist nichtig.

2. Nichtig ist auch eine Willenserklärung, die im Zustande der Bewußtlosigkeit oder vorübergehenden Störung der Geistestätigkeit abgegeben wird.

Wer das 7., aber noch nicht das 18. Lebensjahr vollendet hat, ist beschränkt geschäftsfähig (§ 106 BGB). **Beschränkt Geschäftsfähige** können Rechtsgeschäfte mit vorheriger Einwilligung ihres gesetzlichen Vertreters vornehmen, auch die nachträgliche Genehmigung ist möglich. Sie können jedoch im Rahmen der ihnen zur Verfügung gestellten Mittel selbst rechtswirksam handeln (Taschengeldparagraph). **Geschäftsunfähige** können keinerlei rechtswirksame

Geschäfte vornehmen. Zu beachten ist hierbei, daß die Geschäftsunfähigkeit bewiesen werden muß, Zweifel allein reichen nicht aus. **Aufgabe des psychiatrischen Sachverständigen** ist es, zunächst festzustellen, ob schwere psychische Störungen, z.B. Psychose, schwerer Intelligenzmangel oder andere schwere psychische Beeinträchtigungen, vorliegen. Zu unterscheiden ist zudem zwischen einer **chronischen**, ständig vorhandenen Beeinträchtigung, weil dann sämtliche im entsprechenden Zeitraum geschlossenen Geschäfte ungültig sind, und einer **vorübergehenden Beeinträchtigung** bei einem einzelnen Rechtsgeschäft, wie sie beispielsweise durch den akuten Einfluß psychotroper Substanzen hervorgerufen worden sein kann. Schwierig ist die Beurteilung bei fluktuierenden Zuständen. Ist die Störung nicht ständig vorhanden, sind »lichte Intervalle« (»Lucida intervalla«) nachweisbar, ist grundsätzlich von Geschäftsfähigkeit auszugehen. Es gibt zwar keine verminderte Geschäftsfähigkeit, wohl aber eine **partielle Geschäftsunfähigkeit**, d.h. die Einschränkung kann sich nur auf bestimmte Bereiche beziehen, z.B. isolierte Wahninhalte oder Querulanz, während die Betreffenden in anderen Bereichen geschäftsfähig sein können.

31.5.2. Testierfähigkeit

§ 2229 BGB. Testierfähigkeit

4. Wer wegen krankhafter Störung der Geistestätigkeit, wegen Geistesschwäche oder wegen Bewußtseinsstörung nicht in der Lage ist, die Bedeutung einer von ihm abgegebenen Willenserklärung einzusehen und nach dieser Einsicht zu handeln, kann ein Testament nicht errichten.

Es gelten hier im Prinzip die gleichen Kriterien wie bei der Beurteilung der Geschäftsfähigkeit, d.h. **nur erhebliche psychische Störungen** sind zu berücksichtigen. Die Hauptschwierigkeit besteht darin, daß derartige Gutachten oft erst zu erstatten sind, wenn der Erbfall eingetreten, d.h. der Erblasser bereits verstorben ist. Auch hier gilt, daß derjenige, der die Testierfähigkeit eines Erblassers anfechten will, beweisen muß, daß eine entsprechende schwere Störung zum Zeitpunkt der Testamentserrichtung vorgelegen hat. Zweifel allein reichen nicht aus, so daß dann grundsätzlich von Testierfähigkeit auszugehen ist.

31.5.3. Eherechtliche Fragen

Bei der Eheschließung handelt es sich um ein Rechtsgeschäft besonderer Art, das ebenso wie der Fortbestand der Ehe an bestimmte Voraussetzungen gebunden ist. Grundsätzlich gilt:

§ 2 EheG. Wer geschäftsunfähig ist, kann eine Ehe nicht eingehen.

Es folgt daraus auch, daß eine Ehe, die bei nicht erkannter Geschäftsunfähigkeit eines Partners formell geschlossen wurde, nichtig ist. Gleiches gilt, wenn einer der Partner bei der Eheschließung den anderen getäuscht hat, beispielsweise durch das Verschweigen schwerwiegender sexueller oder psychischer Störungen.

§ 32 EheG. Aufhebung der Ehe
Ein Ehegatte kann die Aufhebung der Ehe begehren, wenn er sich bei der Eheschließung über solche persönlichen Eigenschaften des anderen Ehegatten geirrt hat, die ihn bei Kenntnis der Sachlage und bei verständiger Würdigung des Wesens der Ehe von der Eingehung der Ehe abgehalten haben würden.

Nach dem modernen Scheidungsrecht gilt grundsätzlich das **Zerrüttungsprinzip** (§ 1565 BGB). Entscheidend ist nämlich allein der Umstand, daß die Ehe gescheitert ist, unabhängig von den Gründen. Ob die Ehezerrüttung auf Verfehlungen oder einer psychischen Störung beruht, ist unerheblich. Die Zerrüttung wird nach 1jähriger Trennung bei Zustimmung beider Ehegatten unterstellt, nach 3jähriger Trennung wird sie auch ohne Konsens unwiderlegbar vermutet. Nach einer **Härteklausel** in § 1568 BGB kann jedoch die Scheidung einer Ehe verhindert werden, wenn außergewöhnliche Umstände eine so schwere Härte für einen Partner darstellen würden, daß die Erhaltung der Ehe auch unter Berücksichtigung der Belange des Antragstellers ausnahmsweise geboten erscheint. Dies kann auch bei psychischen Erkrankungen der Fall sein.

31.6. Betreuungsrecht

Seit dem 1. Januar 1992 ersetzt das neue Betreuungsrecht die früheren Bestimmungen des Bürgerlichen Gesetzbuchs (BGB) über Vormundschaft und Gebrechlichkeitspflegschaft für Volljährige. Im Vordergrund steht jetzt ganz das Wohl der Betroffenen. Die persönliche Betreuung soll dazu dienen, gezielt **Hilfen und Unterstützungen anzubieten** und Eingriffe in die persönliche Freiheit auf das absolute Mindestmaß zu beschränken. Umfangreiche Verfahrensgarantien sind zudem neu im Gesetz über die freiwillige Gerichtsbarkeit (FGG) geregelt.

31.6.1. Voraussetzungen der Betreuung

§ 1896 BGB
1. Kann ein Volljähriger aufgrund einer psychischen Krankheit oder einer körperlichen, geistigen oder seelischen Behinderung seine Angelegenheiten ganz oder teilweise nicht besorgen, so bestellt das Vormundschaftsgericht auf seinen Antrag oder von Amts wegen für ihn einen Betreuer. Den Antrag kann auch ein Geschäftsunfähiger stellen. Soweit der Volljährige aufgrund einer körperlichen Behinderung seine Angelegenheiten nicht besorgen kann, darf der Betreuer nur

auf Antrag des Volljährigen bestellt werden, es sei denn, daß dieser seinen Willen nicht kundtun kann.

2. Ein Betreuer darf nur für Aufgabenkreise bestellt werden, in denen die Betreuung erforderlich ist. Die Betreuung ist nicht erforderlich, soweit die Angelegenheiten des Volljährigen durch einen Bevollmächtigten oder durch andere Hilfen, bei denen kein gesetzlicher Vertreter bestellt wird, ebenso gut wie durch einen Betreuer besorgt werden können.

Mit den neuen Begriffen sollen diskriminierende Bezeichnungen, wie »Entmündigung« und »Geistesschwäche«, vermieden werden.

Als **psychische Krankheiten** im Sinne des Gesetzes sind anzusehen: Psychosen (vgl. Kapitel 6), hirnorganische Erkrankungen (vgl. Kapitel 4), Abhängigkeitserkrankungen (vgl. Kapitel 5) sowie auch schwere Formen von Neurosen (vgl. Kapitel 8) und Persönlichkeitsstörungen (vgl. Kapitel 11). **Geistige Behinderungen** (vgl. Kapitel 12) sind angeborene oder frühzeitig erworbene Intelligenzmängel, **seelische Behinderungen** sind bleibende psychische Beeinträchtigungen als Folge psychischer Erkrankungen.

Das Vorliegen dieser Störungen allein reicht jedoch für die Einrichtung einer **Betreuung** nicht aus, sie muß auch **objektiv erforderlich** sein, d.h. die Beeinträchtigung muß kausal für die Unfähigkeit des Betroffenen sein, seine Angelegenheiten ganz oder teilweise zu besorgen. Daher sind Art und Umfang der Angelegenheiten einer Person, die diese nicht hinreichend selbst besorgen kann, genau festzustellen. Eine Betreuung darf auch nur dann angeordnet werden, wenn die zu regelnden Angelegenheiten nicht durch andere Hilfen, wie Unterstützung durch Angehörige, Bekannte, Nachbarn, Verbände, Sozialdienste usw., genauso gut geregelt werden könnten.

Das Verfahren ist nach dem FGG (§§ 65ff.) detailliert geregelt, unter anderem darf gemäss § 68b FGG ein Betreuer erst bestellt werden, nachdem das **Gutachten eines Sachverständigen** eingeholt worden ist. Dieser hat sich zur Art der Krankheit oder Behinderung, zum Ausprägungsgrad, zu den dadurch hervorgerufenen Einschränkungen, den Auswirkungen auf die Fähigkeit des Betroffenen, seine Angelegenheiten zu besorgen, zu möglichen alternativen Lösungen, zum Umfang des Aufgabenkreises eines Betreuers, zur Prognose, zu Rehabilitationsmöglichkeiten und zur voraussichtlichen Dauer der Betreuungsbedürftigkeit zu äußern.

31.6.2. Aufgaben des Betreuers, Einwilligungsvorbehalt

Der **Betreuer** ist nur in dem Aufgabenkreis, für den er bestellt ist, gesetzlicher Vertreter des Betroffenen. Bei der Auswahl des Betreuers sollen Wünsche des zu Betreuenden soweit als möglich berücksichtigt werden, außerdem dürfen keine Interessenkonflikte auftreten.

Durch die Bestellung eines Betreuers wird die Geschäftsfähigkeit des Betreuten grundsätzlich nicht berührt. Ist jedoch eine Einschränkung der Handlungsfreiheit erforderlich, gibt es die Möglichkeit eines **Einwilligungsvorbehaltes (§ 1903 BGB),** wobei der Betreute zu einer Willenserklärung, die den Aufgabenkreis des Betreuers betrifft, dessen Einwilligung benötigt. Derartige Einwilligungsvorbehalte sind nur zulässig, wenn zu befürchten ist, daß sich der Betreute durch die Abgabe einer Willenserklärung erheblich schädigt.

Medizinische Untersuchungen und **Behandlungen** bedürfen bei Volljährigen grundsätzlich der Einwilligung des Betroffenen selbst. Diese **natürliche Einwilligungsfähigkeit** ist dann vorhanden, wenn der Betroffene in der Lage ist, die Tragweite eines ärztlichen Eingriffs und seiner Auswirkungen zu ermessen und selbstverantwortlich zu entscheiden. Ist diese Fähigkeit vorhanden, ist allein seine Willensäußerung maßgebend, unabhängig von seiner Geschäftsfähigkeit. Nur bei einwilligungsunfähigen Betreuten benötigt der Betreuer für die **Zustimmung zu gefährlichen Heilbehandlungen,** zur **Unterbringung** und zur **Sterilisation** die Genehmigung durch das Vormundschaftsgericht. Gefährliche Heilbehandlungen sind Eingriffe, bei denen die begründete Gefahr besteht, daß der Betreute stirbt oder schweren längerdauernden gesundheitlichen Schaden erleidet. Diese Gefahr muß konkret und erheblich sein, allgemeine Operationsrisiken reichen beispielsweise nicht aus.

Auch eine **Sterilisation** wird als schwerwiegender Eingriff gewertet. Bei Minderjährigen ist sie grundsätzlich nicht zulässig. Bei betreuten Erwachsenen darf sie nur vorgenommen werden, wenn sie im Interesse des Betroffenen liegt. Dies kann dann der Fall sein, wenn eine Gefahr für das Leben oder eine andere schwerwiegende Beeinträchtigung der körperlichen oder seelischen Gesundheit durch eine Schwangerschaft droht, z.B. auch durch Maßnahmen, die mit einer Trennung vom Kind verbunden wären. Grundsätzlich darf die Sterilisation nicht dem Willen des Betroffenen widersprechen, d.h. sein Widerspruch schließt eine Sterilisation von vornherein aus.

Auch eine mit Freiheitsentziehung verbundene **Unterbringung** des Betreuten bedarf der Genehmigung durch das Vormundschaftsgericht, ebenso **»unterbringungsähnliche« Maßnahmen**, d.h. Einschränkungen der persönlichen Freiheit durch mechanische Vorrichtungen, wie Bettgitter, Gurte und Abschließen des Zimmers sowie auch die Gabe von dämpfenden Medikamenten. Grundsätzlich ist die Unterbringung nur dann erlaubt, wenn der Betroffene wegen seiner psychischen Krankheit oder geistigen oder seelischen Behinderung gefährdet ist, sich selbst zu töten oder sich einen erheblichen gesundheitlichen Schaden zuzufügen, außerdem, wenn nur so ein dringend notwendiger ärztlicher Eingriff durchgeführt werden kann.

Besonders erwähnt ist im Gesetz auch der **Schutz der Wohnung** (§ 1907 BGB), d.h. die Kündigung oder Aufhebung eines Mietverhältnisses durch den Betreuer bedarf der Genehmigung durch das Vormundschaftsgericht, um einer unnötigen Hospitalisation bei übereilter Aufgabe der Wohnung vorzubeugen.

31.6.3. Aufhebung der Betreuung und einstweilige Anordnung

Die Betreuung darf nur so lange durchgeführt werden, wie sie erforderlich ist. Sie ist spätestens nach 5 Jahren, bei Unterbringungen nach 1 Jahr, zu überprüfen. Wegen der umfangreichen Rechtsgarantien können die Verfahrensgänge sehr langwierig sein, das Gesetz sieht daher die Möglichkeit von Eilentscheidungen in Form **einstweiliger Anordnungen** vor, die grundsätzlich die Dauer von 6 Monaten nicht überschreiten dürfen. Sie können aber nach Anhörung eines Sachverständigen bis zu 1 Jahr verlängert werden.

31.7. Unterbringungsrecht der Bundesländer

Psychisch kranke Menschen können unter ganz bestimmten Voraussetzungen gegen ihren Willen in einem psychiatrischen Krankenhaus untergebracht werden (Zwangseinweisung). Die Rechtsgrundlagen für freiheitsentziehende Unterbringungen finden sich in den **Unterbringungsgesetzen der Bundesländer** (Psychisch-Kranken-Gesetze, PsychKG).

Voraussetzung für eine Unterbringung gegen den Willen des Betroffenen ist eine aufgrund psychischer Erkrankung bestehende **erhebliche Selbst- oder Fremdgefahr**, die nicht auf andere Art und Weise abgewendet werden kann, d.h. auch hier ist nach einem **strengen Verhältnismäßigkeitsprinzip** vorzugehen.

Erforderlich ist zudem ein **ärztliches Gutachten**, aus dem die Art der Erkrankung und die sich daraus ergebenden konkreten Gefahren hervorgehen müssen.

Das Unterbringungsverfahren ist bundeseinheitlich in § 70ff. FGG geregelt. Die Unterbringung wird auf Antrag einer **Verwaltungsbehörde** durch gerichtliche Entscheidung angeordnet. Die Behörde stellt ihren Antrag beim örtlich zuständigen **Amtsgericht**. Dieses entscheidet aufgrund eines Sachverständigengutachtens. Der Betroffene muß persönlich angehört werden und hat das Recht auf Anwesenheit einer Vertrauensperson. Soweit es für die Wahrnehmung seiner Interessen erforderlich ist, wird ihm zudem von Amts wegen ein Verfahrenspfleger beigeordnet. In manchen Ländergesetzen ist zudem die Beiordnung eines Rechtsanwalts vorgesehen. Eine **sofortige Unterbringung** ohne vorherige gerichtliche Anordnung ist nur dann zulässig, wenn Gefahr im Verzug ist. Die Verwaltungsbehörde ist verpflichtet, unverzüglich beim Amtsgericht einen Antrag auf Unterbringung zu stellen. Im gerichtlichen Beschluß ist eine Unterbringungszeit festzusetzen, sie darf die gesetzliche **Höchstdauer** von 1 Jahr, bei offensichtlich langer Unterbringungsbedürftigkeit von 2 Jahren, nicht überschreiten, eine Verlängerung bedarf eines erneuten Gerichtsbeschlusses. Die Entlassung erfolgt ebenfalls durch gerichtliche Anordnung, wenn die Voraussetzungen für eine Unterbringung nicht mehr vorliegen.

31.8. Sozialrecht

Das Sozialrecht betrifft unter anderem gesetztliche Versicherungen, wie Krankenversicherung, Unfallversicherung, Rentenversicherung und Arbeitslosenversicherung sowie das soziale Entschädigungsrecht. Es dient dazu, soziale und wirtschaftliche Beeinträchtigungen durch Gemeinschaftsleistungen auszugleichen, die allerdings an genau definierte Bedingungen geknüpft sind.

31.8.1. Sozialrechtliche Schlüsselbegriffe

Arbeitsunfähigkeit liegt vor, wenn ein Versicherter wegen seiner Krankheit nicht oder nur mit der Gefahr, seinen Zustand zu verschlimmern, fähig ist, seiner bisher ausgeübten oder einer ähnlich gearteten leichteren Erwerbstätigkeit nachzugehen. Die Feststellung der Arbeitsunfähigkeit führt zum Anspruch auf Krankengeld. Entsprechende ärztliche Atteste sind im Prinzip Gutachten, für deren Richtigkeit der Arzt haftet.

Erwerbsunfähigkeit (§ 44 Abs. 2 SGB VI) liegt vor, wenn ein Versicherter wegen Krankheit oder Behinderung auf unabsehbare Zeit außerstande ist, eine Erwerbstätigkeit in gewisser Regelmäßigkeit auszuüben oder Arbeitsentgelt oder Arbeitseinkommen zu erzielen, das ein Siebtel der monatlichen Bezugsgröße übersteigt. Erwerbsunfähig ist nicht, wer eine selbständige Tätigkeit ausübt.

Bei der **psychiatrischen Beurteilung** der Erwerbsunfähigkeit für die gesetzliche Rentenversicherung sind die durch die diagnostizierte Störung hervorgerufenen Funktionseinbußen darzustellen, berücksichtigt werden müssen die noch verbliebenen Leistungsmöglichkeiten auf dem allgemeinen Arbeitsmarkt sowohl in qualitativer als auch quantitativer Hinsicht.

Berufsunfähigkeit (§ 43 Abs. 2 SGB IV) liegt vor, wenn die Erwerbsfähigkeit eines Versicherten wegen Krankheit oder Behinderung auf weniger als die Hälfte derjenigen von körperlich, geistig oder seelisch gesunden Versicherten mit ähnlicher Ausbildung und gleichwertigen Kenntnissen und Fähigkeiten gesunken ist. Auch hierbei kommt es für den psychiatrischen Sachverständigen auf die Darstellung der durch eine psychische Störung hervorgerufenen Leistungsbeeinträchtigung an, und zwar bezogen auf den bisherigen Beruf. Stellung zu nehmen ist auch dazu, welche anderen ähnlichen Tätigkeiten der Begutachtete trotz seiner Störung ausführen könnte. Neben Art und Erheblichkeit der Störung spielen Verlauf und Prognose eine Rolle.

Die Feststellung der Berufs- oder Erwerbsunfähigkeit ist keine ärztliche, sondern eine Rechtsfrage. Grundsätzlich gilt in der gesetzlichen Rentenversicherung »**Rehabilitation vor Rente**«.

Dienstunfähigkeit liegt bei einem Beamten auf Lebenszeit nur dann vor, wenn er infolge eines körperlichen Gebrechens oder wegen Schwäche seiner körperlichen und geistigen Kräfte zur Erfüllung seiner Dienstpflichten dauernd unfähig ist (§ 42 BBG). Er ist dann in den vorzeitigen Ruhestand zu versetzen. Es gelten hierbei im wesentlichen die gleichen Kriterien wie in der gesetzlichen Rentenversicherung.

Die **Minderung der Erwerbsfähigkeit (MdE)** ist nach § 580 RVO (Reichsversicherungsordnung) der teilweise Verlust der Erwerbsfähigkeit. Erwerbsfähigkeit im Sinne der gesetzlichen Unfallversicherung ist die Möglichkeit, seine Arbeitskraft auf dem allgemeinen Arbeitsmarkt wirtschaftlich zu verwerten. Die Minderung der Erwerbsfähigkeit bezieht sich auf verlorene Fähigkeiten durch Beeinträchtigungen; sie wird in Prozentsätzen angegeben. Es existieren Anhaltspunkte zur Einordnung des Schweregrads einer psychischen Beeinträchtigung in Tabellenform. Danach führen z.B. psychotische Störungen ohne soziale Anpassungsschwierigkeiten oder leichtere neurotische Störungen zu einer Minderung der Erwerbsfähigkeit von 0 bis 10%, Psychosen mit leichten sozialen Anpassungsstörungen, stärker behindernde neurotische Störungen und Abhängigkeit von psychotropen Substanzen ohne ausgeprägte körperliche Schäden zu einer solchen von 20 bis 40% und Psychosen mit schweren psychosozialen Folgen sowie Abhängigkeitserkrankungen mit schweren körperlichen Folgeschäden zu einer von 50 bis 100%.

Der **Grad der Behinderung (GdB)** nach dem Schwerbeschädigtengesetz bezieht sich auf die Auswirkungen einer nicht nur vorübergehenden Funktionsbeeinträchtigung, die auf einem regelwidrigen körperlichen, geistigen oder seelischen Zustand beruht. Schwerbehindert sind Personen mit einem Grad der Behinderung von wenigstens 50%. Hierbei wird die Funktionsbeeinträchtigung ohne Rücksicht auf die Ursache festgehalten.

31.8.2. Soziales Entschädigungsrecht

Für das **soziale Entschädigungsrecht**, unter anderen Bundesversorgungsgesetz (BVG), Soldatenversorgungsgesetz (SVG), Zivildienstgesetz (ZDG), Häftlingshilfegesetz (HHG), Bundesseuchengesetz (BSeuchG) und das Gesetz über die Entschädigung von Opfern von Gewalttaten (OEG) gelten überwiegend die gleichen Beurteilungsgrundlagen. Festzustellen ist vor allem ein kausaler Zusammenhang zwischen einem schädigenden Ereignis und einem geltend gemachten Gesundheitsschaden, der nach den gesetzlichen Vorschriften auszugleichen ist. Im Sinne der Versorgungsgesetze ist diejenige **Bedingung** als Ursache anzusehen, die wegen ihrer besonderen Beziehung für den Eintritt einer Gesundheitsschädigung **wesentlich** war oder entscheidend daran mitgewirkt hat. Haben mehrere Umstände dazu beigetragen, so gelten nur solche als Mitursachen, die für den Eintritt der Störung als annähernd gleichwertig zu betrachten sind. Die **Wahrscheinlichkeit** eines ursächlichen Zusammenhangs reicht aus, sie ist gegeben, wenn nach der geltenden wissenschaftlichen Lehre mehr für als gegen einen ursächlichen Zusammenhang spricht.

31.9. Rechtsgrundlagen in Österreich

31.9.1. Strafrecht

31.9.1.1. Zurechnungsfähigkeit

Zurechnungsunfähig und daher strafrechtlich nicht verantwortlich ist nach § 11 ÖStGB: Wer zur Zeit seiner Tat wegen Geisteskrankheit, wegen Schwachsinns, wegen einer tiefgreifenden Bewußtseinsstörung oder wegen einer anderen schweren, einem dieser Zustände gleichwertigen seelischen Störung unfähig ist, das Unrecht seiner Tat einzusehen oder nach dieser Einsicht zu handeln.

Auch die österreichischen Bestimmungen sehen also ein **zweistufiges Vorgehen** vor, wobei zunächst eine psychiatrische Diagnose zu stellen ist. Die Zuordnung zu den Rechtsbegriffen erfolgt ähnlich wie in Deutschland: Unter **Geisteskrankheit** werden im wesentlichen die affektiven und schizophrenen Psychosen (vgl. Kapitel 6, 7) und ausgeprägte hirnorganische Psychosyndrome (vgl. Kapitel 4) subsummiert, unter **Schwachsinn** (vgl. Kapitel 12) ausgeprägte Intelligenzmängel, auch wenn sie auf perinatal erworbenen Hirnschäden beruhen. Zu **tiefgreifenden Bewußtseinsstörungen** zählen in Österreich im Gegensatz zu Deutschland auch krankhafte Bewußtseinsstörungen, z.B. epileptische Dämmerzustände (vgl. Kapitel 4) oder Störungen durch psychotrope Substanzen (vgl. Kapitel 5). Als »Auffangmerkmal« gilt der Begriff der **gleichwertigen seelischen Störungen**, wozu vor allem schwere Neurosen (vgl. Kapitel 8), Persönlichkeits- und Triebstörungen (vgl. Kapitel 10 und 11) gerechnet werden.

Verminderte Schuld- bzw. Zurechnungsfähigkeit kennt das österreichische Recht nicht. Nach § 34 ÖStGB können aber psychische Störungen, die nicht die Kriterien von § 11 erfüllen, strafmildernd berücksichtigt werden.

31.9.1.2. Strafrechtliche Maßnahmen, Unterbringung

Als vorbeugende Maßnahmen sind im ÖStGB die **Unterbringung** in einer Anstalt für geistig abnorme Rechtsbrecher (§ 21), in einer Anstalt für entwöhnungsbedürftige Rechtsbrecher (§ 22) und in einer Anstalt für gefährliche Rückfallstäter (§ 23) vorgesehen.

In eine **Anstalt für geistig abnorme Rechtsbrecher** (§ 21) ist einzuweisen, wer eine Tat begangen hat, die mit einer 1 Jahr übersteigenden Freiheitsstrafe bedroht ist und wer nur deshalb nicht bestraft werden kann, weil er sie unter dem Einfluß eines die Zurechnungsfähigkeit ausschließenden Zustands begangen hat, der auf geistiger oder seelischer Abartigkeit von höherem Grade beruht. Außerdem muß zu befürchten sein, daß der Täter wegen seines psychischen Zustands weitere mit Strafe bedrohte Handlungen mit schweren Folgen begehen werde. In eine derartige Anstalt kann auch eingewiesen werden, wer ohne zurechnungsunfähig zu sein unter dem Einfluß geistiger oder seelischer Abartigkeit höheren Grades eine Tat begeht, die mit einer 1 Jahr übersteigenden Freiheitsstrafe bedroht ist. Die Unterbringung muß zugleich mit dem Ausspruch über die Strafe angeordnet werden und ist vor der Freiheitsstrafe zu vollziehen, wobei die Zeit der Anhaltung in der Anstalt auf die Strafe anzurechnen ist. Die zurechnungsunfähigen geisteskranken Rechtsbrecher sind in Österreich zentral in der Sonderanstalt Göllersdorf untergebracht, die zurechnungsfähigen geistig abnormen Rechtsbrecher in der Sonderanstalt Wien/Mittersteig. Die Maßnahmen sind grundsätzlich zeitlich unbeschränkt und so lange zu vollziehen, wie ihr Zweck es erfordert, jedoch müssen jährlich Gutachten zur Frage der weiteren Gefährlichkeit eingeholt werden.

31.9.2. Zivilrecht

31.9.2.1. Sachwalterschaft

Ähnlich wie das deutsche Betreuungsgesetz sieht das in Österreich bereits seit dem 1. Juli 1984 geltende **Bundesgesetz über die Sachwalterschaft** ein auf den Einzelfall abgestimmtes System der Beschränkung der Geschäftsfähigkeit vor, wobei das Prinzip der Hilfe für die beeinträchtigte Person im Vordergrund steht. Auf eigenen Antrag oder von Amts wegen ist ein Sachwalter zu bestellen, wenn eine Person an einer **psychischen Krankheit** leidet oder **geistig behindert** ist und alle oder einzelne Angelegenheiten nicht ohne Gefahr eines Nachteils für sich selbst zu besorgen vermag. Auch in Österreich gilt das **Verhältnismäßigkeitsprinzip**, d.h. die Errichtung der Sachwalterschaft muß unterbleiben, wenn dem Betroffenen die Hilfe auf andere Art und Weise gewährt werden kann. Der auf die Umstände des Einzelfalls abzustimmende Wirkungskreis des Sachwalters umfaßt entweder die Besorgung einer Einzelangelegenheit oder eines bestimmten, genau definierten Kreises von Angelegenheiten oder bei besonders ausgeprägten Beeinträchtigungen auch sämtliche Angelegenheiten (§ 273 ABGB). Von seiten des Gerichts ist in angemessenen Zeitabständen zu überprüfen, ob eine Aufhebung oder Änderung der Sachwalterschaft angezeigt ist.

Die volle Geschäftsfähigkeit, d.h. die Fähigkeit, durch eine Willenserklärung selbständig Rechtsgeschäfte vorzunehmen, beginnt in Österreich nach Vollendung des 19. Lebensjahrs. Personen, denen ein Sachwalter bestellt ist, können in ihrer Geschäftsfähigkeit eingeschränkt werden, allerdings nur, soweit es das Wohl des Betroffenen erfordert.

31.9.2.2. Unterbringungsgesetz

Seit dem 1. Januar 1992 ist in Österreich ein neues Unterbringungsgesetz (UbG) in Kraft, dessen Bestimmungen für Krankenanstalten und psychiatrische Abteilungen gelten, in denen Personen in einem geschlossenen Bereich gehalten oder sonst Beschränkungen ihrer Bewegungsfreiheit unterworfen werden.

Nach § 3 UbG darf in einer derartigen Anstalt nur untergebracht werden, wer

1. an einer psychischen Krankheit leidet und im Zusammenhang damit sein Leben oder seine Gesundheit oder das Leben und die Gesundheit anderer ernstlich und erheblich gefährdet, und
2. nicht in anderer Weise, besonders außerhalb der Anstalt, ausreichend ärztlich behandelt oder betreut werden kann.

Bloße Behandlungsbedürftigkeit oder Verwahrlosungsgefahr gelten nicht als ausreichende Unterbringungsvoraussetzungen. Die aufzunehmende Person muß unverzüglich vom Abteilungsleiter und einem weiteren Facharzt untersucht werden, die Unterbringung darf nur erfolgen, wenn in unabhängigen übereinstimmenden ärztlichen Zeugnissen die Voraussetzungen als gegeben angesehen werden. Das zuständige Gericht ist von der Aufnahme unverzüglich zu verständigen, ebenso ein Patientenanwalt. Das Gericht muß sich binnen 4 Tagen durch Anhörung einen persönlichen Eindruck vom Untergebrachten in der Anstalt verschaffen. Sieht es die Unterbringungsvoraussetzungen als nicht gegeben an, kann es sie unverzüglich aufheben. Gegen diesen Beschluß hat der Abteilungsleiter ein Rekursrecht. Liegen die Unterbringungsvoraussetzungen vor, ist spätestens innerhalb von 2 Wochen nach der Anhörung eine mündliche Verhandlung durchzuführen. Hierzu hat das Gericht einen oder mehrere Sachverständige zur Erstattung eines schriftlichen Gutachtens zu bestellen. Die Unterbringung darf nur für maximal 3 Monate ab Beginn ausgesprochen werden. Beschränkungen der Bewegungsfreiheit sind durch den behandelnden Arzt jeweils besonders anzuordnen, in der Krankengeschichte zu dokumentieren und unverzüglich dem Vertreter des Kranken mitzuteilen. Die ärztliche Behandlung ist grundsätzlich nur soweit zulässig, als sie zu ihrem Zweck nicht außer Verhältnis steht. Einsichts- und willensfähige Untergebrachte dürfen nicht gegen ihren Willen behandelt werden. Besondere Heilbehandlungen, wie operative Eingriffe, bedürfen schriftlicher Zustimmung des Patienten, bei fehlender Einsichts- oder Willensfähigkeit muß das Gericht entscheiden, in Notfällen darf jedoch ein Eingriff auch ohne entsprechende Zustimmung erfolgen, wenn der mit der Einholung verbundene Aufschub das Leben des Patienten gefährden würde oder mit der Gefahr einer schweren Gesundheitsschädigung verbunden wäre.

31.10. Rechtsgrundlagen in der Schweiz

31.10.1. Strafrecht

31.10.1.1. Zurechnungsfähigkeit

Art. 10 StGB

Wer wegen Geisteskrankheit, Schwachsinn oder schwerer Störung des Bewußtseins zur Zeit der Tat nicht fähig war, das Unrecht seiner Tat einzusehen oder gemäß seiner Einsicht in das Unrecht der Tat zu handeln, ist nicht strafbar. Vorbehalten sind Maßnahmen nach den Artikeln 43 und 44 StGB.

Art. 11 StGB

War der Täter zur Zeit der Tat in seiner geistigen Gesundheit oder in seinem Bewußtsein beeinträchtigt oder geistig mangelhaft entwickelt, so daß die Fähigkeit, das Unrecht seiner Tat einzusehen oder gemäß seiner Einsicht in das Unrecht der Tat zu handeln, herabgesetzt war, so kann der Richter die Strafe nach freiem Ermessen mildern (Art. 66 StGB). Vorbehalten sind Maßnahmen nach den Art. 42 bis 44 und 100bis.

Wie in Deutschland und Österreich wird auch in der Schweiz bei der Beurteilung der Zurechnungsfähigkeit die zweistufige psychiatrisch-normative Methode angewandt. Es sind sechs Rechtsbegriffe, mit denen psychische Zustände gekennzeichnet werden. Im Unterschied zu Deutschland gelten für die verminderte Zurechnungsfähigkeit andere Eingangskriterien als für die Zurechnungsunfähigkeit. In der Praxis ergeben sich folgende diagnostische Zuordnungen:

Geisteskrankheit: Schwere hirnorganische Störungen, exogene Psychosen, schizophrene und affektive Psychosen, in Ausnahmefällen schwerste Neurosen, Persönlichkeits- und Verhaltensstörungen, wenn sie in ihren Auswirkungen einer Psychose entsprechen.

Schwachsinn: Schwere und schwerste Intelligenzmängel.

Schwere Bewußtseinsstörung: Schwere akute Belastungsreaktionen in Form ausgeprägter Affekte, Dämmerzustände (z.B. posttraumatisch oder epileptisch), aber auch andere schwere exogene Bewußtseinsstörungen, z.B. durch psychotrope Substanzen.

Beeinträchtigung der geistigen Gesundheit: Weniger ausgeprägte Geisteskrankheiten, auch Süchte.

Bewußtseinsbeeinträchtigung: Bewußtseinsstörungen, die nicht als schwer zu quantifizieren sind.

Mangelhafte geistige Entwicklung: Mittlere Grade des Schwachsinns sowie der größte Teil der Persönlichkeits- und Verhaltensstörungen und Neurosen.

Nach ständiger Rechtssprechung müssen die genannten Störungen eine **qualifizierte Erheblichkeit** aufweisen, wobei der Begriff des »normalen Menschen« nicht zu eng zu fassen ist. Die Verfassung des Täters muß nach Art und Grad stark vom Durchschnitt nicht bloß der Rechts-, sondern auch der »Verbrechensgenossen« abweichen. Nach ständiger schweizerischer Rechtssprechung sind »einfache« neurotische Störungen oder leichtere Rauschzustände noch nicht im Rahmen von Art. 11 StGB zu berücksichtigen.

Kann eine der genannten Störungen mit rechtserheblichem Schweregrad diagnostiziert werden, gilt es wie im deutschen Recht zuerst das kognitiv-intellektuelle Element der Einsichts- und dann das voluntative Element der Steuerungs- oder Hemmungsfähigkeit zu analysieren. Nach Art. 13 StGB wird vom Gutachter verlangt, daß er sich ausdrücklich über die Zurechnungsfähigkeit äußert. Im Bereich der verminderten Zurechnungsfähigkeit wird noch eine weitergehende Quantifizierung verlangt, es ist nämlich festzustellen, ob eine Beeinträchtigung leicht, mittelgradig oder schwer war.

31.10.1.2. Strafrechtliche Maßnahmen

Seit der Strafrechtsrevision von 1971 gibt es einen umfassenden **Katalog strafrechtlicher Maßnahmen für geistig abnorme Rechtsbrecher.** Art. 43 StGB regelt, daß eine ärztliche Behandlung oder besondere Pflege durch das Gericht anzuordnen sind, falls sich dadurch die Gefahr weiterer mit Strafe bedrohter Handlungen verhindern oder vermindern läßt. Diese Therapie kann auch primär ambulant erfolgen, falls der Täter nicht für Dritte gefährlich ist. In der Regel sollen ambulante Behandlungen jedoch während des gleichzeitigen Strafvollzugs oder nach der Strafverbüßung erfolgen, es sei denn, die Therapie ist mit der Haft nicht vereinbar oder bei sofortigem Strafvollzug später gar nicht mehr möglich. Bei Einweisung in eine Heil- oder Pflegeanstalt zur stationären Behandlung wird eine Freiheitsstrafe aufgeschoben, der Richter entscheidet nach Ende der Therapie und Anhörung des Arztes, ob und wieweit aufgeschobene Strafen noch zu vollstrecken sind. Gefährdet der Täter die öffentliche Sicherheit in schwerwiegender Weise, kann seine **Verwahrung** in einer geeigneten Anstalt (auch Haftanstalt) angeordnet werden, wenn er nur so von der schwerwiegenden Gefährdung anderer abzuhalten ist. Alle Maßnahmen nach Art. 43 sind grundsätzlich zeitlich unbegrenzt. Eine kantonale Strafvollzugsbehörde beschließt die Aufhebung der Maßnahme, wenn der zu ihrer Errichtung führende Grund weggefallen ist. Ist dieser nur noch teilweise vorhanden, kann zunächst eine probeweise Entlassung erfolgen.

Art. 44 StGB regelt die **Behandlung Trunk- und Rauschgiftsüchtiger** (vgl. Kapitel 5). Auch hier sind stationäre Behandlungen in spezialisierten Einrichtungen, aber auch ambulante Behandlungen, etwa in Form von Substitutionstherapien, möglich. Die Dauer der stationären Maßnahme ist auf 2 Jahre begrenzt.

Zusätzlich gibt es in der Schweiz besondere **Regelungen für junge Erwachsene:** Nach Art. 100bis StGB können Täter, die zum Zeitpunkt der Tat zwischen 18 und 25 Jahre alt sind, in eine **Arbeitserziehungsanstalt** eingewiesen werden, wenn sie »in ihrer charakterlichen Entwicklung erheblich gestört oder gefährdet, verwahrlost, liederlich oder arbeitsscheu« sind und sofern die Tat damit in Zusammenhang steht. Die Arbeitserziehungsanstalten sind überwiegend sozialpädagogisch/sozialtherapeutisch, aber auch psychotherapeutisch ausgerichtet, sie müssen von den anderen Anstalten getrennt sein. Die Dauer der Maßnahme ist auf maximal 4 Jahre begrenzt.

31.10.2. Zivilrecht

31.10.2.1. Handlungs- und Urteilsfähigkeit

Art. 12 ZGB. Wer handlungsfähig ist, hat die Fähigkeit, durch seine Handlungen Rechte und Pflichten zu begründen.

Art. 13 ZGB. Handlungsfähigkeit besitzt, wer mündig und urteilsfähig ist.

Art. 16 ZGB. Urteilsfähig im Sinne dieses Gesetzes ist ein jeder, dem nicht wegen seines Kindesalters oder infolge von Geisteskrankheit, Geistesschwäche, Trunkenheit oder ähnlichen Zuständen die Fähigkeit mangelt, vernunftgemäß zu handeln.

Auch bei der **Beurteilung der Urteilsfähigkeit** sind zunächst psychische Störungen den gesetzlichen Kriterien zuzuordnen. Unter **Geisteskrankheit** wird im allgemeinen jeglicher Geisteszustand verstanden, bei dem das Verhalten und Erleben der betroffenen Person auf den außenstehenden Beobachter uneinfühlbar, grob, befremdlich, stark auffallend oder qualitativ abwegig erscheint, unter **Geistesschwäche** wird in erster Linie eine deutliche Leistungsbeeinträchtigung intellektuell-kognitiver Fähigkeiten verstanden. Der Begriff ist aber nicht deckungsgleich mit Schwachsinn, auch schwere neurotische und Persönlichkeitsstörungen, die mit einer erheblichen Beeinträchtigung der Willensbildung einhergehen, sind hier einzuordnen. In einem zweiten Schritt ist im Gutachten herauszuarbeiten, wie sich die festgestellte Störung auf die Fähigkeit, vernunftgemäß zu handeln, ausgewirkt hat, und zwar ganz konkret in bezug auf die in Frage stehende Handlung. Wichtige Kriterien sind hier im intellektuell-kognitiven Bereich die Erkenntnis- und Wertungsfähigkeit, im voluntativen Bereich die Fähigkeit zur Willensbildung und Willenskraft.

31.10.2.2. Vormundschaftliche Maßnahmen

Art. 369 ZGB

1. Unter Vormundschaft gehört jede mündige Person, die infolge von Geisteskrankheit oder Geistesschwäche ihre Angelegenheiten nicht zu besorgen vermag, zu ihrem Schutze dauernden Beistandes und der Fürsorge bedarf oder die Sicherheit anderer gefährdet.

2. Die Verwaltungsbehörden und Gerichte haben der zuständigen Behörde Anzeige zu machen, sobald sie in ihrer Amtstätigkeit von dem Eintritt eines solchen Bevormundungsfalles Kenntnis erlangen.

Nach diesen Vorschriften **muß** eine Bevormundung erfolgen, falls die Voraussetzungen gegeben sind. Hinsichtlich der diagnostischen Zuordnung der Eingangskriterien gelten die gleichen Grundsätze wie für Art. 16 ZGB dargestellt.

Außerdem sollen nach **Art. 370 ZGB** auch alle Personen bevormundet werden, die durch Verschwendung, Trunksucht, lasterhaften Lebenswandel oder durch die Art und Weise ihrer Vermögensverwaltung sich oder ihre Familie der Gefahr des Notstands oder der Verarmung aussetzen oder zu ihrem Schutz dauernden Beistandes oder der Fürsorge bedürfen oder die Sicherheit anderer gefährden. Für die Durchführung des Bevormundungsverfahrens gibt es unterschiedliche kantonale Bestimmungen, auch sind die zuständigen Instanzen verschieden.

Eine geringere Einschränkung der Handlungsfähigkeit kann nach **Art. 395 ZGB** in Form eines **Beirats** erfolgen, falls für eine Entmündigung kein genügender Grund vorliegt, aber trotzdem eine gewisse Beschränkung der Handlungsfähigkeit notwendig ist. Der Beirat hat einen genau geregelten Aufgabenkatalog, der im wesentlichen Prozeßführung, größere Käufe und Verkäufe, Bauten, Darlehensgewährung und andere Kapitalgeschäfte sowie die Eingehung von Bürgschaften umfaßt. Unter den gleichen Voraussetzungen kann auch die Verwaltung eines Vermögens dem Betroffenen entzogen werden, während er über die Erträgnisse freie Verfügung behält.

Als dritte und am wenigsten eingreifende vormundschaftliche Maßnahme gibt es noch die **Beistandschaft nach Art. 392 ZGB,** die auf Ansuchen eines Beteiligten oder von Amts wegen errichtet werden kann, besonders, wenn eine mündige Person infolge von Krankheit oder Abwesenheit nicht selbst zu handeln oder einen Vertreter zu benennen vermag, oder wenn einem Vermögen die notwendige Verwaltung fehlt, z.B. bei der Unfähigkeit eines Betroffenen, die Vermögensverwaltung selbst zu besorgen. Einer mündigen Person kann auch auf eigenes Begehren ein Beistand gegeben werden. Die Tätigkeit des Beistands beschränkt sich auf den Geschäftsbereich, für den er benannt worden ist.

31.10.2.3. Fürsorgerische Freiheitsentziehung

Nach Art. 397a ZGB kann eine mündige oder entmündigte Person wegen Geisteskrankheit, Geistesschwäche, Trunksucht oder anderen Suchterkrankungen oder schwerer Verwahrlosung in einer geeigneten Anstalt untergebracht oder zurückbehalten werden, wenn ihr die nötige persönliche Fürsorge nicht anders erwiesen werden kann. Dabei ist auch die Belastung zu berücksichtigen, welche die Person für die Umgebung bedeutet. Der Betroffene muß entlassen werden, sobald sein Zustand es erlaubt. Er oder eine ihm nahestehende Person kann gegen einen Entscheid zur fürsorgerischen Freiheitsentziehung innerhalb von 10 Tagen nach Mitteilung schriftlich einen Richter anrufen.

Das Verfahren wird im Detail durch kantonales Recht geregelt, es gibt also zahlreiche unterschiedliche Ausführungsbestimmungen, auch ist das Recht zur Einweisung kantonal unterschiedlich delegiert, zum Teil an gerichtsärztliche Dienste, zum Teil an Gesundheitsämter oder Kantonsärzte, teilweise auch an die Statthalterämter, in manchen Kantonen ist auch jeder Arzt berechtigt, eine Einweisung gegen den Willen des Betreffenden zu veranlassen. Bundeseinheitlich geregelt ist jedoch, daß die betroffene Person über die Gründe der Einweisung unterrichtet und schriftlich auf ihr Rekursrecht aufmerksam gemacht werden muß. Ein Rekurs muß von der Klinik unverzüglich an die zuständige Instanz (Zivilgericht oder kantonale Rekurskommission) weitergeleitet werden. Bei psychisch Kranken darf nur unter Beizug eines Sachverständigen entschieden werden.

Literatur

Amsel-Kainarou AS, Nelles J (Hrsg., 1993): Forensische Psychiatrie, Machtinstrument oder Schattendasein? Haupt, Bern.

Damrau J, Zimmermann W (1991): Betreuungsgesetz. Kohlhammer, Stuttgart.

Erlenkämper A (1988): Sozialrecht für Mediziner; 2. Aufl. Thieme, Stuttgart.

Lempp R (1983): Gerichtliche Kinder- und Jugendpsychiatrie. Huber, Bern.

Rasch W (1986): Forensische Psychiatrie. Kohlhammer, Stuttgart.

Schwerd W (Hrsg., 1992): Rechtsmedizin. Lehrbuch für Mediziner und Juristen; 5. Aufl. Deutscher Ärzteverlag, Köln.

Venzlaff U, Foerster K (Hrsg., 1994): Psychiatrische Begutachtung; 2. Aufl. Fischer, Stuttgart.

Verband deutscher Rentenversicherungsträger (Hrsg., 1995): Sozialmedizinische Begutachtung in der gesetzlichen Rentenversicherung. Fischer, Stuttgart.

32. Gerontopsychiatrie

Hans Gutzmann

32.1. Einleitung

Während in den 80er Jahren des vorigen Jahrhunderts, zu Zeiten der Bismarckschen Sozialgesetzgebung, etwa 2% der Bevölkerung älter als 65 Jahre waren, gehören heute etwa 20% dieser Gruppe an. Das absolute und relative Anwachsen der Bevölkerung der oberen Altersgruppen und ihr erhöhtes Morbiditätsrisiko, das besonders im gegenüber dem Bevölkerungsanteil etwa verdoppelten Anteil an den Patienten der Akutkrankenhäuser deutlich wird, begründen für sich genommen noch nicht die Notwendigkeit einer Disziplin »Gerontopsychiatrie«. Die **Befunde der Epidemiologie** weisen allerdings auf den Versorgungsbedarf dieser Bevölkerungsgruppe hin, legen Forschungsprioritäten nahe und charakterisieren gleichzeitig den sozialpolitischen Bedingungsrahmen.

Bei etwa 25–30% der über 65jährigen liegen psychische Störungen im weitesten Sinne vor [Krauss, 1989]. Dazu gehören bei 8–15% Neurosen, abnorme Reaktionen und Persönlichkeitsstörungen, bei 3–4% endogene Psychosen. Ebenfalls bei 3–5% finden sich dementielle Prozesse, deren Häufigkeit mit zunehmendem Alter allerdings steil ansteigt (von etwa 1% zwischen dem 60. und 65. Lebensjahr bis auf mehr als 30% jenseits des 90. Lebensjahrs). Bei 2–10% der Altenbevölkerung, vorwiegend bei Männern, findet sich eine Alkoholkrankheit, bei Frauen hingegen eher eine regelmäßige Einnahme von Tranquilizern.

Aus diesen Befunden ergibt sich zum einen, daß mehr als zwei Drittel der Untersuchten in repräsentativen Stichproben auch im Alter nicht psychisch krank sind, zum anderen, daß dementielle Erkrankungen das nosologische Spektrum nicht dominieren. Implizit ist einer Therapie damit in den meisten Fällen zunächst ein sehr optimistisches Richtungsziel, die Gesundheit der Mehrheit der Gleichaltrigen, vorgegeben. Gerontopsychiatrie ist also nicht in erster Linie Demenzpsychiatrie. Sie umfaßt allerdings diejenigen Vertreter der Psychiatrie, die besondere Kompetenz im Demenzbereich aufweisen.

Neben der **Multimorbidität**, einem Begriff, der weitgehend den körperlichen Mehrfacherkrankungen des älteren Menschen vorbehalten ist und der dennoch gerade die Gerontopsychiatrie in Abgrenzung zur Allgemeinpsychiatrie wesentlich mitbestimmt, lassen die lebenslange psychische und soziale Prägung des alten Patienten Kategorisierungen problematisch erscheinen. Diese Bemerkung soll vor einer im Zeitalter standardisierter Diagnosensysteme nur zu gut erklärlichen Einschränkung der klinischen Wahrnehmung warnen. Besonders anschaulich wird diese Gefahr bei den aktuellen Bemühungen um die begriffliche und methodische Präzisierung der Demenz, deren kognitive Symptome weit intensiver wahrgenommen und diskutiert werden als die begleitenden Auffälligkeiten in Antrieb, Affekt und Persönlichkeit.

Ebenso viele Faktoren, wie an der Gestaltung des Alterns beteiligt sind, beeinflussen auch die **Entstehung** und den **Verlauf der psychischen Erkrankungen** in dieser Lebensphase. Kritische Lebensereignisse, die als Auslöser für psychische Störungen im Alter identifiziert werden können, sind neben körperlichen Erkrankungen besonders Veränderungen der sozialen Stellung und Partnerverlust. Ein direkter Zusammenhang zwischen Auslösesituation und Form der Störung ist im Einzelfall allerdings selten, eine spezifische Beziehung praktisch nie auszumachen. Es ist außerdem bekannt, daß der Verlauf im Alter aus einer Vielzahl von Faktoren mittelbar oder unmittelbar ableitbar ist, die der früheren Biographie zuzuordnen sind, in einem Zeitraum also, als das nun alt gewordene Individuum noch gar nicht alt war.

Ein wesentlicher Faktor beim Alterungsprozeß, und damit auch bei seinen Erkrankungen, ist der Körper. Die **organische Dimension** außer acht zu lassen, würde eine ethisch wie wissenschaftlich auch und gerade in der Diagnostik und Therapie gerontopsychiatrischer Erkrankungen nicht vertretbare Verkürzung bedeuten. Zwar ist biologischen Vorgängen vielleicht zu lange ein Vorrang eingeräumt worden, der ihnen nicht zukam. Sie völlig außer acht zu lassen, ist jedoch noch weniger zulässig. Somatotherapeutische, besonders auch psychopharmakologische Interventionen gehören mithin zum therapeutischen Grundbestand. Psychische Störungen alter Menschen basieren jedoch nicht nur auf zerebralen Abbauprozessen. Auch wenn man bei Untersuchungen in vielen Fällen pathogenetisch bedeutsame Organbefunde erheben kann, erklären diese in aller Regel nicht allein die klinische Symptomatik. Ein zu voreiliges Festlegen auf eine einzige Ursache ist für den Gerontopsychiater und seinen Patienten noch problematischer als in anderen Fachdisziplinen.

Die **psychiatrische Erkrankung und ihre Therapie** weist im Alter in wesentlichen Dimensionen **Spezifika** auf. Erscheinungsbild und Prognose sind durch Alter und erhöhte körperliche Komorbidität des Patienten ebenso berührt wie die Verstoffwechselung und die Effekte psychotroper Pharmaka. Die Reaktionen auf psychodynamisch orientierte oder verhaltensmodifizierende therapeutische Interventionen bekommen ebenso wie die Nutzung therapeutischer Angebote und die Besonderheiten des sozialen Unterstützungssystems ihre spezifische Prägung durch das Lebensalter der Patienten. Diese Änderungen gegenüber der Situation beim jungen Patienten stellen nicht notwendigerweise eine Verschlechterung dar, sie sind jedoch eine Veränderung und verlangen vom Arzt im Einzelfall eine andere Sicht, ein anderes Vorgehen, vielleicht sogar ein anderes Selbstverständnis.

Die **Gerontopsychiatrie** ist als eigenständiger Teilbereich der Psychiatrie aufzufassen. Sie ist keine einfache Extrapolation der »Erwachsenenpsychiatrie«. Sie hat vielmehr mit Bezug auf die Forschungsergebnisse der psychologischen und sozialen Gerontologie sowie der Geriatrie eigene präventive, diagnostische, therapeutische und rehabilitative Strategien entwickelt. Bei jedem älteren primär psychisch Kranken [ab dem 60.–65. Lebensjahr; vgl. Expertenkommission, 1988] ist die Gerontopsychiatrie mit ihrer spezifischen Kompetenz gefordert.

Im Mittelpunkt der Arbeit der Gerontopsychiatrie steht nicht der »junge« Alte, sondern der alte Alte mit all seiner **komplexen Multimorbidität**. Der »unattraktive« Patient, der nicht auf den ersten Blick zu schönsten Hoffnungen berechtigt, ist der gerontopsychiatrische Normalfall. Dies allein schon deshalb, weil die multimorbiden Hochbetagten die am schnellsten wachsende Gruppe innerhalb der gerontopsychiatrischen Klientel in den Industriestaaten sind. Dies wahrgenommen und in aller Deutlichkeit formuliert zu haben, ist eines der großen Verdienste der Empfehlungen der Expertenkommission der Bundesregierung, die die Versorgung chronisch Kranker in den Mittelpunkt gestellt hat [vgl. Kanowski, 1992].

32.2. Depressive Syndrome im Alter

32.2.1. Epidemiologie

Depressive Störungen im Alter sollen hier als ärztlicher Aufgabenbereich ausführlicher beschrieben werden, weil die Breite des Spektrums gerontopsychiatrischer Problemstellungen und Lösungsansätze modellhaft deutlich wird.

Die häufigste psychische Erkrankung im Alter ist, neben den Demenzen, die Depression (vgl. Kapitel 7). Jenseits dieser allgemein akzeptierten Feststellung beginnen allerdings die noch ungelösten Probleme epidemiologischer Forschung. Stichprobenzusammensetzungen und eingesetztes Instrumentarium sind dabei ebenso von Belang wie kulturelle Unterschiede. Dem alten Menschen wird von der Gesellschaft ein gewisses Maß an Depressivität zugestanden, da die letzte Lebensphase ja für gewöhnlich durch die sich häufenden Verlusterlebnisse von jüngeren Menschen als wenig attraktiv eingeschätzt wird. Wir wissen inzwischen, daß die Mehrzahl der älteren Menschen sich durchaus nicht, wie fälschlich erwartet, unglücklich fühlt. Die behauptete engere Verknüpfung zwischen Depression und Alter beruht jedoch nicht allein auf einem gesellschaftlichen Vorurteil, auch von wissenschaftlicher Seite würden sich Argumente für derartige Zusammenhänge finden lassen. Die mit steigendem Lebensalter zunehmende Monoaminooxidaseaktivität ist hier ebenso zu nennen wie die herabgesetzte Fähigkeit zur Adaptation an neue Umgebungsbedingungen und die zunehmende Regelstarre biologischer Systeme. Eine Disposition zu depressiven Erkrankungen im Alter ließe sich so mit einem breiten Spektrum ätiologisch plausibler Überlegungen begründen. Darüber hinaus darf nicht übersehen werden, daß die **Rezidivneigung depressiver Psychosen bis ins hohe Alter** bestehen bleibt und deshalb die Prävalenz im Altersgang kumulieren müßte [Gertz, 1990]. Folgte die klinische Realität diesen Überlegungen, könnte eine deutliche Zunahme der Depressionshäufigkeit im Alter erwartet werden.

Da Depressivität ein dimensionales und kein kategoriales Phänomen darstellt, es also epidemiologisch nicht mit einem schlichten »ja/nein« getan ist, hängen alle Aussagen von der Schlüssigkeit des für die jeweilige Studie gewählten **Schwellenwerts der Fallidentifikation** ab. Setzt man diese Schwelle niedrig an, benutzt man also z.B. Selbstbeurteilungsskalen, die die im Alter gehäuft auftretenden Beschwerden unmittelbar als Depressionsindikatoren werten, findet man einen mit dem Lebensalter deutlich ansteigenden »Verstimmtheitsgrad«, den als eindeutig depressiv zu werten jeder Kliniker ablehnen würde. Setzt man dagegen als Kriterium nicht die selbst eingeschätzte Befindlichkeit, sondern die Erfüllung operationalisierter Diagnosenkategorien, findet sich, daß die Depressionsprävalenzen älterer Menschen denen jüngerer durchaus vergleichbar sind. Alle bisher vorgelegten Daten über Häufigkeit und Verteilung von Altersdepressionen sind aus diesen Gründen mit großer Vorsicht zu betrachten. Angst [1986] kam bei einer kritischen Analyse des Forschungsstandes zum Ergebnis, daß die **Punktprävalenz** für affektive Psychosen jenseits des 65. Lebensjahrs etwa bei 2%, die für mildere und sekundäre depressive Störungen bei 5–15% liegt. Die Hypothese, wonach ältere Menschen ebenso häufig depressiv sind wie jüngere, ist nach seiner Ansicht nicht widerlegt, umgekehrt sei aber auch eine Zunahme depressiver Störungen im Alter nicht bewiesen. Obwohl die Zahl der an einer Depression Erkrankten mit dem Alter wohl nicht rückläufig ist, sinkt die Zahl der behandelten Patienten mit depressiven Syndromen mit dem Alter deutlich. Dies wird auch durch das Faktum beleuchtet, daß über 65jährige in ambulanten psychiatrischen Institutionen unterrepräsentiert sind.

32.2.2. Definition und Deskription

Die Frage, ob es spezifische Formen depressiver Erkrankungen im Alter gibt, früher unter dem Terminus »**Involutionsdepression**« zusammengefaßt, ist heute zu verneinen. In internationalen Diagnosenklassifikationen findet eine spezifische spätmanifestierende Depression keine Berücksichtigung mehr. Auch wenn der Terminus »Involutionsdepression« aus dem klinischen Gebrauch verschwunden ist, darf nicht übersehen werden, daß es sehr wohl Merkmale gibt, die die depressiven Erkrankungen älterer Menschen gegenüber denen von Patienten jüngerer Altersgruppen abheben und die sowohl diagnostische als auch differentialdiagnostische Probleme aufwerfen.

Zu den **psychopathologischen Charakteristika** der Depressionen im Alter zählen eine oft ängstlich gefärbte Niedergeschlagenheit, Denkverlangsamung mit Konzentrationsstörungen und Einengung auf negative Inhalte, die nicht selten wahnhaften Charakter annehmen (z.B. hypochondrischer und Versündigungswahn). Suizidgedanken sind häufig. Initiative und Interessen sind deutlich gemindert. Antriebshemmung bei erheblicher innerer Unruhe oder ziellose Agitiertheit werden geschildert. Die Schwingungsfähigkeit der Gefühle ist eingeschränkt, gelegentlich bis zur Versteinerung; Patienten berichten dann über ein quälendes »Gefühl der Gefühllosigkeit«. Schlafstörungen gehören zu den häufigsten Symptomen. Appetitlosigkeit und Obstipation sind fast regelmäßig geklagte Beschwerden, wobei mit zunehmendem Alter der Patienten Somatisierungen und hypochondrische Klagen in den Vordergrund rücken.

Helmchen [1986] nannte als wesentliche Klippe einer exakten Diagnosenstellung beim älteren depressiven Patienten vor allem den Umstand, daß die depressive Symptomatik durch eine **breite symptomatische Fächerung** eher verschwommen erscheine und weniger tief gehe als die Melancholie beim jüngeren Erwachsenen. Weiterhin würde die Bedeutung der Ereignisse, wie sie für diesen Lebensabschnitt typisch sind (z.B. Verlust eines geliebten Menschen, Verlust der sozialen Rolle, Verlust des vertrauten Heims, Nachlassen der körperlichen Gesundheit), als auslösender Faktor manchmal überschätzt, schließlich könne die Depression durch psychoorganische Symptome oder Beschwerden maskiert sein, so etwa durch Gedächtnisstörungen.

Gelegentlich imponiert eine depressive Störung des älteren Menschen, besonders wenn er sich in einer enger betreuenden Einrichtung befindet und zudem kognitive Einbußen aufweist, primär auch als **Verhaltensstörung** [Murphy, 1989]. Jeder in der klinischen Gerontopsychiatrie Erfahrene kennt Patienten, die als zirkumskripte Symptomatik Selbst- oder Fremdaggressionen zeigen, bestimmte von ihnen berechtigterweise zu erwartende Leistungen im Bereich der Selbstpflege beharrlich, vielleicht sogar »theatralisch« verweigern, die nahezu unbeeinflußbar lärmen oder sich durch Nahrungsverweigerung in eine vital bedrohliche Situation manövrieren. Stellt sich bei der Analyse der Entwicklung dieser Störungen ein abruptes Auftreten oder mindestens ein sehr steiler Anstiegsgradient der Symptomatik heraus, gibt es Hinweise auf frühere sicher diagnostizierte depressive Phasen oder längerbestehende eindeutig funktionelle Organbeschwerden, legt das den Verdacht auf Vorliegen einer **maskierten**

depressiven Symptomatik nahe. Aber auch Patienten, die diese anamnestischen Kriterien nicht erfüllen, deren Symptomatik aber hinreichend schwer ist, um einen medikamentösen Therapieversuch zu rechtfertigen, profitieren im Einzelfall nachhaltig von einer pharmakologischen Intervention mit einem Antidepressivum. Ex adjuvantibus wird dann eine Diagnose möglich, die sich aus der reinen Querschnittssymptomatik nicht erschlossen hatte. Eine Depression im Alter muß also nicht oder nicht in erster Linie an ihren affektiven Auffälligkeiten erkennbar sein.

In den letzten Jahren ist den **organischen Aspekten der Depression** im Alter wieder zunehmend Interesse geschenkt worden. So wurde in einer computertomographischen Untersuchung eine Subgruppe depressiver älterer Patienten mit deutlicher Hirnatrophie beschrieben, die zudem durch ein größeres Antriebsdefizit und erhöhte Mortalität hervorstachen.In den folgenden Jahren wurden die durch diese Befunde angestoßenen Fragestellungen, etwa die nach den Zusammenhängen zwischen Depression und vaskulären Störungen, mit den verschiedensten Untersuchungstechniken aufgegriffen. Auch wenn manche Ergebnisse hohe Plausibilität aufwiesen, läßt sich kein abschließendes Urteil fällen [vgl. Murphy, 1989].

Verläßt man nun die symptomatologische Ebene und ihre Probleme und versucht mittels der ICD-9 eine **nosologische Zuordnung,** gelten für die Depressionen im Alter die gleichen drei traditionellen Grundtypen der endogenen, organischen bzw. symptomatischen und psychoreaktiven Depression, wie wir sie von jüngeren Patienten her kennen. Die ICD-10, die sich in ihrer diagnostischen Kategorie F3 auf affektive Störungen »aller Altersgruppen« bezieht (vgl. Kapitel 7), hat in ihrem deskriptiven Ansatz die alternativen Kategorien »Neurose/Psychose« und »endogen/nicht-endogen« fallengelassen, gibt dagegen aber die Möglichkeit einer quantifizierenden Differenzierung (»leicht«, »mittelgradig«, »schwer«). Zusätzlich können zur abgrenzenden Beschreibung die Prädikate »mit psychotischen Symptomen« und »mit somatischen Symptomen« benutzt werden, wobei für letzteres die Synonyme »melancholisch«, »vital«, »biologisch« und »endogenomorph« vorgeschlagen werden. Mit der Kategorie »Dysthymie« wird in der ICD-10 eine der früheren »neurotischen Depression« verwandte diagnostische Alternative für Fälle angeboten, bei denen die Kriterien für ein depressives Syndrom (noch) nicht erfüllt sind. Für die Gerontopsychiatrie könnte diese Diagnosenkategorie, wie schon ihr gleichbenanntes Äquivalent im DSM-III-R, durchaus Bedeutung erlangen.

Besonders zwei Faktoren, die den alten Menschen häufig charakterisieren, bereiten hinsichtlich der nosologischen Klassifikation erhebliche Probleme: die Multimorbidität und die erheblich höhere psychosoziale Vulnerabilität. Während beide Momente dazu führten, daß wir bei alten depressiven Menschen bei der Diagnosenstellung auf der Basis der ICD-9 in viel höherem Maße mit Überschneidungen – d.h. Mischbildern – der drei Grundtypen der Depression zu rechnen hatten als beim jüngeren, scheint der quantifizierend-deskriptive Ansatz der ICD-10 für die Gerontopsychiatrie weniger differentialdiagnostische Probleme zu bergen.

Demenz und **Depression** sind, wie erwähnt, die beiden häufigsten psychiatrischen Erkrankungen des alten Menschen. Im Prinzip handelt es sich bei ihnen um sehr wohl voneinander **differenzierbare Krankheitsbilder**. Nicht selten sind aber auch **Überlappungen und Mischzustände**, die erhebliche diagnostische und therapeutische Probleme aufwerfen können, wobei die ICD-10 zu Recht empfiehlt, den somatischen Symptomen der Depression (z.B. psychomotorische Hemmung, Gewichts- und Appetitverlust) hohes diagnostisches Gewicht beizumessen. Auf der Demenz liegt der diagnostische Akzent, wenn die Depressionen als Vorläufer einer dementiellen Erkrankung auftreten, bei depressiven Reaktionen auf dem Erleben einer Demenz sowie beim Krankheitsbild der »Demenz mit Depression«. Das Erkennen einer solchen sekundären Depression ist besonders deshalb wichtig, weil durch medikamentöse oder nichtmedikamentöse Behandlungen Befindlichkeitsbesserungen erzielt werden können, die hinsichtlich des hirnorganischen Kernsyndroms, der kognitiven Einbuße, bisher noch nicht möglich sind. Auf der anderen Seite gibt es eine Anzahl Patienten, die in einer schweren Depression zusätzlich hirnorganische Symptome entwickeln **(depressive Pseudodemenz)**. Die kognitiven Störungen dieser Patienten sind, anders als die bei Dementen, einer Therapie zugänglich, die allerdings auf die Depression zielen muß, mit deren Abklingen dann auch die hirnorganische Symptomatik schwindet.

An dieser Stelle zeichnet sich ab, daß die **klinische Differentialdiagnose** allein aufgrund der Phänomenologie der depressiven Syndrome in der Mehrzahl der Fälle scheitern muß. Vielmehr sollte deutlich geworden sein, daß jeder Versuch der Differenzierung notwendig auf weitere Informationen über eventuell vorhandene körperliche Krankheitsprozesse und die psychosoziale Situation, die Biographie und den bisherigen Verlauf der Erkrankung angewiesen ist. Darüber hinaus ist zu berücksichtigen, daß bei Patienten im Laufe ihres Lebens depressive Syndrome auf der Basis sehr unterschiedlicher pathogenetischer Bedingungszusammenhänge manifest werden können, die jeweils auch nach unterschiedlichen therapeutischen Konsequenzen verlangen.

32.2.3. Prognose

Einige Überlegungen sind für die Abschätzung der **differentiellen Prognose** der Depressionen im Alter von besonderer Bedeutung. Erstens unterscheiden sich junge und alte Patienten durchaus nicht hinsichtlich ihres Initialansprechens auf eine antidepressive Behandlung, darüber hinaus erscheint die Annahme plausibel, daß die frühzeitige Behandlung einer Chronifizierung entgegenwirkt. Zweitens erfahren unter erfolgreicher antidepressiver Therapie (vgl. Kapitel 15) nicht nur funktionelle Organbeschwerden eine Besserung, auch manifeste somatische Erkrankungen können auf diese Weise günstig beeinflußt werden. Schließlich kann über die Minderung des Suizidrisikos die Gesamtmortalität gesenkt werden.

Während bei den über 65jährigen Suizidanten mehr als die Hälfte als depressiv erkrankt angesehen werden können, sind es bei den jüngeren nur etwa ein Drittel [Erlenmeier, 1993]. Der Zusammenhang zwischen **Suizidhandlung** und Depression scheint also mit dem Alter enger zu werden. Von allen Altersgruppen weisen die über 75jährigen, vor allem die Männer, die höchsten Suizidraten auf. Suizidhandlungen führen im Alter wesentlich häufiger zum Tod als in jüngeren Jahren, dies auch besonders wegen des Einsatzes härterer Methoden. Eine bedeutende Rolle als Auslöser für Suizidversuche spielen beim alten Menschen körperliche, besonders chronische Erkrankungen. Bei selbstschädigenden Verhaltensweisen alter Menschen im Krankenhaus (z.B. Nahrungs- oder Pflegeverweigerung, Ablehnung von Medikamenten) sollte stets die Möglichkeit bedacht werden, daß es sich dabei um Suizidäquivalente handeln könnte.

Mit den heute zur Verfügung stehenden Therapieverfahren kann die Mehrzahl der depressiven alten Patienten trotz der genannten Schwierigkeiten mit einem **günstigen Therapieverlauf** rechnen. Ein Drittel von ihnen wird dagegen nicht hinreichend zu behandeln sein [Murphy, 1989]. Die Frage, ob sich der längerfristige Verlauf der Depression bei älteren Menschen von dem bei jüngeren unterscheidet, wird noch kontrovers diskutiert. Murphy untersuchte Patienten mit spätmanifestierenden Depressionen 4–5 Jahre nach Erstmanifestation der Erkrankung und konnte drei etwa gleich große Gruppen unterscheiden. Die erste Gruppe war stabil remittiert. Die zweite Gruppe war zwar nicht deutlich depressiv geblieben, konnte aber nicht zu ihrer früheren seelischen Gesundheit zurückgelangen. Der Rest mußte als chronifiziert bezeichnet werden. Auch moderne Behandlungsverfahren scheinen diese Kerngruppe langdauernd krankbleibender Patienten nicht verringert zu haben.

Während Alter und Geschlecht prognostisch keine bedeutsamen Einflüsse ausüben, ist eindeutig belegt, daß **chronische Körperkrankheiten** der Heilung einer Depression entgegenwirken. Auch eine erhebliche kognitive Mitbeteiligung während der depressiven Phase ist prognostisch ungünstig. Ein weiterer ungünstiger Faktor ist eine Phasendauer von mehr als 1 Jahr, und schließlich, nicht überraschend, sind chronische soziale Schwierigkeiten für den weiteren Verlauf von Nachteil.

32.2.4. Therapie

Die angesprochenen Klassifikationsprobleme sind nicht allein von theoretischem Interesse. Der behandelnde Arzt ist in jedem Einzelfall gezwungen, die **differentialdiagnostische Aufklärung** eines depressiven Syndroms im Alter trotz aller genannter praktischer Schwierigkeiten anzustreben, weil die Behandlung sich auf die wahrscheinlichste pathogenetische Entstehung der Erkrankung hin orientieren muß. Da den depressiven Syndromen im höheren Lebensalter, wie angesprochen, keine nosologische Eigenständigkeit zukommt, müssen auch bei der Festlegung eines Gesamtbehandlungsplans die Grundprinzipien der Depressionstherapie, wie wir sie von anderen Altersgruppen her kennen, befolgt werden (vgl. auch Kapitel 7 und 15).

Eine **altersspezifische Schwerpunktsetzung** kann aber insofern vorgenommen werden, als der Somatotherapie – der internistischen Therapie wie der Therapie mit Psychopharmaka, aber auch dem Schlafentzug und der Elektrokrampftherapie – eine gewisse Priorität eingeräumt werden muß. Psychotherapeutischen und soziotherapeutischen Maßnahmen kommt gewiß im Einzelfall hohes Gewicht zu, aber auch jede Somatotherapie sollte auf einem tragfähigen psychotherapeutischen Kontakt zwischen Arzt und Patient fußen und stützend begleitet werden. »Kontakt« meint hier oft auch »Kontrakt«, also ein von beiden Seiten anerkanntes hohes Maß an Verbindlichkeit. **Psychotherapeutischen Maßnahmen** im engeren Sinn sind jedoch sowohl durch Limitationen auf seiten des Patienten, besonders aber immer noch auch auf therapeutischer Seite Grenzen gesetzt. Es kann aber immerhin festgehalten werden, daß in der Gerontopsychiatrie sowohl individual- als auch gruppentherapeutische Verfahren erprobt sind und daß das Spektrum von tiefenpsychologischen Ansätzen bis zur kognitiven Therapie reicht.

Im folgenden sollen kurz einige **Probleme psychopharmakologischer Depressionstherapie** aus der Sicht der Gerontopsychiatrie beleuchtet werden.

Die **Auswahl eines Antidepressivums** sollte beim älteren Menschen nicht allein durch das **Zielsyndrom** (psychomotorische Gehemmtheit, vitaldepressive Verstimmung, ängstlich-psychomotorische Erregtheit) geleitet sein, vielmehr sollte der behandelnde Arzt auch stets das **Nebenwirkungsspektrum** der ins Auge gefaßten Substanzen mitberücksichtigen [Gutzmann, 1991]. Hinzuzufügen ist, daß die möglichen Nebenwirkungen natürlich aufgrund der aktuellen somatischen Befunde des Patienten individuell gewürdigt werden müssen. Prinzipiell können alle Substanzklassen eingesetzt werden (trizyklische und nichttrizyklische Antidepressiva ebenso wie MAO-Hemmer und Präkursoren sowie als Phasenprophylaktika Lithiumsalze und Carbamazepin). Bei stark wahnhaft geprägten Depressionen ist an die gleichzeitige **Verordnung eines Neuroleptikums** zu denken. Für den stationären Bereich darf an dieser Stelle auch ein

Hinweis auf die **Elektrokrampftherapie** (vgl. Kapitel 16) nicht fehlen, die für ältere, schwer depressive Patienten nach Ansicht vieler Autoren die wirksamste und am wenigsten schädigende Behandlungsmaßnahme darstellt [NIH, 1992].

Allein auf das Alter der Patienten bezogene Empfehlungen eines Antidepressivums wären sicher verfehlt. Man sollte sich aber vor Augen halten, daß die klassischen trizyklischen Substanzen wegen der unerwünschten anticholinergen Eigenschaften bei körperlicher Komorbidität (z.B. Reizleitungsstörungen des Herzens, Glaukom, Prostatahypertrophie) eine Anwendungseinschränkung erfahren, so daß schon deshalb auch MAO-Hemmer oder Serotoninwiederaufnahmehemmer in die engere Wahl gezogen werden sollten. Die Dosierung sollte einschleichend (mindestens über 1 Woche) erfolgen. Zunächst sollte auch eine niedrigere Tagesdosis als bei jüngeren Patienten angestrebt werden (etwa 30–50%). Vor einem Wechsel der Substanz wegen mangelnder therapeutischer Wirksamkeit sollte mindestens 4–5 Wochen abgewartet werden.

Eine besondere, aber in der Regel kaum berücksichtigte Klippe für die antidepressive Therapie beim alten Patienten stellt die **schwer abzuschätzende Einflußgröße der Selbstmedikation** der Patienten mit freiverkäuflichen pharmakologisch wirksamen Substanzen dar. Als möglicherweise sich aus diesem Verhalten ergebende Probleme sei nur an eine additive Sedierung sowie an Störungen der Kreislauforthostase erinnert. Auch Elektrolytverschiebungen unter längerfristigem Laxantienabusus können sich erheblich komplizierend auswirken. Im Zusammenhang mit der Selbstmedikation müssen auch die Wunschverordnungen rezeptpflichtiger Arzneimittel erwähnt werden, bei denen Schmerz-, Beruhigungs- und Schlafmittel auch bei alten Patienten an erster Stelle rangieren. Viel zu selten wird berücksichtigt, daß sich auch zwischen den **Ernährungsgewohnheiten** des alten Menschen und der pharmakologischen Wirksamkeit von Medikamenten ausgeprägte Wechselwirkungen einstellen können. Als Beispiel seien die diätetisch bedingte Harnsäuerung genannt, die zur vermehrten Ausfällung mancher Antidepressiva führen kann, und salzreduzierte Kost, die über vermehrte Rückresorption eine verminderte Lithiumausscheidung zu bewirken vermag. Schließlich muß sich der verordnende Arzt auch vor Augen führen, daß die **Compliance** gerade des alten Patienten in umgekehrtem Verhältnis zur Zahl der verordneten Medikamente und in direkt proportionaler Beziehung zum Ausprägungsgrad der jeweiligen Zielsymptome steht.

32.3. Schizophrenie und wahnhafte Störungen

32.3.1. Definition und Deskription

Die schizophrene oder wahnhafte Symptomatik eines alten Patienten muß den Arzt an die **drei wesentlichen Entstehungsbedingungen** dieser Störungen im Alter denken lassen. Es könnte sich zunächst um einen alt gewordenen Schizophrenen handeln, bei dem die Erstmanifestation der Krankheit in jüngeren Jahren stattgefunden hat. Die Symptomatik könnte sich auch sekundär zu einer organischen oder einer anderen funktionellen psychiatrischen Störung des höheren Lebensalters entwickelt haben. Es könnte sich schließlich aber auch um ein Symptom einer spätmanifestierenden primären psychiatrischen Erkrankung handeln. Das ICD-10 kennt dafür den Begriff »**wahnhafte Störung**« und den dazugehörigen Begriff »**späte Paraphrenie**« (F22.0; vgl. Kapitel 6). Im folgenden wird besonders die letztgenannte Gruppe diskutiert.

Zunächst einige Anmerkungen zu den beiden ersten Gruppen. Die Mehrheit der **früherkrankten schizophrenen Patienten** erreicht die der Gerontopsychiatrie üblicherweise zugeordnete Altersgruppe. Ein Drittel von ihnen wird bis dahin allerdings keine schizophrenen Symptome mehr zeigen, ein weiteres Drittel wird mehr oder weniger ausgeprägte Defektzustände aufweisen, das letzte Drittel wird unter einer chronifizierten oder chronisch rezidivierenden schizophrenen Psychose leiden [Ciompi, 1985]. In der Regel sind die damit einhergehenden produktiven Symptome allerdings weniger ausgeprägt als bei jüngeren Patienten. Bemerkenswert ist die Tatsache, daß altgewordene schizophrene Patienten nicht überzufällig häufig eine Demenz entwickeln.

Auch als **sekundäre Symptome** im Rahmen einer organischen oder funktionellen psychiatrischen Erkrankung werden paranoide Symptome bei alten Patienten beobachtet. Zu denken ist dabei besonders an Demenzen, ausgeprägte Depressionen oder Delirien. Es scheint eine Tendenz zu erhöhter Prävalenz dieser Symptome im Alter zu geben, unabhängig davon, ob eine kognitive Störung damit verknüpft ist. Grund dafür kann zum einen das generell mit dem Alter erhöhte allgemeine Morbiditätsrisiko sein, das natürlich auch Erkrankungen umfaßt, die bereits beim jüngeren Patienten häufiger mit psychotischen Begleitsymptomen einhergehen. Zum anderen wird für diese Häufung auch eine mit dem Alter steigende Empfänglichkeit für psychotische Symptome angenommen, die auf eine alterskorrelierte Labilisierung des Hirns bezogen wird. Für beide Hypothesen gibt es Hinweise, ein Synergismus zwischen beiden Mechanismen scheint plausibel.

Paraphrenie und **paranoide Schizophrenie** haben als gemeinsames phänomenologisches Kennzeichen den paranoiden Wahn. Während bei der Schizophrenie akustische Halluzinationen häufig sind, ist bei der Paraphrenie ein breiteres Spektrum an Halluzinationen zu beobachten, die zudem nicht im Vordergrund stehen müssen. Bei der Paraphrenie finden sich ferner oft eine gute affektive Schwingungsfähigkeit und kaum Ich-Störungen. Als diagnostische Leitlinie in der ICD-10 gilt die Dominanz des Wahns bzw. Wahnsystems, das zudem über 3 Monate bestehen muß und eindeutig auf die Person bezogen sein soll. Nicht vereinbar mit der Diagnose sind, neben einer zerebralen Erkrankung, dauernde

Phoneme und anamnestisch gesicherte schizophrene Symptome (besonders Ich-Störungen).

Der Beginn einer paraphrenen Erkrankung ist in der Regel schleichend, wahrscheinlich häufig auf der Basis einer prämorbiden paranoiden Persönlichkeitsstörung. In der Literatur finden sich zahlreiche Hinweise auf die ätiopathogenetische Bedeutung einer zunehmenden sozialen Isolierung und der damit einhergehenden Zentrierung der Aufmerksamkeit auf sich selbst. Im Gegensatz zur Schizophrenie ist das Verhältnis männlicher zu weiblichen Patienten mit 1:7 stark verschoben. Die für diese Auffälligkeit in die Diskussion eingebrachten biologischen Argumente [vgl. Naguib, 1992] bedürfen sicher noch weiterer Überprüfung.

Im Gegensatz zur Schizophrenie ist das Spektrum an Halluzinationen bei der Paraphrenie, wie bereits angemerkt, sehr viel breiter, wobei bestimmte Verknüpfungen zwischen Wahnthema und Modalität der Halluzinationen häufig sind. Beispiele finden sich bei Verknüpfungen zwischen taktilen Halluzinationen und körperbezogenen Wahnthemen, gustatorischen Halluzinationen mit dem Wahn, vergiftet zu werden und olfaktorischen Halluzinationen mit dem Wahn, selbst unangenehm zu riechen und so andere abzustoßen. Dieses Moment der **sozialen Isolierung**, ätiopathogenetisch schon als bedeutungsvoll angesprochen, kehrt hier als Folge einer paraphrenen Erkrankung wieder und steckt so den Teufelskreis ab, der schließlich zur totalen Isolierung der Patienten führt. In diesem Zusammenhang ist es von Interesse, daß **Hörstörungen** bei paraphrenen Patienten häufig zu beobachten sind. Nun ist die Prävalenz dieser Störung bei älteren Menschen ohnehin erhöht, so daß eine Entscheidung über Kausalität oder Koinzidenz wohl noch nicht getroffen werden kann. Immerhin ist festzuhalten, daß sensorische Behinderungen, wie eine Hörstörung, in ihrer Konsequenz ebenfalls eine soziale Isolierung fördern und mindestens auf diese Weise eine Paraphrenie wenn schon nicht auslösen, dann doch unterhalten bzw. verstärken können.

Auffällig ist, daß die paraphrene Symptomatik dem Untersucher ausgesprochen »situations-synton« erscheint. Der alte Mensch und seine Umgebung stellen ein plausibles, wenn auch pathologisches Ensemble dar, gelegentlich fast in Form eines selbstreferentiellen Systems. Das Wahnthema ist nicht in eine prästabilierte Welt eingebrochen, es ist aus einer häufig von Verlusten, Bedrohungen und Ängsten charakterisierten Situation gleichsam organisch gewachsen. Während nach einer Untersuchung von Kay und Roth [1961] nur 12% der alten Patienten mit affektiven Störungen allein lebten, waren es bei den paraphrenen mehr als 40%. In der gleichen Studie waren die paraphrenen Patienten primär unverheiratete Frauen ohne engere familiäre oder soziale Bindungen, die in einer auf diese Weise vielfach determinierten sozialen Isolierung lebten.

Häufig findet sich eine **Vermischung paranoider und depressiver Symptome,** die differentialdiagnostische Probleme aufwerfen kann. Befunde, nach denen bei der Paraphrenie überzufällig größere Seitenventrikel oder subkortikale Veränderungen der weißen Substanz beobachtet worden sind, fördern Spekulationen über eine organische (Mit-)Begründung dieser Erkrankung. Keine dieser ätiologischen Spekulationen ist derzeit von klinischer Relevanz.

32.3.2. Prognose

Paraphreniepatienten haben eine **normale Lebenserwartung.** Sie entwickeln wahrscheinlich nicht überzufällig häufig eine Demenz. Da Spontanrückbildungen sehr selten und die sozialen Konsequenzen der Erkrankungen einschneidend sind, ist eine neuroleptische Behandlung indiziert. Mehr als die Hälfte der Patienten dürfte nach der Behandlung ihren prämorbiden Status wieder erreichen. **Prädiktoren** für einen günstigen Behandlungsausgang sind, neben der Compliance, der Sozialstatus (verheiratet sein), ein kürzerer Krankheitsverlauf, die Verknüpfung des Erkrankungsbeginns mit einem einschneidenden Ereignis und eine begleitende depressive Symptomatik. Da die Rückfallgefahr sehr groß ist, sollte eine Erhaltungsbehandlung die Regel sein. Die Ausgeprägtheit und Akuität des Krankheitsbilds, unabhängig davon, ob es sich um eine Ersterkrankung oder eine Wiedererkrankung handelt, ermöglichen es, die paraphrene Symptomatik von der einer Schizophrenie mit Jahrzehnte zurückliegender Erstmanifestation zu unterscheiden. Letztere weist in späteren Jahren oft nur noch eher verwaschene und mildere Symptome auf, die nicht unbedingt eine therapeutische Intervention erfordern.

32.3.3. Therapie

Die medikamentöse Behandlungsnotwendigkeit orientiert sich an der subjektiven Belastung, die der Patient durch die Krankheit erfährt und am möglichen Nebenwirkungsrisiko. Auch beim gerontopsychiatrischen Patienten bewährt sich die Einteilung der **Neuroleptika** nach ihrem antipsychotischen Wirkungsgrad (vgl. Kapitel 15), also der Stärke der zu erwartenden Beeinflussung von Wahn und Halluzinationen (»neuroleptische Potenz«). Niedrigpotente Neuroleptika (z.B. Pipamperon, Laevomepromazin) zeichnen sich durch eine stark beruhigende Wirkung aus, weisen allerdings auch stärkere vegetative und kardiovaskuläre Nebenwirkungen auf (Mundtrockenheit, Obstipation, Senkung des Blutdrucks usw.). Hochpotente Neuroleptika (z.B. Haloperidol) wirken dagegen weit weniger sedierend, beeinflussen aber auch die Kreislaufsituation weniger und gelten vielfach deswegen als günstiger für gerontopsychiatrische Patienten. Der Vorteil der frühen und nachhaltigen antipsychotischen Wirkung wird allerdings mit dem Risiko erkauft, schon zu Behandlungsbeginn spezifische Bewegungsstörungen hervorzurufen. Es muß unterstrichen werden, daß bei älteren Patienten häufiger als bei jüngeren solche unerwünschten Therapieeffekte auftreten und daß sie zudem dadurch stärker beeinträchtigt werden. Oft erweist sich deshalb ein schwach bis mittelpotentes Neuroleptikum (z.B. Melperon) als therapeutisch vorteilhaft. Depotpräparate sollten erst dann verabreicht werden, wenn der Patient auf ein täglich zu verabreichendes Medikament akut gut reagiert hat und eine längerfristige Therapie angezeigt erscheint.

Eine Behandlung darf sich allerdings nicht auf die neuroleptische Beeinflussung der produktiven Symptomatik beschränken. Wann immer möglich, sollten die **Umgebungsfaktoren** auf ihre Pathogenität hin überprüft und gegebenenfalls entsprechend modifiziert werden. Ein Teil der Behandlung, auch des stationären Patienten, muß so also auch »vor Ort« geschehen. Darüber hinaus ist auch sehr gründlich nach **sensorischen Defiziten** zu fahnden: die Anpassungen eines Hörgeräts oder einer geeigneten Brille können sehr wohl von rezidivprophylaktischer Bedeutung sein. Besonders für Patienten, die auch nach Abklingen der akuten psychotischen Symptomatik entsprechend ihrer prämorbiden Struktur zum Rückzug neigen, ist die engmaschige ambulante, auch aufsuchende, Betreuung von Bedeutung. Gerontopsychiatrische Institutsambulanzen haben hier eine ihrer zentralen Aufgaben.

32.4. Demenzen

Da im Kapitel 4 »Organische (und symptomatische) psychische Störungen« bereits eine detaillierte Übersicht über diagnostische und therapeutische Aspekte einzelner zur Demenz führender Erkrankungen gegeben wurde, sollen im folgenden nur knapp einige klinische Fragen angerissen werden.

32.4.1. Definition und Deskription

Die Diagnose »Demenz« sollte sich auf die Beurteilung der wesentlichen kognitiven Bereiche stützen und dabei operationalisierten Kriterien folgen, wie sie in den modernen Diagnosensystemen vorliegen. Als gutes Beispiel hierfür kann die ICD-10 gelten. Sie ist in der Konzeptualisierung des Demenzsyndroms recht strikt. Nach diesen Kriterien müssen für die Diagnose progrediente Gedächtnisstörungen und zusätzlich eine generelle Abnahme des Denkvermögens, der Fähigkeit zu vernünftigem Urteilen und eine Verminderung des Ideenflusses in einem Umfang vorliegen, daß Verrichtungen des täglichen Lebens nachhaltig gestört werden. Eine Reduktion von emotionaler Kontrolle, sozialer Kompetenz und Motivation wird zudem als häufige Begleitsymptomatik beschrieben. Vom Kliniker selbst wird verlangt, eine **Längsschnittperspektive,** mindestens für Teilbereiche, in seine Entscheidung einfließen zu lassen. Er muß einen Leistungsverlust gegenüber einem früher erreichten Niveau wahrscheinlich machen. Wie er zu diesem Urteil kommt, ist nicht vorgeschrieben. Er wird also wohl am ehesten fremdanamnestische Angaben heranziehen. Er kann aber auch, wenn diese nicht verläßlich genug erscheinen oder nicht zur Hand sind, Instrumente zur Erfassung der prämorbiden Intelligenz einsetzen.

Die häufigsten im Alter feststellbaren Demenzerkrankungen sind die **senile Demenz vom Alzheimer-Typ** und die **vaskuläre Demenz,** für die der lange etablierte Sammelbegriff »Multiinfarktdemenz« in letzter Zeit zunehmend kritisiert worden ist. Erstere führt direkt zum Untergang von Nervenzellen (ist »degenerativ«) und wird für 50–60%, letztere – bei der Mikro- bzw. Makroangiopathien, zerebrale Hypoperfusion oder Blutungen schließlich zum Funktionsausfall führen – für weitere 20% aller dementiellen Erkrankungen im Alter verantwortlich gemacht. Andere möglicherweise ein dementielles Bild verursachende Störungen sind seltener. Es sind dies als degenerative Erkrankungen der Morbus Pick und der Morbus Parkinson, der immerhin bei etwa 20–25% der Fälle mit einer Demenz einhergeht. Auch viele Stoffwechselerkrankungen können gelegentlich verantwortlich gemacht werden. Ebenso können Vergiftungen, Hirntumore, Entzündungen des Gehirns oder seiner Häute und auch Verletzungen (Boxen!) zu hirnorganischen Bildern bis hin zu schweren Demenzen führen.

32.4.2. Therapeutische Aspekte

Bei der Suche nach einer möglichen Therapie solcher Störungen muß zunächst und in erster Linie nach der möglichen **Grundkrankheit** gefragt werden. Es gibt behandelbare Ursachen (z.B. Stoffwechselstörungen, Blutungen, Tumore), und es gibt – und das gilt für die Mehrzahl der Patienten – Erkrankungen, für die es bisher noch keine spezifische Therapie gibt. Das heißt jedoch nicht, daß für diese Patienten nichts getan werden kann! Es gibt eine **Reihe von Interventionsmöglichkeiten** weit jenseits einer – nur begrenzt erfolgversprechenden – medikamentösen Therapie des hirnorganischen Kernsyndroms und ebenfalls jenseits des Bereichs, in dem sich nur der Arzt zur Therapie aufgerufen fühlt. Genannt seien nur verhaltens- und milieutherapeutische Strategien, Realitätsorientierungsprogramme und – häufig die zentrale Aufgabe – die Stützung der Angehörigen.

Die **medikamentöse Behandlung** dementieller Erkrankungen im Alter hat sich an den Symptomen zu orientieren, die im Vordergrund der Beschwerden des einzelnen Patienten stehen. Eine ursächliche Therapie kann nur in solchen Fällen versucht werden, in denen das dementielle Syndrom als Begleitsymptomatik einer anderen – behandelbaren – Erkrankung auftritt (sekundäre Demenzen).

Zunächst muß deutlich sein, auf welche Störung genau die Therapie zielen soll. Dabei kann es sich sowohl um Gedächtnis- oder Orientierungsstörungen, depressive oder wahnhafte Syndrome oder Störungen des Antriebs und des Tag-Nacht-Rhythmus handeln.

Im zweiten Schritt sollte zunächst jede Möglichkeit **nichtmedikamentöser Therapie** überdacht werden, die es im Prinzip bei jeder der genannten Störungen geben kann. Stets muß sich der behandelnde Arzt auch fragen, ob er nicht selbst durch eine medikamentöse Behandlung anderer Erkrankungen oder Störungen zum jetzigen problematischen Verhalten beigetragen hat, mit anderen Worten: ob es sich bei der aktuellen Symptomatik nicht vielleicht allein um die Nebenwirkung einer anderen Medikation handelt! Bei jeder Medikation beim alten Patienten ist immer auch zu bedenken, mit welchen Nebenwirkungen eventuell zu rechnen ist. Die Dosierung sollte einschleichend erfolgen und für alle Beteiligten übersichtlich sein. Nachdem das Therapieziel zu Anfang festgelegt worden war, muß auch in vernünftigem Abstand überprüft werden, ob ein entsprechender Therapieerfolg tatsächlich zu verzeichnen ist.

Eine medikamentöse Therapie, die nicht innerhalb eines realistischen Behandlungszeitraums einen positiven Effekt zeigt, gehört abgesetzt!

32.5. Institutionelle Verankerung der Gerontopsychiatrie

32.5.1. Rahmenbedingungen

Die Empfehlungen der Expertenkommission der Bundesregierung zur Reform der Versorgung im psychiatrischen und psychotherapeutisch-psychosomatischen Bereich betonen die Notwendigkeit einer funktionalen Beschreibung der Versorgungsaufgaben vor allem für chronisch psychisch Kranke und Behinderte und damit die Abkehr vom starren institutionellen »Kästchendenken«. Darüber hinaus unterstreichen sie die Bedeutung der Zusammenarbeit und Versorgungsplanung auf örtlicher Ebene. Leitlinie ist dabei die an den lokalen Bedingungen und Möglichkeiten der kommunalen Gebietskörperschaften orientierte flexible Versorgungsstrategie. In der Einleitung ist davon gesprochen worden, daß bei mindestens einem Viertel der über 65jährigen psychische Störungen im weitesten Sinne vorliegen. Wenn auch nicht alle, wohl noch nicht einmal die Mehrzahl von ihnen, eingreifenderer fachpsychiatrischer Maßnahmen bedürfen, ist doch von einem Versorgungsbedarf im weiteren Sinne bei mehr als 50% dieser Gruppe auszugehen.

Naturgemäß sind die Zahlen für den ambulanten Bereich weniger leicht zu ermitteln als für den stationären. Immerhin kann man annehmen, daß bis zu 25% der Patienten einer Nervenarztpraxis älter als 60 Jahre sind. Bei Allgemeinmedizinern und Internisten dürfte der Wert noch darüber liegen. Alte Menschen sind also von erheblichem quantitativem Gewicht und können als eine zentrale Versorgungsaufgabe gelten.

32.5.2. Institutionen

32.5.2.1. Gerontopsychiatrische Krankenhausabteilung

Ein wesentlicher Träger gerontopsychiatrischer Versorgung ist immer noch die gerontopsychiatrische Abteilung am Landeskrankenhaus oder an einer geriatrischen Klinik. Sie gliedert sich häufig in drei Bereiche mit sehr unterschiedlichen Funktionen: Akut-, Rehabilitations- und Langzeitbereich. Der **Akutbereich** ist dabei Hauptträger der sektoralen psychiatrischen Versorgung alter Menschen. Dorthin weisen der sozialpsychiatrische Dienst und die niedergelassenen Ärzte ein. In der Regel erfolgen mehr als die Hälfte der Einweisungen auf der Basis des Unterbringungsgesetzes des jeweiligen Bundeslandes oder des Betreuungsgesetzes. In vielen Fällen erfolgt eine Einweisung erst, »wenn alles zu spät ist«, also wenn andere Hilfsstrategien nachhaltig und mehrfach versagt haben. Häufig ist die Einweisung zudem damit verbunden, daß viele – wenn nicht alle – Brücken »zurück« abgebrochen werden. Mit Hilfe welcher Versorgungselemente ein Weg zurück in die Gemeinde doch bei vielen Patienten wieder möglich ist, soll später dargestellt werden. Zuvor sollen jedoch noch zwei weitere Bereiche vieler Gerontopsychiatrischer Abteilungen kurz skizziert werden.

Rehabilitation hat nicht allein in den entsprechend benannten Bereichen stattzufinden. Sowohl Akut- wie Langzeitpatienten müssen immer noch und immer wieder auch unter rehabilitativen Aspekten wahrgenommen werden. Dennoch erschien es vielfach wünschenswert, einen Bereich im Rahmen der Gesamtabteilung einzurichten, der sich diesen Aufgaben schwerpunktmäßig zuwendet. Ein Rehabilitationsbereich soll die Möglichkeit bieten, die erhalten gebliebenen Selbsthilfekompetenzen des Patienten zu identifizieren und zu fördern und gleichzeitig möglichst präzise Vorschläge dafür auszuarbeiten und mit den Trägern derjenigen komplementären Angebote die Realisierungsmöglichkeiten der Versorgung zu besprechen, die bei der Entlassung gewährleistet sein muß. Die Sicht auf den Patienten ist dabei ganzheitlich und orientiert sich nicht in erster Linie an umschriebenen Funktionsausfällen, auch wenn diese sehr wohl wahrgenommen und entsprechende Kompensationsmöglichkeiten ausfindig gemacht werden müssen.

Im **Langzeitbereich** werden Patienten betreut, die aufgrund ihrer Verhaltensbesonderheiten nicht in »normalen« Senioreneinrichtungen toleriert werden. Viele von ihnen haben schon mindestens einmal die Erfahrung machen müssen, daß sie wegen ihres Verhaltens – oft gegen ihren Willen – in stationäre psychiatrische Behandlung gebracht worden sind. Es ist bemerkenswert, daß in gerontopsychiatrischen Abteilungen, die komplementär gut ausgestattete Regionen versorgen, der Anteil dementer Patienten häufig vom Akutbereich über den Rehabilitationsbereich bis zur Langzeitstation kontinuierlich abnimmt. Die

Diagnose »Demenz« allein muß also nicht zur langfristigen stationären psychiatrischen Behandlung führen, jedenfalls dann nicht, wenn im Sektor ein komplementäres Versorgungsnetz existiert, das auch hinsichtlich gerontopsychiatrischer Patienten »belastbar« ist.

Überhaupt wird eine **Binnendifferenzierung** der gerontopsychiatrischen Krankenhausabteilung in der geschilderten Form um so verzichtbarer, je differenzierter der komplementäre Bereich der Versorgungsregion ist. Differenzierung ist also prinzipiell notwendig, um den Bedürfnissen des alten Patienten gerecht zu werden, nur über das »wo« kann gestritten werden!

32.5.2.2. Gerontopsychiatrisches Zentrum, Tagesklinik

Das **gerontopsychiatrische Zentrum** ist das »Herzstück« der Empfehlungen der Expertenkommission der Bundesregierung. Es besteht aus einer Beratungsstelle, einer Poliklinik und einer Tagesklinik. Ziel der Institution ist, durch medizinische, psychologische und soziale Beratung und Betreuung so lange wie möglich die selbständige Lebensführung zu ermöglichen. In der **Poliklinik** werden Diagnostik und Behandlung durch ein multiprofessionelles Team ambulant durchgeführt. Ein Konsiliardienst für die komplementären Einrichtungen der Region ist, obwohl dringend wünschenswert, nur an wenigen Stellen bereits realisiert. Die **Tagesklinik** ist eine teilstationäre Einrichtung, die gegenüber der Poliklinik intensivere Diagnostik und Therapie ermöglicht. Das bedeutet, daß die Patienten tagsüber in das Zentrum kommen, aber weiterhin in ihrer häuslichen Umgebung wohnen, wo sie sich abends und am Wochenende selbst versorgen müssen. Diese therapeutisch nicht abgedeckten Zeiten sind neben dem oft auftauchenden Transportproblem der limitierende Faktor einer Tagesklinikbehandlung. Die **Beratungsstelle** kann von Patienten und Angehörigen ohne ärztliche Überweisung aufgesucht werden. Neben einer möglicherweise nötigen ärztlichen oder psychologischen Beratung gibt sie Auskunft über Hilfen für das Leben in der eigenen Wohnung (z.B. Hauspflege, Begleitdienste, Pflege, Urlaub, Hausnotruf) und vermittelt einen Überblick über Seniorenwohnhäuser und Seniorenheime mit den verschiedenen Pflegestufen. Angehörige können das Angebot ebenso in Anspruch nehmen wie betroffene ältere Menschen selbst. Das gerontopsychiatrische Zentrum als komplexes Angebot ist bisher nur an wenigen Orten verwirklicht. Einzelne seiner Elemente, besonders die Tageskliniken, sind jedoch bereits weit verbreitet.

32.5.2.3. Krankenhäuser für chronisch Kranke

Krankenhäuser für chronisch Kranke nehmen Patienten auf, die einer Krankenhausbehandlung von langer Dauer bedürfen und neben Grund- und Behandlungspflege auch in erheblichem Umfang auf nur durch Ärzte sicherzustellende Maßnahmen angewiesen sind. In diesen Krankenhäusern wird bei chronischen Leiden durch ärztlich geleitete Behandlungsmaßnahmen Besserung oder Linderung verschafft bzw. die Entlassungsfähigkeit angestrebt. Dies kann die Rückkehr in die häusliche Umgebung (eventuell mit häuslicher Krankenpflege) oder die Verlegung in ein Heim bedeuten. Krankenhäuser für chronisch Kranke verfügen grundsätzlich über krankenhaustypische Einrichtungen, wie Labor, Röntgen, und nichtärztliche therapeutische Angebote sowie einen ärztlichen Dienst rund um die Uhr. Von sozialpolitischer Seite werden diese Einrichtungen zunehmend unter dem Stichwort »Enthospitalisierung« in Frage gestellt. Auch wenn vielleicht gelegentlich (zu leichtherzig?) in Ermangelung komplementärer Angebote in solche Einrichtungen eingewiesen wurde, erscheinen sie unter gerontopsychiatrischen Aspekten weiterhin notwendig. Hier werden Patienten behandelt, die sonst »keiner will«. Man denke nur an Demenzkranke mit zusätzlicher erheblicher psychomotorischer Unruhe und aggressiven Durchbrüchen, die in Heimen bisheriger Struktur nur im Ausnahmefall befriedigend betreut werden konnten.

32.5.2.4. Sozialstationen

Das Angebot der **Sozialstationen** richtet sich grundsätzlich nur an Menschen, die dieser Hilfe auch nachweislich bedürfen. Dabei geht es besonders um ganzheitliche und aktivierende Pflege, Betreuung und Rehabilitation, die auf die jeweiligen Bedürfnisse abgestimmt sein sollen. Ziel der häuslichen Betreuung ist, die Selbständigkeit des Hilfesuchenden in seiner vertrauten Umgebung zu erhalten und vor allem sein Selbsthilfepotential zu stärken. Die Aktivierung der Nachbarschaftshilfe und der Selbsthilfe tragen gleichermaßen dazu bei, daß der Betreuungsbedürftige die notwendigen Hilfestellungen für ein selbständiges Leben zu Hause erhält. Der Gesetzgeber hat eine Reihe von Möglichkeiten geschaffen, unter bestimmten Voraussetzungen Leistungen der Sozialstationen über Kostenträger wie Krankenkassen oder Sozialämter zu finanzieren. Da viele Betreute gerontopsychiatrisch erkrankt sind, sollten Sozialstationen mit gerontopsychiatrischen, mindestens aber mit psychiatrischen Fachkräften ausgestattet sein. Dies ist noch viel zu selten der Fall, so daß zur Zeit nur in seltenen Ausnahmefällen von einer qualitativ akzeptablen gerontopsychiatrischen Fachpflege durch die Sozialstationen gesprochen werden kann.

32.5.2.5. Seniorenwohnhäuser

Sie sind das niederschwelligste komplementäre Angebot und in der Regel Menschen vorbehalten, die das 65. Lebensjahr vollendet haben. Die Wohnungen müssen bestimmte bauliche Mindeststandards erfüllen und seniorengerecht ausgestattet sein. Gemeinschaftsräume für gesellschaftliche Veranstaltungen,

Gruppenaktivitäten, usw. sind kein Luxus, sondern können durchaus als spezifische gerontoprophylaktische Angebote aufgefaßt werden. Bewerber für ein **Seniorenwohnhaus** müssen in der Lage sein, ihren Haushalt selbständig zu führen. Eine im Seniorenwohnhaus tätige Altenpflegekraft vermittelt bei Bedarf ambulante Hilfen, z.B. Hauspflege oder den fahrbaren Mittagstisch.

32.5.2.6. Betreutes Alterswohnen

Bei diesem Angebot leben die Betreuten in eigenen Wohnungen – entweder im Wohnverbund oder in Einzelwohnungen. Sie werden von Fachkräften der Altenpflege, Krankenpflege und Sozialarbeit betreut, sobald sich eine Notwendigkeit dafür ergibt. Ziel der Betreuung ist die Erhaltung bzw. das Wiedererlangen der Selbständigkeit in einer eigenen Wohnung. **Betreutes Alterswohnen** spielt eine wesentliche Rolle bei der Enthospitalisierung langzeitig stationär untergebrachter Patienten.

32.5.2.7. Seniorenheime

Diese Einrichtungen werden zum Teil regional sehr unterschiedlich bezeichnet (z.B. Feierabendheime, Wohnpflegeeinrichtungen u.ä.). Der Einfachheit halber und um den Sozialeuphemismus in Grenzen zu halten, seien sie im folgenden alle unter »**Seniorenheime**« subsummiert. Sie bieten je nach ihrer Bauart Einbett- und Mehrbettenzimmer. Die ärztliche Versorgung wird durch freipraktizierende Ärzte sichergestellt, gelegentlich erfolgt auch eine Versorgung durch die gerontopsychiatrische Ambulanz der Region. In sehr vielen Fällen ist eine eigene Möblierung erwünscht und möglich. Die Bewohner werden nach dem Grad der Pflegebedürftigkeit in Pflegestufen eingereiht. Die Kriterien sind länderhoheitlich geregelt und unterliegen derzeit vielerorts wegen des Abbaus von Abteilungen für chronisch Kranke und wegen der Einführung der Pflegeversicherung einer Revision. Je nach Intensität der Pflegestufen erfolgt die Betreuung durch Alten- oder Krankenpflegekräfte, zusätzlich sollte ein krankengymnastisches und/oder ergotherapeutisches Angebot vorhanden sein.

32.5.2.8. Tagespflegeeinrichtungen

Anders als die Tageskliniken sind sie Teil der Sozial- und nicht der Gesundheitsversorgung. In ihnen werden pflegebedürftige Menschen zeitlich der Tagesklinik vergleichbar betreut. Diese Pflege dient neben den Betreuten selbst oft in mindestens gleichem Maße auch den Angehörigen, die auf diese Weise einmal »Urlaub von der Pflege« machen können und so den enormen Belastungen länger gewachsen sind.

Nachtpflegeeinrichtungen, die aus denselben Gründen der Entlastung der Pflegenden besonders für Demenzkranke empfohlen werden, sind bisher über ein Pilotstadium nicht hinausgediehen.

Literatur

Angst J (1986): Epidemiologie der Spätdepressionen. In: Kielholz P, Adams C (Hrsg.): Der alte Mensch als Patient. Deutscher Ärzte-Verlag, Köln, 83–94.

Bundesministerium für Jugend, Familie, Frauen und Gesundheit (1988): Empfehlungen der Expertenkommission der Bundesregierung zur Reform der Versorgung im psychiatrischen und psychotherapeutisch/psychosomatischen Bereich. Bonn.

Ciompi L (1985): Aging and schizophrenic psychosis. Acta Psychiatrica Scandinavica *71:* (suppl. 319): 93–105.

Erlenmeier N (1993): Suicid und Suicidprophylaxe im Alter. TW Neurologie und Psychiatrie *7:* 130–136.

Gertz HJ (1990): Zur Epidemiologie depressiver Erkrankungen im Alter. Zeitschrift für Gerontopsychologie und -psychiatrie *1:* 225–229.

Gutzmann H (1991): Psychopharmakotherapie. In: Oswald WD, Herrmann WM, Kanowski S, Lehr UM, Thomae H (Hrsg.): Gerontologie; 2. Aufl. Kohlhammer, Stuttgart, 456–465.

Helmchen H (1986): Dilemmata und Schwierigkeiten der Diagnostik bei älteren depressiven Patienten. In: Kielholz P, Adams C (Hrsg.): Der alte Mensch als Patient. Deutscher Ärzte-Verlag, Köln, 101–105.

Kanowski S (1992): Alterspsychiatrie. Die Bedeutung der Psychiatrie für die Geriatrie. Zeitschrift für ärztliche Fortbildung *86:* 804–808.

Kay D, Roth M (1961): Environmental and hereditary factors in the schizophrenias of old age (»late paraphrenia«) and their bearing on the general problem of causation in schizophrenia. Journal of Mental Science 107:649–686.

Krauss B (1989): Epidemiologie. In: Kisker KP, Lauter H, Meyer JE, Müller C, Strömgren E (Hrsg.): Alterspsychiatrie, Psychiatrie der Gegenwart, vol. 8. Springer, Berlin, 59–84.

Murphy E (1989): Depressionen im Alter. In: Kisker KP, Lauter H, Meyer JE, Müller C, Strömgren E (Hrsg.): Alterspsychiatrie. Psychiatrie der Gegenwart, vol. 8. Springer, Berlin, 225–251.

Naguib M (1992): Paranoid disorders. In: Arie T (ed.): Recent advances in psychogeriatrics. Churchill Livingstone, Edinburgh, 81–94.

NIH Consensus Development Panel on Depression in Late Life (1992): Diagnosis and treatment of depression in late life. Journal of the American Medical Association *268:* 1018–1024.

33. Psychosomatische Medizin, einschließlich Grundzüge der Neurosenlehre

Gerhard Schüßler

33.1. Psychosomatische Medizin

Die Psychosomatik befaßt sich mit den **wechselseitigen Beziehungen somatischer und psychosozialer Vorgänge bei der Entstehung, im Verlauf und bei der Behandlung von Krankheiten.** Von psychosomatischer Betrachtungsweise spricht man dann, wenn bei der Diagnostik und Therapie von Krankheiten diese somatischen und psychosozialen Faktoren Berücksichtigung finden [Bräutigam, Christian und v. Rad, 1992].

Traditionell haben in der psychosomatischen Medizin **zwei Sichtweisen** das Herangehen bestimmt: der **holistische Ansatz** (jede Erkrankung hat unvermeidlich psychosoziale Aspekte, und Ärzte behandeln Kranke und nicht Krankheiten) und der **psychogenetische Ansatz** (auch körperliche Erkrankungen haben seelische Ursachen). Eine Zusammenfassung dieser beiden ergänzenden Ansätze ermöglicht das **biopsychosoziale Modell** [Engel, 1977]. Dieses Modell hilft uns zu verstehen, warum Veranlagung, Krankheitsbeginn, Aufrechterhaltung und Folgen einer Erkrankung soziale, psychologische und physiologische Komponenten haben. Es ermöglicht uns gleichzeitig ein Verständnis von Erkrankung, das über Pathophysiologie und Pathologie hinausgeht. In dem von Engel vorgestellten biopsychosozialen Modell werden Leib und Seele als zwei sich gegenseitig beeinflussende Wesenheiten angesehen. Die unterschiedlich beobachtbaren Ebenen stehen miteinander in Wechselwirkung (vgl. Abbildung 33.1).

Dieses Modell läßt sich folgendermaßen zusammenfassen: Konfliktsituationen in Familie oder Partnerschaft führen bei inadäquaten Konfliktlösungsmöglichkeiten und/oder Verletzungen des Organapparats bzw. genetischer Veranlagung (Gewebe) zu entsprechenden Organ- und Gewebsschäden; diese wirken wiederum zurück auf Organsystem, Nervensystem, Person und Familie. Dieses Modell überwindet die Dichotomie »seelisch versus organisch« und sieht unterschiedliche Systeme miteinander in Wechselwirkung. Es nimmt für alle Erkrankungen an, daß diese unterschiedlichen Ebenen an der Entstehung und Aufrechterhaltung einer Störung oder eines Krankheitszustands mitbeteiligt sind. Daraus erwächst die Notwendigkeit, in Diagnostik und Behandlung die unter-

Konfliktsituationen	Gemeinschaft ↕ Familie Dyade (2 Personen) ↕
Inadäquate Konfliktlösungsmöglichkeiten Neurotische Entwicklung	Person (Erfahrung, Verhalten) ↕ Nervensystem Organe, Organsysteme ↕
Genetische Belastung, Verletzung frühe (fehl-)gelernte physiologische Reaktionsmuster und anderes	Gewebe ↕ Zellen Zellteile Moleküle

Abb. 33.1. Biopsychosoziales Model [nach Engel, 1977].

schiedlichen biopsychosozialen Bereiche mitzuberücksichtigen. Die **Diagnostik der psychosomatischen Medizin** bedarf somit mehrerer Ebenen:
- der biographischen Ebene;
- der interaktionellen Ebene;
- der psychopathologischen Ebene;
- der psychosomatischen und somatopsychischen Ebene.

Mittels Erhebung der Lebensgeschichte versuchen wir, die Persönlichkeit anhand ihrer individuellen Biographie und Konflikte zu verstehen. Auch die sozialen Lebensbedingungen müssen hinreichend berücksichtigt werden. Die interaktionelle Ebene umfaßt alle Verhaltensweisen und Gefühle, die sich in der Arzt-Patient-Beziehung abspielen. Diese Eindrücke und Gefühle des Arztes über die Beziehung des Patienten zu ihm und seine Beziehung zum Patienten liefern uns ein vertieftes Verständnis. Besondere Bedeutung haben hierbei die Übertragungs- und Gegenübertragungsgefühle. **Übertragung** meint einen Vorgang, bei dem Gefühle und Verhaltensmuster einer früheren Beziehung entstammen, es handelt sich um eine unbewußte Verschiebung, die Neuauflage einer alten Beziehung. Hierbei werden dem Arzt gegenüber Gefühle geäußert, die nicht seiner Person gelten und sich offensichtlich auf frühere Erfahrungen beziehen. Unter **Gegenübertragung** verstehen wir die Gesamtheit der bewußten und unbewußten Gefühle und Reaktionen des Arztes, besonders die durch den Patienten in ihm ausgelösten Gefühle. Die **psychopathologische Ebene** beschreibt die seelischen Auffälligkeiten (z.B. Angst oder Depression) eines Men-

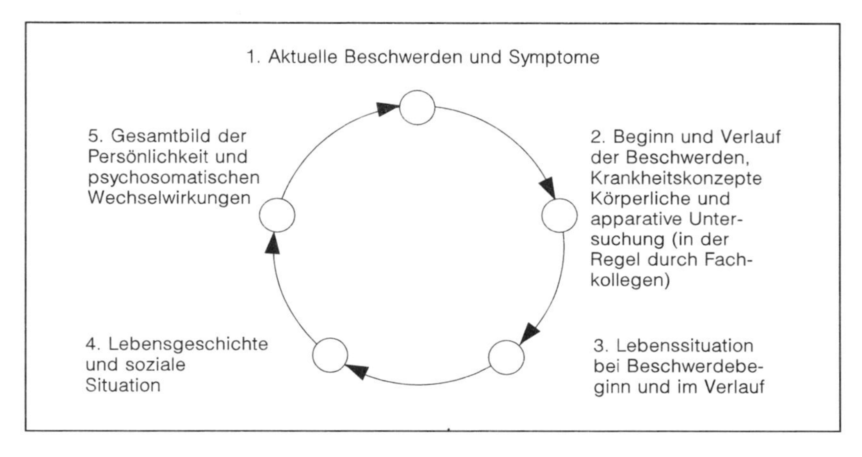

Abb. 33.2. Psychosomatische Anamnese [in Anlehnung an Bräutigam, Christian und v. Rad, 1992].

schen und ihre Auswirkungen. Auf der **somatopsychischen und psychosomatischen Ebene** gilt es, die organischen Faktoren hinreichend zu verstehen und zu berücksichtigen. Erst diese verschiedenen Ebenen ermöglichen ein umfassendes Verständnis. Die hierzu notwendigen Informationen werden in der körperlichen Untersuchung und psychosomatischen Anamnese gewonnen. Ziel ist, das Wechselspiel von Körperlichem und Seelischem zu verstehen. Der **Ablauf** einer derartigen **psychosomatischen Anamnese** wird in Abbildung 33.2 dargestellt.

Während der psychosomatische Ansatz der Gesamtheit der klinischen Medizin gilt, befaßt sich die Psychosomatische Medizin in Klinik und Wissenschaft im wesentlichen mit **drei Krankheitsgruppen** (zur Übersicht Schüßler, 1995):

- Neurotische Störungen mit überwiegend körperlichen Symptomen.
- Psychosomatische Störungen.
- Somatopsychische Störungen.

Zur Gruppe der **neurotischen Störungen mit überwiegend körperlichen Symptomen** zählen die eigentlichen **Symptomneurosen** (Angst, Depression, Zwang u.a.; vgl. Kapitel 7 und 8), sowie die **Eßstörungen** (Anorexia nervosa und Bulimie; vgl. Kapitel 9).

Bei den neurotischen Störungen mit körperlicher Symptomatik bestehen psychopathologische Symptome neben einer Vielfalt von körperlichen Symptomen, die Patienten berichten in der Regel über beide Störungsbereiche gleichwertig und gleichrangig. Auf die unterschiedlichen theoretischen Modelle zur Entstehung und Wechselwirkung körperlicher und seelischer Prozesse kann hier nicht eingegangen werden [zur Übersicht Hoffmann und Hochapfel, 1995]. Das historisch älteste Modell, das auch heute noch Gültigkeit hat, ist das von Freud 1895 beschriebene »Konversionsmodell«. **Konversion** meint die Umsetzung eines unbewußten seelischen Konflikts in körperliche, besonders sensorisch-motorische Innervation. Konversion beschreibt einen psychischen Vorgang, welcher der Entlastung von einem unbewußten inneren Konflikt dient und an dessen Ende eine psychogene, körperlich nicht begründbare Symptombildung steht. Die Symptombildung läßt sich als körpersprachlich vermittelte Symbolisierung des inneren Konflikts umreißen; entsprechend stellt z.B. der klassische hysterische Anfall mit Arc-de-cercle (kreisförmiger Körperbiegung mit rhythmischen Beckenbewegungen) den unbewußten sexuellen Konflikt dar.

Zur Gruppe der **psychosomatischen Erkrankungen** (vgl. Kapitel 9) sind einerseits die funktionellen oder Somatisierungsstörungen (ICD-10: F45), zum anderen die psychosomatischen Erkrankungen im klassischen Sinne zu zählen: Asthma bronchiale, Ulcus pepticum ventriculi et duodenalis, Colitis ulcerosa und Morbus Crohn, essentielle Hypertonie, rheumatoide Arthritis, atopisches Ekzem und Hyperthyreose.

Der Psychosomatiker Alexander und andere Autoren glaubten, ausgehend von ihren Untersuchungen in den 40er und 50er Jahren, bei diesen Erkrankungen seien spezifische seelische Konflikte für die Entstehung der körperlichen Erkrankung ursächlich. Für jede der genannten Erkrankungen wurde von Alexander eine spezifische Konfliktkonstellation beschrieben. Diesen Vorstellungen wird heute weitgehend widersprochen, die meisten psychosomatischen Untersuchungen der Folgezeit konnten diese Annahmen nicht bestätigen [zur Übersicht Weiner, 1977; von Uexküll, 1990].

Das biopsychosoziale Modell verdeutlicht vielmehr, daß es keine eigentlichen »psychosomatischen Erkrankungen« im engeren Sinne gibt, sondern daß bei allen Erkrankungen psychosoziale Faktoren mehr oder weniger Bedeutung besitzen.

Die **Ätiologie** von Erkrankungen ist generell **multifaktoriell,** das Gewicht der jeweilig ursächlichen Faktoren (mehr biologisch, mehr psychisch, mehr sozial) ist von Erkrankung zu Erkrankung und Individuum zu Individuum unterschiedlich, jedoch sind die von Alexander erarbeiteten Schilderungen der Krankheitsbilder und psychischen Konflikte in der Praxis oft hilfreich.

Bei den **»funktionellen Störungen« (Somatisierungsstörungen)** finden wir unterschiedliche Bilder körperlicher Beschwerden. In der Geschichte der Medi-

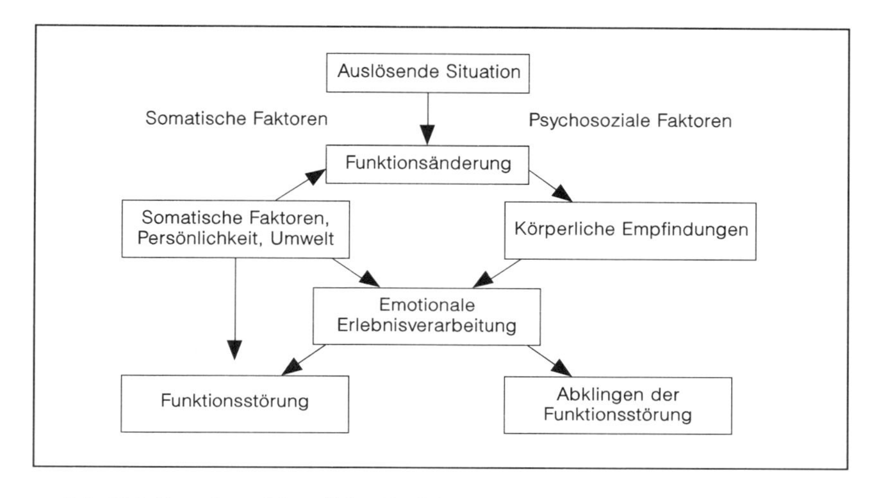

Abb. 33.3. Entstehung körperlicher Funktionsstörungen.

zin sind diese Störungen mit unterschiedlichen Namen belegt worden: vegetative Dystonie, psychogene Syndrome oder Neurasthenie.

Klassifikatorisch werden sie heute im wesentlichen nach der Organlokalisation benannt (ICD-10: F45: kardiovaskuläres System, Gastrointestinaltrakt, respiratorisches System; vgl. Kapitel 8). Trotz dieser Vielfalt der Erscheinungsbilder finden sich gewisse Gemeinsamkeiten. Es handelt sich bei allen Beschwerdebildern um Störungen ohne organisches Substrat, d.h. es zeigt sich bei genauer körperlicher und apparativer Untersuchung kein abweichender klinischer Befund, vielmehr erscheint die körperliche Funktion (Erhöhung von Herzschlag und Magentonus) gestört. Die Beschwerden sind in der Regel verbunden mit der Überzeugung des Patienten, an einer körperlichen Erkrankung zu leiden. Psychopathologische Auffälligkeiten fehlen meist bzw. sie werden, wenn vorhanden, vom Patient völlig getrennt von den körperlichen Symptomen erlebt. So schildern die Patienten, daß sie Angst aufgrund der Symptome haben, und sie können nicht wahrnehmen, daß zu Beginn der Störungen z.B. das Herzjagen in Verbindung mit seelischen Angstzuständen auftrat. Bei diesen Störungen besteht eine Regulationsstörung: Im Organismus entstehende oder an den Organismus herangetragene Veränderungen führen zu Funktionsänderungen entsprechend den Empfindungen und Gefühlen; die Funktionsstörungen wiederum müssen dann emotional verarbeitet und bewältigt werden (vgl. Abbildung 33.3).

Auch hier gilt es, entsprechende entgegenkommende **somatische Faktoren,** die **Persönlichkeit** des einzelnen oder auch **Umwelteinflüsse,** mitzuberücksichtigen. In der Reaktion auf unterschiedliche Anforderungen treten bei jedem Menschen individuell unterschiedliche physiologische Veränderungen auf (der eine reagiert in einer Prüfungssituation mit Durchfall, der andere mit Herzjagen), aber es können auch bei verschiedenartigen Reizen (Examensprüfung oder Streit mit der Freundin) gleichartige Reaktionen bei ein und derselben Person auftreten (z.B. Durchfall).

Während in den Anfängen der psychosomatischen Forschung das Schwergewicht ausschließlich Erkrankungen galt, die man als im wesentlichen psychogen verursacht ansah, befaßt sich die psychosomatische Medizin heute verstärkt mit den **chronischen Erkrankungen.** Die Frage, inwieweit seelische Faktoren die Erkrankung mitbedingen, ist dabei in den Hintergrund gerückt gegenüber der Frage, welchen Einfluß seelische Faktoren auf den Verlauf der Erkrankung haben und inwieweit psychotherapeutische Maßnahmen Hilfe bieten können. Was löst die Diagnose einer tödlichen Krebserkrankung beim Betroffenen aus, welchen Einfluß haben eingreifende diagnostische und therapeutische Verfahren auf sein Leben und sein Befinden?

Fall A: Der Medizinstudent A. leidet seit seinem 12. Lebensjahr an Diabetes mellitus. Von Anfang an übernahm er die ganze Insulinversorgung und Kontrolle selbst, zum Teil sogar ohne ärztliche Hilfe, nachdem er sich ausführlich durch Literaturstudium kundig gemacht hatte. Er erlebte seine Umwelt als wenig verständnisvoll – gab ihr aber auch keinerlei Gelegenheit, verständnisvoll zu sein – und hatte Angst, ausgetrickst, verachtet und gehänselt zu werden. Die Kontrolle des Blutzuckerwertes uferte auf der Jagd nach der »idealen Einstellung« immer mehr aus, bis zu 20mal am Tag führte er Zuckertests durch. Emotionale Bewältigung und Akzeptanz seiner Erkrankung fehlten völlig, die Erkrankung bedeutete Angst und Scham. Verstärkt mit dem Medizinstudium begann die Auseinandersetzung mit den Spätfolgen des Diabetes (Neuropathie, Nephropathie und Retinopathie), pathophysiologische Gedankengebäude türmten sich auf, letztlich immer mit dem Ziel zu beweisen, warum er »eine gute Prognose« habe. Er begann auf der Suche nach der guten Prognose täglich stundenlang Fachliteratur zu lesen. Als sich erstmals eine »intelligente« Freundin von ihm trennte und gleichzeitig Kribbeln in beiden Beinen (erste Zeichen einer Neuropathie?) begannen, dekompensierte das bis dahin noch funktionierende Lebensgleichgewicht.

Die Erkrankung bedeutete eine tiefe Kränkung seines Selbstwerts. Lebensgeschichtlich wird dies verstehbar durch ein konflikthaftes narzißtisches Defizit »des Nichtgeliebt- und Nichtgewolltseins«. Die Eltern von A. trennten sich in seinem 3. Lebensjahr, er fühlte sich immer vernachlässigt. In der Schule wurde er zuerst Klassenkasper, um Aufmerksamkeit zu gewinnen, dann machte seine überdurchschnittliche Intelligenz ihm eine Sonderrolle als Überflieger und Intellektueller möglich. A. ist flott gekleidet und vermittelt den Eindruck des Besonderen. Sämtliche konflikthaften Emotionen werden auf die krankheitsbezogenen hypochondrischen Befürchtungen eingegrenzt. »Ich bin etwas Besonderes, ich muß alles selbst in der Hand haben.«

Zwar gelingt es vielen Menschen, ihre Krankheiten gut zu bewältigen und zu verarbeiten [Schüßler, 1993], aber bei nicht wenigen entwickeln sich infolge der organischen Erkrankung **psychoreaktive Folgen** (Ängste, Depression, Rückzugsverhalten). Ob und wie es einem Menschen gelingt, ein neues Lebensgleichgewicht zu entwickeln, können wir mit Hilfe seiner Lebensgeschichte und bisherigen Konfliktverarbeitung verstehen.

33.2. Grundzüge der Neurosenlehre

Die symptomorientierte operationalisierte Diagnostik der ICD-10 (vgl. Kapitel 2) legt ihr Schwergewicht auf beobachtbare oder zu explorierende Daten des Verhaltens, weniger des Erlebens. Dieses Vorgehen verbessert zweifelsohne die klinische und wissenschaftliche Verständigung. In der ICD-10 wurde der Krankheitsbegriff »Neurose« aufgegeben, der Begriff »neurotisch« wird jedoch in Einzelfällen fortgeführt. Angesichts dieser Veränderungen ist es um so wichtiger, traditionelles neurosenpsychologisches Wissen lebendig zu halten, denn unabhängig vom Schulenstreit bedeutete die Diagnose »**Neurose**« immer den **Rückgriff auf die Lebensgeschichte und derzeitigen Lebensbedingungen** (oder, anders ausgedrückt, Lerngeschichte und aufrechterhaltende Bedingungen) und ergänzt die symptomorientierte Beschreibung. Im klinischen Alltag kann recht befriedigend mit dem Neurosenbegriff gearbeitet werden, da neurotische Störungen nicht ohne weiteres nur einer operationalisierten Kategorie (generalisierte Angststörung, Depression u.a.) zuzuordnen sind, sondern häufig ein Wechsel von Symptomen auf dem Hintergrund einer persönlichen Lebensgeschichte und Konfliktsituation vorliegt. Der **traditionelle Begriff »Neurose«** umfaßt die Symptombildung und auch den Wechsel der Symptome als ein Zusammenspiel von Veranlagung und Umwelt unter Berücksichtigung unbewußter Prozesse. So kann eine Depression Folge des Ärgers gegen sich selbst sein (ungelöste Konflikte im Bereich der aggressiven Triebe mit Wendung gegen die eigene Person). Depression kann aber auch Folge des Verlusts eines Lebenspartners sein (depressive Verstimmungen nach Objektverlust) oder Ausdruck einer Selbstwertkrise (Selbstwertprobleme). Besonders für die **psychotherapeutische Indikationstellung** ist in der Regel nicht allein die klinisch-symptomatische Beschreibung entscheidend, sondern die dynamisch-strukturelle Beschreibung des Konflikts, der Abwehr, der Persönlichkeit und der sozialen Interaktionsmuster. Gerade für den psychotherapeutischen Indikationsprozeß bleiben vertiefte individuelle psychosoziale Informationen unverzichtbar. Darüber hinaus stößt ein rein objektivierender Ansatz bei neurotischen Erkrankungen auf große Schwierigkeiten, da diese im Übergangsbereich zum Gesunden liegen und sich weniger qualitativ als quantitativ von der Norm unterscheiden.

Tabelle 33.1. Neurotische Symptome, Verhaltens- und Charakterstörungen

Psychische Symptome	Angst, Depression, Zwang, Entfremdung
Körperliche Symptome	Konversionsstörungen (z.B. Lähmungen, Blindheit), Somatisierungsstörungen
Verhaltensstörungen	Kontakt- und Beziehungsstörungen
Neurotischer Charakter	Verfestigte Erlebens- und Verhaltensweisen, unter denen der Betroffene oder seine Umwelt leiden

Auch die tiefenpsychologische Neurosenlehre stellt mittlerweile infrage, ob Neurosen Krankheitseinheiten (mit regelhaften Ursachen und regelhaftem Verlauf) sind. Vielmehr wird als grundlegend die **neurotische Erlebens- und Verhaltensstörung** angesehen [Mentzos, 1984]. Diese manifestiert sich in Symptomen, persönlichen Verhaltensauffälligkeiten sowie den Charaktereigenschaften eines Menschen (vgl. Tabelle 33.1). Die neurotische Störung ist inädaquat, d.h. mißglückt, aber für den betroffenen Menschen die ihm bestmögliche Konfliktlösung. Neurotische Störungen sind Störungen der Anpassung eines Menschen an belastende Ereignisse und Konflikte. Diese belastenden Ereignisse besitzen ihre individuelle Bedeutung aufgrund der bisherigen Persönlichkeitsentwicklung und der daraus folgenden persönlichen Belastbarkeit und Verarbeitungsmöglichkeiten.

Da jedoch keine anderen Konfliktlösungsmöglichkeiten zur Verfügung stehen, kann der Betroffene von sich aus seine Symptome und Leiden nicht auflösen, der Neurotiker sucht immer wieder dieselben Konflikte und scheitert an ihnen **(Wiederholungszwang).**

Bei **neurotischen Störungen** handelt es sich um psychogene, d.h. überwiegend umweltbedingte Erkrankungen, die nach tiefenpsychologischem Verständnis im wesentlichen auf Konflikte oder Traumen der Kindheit zurückzuführen sind. Im Gegensatz zu psychotischen Erkrankungen sind die Realitätswahrnehmung und der Kontakt zur Realität nicht beeinträchtigt, die Störungen wirken sich vorwiegend auf die zwischenmenschlichen Beziehungen, die Arbeits-, Genuß- und Liebesfähigkeit aus. Das persönliche Leiden – der subjektive Leidensdruck – ist ein wesentliches Charakteristikum neurotischer Störungen.

33.2.1. Tiefenpsychologische Grundbegriffe

Die **Psychoanalyse** hat im Laufe ihrer fast hundertjährigen Geschichte ein reiches Wissen über die Entstehung unbewußter Konflikte und ihre Behandlung erarbeitet. **Tiefenpsychologie** ist der **Oberbegriff für eine Vielzahl von Schulen und Richtungen**, die in ihrer Arbeitsweise psychodynamische Vorgänge – also

Tabelle 33.2. Psychoanalytische Entwicklungsphasen

Orale Phase	Beziehung und Entwicklung werden über die Nahrungsaufnahme organisiert; Wünsche nach Geborgenheit und Liebe
Anale Phase	Beziehung und Entwicklung werden charakterisiert durch die Motorik und Sauberkeitserziehung; Wünsche nach Kontrolle, Macht und Besitz
Phallische Phase	Beginnende Geschlechtsidentifikation, Ödipus-Komplex; Geltungswünsche
Genitale Phase	Reife Übernahme der Geschlechtsrolle; Liebes- und Bindungswünsche

die Existenz unbewußter Prozesse – anerkennen. Der **dynamische Gesichtspunkt** besagt, daß unser Verhalten und Erleben von unbewußten inneren Antrieben gesteuert wird. Unser Verhalten ist nicht nur von außen bestimmt, sondern vielmehr von unseren inneren Wünschen, Phantasien und Gefühlen. Diese sind uns jedoch in einem großen Ausmaß nicht bewußt, nicht innerlich wahrnehmbar (unbewußt). Manches können wir durch intensives Nachdenken in den Bereich unseres Bewußtseins holen; Freud nannte diesen Bereich das **Vorbewußte.** Dem von Zwangsgedanken und Zwangshandlungen Gepeinigten ist es jedoch nicht möglich – und sei es mit noch so viel Nachdenken – zu ergründen, was ihn zu diesen Zwängen treibt. Es handelt sich also um Prozesse, die dem Bewußtsein gründlich verschlossen sind, die aber unser konkretes Leben mitgestalten **(Psychodynamik).** Vorstellungen und Gefühle, die unser Wachdenken stören (sei es, daß sie belasten oder verboten erscheinen), können aus dem Bewußtsein verbannt werden, sie werden in das Unbewußte verdrängt. Diese verdrängten Inhalte sind nicht gelöscht, sie behalten ihre Wirksamkeit und müssen ständig in Schach gehalten werden. Verdrängte Erlebnisinhalte erscheinen nicht nur in der neurotischen Symptombildung, sondern auch im täglichen Leben eines jeden Menschen, z.B. in Träumen oder Fehlhandlungen.

33.2.1.1. Welche inneren Kräfte bestimmen den Menschen?

Freud ging von angeborenen **Trieben** aus, wobei er zwei biologische Grundtendenzen beschrieb: die **Selbsterhaltung (Ich-Triebe)** und die **Libido (die sexuelle Energie)** mit all ihren Schattierungen des Begehrens, der Liebe, der Eifersucht und der zärtlichen Sehnsucht. Die Libido bestimmt das Verhalten und Erleben des Menschen von Geburt an entscheidend. Die Libido entwickelt sich entsprechend der körperlichen Reiz- und Befriedigungsmöglichkeiten des Kindes in verschiedenen Phasen. Diese **frühkindlichen Entwicklungsphasen** mit den Antrieben und damit verbundenen Konflikten wurden orale, anale, phallische und genitale Phase benannt (Tabelle 33.2). Mißlungene Entwicklungen führen zu Fixierungen, dem Festhalten an infantilen Stadien. Diese Theorie nimmt an, daß Fixierungen auf der oralen, analen oder phallischen Stufe mit bestimmten Neurose- und Charakterformationen einhergehen, z.B. eine orale Fixierung mit depressiven Störungen [Elhardt, 1990]. Diese psychosexuelle Triebtheorie mit Annahme einer phasenhaften sexuellen Entwicklung und spezifischen, für jede Phase entscheidenden Konflikten kann heute nicht mehr in dieser Ausschließlichkeit aufrechterhalten werden [Schüßler und Bertl-Schüßler, 1992].

33.2.1.2. Psychische Struktur

Zum besseren Verständnis der psychischen Dynamik, auch des Gesunden, führte Freud psychische Strukturen (Instanzen) ein, denen er Aufgaben und Eigenschaften zuschrieb. Das **Drei-Instanzen-Modell** umfaßt Es, Ich und Über-Ich. Das **Es** ist Quelle aller Motive und Antriebe, es steht unter der Herrschaft des **Lustprinzips** (sofortige und vollständige Triebbefriedigung ohne Rücksicht auf die Wirklichkeit). Das geschieht im wesentlichen unbewußt und enthält auch alle vorbewußten und verdrängten Inhalte. Im Unbewußten herrscht der **Primärvorgang** (Primärprozeß), es fehlt die Steuerung über Denken und Kontrolle, das Realitätsprinzip **(Sekundärvorgang).** Diese Eigenschaften besitzt das **Ich.** Zur Auseinandersetzung mit den Trieben (Es) verfügt das Ich über **Abwehrmechanismen.** Alles, was das Ich zur Vermeidung von Angst und Unlust auslösenden Vorstellungen und Gefühlen einsetzt, fassen wir als Ich-Abwehr zusammen. Anna Freud beschrieb die wichtigsten Abwehrmechanismen, Mechanismen, die auch beim Gesunden zum Einsatz kommen. Erst der übermäßige oder fehlende Einsatz von Abwehr führt zu neurotischen Störungen. Grundsätzlich kann jedes Verhalten im Sinne der Abwehr eingesetzt werden. Eine Übersicht der wichtigsten Abwehrmechanismen gibt Tabelle 33.3.

Das **Über-Ich** entwickelt sich im Laufe der ersten Lebensjahre. Es ist der innerseelische Niederschlag der normativen und moralischen Gebote und Verbote, die wir im Laufe unserer Entwicklung erfahren. Inhalt und Gestalt nimmt das Über-Ich teils aus den Erfahrungen des Ichs im Umgang mit den Konflikten, teils durch die Identifikation mit den Wertnormen der Eltern und der Gesellschaft an. Das Über-Ich enthält dementsprechend Verbote, Einschränkungen und Strafimpulse, wobei es nicht zwischen Wunschgedanke oder Tat unterscheidet und dem Gesetz der Widervergeltung (Talion-Gesetz: Auge um Auge, Zahn um Zahn) folgt. Freud selbst hat das Über-Ich mit dem Gewissen gleichgesetzt. In einem bildhaften Vergleich hat er das **Drei-Instanzen-Modell** als Pferd (Es), Reiter (Ich) und Reitlehrer (Über-Ich) dargestellt [Elhardt, 1990].

33.2.2. Wiederbelebte Konflikte und Symptomentstehung

Widerstrebende innerseelische oder zwischenmenschliche Interessen sind ein Grundbestand menschlichen Lebens. Vielen Menschen gelingt es, diese Span-

Tabelle 33.3. Definition der wichtigsten Abwehrmechanismen

Projektion	Subjekt verschiebt abgewehrte Triebimpulse auf Objekte, z.B. überträgt jemand seine Aggressivität auf die Mitmenschen und empfindet ihr Verhalten als Feindseligkeit
Verleugnung	Nichtanerkennung der Realität, z.B. werden Auswirkungen einer Erkrankung oder körperliche Veränderungen (Knoten in der Brust) nicht wahrgenommen
Spaltung	Objekte werden in gut und böse aufgeteilt, wobei ein Objekt auch wechselweise gut und böse erscheinen kann. Das gute Objekt wird idealisiert, das böse abgewertet
Verdrängung	Verdrängung von Triebimpulsen (innere Wirklichkeit im Gegensatz zur äußeren Wirklichkeit) erkennbar, z.B. an Fehlleistungen
Verschiebung	Subjekt verschiebt einen Triebimpuls gegen ein Objekt, z.B. die Wut gegen den kränkenden Chef wird auf die Ehefrau verschoben
Verkehrung ins Gegenteil (Reaktionsbildung)	Subjekt zeigt gegenüber Objekt einen gegenteiligen Triebimpuls als den zu erwartenden, z.B. anstelle aggressiver Regung erscheint beim Kind gegenüber seinem Bruder eine freundlich-hilfsbereite Haltung
Rationalisierung Intellektualisierung	Rechtfertigung und Erklärung von Verhalten und Triebimpulsen ausschließlich durch Vernunftgründe
Affektisolierung	Abspaltung der Emotionen von Gedanken, Erinnerung und Verhalten
Wendung gegen die eigene Person	Subjekt wendet Aggressionen gegen sich selbst, z.B. in Form einer Selbstverletzung
Regression	Zurückgehen auf eine frühere Entwicklungsphase der Ich-Funktionen (z.B. Trotzverhalten), der Befriedigungsform (z.B. Freßlust) oder der Beziehungsmuster (z.B. mütterliche Versorgung)

nungen den inneren und äußeren Anforderungen entsprechend zu integrieren. Bei den hier angesprochenen Konflikten handelt es sich um nicht erlebbare (unbewußte) Gegensätzlichkeiten und Problembereiche des Erlebens und Handelns. Diese Konfliktmuster finden sich im Leben des Betroffenen immer wieder, ohne daß bisher eine zufriedenstellende Bewältigung möglich war.

Ein krankmachender neurotischer Konflikt ist stets ein **innerer unbewußter Konflikt.** Ein innerseelischer Konflikt läßt sich in der Sichtweise des Drei-Instanzen-Modells als Zusammenstoß von Trieben des Es mit den Über-Ich-Geboten und Anforderungen der Realität sowie dem Ich als Vermittler beschreiben. Es gilt, **äußere Konflikte** von inneren bewußten und inneren unbewußten zu unterscheiden [Mertens, 1990].

Beispiel: Eine Mutter wünscht, daß ihr 4jähriger Sohn mittags schlafen solle; der Sohn ist jedoch recht munter und möchte nicht schlafen (äußerer Konflikt). Die Mutter beginnt nun mit sich selbst zu ringen, ob sie ihre Bedürfnisse über die des Kindes stellen solle, also ihrem Bedürfnis nach Ruhe und Erholung nachgehen und das Kind mit Gewalt ins

Bett bringen (innerer bewußter Konflikt). Um einen inneren unbewußten Konflikt handelt es sich, wenn bei der Mutter Ängste und Schuldgefühle auftreten, die sie sich nicht erklären kann. Den Gewissensforderungen, eine ideale Mutter zu sein, stehen unbewußte Gefühle entgegen: »Der soll es so hart haben wie ich in meiner Kindheit.« Der innere unbewußte Konflikt besteht also aus gegensätzlichen Antrieben, Vorstellungen und Gefühlen.

Kennzeichen innerer unbewußter Konflikte ist das Auftreten von neurotischer Angst, also einer Angst, die aufgrund innerer Gefahren entsteht. Diese Angst ist Ausdruck dessen, daß das Ich durch innere Antriebe und strenge Über-Ich-Forderungen bedroht wird. Die neurotische Angst ist damit eine Angst vor der Bedrohung des Ichs. Zur Angstvermeidung und -verdrängung werden Abwehrverhalten und -mechanismen eingesetzt. Freud beschrieb diese Angst als Signalangst, er sah sie als Funktion des Ichs, um Kräfte zu mobilisieren, der konflikthaften Situation zu begegnen oder sie zu vermeiden. Die Angst ist für das Ich Signal, Abwehrvorgänge zu mobilisieren.

Fall B: Frau B., geb. 1950, leidet unter zunehmenden Ängsten, verbunden mit Herzsensationen und körperlicher Unruhe. Die Ängste beziehen sich auf alle Lebensbereiche (ICD-10: F41.1: generalisierte Angststörung). Zuletzt war es ihr nicht mehr möglich, das Haus zu verlassen. Den Ängsten voraus ging ein funktioneller Schreibkrampf, d.h. Frau B. war nicht mehr in der Lage, irgend etwas zu schreiben, sofort verkrampften sich alle Muskeln des Schreibarms. Auslösende Situation war die Auseinandersetzung mit ihrer neuen Dienstvorgesetzten. Diese Chefin führte, täglich mehrfach, von ihr als anzüglich erlebte Telefonate mit einem Mann. Frau B. erkannte bald, daß ihre Chefin eine außereheliche Beziehung hatte; kurz darauf begann die Symptomatik, sie mußte krankgeschrieben werden. Deutlich wird in der auslösenden Situation ein unbewußter Versuchungs- und Versagungskonflikt. Frau B. ist in zweiter Ehe mit einem primär impotenten Mann verheiratet. Diesen wählte sie, da er ihr und dem Sohn aus erster Ehe Sicherheit und Geborgenheit (auch finanziell) gab. Selbstverständlich wünscht sich Frau B. ebenfalls ein zärtliches Sexualleben, dies wird durch die Störung ihres Mannes unmöglich, und sie müßte sich gemäß dem Vorbild ihrer Chefin eine außereheliche Beziehung suchen. In kleinbürgerlichen Verhältnissen aufgewachsen, war das Thema Sexualität für sie lange tabuisiert, und Kontakte zu Männern wurden, solange sie zu Hause lebte, streng kontrolliert und reglementiert. Ihrem Wunsch entgegen stehen somit starke Verpflichtungs- und Schuldgefühle (Über-Ich) und ein extremes Bedürfnis nach Sicherheit und Geborgenheit. Dieses Bedürfnis wurde verstärkt, nachdem ihr erster Ehemann sie »plötzlich« verlassen hatte. Die Triebwünsche und Phantasien lösten somit entsprechende Ängste aus und wurden verdrängt. Die Symptomatik ist ein Kompromiß aus Triebwünschen, Über-Ich-Forderungen und Abwehrmechanismen. Die Symptomatik verunmöglicht ihr eine außereheliche sexuelle Beziehung bzw. die Trennung vom Mann; der für sie so wichtige Ehemann wird gleichzeitig aber abgewertet, »der kann mich nicht befriedigen«.

Die Wiederbelebung der verinnerlichten ungelösten Konflikte erfolgt in **auslösenden Situationen.** Hierunter verstehen wir Situationen, die eine besondere Versuchung (z.B. sexuell aktiv zu werden) oder eine besondere Versagung an

Tabelle 33.4. Verschiedene Charakterstrukturen, ihre Merkmale und die vorherrschende Abwehr

Abwehr	Erleben und Verhalten	Neurosenstruktur Charakter
Reaktionsbildung Rationalisierung Affektisolierung	Kontrollbedürfnisse, Genauigkeit, Sparsamkeit, Eigensinn	Zwanghafte (anale) Struktur
Wendung gegen das Selbst Reaktionsbildung Introjektion	Abhängigkeit von anderen Menschen, Passivität, Minderwertigkeitsgefühle	Depressive (orale) Struktur
Verdrängung Verleugnung	Geltungsbedürfnis, Angst vor Sexualität	Hysterische Struktur
Spaltung Projektion	Beziehungsstörungen, fehlende Angsttoleranz und Impulskontrolle	Borderline-Struktur

den Menschen herantragen. Es ist jedoch nicht die objektive Schwere und Wertigkeit einer Belastung gemeint, sondern der subjektive Bedeutungsinhalt, der den persönlichen ungelösten verinnerlichten Konflikt wiederbelebt. Eine Lösung dieses Konflikts ist jedoch nicht möglich, und im Rahmen der Kompromißbildung zwischen Triebimpulsen, Ich, internalisierten Normen und der äußeren Realität kommt es zur Symptombildung als unzureichende, jedoch bestmögliche Lösung (vgl. Tabelle 33.4).

Die neurotischen Symptome stellen eine **mißglückte Konfliktlösung** dar, aber sie entlasten von der Konfliktspannung. Dies bezeichnen wir als **primären Krankheitsgewinn.** Der **sekundäre Krankheitsgewinn** umschreibt vor allem die sozialen Konsequenzen, die die Erkrankung mit sich bringt und verstärkend wirken können. Als **wesentliche Merkmale** können festgehalten werden:

- Der neurotische Konflikt ist unbewußt. Er entsteht mit der Verinnerlichung eines Entwicklungskonflikts, der ungelöst blieb.
- In der auslösenden Situation wird dieser Konflikt wiederbelebt.
- Symptome sind Ausdruck der nichtgeglückten Konfliktlösung.

33.2.3. Neurotisches Symptom und Charakter

Neurotische Störungen, die mit Symptomen einhergehen, werden als Symptomneurosen bezeichnet und von den Charakterneurosen abgegrenzt. Unter **Charakter oder Persönlichkeit** verstehen wir das Gesamte an Vorstellungen, Haltungen und Einstellungen eines Menschen, die sich aufgrund seiner genetischen Grundausstattung und seiner persönlichen Entwicklung ausbilden. Unter **neurotischer Struktur** verstehen wir das Gefüge der sich im Erleben und Verhalten ausdrückenden Auffälligkeiten. Dies bedeutet, daß Symptom und Persönlichkeit sinnvoll zusammenhängen. Man kann in der Regel davon ausgehen, daß Symptomen eine neurotische Persönlichkeitsstruktur (bzw. Charakterstruktur) zugrundeliegt. Bereits Freud beschrieb die zwanghafte Struktur (analer Charakter) als Grundlage für die Ausbildung einer zwangsneurotischen Symptomatik. Im deutschsprachigen Bereich hat sich die Untergliederung in zwanghafte, depressive, hysterische Neurosenstruktur zunehmend durchgesetzt, im internationalen Bereich ist die Borderline-Struktur beschrieben worden (Tabelle 33.4; vgl. Kapitel 11).

33.2.4. Objektbeziehungspsychologie (struktureller oder Entwicklungsschaden)

Die traditionelle psychoanalytische Theorie geht von der Grundannahme des dynamischen Unbewußten aus. Das Verhalten eines Menschen steht dabei im Dienst primärer Wünsche und Triebe. Eine Erweiterung erfuhr dieses Modell mit der **Ich-Psychologie,** die wichtige Ich-Funktionen (z.B. Gedächtnis und Wahrnehmung) in ihrer Entwicklung als unabhängig von den Trieben und selbstständig (autonom) betrachtet. Mittels dieser Funktionen stellt das Ich den Kontakt zur Realität her und gewährleistet Anpassung. Das Ich gilt als Instanz in der psychischen Struktur. Um nun die Gesamtperson zu beschreiben, wurde im weiteren der Begriff »Selbst« eingeführt. Das Selbst umfaßt alle Vorstellungen einer Person von sich selbst, seien sie real (Realselbst) oder seien sie auch nur erwünschte Selbsteigenschaften (Idealselbst). Infolge dieser ich-psychologischen Ansätze haben die Theorien zu Objektbeziehungen (Objektbeziehungspsychologie) unser Wissen erweitert. Unter **Objektbeziehungen** verstehen wir die Art eines Menschen, mit seiner Welt und anderen Menschen in Beziehung zu treten (Objekt = Bezugspartner). Die Konzepte der Objektbeziehungen gewinnen immer mehr Bedeutung, es gibt jedoch hierzu **keine einheitliche Theorie.** Der **Begriff Objekt** meint nicht mehr nur die Sichtweise Freuds, also das Objekt als Ziel der Trieberregung, vielmehr wird die Gesamtheit der phantasierten und sich real im Verhalten darstellenden Beziehungen eines Menschen angesprochen. Ausgangspunkt und Grundlage ist ein von Anfang an bestehendes Bedürfnis des Menschen nach zwischenmenschlichen tragenden Beziehungen, ein Bedürfnis, das Balint beim Säugling bereits als »primäre Objektliebe« beschrieb. Folgen wir diesen Überlegungen, sind unser Erleben und unsere Beziehungen nicht mehr nur geprägt durch die Triebe (Sexualität), sondern auch durch die von uns erfahrenen und phantasierten Beziehungen und Interaktionsmuster. Diese interpersonellen Beziehungen werden verinnerlicht und wandeln sich in psychische Strukturen um. Endpunkt dieser Entwicklung ist der Aufbau eines intakten Selbsts. Störungen zeigen sich in Defekten der Ich-Funk-

Tabelle 33.5. Ausgewählte Beispiele zur Diagnostik der Ich-Funktionen

Ich-Funktion	Beispiel
Realitätsprüfung (Wahrnehmung)	Fähigkeit, innere und äußere Reize adäquat zu beurteilen
Sinn für Realität (Welt und Selbst)	Adäquates inneres Erleben der äußeren/inneren Welt mit Aufrechterhaltung von Ich-Grenzen
Kontrolle von Impulsen	Fähigkeit, Gefühle und Antriebe zu steuern
Fähigkeit zu Objektbeziehungen	Fähigkeit, Kontakte aufzubauen, Beziehungen aufrechtzuerhalten und wechselseitig zu gestalten
Defensive Funktion	Adäquater Einsatz von Abwehrmechanismen

tionen, des **Selbstsystems** (welches das Selbstwertgefühl reguliert) und der **Selbstrepräsentanzen** (als der Summe der inneren Bilder von anderen Menschen). Im Gegensatz zum Modell des Entwicklungskonflikts (Symptom als Folge eines wiederbelebten Konflikts) hat die Objektbeziehungspsychologie das **Modell des Entwicklungsschadens** erarbeitet. Es geht um die Auswirkungen früherer Konflikte, also im wesentlichen um schwere Vernachlässigung, Mißhandlung und Nichtberücksichtigung kindlicher Grundbedürfnisse für die Entwicklung des Selbst, der Ich-Funktionen und der Objektbeziehungen. Diese Entwicklungsbehinderungen haben es einem Menschen nicht ermöglicht, eine hinlängliche Reifung zu erfahren. Mißlungenen Bindungserfahrungen wird bei der Entwicklung schwerer psychopathologischer Zustände und Persönlichkeitsstörungen (wie der Borderline-Persönlichkeitsstörung) eine wichtige Rolle zugeschrieben. Diese **strukturellen Ich-Störungen** weisen also Defizite in der Entwicklung des Ichs und des Selbsts auf, Defizite, die sich bei der Untersuchung von Patienten darstellen und beschreiben lassen (vgl. Tabelle 33.5).

Die Konzepte des dynamischen Konflikts und des strukturellen Entwicklungsschadens sind keine gegensätzlichen, sondern sich ergänzende Vorstellungen. Auch bei Patienten mit strukturellen Entwicklungsdefiziten finden wir als Grund für die Entwicklungsstörungen Konflikte. Diese Konflikte haben jedoch eine strukturelle Reifung und Entwicklung verhindert, eine Entwicklung, wie sie bei den wiederbelebten Konflikten in der Regel mehr oder weniger gelungen ist. Beide Konzepte sind verschiedene Seiten eines komplexen Phänomens. Im klinischen Bild zeichnen sich Patienten mit derartigen Störungen vor allem durch geringe bis fehlende Angsttoleranz sowie Impulskontrolle aus.

Fall C: Frau C. leidet unter Depersonalisationserscheinungen (»das Gesicht wird fremd, ich fühle mich verändert, zu groß, und gleichzeitig wie ein Kind«). Diese Zustände verstärken die stetigen Ängste und depressiven Verstimmungen. Weiterhin kommt es unter Alkohol zu aggressiven und sexuellen Entgleisungen. Diese seit ihrem 18. Lebensjahr verstärkt bestehenden Symptome führen zu einer schweren Arbeits- und Leistungsstörung, so daß Frau C. keinerlei Berufsausbildungen durchführen konnte. Seit ihrer Kindheit lebte sie in einer eigenen Phantasiewelt, meist Abenteuerreisen in ferne Länder. Ebenfalls seit dieser Zeit wurde sie beherrscht von sexuellen Phantasien, mit dem Inhalt, daß sie von ekligen Männern vergewaltigt werde; meist treten diese Phantasien beim Masturbieren auf. Sie befürchtet, hinter alldem könne ein sexuelles Kindheitstrauma stehen. In ihrer Kindheit erlebte sie sich von den Eltern als abgelehnt und »fertiggemacht«, in ihrem Erleben bestanden von Anfang an rigide Schuldgefühle, »ich bin nicht in Ordnung«, und Selbstwertprobleme, »ich bin nichts wert«. Die Patientin zeigt insgesamt eine Fülle unterschiedlicher Symptome, ohne daß eindeutige Konflikte oder auslösende Situationen erkennbar wären, vielmehr wird der diagnostische Gesamteindruck beherrscht von der fehlenden Angsttoleranz, der Affektinstabilität und Impulsivität. Stabile Objektbeziehungen fehlen ebenso wie ein akzeptiertes Selbstbild.

Eine umfassende neurosenpsychologische Diagnostik versuchte, diesen Erweiterungen Rechnung zu tragen. Ziel ist, sowohl den neurotischen Konflikt und seine Verarbeitung als auch die Struktur der Ich-Funktionen und Objektbeziehungen zu erfassen [Mentzos, 1984]. Derartig komplexe Herangehensweisen und darauf aufbauende psychotherapeutische Techniken bedürfen intensiver Ausbildung (vgl. Kapitel 29).

Literatur

Bräutigam W, Christian P, v. Rad M. (1992): Psychosomatische Medizin. Thieme, Stuttgart.

Elhardt S (1990): Tiefenpsychologie. Kohlhammer, Stuttgart.

Engel GL (1977): The need for a new medical: a challenge for biomedicine. Science *16*:129–135.

Hoffmann SO, Hochapfel G (1995): Einführung in die Neurosenlehre und Psychosomatische Medizin. Schattauer, Stuttgart.

Mentzos S (1984): Neurotische Konfliktverarbeitung. Fischer, Frankfurt.

Mertens W (1990): Psychoanalyse. Kohlhammer, Stuttgart.

Schüßler G (1993): Bewältigung chronischer Erkrankungen. Vandenhoeck & Ruprecht, Göttingen.

Schüßler G, Bertl-Schüßler A (1992): Neue Ansätze zur Revision der psychoanalytischen Entwicklungslehre. Zeitschrift für Psychosomatische Medizin und Psychoanalyse *38*:77–87, 101–114.

Schüßler G (1995): Psychosomatik und Psychotherapie systematisch. Uni-Med, Lorch.

Uexküll Th von (1990): Psychosomatische Medizin. Urban & Schwarzenberg, München.

Weiner H (1977): Psychobiology of human disease. Elsevier, New York.

34. Konsiliarpsychiatrie

34.1. Einleitung

Während früher die allgemeine Medizin und die Psychiatrie fast strikt getrennt waren (in den Städten gab es die allgemeinen Krankenhäuser, psychiatrische Patienten wurden außerhalb in sogenannten Anstalten oder »Landeskrankenhäusern« behandelt), haben in den letzten Jahren immer mehr Allgemeinkrankenhäuser auch eine psychiatrische Abteilung eingerichtet. Dieser Trend wird sich weiter fortsetzen. Ziel dabei ist, die früher sehr großen Landeskrankenhäuser außerhalb der Städte weitgehend abzubauen und gleichzeitig den psychiatrischen Abteilungen in den Allgemeinkrankenhäusern einen festen Versorgungsbezirk zuzuordnen. Ein Patient kann nach diesem Konzept im gleichen Krankenhaus sowohl seine körpermedizinische als auch die psychiatrische Versorgung erwarten. Diese Entwicklung hat auch das Verhältnis der somatisch-medizinischen und psychiatrischen Disziplinen zueinander verändert. Der körperlich kranke psychiatrische Patient wird jetzt von somatischen Disziplinen besser (mit)behandelt, da z.B. der chirurgische Fachmann nicht mehr erst in ein entfernt gelegenes Landeskrankenhaus kommen muß. Umgekehrt erwarten die somatischen Disziplinen auch mehr fachliche Unterstützung von der Psychiatrie. Durch diese Entwicklung werden Anwendungsgebiete der Psychiatrie immer bedeutsamer, die in der Vergangenheit kaum Beachtung gefunden hatten.

34.2. Definition

Die Konsil- und Liaisonpsychiatrie (K/L-Psychiatrie) ist eine **Subdisziplin der Psychiatrie**, die sich mit klinisch bedeutsamen psychiatrischen und psychosozialen Problemen medizinischer Patienten beschäftigt. Je nach Nähe und Konstanz, mit der psychiatrische Fachleute dem medizinischen Bereich eines Allgemeinkrankenhauses zugeordnet werden, unterscheidet man zwischen **Konsiliarpsychiatrie** und **Liaisonpsychiatrie** (vgl. Tabelle 34.1).

Unter **Konsiliarpsychiatrie** versteht man die diagnostische und therapeutische Beratung anderer medizinischer Disziplinen für dort in Betreuung befindliche Kranke, die zusätzlich ein psychiatrisches Problem haben.

Tabelle 34.1. Begriffsbedeutungen und Einsatzgebiete des Psychiaters im Allgemeinkrankenhaus

Bezeichnung	Ort der Tätigkeit	Zielgruppe
Psychiater im Allgemeinkrankenhaus	psychiatrische Station	psychiatrische Patienten im Allgemeinkrankenhaus
Konsilpsychiater	somatische Station im Allgemeinkrankenhaus	– psychiatrische Patienten mit schwerwiegender körperlicher Erkrankung – körpermedizinische Patienten mit psychiatrischer Nebendiagnose – körpermedizinische Patienten mit ausgeprägten Belastungsreaktionen und erheblichen Bewältigungsproblemen
Liaisonpsychiater	– somatische Station	körpermedizinische Patienten: K/L-Psychiater ist fest in Stationsablauf integriert
	– somatische Abteilung	Personal der jeweiligen somatischen Abteilung

Diese Definition unterscheidet also nicht zwischen der psychiatrischen Konsiltätigkeit und z.B. der des Chirurgen, der konsiliarisch auf eine internistische oder psychiatrische Station kommt.

Als eine Besonderheit des psychiatrischen Fachgebiets kann die Beobachtung angesehen werden, daß viele somatische Probleme aus sich heraus auch schon einen psychiatrischen Aspekt haben, z.B. die Selbstwertprobleme eines chronisch Hautkranken, der erlebte Kontrollverlust eines Patienten der Intensivstation, die psychischen Aspekte einer unerwünschten Schwangerschaft oder eines unerfüllten Kinderwunsches.

Wenn also der Psychiater im ureigenen somatisch-medizinischen Feld mitarbeitet und nicht nur zusätzlich aufgetretene psychiatrische Erkrankungen betreut, nennt man seine Tätigkeit **Liaisonpsychiatrie**.

Zwischen den Feldern Konsiliar- und Liaisonpsychiatrie gibt es **fließende Übergänge**, z.B. die affektive Reaktion eines Patienten auf eine bestimmte somatische Diagnose, etwa die einer inoperablen Herzerkrankung [Lipowski, 1987]. Zusätzlich zu dieser groben Begriffsunterscheidung gibt es noch **zwei engere Verwendungen des Begriffs »Liaisonpsychiatrie«**:

- Der Liaisonpsychiater hat kaum direkten Kontakt mit dem Patienten. Vielmehr schult er die primär somatischen Ärzte, manchmal auch das Pflegepersonal, in den psychologisch-psychiatrischen Aspekten bestimmter Erkrankungen und deren Betreuung. Er ist im Gesamtgebiet der Medizin psychiatrischer Multiplikator zur Somatik.

- Der Liaisonpsychiater ist (im Gegensatz zum Konsiliararzt) voll in das jeweilige Abteilungsteam integriert, macht z.B. die Visiten mit und hat eine eigenständige Betreuungsverantwortung. Das ist eine Extremvariante, die man selten findet, vielleicht einmal in einem Zentrum für Schwerstverbrannte.

Mit den enger und anspruchsvoller gefaßten Definitionen von Liaisonpsychiatrie entstehen Überschneidungen zu den angewandten Bereichen der Medizinpsychologie (z.B. Psychonephrologie, Psychogynäkologie oder Psychokardiologie). Außerdem konkurriert diese Definition mit dem Begriff der **»Behavioral Medicine«** in den USA. Die im deutschsprachigen Raum noch sehr strikte Trennung zwischen Psychosomatik und Psychiatrie löst sich bei dieser aus dem angelsächsischen Raum stammenden Entwicklung tendenziell auf. Voraussetzung für eine Auflösung von Psychosomatik und Liaisonpsychiatrie im angelsächsischen Raum ist allerdings, daß dort Psychosomatik naturwissenschaftlicher und verhaltensbezogener verstanden wird, als es der traditionellen Fachdefinition im deutschsprachigen Raum entspricht. Oft sind die Rollen des Psychiaters im Konsildienst von Station zu Station im gleichen Krankenhaus verschieden. Im folgenden wird von Konsil/Liaison-Psychiatrie (K/L-Psychiatrie) gesprochen,weil sich dieser Begriff als zusammenfassender Terminus im Schrifttum zunehmend durchsetzt [Lipowski, 1986].

34.3. Geschichte der Konsiliarpsychiatrie

Es gibt keine Theorie der K/L-Psychiatrie, dementsprechend auch **keine eigenständige Ideengeschichte**. Im Verlauf der Entwicklung der K/L-Psychiatrie standen allerdings unterschiedliche Themen und Fragestellungen im Vordergrund.

Die Entwicklung der K/L-Psychiatrie läßt sich besser als Organisationsgeschichte darstellen. Die Einrichtung eines psychiatrischen Dienstes an einem Allgemeinkrankenhaus in Philadelphia gilt als Beginn der Konsilpsychiatrie. Ein wichtiger Schritt in der Entwicklung des Faches war 1929 die Veröffentlichung von Georg Henry »Beobachtungen eines Psychiaters im Allgemeinkrankenhaus«. Vor dem Zweiten Weltkrieg hat sich in den USA die Etablierung psychiatrischer Dienste an Allgemeinkrankenhäusern durch ein massives Förderprogramm der Rockefeller-Stiftung entwickelt [Levy, 1989].

Vor dieser Entwicklung, in der **Bundesrepublik** in weiten Bereichen auch heute noch, kam z.B. von einem nahegelegenen Landeskrankenhaus oder aus einer niedergelassenen Praxis ein Psychiater in regelmäßigen Abständen, z.B. einmal pro Woche, in das Allgemeinkrankenhaus, sah ihm vorgestellte Patienten, stellte Indikationen für die Einweisung in psychiatrische Kliniken oder für langfristige Psychotherapie. Bei einem so langfristigen und personell sparsamen psychiatrischen Dienst waren weder eigenständige Therapien des Psychiaters in der jeweiligen somatischen Abteilung möglich noch ein Reagieren auf akute Zustände durch den Konsiliarius. Für akute, sich schnell entwickelnde Zustände, wie Alkoholentzugsdelire, passagere Verwirrtheitszustände (akuter exogener Reaktionstyp) oder ängstlich getönte Unruhezustände war der somatische Stationsarzt weitgehend auf sich allein gestellt. Das führte dazu, daß die Schwelle für eine Einweisung in Landeskrankenhäuser relativ niedrig lag. Bis in die 80er Jahre gab es in der Bundesrepublik diesen psychiatrischen Versorgungstyp sogar für Krankenhäuser der Maximalversorgung. Dies änderte sich erst mit der Entwicklung, die allgemeinpsychiatrische Versorgung aus den überkommenen psychiatrischen Großkliniken herauszunehmen und in Allgemeinkrankenhäusern psychiatrische Abteilungen einzurichten, die dann für den um das jeweilige Krankenhaus geltenden Bezirk versorgungspflichtig sind (**Sektorisierung** der psychiatrischen Versorgung). Dadurch gab es an solchen Krankenhäusern festangestellte Psychiater, die in anderen Abteilungen Konsile durchführten, wie auch sonst somatische Abteilungen untereinander Konsile anfordern. Diese Entwicklung ist in der Bundesrepublik noch in vollem Gang.

In den **USA** hatte diese Entwicklung bereits vor dem Zweiten Weltkrieg begonnen. Ein weiterer Unterschied zwischen der US-amerikanischen und der deutschen Entwicklung ist die theoretische Ausrichtung des Fachgebiets. Im angelsächsischen Raum war die Vorkriegspsychiatrie stark psychoanalytisch (vgl. Kapitel 18) ausgerichtet. Es kam nicht zu einem abgespaltenen Fachgebiet »Psychosomatik«, das außerdem noch primär der inneren Medizin zugeordnet ist, wie ein Teil der psychoanalytisch orientierten Psychosomatik in Deutschland (vgl. Kapitel 33). Dadurch, daß im angelsächsischen Raum diese strikte Trennung keine Rolle spielte, entwickelte sich auch ein breiteres Spektrum an Methoden und Theorien **innerhalb** der K/L-Psychiatrie, während sich in der Bundesrepublik verschiedene Ansätze häufig noch unverbunden, oft sogar mit Monopolanspruch gegenüberstehen. So ist es häufig reiner Zufall, ob in einem Allgemeinkrankenhaus ein biologischer Psychiater oder ein psychotherapeutisch geschulter Psychosomatiker den Konsildienst (neuerdings gibt es auch noch einen medizinpsychologischen Konsildienst) durchführt. Dem Patienten ist diese Willkür in der Art seiner Versorgung nicht offenkundig. Er und die somatischen Arztkollegen erwarten zu Recht, daß das psychiatrische und psychosomatische Fachgebiet das gesamte Spektrum seiner diagnostischen und therapeutischen Möglichkeiten zur Verfügung stellt.

34.4. Qualifikation des Konsiliar-/Liaison-Psychiaters

Eine differenzierte K/L-Psychiatrie muß auf eine Vielzahl von Fachgebieten zurückgreifen.

- Die **psychosomatische Medizin** im traditionellen Sinn bleibt eine wesentliche Grundlage der K/L-Psychiatrie. Der Psychiater muß im somatischen Bereich Patienten mitbetreuen, deren somatisches Krankheitsbild durch psychogene Einflüsse (mit)verursacht ist und deren Heilung dadurch erschwert ist. Er muß in solchen Fällen besonders auch den somatischen Mediziner auf die möglichen psychischen Faktoren aufmerksam machen und Hinweise für die adäquate Betreuung und Ansprache des Patienten geben.
- Über traditionelles psychosomatisches Wissen hinaus werden für den K/L-Psychiater **Theorien des Krankheits- und Gesundheitsverhaltens**, also relativ moderne psychologische Ansätze, immer wichtiger. Dabei handelt es sich um verhaltenspsychologische Versuche, Krankheitsentstehung bzw. Gesundheitserhaltung durch das Verhalten der Individuen und nicht durch das Einwirken von Noxen zu erklären. Solche Ansätze sind wichtig, wenn z.B. der K/L-Psychiater zu einem Patienten gerufen wird, der zum wiederholten Male innerhalb kurzer Zeit im Krankenhaus stationär aufgenommen wurde, weil er sich nicht an die Anweisungen seiner Ärzte gehalten hatte.
- **Neuropsychologisches Wissen** kombiniert mit traditionellem Wissen über hirnorganische Veränderungen spielen für den K/L-Psychiater eine viel größere Rolle als für den Allgemeinmediziner. Der Konsiliarius wird häufig gerufen, wenn nach einer Operation Verwirrtheitszustände auftreten, überraschend bei einem Patienten ein Delir beobachtet wird oder auf einer Intensivstation mit der Vielzahl der dort gegebenen zerebral wirksamen Medikamente für den Somatiker unklare Bewußtseins- oder Erlebniszustände beobachtet werden.
- Die **allgemeine Psychopathologie** (vgl. Kapitel 1), die Grundlage jeder psychiatrischen Arbeit ist, ist auch für den K/L-Psychiater unverzichtbar. Allerdings hat er es oft mit viel diskreteren Symptomen zu tun. Wären die psychopathologischen Symptome grob auffällig oder massiv verhaltensbeeinträchtigend, wäre der Patient ja in der Regel in der psychiatrischen Abteilung und nicht in einer somatischen Abteilung aufgenommen worden.
- Der K/L-Psychiater muß ein solides Wissen über **die Grundtatbestände der biologischen Medizin** haben, besonders über zerebrale Korrelate bestimmter Laborkonstellationen und über mögliche zerebrale Effekte bestimmter Medikamententherapien. Der K/L-Psychiater muß darauf vorbereitet sein, auch auf einer internistischen Station die Patientenkurve kritisch »gegenlesen« zu können.
- Der K/L-Psychiater soll etwas von **systemtheoretischen Ansätzen** verstehen. Damit ist gemeint, daß es oft nicht ausreicht, das Augenmerk auf den Patienten allein als Problem- bzw. Symptomträger zu richten. Oft müssen die Personen aus der Lebensumgebung des Patienten, hauptsächlich die Familie, zur

Analyse wie auch zur Problemlösungssuche herbeigezogen werden. Hinweise für dieses Vorgehen geben die Familientherapeuten. Insbesondere aber muß der K/L-Psychiater das »System Krankenhausstation« in seine Analyse miteinbeziehen. Oft wird der Konsiliarius zu einem Patienten gerufen, wo ihm allein über die psychopathologische Untersuchung dieses Patienten nicht deutlich wird, wo eigentlich das Problem liegt, deswegen er gerufen wurde. In solchen Fällen müssen die Interaktionen und Erwartungen zwischen Stationsteam und Patient und/oder Pflegebereich und ärztlichem Bereich angeschaut werden. Oft findet er dann, daß die Konsilanforderung an den außenstehenden Psychiater einen innerstationären Konflikt verlagern soll, ohne daß das in diesem Augenblick den unmittelbar Beteiligten auch klar sein muß.

Die zunehmende Verbreitung solcher Einrichtungen in Allgemeinkrankenhäusern wird dazu führen, daß auch bald ein **Ausbildungsweg** für diese spezielle Tätigkeit entstehen wird. Zur Zeit ist es noch so, daß in der Regel ein Facharzt mit einem zufälligen Qualifikationsschwerpunkt diese Aufgabe übernimmt und dann in Eigeninitiative sich in den sonstigen Problemgebieten sachkundig machen muß.

34.5. Problembereiche der Konsiliar-/Liaison-Psychiatrie

Entsprechend dem Anwendungsgebiet der K/L-Psychiatrie gibt es gegenüber dem Arbeitsgebiet des Psychiaters in der allgemeinpsychiatrischen Abteilung einige **Besonderheiten**. Wenn der K/L-Psychiater Patienten mit Störungen aus dem konventionellen psychopathologischen Diagnosenspektrum der Psychiatrie innerhalb der somatischen Station mitbehandelt, setzt er sich in der Regel mit **subtileren Symptomen** auseinander, als sie in der psychiatrischen Abteilung auftreten. Nur bei wenigen somatischen Problembereichen (z.B. hochinfektiöse oder bestimmte chirurgische Patienten, solche in spezialisierten Verbrennungszentren, andere sehr infektgefährdete Patienten) werden auch hochakute psychiatrische Patienten im somatischen Bereich durch den K/L-Psychiater mitbehandelt, statt sie in die psychiatrische Abteilung zu verlegen. In diesem Sinne stellt die K/L-Psychiatrie eine wichtige **Verbesserung für den körperlich kranken psychiatrischen Patienten** dar. Früher wurden z.B. schizophrene Patienten (vgl. Kapitel 6), bei denen eine akute Operation notwendig wurde, während sie noch unter massivem Wahnerleben und Halluzinationen litten, nur die kürzestmögliche Zeit in der chirurgischen Abteilung belassen und dann wieder in das entfernte Landeskrankenhaus verlegt. In einem Allgemeinkrankenhaus mit einer psychiatrischen Abteilung und einem ausgebauten K/L-Psychiatrie-Dienst ist es Aufgabe des K/L-Psychiaters, diesem Patienten zu einer optimalen somatischen Versorgung zu verhelfen. Dazu gehört nicht nur, daß der Psychiater die Pharmakotherapie mitsteuert. Gerade bei hochakuten psychotischen Patienten gehört dazu, dem primär verantwortlichen somatischen Arzt und dem Pflegepersonal der Station Verständnis für die Besonderheiten einer solchen Erkrankung zu vermitteln, ihnen aber auch Berührungsängste zu nehmen. In schwierigen Situationen, z.B. der Aufklärung über Risiken verschiedener Operationszugänge und beim Einholen der Zustimmung des Patienten sollte der K/L-Psychiater zugegen sein.

Die häufigsten Probleme, zu denen K/L-Psychiater beigezogen werden, sind **Manifestationsformen des hirnorganischen Psychosyndroms**, sei es als Verwirrtheitszustand bei Demenz im Senium (vgl. Kapitel 4), sei es als postoperatives delirantes Durchgangssyndrom oder als Delir im Rahmen eines Stoffentzugs (am häufigsten Alkohol; vgl. Kapitel 5). Hier werden vom K/L- Psychiater differenzierte Kenntnisse über organische Ursachen zerebraler Funktionsstörungen verlangt. Er darf sich nicht mit dem Vordergründigen zufriedengeben. Er muß in der Lage sein, eine somatische Kurve kritisch gegenzulesen, Laborwerte einzuschätzen und aus differentialdiagnostischen Gründen weitere Untersuchungen anzufordern. Die das Konsil anfordernden Stationen verlassen sich geradezu darauf, daß der K/L-Psychiater sich nicht nur als Spezialist für »sprechende Therapie« versteht, sondern auch eine kritische Revision der somatischen Situation aus neuropsychiatrischer Sicht betreiben kann. Will der K/L-Psychiater im Allgemeinkrankenhaus nicht eine fruchtlose Außenseiterposition einnehmen, muß er diesen Erwartungen in seiner Qualifikation wie in seinem Verhalten wenigstens partiell entsprechen.

Ein weiterer sehr wichtiger Problembereich, vor allem auf den internistischen Stationen, sind die **depressiven Syndrome** (vgl. Kapitel 7), besonders in ihrer somatisierten Form. Diese müssen diagnostisch und in ihren therapeutischen Konsequenzen von hypochondrischen Syndromen (vgl. Kapitel 8) abgegrenzt werden. Konsilepidemiologische Untersuchungen zeigen, daß der **typische psychiatrische Konsilpatient** vor dem Konsil noch nie in psychiatrischer Behandlung war, aber innerhalb weniger Jahre eine Vielzahl stationärer Krankenhausaufenthalte mit zum Teil eingreifenden Maßnahmen hinter sich gebracht hat. Der typische Konsilpatient ist ein **somatischer Problempatient**, bei dem die somatischen Ärzte zunehmend ihre Grenzen spüren und deshalb den Psychiater rufen. Hier wird oft durch den K/L-Psychiater ein fataler Kreislauf von vorgetragenen Beschwerden, Ratlosigkeit der Ärzte, intensiver vorgetragenen Beschwerden, eingreifenden Maßnahmen ohne abschließenden Erfolg, weiter vorgetragenen Beschwerden usw. durchbrochen. Der Psychiater hat hier die Aufgabe, das Krankheitskonzept des Patienten zu beeinflussen, um dann eine entsprechende pharmakotherapeutische und/oder psychotherapeutische Behandlung einzuleiten. Oft muß er auch das Krankheitskonzept der anfordernden Ärzte mitbeeinflussen, die vielleicht die Konsilanforderung nur halbherzig betrieben haben. Allerdings muß der K/L-Psychiater der Versuchung widerstehen, die Psychiatrie als »Restkategorie« benutzen zu lassen. Die Tatsache, daß für vom Patienten vorgetragene Beschwerden kein somatisch-diagnostisches Äquivalent gefunden werden konnte, reicht nicht für die Annahme der Psychogenese der Störung! Es müssen über die Erhebung des psychopathologischen Befunds (vgl. Kapitel 1), der Verhaltensanalyse (vgl. Kapitel 19) und der affektiv-dynamischen Konfliktlage (vgl.Kapitel 18) positive Hinweise für das Vorliegen einer psychischen Störung gefunden werden. Andernfalls muß der K/L-Psychiater, um die weitere Versorgung des Patienten nicht einseitig in eine – eventuell falsche – Richtung zu lenken, konstatieren, daß er genauso weit ist wie seine somatischen Kollegen: Er kann die vorgetragenen Beschwerden – zur Zeit noch – nicht diagnostisch zuordnen [für eine Übersicht: Stoudemeier und Fogel, 1993; Cassem, 1991; Wise und Rundell, 1988].

Ein eigenständiges, über das übliche Spektrum der allgemeinen Psychiatrie hinausgehendes Aufgabengebiet der K/L-Psychiatrie ist die Unterstützung des Patienten bei der **Bewältigung somatischer Erkrankungen** und langdauernder, unter Umständen sehr belastender Therapien. Hier ist ein Herausarbeiten der Bewältigungskompetenzen und Verhaltensressourcen, oft unter Einbeziehung des sozialen Netzes, und ein psychotherapeutisches Anknüpfen daran notwendig. Sedierende oder affektstabilisierende Medikation spielt eine untergeordnete Rolle.

Es ist inzwischen allgemeiner Standard, den K/L-Psychiater dazuzurufen, wenn ein Patient nach einem **Suizidversuch** in eine Klinik aufgenommern werden muß. Hiermit soll verhindert werden, daß ein Mensch in einer akuten Lebenskrise zwar kunstfertig das Leben gerettet bekommt, die der Suizidhandlung zugrundeliegende Konfliktsituation aber unberücksichtigt bleibt (zur Differentialdiagnostik und Therapie der Suizidalität vgl. Kapitel 36). Zumindest muß der Konsiliarpsychiater nach erfolgter Detoxikation vor einer anstehenden Entlassung beurteilen, ob noch akute suizidale Gefährdung vorliegt.

Eine weitere rechtliche Funktion wird bei der **Beurteilung der Geschäftsfähigkeit** übernommen. Bestehen vor einer eingreifenden Behandlung (z.B. einer Operation) Zweifel an der Fähigkeit des Patienten, die Tragweite seiner Entscheidung zu beurteilen, oder soll gar gegen den Willen des Patienten eine Versorgung (z.B. die Heimunterbringung eines dementen Menschen ohne Angehörige) eingeleitet werden, muß der K/L-Psychiater eine psychopathologisch-kognitive Untersuchung durchführen. Je nach Ergebnis dieser Untersuchung wird dann der Amtsarzt zur Einleitung eines Betreuungsverfahrens (vgl. Kapitel 31) hinzugezogen.

Der Ausbau der K/L-Psychiatrie hat nicht nur die Versorgung der Menschen im Allgemeinkrankenhaus wesentlich verbessert. Amerikanische Studien zeigen, daß die frühzeitige Einbeziehung des Psychiaters zur Kostensenkung beiträgt. Die K/L-Psychiatrie hat das Aufgabengebiet der Psychiatrie wesentlich bereichert.

Literatur

Cassem NH (Ed. 1991): Handbook of general hospital psychiatry. Mosby-Year Book, St. Louis.

Henry GW (1929): Some modern aspects of psychiatry in general hospital practice. American Journal of Psychiatry *9:* 481–499.

Levy NB (1989): Psychosomatik und Konsultations/Liaisonpsychiatrie: Ein Überblick. Nervenarzt *60:* 724–731.

Lipowski ZJ (1986): Consultation-liaison psychiatry: the first half century. General Hospital Psychiatry *8:* 305–315.

Lipowski ZJ (1987): The interface of psychiatry and medicine: towards integrated health care. Canadian Journal of Psychiatry *32:* 743–748.

Stoudemeier A, Fogel BS (eds:) (1993): Psychiatric care in the medically ill. Oxford University Press, New York.

Wise MG, Rundell JR (1988): Concise guide to consultation psychiatry. American Psychiatric Press, Washington.

Spezielle Aspekte

35. Therapie- und verlaufsrelevante Faktoren psychiatrischer Störungen

Rolf-Dieter Stieglitz, Bernd Ahrens

Psychische Störungen haben einen Einfluß auf die Persönlichkeit des kranken Menschen, sein Konzept, welches er von der Erkrankung und seinen sozialen Beziehungen hat. Darüber hinaus hängt der Erfolg psychiatrischer Therapie (Psychotherapie oder Pharmakotherapie) von der Akzeptanz der ärztlichen Therapieempfehlungen durch den Patienten ab. Innerhalb eines biopsychosozialen Modells psychischer Störungen gilt es, Krankheitsverlauf und Therapie beeinflussende Faktoren unabhängig von der jeweiligen Störung zu berücksichtigen. Auf einige allgemeine Faktoren soll nachfolgend eingegangen werden. Auf störungsgruppenspezifische Faktoren finden sich Hinweise in den jeweiligen Kapiteln dieses Kompendiums.

35.1. Compliance

Zum Begriff »**Compliance**« liegen viele zum Teil sehr unterschiedliche wie widersprüchliche Definitionen vor. Wertfrei verstanden bedeutet Compliance das Verhältnis zwischen tatsächlicher Therapiedurchführung und Therapiestandard [Linden, 1986].

Ein derartiger Standard kann dabei aus sehr unterschiedlichen Quellen stammen (z.B. Lehrbüchern, Empfehlungen wissenschaftlicher Konsensuskonferenzen oder Vereinigungen, z.B. APA-Richtlinien zur Depressionsbehandlung). Des weiteren bedeutet Compliance, inwieweit die vom Arzt intendierte Therapie beim individuellen Patienten durchgeführt wird. In der Praxis beinhaltet Compliance das Problem der Optimierung einer Behandlungsdurchführung [Linden und Bohlken, 1992], d.h. die Annäherung an bestimmte Zielmerkmale, der Vergleich des aktuellen Verhaltens mit einem als Therapieoptimum definierten Kriteriumsverhalten [Gietmann et al., 1994]. Praktisch bedeutet dies das Befolgen ärztlicher Empfehlungen, Verordnungen und Maßnahmen. Daraus ergibt sich, daß unter »**Non-Compliance**« in der Regel die fehlende oder mangelnde Kooperationsbereitschaft des Patienten verstanden wird.

Grundsätzlich bestimmt der Patient – mehr als bisher angenommen – ärztliche Therapieentscheidungen, weshalb auch der Terminus des »therapiebestimmenden Patienten« geprägt wurde. Wird jedoch von der schon genannten wertfreien Definition ausgegangen, existieren neben der Patienten-Non-Compliance natürlich auch **Therapeuten- oder Arzt-Non-Compliance** (z.B. durch das Nichteinhalten von Standards). In der Praxis weichen Ärzte oft von therapeutischen Standards bzw. Lehrbuchempfehlungen ab. So ist z.B. die Verordnung von Antidepressiva in subtherapeutischen Dosierungen (weniger als 75 mg eines trizyklischen Antidepressivums) bei der Behandlung depressiver Störungen in der Allgemeinarztpraxis, aber oft auch in der Nervenarztpraxis eher die Regel als die Ausnahme.

Nach Gietmann et al. [1994] kann man von einem Drittel bis zur Hälfte Non-Compliance-Raten ausgehen, wobei folgende Teilaspekte zu unterscheiden sind:
- Nichteinhaltung von Regeln zur Medikamenteneinnahme,
- Nichtausführen bestimmter gesundheitsfördernder Verhaltensweisen oder
- Unregelmäßige Überwachung der Gesundheit/Krankheit.

Die Erfassung und Beurteilung von Compliance sind von großer praktischer Bedeutung, beziehen sich aber in den Diskussionen meist auf die Frage der **Medikamenteneinnahme.** Sowohl im stationären, stärker aber noch im ambulanten Setting nimmt ein Großteil psychiatrischer Patienten seine Medikamente gar nicht oder nur unregelmäßig. Unzureichende Compliance hat vor allem negative Auswirkungen auf die therapeutische Wirksamkeit einer gewählten Medikation wie auch auf das Auftreten unerwünschter Medikamentenwirkungen (Nebenwirkungen) bei nicht-optimaler Therapiedurchführung [Linden, 1986].

Die unregelmäßige und nicht ausreichende Medikamenteneinnahme hat zwei wesentliche Konsequenzen [Stieglitz und Linden, 1993]:
- Da ein Therapieerfolg an die regelmäßige Einnahme der Medikamente geknüpft ist, kann es zum **Therapiemißerfolg** kommen. Bei der Akutbehandlung kann das Risiko z.B. darin bestehen, daß eine angestrebte Wirkung nicht eintritt und ein chronischer Verlauf begünstigt wird, bei der Langzeitbehandlung, daß es zum Rückfall kommt.
- Bei ständiger Dosisveränderung kann es z.B. durch wiederholtes An- und Absetzen der Medikation zum verstärkten **Auftreten von Nebenwirkungen** kommen, mit der Konsequenz des erhöhten Risikos einer weiteren Abnahme der Compliance.

Die Erfassung und **Beurteilung von Compliance** erfolgt in der Regel im klinischen Gespräch, kann jedoch auch mittels Selbst- und Fremdbeurteilungsverfahren bzw. durch die Erfassung objektiver Daten erfolgen [Stieglitz und Linden, 1993].

Hinweise auf mangelnde Compliance in einem klinischen Gespräch können durch andere Zugangsweisen objektiviert werden, z.B. mittels Selbstbeurteilungsverfahren (z.B. Krankheitskonzeptskala) [vgl. Linden, 1993], Fremdbeurteilungen (z.B. Angaben des Pflegepersonals), apparativer Verfahren (z.B. mikroprozessorunterstützte Überwachung des Einnahmeverhaltens), objektiver Daten (z.B. Serumbestimmung von Substanzen oder Urinkontrollen). Im klinischen Gespräch sollte bei Verdacht auf Non- Compliance im Sinne einer verhaltensanalytischen Vorgehensweise (vgl. auch Kapitel 19) versucht werden, möglichst differenziert die Umstände der Medikamenteneinnahme zu erfassen (z.B. Ort und Zeit, mögliche erschwerende Umstände, Motivation), um diese Informationen dann mit dem Ziel von Einstellungs- und Verhaltensänderungen im Sinne einer Therapieoptimierung zu nutzen.

Compliance ist von verschiedenen **Faktoren** abhängig, wobei drei Hauptbereiche herauszuheben sind [Stieglitz und Linden, 1993]:
- Der **Patient** (z.B. Persönlichkeitsmerkmale, wie z.B. Kontrollüberzeugungen, Krankheitskonzept, d.h. die subjektive Wahrnehmung wie Beurteilung der eigenen Erkrankung).
- Der **Arzt** (z.B. unverständliche Verschreibungen).
- Die **Behandlungssituation** (z.B. Arzt-Patient-Beziehung, Medikamentenmerkmale).

Darüber hinaus kann noch eine Reihe anderer Faktoren als bedeutsam angesehen werden, z.B. die soziale Unterstützung (vgl. auch Abschnitt 35.2.2), aber auch Besonderheiten von Präparategruppen und Darreichungsformen [vgl. Linden und Bohlken, 1992].

Gelingt eine Identifizierung von Faktoren, die zur Non-Compliance beitragen, ergeben sich Ansatzpunkte für **therapeutische Interventionen** auf unterschiedlichen Ebenen: Information des Patienten und unter Umständen von Angehörigen, Veränderung des Krankheitskonzepts des Patienten, Modifikation der Arzt-Patient-Beziehung, Aufbau von Kompetenzen des Patienten auf kognitiver wie Verhaltensebene in Hinblick auf eine adäquate Medikamenteneinnahme. Einen wichtigen Beitrag können hierbei sicher die in Kapitel 26 beschriebenen psychoedukativen Maßnahmen sowie Patientenratgeber leisten.

Um dem Ziel einer möglichst optimalen Behandlung von Patienten nahe zu kommen, kommt der Compliance große Bedeutung zu. Sie stellt eine notwendige, wenngleich nicht hinreichende Bedingung für einen günstigen Krankheitsverlauf dar, weil z.B. bei schizophrenen Patienten selbst bei hoher Compliance mit einer Rückfallquote von etwa 40% im ersten Jahr gerechnet werden muß (vgl. auch Kapitel 6). Hier sind weitere Faktoren zu berücksichtigen. Auf einige soll im folgenden eingegangen werden.

35.2. Soziale Faktoren

Soziale Faktoren spielen bekanntermaßen für die Therapie psychiatrischer Störungen wie deren weiteren Verlauf eine wichtige Rolle. So fanden Fichter et al. [1988] als bedeutsame Prädiktoren für den Schweregrad depressiver Störungen bei einer Nachuntersuchung nach 5 Jahren unter anderem soziale Unterstützung, Anzahl bedrohlicher Lebensereignisse sowie Anzahl chronischer Schwierigkeiten.

Im folgenden soll auf drei wichtige Bereiche näher eingegangen werden: Lebensereignisse (»life events«), soziales Netzwerk, soziale Unterstützung und soziale Anpassung sowie »Expressed Emotion«.

35.2.1. Lebensereignisse

Die Bedeutung von Lebensereignissen ist besonders im Kontext des **Vulnerabilitäts-Streß-Modells** (vgl. auch Kapitel 6) zu sehen. Dieses zwar ursprünglich für die schizophrenen Störungen konzipierte Modell ist zwischenzeitlich auch auf andere Störungsgruppen ausgeweitet und zum Teil modifiziert worden (unter anderem Depression, Panik). Vorhandene Vulnerabilität in Verbindung mit belastenden Lebensumständen kann zum Auftreten bzw. Wiederauftreten einer Erkrankung führen (z.B. eines schizophrenen Rezidivs), wenn die individuelle Schwelle der Belastbarkeit eines Patienten überschritten worden ist. Der Einsatz von Psychopharmaka (besonders bei schizophrenen Patienten) kann dem Patienten hinreichenden Schutz gewähren, unterstützt durch psychotherapeutische Maßnahmen im Hinblick auf die Verbesserung z.B. der Problemlösefertigkeit, aber auch des (Streß-)Bewältigungsverhaltens.

Obwohl ursprünglich im Kontext der »Life-Event«-Forschung das Augenmerk fast ausschließlich auf bedeutsame, zumeist negative Ereignisse gelegt worden ist (z.B. Tod einer nahestehenden Person), hat sich der Blickwinkel heute in Richtung der Einbeziehung auch anderer Aspekte verschoben. So unterscheidet man zwischen akuten oder chronischen Ereignissen (vgl. auch DSM-III-R, Achse IV), krankheits- oder nichtkrankheitsabhängigen Ereignissen und bezieht auch die subjektive Bewertung eines »kritischen« Lebensereignisses mit ein. Es ist davon auszugehen, daß es große interindividuelle Unterschiede in der Bewertung von Ereignissen als Lebensereignisse gibt, die von verschiedenen Faktoren abhängig sind, z.B. individuellen Dispositionen. Auch die Einbeziehung positiver Ereignisse als Lebensereignisse stellt eine Erweiterung des Blickwinkels dar (z.B. Zunahme von Verantwortlichkeit durch beruflichen Aufstieg).

Die empirische Untersuchung von Lebensereignissen als Ursache, in der Regel jedoch eher als Auslöser psychischer Erkankungen stellt seit vielen Jahren eine eigene Forschungsrichtung – orientiert an der psychologischen Streßforschung – dar. Besonders zwei Arten von Stressoren haben sich als bedeutsam herausgestellt: unvorhersehbare Ereignisse, die ein Routinehandeln unmöglich machen und vom Individuum eine starke Anpassungsleistung im täglichen Handeln fordern (vgl. auch Abschnitt 35.3.), sowie Ereignisse, die vom Individuum subjektiv als stark belastend erlebt und bewertet werden.

So belegen viele Studien eine Häufung von Lebensereignissen zu Beginn einer depressiven Episode. Aber auch schizophrene Patienten weisen im Vergleich zur Durchschnittsbevölkerung eine höhere Frequenz auf, weniger jedoch als depressive Patienten. Als Ereignistypen sind bei depressiven Patienten am häufigsten Verlustereignisse (z.B. Tod, Trennungserlebnis) oder andere unerwünschte Ereignisse festzustellen.

Bei schizophrenen Patienten weist eine Reihe von Studien darauf hin, daß akut auftretende belastende Ereignisse vermutlich als Risikofaktoren für das Auftreten eines erneuten Rezidivs weniger bedeutsam sind als eher längerfristig als belastend erlebte soziale Situationen, die als spannungsreich erscheinen.

Da bei den meisten psychiatrischen Erkrankungen heute von einer **multifaktoriellen Bedingtheit** ausgegangen wird, die auch genetische Belastungen mit einschließen, können einzelne Faktoren nur kleine Teile der Varianz aufklären. Dies gilt sicherlich auch für die Bedeutung der Lebensereignisse. Diesen kommt zwar eine Bedeutung zu, ein Einfluß bzw. Zusammenhang mit der Erkrankung wird jedoch von weiteren Faktoren modifiziert. Diese Faktoren können einerseits sozialer Art sein (vgl. Abschnitt 35.2.2) und pathogen oder protektiv wirken. Darüber hinaus sind Persönlichkeitsvariablen zu beachten (vgl. Abschnitt 35.4) oder auch »Coping« (vgl. Abschnitt 35.3).

35.2.2. Soziales Netzwerk, soziale Unterstützung, soziale Anpassung

Die soziale Datenebene im Bereich der Erforschung psychiatrischer Erkrankungen ist unter verschiedenen Gesichtspunkten von Bedeutung, z.B. Ätiologieforschung, Bedingungsanalyse psychischer Störungen oder Verlaufsforschung [Laireiter et al., 1994]. Eine soziale Diagnostik kann jedoch auch im Einzelfall als bedeutsamer Aspekt einer umfassenden Zustandsbeurteilung eines Patienten angesehen werden.

Im folgenden soll auf drei wichtige Konstrukte kurz eingegangen werden: soziales Netzwerk, soziale Unterstützung und soziale Anpassung [vgl. Laireiter et al., 1994].

Das **soziale Netzwerk** umfaßt die Menge an Personen, zu denen ein Individuum soziale zwischenmenschliche Beziehungen hat. Die **soziale Unterstützung** umfaßt Personen, Handlungen, Interaktionen, Erfahrungen, Erlebnisse, die das Gefühl geben, geliebt, geachtet, anerkannt, umsorgt zu sein. Die **soziale Anpas-**

sung beinhaltet die Wechselwirkung zwischen einer Person und ihrer Umgebung im Hinblick auf die Erfüllung bestimmter Rollenerwartungen (Gegenteil: soziale Beeinträchtigung).

Wesentliche Bestimmungselemente des **sozialen Netzwerks** sind unter anderem dessen Struktur (z.B. Größe), Interaktion (z.B. Kontaktfrequenz), Funktion (z.B. emotionale Unterstützung) und Bewertung (z.B. Zufriedenheit). So weisen z.B. verschiedene Studien an schizophrenen Patienten darauf hin, daß sich deren soziales Netzwerk deutlich von dem Gesunder unterscheidet. Nach Hirschberg [1988] ist das Netzwerk schizophrener Patienten unter anderem kleiner als das gesunder Personen, der Anteil von Familienangehörigen ist größer und die Beziehung zwischen den Netzwerkmitgliedern ist weniger komplex. Mehrfacherkrankte Patienten haben im Vergleich zu Ersterkrankten zudem ein kleineres Netzwerk, die Zahl der Sozialkontakte im außerfamiliären Bereich ist geringer. Dem sozialen Netzwerk kommt somit sowohl zu Beginn als auch im weiteren Verlauf eine wichtige Bedeutung zu.

Das Konstrukt der **sozialen Unterstützung** steht in enger Beziehung zum subjektiven Wohlbefinden und zur Reduzierung psychosozialen Stresses. Nach Sommer und Fydrich [1989] lassen sich verschiedene Arten sozialer Unterstützung unterscheiden, z.B. emotionale, praktische, materielle. Die Art der sozialen Unterstützung ist abhängig von den Ereignissen (z.B. bei kleineren Problemen anders als bei belastenden Lebensereignissen). Die Wirkung der sozialen Unterstützung läßt sich unterschiedlich erklären. So können sie z.B. Belastungen ganz fernhalten (Schutzmodell), eine positive Wirkung auf die Verarbeitung von Belastungen ausüben oder können gesundheitsrelevantes Verhalten positiv beeinflussen (z.B. Medikamenteneinnahme).

Die **soziale Anpassung** ist ein weiteres wesentliches Konstrukt für Therapie wie den Verlauf und Ausgang einer Erkrankung. Sie beinhaltet zumeist primär die Erfüllung verschiedener Rollenfunktionen; jedoch auch der bisher vernachlässigte Bereich der Lebensqualität/Lebenszufriedenheit ist ein wesentlicher Teilaspekt. Wichtige Bereiche der sozialen Anpassung sind soziale Beziehungen, Arbeit, Familie, Partnerschaft oder Freizeit. Spezielle Aspekte der Störungen der sozialen Anpassung lassen sich entsprechend den Einteilungen der WHO vornehmen: Beeinträchtigungen, Behinderungen und Handicaps.

Die genaue Erfassung der sozialen Anpassung kann als ein wichtiger Faktor für die Kontrolle des Therapieverlaufs, als Grundlage für spezifische therapeutische Interventionen (z.B. verhaltenstherapeutische »Social-skills« Trainings; vgl. auch Kapitel 6) oder die Beurteilung der Betreuungsbedürftigkeit angesehen werden [Gerne und Wengle, 1992]. Störungen der sozialen Anpassung ergeben sich nach Gerne und Wengle [1992, 1994] aus der akuten Symptomatik, der

Tabelle 35.1. Untersuchungsverfahren zur Erfassung des sozialen Netzwerks, der sozialen Unterstützung und der sozialen Anpassung

Bereich	Verfahren/Autor(en)	Abkürzung
Soziales Netzwerk	Interview zum sozialen Netzwerk und zur sozialen Unterstützung (Baumann et al.)	SONET
Soziale Unterstützung	Fragebogen zur sozialen Unterstützung (Sommer und Fydrich)	F-SOZU
Soziale Anpassung	»Social Interview Schedule« (Clare und Cairns; deutsch Hecht et al.)	SIS

Nähere Angaben zu den Verfahren vgl. Laireiter et al. [1994].

Negativsymptomatik oder den sekundären Beeinträchtigungen (z.B. Hospitalismus).

Zur Erfassung dieser drei bedeutsamen sozialen Konstrukte liegt unterdessen eine Reihe reliabler und valider Instrumente vor, von denen einige in Tabelle 35.1 erwähnt sind. Sie sind teils für verschiedene Störungsgruppen einsetzbar, teils krankheitsgruppenspezifisch.

35.2.3. »Expressed Emotion«

Das von Brown und Mitarbeitern [Brown, 1990; vgl. auch Olbrich, 1990] entwickelte Konzept der »Expressed Emotion« (EE) hat seit Mitte der 70er Jahre wesentlichen Einfluß auf die psychiatrische Forschung besonders bei schizophrenen Störungen genommen (vgl. auch Kapitel 6).

In verschiedenen Studien konnte gezeigt werden, daß bestimmte emotionale Merkmale familiärer Interaktionen in Beziehung zum Verlauf von Erkrankungen standen bzw. durch bestimmte EE-Maße die Rückfallquote vorhergesagt werden konnte, d.h. das emotionale Klima/familiäre Kommunikationmuster in der Familie eines (schizophrenen) Patienten hat wesentlichen Einfluß auf das Auftreten weiterer psychotischer Rezidive, nicht jedoch auf das erstmalige Auftreten einer schizophrenen Episode.

Die Klassifikation des Familienklimas erfolgt in der Regel anhand zweier Hauptmerkmale: Kritik (Mißbilligung, Abneigung, Groll) sowie extreme emotionale Beteiligung.

Mittlerweile liegen differenzierte Instrumente zur Erfassung des EE mit guter bis befriedigender psychometrischer Qualität (besonders Interrater-Reliabilität) vor: »Camberwell Family Interview« (Leff und Vaughn) und »Five-Minute Speech Sample« (Magana et al., deutsch Leeb et al. bzw. Stark und Buchkremer).

In beiden Verfahren werden Aussagen von Angehörigen hinsichtlich der für EE bedeutsamen Variablen beurteilt und darauf basierend eine Unterscheidung in Hoch-EE versus Niedrig-EE getroffen.

Besonders zu schizophrenen Störungen liegen viele Studien unter Einbeziehung des Konstrukts EE vor. Laut einer Übersicht von Kavanagh [1992] ergibt sich unter Berücksichtigung von 23 Studien eine mittlere Rückfallquote bei Patienten mit Hoch-EE-Familien von 48%, bei Niedrig-EE-Familien dagegen nur von 21%. Diese Ergebnisse unterstreichen die große Relevanz dieses Konstrukts für den Verlauf schizophrener Erkrankungen. EE kann dabei als ein veränderliches Merkmal angesehen werden, was die Möglichkeit therapeutischer Einflußnahme impliziert und damit einen wichtigen Ansatz darstellt, die Rückfallhäufigkeit psychiatrischer Erkrankungen (besonders schizophrener Störungen) weiter zu reduzieren. Obwohl zunächst nur bei schizophrenen Störungen näher untersucht, liegt zwischenzeitlich auch eine Reihe von Studien zu anderen Störungsgruppen, besonders depressiven Störungen, vor. Es ergeben sich zum Teil auch dort Hinweise auf die prädiktive Bedeutung dieses Konstrukts.

Neben dem EE-Konzept kommt auch einer Reihe anderer interpersoneller Merkmale eine wichtige Funktion im Hinblick auf Therapie und Verlauf psychischer Störungen zu [Hahlweg, 1995].

35.3. Coping

Der »**Coping-Ansatz**« (Bewältigung) stammt ursprünglich aus der allgemeinen Streßtheorie, ist eng mit den Arbeiten von Lazarus verbunden und wurde bisher hauptsächlich bei körperlichen Erkrankungen angewandt (z.B. Rheuma, Dialysepatienten) [vgl. auch Saupe et al., 1991]. Entsprechend den vielen unterschiedlichen Konzepten wie Anwendungsbereichen, gibt es dementsprechend unterschiedliche Definitionen. In Anlehnung an Lazarus definieren Braukmann und Filipp [1984, S. 60]:

> »Bewältigung steht als summarisches Konzept für alle Verhaltensweisen, die im Umfeld von raumzeitlich begrenzten Belastungssituationen die individuelle Auseinandersetzung mit der Situation markieren. Belastungssituationen sind solche, in denen die Handlungsfähigkeit einer Person bedroht ist bzw. deren Verlust antizipiert oder als bereits eingetreten erlebt wird. Verlust oder Bedrohung der Handlungsfähigkeit werden als Folge von Eingriffen in das Person-Umwelt-Passungsgefüge verstanden, die ein Rekonstruierung dieses Gefüges erfordern.«

Eine theoretische Einbettung des Coping-Ansatzes bietet das Vulnerabilitäts-Streß-Modell von Nuechterlein in Weiterentwicklung des Vulnerabilitätsmodells von Zubin [vgl. im Überblick Olbrich, 1990]. Da beide Modelle im Hinblick auf schizophrene Störungen entwickelt worden sind, liegen hierzu auch die meisten Untersuchungen vor.

Eine Systematisierung bisheriger Arbeiten zu schizophrenen Störungen läßt nach Saupe et al. [1991] folgende Bereiche als bedeutsam erscheinen:

- Bewältigung der Erkrankung.
- Bewältigung spezifischer Symptome der Erkrankung in unterschiedlichen Phasen der Erkrankung (Vorfeld, Akutphase, Remission).

Zur Erfassung von Coping gibt es eine Reihe von Verfahren, die meist für den Bereich nicht-psychiatrischer Erkrankungen entwickelt worden sind [vgl. Rüger et al., 1990].

Die Berücksichtigung des Coping-Ansatzes in der Behandlung psychiatrischer Erkrankungen kann bereits jetzt als vielversprechend angesehen werden und sollte in der Therapieplanung unbedingt mitberücksichtigt werden [vgl. z.B. Saupe et al., 1991]. Der Ansatz bietet die Möglichkeit, den Patienten und seine Bemühungen zur Bewältigung von Symptomen und/oder daraus entstandenen Beeinträchtigungen stärker mit in das Therapiegeschehen einzubeziehen. Das Konzept wurde bisher hauptsächlich für schizophrene Patienten untersucht, jedoch scheint es auch für andere Störungsgruppen von Bedeutung zu sein, wie Kröber [1993] z.B. für den Bereich der affektiven Störungen zeigen konnte.

35.4. Persönlichkeit, prämorbide Persönlichkeit

In der Psychiatrie spielt der Begriff »Persönlichkeit« hauptsächlich im Zusammenhang mit der Persönlichkeitsstörung eine zentrale Rolle (vgl. Kapitel 11), aber auch im Zusammenhang mit der prämorbiden Persönlichkeit ist er von Bedeutung.

Nach von Zerssen [1994] sind folgende Unterscheidungen und Definitionen zu treffen:

Prämorbide Persönlichkeit: Grundverfassung des Erlebens und Verhaltens einer Person in der Zeit, als sie noch nicht erkrankt war.

Persönlichkeitsstörung: Abnorme psychische Dauerverfassung störenden Ausmaßes.

Intervallpersönlichkeit: Sich zwischen einzelnen Krankheitsepisoden manifestierende Persönlichkeit.

Postmorbide Persönlichkeit: Persönlichkeitsveränderungen im Anschluß an eine abgelaufene psychische Erkrankung.

Im deutschen Sprachbereich hat sich besonders von Zerssen um die Konzeptualisierung der prämorbiden Persönlichkeit verdient gemacht und auch entsprechende Untersuchungsinstrumente entwickelt. Als klinisch bedeutsam haben sich dabei besonders der **Typus melancholicus** (in Anlehnung an Tellenbach) und der **Typus manicus** erwiesen sowie der ängstlich-unsichere und der nervös-angespannte Typ [Pössl und von Zerssen, 1990].

Zur Erfassung der prämorbiden Persönlichkeit können dabei Krankengeschichtsaufzeichnungen, Selbst- und Fremdbeurteilungsverfahren wie auch biographische Analysen dienen [von Zerssen, 1994] (vgl. auch Kapitel 1).

Die meisten Studien zur prämorbiden Persönlichkeit liegen zu den affektiven Störungen vor und beschäftigen sich mit der Analyse der Beziehung bestimmter Persönlichkeitsmerkmale mit diesen Erkrankungen. Weiterhin geht es um den Vergleich zu anderen Störungen wie Gesunden im Querschnitt, sowie um das Erkennen einer »Risikopersönlichkeit« unter einer Längsschnittsperspektive.

Im Hinblick auf depressive Störungen wurden von der Arbeitsgruppe um Hirschfeld [zit. nach Czernik und Steinmeyer, 1989, p.43] verschiedene Hypothesen im Hinblick auf den **Zusammenhang zwischen Persönlichkeit und Erkrankung** formuliert:

Prädispositionshypothese: Bestimmte Persönlichkeitsmerkmale prädisponieren im Zusammenhang mit bestimmten konstitutionellen Merkmalen, wie Umgebungsfaktoren, zu depressiven Störungen.

Subklinische Hypothese: Bestimmte Persönlichkeitsanteile, wie zyklothyme Persönlichkeitsmerkmale, stellen eine subklinische Ausformung affektiver Störungen dar.

Pathoplatische Hypothese: Bestimmte Persönlichkeitsmerkmale beeinflussen Erscheinungsbild, Verlauf und Therapieresponse.

Komplikationshypothese: Bestimmte Persönlichkeitsmerkmale verändern sich z.B. aufgrund der depressiven Erkrankung, Länge oder Schwere der Erkrankung.

In den letzten Jahren hat sich besonders der Zusammenhang zwischen Persönlichkeit und Therapie-Response als bedeutsam erwiesen. Als relativ konsistentes Ergebnis hat sich dabei der Zusammenhang zwischen dem Persönlichkeitsmerkmal »Neurotizismus« zur Therapie-Response und auch zur Länge einer depressiven Episode herausgestellt. Aber auch bei anderen Störungsgruppen scheinen Persönlichkeitsvariablen von Bedeutung zu sein, wenngleich die Ergebnisse noch nicht so konsistent sind (z.B. Angsterkrankungen).

Literatur

Braukmann W, Filipp SH (1984): Strategien und Techniken der Lebensbewältigung. In: Baumann U, Berbalk H, Seidenstücker G (Hrsg.): Klinische Psychologie. Trends in Forschung und Praxis. Huber, Bern, 1984, 52–87.

Brown GW (1990): Die Entdeckung von Expressed Emotion. Induktion oder Deduktion. In: Olbrich R (Hrsg.): Therapie der Schizophrenie. Kohlhammer, Stuttgart, 25–41.

Czernik A, Steinmeyer EM (1989): Persönlichkeitsstrukturelle Besonderheiten als limitierende Merkmale therapeutischer Interventionen am Beispiel depressiver Erkrankungen. In: Wahl R, Hautzinger M (Hrsg.): Verhaltensmedizin. Deutscher Ärzte-Verlag, Köln, 43–54.

Fichter MM, Rehm J, Witzke W, Meller I, Leibl K, Eiberger T, Weyerer S, Dilling H, Hippius H (1988): Der Verlauf affektiver und psychosomatischer Störungen am Beispiel der oberbayerischen Feldstudie: Ein lineares Kausalmodell verlaufsbeeinflussender Faktoren. In: Zerssen D von, Möller HJ (Hrsg.): Affektive Störungen. Springer, Berlin, 84–98.

Gerne M, Wengle HP (1992): Soziale Diagnostik: Erfassungsinstrumente und Einschätzung der »sozialen Anpassung« von Psychiatriepatienten. Zeitschrift für Klinische Psychologie, Psychopathologie und Psychotherapie 40:213–245.

Gerne M, Wengle H (1994): Die standardisierte Diagnostik der sozialen Anpassung. Nervenarzt 65:762–768.

Gietmann M, Glier B, Wittmann HB, Spörkerl H (1994): Compliance in der Verhaltensmedizin. In: Zielke M, Sturm J (Hrsg): Handbuch der stationären Verhaltenstherapie. Psychologie Verlagsunion, München, 927–933.

Hahlweg K (1995): Einfluß interpersoneller Faktoren auf Verlauf und Therapie psychischer und somatischer Erkrankungen. Verhaltenstherapie 5 (suppl.):1–8.

Hirschberg W (1988): Soziales Netzwerk bei schizophrenen Störungen – eine Übersicht. Psychiatrische Praxis 15:84–89.

Kavanagh DJ (1992): Recent developments in expressed emotion and schizophrenia. British Journal of Psychiatry 160:601–620.

Kröber HL (1993): Krankheitserleben und Krankheitsverarbeitung bipolar manisch-depressiver Patienten. Fortschritte der Neurologie und Psychiatrie 61:267–273.

Laireiter A, Baumann U, Stieglitz RD (1994): Soziodiagnostik. In: Stieglitz RD, Baumann U (Hrsg.): Psychodiagnostik psychischer Störungen. Enke, Stuttgart, 191–206.

Linden M (1986): Compliance. In: Dölle W, Müller-Oerlinghausen B, Schwabe U (Hrsg): Grundlagen der Arzneimitteltherapie. Bibliographisches Institut, Mannheim, 324–330.

Linden M (1993): Maßnahmen zur Förderung der Patienten-Compliance. In: Möller HJ (Hrsg): Therapie psychiatrischer Erkrankungen. Enke, Stuttgart, 104–113.

Linden M, Bohlken J (1992): Compliance und Psychopharmakotherapie. In: Riederer P, Laux G, Pöldinger W (Hrsg): Neuro-Psychopharmaka, vol 1. Allgemeine Grundlagen der Pharmakopsychiatrie. Springer, Wien, 201–209.

Olbrich R (1990): Expressed Emotion-Konzept und Vulnerabilitätsmodell in ihrer Bedeutung für das Verständnis schizophrenen Krankheitsgeschehens. In: Olbrich R (Hrsg): Therapie der Schizophrenie. Kohlhammer, Stuttgart, 12–24.

Pössl J, Zerssen D von (1990): Die prämorbide Entwicklung von Patienten mit verschiedenen Psychosenformen. Nervenarzt 61:541–549.

Rüger U, Blomert AF, Förster W (1990): Coping: Theoretische Konzepte, Forschungsansätze, Meßinstrumente zur Krankheitsbewältigung. Vandenhoeck & Ruprecht, Göttingen.

Saupe R, Englert JS, Gebhardt R, Stieglitz RD (1991): Schizophrenie und Coping: Bisherige Befunde und verhaltenstherapeutische Überlegungen. Verhaltenstherapie 1:130–138.

Sommer G, Fydrich T (1989): Soziale Unterstützung. Diagnostik, Konzepte, F-SOZU. Deutsche Gesellschaft für Verhaltenstherapie, Tübingen.

Stieglitz RD, Linden M (1993): Compliance. In: Oldigs-Kerber J, Leonard JP (Hrsg): Pharmakopsychologie. Fischer, Jena, 337–349.

Zerssen D von (1994): Diagnostik der prämorbiden Persönlichkeit. In: Stieglitz RD, Baumann U (Hrsg.): Psychodiagnostik psychischer Störungen. Enke, Stuttgart, 216–229.

36. Mortalität und Suizidalität bei psychischen Störungen

Bernd Ahrens

Menschen mit psychischen Störungen weisen ein erhöhtes Sterblichkeitsrisiko auf, das allerdings nicht allein auf das erhöhte Suizidrisiko zurückzuführen ist. Die Exzeßmortalität psychiatrischer Patienten ist auch infolge körperlicher Erkrankungen (z.B. kardiovaskuläres Mortalitätsrisiko bei depressiven Störungen) erhöht.

Wegen der engen Verbindung zwischen Mortalität und Suizidalität werden die beiden Bereiche in diesem Kapitel gemeinsam besprochen. Aufgrund des umfassenden Aspekts »Mortalität« soll zunächst auf diese und anschließend auf Suizid und Parasuizid eingegangen werden.

36.1. Mortalität

Psychisch Kranke haben ein erhöhtes Risiko, frühzeitig zu sterben. Im Vergleich zur Allgemeinbevölkerung ist das **Sterblichkeitsrisiko** um das 2- bis 3fache erhöht. Was besonders zu diesen erhöhten Sterblichkeitsziffern führt, sind nichtnatürliche Todesursachen, wie Suizide und Unfälle. So ist das Suizidrisiko psychisch Kranker 15- bis 30fach höher im Vergleich zur Allgemeinbevölkerung. Aber selbst wenn das Sterblichkeitsrisiko unter Ausschluß von Suiziden und Unfällen berechnet wird, bleibt noch immer eine erhöhte Mortalität bezüglich natürlicher Todesursachen. Dies sind unter anderem kardiovaskulär bedingte Todesursachen, Pneumonien und Infektionskrankheiten.

Daß der **Gebrauch illegaler Drogen** mit einem erhöhten Sterblichkeitsrisiko einhergeht, ist allgemein bekannt. So ist das Sterblichkeitsrisiko bei Heroinabhängigen etwa um das 20fache erhöht. In Deutschland hat es in den alten Bundesländern allein im Jahr 1992 2082 Drogentote gegeben, das entspricht einer Zunahme um 500% seit 1986. Eine Erhöhung der Sterblichkeit um das 3fache im Vergleich zur Allgemeinbevölkerung findet sich aber auch bei Patienten mit **Benzodiazepinabhängigkeit**. Bei **Alkoholkranken** sind neben der körperlichen Schädigung durch den Alkohol selbst auch Unfälle und Suizide als Gründe zu nennen, die zum erhöhten Sterblichkeitsrisiko dieser Gruppe beitragen.

Bei **depressiven Störungen** ist die Sterblichkeit, neben Suiziden, generell aufgrund körperlicher Störungen, besonders durch kardiovaskuläre Ursachen, erhöht. Die Hintergründe dieses Zusammenhangs sind bislang nicht geklärt. Diskutiert wird, ob Stressoren während der Erkrankung, aber auch konstitutionell oder genetisch bedingte Ursachen zum erhöhten kardiovaskulären Erkrankungsrisiko führen können. Die kardiovaskulär bedingte Erhöhung der Mortalität affektiver Psychosen wird unter anderem auf eine morbogen verminderte parasympathische Aktivität mit einer daraus resultierenden verminderten Herzfrequenzvariabilität und vermehrter ventrikulärer Flimmerbereitschaft zurückgeführt [Dalack und Roose, 1990]. Auch der Einfluß einer psychopharmakologischen Behandlung auf die kardiovaskuläre Mortalität wird diskutiert. Dagegen spricht allerdings die Tatsache, daß die Exzeßmortalität nach Einführung der Psychopharmakotherapie tendenziell abgenommen hat.

Gerade bei dem bekanntermaßen hohen Mortalitätsrisiko psychiatrischer Patienten wäre es naheliegend, die Effektivität von psychiatrischer Therapie an veränderten Mortalitätsraten zu messen. Während in der inneren Medizin und der Chirurgie Mortalitätsuntersuchungen zur Überprüfung der Effektivität von Behandlungsstrategien etabliert sind, gibt es im Vergleich dazu nur wenige entsprechende Untersuchungen in der Psychiatrie. Ein Grund dafür mag sein, daß die alleinige Betrachtung von Sterblichkeitsziffern leicht zu einer zu eindimensionalen Betrachtungsweise führt, und daß andere Faktoren, die besonders psychische Gesundheit definieren, wie z.B. Lebensqualität, dabei außer acht gelassen werden. Außerdem stellen sich die folgenden Fragen: Ist die Senkung des Mortalitätsrisikos mit erhöhter Lebensqualität gleichzusetzen? Oder: Geht bei psychisch Kranken die Verminderung von Lebensqualität mit erhöhter Sterblichkeit einher? Vermag überhaupt eine psychiatrische Intervention, sei es eine medikamentöse Therapie, Psychotherapie oder Soziotherapie, das Sterblichkeitsrisiko psychiatrischer Patienten effektiv zu senken?

36.1.1. Mortalität und spezifische Behandlung

Zur Frage, inwieweit die Sterblichkeit depressiver Patienten durch gezielte **Psychopharmakotherapie** reduziert werden kann, haben Avery und Winokur [1976] eine interessante Untersuchung durchgeführt, in der sie die Mortalität adäquat versus inadäquat behandelter depressiver Patienten verglichen haben. Von einer **adäquaten Behandlung** wurde ausgegangen, wenn die Patienten mit einer Mindestdosis von 150 mg eines trizyklischen Antidepressivums, mit mindestens 30 mg Tranylcypromin oder mit Elektrokrampftherapie behandelt wurden. Die Gesamt- wie auch die kardiovaskulär bedingte Mortalität waren nach 1- und 3jähriger Nachbeobachtung signifikant größer in der Gruppe der nicht adäquat behandelten Patienten im Vergleich zu Patienten, die nach der Definition der Autoren adäquat behandelt wurden.

In mehreren Untersuchungen zur Mortalität affektiver Erkrankungen unter Lithiumbehandlung konnte mittlerweile gezeigt werden, daß bei adäquat durchgeführter Lithiumlangzeitbehandlung die Sterblichkeit von bipolaren und unipolaren Patienten auf das Niveau der Allgemeinbevölkerung gesenkt werden kann [Ahrens et al., 1995]. Eine Mindestbehandlung von 2 Jahren ist notwendig, um – statistisch gesehen – einen mortalitätssenkenden Effekt sowohl der kardiovaskulären wie auch der suizidbedingten Mortalität zu erzielen [Überblick s. Ahrens, 1995]. Ob eine Senkung erhöhter Sterblichkeitsraten psychisch kranker Menschen möglich ist, hängt nicht allein von der psychiatrischen Therapie ab, sondern auch von **Moderatorvariablen**, die die Effektivität einer Behandlung fördernd oder hemmend beeinflussen.

Wie Abbildung 36.1 zeigt, sind es neben der psychiatrischen Therapie die Variablen Patient, Arzt und Behandlungs-Setting, die hinsichtlich des Ziels einer effektiven Reduktion der erhöhten Sterblichkeit psychiatrischer Patienten jeweils additiv oder vermindernd wirken können.

36.1.2. Einflußgröße »Arzt«

Als Beispiel für die Einflußgröße »Arzt« zur Veränderung der erhöhten Sterblichkeit psychiatrischer Patienten sei hier das Projekt zur Verbesserung der Diagnostik und Therapie depressiver Erkrankungen genannt, das durch das schwedische Komitee zur Prävention und Behandlung von Depressionen auf der Insel Gotland durchgeführt wurde [Rutz et al., 1992]. Dabei wurden niedergelassene Ärzte der Insel über 2 Jahre verstärkt im Erkennen und Behandeln depressiver Erkrankungen trainiert. Ein Maß zur Beurteilung der Wirksamkeit dieser Intervention war die suizidbedingte Sterblichkeit während dieser Zeit. Es zeigte sich, daß – ausgehend von einer jährlichen Suizidrate von etwa 20 pro 100000 Einwohner während dieses Projekts zur Verbesserung des diagnostischen und therapeutischen Standards – eine signifikante Reduktion auf unter 10 Suizide pro 100000 Einwohner beobachtet wurde. In einer Nachuntersuchung wurde allerdings auch deutlich, daß in den folgenden 3 Jahren nach Ende des Projekts die Suizidraten langsam wieder das alte Niveau erreichten. Daraus läßt sich der Schluß ziehen, daß derartige Weiterbildungsprogramme regelmäßig durchgeführt werden müssen.

36.1.3. Einflußgröße »Patient«

Ganz allgemein hängt mit dem frühzeitigen Erkennen und der ausreichenden Behandlung psychiatrischer Erkrankungen ein geringeres Mortalitätsrisiko zusammen. Neben der Bedeutung, die dem Arzt im Erkennen und Behandeln psychischer Störungen zukommt, setzt die adäquate Behandlung psychischer Störungen seitens des Patienten die Bereitschaft zur Behandlung voraus. **Compli-**

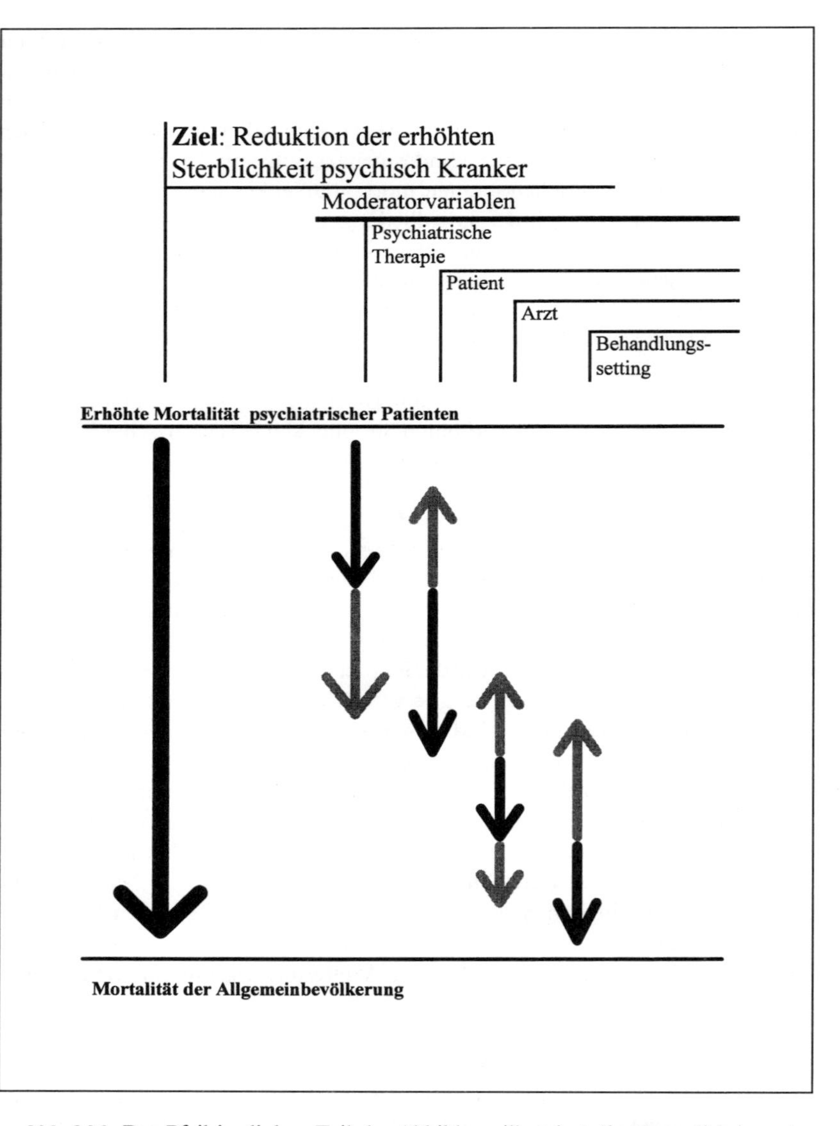

Abb. 36.1. Der Pfeil im linken Teil der Abbildung illustriert die Normalisierung der erhöhten Mortalität psychisch Kranker als ein Ziel psychiatrischer Therapie. Rechts sind verschiedene Faktoren aufgetragen, die entweder dazu beitragen oder das Risiko partiell erhöhen.

ance (vgl. auch Kapitel 35) ist wiederum eng mit dem Krankheitskonzept des Patienten verknüpft. So macht es z.B. einen Unterschied, ob diesbezüglich das Konzept vorherrscht, daß eine psychische Erkrankung eine Sache des Schicksals und deren Behandlung und Prognose eher Glücksache seien, die nicht beeinflußt werden kann, oder ob der Patient davon ausgeht, daß im Prinzip Behandlungsmöglichkeiten bestehen. Da sich in vielen Fällen die Behandlung einer psychischen Erkrankung und speziell die Prophylaxe über lange Zeiträume erstrekken, bedarf es größerer Anstrengungen, die Motivation von Patienten zu erhöhen, die Behandlung aktiv mitzutragen. Daß die Einstellung zur Erkrankung und zu Therapiezielen relevante Faktoren sind, die zum höheren Sterblichkeitsrisiko beitragen können, wird z.B. in Untersuchungen bei schizophrenen Patienten deutlich, die einen Suizidversuch hinter sich haben. Unter diesen wurden gehäuft Zweifel hinsichtlich des angestrebten Behandlungsziels angegeben. Auch bei denen, die durch Suizid verstarben, waren im Monat davor gehäuft negative Einstellungen bezüglich der Behandlung und der Behandler aufgefallen.

Beim Versuch, die erhöhte Sterblichkeit psychisch Kranker zu senken, sind auch **weitere Risikofaktoren**, die nur mittelbar mit der Erkrankung zusammenhängen, zu bedenken. So ist z.B. aus verschiedenen Untersuchungen bekannt, daß über 50% psychiatrischer Patienten Raucher sind. Betrachtet man nur starke Raucher (mehr als 15 Zigaretten am Tag), so finden sich unter psychiatrischen Patienten doppelt so viele im Vergleich zur Allgemeinbevölkerung, mit einem entsprechend höheren Sterblichkeitsrisiko.

36.1.4. Einflußgröße »Behandlungs-Setting«

Ein interessanter Ansatz ist, anhand von Mortalitätsuntersuchungen die Wirkung großer Strukturänderungen in der psychiatrischen Behandlung zu beurteilen. In den 70er und 80er Jahren wurde in den meisten europäischen Ländern und Nordamerika die Anzahl psychiatrischer Betten zugunsten einer gemeindenahen Versorgung drastisch reduziert. Seit dieser Zeit hat sich aber auch das suizidbedingte Sterblichkeitsrisiko schizophrener Patienten nahezu verdoppelt. Die Lehre daraus ist sicher nicht, daß diese Änderungen in der Behandlungsstruktur nicht zum Wohle des Patienten sind, sondern daß gerade in der ambulanten Versorgung die Qualität der Behandlung immer wieder neu gesichert werden muß. Verminderte Mortalitätsraten können hier als Parameter der Ergebnisqualität gesehen werden.

36.2. Suizidbedingte Mortalität

In Deutschland sterben etwa 20 von 100000 Einwohnern durch Suizid. Schätzungen gehen davon aus, daß sich weltweit täglich etwa 1000 Menschen das Leben nehmen. Die Suizidrate der **Männer** ist durchschnittlich 3- bis 4fach

Tabelle 36.1. Kontinuitätsmodell der Suizidalität [nach Woltersdorf, 1993]

Wunsch nach Ruhe, Pause, Unterbrechung im Leben (mit dem Risiko von Versterben), eher passiver Todeswunsch	
Suizidalität (jetzt oder in der unveränderten Zukunft tot sein zu wollen)	
Suizidgedanke	Erwägung als Möglichkeit (zunehmender Handlungsdruck) Impuls (spontan, sich aufdrängend, zwanghaft)
Suizidabsicht	mit bzw. ohne Plan mit bzw. ohne Ankündigung eher aktive Suizidhandlung vorbereiteter Suizidversuch begonnen und abgebrochen (Selbst-, Fremdeinfluß) durchgeführt (selbst gemeldet, gefunden) gezielt geplant, impulshaft

höher im Vergleich zu **Frauen**. In einigen **Altersgruppen** ist das Risiko bis zum 7fachen erhöht. Der Suizidanteil alter Menschen hat sich in den letzten Jahren kontinuierlich erhöht. Dies gilt besonders für Frauen über 60 Lebensjahren. In Deutschland wird heute jeder zweite Suizid einer Frau von einer Frau über 60 Jahre begangen [Überblick s. Schmidtke und Weinacker, 1994].

36.3. Suizid

36.3.1. Definition und Kennzeichen

Unter einem **Suizid** wird die **absichtliche Selbsttötung** verstanden. Bei einem Suizidversuch kann einerseits eine Selbsttötung beabsichtigt sein, häufiger jedoch besteht keine Selbsttötungsintention, sondern das suizidale Verhalten ist Ausdruck des Wunsches nach Ruhe, nach einer Unterbrechung des Lebens als Problemlösungsversuch. In diesem Fall ist die Bezeichnung »Parasuizid« zutreffender.

Der emotionale Zustand ist von Hilflosigkeit und Hoffnungslosigkeit, die Haltung dem Suizid gegenüber durch Ambivalenz gekennzeichnet. Suizidalität bewegt sich auf einem Kontinuum von passiver bis aktiver Suizidalität, wie in dem von Wolfersdorf [1993] vorgeschlagenen **Kontinuitätsmodell** veranschaulicht wird (vgl. Tabelle 36.1).

Als **Auslöser für einen Suizid** finden sich bei den unter 30jährigen häufiger Probleme mit Zurückweisung, Arbeitslosigkeit und Verstößen gegen Recht und Ordnung. Bei den über 30jährigen sind es eher durch psychische oder körperliche Erkrankungen hervorgerufene Probleme, die individuell vermeintlich nicht anders zu lösen sind, als dem Leben ein Ende zu setzen. Unter Frauen finden sich häufiger **Methoden** wie die Einnahme einer Überdosis von Schlafmitteln oder spezifischen Psychopharmaka, z.B. Antidepressiva, sowie Sich-Ertränken.

Als nichtnatürliche Todesursache findet sich bei Männern häufiger Erhängen, Erschießen sowie der Sprung aus großer Höhe.

Verheiratete haben das geringste **Suizidrisiko**, Alleinlebende im Vergleich dazu ein etwa doppelt so großes, Verwitwete, Geschiedene oder getrennt Lebende sind etwa 4- bis 5mal mehr suizidgefährdet im Vergleich zu Verheirateten. Ein hoher sozialer Status geht mit einem erhöhten Suizidrisiko einher, ebenso wie eine rasche Veränderung im sozialen Status, sei es in Richtung eines sozialen Auf- oder Abstiegs. Beobachtungen in den meisten europäischen Ländern und in Nordamerika zeigen, daß während Kriegszeiten das Suizidrisiko am geringsten ist.

Sogenannte violente oder harte Methoden, wie Erhängen, Erschießen, Sichüberfahren-Lassen und Sturz aus großer Höhe, sind beim Suizid häufiger im Vergleich zum Suizidversuch.

36.3.2. Suizidversuch/Parasuizid

36.3.2.1. Definition

Auf semantischer Ebene gibt es einen **Unterschied zwischen Suizidversuch und Parasuizid**. Dabei wird von der Wortbedeutung her unter »Parasuizid« eine suizidale Handlung ohne Selbsttötungsabsicht verstanden. Dieser Begriff unterscheidet sich von dem des Suizidversuchs, der – wörtlich genommen – eine suizidale Handlung mit Selbsttötungsabsicht – aber nichttödlichem Ausgang – darstellt. Wie schon erwähnt, besteht in den meisten Fällen keine explizite Selbsttötungsintention, sondern der Wunsch nach einer Pause und einer Lösung von Lebensproblemen. Aber selbst wenn eine eindeutige Selbsttötungsintention besteht, ist diese in den meisten Fällen veränderbar und nicht immer in gleicher Intensität vorhanden.

Betrachtet man daher die Wahrscheinlichkeit z.B. des tödlichen Ausgangs oder einer Rettung bei einem sogenannten Suizidversuch, sind etwa 90% aller Suizidversuche als Parasuizide zu klassifizieren. Da jedoch auch sogenannte Parasuizide tödlich enden, ist bei der Anwendung dieser Unterscheidung in der Praxis, vor allem in Hinsicht auf die Abschätzung eines Suizidrisikos, Zurückhaltung geboten. Im folgenden werden die **beiden Begriffe synonym verwendet**. Im Vergleich zu Suiziden liegt die Anzahl der Suizidversuche mindestens um das 10fache höher, in Deutschland also etwa bei 200 pro 100000 Einwohner. Frauen verüben etwa 2- bis 3mal häufiger einen Parasuizid im Vergleich zu Männern. Dabei handelt es sich um grobe Schätzwerte, da die **Dunkelziffer sehr hoch** ist. Suizidversuche werden beispielsweise erst dann bekannt, wenn es zur Aufnahme in eine Notfallambulanz kommt. So sind Vergiftungen in parasuizidaler Absicht einer der häufigsten Aufnahmegründe von Frauen in Notaufnahmen. Parasuizide finden sich gehäuft bei Menschen unter 30 Jahren, häufiger bei Frauen, die in dieser Altersgruppe über 100mal häufiger Parasuizide als Suizide begehen. Diese Differenzierung verschwindet mit zunehmendem Alter. Bei Männern über 70 Jahren sind Suizidversuche seltener als vollendete Suizide. Versucht man, prototypisch die Charakteristika von Menschen, die eine parasuizidale Handlung begehen, zu beschreiben, dann sind es häufiger Frauen unter 30, häufig geschieden oder getrennt lebend. Chronische Probleme in der Ehe oder in der Beziehung zum Partner, Kinder, Gesundheit, Alkohol oder finanzielle Sorgen werden am häufigsten als Gründe für suizidale Handlungen genannt. Für 40% derjenigen, die einen Suizidversuch unternommen haben, war es nicht das erste Mal, und bis zu 35% begehen in den folgenden 2 Jahren erneut eine suizidale Handlung.

36.3.2.2. Beziehung zwischen Suizid und Suizidversuch

Suizidversuche sind bei Frauen 15mal und bei Männern 30mal häufiger als Suizide. Bis zu 40% derjenigen, die sich getötet haben, hatten Suizidversuche in der Vorgeschichte. Dagegen wird das Lebenszeitrisiko bei suizidalen Menschen, an Suizid zu sterben, auf 20% geschätzt [Überblick s. Kreitman, 1986].

36.4. Suizidalität und psychische Erkrankungen

Das Vorliegen einer psychiatrischen Erkrankung erhöht das Risiko, an Suizid zu sterben. Obgleich nachträgliche Untersuchungen von Menschen, die Suizid begangen haben, methodische Schwächen haben, da man immer auf Fremdanamnesen und Aufzeichnungen angewiesen ist, stellt sich als Ergebnis solcher psychiatrischer »Obduktionen« heraus, daß bei etwa 90% aller Fälle entweder eine psychiatrische Diagnose bekannt war oder nachträglich gestellt werden konnte. Die **häufigsten Diagnosen** sind 40–60% Depressionen, gefolgt von Alkoholismus mit 20% und Schizophrenie mit 10%. Bei 98% der Fälle waren die Patienten entweder psychisch oder körperlich krank. Insgesamt ist das **Suizidrisiko** für psychiatrische Patienten etwa 12mal größer als das von Patienten mit rein somatischen Erkrankungen.

Auch Alter und Geschlecht haben Einfluß auf Mortalitätsraten. Unabhängig von der psychiatrischen Diagnose gilt, daß psychisch kranke Männer ein höheres Suizidrisiko im Vergleich zu Frauen haben, besonders in jüngeren und mittleren Jahren.

Es ist immer wieder über den Stellenwert des »Bilanzsuizids« oder »Freitods« diskutiert worden. Im individuellen Fall kann ein Suizid in die eine oder andere Kategorie eingestuft werden. Unter Berücksichtigung der genannten Zahlen haben sie jedoch wegen ihrer Seltenheit eine eher untergeordnete Bedeutung.

Tabelle 36.2. Anteil der Suizide an Todesursachen in verschiedenen diagnostischen Gruppen

Diagnostische Gruppen	Anteil, %
Alkoholabhängigkeit	10–17
Depressive Störungen	15–20
Schizophrenie	8–12
Persönlichkeitsstörungen	5–10
Angst- und Panikerkrankungen	8–16

36.4.1. Diagnosenverteilung

Viele Mortalitätsuntersuchungen bestätigen, daß es nicht nur Patienten der großen psychiatrischen Erkrankungsgruppen, wie Schizophrenie und Depression, sind, die ein erhöhtes Sterblichkeitsrisiko haben. Der Anteil der Suizide an allen Todesursachen ist auch bei Patienten mit Alkoholabhängigkeit und selbst bei Patienten mit Angst- und Panikerkrankungen sowie Persönlichkeitsstörungen erhöht (siehe Tabelle 36.2).

36.4.1.1. Schizophrenie

Wegen des im Vergleich zu depressiven Störungen jüngeren Ersterkrankungsalters und der Beobachtung, daß viele Suizide von Schizophrenen in den ersten Jahren der Erkrankung verübt werden, ist das Alter beim Suizid im Durchschnitt relativ niedrig. Nur ein geringer Teil der Patienten begeht einen Suizid oder Suizidversuch als Folge akustischer Halluzinationen, besonders imperativer Stimmen; allerdings ist das Unfallrisiko bei schizophrenen Patienten mit produktiver Symptomatik erhöht. Typisch für Suizidalität bei Schizophrenie ist eher das zusätzliche Vorhandensein eines depressiven oder apathischen Syndroms. Etwa 50% derjenigen, die Suizid begehen, haben mindestens einen Suizidversuch in der Vorgeschichte.

36.4.1.2. Alkoholismus

Bei etwa 25% aller Suizide liegt entweder primär oder sekundär Alkoholismus vor. Die Dauer der Alkoholproblematik liegt im Bereich von mehreren Jahren, häufig sogar Jahrzehnten. Bei Alkoholkranken, die Suizid begangen haben, findet sich häufiger als bei allen anderen psychiatrischen Erkrankungen der Verlust eines nahestehenden Menschen in der unmittelbaren Vorgeschichte. Häufig traten in dem Jahr vor dem Suizid viele zusätzliche Belastungsfaktoren auf, wie etwa gesundheitliche, finanzielle und berufliche Probleme. Zwar findet sich in der Mehrzahl der Fälle ein depressives Syndrom, allerdings besteht bei etwa einem Viertel der Fälle keinerlei depressive Symptomatik.

36.4.1.3. Depression

Man kann davon ausgehen, daß etwa 60% aller, die an Suizid sterben, eine depressive Störung haben. Etwa 15% aller depressiven Patienten sterben nach einer Metaanalyse von 17 Langzeituntersuchungen depressiver Erkrankungen an Suizid [Guze und Robins, 1972]. Für manisch-depressive Psychosen werden Ziffern um 20% angegeben. Es gibt keinen Hinweis darauf, daß sich diese Zahlen in den letzten Jahren verändert hätten. Bei stationär behandelten Patienten sind die ersten 6 Monate nach der Entlassung bezüglich Suizid am risikoreichsten.

Zu Beginn und am Ende einer depressiven Episode sind Suizide häufiger. Das Suizidrisiko für Patienten mit affektiven Erkrankungen ist etwa 30- bis 40mal höher als das der Allgemeinbevölkerung. Pokorny [1983] berichtete in einer großen Untersuchung von 695 Suiziden auf 100000 Patienten mit affektiven Erkrankungen pro Jahr. Für Depressionen wurde vermutet, daß das Suizidrisiko in den ersten 10 Jahren der Erkrankung am größten ist. Prospektive Untersuchungen zeigen jedoch, daß das Suizidrisiko während der Erkrankungsdauer gleich bleibt und nicht mit dem Alter abnimmt.

Da mindestens 80% der Patienten mit Depression keinen Suizid begehen, muß angenommen werden, daß neben der Erkrankung noch **zusätzliche bestimmende Faktoren** von Bedeutung für ein erhöhtes Suizidrisiko sind. Beispiele hierfür sind ein Suizid oder Suizidversuch in der Familie. Von Zwillings- und Adoptionsstudien sowie Familienuntersuchungen kommt der Hinweis, daß eine mögliche genetische Disposition zum suizidalen Verhalten existiert.

Obgleich es zur Zeit noch nicht geklärt ist, ergeben sich aus diesen Studien Hinweise darauf, daß ein genetischer Faktor – wenn auch nicht gänzlich unabhängig, so doch additiv – zum Phänomen beiträgt, daß eine Subgruppe von Patienten mit affektiven Psychosen mit einem hohen Suizidrisiko belastet ist. Man kann daher davon ausgehen, daß sich suizidales Verhalten nicht vollständig aus dem Vorhandensein einer psychiatrischen Erkrankung erklärt. Möglicherweise handelt es sich um eine eigenständige genetische Disposition, die unabhängig von der Grunderkrankung mit erhöhter Aggression und Impulsivität einhergeht und mit einer Dysregulation im serotoninergen System assoziiert ist. Die Vorstellung, die diesbezüglich diskutiert wird, ist, daß eine Störung der aggressiven Impulskontrolle zusätzlich durch externe Stressoren (»Life events«, psychosoziale Gegebenheiten) und interne Stressoren (affektive Psychose) getriggert wird und ihren Ausdruck in einer suizidalen Handlung findet.

Bei der Interpretation dieser Befunde ist – bis auf die Ergebnisse aus Adoptionsstudien – aber auch zu berücksichtigen, daß ein Suizid oder Suizidversuche in der Familie als Rollenvorbild dienen können, wie mit nicht zu ertragenden psychischen Schmerzen oder Frustrationen umzugehen ist.

36.4.2. Biologische Faktoren

Es besteht ein gut begründeter Zusammenhang zwischen aggressivem Verhalten und **verminderter Serotoninverfügbarkeit**, dokumentiert durch die erniedrigte Konzentration von 5-Hydroxyindolessigsäure im Liquor von Patienten, bei denen Suizide häufiger auftreten, im Vergleich zu Patienten mit normalen oder erhöhten Werten [Åsberg, 1986]. Interessanterweise deuten die meisten Befunde darauf hin, daß eine Erniedrigung der Konzentration von 5-Hydroxyindolessigsäure nicht nur bei akuter Suizidalität vorliegt, sondern allein davon abhängt, ob jemals ein Suizidversuch unternommen wurde, und nicht von der Zeit, die seitdem verstrichen ist. Die Interpretation dieser Befunde geht in die Richtung, daß es sich bei dieser angenommenen Störung des serotoninergen Systems eher um ein »Trait«- als ein »State«-Merkmal zu handeln scheint.

36.4.3. Risikofaktoren für Suizid

Ein besonderes Problem stellt sich, wenn beim individuellen Patienten das Suizidrisiko beurteilt werden soll. Obgleich eine **Vielzahl von Risikofaktoren** beschrieben wurde, sind diese doch eher allgemeiner Art, z.B. die Tatsache, allein zu leben oder sozial isoliert zu sein. Viele, die Suizid begehen, kommen aus schwierigen familiären Verhältnissen (»broken homes«). Andere Risikofaktoren sind Kinderlosigkeit, unverheiratet zu sein und die Trennung vom Partner. Unter alleinlebenden Männern ist die Suizidrate von Witwern höher als die von geschiedenen Männern.

Aufgrund der Feststellung, daß in den meisten Fällen eine psychische Störung vorliegt, können diese Prädiktoren zudem ebenfalls als Ausdruck der psychischen Störung interpretiert werden. Beispielsweise ist es auch ein Kennzeichen der schizophrenen Psychose, daß die Patienten häufig nicht verheiratet sind, bedingt durch die Tatsache, daß die Erkrankung früh begann.

Etwa ein Drittel der Patienten mit Suizid haben einen Suizidversuch in der Vorgeschichte. Bei depressiven Patienten liegt der Anteil höher, etwa bei 40%. Ein Suizidversuch in der Vorgeschichte erhöht das Suizidrisiko auf das 50- bis 100fache im Vergleich zur Gesamtbevölkerung. Das Risiko ist am größten im folgenden Jahr nach dem Suizidversuch, mit bis zu 2%. In den folgenden 5–10 Jahren beträgt das Risiko jährlich etwa 1%. **Protektive Faktoren** sind bislang wenig untersucht worden. Von Menschen mit Suizidwünschen und -gedanken werden als Gründe, keinen ernsthaften Suizidversuch zu unternehmen, religiöse Motive, die Angst vor Schmerzen und – wenn vorhanden – die Sorge um die Kinder angegeben. Frauen haben im ersten Jahr nach der Geburt eines Kindes nur ein Sechstel des erwarteten Suizidrisikos im Vergleich zu Frauen gleichen Alters. Eine stabile zwischenmenschliche Beziehung hat ebenfalls protektiven Wert.

Tabelle 36.3. Risikogruppen [nach Pöldinger, 1988]

Patienten mit depressiven Störungen
Alkohol-, Medikamenten- und Drogenabhängige
Alte Menschen und Vereinsamte
Personen, die durch eine Suizidankündigung oder -drohung aufgefallen sind
Personen, welche einen Suizidversuch durchgemacht haben

36.5. Erkennen von Suizidalität

Zur Beurteilung der Suizidalität gehören:
- Die Krise und den Krisenanlaß sowie die individuelle Krisenanfälligkeit zu erfassen.
- Zu entscheiden, ob der Suizidale einer Risikogruppe angehört, z.B. depressive Patienten (siehe Tabelle 36.3, Risikogruppen).
- Zu beurteilen, ob eine suizidale Entwicklung und/oder ein präsuizidales Syndrom vorliegen.

Bei der **Krise** handelt es sich um eine Situation, in der ein suizidaler Mensch eine Lebensveränderung nicht adäquat bewältigen kann. Beginnend mit der Krise kann sich dann eine pathologische Entwicklung einstellen, im Sinne einer suizidalen Entwicklung und Ausprägung des präsuizidalen Syndroms. Wichtig ist es, festzuhalten, daß sich suizidale Krisen meist nicht plötzlich ereignen, sondern daß es **suizidale Entwicklungen** gibt, wobei es im Einzelfall schwierig sein kann, eine suizidale Entwicklung von der Verlaufsentwicklung einer psychiatrischen Erkrankung zu unterscheiden. Pöldinger [1988] beschreibt eine **in mehreren Stadien verlaufende suizidale Entwicklung**. In der ersten Phase der Erwägung spielen sowohl psychodynamische Faktoren als auch suggestive Momente eine Rolle, z.B. wenn jemand in Filmen und im Fernsehen Suizide sieht oder sich in der Familie suizidale Handlungen ereignet haben. Der Suizid kann dann als eine von verschiedenen Möglichkeiten erwogen werden, belastende Probleme zu lösen. In der zweiten Phase der Ambivalenz finden sich gehäuft Suizidankündigungen, protektive und konstruktive Problemlösungsstrategien konkurrieren mit selbstzerstörerischen Kräften. »Ruhe vor dem Sturm« ist in der dritten Phase dieser suizidalen Entwicklung zu beobachten, dem Stadium des Entschlusses.

Beim Erkennen von Suizidalität sind daher dann besondere Aufmerksamkeit und Handeln verlangt, wenn nach latenten oder direkten Suizidankündigungen aufgrund von Krisenanlässen plötzlich eine Beruhigung eintritt. Mehrfach oestätigt wurde, daß die häufig gehörte Auffassung, daß jemand, der über Suizid spricht, sich nichts antun wird, falsch ist. **Suizidankündigungen sind immer ernst**

Tabelle 36.4. Präsuizidales Syndrom [nach Ringel, 1969]

- Zunehmende Einengung, situative Einengung, dynamische Einengung (einseitige Ausrichtung der Apperzeption, Assoziationen, Verhaltensmuster, Affekte und Abwehrmechanismen), Einengung der zwischenmenschlichen Beziehungen, Einengung der Wertwelt
- Aggressionsstau und Wendung der Aggression gegen die eigene Person
- Selbstmordphantasien (anfangs aktiv intendiert, später sich passiv aufdrängend)

zu nehmen, da etwa 80% der Menschen, die einen Suizidversuch unternehmen, diesen vorher angekündigt haben. Oft ist es sogar so, daß Suizidversuche kurz nach einer Kränkung oder dem Auftreten einer subjektiv schwer belastenden Situation durchgeführt werden, und daß Suizide im Vergleich dazu eher langfristig innerhalb eines stadienhaften Ablaufs einer suizidalen Krise geplant und auch angekündigt werden. Ein direkter Hinweis wird häufig in der Phase des noch Unentschlossenseins gegeben, indirekte Ankündigungen sind charakteristisch für das Stadium des Entschlusses.

Der Wiener Psychiater Ringel fand bei der Analyse von über 700 Krankengeschichten ein wiederkehrendes Muster, das er als **präsuizidales Syndrom** beschrieb [Ringel, 1969]. Drei Faktoren charakterisieren das Syndrom:
- Eine zunehmende situative Einengung, die sich auch auf zwischenmenschliche Beziehungen und die Wertwelt ausdehnen kann.
- Ein Aggressionsstau und Wendung der Aggression gegen die eigene Person.
- Suizidphantasien, anfangs aktiv intendiert, später sich passiv aufdrängend (siehe auch Tabelle 36.4).

Zur Unterstützung beim Beurteilen von Suizidalität sind **Fragensammlungen** hilfreich, z.B. die von Haenel und Pöldinger [1986] zusammengestellten (siehe Abbildung 36.2).

Der Fragenkatalog dient weniger dazu, Suizidalität meßtechnisch zu erfassen, sondern es handelt sich eher um zentrale Fragen, an die man sich erinnern soll, wenn es darum geht, die Suizidalität eines Patienten zu beurteilen. Es sind die **16 typischen Fragen**, welche - vom Patienten entweder mit ja oder nein beantwortet – ein erhöhtes Risiko anzeigen. Im Einzelfall ist es leider nicht möglich, unter Berücksichtigung der bekannten Risikofaktoren einen Suizid mit hoher Wahrscheinlichkeit vorherzusagen. Die Risikofaktoren sind im Einzelfall zu unspezifisch und treffen bei zu vielen Menschen zu, d.h. es entsteht das Problem, daß die Anzahl derjenigen, die falsch positiv im Sinne eines zukünftigen Suizids eingestuft werden, zu groß ist, um gezielt präventiv zu intervenieren.

Betrachtet man psychiatrische Patienten als Gruppe, so sind es die Faktoren eines Suizidversuchs in der Vorgeschichte, ein chronischer Verlauf, der Status

Je mehr Fragen im Sinne der angegebenen Antworten beantwortet werden, um so höher muß das Suizidrisiko eingeschätzt werden.

1.	Haben Sie in letzter Zeit daran denken müssen, sich das Leben zu nehmen?	ja	
2.	Häufig?	ja	
3.	Haben Sie auch daran denken müssen, ohne es zu wollen? Haben sich Selbstmordgedanken aufgedrängt?	ja	
4.	Haben Sie konkrete Ideen, wie Sie es machen würden?	ja	
5.	Haben Sie Vorbereitungen getroffen?	ja	
6.	Haben Sie schon zu jemanden über Ihre Selbstmordabsichten gesprochen?	ja	
7.	Haben Sie einmal einen Selbstmordversuch unternommen?	ja	
8.	Hat sich in Ihrer Familie oder in Ihrem Freundes- und Bekanntenkreis schon jemand das Leben genommen?	ja	
9.	Halten Sie Ihre Situation für aussichts- und hoffnungslos?	ja	
10.	Fällt es Ihnen schwer, an etwas anderes als an Ihre Probleme zu denken ?	ja	
11.	Haben Sie in letzter Zeit weniger Kontakte zu Ihren Verwandten, Bekannten und Freunden?	ja	
12.	Haben Sie noch Interesse daran, was in Ihrem Beruf und Ihrer Umgebung vorgeht? Interessieren Sie noch Ihre Hobbies?		nein
13.	Haben Sie jemand, mit dem Sie offen und vertraulich über Ihre Probleme sprechen können?		nein
14.	Wohnen Sie zusammen mit Familienmitgliedern oder Bekannten?		nein
15.	Fühlen Sie sich unter starken familiären oder beruflichen Verpflichtungen stehend?		nein
16.	Fühlen Sie sich in einer religiösen bzw. weltanschaulichen Gemeinschaft verwurzelt?		nein
	Anzahl entsprechend beantworteter Fragen		
	Gesamtanzahl (max. 16)		

Abb. 36.2. Fragen zur Abschätzung der Suizidalität [nach Haenel und Pöldinger, 1986].

»alleinlebend«, kürzliche Entlassung aus dem Krankenhaus, der Konsum von Alkohol und anderen Drogen und ein depressives Syndrom, die dennoch auf ein hohes Risiko hinweisen. Zur **Abschätzung der Suizidalität** müssen ein umfassender psychopathologischer Befund und eine Anamnese (vgl. Kapitel 1) erhoben werden. Außerdem muß nach Suizidgedanken, Plänen und konkreten Vorbereitungen gefragt werden, um den Grad der Selbstgefährdung einschätzen zu können (siehe hierzu auch Tabelle 36.1).

Von praktischer Relevanz ist, daß etwa ein Drittel der Patienten, die Suizid begangen haben, in der Woche davor, und über die Hälfte Patienten innerhalb des letzten Monats einen Arzt konsultierten, oft wegen anderer psychischer oder auch körperlicher Beschwerden. Bei diesen Patienten, die von sich aus keinen direkten Hinweis geben, ist es besonders wichtig, als Arzt viel häufiger an Suizidalität zu denken und dazu Fragen zu stellen.

Für **stationäre Patienten** gilt, daß die Aufnahmewoche, die ersten Urlaube von der Station und die ersten 6 Monate nach der Entlassung Zeiten des erhöhten Suizidrisikos darstellen. Ein besonderes Problem bei der Beurteilung der weiterbestehenden Suizidalität stellen die häufig vorhandenen Bagatellisierungstendenzen von psychiatrischen Patienten als eine Form der Verarbeitung des stattgefundenen oder geplanten Suizidversuchs dar. Hier zeigt die Erfahrung, daß Suizidalität immer offen angesprochen werden muß, selbst wenn keine konkreten Hinweise darauf bestehen. Es hat sich nämlich gezeigt, daß dadurch suizidale Handlungen nicht zusätzlich induziert werden, sondern daß Patienten sich häufig deutlich entlastet fühlen, wenn Suizidgedanken thematisiert werden. Gerade die genaue Exploration der Suizidalität und das Unterscheiden zwischen Suizidwünschen und -vorstellungen als auch Suizidplänen und -vorbereitungen gibt einerseits unerläßliche Informationen zur Beurteilung der Schwere der Selbstgefährdung und hat anderseits einen kathartischen Effekt. Dazu kann auch gehören, den Patienten zu bitten – quasi als Experte für die eigene Suizidalität –, auf einer Skala mit den Polen 0 (keinerlei Gefährdung) und 100 (maximale Gefährdung) eine Selbsteinschätzung vorzunehmen, in welchem Ausmaß er sich gegenwärtig gefährdet sieht.

36.6. Vorgehen bei Suizidalität und Behandlungsrichtlinien

Es muß eine **ausführliche psychiatrische Diagnostik und Differentialdiagnostik** erfolgen. Bei Vorliegen psychischer Störungen ist die somatische oder psychotherapeutische Behandlung der Grunderkrankung einzuleiten (siehe dazu im Überblick Berzewski, 1995). Verschreibungen von Medikamenten sollten bei Risikopatienten in kleinen Mengen erfolgen. Bei **akuter aktiver Suizidalität** ist die **stationäre Behandlung** indiziert, besonders dann, wenn behandlungsbedürftige psychiatrische Erkrankungen, z.B. wahnhafte Depression oder Exazer-

Tabelle 36.5. Medikamentöse Therapie bei nichtpsychotischer Suizidalität

Benzodiazepine	Lorazepam	0,5–2,5 mg
Niedrigpotente Neuroleptika	Levomepromazin	50–100 mg
Psychomotorisch dämpfende Antidepressiva	Amitriptylin Doxepin	50–75 mg 50–75 mg

bation bei schizophrener Psychose, vorliegen. Bei psychotischen Patienten muß die Behandlung möglicherweise zunächst auch gegen den Willen des Patienten erfolgen. Auf der Station müssen neu aufgenommene suizidgefährdete Patienten nach Suizidmitteln, wie Rasierklingen und Tabletten, untersucht werden. Es hat sich gezeigt, daß das alleinige Fragen danach nicht ausreicht. Ein hohes Risiko besteht kurz nach der Aufnahme, da die Aufnahme selbst häufig einen erneuten Reiz für eine suizidale Handlung darstellt. Gegebenenfalls sind Extrawachen, besonders nachts und am Wochenende, einzusetzen. Dabei ist es auch wichtig, einmal die Einstellung gegenüber Patienten, die einen Suizidversuch unternommen haben, zu reflektieren. Häufig besteht gegenüber suizidalen Patienten ein nicht förderliches affektives Klima. So ist z.B. bekannt, daß Stationsmitarbeiter und -Mitarbeiterinnen gegenüber Suizidpatienten eine eher ablehnende Haltung im Vergleich zu Patienten mit Erkrankungen wie Herzinfarkt oder Diabetes mellitus zeigen. Weiblichen Suizidpatienten wird im allgemeinen mehr Offenheit und Wohlwollen entgegengebracht im Vergleich zu männlichen Patienten und solchen, die während des Suizidversuchs nicht in Lebensgefahr waren.

Bei aktiver akuter Suizidalität ohne Vorliegen einer behandlungsbedürftigen psychiatrischen Erkrankung ist abzuklären, inwieweit Angehörige, Freunde bzw. ein intaktes soziales Netz vorhanden sind, um den Patienten kontinuierlich überwachen zu können. Ob ambulant behandelt werden kann, hängt auch davon ab, ob der Patient selbst der Meinung ist, gegen die andrängenden Suizidimpulse Widerstand leisten zu können. Eine begleitende Psychopharmakotherapie kann durch Tranquilizer, niedrigpotente Neuroleptika oder motorisch dämpfende Antidepressiva erfolgen (siehe Tabelle 36.5 zu Möglichkeiten symptomatischer Sedierung).

Bei Suizidalität ohne schwere depressive Störungen oder Schizophrenie ist besonders die subjektive Bewertung der Situation, die zur suizidalen Krise geführt hat, durch den Betroffenen von entscheidender Bedeutung. In der suizidalen Krise ist der Patient nicht mehr in der Lage, die Ereignisse oder Erlebnisse – meist handelt es sich dabei um Verluste und Enttäuschungen – im Sinne einer Neuorientierung zu verarbeiten. Für Außenstehende kann es dabei schwierig

Tabelle 36.6. Therapeutische Leitlinien für den Umgang mit Suizidalen

- Wertfreies Akzeptieren des Patienten in seiner individuellen Situation
- Annehmen des suizidalen Verhaltens als Notsignal und Verstehen der Bedeutung der subjektiven Notwendigkeit
- Bearbeitung der gescheiterten Bewältigungsversuche
- Ausarbeitung und Beschreibung des Anlasses der Krise und Einordnung in ein für den Patienten verstehbares Ganzes
- Aufbau einer tragfähigen Beziehung durch Einsatz von Empathie und wohlwollendem Akzeptieren des Patienten
- Wiederherstellen der wichtigsten sozialen Kontakte
- Gemeinsames Entwickeln alternativer Problemlösungen und Bewältigungsstrategien auch für zukünftige Krisen

sein, den Anlaß bzw. die Belastung als ausreichend schwer einzuschätzen, um eine suizidale Handlung empathisch nachzuvollziehen und zu verstehen.

Ärzte, Psychologen, Sozialarbeiter, Krankenschwestern und Krankenpfleger in ambulanter und/oder stationärer Tätigkeit sind mit suizidalen Patienten konfrontiert. Aber auch Mitarbeiter in Beratungsstellen sowie Telefonseelsorger sind allein aufgrund der steigenden Zahl der Menschen mit Suizidhandlungen nicht nur mit der wichtigen Aufgabe betraut, Suizidalität zu erkennen, sondern suizidalen Patienten auch konkrete Hilfe anzubieten. Bei der **nicht-medikamentösen Therapie oder Begleittherapie** zur medikamentösen Behandlung kommen verhaltens- und gesprächstherapeutische Elemente, aber auch tiefenpsychologische Erfahrungen zum Tragen. Therapeutisch ist ein stützendes Vorgehen angezeigt, das Vertrauen in die prinzipiellen Lösungsmöglichkeiten aufzeigt (siehe Tabelle 36.6).

Zunächst handelt es sich dabei um ein Entschärfen der Situation mit einer sich daran anschließenden Abklärung der Umstände und möglicher zugrundeliegender psychischer Erkrankungen. Bei der therapeutischen Arbeit sollten die häufig vorhandenen dysfunktionalen Kognitionen des Suizidalen auf dem Boden einer affektiven kognitiven Einengung berücksichtigt werden, z.B. die Unfähigkeit zur Differenzierung und die Tendenz zur Generalisierung. Das **therapeutische Verhalten** umfaßt das Herstellen einer therapeutischen Beziehung, Abschätzen der Schwere der Suizidalität und einen möglichst konkreten Therapieplan, der auch die Weiterbehandlung mitberücksichtigt. Reflexion des Krisenanlasses und Fokussierung auf vorhandene Bewältigungsstrategien sind angezeigt. Zu vermeiden sind wohlmeinende Ratschläge und Bewertungen allgemeiner Art. Wichtig ist auch, mit suizidalen Patienten nicht zu schnell zu hohe Therapieziele anzusteuern, weil das Patienten schnell an die Grenzen der Belastbarkeit und in eine erneute Krise führen kann [Überblick s. Finzen, 1988,

Tabelle 36.7. Kurzpsychotherapie nach Suizidversuch [nach Reimer und Arentewicz, 1993]

Übergeordnetes Therapiethema (1. und 2. Sitzung): **Trauer und Verzweiflung**
Schwerpunkte
- Gegenseitiges Kennenlernen
- Aufbau der therapeutischen Beziehung/Tragfähigkeit
- Aktuelle Konflikte (Erzählenlassen, dann Balance zwischen Stützen und Strukturieren)
- Förderung der aktuellen emotionalen Prozesse durch selektive Verstärkung der Gefühlsqualitäten Trauer/Verzweiflung

Übergeordnetes Therapiethema (3. und 4. Sitzung): **Protest und Wut**
Schwerpunkte
- Zusammenhänge/Parallelen herstellen
- Selbstwertproblematik fortsetzen
- Verhaltensaktiva verstärken

Übergeordnetes Therapiethema (5. und 6. Sitzung): **Distanzierung und Neuorientierung**
Schwerpunkte
- Konkrete Vorhaben/Verhaltensaktiva festlegen
- Konkrete kurz- und mittelfristige Pläne durchsprechen
- Konkrete Möglichkeiten der (kurzfristigen) Verhaltensänderung
- Verhalten vor/bei erneuter Krise (rechtzeitiges Erkennen; mögliche Ansprechpartner zur Abwendung erneuter Suizidalität)
- Beendigung der therapeutischen Beziehung
- Eventuell weitere Vereinbarungen/Termine

1989]. Unter Berücksichtigung allgemeiner therapeutischer Erfahrungen und der speziellen Literatur zur Krisenintervention wird davon ausgegangen, daß bestimmte emotionale Prozesse in einer bestimmten Sequenz bei der Überwindung der suizidalen Krise hilfreich sind [siehe Reimer und Arentewicz, 1993]. Wie aus Tabelle 36.7 zu ersehen ist, konzentriert sich die **Kurztherapie nach einem Suizidversuch** in den 1. und 2. Sitzungen auf die Emotionen »Trauer« und »Verzweiflung«, setzt sich in den 3. und 4. Sitzungen mit den Themen »Protest« und »Wut« und in den 5. und 6. Sitzungen mit »Distanzierung« und »Neuorientierung« auseinander.

Die **Krisenintervention** geht über das psychiatrische Feld im engeren Sinne hinaus und umfaßt Seelsorger, Laien, Psychologen und Beratungsstellen. Sie setzt rasch ein, nutzt die Kreativität und Flexibilität der Helfer, soll dem Patienten direkt Entlastung bringen, eine Zukunftsperspektive aufbauen und Hilfe bieten beim Erkennen und Definieren des Problems und Unterstützung beim Finden von Problemlösungen [siehe auch Reimer, 1986]. Eine der Grundregeln ist, die Krisenintervention sofort einzuleiten, um Chronifizierungen zu vermeiden. Im ambulanten Bereich wird häufig beobachtet, daß in der Krisensituation zunächst von vielen Seiten viel unternommen wird, was der akuten Situation entsprechend als angemessene Reaktion verstanden wird. Häufig wird jedoch die Weiterversorgung nicht vorbereitet und kein Behandlungsplan abgesprochen, weder untereinander noch mit dem Patienten.

Übergeordnetes Prinzip der genannten Maßnahmen ist, den Prozeß einer kognitiven und emotionalen Distanzierung zu unterstützen und dem Patienten zu helfen, in offener Atmosphäre erste Schritte in Richtung Rückgewinnung der eigenen Kompetenz zu wagen.

Literatur

Ahrens B (1995): Suizidprävention und Langzeittherapie bei affektiven Störungen. In: Wolfersdorf M, Kaschka WP (Hrsg.): Suizidalität – Die biologische Dimension. Springer, Berlin.

Ahrens B, Müller-Oerlinghausen B, Schou M, Wolf T, Alda M, Grof E, Grof P, Lenz G, Simhandl C, Thau K, Vestergaard P, Wolf R, Möller HJ (1995): Excess cardiovascular and suicide mortality of affective disorders may be reduced by lithium prophylaxis. Journal of Affective Disorders *33:* 67–75.

Åsberg M, Nordström P (1988): Biological correlates of suicidal behavior. In: Möller HJ, Schmidtke A, Welz R (eds.): Current issues of suicidology. Springer, Berlin, 221–241.

Avery D, Winokur G (1976): Mortality in depressed patients treated with electroconvulsive therapy and antidepressants. Archives of General Psychiatry *33:* 1029–1037.

Berzewski H (1995, im Druck): Der psychiatrische Notfall. Springer, Berlin.

Dalack GW, Roose SP (1990): Perspectives on the relationship between cardiovascular disease and affective disorder. Journal of Clinical Psychiatry *51* (suppl.): 4–9.

Finzen A (1988): Der Patientensuizid. Psychiatrie-Verlag, Bonn.

Finzen A (1989): Suizidprophylaxe bei psychischen Störungen. Psychiatrie-Verlag, Bonn.

Guze SB, Robins E (1972): Suicide in primary affective disorders. British Journal of Psychiatry *117:* 437–438.

Haenel Th, Pöldinger W (1986): Erkennung und Beurteilung der Suizidalität. In: Kisker KP, Lauter H, Meyer JE, Müller C, Strömgren E. (Hrsg.): Psychiatrie der Gegenwart, vol. 2. Springer, Berlin, 107–132.

Kreitman N (1986): Die Epidemiologie des Suizids und Parasuizids. In: Kisker KP, Lauter H, Meyer JE, Müller C, Strömgren E (Hrsg): Psychiatrie der Gegenwart, vol. 2. Springer, Berlin, 87–106.

Pokorny AD (1983): Prediction of suicide in psychiatric patients. Archives of General Psychiatry *40:* 249–257.

Pöldinger W (1988): Erkennung und Beurteilung der Suizidalität. In: Hippius H, Schmauß M (Hrsg.): Aktuelle Aspekte der Psychiatrie in Klinik und Praxis. Zuckschwerdt, München 57–64.

Reimer Ch (1986): Prävention und Therapie der Suizidalität. In: Kisker KP, Lauter H, Meyer JE, Müller C, Strömgren E (Hrsg.): Psychiatrie der Gegenwart, vol. 2. Springer, Berlin, 133–173.

Reimer Ch, Arentewicz G (1993): Kurzpsychotherapie nach Suizidversuch: ein Leitfaden für die Praxis. Springer, Berlin.

Ringel E (1969): Selbstmordverhütung. Huber, Bern.

Rutz W, von Knorring L, Walinder J (1992): Long-term effects of an educational program for general practitioners given by the Swedish Committee for the Prevention and Treatment of Depression. Acta Psychiatrica Scandinavica *85:* 83–88.

Schmidtke A, Weinacker B (1994): Suizidalität in der Bundesrepublik und den einzelnen Bundesländern: Situation und Trends. Suizidprophylaxe. Theorie und Praxis *2:* 4–16.

Wolfersdorf M (1993): Therapie der Suizidalität. In: Möller HJ (Hrsg.): Therapie psychiatrischer Erkrankungen. Enke, Stuttgart, 715–732.

37. Ethik in der Psychiatrie

Hanfried Helmchen

37.1. Ethische Prinzipien ärztlichen Handelns

Das **Wohl** und der **Wille** des Patienten sind die heute herrschenden Prinzipien bei der ethischen Beurteilung ärztlicher Handlungen. Während es uralte hippokratische Tradition ist, daß der Arzt ausschließlich zum Wohl und »besten Interesse« seines Patienten handeln soll, hat die Pflicht des Arztes, Selbstbestimmtheit (Autonomie) und Würde des Patienten zu respektieren, neuzeitliche Wurzeln in der Aufklärung.

Herausragende Bedeutung hat das letztgenannte Prinzip in den letzten zwei Dekaden gewonnen. Deutlich wird dies an der Entwicklung der Lehre von der Einwilligung nach Aufklärung, dem **»informed consent«**. Ihre Quellen liegen unter anderem in der Schwerpunktverlagerung der modernen Medizin von einer akuten zur Langzeitbehandlung, zu risikoreichen und belastenden Therapieverfahren, zur Ersatzteilmedizin, auch zur klinischen Forschung, die alle eine viel stärkere verantwortliche Beteiligung des Patienten verlangen; zum anderen werden Bürger- bzw. Menschenrechte, wie die grundgesetzlich geschützte Selbstbestimmung und Würde des Kranken, verstärkt wahrgenommen. Denn die Würde eines Patienten ist um so stärker in Gefahr, je mehr er von nicht selbst bestimmten Handlungen abhängig und damit Objekt wird, wie dies die moderne Medizin mit ihren weitgehend regulierten Handlungsabläufen durchaus mit sich bringen kann.

Ebenfalls bereits im **hippokratischen Eid** festgehalten sind zwei weitere wesentliche arztethische Prinzipien, das **»nil nocere«** und die **Schweigepflicht**. Das erstgenannte, aus einer Zeit weitgehender therapeutischer Ohnmacht bzw. unbegründeter Therapieverfahren stammende Prinzip des Nichtschadens muß angesichts der Risiken vieler wirksamer und nicht nebenwirkungsfreier Diagnostik- und Therapieverfahren heute als Aufforderung zur **individuellen Nutzen-Risiko-Abwägung jeder ärztlichen Maßnahme** verstanden werden. Ohne wirklich ernstgenommene **Schweigepflicht** schließlich ist ärztliches Handeln im Kern bedroht, da ohne sie die für eine zutreffende Erkennung der Krankheit und ihrer individuellen Bedingungen sowie für das Verständnis des Kranken erforderliche Offenheit oft kaum möglich ist. Dies gilt ganz besonders in einer Zeit, in der sich der Arzt vielfältigen Forderungen nach Auskünften über seine Patienten, vom Mitarbeiterteam und weiteren Ärzten über Angehörige und Auszubildende, auch von forschungskontrollierenden Instanzen bis zu Krankenkassen und anderen Behörden, ständig gegenübersieht; und es gilt erst recht für psychisch Kranke angesichts der weitverbreiteten Skepsis, mit der ihnen begegnet wird, und ebenso wegen der nicht selten besonderen Verletzlichkeit ihrer zwischenmenschlichen Beziehungen. Bereits die in die Öffentlichkeit lancierte Information, daß er vorübergehend in ambulanter psychiatrischer Behandlung gewesen sei, kostete 1972 in den USA den Vizepräsidentschaftskandidaten sein Amt.

37.1.1 Aufklärung

Dem Autonomieprinzip als allgemeinem Menschenrecht mag man seine auch spezifisch arztethische Bedeutung nicht von vornherein ansehen, zumal es durchaus in Konflikt mit dem wohl ursprünglichsten arztethischen Prinzip des »salus aegroti« geraten kann. Diese Bedeutung geht auch nicht ohne weiteres aus einer inzwischen vielfältigen Judikatur hervor, die den Arzt zur Aufklärung seines Patienten verpflichtet, da nur ein zureichend aufgeklärter Patient rechtsgültig in eine ärztliche Maßnahme einwilligen kann. Sie wird vielmehr erst dann deutlich, wenn Aufklärung zu einem wesentlichen Moment ärztlichen Handelns entwickelt wird, um dem Patienten eine **selbstbestimmte** Entscheidung zu ermöglichen und somit die Patient-Arzt-Beziehung mit Vertrauen zu erfüllen sowie den Patienten auch auf seine Verantwortung für sich selbst zu verweisen.

So soll dem Kranken Aufklärung über seine **Krankheit** und ihre **Prognose** sowie über die **Ziele, Risiken** und **Durchführung diagnostischer und therapeutischer Maßnahmen** (und gegebenenfalls auch ihrer Unterlassung) angeboten werden. Je länger eine Krankheit dauert, um so eingehender beschäftigt sich der Kranke mit ihr und ihren Folgen, sucht sie sich zu erklären und lernt, mit ihr in bestimmter Weise umzugehen. Je weniger der Arzt diesen Prozeß durch Aufklärung beeinflußt, um so eher wird sich der Kranke seine Informationen aus anderen Quellen, von wohlmeinenden Verwandten, aus Lexika oder aus den Medien holen; hier ist die Gefahr der Vereinfachung oder Einseitigkeit groß. Damit wächst die Wahrscheinlichkeit, daß der Patient ein Krankheitskonzept entwikkelt, das sich von demjenigen des Arztes erheblich unterscheidet. Der Patient wird dies den Arzt nur so weit erkennen lassen, wie er ihm vertraut. Vertrauen wiederum hängt auch davon ab, ob und wie der Kranke erlebt, daß der Arzt ihn ernst nimmt, also ihn anhört, sein Konzept und dessen Quellen zu verstehen sucht und moralisierende Kritik vermeidet. Zutreffende Überlegungen des Patienten wird der Arzt sinnvollerweise aufgreifen; gegen falsche oder schädliche Positionen des Patienten hingegen wird er sein rational begründetes Konzept setzen und es dem Patienten verständlich machen. Die dafür erforderliche

Zeit ist gut investiert, denn wenn dem Arzt dieser vertrauensstiftende Umgang mit dem Patienten nicht gelingt, wird er ihn verlieren – zumindest in Form der Behandlungsuntreue (Non-Compliance) mit ausbleibendem Behandlungserfolg.

Aus alledem wird deutlich, daß die **Aufklärung** in der Regel kein einmaliger Akt, sondern ein **prozessuales und wesentliches Element der Arzt-Patient-Beziehung** ist, daß sie Zeit braucht und ihr besonderes Gewicht gerade bei den heute zunehmend häufigeren chronischen, residualen und rezidivierenden Krankheitszuständen entfaltet. Das bedeutet auch, daß dieser Aspekt der Aufklärung bei Akut- oder Notfallmaßnahmen zurücktritt. Nur dem Arzt, der sich um eine personale Beziehung zum Patienten bemüht und vor diesem Hintergrund sowohl das Wohl als auch den Willen des Patienten verantwortungsvoll ernst nimmt, wird die gelegentlich schwierige Gratwanderung zwischen einem zu fürsorglichen Paternalismus und einem unpersönlichen Experten-Klienten-Verhältnis gut gelingen.

37.1.2. Einschränkung der Autonomie durch psychische Krankheit

Während die Gefahr, dem Kranken letztlich die alleinige Verantwortung zuzuschieben, eher heute zu beobachten ist, war der Paternalismus vor allem ein Risiko der älteren Psychiatrie. Darin zeigt sich das wichtigste psychiatriespezifische Problem, das das Prinzip mit sich bringt, den Willen des Patienten zu respektieren. Es liegt auf der Hand, daß psychische Krankheiten mehr als körperliche Krankheiten oder auch mehr als Erschütterungen der Seele durch die Wechselfälle des Lebens die Autonomie, die Selbstbestimmbarkeit des Menschen, seine Fähigkeit, zu verstehen und etwas zu wollen, beeinträchtigen oder gar aufheben können. Seit ihren Anfängen hat sich die Psychiatrie mit dieser krankheitsbedingten Einschränkung oder gar dem Verlust der Selbstbestimmbarkeit, mit ihrer Erkennung und noch mehr mit ihren Folgen wie Selbst- oder Fremdgefährdung, Zwangsunterbringung und Zwangsbehandlung, mit Testier-, Geschäfts-, Schuld- und Einwilligungsfähigkeit beschäftigen müssen (vgl. Kapitel 31). Abgesehen von den damit zusammenhängenden Rechtsfragen ist der Arzt in solchen konkreten Einzelfällen immer aufgefordert, die Grenze zwischen schon eingeschränkter und noch erhaltener Autonomie richtig zu erkennen, um die schädlichen Folgen einer Fehleinschätzung zu vermeiden. Dies gilt um so mehr, als heute auch bei eindeutig psychisch Kranken zunächst von einer in vielerlei Hinsicht erhaltenen Einwilligungsfähigkeit auszugehen ist – übrigens auch, um ihn eben nicht paternalistisch zu diskriminieren.

37.1.3. Einwilligungsfähigkeit

Die Erkennung krankheitsbedingter Einschränkung der Selbstbestimmbarkeit und damit die Beurteilung der Einwilligungsfähigkeit eines psychisch Kranken ist jedoch schwierig und bedarf der Erfahrung. Zum einen ist sie in der

Regel weder plötzlich noch vollständig aufgehoben. Zum anderen muß sie im Hinblick auf einen konkreten Sachverhalt festgestellt werden und hängt von dessen Komplexität und Bedeutung ab. Sie ist also nur dimensional (in Ausprägungsgraden) und relational (in bezug auf), nicht aber als globale Ja/Nein-Entscheidung zu verstehen.

In dem Maße, wie das psychiatrische Fachwissen für das anstehende Problem überhaupt noch nicht sicher genug ist, oder der Arzt, der handeln muß, über vorhandenes Fachwissen nicht verfügt, in dem Maße werden die erforderlichen Entscheidungen des Arztes anfällig für außerfachliche Einflüsse, seien sie empirischer oder ideologischer Herkunft. Beispiele dafür sind Positionen, wie sie plakativ als kustodiale Verwahrpsychiatrie oder als emanzipatorische Antipsychiatrie markiert wurden. Der Position, daß Geisteskrankheit ein Mythos, ja ein Produkt der Psychiater sei, steht die Position gegenüber, daß »der psychisch Kranke ein Recht darauf habe, auch gegen seinen Willen behandelt zu werden« [Finzen, 1984].

37.1.4. Bedeutung ethischer Prinzipien im ärztlichen Alltag

Die genannten ethischen Prinzipien sind nicht nur für die ärztliche Beurteilung der heute die Öffentlichkeit vorwiegend beschäftigenden dramatischen Fragen am Beginn (z.B. pränatale Diagnostik, Fetozid bei iatrogenen Mehrlingsschwangerschaften) und am Ende des Lebens (z.B. Sterbehilfe, aktive Euthanasie) unerläßlich. Vielmehr hat ihre Beachtung ebenso grundlegende Bedeutung für die ärztliche Wirksamkeit in der alltäglichen Praxis. Das geschieht wohl in der Regel auch, aber eher implizit als reflektiert. Allerdings dürfte dies nicht immer ausreichen, um den Arzt gegen den Druck der aktuellen Situation, gegen unreflektierte eigene Motivationen, vor allem gegen gefährliche Ansinnen zu schützen, die aus einem ideologisch dominierten oder pluralistisch unverbindlichen Zeitgeist erwachsen. In solchem Kontext können ethische Prinzipien undeutlich werden oder ihre Verbindlichkeit verlieren, zumal wenn der Arzt seine Entscheidungen in einer notwendigerweise breiten Grauzone des individuellen Ermessens zwischen den Normen des eindeutig Richtigen und des sicher Falschen treffen muß. Vor zuviel Selbstgewißheit mögen hier die traumatisierenden Erkenntnisse aus den Analysen zur Praxis des nationalsozialistischen Euthanasieprogramms warnen, die ein breites Spektrum von aktiver Abwehr dieser Ermordung psychisch Kranker bis hin zu ihrer Unterstützung deutlich gemacht haben.

37.2. Beispiele aus der alltäglichen Praxis

37.2.1. Ablehnung notwendiger Behandlung

Führt eine psychische Krankheit zum inneren Freiheitsverlust mit der Folge unmittelbarer Selbst- oder Fremdgefährdung, dann muß der psychisch Kranke durch äußeren Freiheitsentzug daran gehindert werden. Solcher Freiheitsentzug gegen den Willen des Kranken ist rechtsstaatlich gesichert und zielt neben der Gefahrenabwendung durch Sicherung aus ärztlicher Sicht vor allem auf die Beseitigung der Gefährdungsursachen durch Behandlung der zugrundeliegenden psychischen Krankheit. Probleme treten in der Regel dann auf, wenn die krankheitsbedingten Gefährdungen nicht so eindeutig sind, daß sie die Anwendung von Zwang unumgänglich erscheinen lassen, wenn der Patient eine indizierte und erfolgversprechende Handlung ablehnt. Hier gerät der Arzt vor die Frage, wie er seiner ethischen Verpflichtung, alles zum Wohle seines Patienten zu unternehmen, am besten gerecht werden kann, ohne die – wenn auch krankheitsbedingt eingeschränkte – Autonomie des Patienten außer acht zu lassen. Heute werden viele Psychiater geduldig versuchen, den Patienten von der Notwendigkeit der Therapie zu überzeugen. Aber schon bei dem inzwischen öfter geübten Verfahren, einen solchen Patienten unbehandelt wieder zu entlassen, mit dem vertrauensfördernden Angebot, ihn jederzeit wieder aufzunehmen, wenn er dies wünsche, bewegen Zweifel den Psychiater, ob er das Risiko der Verlängerung von krankheitsbedingtem Leiden und Gefährdung des Patienten gegen das Risiko, jede Möglichkeit zur Entwicklung von Vertrauen als Grundlage einer freiwilligen Behandlung zu zerstören, richtig abgewogen habe. Dabei gewinnt die Frage an Bedeutung, welchen Einfluß auf die Güterabwägung des Psychiaters zum Wohle seines Patienten das gesellschaftliche oder auch konkrete situative Klima hat, das seinen Ermessensspielraum umgibt, wenn z.B. die Motivierung des Kranken zur Therapie als paternalistische Manipulation diffamiert oder die Erläuterung von Alternativen vom Patienten als Drohung erlebt werden kann; oder wenn ihm in sogenannten psychiatrischen Testamenten Strafe, etwa eine Klage wegen Bruchs der Schweigepflicht, für den Fall angedroht wird, daß er einwandfreie Rechtsgrundlagen für die notwendige Behandlung, so über einen Antrag beim Gericht auf Einrichtung einer Behandlungsbetreuung, schaffen will; oder aber auch, wenn eines Tages im Zuge der sich verschärfenden gesundheitsökonomischen Diskussion und der Forderung nach mehr Gerechtigkeit der Ressourcenverteilung die Dauer eines Krankenhausaufenthalts strikt begrenzt und therapeutisch nicht nutzbare Krankenhausaufenthalte nicht mehr bezahlt werden sollten? In jedem Fall sollte sich der Arzt über die seine ethischen Erwägungen bestimmenden Argumente klarwerden, um durch Kompetenz und Verantwortlichkeit das Vertrauen seiner Patienten zu erwerben oder vorhandenem Vertrauen gerecht zu werden. Übrigens dürfte er auch gut beraten sein, seine Argumente nachvollziehbar zu dokumentieren, da ethische Entscheidungen ex post oder gar in foro Zweifeln unterworfen werden könnten.

37.2.2. Späthyperkinesen

Diese motorischen Störungen treten erst spät im Verlauf einer neuroleptischen Langzeitmedikation auf. Sie sind ihr schwerwiegendstes Risiko, weil sie relativ häufig, nur partiell reversibel und bisher kaum behandelbar sind. Sichere Prädiktoren dieses Risikos sind nicht bekannt. Ihm steht eine eindeutige rezidivprophylaktische und auch symptomsuppressive Wirksamkeit gegenüber. Brauchbare individuelle Response-Prädiktoren sind jedoch ebenfalls nicht bekannt, so daß letztlich bei jedem Patienten die Therapie-Response der neuroleptischen Langzeitmedikation zwischen voller Wirksamkeit ohne unerwünschte Arzneimittelwirkungen und unzureichender Wirksamkeit mit Späthyperkinesen schwanken kann. Angesichts dieser **Unsicherheit der individuellen Risikovoraussage** einer wegen ihrer Wirksamkeit etablierten Standardtherapie bedarf es besonders sorgfältiger Nutzen-Risiko-Abwägung sowie Einwilligung nach Aufklärung bei Beginn einer Langzeitmedikation und deren sorgfältiger Verlaufskontrolle im Hinblick auf therapeutische Wirksamkeit, auf unerwünschte Arzneimittelwirkungen, eben besonders der Späthyperkinesen, und auf angemessene Dosis.

Treten dann doch Späthyperkinesen auf, bedarf es wiederholter Nutzen-Risiko-Abwägungen im Verlauf und erneuter Erwägungen von Therapiealternativen – auch wenn wohl jeder Psychiater Patienten kennt, bei denen er trotz der Späthyperkinesen die Neuroleptika nicht absetzen kann, weil die Patienten durch die unbehandelte Psychose unvergleichlich stärker gequält werden als durch die Späthyperkinesen.

Wesentliche **Indikationskriterien für eine neuroleptische Langzeitmedikation** sind die Symptompersistenz oder ein beträchtliches Rezidivrisiko. Verständlicherweise motiviert im erstgenannten Fall der subjektive Leidensdruck den Kranken oft viel überzeugender zur symptomsuppressiven Langzeitmedikation, deren Wirksamkeit er überdies meist unmittelbar erleben kann. Zur rezidivprophylaktischen Langzeitmedikation hingegen wird sich der Patient nicht selten erst nach traumatisierenden Rezidiverlebnissen voll entschließen können. Spätestens dann, wenn häufige Rezidive infolge **Non-Compliance** die Gefahr einer Dauerunterbringung für den Patienten heraufbeschwören, wird eine neuroleptische Depotbehandlung als indiziert angesehen werden, um die schwankende Fähigkeit, der Einsicht in die Behandlungsnotwendigkeit auch folgen zu können, gleichsam ein Stück weit zu substituieren. Gerade bei solchen Kranken sind der Aufklärung und Einwilligungsfähigkeit gelegentlich Grenzen gesetzt. Auch wenn die Mehrzahl akut psychotischer Kranker, die gegen ihren Willen behandelt wurden, dies nach Abklingen der Symptomatik rückblickend für richtig hielt, wird der Arzt bei der Indikation einer depotneuroleptischen Behandlung wegen Non-Compliance doch sehr die jeweils besonderen Bedingungen des einzelnen Patienten prüfen müssen. Steckt z.B. hinter der Non-

Compliance eine Ablehnung der Behandlung, die der Patient mit Furcht vor einer Späthyperkinese begründet, wird der Arzt sie eher akzeptieren müssen, als wenn sie einem Vergiftungswahn entspringt. In praxi sieht sich der Arzt oft vor folgendem Dilemma: Einerseits soll er bei seiner aufklärenden Motivation für die auch nach sorgfältiger Abwägung trotz des Späthyperkineserisikos als zum Besten des Patienten angesehene Depotmedikation die Grenze zur paternalistischen Einschränkung der Selbstbestimmung des Patienten nicht überschreiten; anderseits aber müßte er bei festgestellter Einschränkung der Einwilligungsfähigkeit eine Behandlungsbetreuung einrichten, deren Wirksamkeit bei ambulanter Behandlung jedoch zweifelhaft bleibt. Gerade die Erfahrung mit solchen Patienten begründet die Befürchtung vieler Psychiater, daß hier eine zu grundsätzliche Vertretung des Selbstbestimmungsrechts des Patienten oder eines juristisch einwandfreien Ersatzes einer durch die Krankheit eingeschränkten oder aufgehobenen Selbstbestimmbarkeit gegen das Wohl des Patienten gerichtet ist.

37.2.3. Umgang mit Arzneimitteln

Analog, jedoch gesellschaftlich eher umgekehrt bewertet, kann die zur Zeit öffentlich intensiv diskutierte **Methadonsubstitution bei Heroinabhängigen** angesehen werden. Um des angestrebten Vorteils der Entkriminalisierung und Resozialisierung willen wird dabei die Opioidabhängigkeit, wenn auch kontrolliert, ärztlich fortgeführt. Kompliziert wird dabei die Nutzen-Risiko-Abwägung durch den gesellschaftlichen Kontext, denn zum einen wird hier das Wohl des Kranken keineswegs nur als Freiheit von Krankheit, sondern weit darüber hinaus im Sinne sozialer Ziele verstanden und auch gesundheitspolitisch im Hinblick auf das Gemeinwohl definiert. Zum anderen kann das gesellschaftliche Umfeld individuell den Abhängigen zum Mißbrauch der Therapie verführen, aber vor allem eine »flächendeckende« Methadonsubstitution als »hedonistisches Signal« mißverstehen. Denn weitverbreitet in dieser Gesellschaft ist ja der nichttherapeutische Gebrauch psychotroper Substanzen, die von Tabak und Alkohol über Haschisch und Amphetamin bis zu LSD, Heroin und Kokain der Entspannung und Erholung, dem Vergnügen, der Verstärkung seelischer Erfahrungen oder Leistungen, kurz der »Lebensqualität« dienen sollen. Solchem »psychotropem Hedonismus« als Ausdruck persönlicher Freiheit steht ein »pharmakologischer Calvinismus« gegenüber, der gegen psychopharmakologische Scheinlösungen komplexer persönlicher und sozialer Probleme argumentiert und wegen der überwiegend und langfristig negativen Folgen bis zur Abhängigkeit auf soziale Kontrolle dieser Substanzen drängt. Deshalb muß sich der Arzt mit der Frage auseinandersetzen, wie er mit der Forderung von Menschen nach Verschreibung von Arzneimitteln umgeht, die ihn wegen Müdigkeit, Lustlosigkeit, Mißmut, Ängstlichkeit, Konzentrationsschwäche, Schlaflosigkeit, körperlicher Mißbefindlichkeit usw. in der

Praxis aufsuchen und wenn diese Beschwerden keiner Krankheit entsprechen, vielleicht aber sogar mit einer erkennbaren Lebensbelastung in Zusammenhang stehen? Dieser Grenzbereich ist dadurch charakterisiert, daß einige dieser Beschwerden überhaupt keiner Diagnose zugeordnet werden können. Natürlich kann hier die Frage gestellt werden, ob der Arzt für die Beseitigung subjektiver Beschwerden mit nur fraglichem Krankheitswert überhaupt zuständig ist, nur weil sich das Hilfesuchverhalten solcher Menschen an ihn richtet? Die Situation ist für den Arzt unklar geworden, seitdem die WHO 1947 subjektives **Wohlbefinden als Gesundheitsziel** proklamiert, damit auch alltägliche Mißbefindlichkeiten (»Distress«) in den Bereich medizinischer Diagnosen gerückt bzw. einer Psychiatrisierung alltäglicher Lebensschwierigkeiten Vorschub geleistet und dies inzwischen zu der Prognose geführt hat, daß neben das »Bioprofil« eines Arzneimittels auch zunehmend sein »Sozialprofil« treten werde.

Bejaht der Arzt aber die Frage nach seiner Zuständigkeit, dann muß er auch die Frage beantworten, ob seine Maßnahmen angemessen sind. Natürlich kann der Arzt wider besseres Wissen nicht zu einer Medikation gezwungen werden – ebenso wenig wie der Patient wider seine Überzeugung. Aber wo liegen die Grenzen für Abstriche, die der Arzt – am nach seinem Wissen und seiner Erfahrung optimalen Behandlungskonzept, z.B. einer Beratung oder einer Psychotherapie – zu machen bereit ist, um dem Willen des Patienten zu entsprechen oder dessen Wünschen entgegenzukommen? Anhand welcher Kriterien bestimmt er diese Grenze? Etwa daran, daß der behandlungssuchende und vielleicht auch hilfsbedürftige Patient andernfalls ohne Behandlung bliebe? Oder daß der Arzt den Patienten verlieren könnte? Das **Aufklärungsgebot** dürfte hier für den Arzt besonders hilfreich sein. Denn die Aufklärung des Patienten soll sich ja nicht nur auf mögliche unerwünschte Wirkungen (einschließlich Mißbrauch und Abhängigkeit), sondern auch auf Behandlungsalternativen, wie gegebenenfalls psycho- oder soziotherapeutische Maßnahmen, erstrecken. Solch ein Aufklärungsgespräch wird dann auch Elemente der Beratung enthalten und kann schon allein dadurch wesentliche Entlastung bringen.

Vor ethische Fragen sieht sich der Psychiater gelegentlich aber auch gestellt, wenn schwere Verhaltensstörungen, vor allem aggressiver Natur, eines Menschen die Umgebung (Familie, Pflegepersonal) so belasten, daß eine Medikation von dieser gefordert wird, ohne daß eine psychische Krankheit diagnostiziert werden kann. Dabei ist die Gefahr zu bedenken, daß Psychopharmaka als Mittel sozialer Kontrolle im Interesse von anderen als dem des Aggressiven mißbraucht werden könnten. Aber auch hier dürfte eine absolute Position unangemessen sein: Vertretbar scheint die Anwendung von Psychopharmaka dann, wenn in solchen Fällen primär indizierte psychische und soziale Maßnahmen allein nicht ausreichen, um eine unmittelbare Gefahr zu beseitigen.

37.2.4. Psychotherapie

Dieses Beispiel beleuchtet subtilere, aber möglicherweise folgenreichere Beeinträchtigungen der **Autonomie des Patienten**. Psychiatrische Therapien insgesamt, vor allem wenn sie wirksam sind, können erhebliche Auswirkungen auf das Lebensgefüge des Patienten haben. Das gilt schon für manche Pharmakotherapie, wie dies z.B. an den Veränderungen von Familienbeziehungen im Verlauf erfolgreicher Lithiumrezidivprophylaxe bei affektiver Psychose gezeigt werden konnte. Aber wieviel eingehender ist dies bei Psychotherapien zu bedenken, vor allem bei jenen, die wie dynamisch orientierte Psychotherapien nicht nur auf Symptombeseitigung, sondern auf das symptomproduzierende Persönlichkeitsgefüge selbst zielen? Wieweit ist dabei die Festlegung von Therapiezielen vom Menschenbild des Therapeuten beeinflußt? »Geht es um Anpassung, um optimale Adaptation an das soziale Umfeld, wie wenn der Sinn menschlichen Lebens in der Einordnung und Zuordnung zu anderen bestünde? Oder ist das Ziel maximale Entfaltung des Potentials des Patienten, so als lägen die Kriterien für ein gesundes Dasein einzig im einzelnen Menschen?!« [Ritschl, 1989]. Auch ist die Aufklärung des Patienten vor solcher Psychotherapie mit Schwierigkeiten verbunden, da sie Teil des therapeutischen Prozesses selbst ist. Hier werden hohe Anforderungen an die Integrität des Therapeuten gestellt, nicht nur wegen »der Nähe dieses Bereiches der Heilkunst zum sanktionsfreien Raum« [Ritschl, 1989], sondern auch, weil sich ethische Fragen bei Psychotherapien oft nicht so aufzudrängen scheinen oder gerade sogenannte humanistische Therapien implizit als ethisch einwandfrei angesehen werden, und vor allem, um den Therapeuten gegen Mißbrauch der Abhängigkeit des Patienten von ihm zu feien; gemeint ist hier nicht nur der sexuelle Mißbrauch, der nach eigenen Angaben von Psychotherapeuten bei 5–10% von ihnen auftritt und damit – auch wenn von ihnen anders bewertet, so doch – erschreckend ist, sondern vor allem der narzißtische Mißbrauch, unter dem alle Interaktionen und Beziehungskonstellationen zwischen Therapeut und Patient verstanden werden, »die primär dem Wunsch des Therapeuten nach narzißtischer Gratifikation dienen und die die Entfaltung des ›wahren Selbst‹ des Patienten verhindern oder zumindest erschweren« [Reimer, 1991].

37.3. Konsequenzen: Verfahren zum Umgang mit ethischen Problemen

Die Beispiele machen deutlich, daß der Arzt keineswegs nur in den sogenannten großen Fragen um Leben und Tod, sondern genauso bei den üblichen Problemen seiner alltäglichen Praxis ethischer Prinzipien bedarf, um ärztlich wirksam bleiben zu können. Die größte Schwierigkeit bei einem psychisch Kranken ergibt sich, wenn sein Wille seinem Wohl entgegensteht. Vor allem dann stellt sich die Frage, ob die Selbstbestimmbarkeit, speziell die Einwilligungsfähigkeit des Patienten, durch seine psychische Krankheit eingeschränkt oder aufgehoben ist. Es kann jedoch schwierig sein, diese Einschränkung zu erkennen, ihr Ausmaß abzuschätzen, ihre aktuelle Relevanz zu beurteilen und die richtigen Schlüsse daraus zu ziehen.

Um diese Fragen zutreffend beantworten zu können, muß der Arzt den Patienten, seine Krankheitserklärungen und Behandlungswünsche, seine Idiosynkrasien und Motive kennen und diesem auch das ärztliche Krankheitskonzept und Behandlungsziel verständlich gemacht haben. Hilfreich für die ethische Bewertung seiner Befunde dürfte dem Arzt darüber hinaus die am konkreten Einzelfall orientierte Beratung mit Kollegen sein. Dabei kommt es darauf an, daß der Arzt seine **Abwägung der miteinander konkurrierenden Prinzipien** und Perspektiven begründet. Sie entspricht seiner ärztlichen Verantwortung. Für die daraus folgenden Entscheidungen bedarf er natürlich eines zureichenden Ermessensspielraums, denn oft handelt es sich ja nicht um einfache Ja/Nein-Entscheidungen, sondern darum, die wesentlichen Faktoren der konkreten Situation eines individuellen Kranken zutreffend einzuschätzen und miteinander in Beziehung zu setzen. Schon richtig gestellte Fragen können dabei sehr hilfreich sein.

Nicht zuletzt deshalb wurden hier ärztliche Entscheidungsprobleme nicht durch aus Prinzipien der ärztlichen Ethik abgeleitete dogmatische Feststellungen beantwortet, sondern durch Fragen evident gemacht, um den Arzt dafür zu sensibilisieren, verantwortungsvoll für und mit jedem einzelnen seiner Patienten den jeweils besten Weg zu finden.

Literatur

Beauchamp TL, McCullough LB (1984): Medical ethics. The moral responsibility of physicians. Prentice-Hall, New Jersey.

Bernal Y, Del Rio V (1980): Psychiatric ethics. In: Kaplan HI, Freedman AM, Sadock BJ (eds.): Comprehensive textbook of psychiatry. Williams Wilkins, Baltimore, 3216–3231.

Bron B (1981): Psychiatrie und Ethik. Fortschritte der Neurologischen Psychiatrie 49: 246–256.

Finzen A (1984): Psychiatrie – Politik – Ethik. Wende in der Psychiatrie? Spektrum der Psychiatrie und Nervenheilkunde 1:198–210.

Helmchen H (1986): Ethische Fragen in der Psychiatrie. In: Kisker KP, Lauter H, Meyer JE, Müller C, Stroemgren E (Hrsg.): Psychiatrie der Gegenwart. Springer, Berlin, 329–368.

Illhardt FJ (1985): Medizinische Ethik. Springer, Berlin.

Moll A (1902): Ärztliche Ethik – die Pflichten des Arztes in allen Beziehungen seiner Thätigkeit. Enke, Stuttgart.

Reimer C (1991): Ethik in der Psychotherapie. In: Pöldinger W, Wagner (Hrsg.): Ethik in der Psychiatrie – Werte Begründung, Werte Durchsetzung. Springer, Berlin, 127–147.

Richter G (1992): Autonomie und Paternalismus – zur Verantwortung des medizinischen Handelns. Ethik Medizin 4:27–36.

Ritschl D (1989): Psychiatrie. In: Eser A, Lutterotti M von, Sporken P (Hrsg.): Lexikon Medizin – Ethik – Recht. Herder, Freiburg, 842–846.

Saß HM, Viefhues H (Hrsg.) (1991): Güterabwägung in der Medizin. Springer, Berlin.

Weiterführende Literatur

In den einzelnen Kapiteln dieses Kompendiums sind viele Hinweise zur weiterführenden Literatur aufgeführt. Um für den Leser eine themenorientierte Auswahl und den Zugang zu speziellen Fragestellungen zu erleichtern, ist im folgenden die weiterführende Literatur unter Themenschwerpunkten aufgeführt. Am Ende werden zusätzlich einige Patientenratgeber sowie die wichtigsten psychiatrischen und psychologischen Fachzeitschriften genannt.

1. Psychiatrische Lehr- und Handbücher

Andreasen N, Black DW (1993): Lehrbuch Psychiatrie. Psychologie Verlags-Union, Weinheim.

Arieti S (Hrsg., 1974–1976): American handbook of psychiatry; 2nd ed. (7 Bände). Basic Books, New York.

Battegay R, Glatzel J, Pöldinger W, Rauchfleisch U (Hrsg., 1992): Handbuch der Psychiatrie; 2. Aufl. Enke, Stuttgart.

Bleuler E (1983): Lehrbuch der Psychiatrie; 15. Aufl. Springer, Berlin.

Dilling H, Reimer Ch (1994): Psychiatrie und Psychotherapie; 2. Aufl. Springer, Berlin.

Dörner K, Plog U (1989): Irren ist menschlich; 4. Aufl. Psychiatrie-Verlag, Bonn.

Huber G (1994): Psychiatrie; 5. Aufl. Schattauer, Stuttgart.

Kisker KP, Freyberger H, Rose HK, Wulff E (Hrsg., 1991): Psychiatrie, Psychosomatik, Psychotherapie; 5. Aufl. Thieme, Stuttgart.

Kisker KP, Lauter H, Meyer JE, Müller C, Stroemgren E (Hrsg., 1986–1989): Psychiatrie der Gegenwart; 3. Aufl. (9 Bände). Springer, Berlin.

Redlich CF, Freedmann DX (1984): Theorie und Praxis der Psychiatrie. Suhrkamp, Frankfurt am Main.

Tölle R (1991): Psychiatrie; 9. Aufl. Springer, Berlin.

2. Wörterbücher

Müller C (1986): Lexikon der Psychiatrie; 2. Aufl. Springer, Berlin.

Peters HU (1984): Wörterbuch der Psychiatrie und medizinischen Psychologie; 3. Aufl. Urban & Schwarzenberg, München.

3. Methoden (Untersuchungstechnik, Diagnostik, Psychopathologie)

3.1. Untersuchungstechniken

Argelander H (1983): Das Erstinterview in der Psychotherapie; 2. Aufl. Wissenschaftliche Buchgesellschaft, Darmstadt.

Dührssen A (1990): Die biographische Anamnese unter tiefenpsychologischem Aspekt; 3. Aufl. Vandenhoeck & Ruprecht, Göttingen.

Kind H (1991): Leitfaden für die psychiatrische Untersuchung; 4. Aufl. Springer, Berlin.

Neumann J, Greger J, Littmann E, Ott J (1984): Psychiatrischer Untersuchungskurs; 2. Aufl. Thieme, Stuttgart.

3.2. Psychopathologie

Arbeitsgemeinschaft für Methodik und Dokumentation in der Psychiatrie (AMDP, Hrsg., 1981): Das AMDP-System; 4. Aufl. Springer, Berlin.
Arbeitsgemeinschaft für Methodik und Dokumentation in der Psychiatrie (AMDP, Hrsg., 1995): Das AMDP-System; 5., neubearbeitete Aufl. Hogrefe, Göttingen.
Fähndrich E, Stieglitz RD (1989): Leitfaden zur Erfassung des psychopathologischen Befundes. Halbstrukturiertes Interview anhand des AMDP-Systems. Springer, Berlin.
Jaspers K (1973): Allgemeine Psychopathologie; 9. Aufl. Springer, Berlin.
Scharfetter C (1991): Allgemeine Psychopathologie; 3. Aufl. Thieme, Stuttgart.

3.3. Diagnostik und Klassifikation

American Psychiatric Association (APA, 1980): Diagnostic and statistical manual of mental disorders; 3rd ed., DSM-III. APA, Washington. – Deutsche Bearbeitung und Einführung von Koehler K, Saß H (1984). Beltz, Weinheim.
American Psychiatric Association (APA, 1987): Diagnostic and statistical manual of mental disorders; 3rd ed. rev., DSM-III-R. APA, Washington. – Deutsche Bearbeitung und Einführung von Wittchen HU, Saß H, Zaudig M, Koehler K (1989). Beltz, Weinheim.
American Psychiatric Association (APA, 1994): Diagnostic and statistical manual of mental disorders; 4th ed., DSM-IV. APA, Washington.
Berner P (1982): Psychiatrische Systematik; 3. Aufl. Huber, Wien.
CIPS (1986): Internationale Skalen für Psychiatrie. Beltz, Weinheim.
Dilling H, Mombour W, Schmidt MH (Hrsg., 1993): Internationale Klassifikation psychischer Störungen. ICD–10, Kapitel V (F), Klinisch-diagnostische Leitlinien; 2. Aufl. Huber, Bern.
Dilling H, Mombour W, Schmidt MH (Hrsg., 1994): Internationale Klassifikation psychischer Störungen. ICD–10, Kapitel V (F), Forschungskriterien. Huber, Bern.
Freyberger HJ, Dilling H (1993): Fallbuch Psychiatrie. Kasuistiken zum Kapitel V (F) der ICD-10. Huber, Bern.
Rauchfleisch U (1980): Testpsychologie. Vandenhoeck & Ruprecht, Göttingen.
Remschmidt H, Schmidt MH (Hrsg., 1994): Multiaxiales Klassifikationsschema für psychiatrische Erkrankungen im Kindes- und Jugendalter. Huber, Bern.
Stieglitz RD, Baumann U (1994): Psychodiagnostik psychischer Störungen. Enke, Stuttgart.
Westhoff G (1993): Handbuch psychosozialer Meßinstrumente. Hogrefe, Göttingen.

4. Psychologie

4.1. Klinische Psychologie

Bastine R (1984): Klinische Psychologie, vol. 1. Kohlhammer, Stuttgart.
Baumann U, Perrez M (Hrsg., 1990): Klinische Psychologie, vol. 1: Grundlagen, Diagnostik, Ätiologie. Huber, Bern.
Reinecker, H (Hrsg., 1990): Klinische Psychologie. Hogrefe, Göttingen.
Schmidt R (Hrsg., 1984): Lehrbuch der Klinischen Psychologie; 2. Aufl. Enke, Stuttgart.

4.2. Neuropsychologie

Cramon D von, Mai N, Ziegler W (1993): Neuropsychologische Diagnostik. Verlag Chemie, Weinheim.
Poeck K (Hrsg., 1989): Klinische Neuropsychologie; 2. Aufl. Thieme, Stuttgart.

5. Sozialpsychiatrie

Bhugra D, Leff J (eds., 1993): Principles of social psychiatry. Blackwell Scientific Publications, Oxford.
Wing J (1982): Sozialpsychiatrie. Springer, Berlin.

6. Forensische Psychiatrie

Göppinger H, Witter H (Hrsg., 1972): Handbuch der Forensischen Psychiatrie. Springer, Berlin.
Rasch W (1986): Forensische Psychiatrie. Kohlhammer, Stuttgart.
Venzlaff U, Foerster K (Hrsg.,1994): Psychiatrische Begutachtung; 2. Aufl. Fischer, Stuttgart.

7. Kinder- und Jugendpsychiatrie

Kisker KP, Lauter H, Meyer JE, Müller C, Stroemgren E (Hrsg., 1988): Psychiatrie der Gegenwart, vol. 7: Kinder- und Jugendpsychiatrie. Springer, Berlin.
Nissen G (1986): Psychische Störungen im Kindes- und Jugendalter; 2. Aufl. Springer, Berlin.
Steinhausen HC (1988): Psychische Störungen bei Kindern und Jugendlichen. Urban & Schwarzenberg, München.

8. Ausgewählte Störungsgruppen

8.1. Organische Störungen und Alterspsychiatrie

Bauer J (1994): Alzheimer Demenz. Schattauer, Stuttgart.
Gutzmann H (Hrsg., 1992): Der dementielle Patient – das Alzheimer Problem. Huber, Bern.
Kisker KP, Lauter H, Meyer JE, Müller C, Stroemgren E (Hrsg., 1988): Psychiatrie der Gegenwart, vol. 6: Organische Psychosen. Springer, Berlin.
Kisker KP, Lauter H, Meyer JE, Müller C, Stroemgren E (Hrsg., 1989): Psychiatrie der Gegenwart, vol. 8: Alterspsychiatrie. Springer, Berlin.
Mielke R, Kessler J (1994): Alzheimersche Erkrankungen und andere Demenzen. Hogrefe, Göttingen.

8.2. Sucht

Daunderer MC (1990): Drogenhandbuch für Klinik und Praxis. Ecomed, München.
Feuerlein W (1989): Alkoholismus; 4. Aufl. Thieme, Stuttgart.
Kisker KP, Lauter H, Meyer JE, Müller C, Stroemgren E (Hrsg., 1987): Psychiatrie der Gegenwart, vol. 3: Abhängigkeit und Sucht. Springer, Berlin.
Seitz HK, Lieber Ch S, Simanowski UA (Hrsg., 1995): Handbuch Alkohol, Alkoholismus, alkoholbedingte Organschäden. Barth, Leipzig.

8.3. Schizophrene und wahnhafte Störungen

Conrad K (1989): Die beginnende Schizophrenie; 5. Aufl. Thieme, Stuttgart.
Kisker KP, Lauter H, Meyer JE, Müller C, Stroemgren E (Hrsg., 1987): Psychiatrie der Gegenwart; vol. 4: Schizophrenien. Springer, Berlin.
Scharfetter, C (1990): Schizophrene Menschen; 3. Aufl. Psychologie Verlags-Union, Weinheim.
Süllwold L (1986): Schizophrenie; 2.Aufl. Kohlhammer, Stuttgart.

8.4. Affektive Störungen

Goodwin FK, Jamison KR (eds., 1990). Manic-depressive illness. Oxford University Press, Oxford.
Kisker KP, Lauter H, Meyer JE, Müller C, Stroemgren E (Hrsg., 1987): Psychiatrie der Gegenwart, vol. 5: Affektive Störungen. Springer, Berlin.

8.5. Neurotische und psychosomatische Störungen

Hoffmann SO, Hochapfel G (1995): Einführung in die Neurosenlehre und die Psychotherapeutische Medizin. 4. Auflage. Schattauer, Stuttgart.
Kisker KP, Lauter H, Meyer JE, Müller C, Stroemgren E (Hrsg., 1986): Psychiatrie der Gegenwart, vol. 1: Neurosen, Psychosomatische Erkrankungen, Psychotherapie. Springer, Berlin.
Mentzos S (1980): Hysterie – zur Psychodynamik unbewußter Inszenierungen. Kindler, München.

Mentzos S (1984): Angstneurose. Psychodynamische und psychotherapeutische Aspekte. Fischer, Frankfurt am Main.
Mentzos S (1989): Neurotische Konfliktverarbeitung. Kindler, München.
Uexküll Th von (Hrsg., 1990): Psychosomatische Medizin. Urban & Schwarzenberg, München.

8.6. Persönlichkeitsstörungen

Beck AT, Freeman A (1993): Kognitive Therapie der Persönlichkeitsstörungen. Psychologie Verlags-Union, Weinheim.
Fiedler P (1994): Persönlichkeitsstörungen. Psychologie Verlags-Union, Weinheim.
Kernberg OF (1991): Schwere Persönlichkeitsstörungen; 3. Aufl. Klett-Cotta, Stuttgart.
Kernberg OF (1993): Psychodynamische Therapie bei Borderline-Patienten. Huber, Bern.
Rohde-Dachser C (1989): Das Borderline-Sydrom; 4. Aufl. Huber, Bern.

9. Therapie

9.1. Allgemein

American Psychiatric Association (APA, 1989): Treatments of psychiatric disorders, vol. 1–3, Index. APA, Washington.
Möller, HJ (Hrsg., 1993): Therapie psychiatrischer Erkrankungen. Enke, Stuttgart.

9.2. Pharmakotherapie

Benkert O, Hippius H (1992): Psychiatrische Pharmakotherapie; 5. Aufl. Springer, Berlin.
Riederer P, Laux G, Pöldinger W (Hrsg., 1992–1993): Neuropsychopharmaka (6 Bände). Springer, Wien.
Spiegel R (1988): Einführung in die Psychopharmakologie. Huber, Bern.

9.3. Psychotherapie

9.3.1. Allgemein

Bastine R, Fiedler PA, Grawe K, Schmidtchen S, Sommer G (Hrsg., 1982): Grundbegriffe der Psychotherapie. Edition Psychologie, Weinheim.
Baumann U (Hrsg., 1980): Indikation zur Psychotherapie. Urban & Schwarzenberg, München.
Grawe K, Donati R, Bernauer F (1994): Psychotherapie im Wandel. Hogrefe, Göttingen.
Kriz J (1991): Grundkonzepte der Psychotherapie; 3. Aufl. Psychologie Verlags-Union, Weinheim.
Perrez M., Baumann U (Hrsg., 1990): Klinische Psychologie, vol. 2: Intervention. Huber, Bern.

9.3.2. Psychoanalyse

Elhardt S (1991): Tiefenpsychologie; 12. Aufl. Kohlhammer, Stuttgart.
Hoffmann SO, Hochapfel G (1995): Einführung in die Neurosenlehre und Psychotherapeutische Medizin; 4. Aufl. Schattauer, Stuttgart.
Mentzos, S (1992): Neurotische Konfliktverarbeitung; 10. Aufl. Fischer, Stuttgart.
Mertens W (Hrsg., 1983): Psychoanalyse – ein Handbuch mit Schlüsselbegriffen. Urban & Schwarzenberg, München.
Thomä H, Kächele H (1985): Lehrbuch der psychoanalytischen Therapie (2 Bände). Springer, Berlin.
Toman W (1978): Tiefenpsychologie. Kohlhammer, Stuttgart.

9.3.3. Verhaltenstherapie

Bellack AS, Hersen M (eds., 1993): Handbook of behavior therapy in the psychiatric setting. Plenum Press, New York.
Fliegel S, Groeger WM, Künzel R, Schulte D, Sorgatz H (1989): Verhaltenstherapeutische Standardmethoden; 2. Aufl. Urban & Schwarzenberg, München.

Linden M, Hautzinger M (Hrsg., 1995): Verhaltenstherapie; 3. Aufl. Springer, Berlin.
Zielke M, Sturm J (Hrsg., 1994): Handbuch stationärer Verhaltenstherapie. Psychologie Verlags-Union, Weinheim.

9.3.4. Andere Therapierichtungen

Biermann-Ratjen E, Eckert J, Schwartz HJ (1991): Gesprächspsychotherapie; 2.Aufl. Kohlhammer, Stuttgart.
Schlippe, A von (1984): Familientherapie im Überblick. Junfermann, Paderborn.

10. Ausgewählte Themen

10.1. Suizidalität

Kisker KP, Lauter H, Meyer JE, Müller C, Stroemgren E (Hrsg., 1986): Psychiatrie der Gegenwart, vol. 2: Krisenintervention, Suizid, Konsiliarpsychiatrie. Springer, Berlin.

10.2. Genetik

Propping P (1989): Psychiatrische Genetik. Springer, Berlin.

10.3. Epidemiologie

Dilling H, Weyerer S, Castell R (1984): Psychische Erkrankungen in der Bevölkerung. Enke, Stuttgart.
Häfner H (Hrsg., 1978): Psychiatrische Epidemiologie. Springer, Berlin.

11. Patientenratgeber

11.1. Angst

Marks I (1978): Bewältigung der Angst. Springer, Berlin.
Marks I (1992): Behandlung der Angst; 2. Aufl. Springer, Berlin.
Wittchen, HU et al. (1993): Was Sie schon immer über Angst wissen wollten! Angst, Angsterkrankungen, Behandlungsmöglichkeiten. Karger, Basel.

11.2. Zwang

Hoffmann N (1990): Wenn Zwänge das Leben einengen. Zwangsgedanken und Zwangshandlungen. Ursachen, Behandlungsmethoden und Möglichkeiten der Selbsthilfe. PAL, Mannheim.
Rapoport J (1993): Der Junge, der sich immer waschen mußte: Wenn Zwänge den Tag beherrschen. MMV Medizin Verlag, München.
Steketee G, White K (1990): When once is not enough. Help for obsessives-compulsives. New Harbinger, Oakland.

11.3. Depression

Rafaelsen OJ, Helmchen H (1982): Depression, Melancholie, Manie. Thieme, Stuttgart.
Freyberger HJ (1991): Depression. Bund-Verlag, Köln.
Greil W, Sassim N, Ströbel C (1994): Die manisch-depressive Krankheit. Therapie mit Carbamazepin. Thieme, Stuttgart.
Luderer HJ (1994): Himmelhochjauzend, zum Tode betrübt. Thieme, Stuttgart.
Schou M (1991):Lithium-Behandlung der manisch-depressiven Krankheit. Thieme, Stuttgart.

11.4. Schizophrenie

Bäuml J (1994): Psychosen aus dem schizophrenen Formenkreis. Springer, Berlin.
Finzen A (1993): Schizophrenie – die Krankheit verstehen. Psychiatrie-Verlag, Bonn.
Hell D, Fischer-Gestefeld M (1993): Schizophrenien. Springer, Berlin.
Luderer HJ (1989): Schizophrenien. Thieme, Stuttgart.

Zeitschriften

Acta Psychiatrica Scandinavica
American Journal of Psychiatry
Archives of General Psychiatry

Behavior Research and Therapy
Biological Psychiatry
British Journal of Psychiatry

Comprehensive Psychiatry
Current Opinion in Psychiatry

Diagnostica

European Archives of Psychiatry and Clinical Neuroscience
European Addiction Research

Forensia
Fortschritte der Neurologie – Psychiatrie
Forum der Psychoanalyse
Fundamenta Psychiatrica

Journal of Abnormal Psychology
Journal of Affective Disorders
Journal of Clinical Psychopharmacology
Journal of Consulting and Clinical Psychology
Journal of Nervous and Mental Disease

Krankenhauspsychiatrie

Nervenarzt
Nervenheilkunde

Pharmacopsychiatry
Psyche
Psychiatrische Praxis
Psychiatric Clinics of North America
Psychiatry Research
Psychological Medicine
Psychopathology
Psychopharmacology Bulletin
Psychosomatic Medicine
Psychotherapeut
Psychotherapie, Psychosomatik, Medizinische Psychologie
Psychotherapy and Psychosomatics
Psychotherapy Research

Recht und Psychiatrie

Schizophrenia Bulletin
Schizophrenia Research
Social Psychiatry and Psychiatric Epidemiology
Soziale Psychiatrie
Sozialpsychiatrische Informationen
Sucht

Verhaltenstherapie

Zeitschrift für Klinische Psychologie
Zeitschrift für Klinische Psychologie, Psychopathologie und Psychotherapie
Zeitschrift für Gerontopsychologie und -psychiatrie
Zeitschrift für Neuropsychologie
Zeitschrift für Psychosomatische Medizin und Psychoanalyse

Sachwortverzeichnis